HISTOIRE DE L'ÉGLISE

******
*****
****
*

HISTOIRE DE L'ÉGLISE

DEPUIS LES ORIGINES JUSQU'A NOS JOURS

FONDÉE PAR AUGUSTIN FLICHE ET VICTOR MARTIN
DIRIGÉE PAR AUGUSTIN FLICHE ET EUGÈNE JARRY

16

La Crise religieuse du XVIe siècle

par

E. de MOREAU
de l'Académie royale de Belgique

Pierre JOURDA
*Professeur à la Faculté
des Lettres de Montpellier*

Pierre JANELLE
*Professeur à la Faculté
des Lettres de Clermont-Ferrand*

BLOUD & GAY

1956

LIVRE PREMIER

LUTHER ET LE LUTHÉRANISME

INTRODUCTION[1]

L'ALLEMAGNE AVANT LUTHER

ÉTAT RELIGIEUX DE L'ALLEMAGNE.
ARCHEVÊCHÉS ET ÉVÊCHÉS
A la veille de la Réforme protestante, l'Allemagne comprend les provinces ecclésiastiques de Cologne, Trèves, Besançon, Tarentaise, Mayence, Brême, Magdebourg, Riga et Salzbourg, avec cinquante-quatre archevêchés ou évêchés. Celle de Mayence, la plus étendue, compte douze évêchés. De multiples et antiques abbayes s'élèvent surtout dans la partie occidentale et en Bavière, tandis qu'elles sont fort clairsemées dans la province de Magdebourg. Nommons : Prum, Gorze, Saint-Blaise, Rheinau, Beuron, Ottenbeuren, Hirschau, Fulda, Fritzlar, Quedlimbourg, Hersfeld, Ganderheim, Tegernsee, Benedictbeuren, Melk, Niederaltaich et Oberaltaich. Aux régions les plus riches en monastères, celles du Rhin, du Main et de la Moselle, le peuple donnait le nom de *Pfaffengasse.*

Ces évêchés et abbayes possédaient des domaines considérables : en tout le tiers de l'Empire. De plus, cinquante évêques et quarante abbés exerçaient la domination temporelle et dépendaient directement de l'Empire. Trois des princes-électeurs étaient évêques.

Il eût fallu dans cet immense territoire ecclésiastique un centre d'unité. Il faisait totalement défaut.

ASPECTS FAVORABLES
A divers aspects l'Allemagne religieuse d'alors ne se présente pas sous un jour défavorable. Une vraie piété imprègne profondément la vie des particuliers et des divers groupements, les œuvres, les arts, les livres que répand l'imprimerie à ses débuts. La plupart des humanistes, ainsi Rodolphe Agricola, Rodolphe de Langen, Alexandre Hegius, Jacob Wimpheling, à la différence de la majorité de ceux d'Italie, restent indemnes de contaminations païennes. Aucun siècle n'a vu surgir dans le pays autant de belles et riches églises. Des réformateurs comme Conrad de Gelnhausen, Henri de Langenstein, Félix Hemerlin, Nicolas de Cues, Jean Geiler de Keyenberg, Jacques de Juterbogk, ne se sont pas lassés de replacer sous les yeux des évêques, des curés, des religieux, des laïques l'idéal de l'Évangile.

LES ÉVÊQUES
Mais si le peuple allemand manifeste une profonde piété, le gouvernement ecclésiastique dans l'ensemble apparaît indigne de le diriger [2].

---

(1) Bibliographie générale. — Ce tome comporte trois livres ayant chacun une bibliographie distincte. Ces bibliographies ne se recouvrant pas, il a fallu supprimer la bibliographie générale en tête du volume.

(2) Nous avons surtout utilisé pour l'exposé suivant les p. 681-747 de la *Geschhichte des*

Un certain nombre d'évêques, sans doute, se conduisent de façon exemplaire et s'acquittent consciencieusement de leurs fonctions pastorales. Citons : Jean III von Eich, évêque d'Eichstaett, Frédéric de Hohenzollern, évêque d'Augsbourg, Berthold Pirstinger, évêque de Chiemsee. Malheureusement ils ne constituent que des exceptions. La nomination de ces prélats ressemble à une affaire que règlent les chapitres, avec des promesses et des capitulations, ou les princes, par des moyens parfois simoniaques. Appartenant presque toujours à la noblesse, ils se laissent impliquer dans les luttes politiques et les rivalités de leurs familles. Ils gouvernent fréquemment plus d'un diocèse. Quand Luther entre en scène, l'archevêque de Brême est en même temps évêque de Verden, celui d'Osnabrück évêque de Paderborn, l'archevêque de Mayence archevêque de Magdebourg et évêque d'Halberstadt. Ces prélats accumulent les bénéfices. Un exemple suffira entre beaucoup. Georges, comte palatin du Rhin, devenu évêque de Spire, obtint de Léon X en 1513 l'autorisation de rester doyen de Mayence, dignité qu'il avait reçue à l'âge de treize ans, chanoine des chapitres de Cologne et de Trèves, prévôt de la collégiale Saint-Donatien de Bruges, curé de Hocheim et de Lorch sur le Rhin. Attachés à l'argent et mondains, ces pasteurs se souciaient généralement assez peu de leurs ouailles dont ils commettaient le soin à des évêques auxiliaires et à des vicaires généraux. D'aucuns disaient fort rarement la sainte messe. Rupert von Simmern, évêque de Strasbourg de 1440 à 1478, ne célébra pas une seule fois de tout ce temps les saints mystères. Il se contentait de communier une fois l'an, le jeudi saint, comme les laïques. Des contemporains affirment que pendant au moins cent ans on ne vit jamais les évêques de Strasbourg se servir des insignes pontificaux ni célébrer les cérémonies pontificales. A tous ces défauts s'ajoute, au moins chez quelques-uns d'entre eux, l'ignorance. En 1519, le trop célèbre archevêque de Cologne, Herman de Wied, dut demander la traduction allemande d'une formule de foi qu'il ne comprenait pas en latin.

LES CHAPITRES Sur les chanoines abondent des plaintes de toutes sortes. Mais il faut se souvenir, pour ne pas exagérer la portée d'un certain nombre d'entre elles, que beaucoup de chanoines n'étaient pas prêtres. On leur reproche fréquemment de ne pas porter l'habit ecclésiastique, de paraître en public à cheval, avec casque et épée, accompagnés d'une suite nombreuse, de donner un soin excessif à leur chevelure, de se chausser luxueusement, de rechercher les somptueux festins, de s'adonner de façon excessive au plaisir de la chasse, de vivre en concubinage, d'être à l'affût des bénéfices vacants les plus plantureux Dans presque tous les chapitres, les prébendes sont réservées à l'aristocratie. Continuellement il faut rappeler aux chanoines leur devoir primordial : l'assistance régulière au chœur. On doit pour les y attirer

---

deutschen Volkes seit dem Ausgang des Mittelalters, de J. JANSSEN, 17ᵉ et 18ᵉ édit. soigneusement revues et complétées par L. PASTOR, Fribourg-en-Brisgau, 1897, ainsi que les p. 3-144 du t. I de J. LORTZ, *Die Reformation in Deutschland*, ouvrage souvent cité dans la bibliographie générale.

instituer des distributions quotidiennes. Les doyens ou prévôts se lamentent souvent des difficultés à trouver dans ces corps, même nombreux, des prêtres pour assurer la célébration des messes conventuelles.

LE CLERGÉ INFÉRIEUR Le clergé des paroisses tenait souvent sa nomination de patrons qui, les nobles laïques surtout, ne comprenaient nullement leurs devoirs. Il se débattait dans la pauvreté, ne pouvant d'ordinaire disposer pour vivre que d'une partie de la dîme et d'un casuel incertain. Aussi voyait-on des curés se livrer à des occupations indignes de leur état, tenir par exemple des débits de boisson. Ils se montraient avides, vendaient les choses les plus saintes et, en certains endroits, allaient, disait-on, jusqu'à autoriser l'adultère pour une somme déterminée. On leur reprochait également leur oisiveté. Alors qu'il n'existait pas de séminaires et que seuls les ecclésiastiques en quête de bénéfices fréquentaient les Universités, la formation très imparfaite du clergé paroissial ne créait pas chez eux le besoin de s'instruire et de lire.

Aux curés il faut ajouter un nombre considérable de chapelains, qui, en vertu d'une fondation, devenue le plus souvent insuffisante, devaient célébrer de temps en temps la sainte messe à un autel déterminé. Un exemple : à la fin du xve siècle le personnel ecclésiastique de deux paroisses de Breslau se montait à deux cent trente-six personnes. Le mécontentement de ce prolétariat ecclésiastique s'exprime de-ci de-là dans des écrits, comme celui qui s'intitule : « Sur la misère des curés », fort répandu en Bavière et dans la Haute-Souabe. La vraie vocation faisait trop souvent défaut à ces prêtres, poussés dans l'état ecclésiastique par des parents qui n'y voyaient qu'un établissement pour leur fils. D'un bon nombre d'entre eux on pourrait répéter ce que nous avons dit du concubinage à propos des chanoines. Il suffit pour s'en convaincre de lire les multiples décrets des synodes allemands sur ce sujet. Mettons toutefois à part les régions rhénanes, la Westphalie, le Schleswig-Holstein et l'Allgau, dont le clergé, en grande majorité, donnait l'exemple de mœurs pures.

LES ORDRES RELIGIEUX Pour avoir chance de correspondre quelque peu à la réalité, un tableau de la vie religieuse au début du xvie siècle devrait d'abord distinguer les ordres. Dans presque toute l'Allemagne, les chartreux demeuraient fidèles à leur ancien esprit. Des réformes, encouragées par des papes et promues par des personnalités comme Nicolas de Cues, aboutirent à d'excellents résultats, depuis le milieu du xve siècle, chez les bénédictins (congrégation de Bursfeld), les chanoines réguliers de Windesheim et de la congrégation allemande et chez les franciscains de l'Observance. D'autre part, l'ordre teutonique, complètement dégénéré, ne jouissait plus d'aucun prestige. Il faut ensuite tenir compte des régions. Ainsi en Westphalie et dans le Schleswig-Holstein aucune plainte sérieuse ne s'élevait contre la moralité des religieux. En Basse-Saxe, les franciscains se distinguaient par leur régularité. On ne pouvait en dire autant des monastères et couvents de la Haute-

Allemagne. Dans un même ordre, comme les dominicains, à côté de maisons ayant abandonné l'observance primitive, surtout en matière de pauvreté, on en signale d'autres restées ferventes. Dans une même ville voisinaient les établissements les plus exemplaires avec les moins édifiants. De façon générale, les abbayes les plus atteintes étaient les plus riches et celles qui recevaient, parfois à contre-cœur, des cadets de familles aristocratiques ou les fils de patriciens des villes. L'exemption à laquelle prétendaient beaucoup d'établissements rendait impossibles les visites épiscopales. Enfin signalons qu'un grand nombre d'abbayes et de couvents de femmes, des monastères surtout dans lesquels on ne pouvait entrer qu'avec un certain nombre de quartiers de noblesse, s'opposèrent farouchement et par toutes sortes de moyens à la Réforme. Il fallut parfois employer la force pour les réduire.

LE PEUPLE CHRÉTIEN Dans le peuple chrétien d'Allemagne, resté cependant si pieux, se remarquait une ignorance parfois effarante des vérités chrétiennes et une luxuriante végétation de superstitions. En beaucoup de villes s'exprime hautement un esprit d'opposition, voire de haine, vis-à-vis du clergé, à cause de l'extension de la mainmorte, de la richesse des établissements religieux, des privilèges et exemptions des clercs, des abus de la juridiction ecclésiastique par exemple par les excommunications et les interdits. Mais les récriminations les plus vives se rapportent aux moines mendiants et à leurs quêtes multipliées. Il arrivait que se fissent jour des tendances révolutionnaires, antisociales et antiecclésiastiques, souhaitant des bouleversements, par exemple la distribution des biens ecclésiastiques.

En Allemagne, plus encore que dans d'autres pays, la papauté et la curie romaine faisaient l'objet d'attaques nombreuses et violentes. L'opposition n'avait fait que croître surtout depuis le Grand Schisme et la lutte du Sacerdoce et de l'Empire, du temps de Louis de Bavière. Les plaintes principales portaient sur la multiplicité des indulgences, des décimes demandés par les papes, des droits de chancellerie, annates, expectatives, du grand nombre de bénéfices réservés à la nomination de Rome, des procès évoqués à la curie, de la suppression des élections canoniques, des bénéfices allemands accordés à des étrangers ou à des incapables. Pour préciser sur l'un de ces points, Charles-Quint affirmait que la curie levait beaucoup plus d'argent en Allemagne que l'empereur. Accumulés, souvent exagérés, ces reproches se répandaient dans toutes les classes de la population qui se disaient volontiers opprimées, ruinées par les exigences financières de Rome. Ainsi se trouvaient favorisées les tendances vers la constitution d'une Église nationale. Beaucoup de princes d'ailleurs ne se faisaient pas faute d'empiéter largement dans leurs États sur la juridiction ecclésiastique et, surtout en s'emparant de la nomination des évêques, de se rendre maîtres des églises de leurs domaines. Les conciles et les concordats du xve siècle avaient bien tenté de faire disparaître les abus, de limiter par exemple les interventions du Saint-Siège. Mais ils n'avaient obtenu que d'assez maigres résultats.

CHAPITRE PREMIER

MARTIN LUTHER JUSQU'A SA RUPTURE AVEC LE CATHOLICISME (1483-1521) [1]

§ 1. — Luther jusqu'à son entrée au couvent (10 novembre 1483-17 juillet 1505).

LA JEUNESSE DE LUTHER   Martin Luther appartenait à une famille de paysans fixée à Möhra, au sud-ouest de la Thuringe, entre Salzungen et Eisenach. Mais, en 1483, nous trouvons ses parents établis à Eisleben, en Saxe. Le futur chef de la réforme alle-

(1) BIBLIOGRAPHIE. — I. SOURCES. — L'édition des œuvres de Luther, d'Erlangen-Francfort' comprenait trois parties : les écrits allemands, en 67 vol. parus de 1826 à 1857 ; les écrits latins' en 38 vol., de 1829 à 1886 ; les lettres, en 18 vol., de 1884 à 1923 (Erl.). L'édition de Weimar, commencée en 1883 et encore inachevée, comporte : 1) les ouvrages, sermons, etc., 56 vol., plus 8 vol. et un demi-vol. contenant la Bible allemande (W.) ; 2) les Propos de table (6 vol.), achevé) (W.T.) ; 3) la correspondance, 8 vol. (W.B.). — Il existe plusieurs éditions commodes des principales œuvres de Luther, notamment celle de O. CLEMEN, avec la collaboration de A. LEITZMANN, 4 vol., Bonn, 1912 et 1913. — G. WOLF, *Quellenkunde der deutschen Reformationsgeschichte*, 4 tomes en 3 vol., Gotha, 1915-1923.

II. BIOGRAPHIES. — Les biographies écrites par des protestants et qui comptent encore sont celles de Th. KOLDE, 2 vol., Gotha, 1884 et 1893 ; J. KOESTLIN, 5e édit. de G. KAWERAU, 2 vol., Berlin, 1903 ; A. HAUSRATH, 2 vol., 3e édit., Berlin, 1913-1914 ; A. von HARNACK, Berlin, 1917 ; A.-E. BERGER, 3 vol., Berlin, 1895-1921 ; M. LENZ, 3e édit., Berlin, 1897 ; G. BUCHWALD, Leipzig et Berlin, t. I, 2e édit., 1901 ; t. II, 1917 ; W. KOEHLER, 3e édit., Constance, 1917 ; O. SCHEEL, t. I, 3e édit., Tubingue, 1921 ; t. II, 3e et 4e édit., 1930 (ne dépasse pas l'année 1513) ; J. MACKIN-NON, *Luther and the Reformation*, 4 vol., Londres, 1925-1930.

Biographies non protestantes : H. DENIFLE, *Luther und Luthertum in der ersten Entwickelung* (t. I, 1, 2e édit., Mayence, 1904 ; t. I, 2, 1905 ; t. II, par A. M. WEISZ, 1906). Trad. franç. du t. I par J. PAQUIER, 4 vol., 2e édit., Paris, 1913-1916 (Paquier corrige l'œuvre primitive de Denifle, en arrondit les angles, y insère les nouvelles théories de Grisar et tient compte des critiques adressées à Denifle et à Grisar, notamment par A.-V. MUELLER, *Luthers theologische Quellen, seine Verteidigung gegen Denifle und Grisar*, Giessen, 1912) ; H. GRISAR, *Luther*, 3 vol., 3e édit., Fribourg-en-Brisgau, 1924-1925. Edit. abrégée, 2e édit., 1926, trad. en français par Ph. MAZOYER, Paris, 1931 ; L. FEBVRE, *Un destin. Martin Luther*, Paris, 1928, 2e édit., 1945 ; L. FUNCK-BRENTANO, *Luther*, 14e édit., Paris (1930) (quelques bonnes pages, en général superficiel) ; L. CRISTIANI, *Notes sur les origines de la réforme continentale en Europe* (dans ces articles de *L'Ami du Clergé* des 4 août, 18 août, 1er sept., 10 nov., 15 déc. 1938 et 2 févr., 9 mars, 20 avril, 25 mai, 22 juin, 20 juillet 1939, l'auteur tient compte des travaux parus depuis ses ouvrages antérieurs) ; H. BOEHMER, *Luther im Lichte der neueren Forschung*, 5e édit., Leipzig, 1918 ; J.-M. REU, *Thirty five years of Luther Research*, Chicago, 1917 ; F.-X. DUYNSTEE, *Marten Luther in de Kritiek*, 3 vol., Averbode, 1927.

III. *Autres ouvrages fort utiles*. — J. JANSSEN, *Geschichte des deutschen Volkes seit dem Ausgang des Mittelalters*, 3 vol.,19e et 20e édit., revue par L. von PASTOR, Fribourg-en-Brisgau, 1913-1917 ; Fr. von BEZOLD, *Geschichte der deutschen Reformation*, Leipzig, 1890 (Coll. *Allgemeine Geschichte in Einzeldarstellungen* de ONCKEN) ; G. MENTZ, *Deutsche Geschichte im Zeitalter der Reformation, der Gegenreformation und des dreissigjaehrigen Krieges*, 1493-1648, Tubingue, 1913 ; K. HOLL, *Gesammelte Aufsaetze zur Kirchengeschichte*, t. I, *Luther*, 2e et 3e édit., Tubingue, 1923 ; les ouvrages de B.-A.-R. RITSCHL, notamment son œuvre principale : *Die christliche Lehre von der Rechtfertigung und Versohnung*, 3 vol., 4e édit., 1895-1902, et de E. TROELTSCH (Cf. S. HORST et H. LAUBE, dans le t. IV du *Handbuch de KRUEGER*) ; H. HERMELINCK et W. MAURER, *Reformation und Gegenreformation*, t. III du *Handbuch der Kirchengeschichte für Studierende*, de G. KRUEGER (remarquable ; abondance de détails et de renseignements bibliographiques) ; K. SCHOTTENLOHER, *Bibliographie zur deutschen Geschichte im Zeitalter der Glaubenspaltung* (1517-1585), 5 vol., Leipzig, 1933-1939 ; J. LORTZ, *Die Reformation in Deutschland*, 2 vol., Fribourg-en-Brisgau, 1939-1940 (de cet ouvrage a paru pendant la guerre une 2e édit. que nous n'avons pu nous procurer) ; *Archiv für Reformationsgeschichte*, sous la direction de G. RITTER, Leipzig.

IV. *Encyclopédies*. — Parmi les nombreux articles sur Luther et le luthéranisme, nous n'en

mande naquit dans cette localité, le 10 novembre 1483[1]. Dès le milieu
de l'année suivante, son père, Hans, voulant exercer la profession de
mineur, se transporta avec les siens à Mansfeld[2] ; là son travail lui assura
peu à peu une certaine aisance. En 1507, ce n'est plus un ouvrier, mais
un entrepreneur ; et un entrepreneur parmi les plus considérés de la
région, grâce aux fonderies et puits de mine qu'il a pris à ferme. Membre
du « quatuorvirat », il jouit d'un certain prestige dans la petite ville de
Mansfeld.

Hans était un homme pieux, sévère, se faisant une haute conception
de l'autorité paternelle, de mœurs irréprochables, mais assez porté à la
colère. Il aimait le travail. Sa femme, Marguerite, née Ziegler, d'origine
franconienne, n'épargnait pas davantage ses peines. Elle allait recueillir
elle-même dans la forêt le bois nécessaire à sa maison. Spalatin et Mélanchthon, qui l'ont bien connue, louent ses vertus, notamment sa chasteté, sa crainte de Dieu et son esprit de prière. D'autre part, une nature
fermée, et plus estimée qu'aimée. Luther n'a pas conservé d'elle le souvenir doux et affectueux que les hommes gardent généralement de leur
mère. L'éducation d'alors, plus rude que celle de nos jours, usait davantage des corrections corporelles. Une fois, nous apprend Luther, sa mère
le fouetta « jusqu'au sang pour une simple noix »[3]. Comme toutes les
affirmations de Martin sur sa jeunesse, celle qui nous représente la discipline du temps comme particulièrement sévère et étrangère à l'esprit
de douceur de l'Évangile doit être acceptée avec réserve. Il vante d'ailleurs à plus d'une reprise le souci que ses parents prirent de son éducation.
Abandonnons donc définitivement la légende de sa jeunesse malheureuse.

L'ÉCOLE DE MANSFELD   A Mansfeld, tandis que l'enfant y commençait
ses études, on ne trouve aucune trace d'hérésie
ni d'opposition à l'Église, aux institutions et coutumes ecclésiastiques.
Ses maîtres ne lui ont pas représenté Dieu, ainsi que l'affirmaient les

citerons qu'un petit nombre, choisis pour leur importance, ou pour les diverses nuances de pensée
qu'ils reflètent : *Dictionnaire de théologie catholique*, t. IX, 1, 1926, col. 1146-1355 (J. PAQUIER
y étudie minutieusement les doctrines luthériennes) ; *Encyclopedia Britannica*, t. XIV (14e édit.,
1929), p. 491-500 (par Th. M. LINDSAY et Ch.-M. JACOBS) ; *Lexikon für Theologie und Kirche*,
t. VI (1934), col. 721-739 (A. BIGELMAIR et K. ALGERMISSEN) ; *Realencyklopaedie für protestantische
Theologie und Kirche*, t. I, 1902, p. 720-756 (J. KOESTLIN).

(1) Otto SCHEEL (voir n. 1) nous paraît avoir étudié avec le plus de minutie la vie de Luther
jusqu'à la « découverte de la miséricorde ». Il utilise les renseignements que nous possédons sur
le jeune homme et le jeune moine et livre surtout à une critique serrée les témoignages de Luther
lui-même, plus âgé, sur sa jeunesse. Il excelle à reconstituer les cadres divers dans lesquels vécut
le futur réformateur. Il ne consacre pas moins de 240 pages aux années antérieures à l'entrée au
couvent, tandis que GRISAR, dans son monumental ouvrage, n'en avait que quatre. Mais l'édition
abrégée du savant jésuite profite très largement des travaux de Scheel. En dépit des efforts de
Scheel, il reste sur les premières années de Luther, en particulier sur son état d'esprit et son caractère, bien des points obscurs. A voir aussi les travaux de W. KOEHLER et de A. V. MUELLER
(H. STROHL, *L'évolution religieuse de Luther jusqu'en* 1515, p. 39-41). Pour ces auteurs, les expériences de sa jeunesse sont presque sans importance pour l'évolution religieuse de Luther. Ses
luttes ne commencent qu'au couvent. Il nous paraît évident que sur les sentiments personnels de
Luther avant la scène de l'orage nous ne connaissons rien et que nous ne pouvons établir l'influence qu'eut sa jeunesse sur son évolution religieuse. Voir en outre J. KOESTLIN et G. KAWERAU,
op. cit., p. 10-48

(2) C. KRUMHAAR, *Die Graffschaft Mansfeld im Reformationszeitalter*, Eisleben, 1855, p. 83
et suiv. ; H. FREYDANCK, *Martin Luther und der Bergbau. Bilder aus Mansfelder Vergangenheit*,
Eisleben, 1939 ; O. SCHEEL, *op. cit.*, p. 1-32.

(3) W. T., t. III, 3566 A.

protestants avant les travaux de Denifle, comme un despote toujours prêt à punir et inaccessible à la miséricorde. Il n'oubliera jamais les chants exécutés à Mansfeld par les fidèles ou par le chœur des enfants : psaumes, répons, antiennes, hymnes, cantiques populaires que l'on prenait soin d'expliquer en classe aux écoliers.

Aux croyances traditionnelles se mêlaient d'ailleurs, comme partout et toujours à cette époque, beaucoup de superstitions. Le monde des mineurs en particulier redoutait fort les puissances occultes. Le pouvoir des démons et des sorcières se manifestait de multiple façon. Luther enfant entendit avec terreur les histoires de Hulde, fort connue en Thuringe : en temps d'orage, on se la représentait voyageant dans les airs.

A l'école de Mansfeld, où il demeura sept années, Martin, toujours d'après son propre témoignage, aurait été maltraité. Le maître lui aurait, en un seul jour, administré quinze corrections [1]. Dans un manifeste adressé en 1524 aux magistrats des villes, il traite les écoles du moyen âge d'enfer et de purgatoire [2]. Ici encore il faut se méfier de ses exagérations et se souvenir qu'alors la férule était universellement employée pour mater les écoliers récalcitrants. Aux paresseux ou aux désobéissants on imposait un accoutrement, dit « asinus ». Parmi les élèves, le professeur choisissait un « lupus » pour noter les négligences et les fautes de ses condisciples.

La matière de l'enseignement venait du moyen âge, sous le nom de *trivium*. Tout se faisait en latin. Les premiers livres mis aux mains des petits pour leur apprendre à lire (catéchisme) contenaient les prières usuelles et les sacrements. Puis l'on passait à la grammaire de Donat, enfin à la syntaxe d'Alexandre de Ville-Dieu. Les deux autres branches du *trivium*, logique et rhétorique, avaient cédé presque toute la place à la grammaire. Mais les écoliers lisaient beaucoup d'œuvres latines qui les initiaient à la sagesse antique : Ésope, Avien, Caton, etc. Plus tard, Luther prétendra cependant n'avoir rien appris à Mansfeld. Le programme de l'école latine comprenait aussi l'étude du calendrier ecclésiastique ; le dimanche et même les jours de semaine, les enfants entendaient des sermons et exécutaient des chants.

LE SÉJOUR A MAGDEBOURG   Agé de quatorze ans, Martin alla continuer ses études à Magdebourg. Il prenait ses repas et logeait sans doute chez Paul Mosshauer, originaire de Mansfeld, official à la curie épiscopale, et il suivait les cours de l'école cathédrale, mais il trouva des maîtres spirituels chez les frères de la Vie commune. Un prince d'Anhalt-Gerbst, devenu franciscain sous le nom de Père Louis, produisit sur lui une profonde impression par son renoncement au monde et sa charité pour les pauvres.

A Magdebourg, comme plus tard à Eisenach, Luther allait parfois, avec des camarades, chanter de porte en porte et mendier des *Parteken* ou restes des repas. Cette pratique lui assurait quelques aliments supplé-

(1) W. T., t. V, nᵒ 5571.
(2) W., t. XV, p. 31, 32, 36, 46.

mentaires. Des enfants même de famille aisée s'y livraient et les parents voyaient de bon œil cet exercice d'humilité.

Pour la formation religieuse de Luther, un contact plus prolongé avec les frères de la Vie commune eût produit d'excellents résultats. Malheureusement il ne resta à Magdebourg qu'une année. Son père l'envoya à Eisenach, où il entretenait plusieurs relations.

LE PASSAGE A EISENACH   Ce fut encore l'école primaire, la *Trivialschule*, que fréquenta le jeune homme. Il y étendit sa connaissance des auteurs de l'antiquité, s'appliqua aux *artes dicendi* et à la poésie. Le recteur, Jean Tribonius, était un homme remarquable, savant et poète. Il traitait ses élèves avec respect. Un maître au moins enseignait sous sa direction.

A Eisenach, Martin contracta de douces et durables amitiés, notamment avec les familles Schalbe et Cotta. Ursule Cotta, femme d'un riche bourgeois, frappée de la voix harmonieuse et de la piété du jeune homme, le reçut à sa table. Il fit de la musique avec Jean Braun, prébendier de l'église Sainte-Marie. Il garda aussi très bon souvenir des pères franciscains qui, affirme-t-il, lui rendirent particulièrement service.

L'UNIVERSITÉ D'ERFURT   Pour la seconde fois le jeune homme, alors âgé de dix-huit ans, échangea une petite ville pour une grande. Erfurt restait, malgré certains signes de décadence, le centre le plus populeux du *Reich*. Elle se distinguait surtout par son Université, devenue la première depuis que les Allemands s'étaient retirés de Prague. Les étudiants devaient se faire inscrire à une *bursa*, c'est-à-dire à une corporation dont les membres vivaient ensemble sous la direction d'un maître qui les aidait dans leurs travaux.

A la Faculté des arts, Luther, avant de commencer la philosophie, s'appliqua encore quelques mois, suivant l'usage, à la grammaire, à la poétique et à la rhétorique. Ce lui fut l'occasion de perfectionner son style et d'approfondir les classiques.

D'excellents professeurs, en particulier Josse Trutvetter et Barthélemy d'Usingen, enseignaient alors Aristote : la logique, la physique (ou philosophie de la Nature), la psychologie et l'astronomie. Martin conquit le baccalauréat en l'automne de 1502. Pour arriver à la maîtrise, il dut, toujours sous la conduite du Stagyrite, compléter ses connaissances de logique et de philosophie naturelle et s'appliquer à la mathématique, à la philosophie morale, à la politique et à la métaphysique. Erfurt suivait la « voie moderne », c'est-à-dire le nominalisme d'Occam, dont les deux professeurs cités plus haut évitaient les outrances périlleuses pour la foi. Le bachelier fut proclamé maître et second sur dix-sept, au début de 1505.

Plus tard, Luther semble avoir jugé trop sévèrement la moralité des étudiants d'Erfurt. Ce n'était, prétendit-il, qu' « un lieu d'impudicité et une brasserie ». Son affirmation qu'il ne s'y trouvait « ni prédicateurs ni lecteurs »[1] est démentie par des faits bien attestés.

(1) W. T., t. II, n° 2719 B.

Martin jouit de beaucoup d'estime à Erfurt pour ses succès en philosophie et son ardeur à l'étude, mais aussi pour son talent musical. Il commençait chaque journée de travail par la prière et une visite à l'église. En société, il se montrait joyeux compagnon.

Maître ès arts, l'étudiant, suivant la volonté de son père, passa à la Faculté de droit, la mieux cotée de l'Université. Il n'y resta pas longtemps et ne témoigna jamais beaucoup de sympathie à cette branche.

Erfurt ne deviendra qu'après le départ de Luther pour le couvent un centre du nouvel humanisme, opposé à la scolastique et aux moines. Ses professeurs ne l'introduisirent certainement pas dans cette voie et rien ne prouve qu'il ait subi l'influence de jeunes humanistes comme Crotus Rubeanus, Conrad Mutianus ou Georges Spalatin.

§ 2. — L'entrée au couvent et les premières années de vie religieuse.

LA VOCATION RELIGIEUSE   Le 2 juillet 1502, revenant seul de Mansfeld où il avait été voir ses parents, Luther fut surpris à Sotternheim, au nord d'Erfurt, par un violent orage. La foudre éclata près de lui. L'étudiant fut rempli de terreur et d'angoisse à la pensée de la mort. Il s'adressa alors à sainte Anne, que l'on invoquait dans tous les dangers, notamment dans les orages, et fit ce vœu : « Si tu m'aides, sainte Anne, je deviendrai moine. »

Cette décision brusque étonna tout le monde et, à en croire ses affirmations postérieures, elle l'étonna lui-même. « Ce n'est pas volontiers et selon mon désir que je suis devenu moine », déclarait-il en 1521, dans la préface de son *De votis monasticis* adressée à son père. « Entouré de toutes parts par la terreur et l'angoisse d'une mort subite, j'ai fait un vœu forcé et non libre » [1]. « Je me suis fait moine par violence, contre la volonté de mon père, de ma mère, de Dieu et du diable... J'ai fait ce vœu pour mon salut », ajoutait-il dans un propos de table du 18 mars 1539 [2]. Dans le coup de foudre il crut voir un appel de Dieu à la vie religieuse. Bientôt se répandit même la version qu'il avait eu une apparition. Quand Hans, dans la suite, lui reproche vivement sa décision de 1505, il ajoute qu'il pouvait bien avoir été l'objet d'une illusion, trompé par un fantôme [3]. Cependant, dans ses premières années de vie religieuse, il n'apparaît nullement comme un moine malgré lui. Le jeune homme en effet ne semble pas avoir communiqué sa décision à ses parents, avant de la réaliser. Des amis d'Erfurt tâchèrent de le retenir dans le monde. Mais, le 17 juillet, après les avoir conviés à un dîner d'adieu, il exécuta sa décision et entra dans le couvent des ermites de saint Augustin, situé près de la *bursa* de Saint-Georges, qu'il avait longtemps habitée.

Bien que subite, la décision de Luther doit avoir été préparée [4]. Il

(1) W., t. VIII, p. 573. Cf. W. T., t. IV, n° 4707 (16 juillet 1539).
(2) W. T., t. IV, n° 4414.
(3) W., t. VIII, p. 573.
(4) H. STROHL, *L'évolution religieuse de Luther jusqu'en* 1515 : L'entrée de Luther au couvent a été, « comme nous sommes disposés à le croire, l'aboutissement précipité, non absolument nécessaire, mais en somme logique, de son évolution antérieure ».

n'y a pas lieu d'insister sur un accident qui lui arriva quelque temps
auparavant et sur la mort inopinée d'un de ses amis : même si ces événements l'ont fortement impressionné, ils ne firent pas naître en lui l'idée
de se faire moine. Cependant on trouve dans les années qui précèdent
son entrée au cloître quelques indices dont il faut tenir compte : d'abord
la piété du jeune homme, le sérieux, même la sévérité de son éducation
religieuse, ses relations assez fréquentes avec des moines fervents qui
durent lui représenter les dangers du monde et la sécurité de la vie religieuse, ensuite, les tentations auxquelles il fut exposé dans le milieu
estudiantin [1] et certaines fautes que sans doute il commit [2]. L'explication
la plus simple de la décision prise subitement par Martin se trouve dans
la terreur et l'angoisse pour son salut que produisit chez ce jeune homme
pieux, qui se sentait faible, sa mise en face de la mort, d'autant plus
qu'il crut entendre dans le grondement du tonnerre l'appel, l'ordre même
de Dieu [3].

LE MOINE AUGUSTIN   La congrégation de l'observance des ermites
de saint Augustin, dans laquelle entrait Luther,
obéissait alors, en Saxe, à Staupitz, vicaire du supérieur général de tout
l'ordre qui résidait à Rome. Le jeune homme demanda à être reçu au
couvent d'Erfurt, mais avant de prendre rang parmi les novices, il dut
attendre son admission quelques semaines, comme c'était l'usage. Ensuite, revêtu de l'habit monastique, il put commencer son année de noviciat. On le mit alors à l'étude des statuts de la réforme rédigés par Staupitz
d'après les anciennes constitutions de l'ordre. Staupitz, sans transiger
sur la loi, tenait compte de la faiblesse humaine. Dirigés par un père-

(1) O. Scheel, *op. cit.*, t. I, p. 252, renvoie à un passage d'une lettre de Luther à Wiskamp, datée
du 1er janv. 1528 (W. B., t. IV, p. 319-320). A son ami qui le console, Martin répond : *Verum est
hanc tentationem esse gravissimam. Et mihi ab adolescentia non incognita...* La lettre de Wiskamp
n'est pas conservée ; on ne sait de quelle tentation il s'agit ; et il y a donc peu à tirer de ce texte.
(2) H. Grisar, édit. all. abrégée, p. 27-28 ; édit. franç., p. 18 et 19, cite au sujet de la conduite
morale de Luther à Erfurt des affirmations de Jérôme Emser, de Dresde, et de Jérôme Dungersheim, professeur à l'Université de Leipzig, qui tous deux ont connu le jeune homme à Erfurt.
Dans une lettre Luther avait reproché son passé à Emser. Celui-ci lui répondit notamment :
« Ignores-tu donc que je sais sur ton compte des fautes bien graves (*flagitia*) ? » Dungersheim,
dans un écrit contre Luther, s'appuie sur des renseignements fournis, dit-il, par un des camarades
qui l'avaient escorté jusqu'à la porte du couvent et il lui reproche les fautes grossières de sa vie
d'étudiant. Emser et Dungersheim sont de fervents catholiques, en lutte avec Luther. Mais
nous trouvons sans doute dans leurs témoignages, dans le second surtout, un écho des jugements
portés sur l'étudiant par ses camarades. Le chef de la réforme allemande ne répondit d'ailleurs
pas à ces accusations. Grisar cite aussi (*ibid.*, p. 30 et p. 21) une lettre du 23 février 1503 qui emploie
cette expression « *crapulis et ebrietatibus impeditus.* » Mais il est très douteux qu'elle (W. B., I,
p. 9-10) soit de Luther ; et le fût-elle, ces expressions ne seraient pas à prendre à la lettre.
(3) H. Grisar (*op. cit.*, p. 30-39) insiste trop, à notre avis, sur le tempérament nerveux de
Luther, sur son penchant à la tristesse et au désespoir, sur la déprimante pensée du péché qui
semble le poursuivre déjà à l'Université d'Erfurt. A partir de 1505, il se le représente lourdement
chargé d'une névrose et fait appel pour l'expliquer à l'hérédité que Martin tient de ses parents.
Mais ou bien il s'appuie sur des textes peu sûrs ou bien il en tire des conclusions exagérées. Ainsi
conclure au tempérament nerveux de sa mère, qui n'est attesté par aucun témoin, du seul fait de
la correction à cause de la noix, nous paraît un peu fort ; de même le P. Grisar écrit (p. 31) : « In
Verzweiflung über sich selbst », sagt er, sei er im Kloster eingetreten (*desperans de me ipso*). » Il
renvoie à un texte de Luther publié par E. Kroker, dans *Moerers Handschriftenbaende und Luthers
Tischreden, Archiv für Reformationsgeschichte*, n° 20, 1908, p. 346. Or, il semble s'agir là moins de
sentiments qui déterminèrent son entrée au couvent, que de son désespoir au couvent même.
*At, cum in monasterium intrabam et relinquebam omnia, desperans de me ipso, postulavi iterum
Biblia.* D'autre part, il semble bien que l'on doive chercher dans la jeunesse de Luther les origines
des angoisses, de la peur du péché et du jugement, qui nous sont attestés par des textes sûrs pour
la période de sa vie religieuse.

maître, les novices s'exerçaient à une vie pauvre, privée de toute propriété personnelle, à la chasteté et au renoncement. Durant quatre heures et demie à cinq heures ils vaquaient à l'office liturgique. Chaque jour ils devaient lire et méditer la Bible. Les jeûnes étaient fréquents et, comme dans tous les ordres monastiques, occupaient environ le tiers de l'année. Parfois les religieux allaient mendier. Ils se confessaient souvent.

Son année de probation finie, Martin fut admis à la profession, puis commença sa préparation à la prêtrise. Dans ce but on remettait aux candidats au sacerdoce l'explication du canon de la messe par Gabriel Biel, tenu en haute estime chez les augustins.

Nous avons conservé une lettre du jeune religieux, datée du 22 avril 1507, par laquelle il invite son ami Braun à sa première messe [1]. Elle devait avoir lieu le 2 mai suivant, date fixée pour la commodité de son père. Ces lignes expriment des sentiments de reconnaissance et d'humilité. Luther s'y révèle tout pénétré de la grandeur du sacerdoce et rien ne prouve qu'il ne le fût pas en réalité. Pas la moindre hésitation, pas la moindre crainte. Le jeune religieux semble heureux dans son état, ravi d'être promu à la prêtrise.

Plusieurs sources nous parlent cependant de la terreur qui le saisit pendant sa première messe. Les plus citées sont deux propos de table de 1537 et 1538 [2]. Le premier donne le plus de détails : « Et moi, comme à l'autel je commençais le canon, j'ai éprouvé un tel sentiment de frayeur (*ita horrui*), que j'aurais pris la fuite, si je n'avais pas été averti par le prieur, car quand je lus ces mots : *Te igitur, clementissime Pater*, je sentais que je devais parler à Dieu, sans médiateur, et j'ai voulu fuir... » Les mots : « sans médiateur » éveillent des soupçons. Luther, qui avait étudié le canon, connaissait très bien la suite du passage qu'il cite : *Te igitur clementissime Pater, per Jesum Christum filium tuum, rogamus ac petimus.* Transfuge de l'Église catholique, il prétendra fermement et continuellement qu'elle ne lui avait pas appris à connaître le Christ ; mais il est aussi possible qu'à ce moment Luther, saisi jusqu'à en être angoissé par la pensée de la majesté de Dieu, n'ait pas été frappé par la mention du Christ médiateur. Rien de plus conforme à sa manière que de réagir sur un mot ou une phrase de l'Écriture, détaché du contexte [3].

La cérémonie religieuse fut suivie d'un banquet offert par le couvent d'Erfurt. Luther y avait invité des amis et son père. Hans voulut faire les choses grandement. Il arriva avec une suite de vingt personnes et gratifia la communauté d'un riche don. Malheureusement une scène assez pénible éclata pendant le festin. Martin voulut profiter de ce beau jour pour obtenir de son père le plein ralliement à son entrée au cloître.

---

(1) W. B., t. I, n° 3, p. 11 et 12.
(2) W. T., t. III, n°s 3556 A et B. Pour les autres sources voir la critique de O. SCHEEL, *op. cit.*, t. II, p. 97-103. A rapprocher de ces propos de table un autre, de 1543 (W. T., t. V, n° 5589), où Luther parle encore du tremblement qui s'empare des prêtres quand ils prononcent les paroles de la consécration. Ces mots, ajoute-t-il, doivent être prononcés sans hésitation sous peine de péché grave. *Wer der Stamerl oder ein Wort aufferlies, der hatt ein grose Sunde gethan.* On reconnaît ici les exagérations du prophète.
(3) La remarque est de J. LORTZ, *Die Reformation in Deutschland*, t. I, p. 161, Fribourg-en-Brisgau, 1939.

Il vanta la « douceur et la tranquillité » de la vie monastique, le « caractère divin » de sa vocation. Mais lorsqu'il parla de la volonté céleste manifestée par l'orage, Hans s'écria : « Dieu veuille que ce ne soit pas l'appel du diable ! » Puis il rappela à son fils le quatrième commandement, l'obéissance que l'on doit à ses parents. Les reproches de son père firent sur le jeune moine une profonde impression. Dans une lettre du 9 septembre 1521 à Mélanchthon, il affirme qu'ils pénétrèrent dans son cœur et qu'il les retint plus tenacement qu'aucune autre des paroles de Hans [1].

LES ÉTUDES THÉOLOGIQUES Devenu prêtre, Luther dut s'appliquer aux études théologiques [2]. Il les commença à Erfurt sous la direction de Jean Paltz et de Jean Nathin. Mais, après une année et demie consacrée aux sentences de Gabriel Biel et d'autres auteurs nominalistes, en l'automne de 1508, il fut envoyé au couvent de Wittemberg, petite ville de 2.000 habitants, pour enseigner à l'Université, fondée seulement en 1502, la Morale à Nicomaque, tout en continuant ses études théologiques. Sur le conseil de Staupitz, dont il fit sans doute alors la connaissance, il prit, le 9 mars 1509, le grade de bachelier en Écriture Sainte. Ses goûts le portaient de plus en plus vers cette branche sacrée. Une année plus tard, ses supérieurs le renvoyèrent à Erfurt pour commenter les sentences de Pierre Lombard à la grande école théologique des augustins.

Pendant cette première période qui s'écoule de son ordination à son voyage à Rome, c'est-à-dire de 1507 à 1510, le jeune moine fut donc très occupé. Ajoutons qu'il fit encore, soit pour sa formation, soit en vue de ses cours, de nombreuses lectures, notamment dans les Pères, comme saint Augustin et saint Bernard, dans des ouvrages mystiques, ainsi ceux du Pseudo-Denis, dans des traités ascétiques parmi lesquels Cassien et le *Roselum* de Mauburnus.

ÉVOLUTION DE LUTHER Quelles sont alors ses dispositions intérieures ? De multiples et d'irrécusables témoignages prouvent qu'il éprouva des craintes, des angoisses. Il appréhende la sévérité du souverain juge ; il doute de la rémission de ses péchés, il hésite sur sa prédestination à la gloire. On nous parle également de ses scrupules. Ses confessions ne lui apportent pas la paix. La célébration de la messe lui est pénible. Il cherche vainement dans son âme le Dieu de miséricorde qu'il voudrait y sentir.

En 1518, dans les Résolutions expliquant ses quatre-vingt-quinze thèses, Luther écrira :

Qu'ils sont nombreux ceux qui, même aujourd'hui, goûtent ces peines de l'enfer !... Je connais un homme qui affirmait avoir passé bien souvent par ces transes pendant un temps très court, il est vrai, mais elles étaient si intenses et si infernales qu'aucune langue ni aucune plume ne saurait les décrire, ni celui qui n'en a pas fait l'expérience. C'est au point que, s'il fallait les supporter jusqu'au bout, si elles duraient une demi-heure ou même seulement la

---

(1) W., t. VIII, p. 573-574 ; W. B., t. II, p. 382-387.
(2) F. X. DUYNSTEE, *Martin Luther en zijn Orde*, 2 vol., Leyde, 1924.

dixième partie d'une heure, on en périrait tout entier et tous les os seraient réduits en cendre. Alors Dieu paraît horriblement irrité... [1].

Dans une lettre adressée en juillet 1530 à Jérôme Weller [2], il lui fait cette confidence :

Aux débuts de ma vie religieuse, j'étais toujours triste, et je ne parvenais pas à me débarrasser de cet état d'âme. Aussi demandai-je l'avis du docteur Staupitz et me confessai-je à lui. Je m'ouvris à lui de mes pensées horribles et terrifiantes. Et lui de me répondre : Ne sais-tu pas, Martin, que cette tentation t'est utile et nécessaire ; ce n'est pas en vain que Dieu t'exerce ainsi. Tu verras qu'il se servira de toi pour opérer de grandes choses.

Une autre fois Staupitz lui dit : « Pourquoi vous torturer ainsi pour des subtilités ? Regardez les plaies du Christ et songez à son sang répandu pour vous. Vous verrez votre prédestination au ciel et vous serez consolé [3]. » Il trouva aussi du réconfort auprès d'Usingen qu'il avait jadis eu pour maître à l'Université d'Erfurt et qui depuis était entré, lui aussi, chez les ermites de saint Augustin.

Ainsi se poursuit chez le jeune moine l'évolution intérieure qui, pour nous du moins, commence avec l'orage qui le remplit de crainte à la pensée de la mort et du jugement, et qui se manifeste une seconde fois lorsqu'à ses prémices il est saisi de terreur par la majesté de Dieu.

Rien ne transpire cependant de ces pensées intérieures dans les très rares lettres que nous avons conservées de lui. Le 17 mars 1509, il écrit à Braun :

Si tu désires savoir quel est mon état, je vais bien, grâce à Dieu ; mais l'étude est ardue (*violentum*), surtout celle de la philosophie, que très volontiers j'aurais, dès l'origine, échangée contre la théologie, contre cette théologie, dis-je, qui scrute le noyau de la noix, la moelle du froment et des os [4].

A la vie religieuse de Luther en ces temps-là on ne peut adresser aucun reproche. Elle paraît avoir été correcte. Ses supérieurs ne l'auraient pas admis au noviciat, à la profession, à la première messe ; ils n'eussent pas fait de lui un professeur, puis un vicaire de district, s'il en eût été autrement.

LE TÉMOIGNAGE DE LUTHER   De ses années passées au cloître, Luther parle très souvent dans ses œuvres postérieures à sa défection. Transcrivons ces textes qui nous aideront à pénétrer davantage dans la mentalité du réformateur [5].

J'ai été moine pendant vingt ans et je me suis tellement martyrisé en priant, en jeûnant, en veillant, en ne faisant aucun cas de l'hiver, qu'à lui seul le froid aurait suffi à me faire mourir ; je me suis tellement fait souffrir que pour rien au monde je ne voudrais recommencer, alors même que je le pourrais.
Si j'étais resté au couvent, c'en eût été bientôt fait de moi.
Pendant près de quinze ans que j'ai été moine, je me fatiguais à dire la messe tous les jours, je m'épuisais par des jeûnes, des veilles, des prières et autres œuvres extrêmement pénibles.

(1) W., t. I, p. 557 ; H. Strohl, *op. cit.*, t. I, p. 73-74.
(2) W. B., t. V, p. 519.
(3) *Opera exegetica*, t. VI (édit. Erl.), p. 296-297. Voir encore H. Strohl, *op. cit.*, p. 111-123 (Luther et Staupitz).
(4) W. B., t. I, n° 17.
(5) Tous les passages que nous citons ici sont extraits de la traduction par J. Paquier de l'ouvrage de Denifle. On les trouvera au t. II, 2e édit., p. 243-247, Paris, 1913, de *Luther et le Luthéranisme*.

Moi-même j'ai été moine pendant quinze ans... et je me suis martyrisé par des jeûnes, par le froid et par une vie d'austérités.

De par le monde toutes ces pratiques extérieures des juifs, des Turcs et des papistes sont observées avec le plus grand sérieux ; moi-même, autrefois sous le papisme, je me serais bien gardé d'en plaisanter et de m'en moquer. Eh bien, qui le croirait ? Tout cela est peine perdue. Moi aussi, j'étais un moine sérieux ; j'étais chaste et vertueux ; je n'aurais pas pris un liard à l'insu de mon prieur ; je priais assidûment nuit et jour... Qui aurait cru que tout cela était en pure perte et qu'un jour j'en viendrais à me dire : les vingt années de ma vie monastique sont perdues ? Au couvent, j'en ai été pour la perte de mon âme et de la vie éternelle, pour la perte de la santé de mon corps. Et je croyais pourtant bien connaître Dieu le Père ; j'étais convaincu qu'en suivant la règle et en obéissant à l'abbé, je faisais sa sainte volonté. C'était là ce qui devait plaire à Dieu, c'était là me soumettre au Père céleste et à sa volonté ! Mais ici, Notre-Seigneur Jésus-Christ parle en sens contraire, et dit : *Si vous ne me connaissez pas, vous ne connaissez pas non plus le Père.*

Après avoir vécu pieusement comme moine pendant plus de vingt ans, avoir dit la messe tous les jours et m'être tellement affaibli par les prières et les jeûnes que sous peu c'en aurait été fait de moi...

Le monde veut tout refuser au corps ou tout lui accorder. Par l'abstinence nous pensions, nous voulions mériter au point d'en arriver à égaler le prix du sang du Christ. Dans ma folie, voilà moi aussi ce que je croyais. J'ignorais alors que Dieu me demandait de prendre soin de mon corps et de ne pas mettre ma confiance dans la tempérance. Je me serais tué par les jeûnes, les veilles et l'endurance du froid. Au cœur de l'hiver, je ne portais qu'un habit léger, je gelais presque, tant j'étais fou et imbécile.

Dans le cloître, pourquoi me suis-je livré aux plus dures austérités ? Pourquoi ai-je affligé mon corps par les jeûnes, par les veilles et par le froid ? Parce que je tâchais d'arriver à la certitude que ces œuvres m'obtenaient le pardon des péchés.

Moi aussi, par mes jeûnes, mes abstinences, mes excès de travail et la rudesse de mes vêtements, je m'étais presque donné la mort, tellement mon corps était affreusement ruiné et épuisé.

Autrefois, sous le papisme, nous avons appelé à grands cris l'éternelle félicité ; pour gagner le ciel, nous avons torturé nos corps, nous nous sommes presque assassinés, sans épée sans doute ni armes du même genre, mais par les jeûnes et les macérations de la chair ; c'est là que nous cherchions Dieu, et nous frappions ainsi nuit et jour. Moi-même, si, grâce à la consolation du Christ, je n'avais été délivré par l'Évangile, je n'aurais pu vivre deux ans de plus, tant je me martyrisais et fuyais la colère de Dieu. Et les larmes, les gémissements et les soupirs ne manquaient pas non plus. Cependant, nous n'aboutissions à rien.

Les affirmations de ce genre sont donc multiples et elles ne font guère que se répéter. Remarquons cependant qu'aucune d'entre elles ne remonte plus haut que 1530. Peut-être pourrait-on comprendre qu'alors Luther ne se souvient plus très bien du nombre d'années qu'il passa dans la vie religieuse. En réalité il y entra en 1505 et apostasia en 1520. Cependant son état d'esprit, tel qu'il se révélera à nous au moins depuis 1514, nous empêche d'admettre chez lui à partir de cette date des mortifications extraordinaires. Il resterait donc une dizaine d'années au plus de vie rigoureuse. Mais, même pour ces dix années, que penser des assertions de l'ancien moine ? L'habit ? Celui des ermites de saint Augustin devait, d'après la règle, être bon marché et sans recherche. Il était de laine et non de toile, comme pour les gens du monde, et voilà pourquoi les constitutions de l'ordre parlent de l'*asperitas vestium*. Le froid ? Les mêmes statuts autorisent des vêtements plus chauds en hiver, notamment pour la nuit. Dans aucun couvent d'aucun ordre les cellules n'étaient chauffées à cette époque, mais chaque maison disposait d'un chauffoir où les religieux pouvaient de temps en temps aller se dégourdir.

Les veilles ? Partout matines et laudes, suivies parfois d'autres prières, se psalmodiaient ou se chantaient pendant la nuit ; mais, alors comme aujourd'hui, les supérieurs dispensaient de l'office de nuit les religieux malades, faibles de santé ou surchargés de travail ; et le moine ne pouvait, de son autorité privée, se livrer à d'autres veilles. Les jeûnes enfin ? Sur ce point Staupitz avait fort adouci en 1504 les constitutions de l'ordre. Il maintenait sans doute le jeûne de la Toussaint à la Noël et de la quinquagésime à Pâques ainsi qu'aux quatre-temps et aux vigiles. Mais, à la différence des statuts généraux qui interdisaient alors les œufs, le fromage et le lait, les statuts de Staupitz autorisaient ces aliments, comme tous les vendredis de l'année. En dehors de ces temps et de ces jours, les moines recevaient de la viande, sauf les mercredis. Ainsi, rien dans la règle observée par Luther qui de soi puisse le mener infailliblement aux portes du tombeau. Et d'ailleurs Luther n'est pas seul dans son couvent et dans son ordre : comment les autres ont-ils pu y vivre ?

D'autre part, comment pourrait-on croire qu'occupé comme il le fut dès son ordination, il ait demandé ou au moins obtenu de supérieurs, dont on connaît la discrétion, un nombre appréciable de mortifications supplémentaires ? Depuis 1509, Staupitz lui-même veille sur lui et le dirige dans la voie du professorat d'Écriture Sainte [1]. Malgré sa haute conception de la vie monastique, ses lectures ascétiques qui lui représentent la vie religieuse, sérieusement comprise, comme un martyre et mettent sous ses yeux des types de grands pénitents, on ne peut démontrer et il est invraisemblable que Luther se soit livré, de 1505 à 1520, à une austérité particulièrement sévère et de nature à miner sa santé [2].

PSYCHOLOGIE DE LUTHER Pour connaître le jeune professeur, nous disposons des notes marginales mises par lui sur des exemplaires des *Opuscula* de saint Augustin, du *De Trinitate* et du *De Civitate Dei*, enfin et surtout des sentences de Pierre Lombard. Dans le commentaire sur Pierre Lombard, il se sert naturellement de façon régulière d'Occam, de Pierre d'Ailly et de Biel, les maîtres nominalistes alors en honneur chez les augustins [3]. Ses recours aux Pères sont aussi très nombreux, à saint Augustin surtout. Mais le plus frappant semble sa connaissance de l'Écriture qui devient vraiment son guide. Dans ces notes se remarque un effort sérieux pour préciser les idées, un souci continuel d'être bien compris. Le maître s'intéresse aux questions débattues de son temps. Sa pensée reste tout à fait catholique. Mais il se dévoile très personnel : « Bien que beaucoup de docteurs illustres pensent ainsi, comme ils n'ont pas pour eux l'Écriture,... moi, je dis avec l'Apôtre [4]. » Il se montre sévère pour Aristote : *Fabulator Aristoteles* [5].

---

(1) DENIFLE-PAQUIER, *op. cit.*, t. II, p. 247-315.
(2) O. SCHEEL, *op. cit.*, t. II, p. 194-208.
(3) P. VIGNAUX, *Luther, commentateur des Sentences*, Livre I, dist. 17, dans les *Études de philosophie médiévale*, t. XXI, Paris, 1935. D'après cet article Luther, dans le passage étudié, s'écarte d'Occam et de ses disciples sur certains points : par exemple il rejette la distinction entre la puissance de Dieu absolue et ordonnée ; il admet que la charité s'identifie avec Dieu.
(4) W., t. IX, p. 46, 16-20.
(5) *Ibid.*, p. 23, l. 7.

Et pour les philosophes : « La majeure partie des philosophes d'aujourd'hui sont des *Stoicae reliquiae*. Car ils combattent pour des mots nouveaux et équivoques [1]. » « *Das sind deutliche Urteile*, conclut Scheel [2], *namentlich im Munde eines Kaum 27 jährigen*. »

Pour bien comprendre Luther, il faut toujours se souvenir que, malgré son intelligence, il reste avant tout un sensible. Replié sur lui-même, s'analysant, il veut *sentir* des choses qui ne nous sont connues que par la foi : la présence de Dieu, la rémission des péchés. La confession doit lui apporter le *sentiment* d'être délivré de ses fautes. Comme il ne *sent* pas en lui, au moins de façon dominante, l'amour de Dieu, qu'il *sent* en même temps l'amour des choses du monde, il croit ne pas observer la loi fondamentale : *Tu aimeras Dieu de tout ton cœur, de toute ton âme et de toutes tes forces.*

A ce trait de la psychologie de Luther ajoutons-en un autre, lui aussi fort accentué. De tempérament bouillant, oratoire, il exagère, il dramatise. Même quand il dit le contraire de la vérité, ne l'accusons pas trop vite de mensonge. Il peut avoir entendu cent fois exprimer une idée sans qu'elle l'ait frappé et sans qu'il la retienne. Pour qu'il la comprenne, y attache de l'importance, il doit l'avoir eue par lui-même, l'avoir réalisée...

LE VOYAGE A ROME   Des événements qui se passaient alors dans son ordre allaient mettre le jeune moine sur le chemin de Rome.

Staupitz avait conçu le projet de réunir les couvents non-observants de Saxe à ceux de l'observance et de leur donner à tous un provincial qui serait en même temps vicaire général. Cette mesure, croyait-il, fortifierait l'observance, inspirerait aux non-observantins un plus grand souci de perfection et rétablirait l'union rompue.

Dès le 15 décembre 1507, le cardinal-légat Carvayal approuvait ses plans. Le général de l'ordre, Gilles de Viterbe, s'y rallia également et nomma Staupitz provincial et vicaire de Saxe. Cependant sept couvents de la congrégation, et particulièrement celui d'Erfurt, protestèrent contre cette décision. Luther et son maître Nathin apparaissent à la tête du mouvement de résistance et nous trouvons ainsi le jeune moine augustin en opposition ouverte avec son grand protecteur. Tous deux d'ailleurs visaient le même but : le triomphe des principes de la réforme. Mais le provincial pensait que l'union y aiderait, tandis que son inférieur redoutait que le contact entre les couvents de l'observance et ceux qui n'y avaient pas adhéré primitivement nuisît à la ferveur religieuse des premiers. Conformément à son désir, Luther fut envoyé à Rome avec un compagnon plus âgé et plus expérimenté, dont nous ignorons le nom. Bien minimes semblaient leurs chances de succès. Rome avait tranché la question et la bulle de 1507 interdisait les appels. Le général de l'ordre, nous l'avons dit, adhérait au point de vue de Staupitz. Il avait menacé les résistants de peines sévères.

(1) P. 24, 24-26.
(2) *Op. cit.*, t. II, p. 424.

Les deux religieux partirent à pied pour Rome en novembre 1510 et n'y restèrent que quatre semaines, jusqu'à la fin de janvier ou le début de février 1511. Ils s'empressèrent de porter au procureur de leur ordre l'appel des sept couvents. Le procureur remit la pièce au général des augustins et celui-ci, quelque temps après, refusa de recevoir l'appel. Les religieux, n'étant munis d'aucune délégation de leur supérieur régulier, Staupitz, ne purent se présenter chez le Saint-Père.

A d'autres points de vue encore, ce voyage de Rome ménagea des désillusions au moine augustin. Il se réjouissait tant de partir pour la Ville éternelle afin d'y faire une confession bien complète et de s'ouvrir de ses doutes chez un prêtre pieux et instruit ! Or, à l'en croire, il ne trouva à Rome que des « hommes très ignorants »[1] ; la confession générale qu'il fit effectivement ne lui apporta pas le soulagement désiré. Il croyait rencontrer à Rome de la piété. Or les prêtres y célébraient la messe rapidement et sans dévotion. On croira difficilement sur ce point so1 affirmation de 1536[2]. Il aurait vu, à Saint-Sébastien, sept prêtres célébrer au même autel la messe en une heure ! Les femmes se comportaient dans les églises de façon choquante. Déjà dans le *Commentaire de l'épître aux Romains*, datant de 1515-1516, il s'élève contre le luxe et l'avarice des cardinaux[3]. On lui a raconté qu'Alexandre VI était un juif, un homme sans foi, un viveur, et qu'il fut empoisonné dans un banquet[4]. Il déplore l'état des pauvres monastères livrés à la commende, etc.

Cependant sa foi n'est nullement ébranlée. Bien plus, les nombreuses visites d'églises qu'il entreprit et dont il se moquera plus tard — il courut comme un « toller heiliger durch alle Kirchen »[5] —, l'empressement qu'il mit à gagner beaucoup d'indulgences, la charité qu'il rencontra dans les hôpitaux de Rome, notamment dans ceux qui hébergeaient les pèlerins allemands et néerlandais, lui apportèrent un très grand réconfort.

Comme le lecteur le voit, nous ne possédons guère sur le voyage à Rome que des renseignements occasionnels. Ils doivent être interprétés critiquement : aux souvenirs personnels de Luther se mêlent souvent ses impressions subjectives, ses jugements ou ceux d'autres personnes[6].

DÉPART POUR WITTEMBERG   Rentré de Rome à Erfurt, l'augustin y resta peu de temps et fut envoyé à Wittemberg, vraisemblablement pendant l'été de 1511. Sans doute son échec à Rome

(1) W. T., t. III, nº 3582 (1537).
(2) P. Drews, *Disputationen Luthers* 1535-1545 *gehalten*. Dispute du 29 janvier 1536, p. 77.
(3) O. Scheel, *op. cit.*, t. II, p. 515-5164.
(4) *Ibid.*, d'après des *Tischreden* de 1532 et 1537.
(5) W., t. XXXI, 1, 226 (Commentaire du psaume 117, en 1530).
(6) Au voyage de Rome ont été consacrés de nombreux travaux, notamment de A. Hausrath (1894), G. Kawerau (dans les *Deutsche evang. Blaettern*, 1901, p. 79 et suiv.), N. Paulus (dans l'*Historisches Jahrbuch*, t. XXVI, p. 79 et suiv. et dans les *Hist. polit. Blaettern*, 1912, t. I, p. 26 et suiv.) et H. Boehmer (1914). En 1519, un élève de Luther, Jean Oldecop, se rendit à Rome et y prit des renseignements sur le séjour du maître dans la Ville éternelle. Un juif, Jacques, lui raconta que Luther s'était adressé à lui pour en obtenir des leçons d'hébreu. Il ajouta que Martin avait demandé au pape de pouvoir étudier dix ans à Rome en portant l'habit laïque ; la requête fut rejetée parce qu'il n'y était pas joint le consentement des supérieurs. Oldecop alla s'assurer chez l'official de la vérité de ce renseignement. H. Grisar, *Luther*, t. I, p. 27, conclut qu'on ne peut douter de celui-ci. Cependant les historiens protestants ne le retiennent pas. Pour H. Strohl, par exemple (*Évolution religieuse de Luther jusqu'en* 1515, p. 130), « les récits d'Oldecop sont si fantaisistes sur d'autres points contrôlables que nous ne croyons pas devoir leur attribuer

avait-il indisposé contre lui ses confrères d'Erfurt. A Wittemberg, la majorité des moines se montrait favorable aux projets de Staupitz. Celui-ci cependant, dans des négociations qui eurent lieu à Iéna et à Cologne, en 1511-1512, renonça à ses projets de fusion.

Au chapitre général de Cologne, que nous venons de mentionner, Luther fut nommé sous-prieur du couvent de Wittemberg et chargé de la prédication. Il devait en outre prendre le grade de docteur en théologie. Sa promotion eut lieu en effet le 18 octobre 1512. Il y invita la communauté d'Erfurt, mais celle-ci resta à l'écart. Frédéric, électeur de Saxe, son futur protecteur, paya les frais de la promotion.

§ 3. — Les années décisives (1513-1517) [1].

L'ENSEIGNEMENT DE LUTHER A WITTEMBERG

En octobre 1513, Luther commençait à l'Université de Wittemberg, principalement devant les jeunes religieux de son ordre et des étudiants en théologie du clergé séculier, ses cours sur le Psautier qu'il continua jusqu'en 1515. En 1515-1516 il commentera l'épître de saint Paul aux Romains. A partir d'octobre 1516, il prendra comme sujet de cours l'épître aux Galates.

Il faut distinguer nettement, au point de vue de ce qu'elles nous apprennent sur l'évolution de Luther, deux groupes dans ces leçons qui nous ont été conservées. Les *Dictata super Psallerium* [2] appartiennent au premier, les autres commentaires au second.

LES « DICTATA SUPER PSALTERIUM »

Les leçons sur les Psaumes ne sont pas un commentaire au sens que l'on donne aujourd'hui à ce mot, mais plutôt une collection d'explications allégoriques et morales s'appuyant sur le texte, comme on le faisait fréquemment à cette époque.

Aucune proposition dans les *Dictata super Psallerium* ne s'oppose à la foi catholique. L'exposé se fait calmement, sans polémique, sans violence. De-ci de-là, l'auteur dénonce cependant des abus de l'Église [3]. Rien ne dévoile une âme troublée. Toutefois il se manifeste en un certain nombre de passages une opposition aux observantins qu'il compare à des juifs, qu'il traite de désobéissants, d'hypocrites, d'orgueilleux, ne s'attachant qu'à l'observance extérieure, aux cérémonies, et faisant grand cas de leurs privilèges. Une autre tendance se fait jour également : déprécier les œuvres au profit de la foi et de l'imputation des mérites du Christ. Il suffira de citer quelques passages.

---

une grande importance ». Oldecop n'était cependant pas un menteur et il faut admettre ici son témoignage.

(1) Outre les ouvrages signalés en tête de ce chapitre, voir O. Scheel, *Dokumente zu Luthers Entwicklung (bis 1519)*, Tubingue, 2ᵉ édit., 1929 ; H. Strohl, *L'évolution religieuse de Luther jusqu'en 1515*, Strasbourg, 1922 ; L. Cristiani, *Du Luthéranisme au Protestantisme. Évolution de Luther de 1517 à 1528*, Paris, 1911, et *Luther et le Luthéranisme*, 3ᵉ édit., Paris, 1909 (Nouvelle bibliothèque historique) ; H. Strohl, *op. cit.*, t. I, p. 15-33, signale encore plusieurs autres étude sur le développement de la pensée de Luther.

(2) W., t. III et IV.

(3) Voir par exemple W., t. III, p. 216.

A propos du verset du ps. 4 : *Et in cubilibus vestris conpungimini* :

Ce verset condamne encore plusieurs gens dans l'Église, qui combattent pour leurs cérémonies et font du zèle pour le vide de l'observance extérieure [1].

A propos de ceux qui se livrent aux œuvres, mais négligent l'obéissance [2] et dont on peut dire : *Non intelligit opera Domini, sed sentit opera sua, inflatus sensu carnis suae* :

Il est à craindre que tels soient aujourd'hui tous les observants, exempts et privilégiés. On ne voit pas encore apparaître le tort qu'ils font à l'Église. Et cependant ce tort existe. On s'en apercevra en temps opportun [3].

Maintenant, il en est beaucoup qui se croient des hommes vraiment spirituels et qui sont des hommes avides de sang, et de vrais Iduméens. Ils vénèrent et exaltent de telle façon leurs professions (vœux), leur ordre, leurs saints, leurs institutions qu'ils relèguent dans l'obscurité ceux de tous les autres ordres et n'en font aucun cas. De façon assez charnelle, ils fixent leurs yeux (*observantes*) sur leurs frères et s'en glorifient ; ils se réputent saints et admirables uniquement à cause de leurs cérémonies et de la gloire de leurs pères... Cette fureur règne largement aujourd'hui. On en vient jusqu'à ce point que chaque couvent se refuse avec mépris et orgueil à accepter les coutumes d'un autre couvent [4].

Dans la glose du ps. XXXI (XXXII) où il est question de la vraie pénitence et de la rémission des péchés non par les œuvres, mais par la miséricorde de Dieu qui ne les impute pas :

Le psalmiste parle comme l'apôtre (*Rom.*, 4) contre tous ceux qui veulent que leurs péchés soient remis à cause de leurs mérites et de leurs œuvres... Tels sont les juifs, les hérétiques et tous ceux... qui rejettent l'obéissance [5].

Commentant le ps. XCI (XCII), Luther constate que ceux qui n'ont pas la vraie humilité se scandalisent facilement :

C'est ce qui arrive, ajoute-t-il, aux superbes, aux obstinés, aux rebelles, aux désobéissants et, je le crains, à tous nos observants qui, sous les dehors d'une vie régulière, tombent dans la désobéissance et la rébellion [6].

A propos du ps. CXVIII (CXIX) :

Maintenant il faut combattre avec les hypocrites et les faux frères qui... se targuent de leur sainteté à cause de leurs observances [7]. ... Les péchés nous sont remis non à cause de nos œuvres, mais par la seule miséricorde de Dieu qui ne tous les impute pas [8].

LES PRÉDICATIONS De Luther nous avons également conservé quelques prédications pour les années 1514-1517, dont la plupart malheureusement ne sont pas datées de façon précise. On y perçoit aussi les tendances indiquées plus haut.

Le 7e dimanche après la Trinité [9], à propos des paroles du Christ : *Attendite a falsis prophetis* :

---

(1) W., t. III, p. 61.
(2) Les observants s'étaient opposés aux mesures de Staupitz en faveur de l'union. Voir plus haut p. 22.
(3) W., t. III, p. 155.
(4) *Ibid.*, p. 33.
(5) *Ibid.*, p. 172.
(6) W., t. IV, p. 83.
(7) *Ibid.*, p. 312. Un des grands mérites de Grisar est d'avoir mis en relief cette opposition de Luther aux observants de son ordre et aux observants en général. Voir pour plus de détails son *Luther*, t. I, p. 50 et 59 et t. III, p. 961-966. Voir aussi L. WYCKENS, *Les origines du Luthéranisme*, dans la *Nouvelle Revue théologique*, t. LIX, 1932, p. 213-234.
(8) W., t. III, p. 171.
(9) W., t. I, p. 61 et 62.

Il y a deux sortes de bonnes œuvres : celles qui apparaissent à l'extérieur, comme beaucoup jeûner, prier, étudier, prêcher, veiller, porter un habit humble : ce ne sont que de la laine d'agneau sous laquelle se cachent des loups rapaces.

Les faux prophètes ce sont « comme les hérétiques et les schismatiques, ces observants de grandes et très bonnes œuvres » :

Il n'y a pas de plus grande peste dans l'Église d'aujourd'hui que ces hommes qui disent : « Il faut faire le bien », ne voulant pas savoir ce qu'est le bien et le mal. Ils sont en effet les ennemis de la croix, c'est-à-dire des biens de Dieu

Dans un sermon, qu'il fit sans doute le 1er mai 1515 à un chapitre général de l'ordre à Gotha, Luther parle fortement contre le *vitium detractionis*. Cette prédication, parfois appelée celle des « petits saints », paraît bien aussi dirigée contre les observants et leurs défenseurs. Elle est fort violente et fort réaliste. L'allemand s'y mêle au latin. Ainsi les détracteurs sont stigmatisés des épithètes de : *Vergiftete Schlangen, Verräther, Verloffer, Mörder, Diebe, Ströter, Tyrannen, Teufel und alles Unglück, Verzweiffelt, Unglaübig, Niedhardt und Hasser* [1].

ÉTAT D'ESPRIT DE LUTHER   Ces extraits des *Dictata super Psalterium* et de ses premières prédications révèlent donc chez Luther un état d'esprit que nous ne lui connaissions pas encore. Comment l'expliquer ? On a attribué ce fait nouveau à l'influence subie par le jeune moine dans le couvent de Wittemberg où, peu après son retour de Rome, il vint s'établir définitivement. Les religieux d'Erfurt attachaient une importance suprême à l'observance et, pour la sauvegarder, ils combattirent énergiquement la fusion avec les non-observantins. Luther prit part à cette lutte aux premiers rangs et, pour maintenir la séparation, se fit envoyer à Rome. L'attitude de Wittemberg avait été différente et ses moines, en majorité, s'étaient ralliés au point de vue de Staupitz [2]. Bien que celui-ci eût fini par renoncer à l'union, on ne pouvait dire que l'entente parfaite régnât dans la congrégation. Certains continuaient à juger malencontreuse l'initiative avortée de Staupitz que le général de l'ordre patronnait. D'autres, au contraire, par une réaction naturelle, accusaient leurs confrères d'attacher une importance excessive aux divergences de coutumes entre les deux partis et aux privilèges obtenus par les observantins. Ils accusaient les sept couvents de la résistance d'avoir manqué de soumission aux mesures de Rome et du général. Luther, porte-parole de l'observance à Erfurt, serait devenu, à Wittemberg, le champion du parti opposé. Nous rejetons cette explication : elle ne repose pas sur les textes ; elle nous paraît trop extérieure et ne tient pas compte de l'évolution qui se produit dans la pensée même de Luther.

Pour les historiens, qui placent la « découverte de la miséricorde » [3] avant 1514, le déchaînement de Luther contre les observances ne présente aucun mystère. Dieu lui a fait comprendre le vrai sens du texte

---

(1) W., t. I, p. 44-52.
(2) D'après Denifle (DENIFLE-PAQUIER, *op. cit.*, p. 60-61), à Wittemberg, du temps où y vécut Luther, la discipline régulière n'était pas en vigueur comme à Erfurt.
(3) Il sera question de celle-ci *infra*, p. 35.

de saint Paul aux Romains, I, 17 : le juste vit de la foi. Dès lors, c'est sur celle-ci qu'il importe de baser tout l'édifice spirituel, non sur les œuvres. Cette seconde solution ne nous paraît pas non plus pleinement satisfaisante. En effet si, comme nous l'avons marqué plus haut, les *Dictata super Psalterium* manifestent une tendance à déprécier les œuvres au profit de la foi, celle-ci ne prend pas encore dans la pensée de Luther la place prépondérante qu'elle occupera par exemple dans le commentaire de l'épître aux Romains [1].

Nous dirons donc que la manière de parler du jeune moine dans les *Dictata* manifeste le premier stade d'une évolution qui va se poursuivre. Nous nous appliquerons plus loin à la retracer de façon complète.

LE COMMENTAIRE DE L'ÉPITRE AUX ROMAINS   Il faut insister particulièrement sur le commentaire de l'épître aux Romains de 1515-1516.

Une copie de ce cours était conservée à la bibliothèque vaticane. Le P. Denifle l'utilisa, en publia des extraits (1904) et signala l'importance extraordinaire de cette œuvre, non destinée à la publicité, pour l'évolution interne du réformateur.

En 1904, J. Ficker publia l'original du cours qu'il avait découvert à Berlin. Enfin, en 1938, il en fit paraître une nouvelle édition au t. LXV des œuvres de Luther (Weimar).

Le jeune professeur se servait pour son cours d'un texte imprimé d'après ses instructions. Chaque page ne compte que quatorze lignes de la lettre. Beaucoup d'espace est ainsi réservé dans les marges, au haut et au bas des pages et dans les interlignes. Là peuvent se lire, non sans quelque difficulté — car l'écriture cursive est fort petite — les innombrables gloses du professeur. Mais la partie la plus considérable du manuscrit de Berlin est consacrée aux scholies, dans lesquelles Luther développe ses pensées de manière plus suivie et plus détaillée (p. 157-528 de l'édition de Weimar). L'édition de Ficker conserve autant que possible, et sans nuire à la facilité de la lecture, la physionomie de l'original dans l'orthographe des mots, dans l'allure des phrases, dans l'indication des corrections manuscrites.

Les scholies nous font apparaître le plus nettement le Luther déjà hérétique. Citons d'abord un passage, fort long, mais dans lequel Strohl voit « l'expression la plus parfaite de sa conception de la vie chrétienne » [2].

Scholies de *Rom.*, IV, v. 7 [3] :

---

(1) Cependant, les scholies du 70e et du 71e psaume, datant de la seconde moitié de 1514, donnent à *Rom.*, I, 17 le sens que Luther se vante d'avoir découvert.

(2) H. STROHL, *op. cit.*, t. II, p. 31-35. Nous empruntons la traduction de cet auteur. Un des élèves de notre séminaire d'Histoire ecclésiastique, le P. Démann, des Pères de Sion, a étudié de près le commentaire aux Romains en 1946. Comme passages caractéristiques des doctrines formellement ou virtuellement hérétiques de ce cours, il cite encore les scholies III, 1-4 (p. 222-231 de l'édit. de Weimar) ; III, 9 (p. 234 et suiv.) ; IV, 7 (p. 268-289) ; V, 14 (p. 312 et suiv.), VII (p. 335 et suiv.), VIII, 28 (p. 381 et suiv.). De plus le P. Démann, ayant remarqué que les auteurs qui ont étudié le commentaire aux Romains négligent, de façon générale, les chap. IX-XVI, s'est livré à un examen spécial et très fructueux des gloses et des scholies de ces chapitres. Voir aussi H. STROHL, *op. cit.*, t. II, p. 17-43.

(3) Voici ce v. 7, d'ailleurs emprunté au ps. 32, v. 1 : *Beati quorum remissae sunt iniquitates et quorum tecta sunt peccata.*

Il n'est pas question ici seulement des péchés commis en actes, en paroles et en pensées, mais aussi du penchant au mal [1], comme il est dit plus bas (VII, 20) : « Non pas moi, mais le péché qui habite en moi. » Dans le même chapitre Paul désigne ce péché par le terme de « passion du péché » (VII, 5), ce qui signifie que nous désirons, aimons le péché, sommes enclins au péché qui porte des fruits de mort. Ainsi donc le péché actuel (pour parler le langage des théologiens) est plutôt l'œuvre et le fruit du péché, tandis qu'il faut désigner par péché les passions elles-mêmes, le foyer du péché [2], la convoitise, la tendance au mal qui rend l'action bonne difficile. C'est ainsi que l'apôtre dit plus bas (VII, 7) : « Je ne savais pas que la convoitise est un péché… » De même que notre justice qui nous vient de Dieu est une disposition au bien et une répulsion contre le mal, que la grâce crée en nous, et que les œuvres sont donc plutôt des fruits de la justice, de même le péché est une répulsion contre le bien et une disposition au mal, et les œuvres du péché sont donc des fruits du péché, comme on le verra plus clairement au VIIe et au VIIIe chapitres [3]. Et c'est de ce péché que parlent les passages précédemment cités, par exemple : « Heureux ceux dont les iniquités sont pardonnées » (IV, 7), « J'avouerai mes transgressions à l'Éternel » (Ps. 32, 5), « Je reconnais mes transgressions et mon péché est constamment devant moi » (Ps. 51, 5). Et de même : « C'est contre toi seul que j'ai péché », etc. Car c'est cela le mal, en réalité le péché que Dieu, dans sa miséricorde, pardonne, par voie de non-imputation, à tous ceux qui le reconnaissent et le confessent et le haïssent et désirent en être guéris… Et c'est une erreur de croire que ce mal puisse être guéri par les œuvres, puisque l'expérience prouve que, malgré toutes les bonnes œuvres, cette convoitise du mal subsiste et que personne n'en est exempt, pas même un enfant d'un jour. Mais telle est la miséricorde divine que, bien que ce mal subsiste, il n'est pas compté comme péché à ceux qui invoquent Dieu et lui demandent avec larmes leur délivrance… Ainsi nous sommes pécheurs à nos yeux, et malgré cela nous sommes justes devant Dieu par la foi. Car nous nous confions à celui qui nous promet de nous délivrer à condition que nous persévérions, afin que le péché ne règne pas en nous. Il nous faut le subir, jusqu'à ce que Dieu daigne le supprimer.

Nous sommes dans le cas d'un malade plein de confiance en son médecin qui lui a formellement promis la guérison. En attendant le retour de la santé, ce malade se conforme aux prescriptions de son médecin… Le malade est-il guéri ? Non, mais il est malade et sauvé en même temps. Il est encore malade de fait, mais grâce à la promesse formelle de son médecin, dans lequel il a confiance, il peut être considéré comme sauvé. Son médecin le considère déjà comme tel, car il est certain de le guérir… De même le Christ, notre bon Samaritain, a reçu dans son hospice un homme à demi mort, son malade, dans l'intention de le guérir. Et il a commencé à le guérir, en lui promettant la santé parfaite dans la vie éternelle. Il ne lui impute pas le péché, c'est-à-dire la convoitise, comme devant amener la mort, mais en lui faisant espérer la santé, il lui interdit en même temps de faire ce par quoi sa guérison pourrait être entravée… Cet homme est-il parfaitement juste ? Évidemment non, mais il est en même temps pécheur et juste. Il est pécheur de fait, mais il est juste aux yeux de Dieu, grâce à la promesse de Dieu de le délivrer de l'esclavage du péché, en attendant qu'il l'en guérisse entièrement.

De ce fait, il a l'espoir absolu de la guérison, tout en étant encore un pécheur. Mais il a un commencement de justice qui le pousse à se l'approprier toujours davantage, bien qu'il se sache toujours injuste. Mais, si, par coupable faiblesse, ce malade aime son mal et refuse de se soigner, ne devra-t-il pas en mourir ? Un sort analogue est réservé à ceux qui obéissent à leurs mauvais penchants [4]. Et le malade qui ne croit pas à sa maladie, mais se croit bien portant et ne veut pas écouter son médecin, c'est l'image de ceux qui veulent être justifiés et prouver leur santé morale par leurs œuvres.

Comme il en est ainsi, ou je n'ai jamais rien compris à rien, ou bien les théo-

_____

(1) « Du péché originel. » (Note de Strohl.)

(2) « Fomes = amadou. » (Note de Strohl.)

(3) « Luther distingue donc un état de péché d'un état de justification causé par l'intervention de Dieu qui crée un rapport personnel entre lui et nous. » (Note de Strohl.)

(4) « Voici l'idée de Luther : sans l'initiative et sans l'action continue de Dieu, il n'y a pas d'espoir de salut. Mais l'homme peut entraver l'œuvre de Dieu. Il ne peut jamais invoquer aucun mérite, mais il peut démériter. » (Note de Strohl.)

logiens scolastiques [1] n'ont pas parlé avec la précision nécessaire du péché et de la grâce. Ils rêvent d'une suppression totale du péché originel et actuel [2], comme si c'étaient des choses capables de disparaître en un clin d'œil, de même que les ténèbres s'évanouissent dès que paraît la lumière. Les saints Pères de l'antiquité, saint Augustin et saint Ambroise, ont parlé d'une façon beaucoup plus conforme à l'Écriture. Les auteurs scolastiques [3] se sont inspirés de la Morale d'Aristote, qui ne connaît que des œuvres bonnes ou mauvaises et qui fait dépendre de leur présence ou de leur absence la valeur d'un homme. Mais saint Augustin a dit très clairement que le péché (la convoitise) est remis par le baptême, non pas qu'il ne soit plus, mais afin qu'il ne soit plus imputé. Et saint Ambroise dit : « Je reste toujours pécheur, et voilà pourquoi je recherche toujours la communion. » Et moi, pauvre ignorant que j'étais, grâce à l'enseignement reçu, je n'ai pu comprendre pourquoi je devais me considérer comme un pécheur pareil aux autres et ne me préférer à personne quand je m'étais confessé avec une réelle contrition. Je croyais alors, en effet, que tous mes péchés devaient être entièrement supprimés au point de n'en plus rien sentir [4]. Mais en songeant aux péchés passés, dont les auteurs scolastiques nous ordonnent de nous souvenir toujours (et ils le disent avec raison, mais ils devraient le réclamer plus catégoriquement encore), je me disais qu'ils ne pouvaient être remis, et pourtant Dieu avait promis de les pardonner à ceux qui se confient à lui. Et ainsi j'étais dans un conflit perpétuel, ne sachant pas que le pardon est réel, mais n'est pas identique à la suppression du péché. Celle-ci ne peut être qu'espérée, comme un effet de la grâce qui nous est donnée, et qui a commencé à supprimer le péché. C'est pure folie que de dire que l'homme peut aimer Dieu au-dessus de toutes choses à l'aide de ses propres moyens, et qu'il peut accomplir de fait toutes les œuvres prescrites par la loi, mais non pas selon l'intention du législateur. Sots que vous êtes, ô Sawtheologen [5]...

LES TENDANCES DE LUTHER « Pages émouvantes, comme le dit avec raison Strohl. Point culminant de sa pensée et le pivot de toute sa théologie. »

« Pour bien comprendre Luther, écrit ailleurs ce même auteur, il ne faut jamais oublier que, pour lui, il s'agit d'expliquer, à l'aide de cette conception — sur la justification d'après saint Paul — comment il était parvenu à la paix intérieure. Elle lui sert à traduire ses expériences intimes. C'est donc un problème de psychologie religieuse que son commentaire nous pose. Il faut essayer de saisir le rythme du chant de délivrance que Luther entonne. Son cours ressemble à une symphonie qui reprend continuellement les mêmes motifs pour les développer et les combiner en variations infinies. Luther ne se lasse pas de reprendre les mêmes « leitmotive » et, malgré toutes les répétitions, la lecture de ce commentaire ne fatigue pas, mais intéresse toujours à nouveau le lecteur, tant l'expression de la pensée est originale et spontanée. La clarté de la pensée a influencé le style de l'auteur. Luther qui, quelques années plus tard, montrera son talent d'écrivain allemand, manie maintenant avec agrément la langue latine de son époque qui, évidemment, reste

(1) « Duns Scot, Occam, Biel, Paltz. » (Note de Strohl.)
(2) Le concile de Trente, session V, c. 5, dira : *Si quis per Jesu Christi Domini nostri gratiam, quae in baptismate confertur, reatum originalis peccati remitti negat, aut etiam asserit non tolli totum id, quod veram et propriam peccati rationem habet, sed illud dicit tantum radi aut non imputari, anathema sit... Manere autem in baptizatis concupiscentiam vel fomitem, haec sancta synodus fatetur et sentit... Hanc concupiscentiam, quam aliquando Apostolus peccatum (Rom., VI, 13 et suiv.) appellat, sancta synodus declarat Ecclesiam catholicam nunquam intellexisse peccatum appellari, quod vere et proprie in renatis peccatum sit, sed quia ex peccato est et ad peccatum inclinat.*
(3) « Trutvetter et Usingen, les maîtres de Luther. » (Note de Strohl.)
(4) « *Omnia ablata putabam et evacuata, etiam intrinsece.* »
(5) « Intraduisible, car une traduction littérale renforcerait la grossièreté de l'expression. (Note de Strohl.)

une langue barbare comparée au style d'un Érasme ou d'un Calvin, formés à l'école des classiques [1]. »

Reproduisons encore ici un passage de l'introduction de la glose marginale dans le commentaire de l'épître aux Romains : « L'intention principale de l'apôtre en cette épître est de détruire toute justice et toute sagesse propres, et, par contre, de constater, de grossir, d'amplifier les péchés et le manque de sagesse qui n'existaient pas (c'est-à-dire dont nous n'admettions pas l'existence, puisque nous faisions illusion quant à notre justice). Je veux dire que l'apôtre poursuit le but de nous faire reconnaître que ces péchés existent encore, qu'ils sont nombreux et ne sont pas négligeables et que, vu l'absence de toute justice propre, le Christ et sa justice nous sont nécessaires. Voilà ce qu'il traite jusqu'au chapitre XII. A partir de ce chapitre jusqu'à la fin de l'épître, il enseigne à quoi nous oblige cette justice de Dieu quand nous en avons reçu le don. Car, devant Dieu, il n'en est pas ainsi qu'en accomplissant des actes justes, on devient juste, comme les juifs, les païens et tous les « justiciaires » se l'imaginent dans leur folie, mais il faut être juste pour accomplir des actes justes, comme il est écrit : « Dieu regarda Abel et son sacrifice » (*Gen.*, IV, 4) et non pas d'abord son sacrifice [2]. »

Dans ce commentaire nous trouvons donc le clair énoncé : le péché originel, c'est la passion, la convoitise, la concupiscence. Le baptême ne le fait pas disparaître. L'expérience nous prouve que nos bonnes œuvres n'y parviennent pas non plus, car, malgré notre contrition, nos confessions, nos bons propos, la concupiscence reste en nous. Mais si nous avons confiance, Dieu, par sa miséricorde, ne nous impute pas le péché.

Singulière exégèse pratiquée par Luther, dans ce passage et dans bien d'autres. « Paul expose dans sa lettre que ni l'obéissance à la loi naturelle, ni l'observance de la loi mosaïque ne peuvent justifier l'homme devant Dieu ; pour la justification, il faut la grâce de Dieu et cette grâce nous est révélée maintenant par l'Évangile du Christ. Bien à tort, Luther estime que Paul refuse en ces endroits toute efficacité aux forces naturelles de l'homme, qu'il réserve exclusivement à Dieu le pouvoir d'agir sur sa créature — pensées absolument étrangères à l'Apôtre. Dans les textes relatifs à la grâce du Christ, il attribue également à tort, à Paul, une interprétation des mérites du Christ, qui ferait de ces mérites une imputation purement extérieure, sans le concours de l'œuvre de l'homme.

« L'apôtre insiste sur cette vérité que le chrétien est libéré du joug de la loi mosaïque ; il proclame la sainte liberté des enfants de Dieu « *dans la nouveauté de l'esprit, et non dans la vieillesse de la lettre* ». Et Luther voit dans cette liberté l'affranchissement de toute loi, une fausse liberté donnée au véritable chrétien, une opposition entre la loi et l'Évangile — conclusion grosse de conséquences funestes.

« A plusieurs reprises et en recourant à de fortes images, l'apôtre parle

---

(1) H. STROHL, *op. cit.*, t. II, p. 17.
(2) *Ibid.*, p. 18. Justes réflexions de cet auteur : « Paul parle du péché du monde juif et Luther de celui du monde chrétien... Paul croit à un monde régénéré... Luther ne peut affirmer que cette humanité nouvelle existe. »

du rejet du peuple juif, rejet dû à son obstination dans l'incrédulité. »
Ces chapitres de la lettre paulinienne (IX-XI) « perdent chez Luther
leur portée historique et servent uniquement à expliquer le salut individuel par la prédestination individuelle [1] ».

« C'est l'orientation purement individualiste et la puissance de son
expérience personnelle, écrit le protestant Strohl [2], qui ont empêché
Luther de s'assimiler toute la pensée de l'apôtre. » Le caractère individualiste et subjectif de la pensée de Luther est encore dénoncé à diverses
reprises par Strohl. Ainsi : « Toute l'exégèse de Luther est dominée et
limitée par ses expériences personnelles. Il avait eu l'intuition de la justification par la foi alliée à la pénitence. *Rom.*, I, 17, la lui avait confirmée.
Luther est donc d'emblée convaincu que toute l'épître ne peut que vouloir
démontrer la nécessité de parvenir au salut par cette voie. Il ne trouve
et ne cherche chez l'apôtre qu'une doctrine sur le salut *individuel* [3]. »
« Pour Paul, le chrétien est membre du corps du Christ, d'une humanité
régénérée, et c'est comme tel qu'il prend part à un salut collectif [4]. »

COMMENT S'EXPLIQUE
L'ÉVOLUTION DE LUTHER

Comment comprendre cette évolution de
Luther qui le précipite dans l'hérésie ? A
cette question il a été donné bien des solutions différentes.

Pendant des siècles, de la mort de Luther aux travaux du P. Denifle,
régna une explication, unanimement admise, et qui reposait en bonne
partie sur des documents émanés de Luther même, et la plupart du temps,
sur des documents fort postérieurs à son apostasie, dont nous savons
maintenant qu'il faut extrêmement se défier. Luther eut une jeunesse
malheureuse. Ses parents étaient pauvres et le rudoyaient. Ses maîtres
ne lui épargnaient pas la férule. A l'église, dans sa famille, à l'école, on
lui représentait Dieu sous les traits d'un potentat. On lui parlait à peine
de la miséricorde et du Christ. Entré au couvent à la suite de plusieurs
commotions nerveuses, il se soumit à toutes les rigueurs de la règle.
Il cherchait le Dieu de miséricorde. Il ne le trouva ni dans les confessions
qu'il fit, ni dans les austérités auxquelles il se livra, ni dans les livres
qu'on lui fit lire. C'est à peine si de-ci de-là, comme jadis Ursule Cotta
à Magdebourg, un confrère ou un supérieur compatissant, ainsi Staupitz,
lui apporte des paroles de consolation. Dans cet état d'esprit il part
pour Rome. Au lieu d'y trouver la ville des martyrs, le centre vivant
de la Chrétienté, la patrie commune des fidèles, l'auguste résidence du
vicaire du Christ, il ne découvre que la Rome des Borgia. Il revient
désenchanté, scandalisé et déjà luthérien. Enfin, professeur à Wittemberg,
Luther trouve son apaisement complet dans un texte de saint Paul :

(1) H. Grisar, *op. cit.*, édit. résumée française, p. 46 ; H. Strohl, *op. cit.*, t. II, p. 109.
(2) *Ibid.*, t. II, p. 108.
(3) H. Strohl, *op. cit.*, t. II, p. 104. C'est cet auteur qui souligne.
(4) *Ibid.*, p. 108. H. Strohl, *L'épanouissement de la pensée religieuse de Luther de 1515 à 1520*,
p. 11, renvoie à plusieurs études sur le commentaire de la lettre de S. Paul aux Romains que
nous ne citons pas ici. J. Lortz, *op. cit.*, t. I, p. 162-164, met aussi fort bien en relief le subjectivisme de Luther. Toute sa pensée est concentrée sur lui-même. «*Das Reich des objektiven Geschehens
der Kirche steht für ihn stark an der Peripherie des Interesses.* »

Justitia Dei in eo (il s'agit de l'Évangile) *revelatur*. C'est la « découverte de la miséricorde » [1].

Les ouvrages de Denifle parurent de 1904 à 1909. Le premier, il y montre le peu de crédit que méritent les affirmations de Luther, après 1530, sur sa vie dans l'Église catholique. Le premier, il recherche dans les écrits de Luther, de 1513 à 1516, l'évolution interne du moine augustin. Son explication de l'apostasie de Luther est très simple. Il n'a pas été un religieux modèle, mais bien au contraire un homme de caractère emporté, passionné, subjugué par de mauvais penchants invincibles. Son expérience personnelle lui a donc appris que la concupiscence était irrésistible. Persuadé d'autre part qu'il pouvait faire son salut par lui-même, ne recourant plus à l'humble prière, relâché dans sa vie spirituelle, mangé par ses occupations extérieures, il tomba dans le désespoir. Il se créa une doctrine qui le mettait à l'aise, puisque Dieu couvre nos péchés, le Christ ayant accompli la loi à notre place [2].

Voici quelques-uns des passages les plus caractéristiques de Denifle :
« D'où lui vient ce changement brusque et radical ? Comment prouve-t-il que la concupiscence est absolument invincible ? Par le témoignage de l'expérience. Qu'est-ce à dire ? Simplement que, dans sa lutte contre la concupiscence, Luther a eu maintes fois le dessous, qu'il a été vaincu par elle. Les *Dictées sur le Psautier* nous ont fait comprendre de quelles passions il s'agissait chez Luther ; c'étaient précisément celles qui plus tard devaient se faire sentir chez lui avec plus de violence que chez aucun de ses contemporains, et que les documents contemporains nous permettent de constater en lui dès le début, au moins la colère ou la violence, et plus encore l'orgueil [3]. »

« Que prouvent ces passages [4] ? Uniquement, le triste état d'âme de Luther, ses défaites répétées sous les assauts de certaines passions. L'habitude de céder, de consentir, habitude à laquelle on aurait pu résister au début, a pour conséquence une inclination au mal plus grande, plus forte et qui peut devenir une sorte de nécessité, comme le dit saint Augustin, d'après sa propre expérience [5]. »

« Luther ne connaissait d'autre pratique de la vertu, d'autre « justice personnelle » que celle où l'orgueil, la confiance en ses propres forces et non l'humilité et le recours à la grâce et à l'assistance de Dieu jouent

---

(1) Voir p. 35. La théorie ancienne est fort bien exposée par L. FEBVRE, *Un destin*, p. 11-17.
(2) C'est dans le 3ᵉ et dernier chapitre de son t. I que Denifle étudie le « point de départ du développement hérétique de Luther ». Comme le remarque H. STROHL (*op. cit.*, t. I, p. 14), cette œuvre, où s'étalent des connaissances prodigieuses, où retentissent des accents pathétiques, a une architecture déplorable, beaucoup améliorée cependant dans la seconde édition et davantage encore dans la traduction de Paquier. Denifle, après avoir dans son premier chapitre mis en relief plusieurs des erreurs évidentes de l'édition de Weimar, analyse longuement (2ᵉ chapitre) l'ouvrage de Luther sur les vœux monastiques, composé en 1521. Il y accuse notamment le prophète de multiples mensonges.
(3) DENIFLE-PAQUIER, *op. cit.*, t. II, 2ᵉ édit., p. 398-399.
(4) De Luther. Par exemple ceux-ci : « Ainsi coexistent dans le même sujet la chaste crainte de Dieu avec la crainte impure, l'espérance avec l'anxiété, la foi avec les oscillations, surtout dans les tentations, la patience avec l'emportement, la douceur avec la colère, la chasteté avec la volupté, l'humilité avec l'orgueil, l'obéissance avec le murmure, la libéralité avec l'avarice, la sagesse avec la déraison, la force avec la pusillanimité, la sainte crainte avec la crainte servile, la grâce enfin avec le péché. » « Je succombais à la moindre tentation venant de la mort ou du péché. » (*Ibid.*, p. 402.)
(5) *Ibid.*, p. 402-404.

le rôle principal. Plus il avançait dans cette singulière pratique de la vertu, plus aussi croissait son indomptable concupiscence [1]. »

« Gisant à terre, Luther a-t-il du moins imploré de Dieu la grâce pour pouvoir se relever, pour pouvoir désormais, suivant les avertissements que l'Église nous en donne sans cesse, travailler en toute humilité à l'œuvre de son salut ? Pour lui c'était impossible. Sa chute était si profonde que même la simple tentative de relèvement devait lui paraître un désir présomptueux de s'appuyer sur soi-même. Et c'est précisément ce péché de présomption qu'il voulait éviter [2]. »

Les trois volumes du P. Grisar, parus en 1911 et 1912, diffèrent fort de ceux du P. Denifle. Ils constituent une véritable biographie. Le ton reste calme du commencement à la fin. Le savant jésuite n'admet pas la dépravation morale de Luther qui n'apparaît, dit-il, ni dans les *Dictata super Psalterium*, ni dans le commentaire de l'épître aux Romains. Il cherche le point de départ de la doctrine luthérienne non pas dans l'idée que la concupiscence est invincible, mais dans la dépréciation des bonnes œuvres, dont le réformateur déduisit l'impossibilité de faire le bien. Pour expliquer cette doctrine fondamentale de Luther, le P. Grisar nous invite en outre à tenir compte de divers éléments : le jeune moine, sans être dépravé, ne prend plus assez au sérieux ses devoirs de religieux et de prêtre ; il fait preuve d'une grande suffisance et d'un esprit de contradiction et d'opposition ; il manifeste une déformation psychique avec une tendance au scrupule et au pessimisme qui multiplient chez lui les angoisses. Enfin n'oublions pas sa formation occamiste, ainsi que l'action qu'exercèrent sur lui les œuvres mystiques de Tauler et la *Theologia deutsch* [3].

Nous pensons avec le P. Grisar que le point de départ de la théologie luthérienne gît dans l'inutilité des bonnes œuvres. Le jeune homme, mis en face de la mort et du jugement de Dieu, entre au couvent. Il veut apaiser le Dieu de majesté par ses confessions, l'observation de la règle, etc. Or il ne *sent* pas que toutes ces pratiques le délivrent du péché. Il nie donc leur efficacité.

INFLUENCE D'OCCAM Avec le P. Grisar aussi, nous voudrions insister sur quelques éléments et avant tout sur l'influence de la formation occamiste de Luther.

Les maîtres du jeune moine, Trutvetter, Usingen et Paltz, étaient des nominalistes avérés. Martin se vanta lui-même d'être « de la faction », de la « secte » d'Occam [4]. D'après Mélanchthon : « Il savait réciter Gabriel (Biel) presque textuellement de mémoire [5]. » Le P. Denifle dénonce avec raison en Luther l'ignorance de la vraie doctrine des grands maîtres de la théologie médiévale, en particulier de saint Thomas.

Le nominalisme, d'une part, exaltait, plus que le catholicisme, les forces de la volonté pour le bien et atténuait les effets du péché originel.

(1) DENIFLE-PAQUIER, *op. cit.*, p. 416.
(2) *Ibid.*, p. 432.
(3) H. GRISAR, *op. cit.*, t. I, p. 80-146.
(4) O. SCHEEL, *Dokumente*, nos 33 et 37.
(5) *Corpus Reformatorum*, t. VI, col. 159.
Histoire de l'Église. T. XVI.

« L'homme, déclarait Biel, peut éviter tous les péchés mortels sans la grâce. » Et Pierre d'Ailly : « La volonté, par ses puissances naturelles, peut se conformer à tout *dictamen* de la droite raison. » Les occamistes tenaient aussi que l'homme peut mériter la grâce *de congruo*. La grâce actuelle est totalement négligée par eux [1].

D'autre part, le nominalisme réduit les forces naturelles de la raison. D'après Occam, elle ne peut nous faire connaître avec certitude l'existence de Dieu, la liberté, l'immortalité de l'âme. Cette sorte d'agnosticisme admettait dans la foi des vérités contraires à la raison.

Ajoutons qu'Occam semble sympathique à une justification externe, à une non-imputation de nos fautes par Dieu et qu'il nous représente un Dieu capricieux, acceptant par exemple ou n'acceptant pas selon son bon plaisir les actes moraux humains.

Quels furent les effets de cette doctrine sur Luther ? Distinguons une influence positive et une influence négative. Le moine de Wittemberg se rallie à la doctrine du Dieu capricieux : de là ses craintes au sujet de sa prédestination. Il embrasse aussi la théorie de la double vérité qui réduit les forces de la raison. Enfin il dépasse les occamistes en matière de non-imputation, car il ne conserve qu'une non-imputation extérieure qui ne laisse donc pas subsister la grâce sanctifiante des catholiques.

D'autre part, Luther abandonne peu à peu sur certains points la doctrine qui lui a été enseignée. Il atténue jusqu'à les supprimer les forces de la volonté pour le bien ; il augmente les conséquences de la faute originelle ; il diminue à outrance le rôle de la dialectique, exagérée par le nominalisme, et gonfle considérablement celui de l'Écriture, source unique de toute connaissance religieuse. Avouons pourtant que Luther n'a pas tort de dénoncer le contact trop peu étroit qui existait de son temps entre la théologie et l'Écriture, ainsi que l'autorité trop prépondérante de la philosophie et particulièrement d'Aristote en théologie [2].

INFLUENCE DES MYSTIQUES   A cette influence du nominalisme sur l'évolution religieuse de Luther il faut ajouter celle de la mystique [3]. Cependant ni Tauler, ni la *Theologia deutsch* [4], qui sont les deux sources de sa connaissance mystique, ne lui ont fourni les idées fondamentales de sa théologie. Il ne commença à lire Tauler que dans le courant de l'été de 1515 et on conserve un exemplaire de cet auteur qu'il a annoté [5]. De la *Theologia deutsch*, qui lui paraît un résumé de Tauler, il publie d'abord un fragment en 1516 et le texte tout entier en 1518. Le professeur de Wittemberg a d'ailleurs tort de rapprocher jusqu'à les identifier Tauler et la *Theologia deutsch*. La piété de

---

(1) H. Grisar, *Luther*, t. I, p. 113-115. Notons ici que Biel s'est gardé de certaines des erreurs d'Occam.
(2) Voir H. Grisar, *op. cit.*, t. I, p. 102-132 ; H. Strohl, *op. cit.*, t. I, p. 89-102.
(3) H. Grisar, *op. cit.*, t. I, p. 132-146 ; H. Strohl, *op. cit.*, t. II, p. 113-144. Ce dernier exposé nous paraît préférable à celui du P. Grisar : on y trouve, comme toujours chez cet auteur, une copieuse bibliographie et un exposé plus systématique qui, d'abord, s'attache aux documents.
(4) La *Theologia deutsch* est l'œuvre d'un auteur allemand inconnu.
(5) W., t. IX, p. 95 et suiv.

Tauler, dominicain, a pour arrière-plan le thomisme. Elle aspire à se reposer en Dieu. La piété de la *Theologia deutsch* reflète davantage les idées scotistes et apparaît volontariste. Ajoutons que Luther s'est assimilé imparfaitement ces œuvres. Il n'en a gardé que quelques principes.

Tauler et la *Theologia deutsch* restent catholiques. Mais ils laissent l'impression d'un mysticisme quiétiste. L'homme ne doit pas résister à l'action de Dieu, mais la subir. Sa vie deviendra alors amour. Il ne désirera plus les récompenses et ne craindra plus les châtiments. Le chrétien peut contribuer à créer en lui cette attitude réceptive ou passive. Mais c'est Dieu surtout qui l'y prépare par les épreuves qu'il lui envoie. D'après la conception augustinienne, la religion doit donc être totalement désintéressée : son but est la communion avec Dieu.

Du contact avec les mystiques, Luther a surtout gardé l'atmosphère de piété sincère qui se dégageait de leurs œuvres. Son langage en est devenu plus simple, plus religieux, plus populaire.

Formé par la théologie nominaliste et réagissant sur certains points contre elle, se délectant de la lecture des mystiques allemands, il commente l'épître aux Romains, il se plonge dans les ouvrages de saint Augustin. Or il rencontre dans saint Paul des expressions de ce genre : *Igitur non volentis neque currentis sed miserentis est Dei... Ergo cujus vult miseretur et quem vult indurat... An non habet potestatem figulus luti ex eadem massa facere aliud quidem vas in honorem, aliud vero in contumeliam ?* (*Rom.*, IX, 16, 18, 21.) Dans l'état d'âme de Luther, ces phrases, mal interprétées, ne pouvaient que le confirmer dans ses théories. Il en était de même de certains passages de saint Augustin aux prises avec le pélagianisme et le semi-pélagianisme.

LA « DÉCOUVERTE DE LA MISÉRICORDE » Luther l'affirme en de nombreux endroits de ses œuvres [1] : la libération lui vint d'un texte de l'épître aux Romains, mal compris jusqu'alors, et dont Dieu lui révéla le sens exact. C'est la fameuse *découverte de la miséricorde*, « jour de naissance de la réforme ». D'elle traite surtout un passage fondamental de ses écrits qui se trouve dans la préface placée par Luther en tête de l'édition de ses œuvres en 1545 [2].

Cette année [3], j'avais entrepris pour la seconde fois [4] l'interprétation des psaumes et comptant y être mieux préparé, après avoir traité entre-temps dans mes cours des épîtres de saint Paul aux Romains, aux Galates et aux Hébreux. J'avais été brûlé d'un grand désir de comprendre l'épître de saint Paul aux Romains, mais jusque-là s'y était opposée... une seule expression du premier chapitre : *Justitia Dei in eo revelatur.* Cette expression je la haïssais car, suivant l'usage et la coutume de tous les docteurs, j'avais appris à la comprendre philosophiquement, de la justice qu'ils appellent formelle ou active, par laquelle Dieu est juste et punit les pécheurs et les injustes. Moi, qui me conduisais en définitive (*utcumque*) en moine irrépréhensible, je me sentais devant Dieu pécheur et d'une conscience très inquiète, et je ne pouvais trouver mon apaisement dans mes œuvres satisfactoires. Aussi n'aimais-je pas, haïssais-je

(1) Voir par exemple dans O. Scheel, *Dokumente zu Luthers Entwicklung*, nᵒˢ 235, 404, 476, 490, etc.

(2) O. Scheel, *op. cit.*, nᵒ 5 ; H. Strohl, *op. cit.*, t. I, p. 140-142. Nous complétons le texte de ce dernier vers la fin et le corrigeons parfois d'après l'original.

(3) 1519.

(4) Nous avons parlé plus haut de son premier cours sur les psaumes (*Dictata super psalterium*).

même ce Dieu juste qui punit les pécheurs et, si je ne blasphémais pas en secret, je me sentais pris d'indignation et je murmurais violemment contre lui en disant : « N'est-il pas suffisant que nous, malheureux pécheurs et condamnés à la mort éternelle par le péché originel, nous soyons chargés de toutes sortes de calamités par le décalogue ? Faut-il encore que par l'Évangile il ajoute de nouvelles douleurs à nos douleurs et que, même par lui, il nous intime sa justice et sa colère. J'étais hors de moi, ma conscience était irritée et bouleversée ; et je creusais sans trêve (*pulsabam importune*) cet endroit de saint Paul, ayant une soif ardente de savoir enfin ce qu'il voulait dire.

Enfin Dieu eut pitié de moi. Tandis que dans ma méditation jour et nuit j'examinais l'enchaînement de ces mots : « La justice de Dieu se révèle dans l'Évangile, comme il est écrit : Le juste vit de la foi », j'ai commencé à comprendre que la justice de Dieu signifie ici celle par laquelle le juste vit par le don de Dieu, c'est-à-dire par la foi. Le sens de la phrase est donc celui-ci : L'Évangile nous révèle la justice de Dieu, mais la justice passive, par laquelle, au moyen de la foi, nous justifie Dieu plein de miséricorde, selon ce qui est écrit : « Le juste vit de la foi. » Aussitôt je me sentis renaître et il me sembla être entré par les portes largement ouvertes au paradis même. Dès lors toute l'Écriture prit à mes yeux un aspect nouveau. Je parcourus ensuite les textes sacrés, tels qu'ils s'offraient à ma mémoire, et réunissais d'autres termes qu'il fallait expliquer de façon analogue, par exemple *opus Dei*, c'est-à-dire ce que Dieu opère en nous, la vertu de Dieu qui nous donne la force, la sagesse de Dieu, par laquelle il nous rend sages, la force de Dieu, le salut de Dieu, la gloire de Dieu...

Ensuite je lus le *De spiritu et littera* de saint Augustin, où contre toute attente je découvris qu'il interprète la « justice de Dieu » de même manière, celle dont Dieu nous revêt quand il nous justifie... Mieux préparé par toutes ces réflexions, je commençais à interpréter une seconde fois le psautier et cette œuvre serait devenue un grand commentaire, si de nouveau, appelé l'année suivante à Worms, je n'avais été obligé d'abandonner l'œuvre commencée.

A première vue ce texte semble rapporter la découverte de Luther à une époque très voisine de 1519 [1]. D'autre part, dans la préface, il remonte très haut dans ses souvenirs ; il y affirme très clairement avoir fait sa découverte avant la lecture du *De spiritu et littera* d'Augustin, si souvent cité dans le cours sur l'épître aux Romains. Les scholies sur les psaumes 70 et 71, qui datent environ de l'automne de 1514, contiennent pour la première fois clairement le sens du texte de saint Paul qu'il dit avoir découvert [2].

Le P. Denifle, dans un volume de 378 pages, passe en revue quelque soixante auteurs, de l'*Ambrosiaster* et de saint Augustin à Denis le Chartreux. Il conclut de leur étude que tous ces écrivains interprètent le passage de saint Paul dans le sens prétendument découvert par Luther : la justice par laquelle Dieu nous justifie, la justice obtenue par la foi. Comme le savant dominicain rapportait à 1519 la fameuse découverte, il conclut de ses travaux que Luther était un ignorant ou un menteur [3].

(1) Aussi le P. Grisar, *op. cit.*, t. I, p. 304-326, distingue-t-il deux phases dans la découverte par Luther de sa doctrine fondamentale : dans la première (1515-1516) le réformateur arrive à ses doctrines sur l'inutilité des bonnes œuvres, sur la corruption totale de l'homme à la suite du péché originel, sur la miséricorde de Dieu couvrant les péchés chez celui qui se confie au Christ. Dans la seconde phase, le professeur de Wittemberg acquiert la notion de la foi confiante en Dieu qui justifie et la certitude du salut. Bien que cette thèse puisse se défendre, elle nous paraît un peu factice. Il est certain qu'en 1518 et 1519 Luther passe encore par des crises d'angoisse, de désespoir, etc. Nous en concluons simplement que sa découverte de la miséricorde ne lui a apporté qu'un soulagement momentané. Voir K. Holl, *Die Rechtfertigungslehre in Luther Vorlesung über den Roemerbrief mit besonderer Rücksicht auf die Frage der Heilsgewissheit*, dans les *Gesammelte Aufsaetze*, t. I, p. 111-154.

(2) W., t. III, p. 452-463. Scheel, *op. cit.*, t. II, p. 570-572.

(3) *Luther und Luthertum in der ersten Entwicklung*, t. I, 2e partie. *Quellenbelege. Die abendlaendischen Schriftausleger bis Luther über Justitia Dei (Rom., I, 17) und Justificatio*, Mayence, 1905.

Malgré l'érudition dépensée par le P. Denifle, nous ne pouvons nous rallier à sa conclusion, sans aboutir toutefois sur ce point à la certitude. Nous croyons devoir placer bien avant 1519, en 1514 ou 1515, au plus tard, la découverte de l'Évangile [1].

A supposer même qu'il faille la reporter plus tard, nous n'accuserions pas encore Luther de mensonge. Il a découvert une interprétation qu'il connaissait déjà. Soit ! Mais Luther ne connaissait que quand il avait trouvé et senti par lui-même [2].

On donne parfois à ce fait si important dans la vie de Luther le nom d' « épisode de la Tour ». En effet, dans des Propos de table, de 1532, le réformateur affirme que l'intelligence du vrai sens de la *justitia Dei* lui fut donnée : « Lorsqu'un jour je méditais sur ces mots dans cette tour [3]. » Et ce disant il montrait à ses compagnons de table une tour de l'ancien couvent de Wittemberg, située à l'angle sud-ouest près du jardin. L'un de ces textes parle de l' « hypocauste », c'est-à-dire de la chambre chauffée, comme il y en avait dans les anciens monastères [4].

PRÉDICATIONS DE LUTHER DE 1516 A 1518 Le 2 octobre 1516, Luther inaugure son cours sur l'épître aux Galates [5], et, de Pâques 1517 à Pâques 1518, il explique l'épître aux Hébreux [6]. Nous ne croyons pas devoir nous arrêter ici à ces commentaires.

Mais, antérieurement à la querelle des indulgences, le maître veut déjà communiquer ses découvertes doctrinales à un public plus large que celui de ses cours. Le 25 septembre 1516 et le 4 septembre 1517, deux de ses élèves, la première fois, Barthélemy Bernhardi de Feldkirch, et la seconde, Franz Gunther de Nordhausen, se déclarent prêts à soutenir publiquement certaines propositions de leur professeur. Bien qu'il prévît le mécontentement de ses maîtres d'Erfurt, Luther leur adressa au moins le second groupe des thèses qu'il avait rédigées et se déclara même prêt à aller les défendre devant eux. Car « en tout cela, concluait l'énoncé des propositions, nous ne voulons rien dire et nous croyons n'avoir rien

---

(1) Voir encore sur ce sujet l'étude de M. Stracke, *Luther grosser Selbstzeugnis*, 1545, Heidelberg, 1926. On pourrait peut-être encore faire valoir contre le P. Denifle que, dans le passage reproduit plus haut, le mot de *docteurs* signifie sans doute les théologiens par opposition aux Pères. I[?] par exemple se sert du terme de *justitia* pour caractériser l'attitude de Dieu vis-à-vis des pécheurs et de celui de *misericordia* quand il parle de Dieu travaillant au salut des hommes. « Tous les commentaires des Sentences, ajoute H. Strohl, *op. cit.*, t. I, p. 150, après Hirsch et Mueller, fourniraient des preuves à l'appui de cette affirmation », à savoir que chez les théologiens le mot *justitia* est pris dans le sens que Luther lui donne avant sa découverte. Cette question ne peut nous retenir ici. Parmi les 60 auteurs que cite Denifle, il y a aussi un bon nombre de théologiens.
(2) Dans le même sens, J. Lortz, *op. cit.*, t. I, p. 183 : « Seine ...Behauptung in der Vorrede von 1545 ist falsch. Alle Exegeten des Mittelalters hatten diese Deutung vorgetagen. Luther musz das auch gelesen haben... aber er war nicht in ihn eingezangen. »
(3) W. T., t. III, n° 3252, a, b, c. Cf. W. T., t. II, n° 1681.
(4) *Ibid.*, n° 3252 C. Un autre propos de table (Schlaginhaufen) se termine ainsi : *Dise Khunst hat mir der heilig Geist aüff diser C(loaca) aüff dem Thorm gegeben* » (O. Scheel, *Dokumente*, n° 39), c'est-à-dire dans le cabinet qui se trouve dans la tour. Sur cette question, d'importance très secondaire, cf. H. Grisar, *op. cit.*, t. I, p. 323-324 ; édit. franç. résumée, p. 70 et 71 ; H. Strohl, *op. cit.*, t. I, p. 142, n° 2 ; O. Scheel, *op. cit.*, t. II, p. 569, n° 6.
(5) W., t. III, p. 436 et suiv.
(6) Voir *infra*, p. 85.

dit qui ne soit conforme à l'enseignement de l'Église catholique et des docteurs de l'Église ».

Ces deux discussions roulent principalement sur un point du nouveau système de Luther : l'incapacité radicale de l'homme à faire le bien sans la grâce. « L'homme sans la grâce est un mauvais arbre, qui ne peut produire aucun bon fruit. » « Sans la foi qui opère par la charité, même les œuvres qui paraissent bonnes sont des péchés. » « La volonté de l'homme, sans la grâce, n'est pas libre. » « L'homme, quand il fait ce qui est en lui, pèche, car il ne peut ni vouloir ni penser par ses propres forces [1]. » « Il est faux de dire que la volonté est libre de se décider pour le bien ou pour le mal. La volonté n'est pas libre, elle est captive. » « Sans la grâce, elle ne choisit nécessairement que le mal. » « Tout amour intéressé de Dieu est encore entaché de péché [2]. »

Mais les thèses de Gunther nous paraissent avoir plus de portée que celles de Bernhardi. Les propositions 41-53 s'élèvent violemment contre l'autorité dont Aristote jouissait en théologie. Au Stagyrite, Luther semble vouloir opposer saint Augustin. Ensuite, dans la seconde dispute, le disciple de Wittemberg s'attaque ouvertement à certaines doctrines de l'occamisme, surtout au gabriélisme qu'il nomme. Enfin Gunther, c'est-à-dire en réalité Luther, s'applique vers la fin des énoncés à mettre face à face son système : la religion de la grâce, avec le système catholique qu'il appelle : la religion de la loi.

En ces années 1516-1517 Luther continue aussi ses prédications au peuple et se manifeste de plus en plus comme un grand orateur populaire. Il explique en chaire le Décalogue (29 juin 1516 au 24 février 1517) ; publie au printemps 1517 une paraphrase pour les fidèles des psaumes de la pénitence — le premier ouvrage qu'il fit imprimer — et prêche, pendant le carême de 1517, des sermons sur l'oraison dominicale [3].

Ces prédications elles aussi reflètent les idées qui lui sont chères, par exemple contre la valeur méritoire des bonnes œuvres. Il s'applique à réagir contre ce qu'il considère comme des abus dans le culte des saints. Mais il se proclame toujours catholique et entend bien le rester [4].

LA VIE RELIGIEUSE DE LUTHER Comment nous apparaît à cette époque la vie religieuse du moine de Wittemberg ? Avec les idées que nous lui connaissons sur l'observance et l'inutilité des bonnes œuvres, il est assez naturel de ne plus découvrir en lui la même ferveur qu'aux premiers temps de sa vie religieuse.

Il écrit, le 26 octobre 1516, à son ami Lang :

J'ai besoin presque de deux scribes ou chanceliers ; je passe presque toute la journée à écrire des lettres... Je suis prédicateur conventuel, lecteur à table, chaque jour on me demande comme prédicateur à l'église paroissiale. Je suis régent des études et vicaire (de district), c'est-à-dire onze fois prieur. Je suis questeur des poissons à Litzkau, mandataire dans le procès des frères de Herzberg à Torgau. Je commente saint Paul ; je recueille des notes sur le psautier...

(1) W., t. I, p. 145-151.
(2) *Ibid.*, p. 221-228. Traduite dans H. Strohl, *op. cit.*, t. II, p. 171-178.
(3) *Ibid.*, I, p. 142-151.
(4) H. Strohl, *op. cit.*, t. II, p. 158-193.

J'ai rarement le temps de réciter mes Heures et de célébrer, sans compter mes tentations venant de la chair, du monde et du diable [1].

Citons encore deux propos de table : le premier de 1533 : « Quand j'étais moine, je ne voulais rien omettre de mes prières. Comme j'étais pressé par le travail de mes leçons publiques et de mes lettres, je réunissais souvent mes heures pour une semaine jusqu'au dimanche soir, voire même pour deux semaines ou trois, et je m'enfermais alors un jour entier et ne mangeais rien et ne buvais rien jusqu'à ce que j'eusse achevé mes prières... » Le second propos de table est de 1540 : « Lorsque j'étais moine, j'étais tellement pris par mes cours, ma correspondance, le chant, etc., qu'à cause des affaires je ne pouvais pas réciter les Heures canoniques. C'est pourquoi le samedi, sans avoir le temps de prendre mes repas, je suppléais ce qui avait été négligé aux six jours précédents et je priais la journée entière, sans me soucier des mots que je prononçais. C'est ainsi que nous, pauvres gens, nous étions tourmentés par les décrets des papes [2]. »

En résumé, nous croyons pouvoir expliquer de la façon suivante la genèse des premières idées hérétiques de Luther, c'est-à-dire de l'essentiel de son système.

Ame très religieuse [3], il est saisi, au moins dès l'orage de 1502, par la terreur du jugement. Au cloître, où il entre par une décision subite, mais qu'a préparée toute sa vie antérieure, Dieu lui apparaît de plus en plus comme un Dieu de majesté. Il a peur de Lui, il éprouve des angoisses [4], des scrupules ; il doute de sa prédestination. Les confessions qu'il fait, les pénitences auxquelles il se livre ne lui apportent pas la consolation qu'il y cherche, car il veut se *sentir* débarrassé de ses péchés, se *sentir* en grâce avec Dieu. Il *sent* au contraire en lui la concupiscence et il se croit responsable devant Dieu des mouvements mauvais de son âme [5]. Il se désespère. Enfin il trouve la libération de toutes ses misères lorsqu'il découvre le sens d'un texte de l'épître de saint Paul aux Romains. Dès lors, il n'a plus à se préoccuper de ses péchés. Dieu, par sa miséri-

---

(1) W. B., t. I, n° 28, p. 72-73.

(2) W. T., t. IV, n° 5094.

(3) K. Holl, *Was verstand Luther unter Religion*, dans *Gesammelte Aufsaetze zur Kirchengeschichte*, t. I, p. 1-110.

(4) Un grand nombre d'auteurs (par exemple H. Grisar, *op. cit.*, t. III, p. 596-673 ; A. Hausrath, *op. cit.*, t. II, p. 31-36 ; W. Ebstein, Stuttgart, 1908) admettent chez Luther un état maladif, voire même — surtout Grisar — une constitution physique et psychique anormale. Le dernier ouvrage paru sur cette question, et qui a provoqué plusieurs répliques, est celui du médecin P.-J. Reiter, *Martin Luthers Umwelt, Charakter und Psychose*, 2 vol., Copenhague, 1937 et 1941. Voir notamment la *Theol. Literaturblatt*, t. LIX, 1938, p. 290 et 291 ; *Theologische Literaturzeitung*, 1943, n°s 5 et 6 ; *Zeitschrift für kath. Theologie*, 1947, p. 365 et suiv. D'après Reiter, la maladie propre de Luther apparaîtrait clairement en 1527. Elle se manifeste par des angoisses précordiales, des syncopes, des sueurs, des crises de larmes. Ce serait une « agitierte Melancolie ». En fonction de cette maladie, l'auteur explique beaucoup d'autres manifestations antérieures à 1527.

(5) « Quand j'étais moine, je croyais immédiatement que c'était fait de mon salut, chaque fois que j'éprouvais la convoitise de la chair, c'est-à-dire un mauvais mouvement, du désir, de la colère, de la haine, de la jalousie à l'égard d'un frère, etc. J'essayais de bien des remèdes, je me confessais journellement, mais cela ne me servait de rien. Car toujours la convoitise de la chair renaissait ; voilà pourquoi je ne pouvais trouver la paix, mais j'étais perpétuellement au supplice en pensant : « Tu as commis tel ou tel péché ; tu es encore en proie à la jalousie, à l'impatience, etc. C'est donc en vain que tu es entré dans les ordres et toutes tes œuvres sont inutiles. » (*Commentaire des Galates*, 1535, W., t. XL, trad. H. Strohl, *op. cit.*, t. I, p. 87.) Voir les passages suggestifs de J. Lortz, *op. cit.*, t. I, p. 175-176, notamment : *Luther rang in sich selbst einen Katholizismus nieder, der nicht katholisch war.*

corde, ne les lui impute pas parce qu'il a confiance. Plus de grâce sanctifiante et plus de mérites : tout cela devient pour lui inutile, antichrétien.

ÉVOLUTION DE LUTHER   Le développement de ces idées chez Luther a
été favorisé d'abord par le nominalisme qu'il a
étudié. Il s'est rallié d'enthousiasme à certaines des positions de ce système, par exemple à celles qui réduisaient les forces de la raison et
forgeaient un Dieu capricieux. Il a rejeté avec horreur celles qui exaltaient
la puissance de la volonté pour le bien et s'est ancré dans une position
nettement contraire. L'étude des mystiques, l'application à l'épître de
saint Paul aux Romains, qu'il a mal comprise, avec son subjectivisme
et son individualisme, la lecture de saint Augustin n'ont fait que le
renforcer dans la position qu'il avait prise.

Dès cette première époque de sa vie apparaissent certains aspects
dangereux de son caractère : le repliement sur soi-même, l'abus de l'intro-
spection, la tendance à se faire centre, une singulière suffisance, qui ne
sait pas douter, qui bouscule sans pitié les opinions même les plus vénérables, une conviction que Dieu l'inspire et le dirige, une préoccupation
insuffisante des décisions de l'Église, dont l'autorité s'effacera de plus
en plus à ses yeux, pour ne plus laisser place qu'à l'Écriture.

L'évolution de Luther s'explique donc avant tout par des motifs religieux [1]. Malgré leurs grands mérites, les ouvrages de Denifle et de Grisar,
pour ne citer que des protagonistes, ne le reconnurent pas assez. D'autre
part, il ne faut pas rendre le catholicisme responsable de la chute de Luther,
comme les protestants le font encore trop souvent. La théologie, dit-on,
« d'une façon ou d'une autre, subordonnait toujours la grâce à la justice.
La loi, le droit, la justice distributive était l'élément prépondérant dans
l'économie du salut. La grâce ne faisait toujours qu'aider à satisfaire les
exigences de Dieu. Luther... n'a pu trouver la paix qu'après avoir éliminé de nos rapports avec Dieu l'idée du droit, pour ne plus voir en Dieu
que le Dieu de toute grâce [2] ». Mais, à supposer que telle fût vraiment
la conception de la théologie, l'Église ne lui en fournissait-elle pas une
autre ? Malgré ses tares, ne restait-elle pas pour un grand nombre de
chrétiens non pas avant tout une institution juridique, mais une mère
leur distribuant largement, surtout par ses sacrements, les sources de
sanctification et d'union à Dieu ?

§ 4. — La querelle des indulgences [3].

LES INDULGENCES DE LÉON X   Léon X avait promulgué, le 31 mars
1515, une indulgence en faveur de la
reconstruction de Saint-Pierre de Rome. L'archevêque de Mayence,
Albert de Brandebourg, fut chargé de sa prédication dans une partie de

---

(1) Voir surtout, sous ce rapport, du côté catholique, l'article de F.-X. KIEFL, *Luthers religioese
Psyche*, dans *Hochland*, t. XV, I, p. 7 et suiv., Munich, 1917.
(2) H. STROHL, *op. cit.*, t. I, p. 26-27.
(3) W. KOEHLER, *Dokumente zum Ablasstreit von 1517*, dans la *Sammlung ausgewaehlter Kirchen-
und dogmengeschichtlicher Quellenschriften*, sous la direction de G. KRUEGER, 2e série, fasc. 3,

l'Allemagne. Nommé archevêque de Magdebourg le 30 août 1513, il recevait quelques semaines après l'administration du diocèse d'Halberstadt. Enfin, l'année suivante, l'archidiocèse de Mayence lui fut encore confié. Pour permettre ce cumul, la curie romaine le taxa à 10.000 ducats, en dehors du droit traditionnel de 14.000 ducats pour le pallium. La banque des Fugger d'Augsbourg lui avança cette somme. Afin de lui permettre d'éteindre sa dette, la curie lui proposa la prédication de l'indulgence. Luther ne connut pas, au moins alors, ce marché assez peu édifiant.

SERMONS DE LUTHER EN 1516   Il s'était déjà occupé des indulgences dans deux sermons de 1516 [1].

Il y dénonce des abus dans leur emploi. « Elles sont devenues un ministère très honteux d'avarice. » Il les déclare dangereuses, comme il le fera dans ses fameuses thèses, parce qu'elles risquent de « devenir pour nous une cause de sécurité et de paresse et une nuisance pour la grâce intérieure ». Mais sa doctrine semble correcte, en dépit de ce passage sur l'indulgence applicable aux défunts, qui pourrait faire croire le contraire.

Il est trop téméraire de prêcher que par les indulgences sont rachetées les âmes du purgatoire, car cela est absurde et on ne nous dit pas comment cette affirmation doit être comprise. D'ailleurs le pape est cruel, s'il ne concède pas gratuitement aux pauvres âmes ce qu'il peut donner pour une somme versée à l'Église [2].

POLÉMIQUE AVEC TETZEL   L'archevêque-électeur Albert délégua le dominicain Tetzel à la prédication de l'indulgence [3]. Toute une légende s'est créée sur ce moine et Luther contribua à la répandre. On attaqua sa vie privée : à en croire le réformateur (1541), Tetzel aurait été condamné à la noyade pour adultère et sauvé par Frédéric le Sage. Rien de vrai en tout cela. Mais que dire de sa prédication ? Tetzel était un orateur populaire et assez peu versé en théologie [4]. On ne peut faire aucun reproche à ses affirmations sur les indulgences pour les vivants. Mais sur l'indulgence en faveur des âmes du purgatoire, son enseignement manquait d'exactitude. Pour lui, le chrétien devait croire qu'elle tenait son efficacité de l'accomplissement de l'œuvre requise, indépendamment de l'état de grâce. D'accord avec beaucoup de théologiens de ce temps, il soutint également, comme doctrine de foi, l'application infaillible de l'indulgence pour les morts à l'âme désignée par celui qui accomplit les conditions prescrites. En substance du moins il a fait retentir du haut de la chaire le propos célèbre : « L'argent n'a pas plus tôt sonné dans la caisse que l'âme se sauve du purgatoire. » On lui reprocha également sa manière spectaculaire ; chez

---

(1) W., t. I, p. 65 et suiv. W. KOEHLER, *Dokumente*, n° 30.
(2) H. GRISAR, *op. cit.*, t. I, p. 263 et édit. abrégée franç., p. 58, ne trouve rien de nettement opposé à la doctrine de l'Église dans ce sermon. C'est aussi l'avis d'un théologien auquel nous l'avons fait lire. Pour H. STROHL, *op. cit.*, t. II, p. 220, Luther y rejette en principe l'indulgence accordée aux âmes du purgatoire.
(3) N. PAULUS, *Johann Tetzel, der Ablassprediger*, Mayence, 1899.
(4) Des instructions lui avaient été données. Voir W. KOEHLER, *Dokumente*, n° 31.

beaucoup elle devait renforcer l'opinion de la prédication affaire commerciale.

LES THÈSES DE WITTEMBERG Lorsque Tetzel approcha de Wittemberg, Luther jugea venu le moment d'agir. Le 1er novembre, il fit afficher à la porte de l'église de Wittemberg ses 95 thèses, en latin [1].

Elles constituent une attaque fondamentale, quoique prudemment dissimulée, contre les indulgences. La raison de cette opposition, nous la connaissons déjà : les indulgences apportent au pécheur une fausse sécurité. Tout homme doit savoir qu'il est couvert de péchés ; il reste toujours pécheur ; mais il devient en même temps juste par la foi.

Thèse qui revient continuellement, « parfois en sourdine, parfois en coup de trompette » [2].

L'exposé des 95 thèses commence par un préambule. Luther y fait d'abord ressortir la différence fondamentale entre sa conception austère de la vie chrétienne et celle, beaucoup plus facile, qu'il attribue aux catholiques.

1. En disant : *Faites pénitence*, Notre-Seigneur et Maître Jésus-Christ a voulu que la vie entière des fidèles fût une pénitence.
2. Cette parole ne peut s'entendre du sacrement de pénitence, tel qu'il est administré par le prêtre, c'est-à-dire de la confession et de la satisfaction.
3. Toutefois, elle ne signifie pas non plus la seule pénitence intérieure ; au contraire celle-ci est nulle si elle ne produit pas au dehors toutes sortes de mortifications de la chair.
4. C'est pourquoi la peine dure aussi longtemps que dure la haine de soi-même (c'est là la vraie pénitence), c'est-à-dire jusqu'à l'entrée dans le royaume des cieux.

Le préambule dénie ensuite au pape le droit d'absoudre de sa propre autorité.

5. Le pape ne veut et ne peut remettre d'autres peines que celles qu'il a imposées lui-même de sa propre autorité et par l'autorité du droit canonique.
6. Le pape ne peut remettre aucune coulpe autrement qu'en déclarant et en confirmant que Dieu l'a remise ; à moins qu'il ne s'agisse des cas réservés à lui...
7. Dieu ne remet la coulpe à personne, sans l'amener à se soumettre avec humilité à son représentant, le prêtre.

Parmi les propositions suivantes, on peut distinguer trois groupes.

Le premier comprend les affirmations du professeur de Wittemberg contre les indulgences en faveur des âmes du purgatoire (8-29). En 1517, Luther croit encore à l'existence du purgatoire, c'est-à-dire à un état transitoire, dans lequel, après la mort, l'âme se purifie [3]. Mais il prétend que le pouvoir du pape s'étend uniquement aux peines canoniques et nullement au purgatoire. Sans nier l'intercession de l'Église en faveur des âmes qui se trouvent dans cet état, il refuse de reconnaître au chef de l'Église le droit de les faire profiter, par le pouvoir des clefs, d'une indulgence acquise par les vivants en leur faveur.

(1) Texte dans W., t. I, p. 229-238 ; W. Koehler, *Dokumente*, n° 33. Meilleur commentaire dans H. Strohl, *op. cit.*, t. II, p. 223-243.
(2) Expression de H. Strohl, *op. cit.*, p. 224.
(3) Cf. *infra*, p. 71.

20. Donc, par la rémission plénière de toutes les peines, le pape n'entend pas parler de toutes les peines en général, mais uniquement de celles qu'il a imposées.

21. C'est pourquoi les prédicateurs de l'indulgence sont dans l'erreur quand ils disent que les indulgences du pape délivrent l'homme de toutes les peines et le sauvent.

26. Le pape fait très bien de ne pas donner aux âmes la rémission en vertu du pouvoir des clefs (qu'il n'a point), mais de le donner par le moyen de l'intercession (*per modum suffragii*).

Les propositions 30-68 traitent de l'indulgence en faveur des vivants. Le professeur en expose les dangers. Elle trompe d'abord sur le moyen d'acquérir le salut, à savoir la vraie pénitence. Il suffira de reproduire la 40e thèse.

40. La vraie contrition recherche et aime les peines, l'indulgence, par contre, remet les peines et nous inspire une aversion contre elles. Du moins la favorise-t-elle.

L'indulgence apparaît aussi comme un grand obstacle aux bonnes œuvres.

41. Il faut prêcher avec prudence les indulgences du pape, afin que le peuple n'en vienne pas à s'imaginer qu'elles sont préférables aux autres bonnes œuvres inspirées par la charité.

43. Il faut enseigner aux chrétiens que celui qui donne aux pauvres ou prête aux nécessiteux fait mieux que s'il achetait des indulgences.

Enfin l'indulgence pour les vivants menace l'Évangile lui-même, la « parole de Dieu. » Avec celle-ci, les « trésors de l'Église » reviennent souvent dans les propositions 54-68.

54. C'est faire injure à la Parole de Dieu que d'employer dans un sermon autant et plus de temps à prêcher les indulgences qu'à annoncer cette Parole.

56. Les trésors de l'Église, d'où le pape tire ses indulgences, ne sont ni suffisamment définis, ni assez connus du peuple chrétien.

62. Le véritable trésor de l'Église, c'est le très saint Évangile de la gloire et de la grâce de Dieu.

Le troisième groupe de propositions (69-91) réunit toutes les critiques que soulèvent les indulgences.

69. Le devoir des évêques et des pasteurs est d'admettre avec respect les commissaires des indulgences apostoliques.

70. Mais c'est bien plus encore leur devoir d'ouvrir leurs yeux et leurs oreilles, afin que ceux-ci ne prêchent pas leurs rêves à la place des ordres du pape.

81. Cette prédication imprudente des indulgences rend bien difficile aux hommes les plus savants de défendre le respect dû au pape contre les calomnies ou même contre les questions insidieuses des laïques.

82. Pourquoi, disent-ils par exemple, le pape ne délivre-t-il pas d'un seul coup toutes les âmes du Purgatoire, pour le plus juste des motifs, par sainte charité, par compassion pour leurs souffrances, s'il en délivre à l'infini pour le motif le plus futile, pour un argent indigne destiné à la construction de sa basilique ?

83. Pourquoi laisse-t-il subsister les services et les anniversaires des morts ?

Et encore :

85. Pourquoi les canons pénitentiels, qui ne sont depuis longtemps plus en usage, qui sont morts et abrogés en fait, se rachètent-ils encore pour de l'argent, par la concession d'une indulgence, comme s'ils étaient encore en vigueur ?

86. Pourquoi le pape, dont le sac est aujourd'hui plus gros que celui des plus gros richards, n'édifie-t-il au moins cette basilique de Saint-Pierre de ses propres deniers, plutôt qu'avec l'argent des pauvres fidèles ?

Enfin les dernières propositions reviennent au thème du début :

92. Qu'ils disparaissent donc tous ces prophètes qui disent au peuple du Christ : « Paix, Paix » ; et il n'y a point de paix !

93. Bienvenus au contraire les prophètes qui disent au peuple du Christ : « Croix, Croix », et ce n'est pas une croix.

94. Il faut exhorter les chrétiens à s'appliquer à suivre Christ, leur chef, à travers les peines, la mort et l'enfer,

95. et à « entrer au ciel par beaucoup de tribulations » (Act., 14, 22), plutôt que de se reposer sur la sécurité d'une fausse paix.

Les 95 thèses, rédigées en latin, furent réimprimées et colportées par d'autres que leur auteur. Les prédicateurs d'indulgences les attaquèrent d'abord dans la chaire. Tetzel défendit des propositions opposées, rédigées par un certain Conrad Wimpina, devant ses confrères en religion. En mars 1518, paraissait, sous la plume du professeur de Wittemberg, un sermon sur la grâce et l'indulgence, prononcé quelques mois auparavant et qui jusqu'en 1520 eut 21 éditions [1]. Suivit bientôt un libelle intitulé : Liberté d'un sermon sur l'indulgence [2].

Peu après entrait dans la mêlée celui qui devait être longtemps le principal adversaire du novateur : le chanoine Eck, professeur à Ingolstadt, humaniste et théologien. A ses Obelisci Luther répondit par les Asterici [3].

En mai 1518, le moine augustin s'expliqua dans un ouvrage plus important : les Resolutiones disputationum de indulgentiarum virtute [4].

Elles étaient adressées à Rome et précédées d'une lettre au pape qui débutait ainsi :

J'ai appris des nouvelles bien mauvaises à mon sujet, très saint Père, et je comprends que quelques amis ont fait répandre à mon nom auprès de vous et de votre entourage une détestable odeur (gravissime... fœtere), comme si j'avais entrepris de diminuer l'autorité et la puissance des clefs et du souverain pontife. On me traite donc d'hérétique, d'apostat, de perfide, on m'appelle de six cents noms, ou plutôt d'ignominies... Mais j'ai pour unique garantie de ma confiance ma conscience innocente et tranquille.

Le moine raconte ensuite la prédication des indulgences et dénonce les abus auxquels elle donne lieu, les accusations qu'elle soulève jusque dans les débits de boisson sur l'avarice des prêtres. Lui, dans sa juvénile ardeur, a d'abord porté plainte à quelques autorités de l'Église. Mais, n'aboutissant à rien, il s'est décidé à établir une discussion sur les « dogmes » de ces prédicateurs. De là l'incendie. Il poursuit ainsi :

Et maintenant que faire ? Je ne puis révoquer ce que j'ai fait.

Il proteste, à la fin de sa lettre, de son respect pour le chef de l'Église :

Saint Père, je me prosterne à vos pieds et je m'offre à vous avec tout ce que je suis et tout ce que j'ai. Faites ce qui vous plaît, donnez la vie ou la mort ; approuvez ou désapprouvez, votre voix sera la voix du Christ qui parle et gouverne en vous. Si j'ai mérité la mort, je n'hésite point à mourir.

Luther semble sincère. Ces nobles paroles sont un écho des luttes intérieures qui se livraient en lui.

Après les Résolutions, il publia encore un sermon qu'il avait sans

(1) W., t. I, p. 239-246.
(2) Ibid., p. 383-393.
(3) Ibid., p. 281-314. — H. Grisar, op. cit., p. 691-694.
(4) W., t. I, p. 522-628.

doute prononcé le 16 mai 1518 sur la valeur de l'excommunication [1].
Il s'y élève contre la tyrannie, l'impéritie de « tout ce monde très sordide
des officiaux, commissaires, vicaires » [2]. L'excommunication ecclésiastique n'est que la privation de la communion externe avec l'Église,
c'est-à-dire des sacrements, des funérailles, de la sépulture, de la prière
publique. Elle ne peut livrer l'âme au démon et la priver des biens de
l'Église et de ses prières communes. Si elle est juste, elle signifie que
l'âme est livrée au diable et privée de la communion spirituelle de l'Église,
car elle est portée alors contre quelqu'un qui s'est, par un péché mortel,
privé lui-même de cette communion. L'excommunication injuste assure
un très noble mérite et doit être supportée avec douceur, si l'excommunié
n'a pas pu faire entendre ses humbles excuses.

§ 5. — La dispute de Leipzig (1519). La condamnation de Luther par le pape et sa mise au ban de l'Empire (1517-1521).

LUTHER DÉFÉRÉ A ROME L'archevêque de Mayence avait déféré à
Rome les thèses de Luther. Léon X chargea
le représentant du général des augustins d'amener le novateur à renoncer
à ses erreurs [3] « de peur que la négligence ne causât un incendie plus grand ».
Staupitz ne dut pas se montrer très énergique dans les observations
faites à son subordonné. Il lui enleva ses fonctions de vicaire de district ;
mais les trois années pour lesquelles celles-ci lui avaient été confiées
se trouvaient révolues. Il convoqua Luther au chapitre général de l'ordre
à Heidelberg ; mais dans cette assemblée, dont la majorité penchait
en faveur des doctrines nouvelles, leur auteur ne fut pas inquiété.

Cependant les dominicains portaient à Rome des accusations contre
le professeur de Wittemberg. Il fut cité à comparaître dans les soixante
jours. Le maître du Sacré Palais, Prierias, un dominicain aussi, rédigea
un rapport et le fit suivre d'un libelle intitulé *In praesumptuosas Martini
Lutheri conclusiones de potestate papae dialogus* [4]. On y relève malheureusement des doctrines exagérées sur la puissance du pape et des expressions blessantes. Luther riposta par son *Ad dialogum Silvestri Prieratis
de potestate papae responsio* [5].

Allait-il se rendre à Rome ? Il savait que le pape désirait obliger l'électeur de Saxe, Frédéric. Il savait aussi que ce prince le défendrait. En
effet, quand le légat Cajetan, envoyé à la diète d'Augsbourg, demanda
la livraison du moine augustin pour le faire diriger sur Rome, Frédéric
intervint et obtint, non pas, comme il le souhaitait, l'examen de la
cause en Allemagne, mais la comparution de Luther à Augsbourg. Le
novateur n'y pourrait pas défendre ses doctrines. Le légat espérait
obtenir sa soumission par des entretiens particuliers. Rome ratifia cette
procédure.

(1) W., t. I, p. 638-643.
(2) Lettre de Luther à Wenceslas Link, *ibid.*, p. 634.
(3) H. Grisar, édit. franç., p. 62.
(4) H. Grisar, *op. cit.*, t. II, p. 688-689 ; H. Strohl, *op. cit.*, p. 251 et suiv.
(5) W., t. I, p. 647-686.

L'APPEL AU FUTUR CONCILE Des conversations eurent donc lieu entre Cajetan et Luther. Mais le prince de l'Église ne parvint pas à convaincre et à convertir l'obstiné moine. Le cardinal mit fin à ces échanges de vues et d'écrits. Luther quitta Augsbourg et bientôt après, le 28 novembre 1518, il lut un *Appel au futur concile* qui fut imprimé, mais lancé dans le public contre son gré [1].

Rome, pour marquer sa bienveillance à Frédéric le Sage, lui envoya la Rose d'Or. Le Saxon chargé de la porter au prince, Charles de Miltiz, notaire et camérier à la cour de Rome, sans mission pour traiter avec Luther, s'aboucha pourtant avec lui et fit preuve de la plus insigne maladresse. Il voulait se faire livrer le moine ; il lui adressa des reproches immérités ; il lui arracha une promesse assez ambiguë : celle de se taire, si ses adversaires se taisaient. Mais les catholiques ne pouvaient se taire et Luther ne le ferait pas longtemps. Mal renseignée par Miltiz, Rome crut que l'affaire de Luther s'arrangerait.

LA DISPUTE DE LEIPZIG Tandis que, pour des raisons à signaler plus tard, le procès de Luther était interrompu à Rome, il se passa dans sa vie un événement important qui détermina chez lui une seconde phase dans l'évolution de sa doctrine. Il s'agit de la *Dispute de Leipzig* [2].

A la suite de la publication des *Obelisci* et des *Asterici*, une polémique s'était engagée entre Eck et Karlstadt, un des collègues de Luther à l'Université de Wittemberg, d'abord adversaire de ses idées, mué maintenant en un partisan convaincu. On décida de provoquer une « dispute » publique, comme c'était alors l'usage, et Luther ménagea une rencontre à Leipzig entre les deux rivaux. Eck publia, le 29 décembre, une liste de douze thèses en vue de ces conférences : naturellement, quoique en se bornant à nommer Karlstadt, le chanoine d'Eichstätt visait surtout Luther. Celui-ci cria à la trahison, à la fourberie. Les bons sentiments qu'il a exprimés dans sa lettre au pape, dans ses entretiens avec Miltiz [3], semblent dès lors étouffés et remplacés par d'autres. Rome devient pour lui Babylone, ou une bête fauve. Il croit que Dieu le pousse à la guerre sainte contre la tyrannie romaine.

Luther opposa douze thèses à celles d'Eck. Contre la douzième thèse de celui-ci, qui affirmait la primauté, il formula sa douzième thèse à lui, devenue ensuite la treizième et qui niait cette primauté déjà définie par les conciles. Nous y lisons :

La supériorité de l'Église romaine sur toutes les autres ne se prouve que par d'insignifiants décrets des pontifes romains. Les décrets datent de moins de quatre cents ans. Contre eux se dressent onze cents ans d'histoire authentique, les textes de l'Écriture, et le décret du concile de Nicée, le plus sacré de tous [4].

---

(1) W., t. II, p. 28-33. L. CRISTIANI a traité des appels de Luther au concile dans le t. XVII de l'*Histoire de l'Église*, p. 13-20.
(2) W., t. II, p. 153-161 ; 241-383 ; O. SEITZ, *Der autentische Text der Leipziger Disputation*, Berlin, 1903 ; H. STROHL, *op. cit.*, t. II, p. 275-335 ; H. GRISAR, *op. cit.*, t. I, p. 299-304 ; L. CRISTIANI, *Du luthéranisme au protestantisme*, p. 83-105.
(3) Sur les sentiments de Luther quelque temps avant la dispute de Leipzig, voir L. CRISTIANI, *op. cit.*, p. 79-82.
(4) W., t. II, p. 161.

Suivit bientôt une *Resolutio* sur cette thèse. Là se trouve exposée la théorie actuelle de Luther sur l'Église : société formée surtout par la communion des saints, donc essentiellement invisible. Elle n'a qu'un chef : le Christ. « Je ne sais, ajoute-t-il, si la foi chrétienne peut en souffrir un autre sur la terre [1]. » Le pape n'exerce qu'une primauté d'honneur, de droit purement humain.

Pour la dispute de Leipzig arrivèrent, le 24 juin, Karlstadt, Luther, Mélanchthon, quelques autres Wittembergeois, et deux cents étudiants de l'Université en armes. Eck était là depuis deux jours.

Le 27 juin s'ouvraient les débats entre Eck et Karlstadt. La discussion porta d'abord sur le libre arbitre. Eck disposait d'une voix puissante et d'une mémoire prodigieuse ; il citait, sans devoir recourir aux livres, Écritures, Pères, conciles, décrétales et théologiens et voulait forcer son adversaire à l'imiter. Il « avait incontestablement l'avantage », de l'aveu du protestant Strohl [2]. Karlstadt soutint encore quatre jours l'assaut de ce redoutable adversaire ; puis il céda sa chaire à Luther.

Luther et Eck étaient à peu près du même âge. Le professeur de Wittemberg surpassait Karlstadt dans la discussion. Sa voix était « claire et coupante, la parole abondante, riche de pensées et d'expressions, le ton tour à tour agressif, méprisant, impétueux et mordant » [3].

Du 4 au 8 juillet, toute la discussion roula sur la treizième thèse et d'abord sur les textes célèbres de l'Écriture : *Tu es Petrus, Confirma fratres tuos, Pasce agnos meos.* Le 5 juillet, Eck rappela une des propositions de Wyclif et de Huss condamnée par le concile de Constance : « Il n'est pas nécessaire au salut de croire que l'Église romaine est supérieure aux autres Églises. » Ainsi en arriva-t-on à la question de la valeur doctrinale des décisions conciliaires. Luther, poussé à bout, en vint à soutenir que, parmi les propositions condamnées à Constance, il y en avait « de très chrétiennes et très évangéliques ». Alors, Jean Eck de conclure : « Si vous croyez qu'un concile régulier soit faillible et de fait se soit trompé, alors vous êtes pour moi comme un publicain et un païen. » A quoi bon dès lors l'appel au concile lancé par Luther ? Il ne croyait plus à l'autorité du concile. Ainsi se consommait pour ainsi dire sa seconde rupture avec l'Église.

Ce ne fut pas sans peine que le réformateur renonça aux idées sur le pape et le concile dans lesquelles il avait été élevé [4]. On s'en aperçoit non seulement dans ses hésitations à Leipzig et dans ses relations sur la dispute, mais dans ses écrits et ses lettres. « J'ai reconnu ouvertement, écrit-il à Spalatin, qu'à Constance « certains articles avaient été impiement condamnés » [5]. Mais, un mois plus tard, il ne veut pas avouer à l'Électeur qu'il a renié Constance, bien qu'il s'applique à lui démontrer la fausseté de certaines propositions de cette assemblée [6]. Il tâche de se justifier

(1) W., t. II, p. 239.
(2) *Ibid.*, t. II, p. 276.
(3) L. Cristiani, *op. cit.*, p. 93.
(4) K. Benrath, *An den christlichen Adel deutscher Nation*, introduction, p. vi-vii, dans les *Schriften des Vereins für Reformationsgeschichte*, fasc. 4, Halle, 1884.
(5) W. B., t. I, p. 422.
(6) *Ibid.*, p. 470.

lui-même en dénonçant des contradictions entre telle et telle décision de ce concile et en signalant les faux, comme la Donation de Constantin, auxquels ont parfois recouru les papes. Déjà fort excité contre Rome auparavant, il se trouve contraint, à la suite de la dispute de Leipzig, à la combattre de plus en plus ouvertement.

Luther revint de Leipzig de fort mauvaise humeur. Eck y avait triomphé ! L'Université et la cour ducale l'avaient choyé ! Lui, on l'avait blessé de toutes manières ! A la fin de juillet paraissaient ses *Resoluliones Lulherianae super proposilionibus Lipsiae dispulalis* [1]. Il n'aurait été vaincu, affirme-t-il, que par les « clameurs et les gestes » d'Eck. Il maintient que les conciles se sont trompés et souvent. En juin 1520, il publia son *Vom Papsllum zu Rom*. Vers le même temps paraissait son très long sermon sur les bonnes œuvres [2].

LE PROCÈS DE LUTHER　　Le procès de Luther, commencé en 1518, avait été pratiquement suspendu pendant l'année 1519. Ce long retard s'explique par l'attitude plus conciliante du moine augustin pendant les premiers mois de cette dernière année ; par le trop peu d'importance que la curie romaine paraît avoir attaché alors aux discussions des Allemands ; enfin par le choix fort laborieux du roi des Romains dont toutes les cours se préoccupaient alors. Des trois principaux candidats : Charles d'Espagne, François Ier et Frédéric le Sage, le premier finit par l'emporter, parce qu'il y mit le plus d'argent (les Fugger déboursèrent pour sa victoire 850.000 florins), peut-être aussi parce que les Électeurs préférèrent un « bourguignon » au roi de France.

Au début de 1520, Rome fut alertée par les Universités de Louvain et de Cologne. La curie paraît cependant avoir repris le procès [3] indépendamment de leur intervention collective.

A la fin de 1518, tomba entre les mains des professeurs de théologie de Louvain le recueil de quelques écrits de Luther [4]. Chacun des maîtres le lut en particulier. Ensuite en plusieurs réunions, consacrées à son examen, ils tirèrent du livre des propositions suspectes. La Faculté s'adressa d'abord à l'évêque de Liège, Erard de la Marck, dont l'Université dépendait au spirituel. Ce prélat avait été soupçonné de quelque complaisance pour les idées nouvelles. Il jura sur son honneur de prêtre n'avoir ni vu ni lu ces œuvres du moine de Wittemberg. Il conseilla aux professeurs de Louvain d'obtenir, en faveur de leur censure, l'adhésion d'Adrien d'Utrecht, leur ancien collègue, alors cardinal de Tortose. Cependant,

(1) W., t. II, p. 388-435.
(2) W., t. VI, p. 196-276. Cf. GRISAR, *op. cit.*, édit. franç., p. 93-97.
(3) K. MUELLER, *Luthers roemische Prozess*, dans la *Zeitschrift für Kirchengeschichte*, t. XXIV, 1903, p. 46-85 ; Pl. KALKOFF, *Forschungen zu Luthers roemische Prozess*, Rome, 1905, et revue citée ci-dessus, t. XXXI, 1910, p. 48-65, 348-414 ; t. XXXII, 1911, p. 1-67 ; de plus pour le procès de 1518, Gotha, 1912 ; E. de MOREAU, *Luther et l'Université de Louvain*, extrait de la *Nouvelle Revue théologique*, juin 1927 ; H. DE JONGH, *L'ancienne faculté de théologie de Louvain au premier siècle de son existence* (1432-1540), Louvain, 1911.
(4) C'était un livre imprimé à Bâle par Froben. Il comprenait les 95 thèses sur les indulgences ; les *Resolutiones disputationum de indulgentiarum virtute* et le *De potestate papae*, deux réponses à Prierias ; des sermons sur la pénitence, l'excommunication, les indulgences et la préparation à l'Eucharistie ; enfin un écrit de Karlstadt.

avant de s'adresser au prince de l'Église, la Faculté fit porter le recueil de Luther à sa consœur, l'Université de Cologne. Celle-ci condamna à son tour quelques propositions luthériennes. Le 7 novembre, les maîtres de Louvain se réunirent de nouveau et donnèrent sa forme définitive à leur condamnation. En février 1520, paraissait chez Thierry Martens, imprimeur de l'Université, la double censure, avec une lettre d'introduction du cardinal de Tortose [1]. Les Universités continuaient à jouer le rôle qu'on leur reconnaissait depuis l'époque du grand schisme : elles se constituaient en gardiennes de la foi.

Lors du colloque d'Augsbourg, en octobre 1518, Luther avait déclaré au cardinal Cajetan s'en remettre au jugement « des docteurs insignes des Universités impériales de Bâle, de Fribourg, de Louvain, ou, si cela ne suffisait pas encore, de Paris » [2]. Il ne semble pas avoir pressenti la condamnation de l'Université brabançonne. Il réagit aussitôt, à sa lecture. Dès mars 1520, sa réponse était prête pour l'impression. Elle parut peu après, en seize pages in-4º, sous la forme d'une lettre à un ami.

Ému, comme il l'avoue, par l'entrée en scène des deux Universités, Luther leur dénie le droit de le censurer. D'ailleurs elles affirment ; elles ne réfutent rien. Il défend à la hâte ses positions contre les « épais théologiens », « les sophistes » qui « délirent ». Ne semblent-ils pas, comme par « une morsure secrète », « accuser sa Sainteté (le pape) d'inertie, de négligence, bien plus d'impiété envers Dieu et envers l'Église ! » [3].

LA BULLE « EXSURGE DOMINE » — Au début de 1520, recommençait à Rome le procès de Luther. Trois commissions préparatoires examinèrent successivement la doctrine du moine de Wittemberg et la procédure à suivre pour sa condamnation. A la troisième, le pape en personne exerça la présidence. Vinrent ensuite quatre consistoires, dont l'un dura jusqu'à huit heures. Dans le dernier, le 1er juin, la bulle projetée fut encore relue et sa publication décidée [4]. Cet acte célèbre, qui commence par les mots *Exsurge Domine*, porte la date du 15 juin 1520. Nulle part Luther ne s'y trouve nommé. Après un long préambule, très solennel, la bulle énumère quarante et une propositions sur la foi confiante, la justification et la grâce, sur la hiérarchie et l'Église, sur l'efficacité des sacrements et sur le purgatoire, la pénitence et les indulgences, et les condamne en bloc. Elle ordonne de brûler les écrits où ces affirmations sont contenues. Le novateur sera excommunié, faute de soumission dans les soixante jours [5].

On peut assigner à l'acte pontifical, outre Léon X, les auteurs suivants : les cardinaux Accolti et Jules de Médicis (le futur Clément VII) et Jean

(1) *Articulorum doctrinae fratris Martini Lutheri per theologos Lovanienses damnatorum ratio*, préface, Anvers, 1521. Censure de Louvain dans P. FREDERICQ, *Corpus documentorum inquisitionis... neerlandicae*, t. IV, p. 14-16, Gand, 1900. Censure de Cologne dans W., t. IV, p. 178-180. *Ibid.*, p. 174-175, la lettre du cardinal Adrien. Extraits des Actes de la Faculté de théologie de Louvain, dans H. DE JONGH, *op. cit.*, p. 43.
(2) W., t. II, p. 9.
(3) W., t. VI, p. 181 et suiv.
(4) L. PASTOR, *Geschichte der Paepste im Zeitalter der Renaissance und der Glaubensspaltung*, t. IV, p. 272, Fribourg-en-Br., 1906 ; t. VII, p. 312 de la traduction française.
(5) Texte complet dans les bullaires romains ou dans P. FREDERICQ, *op. cit.*, t. IV, p. 23-33

Eck. Il n'est pas difficile d'y retrouver la trace des censures universitaires, celles surtout d'une censure de Louvain [1], plus longue que celle qui avait été envoyée primitivement au cardinal de Tortose. Mais les examinateurs romains s'astreignirent à recourir constamment au texte et au contexte de Luther. De l'aveu de Kalkoff, les 41 articles de la Bulle *Exsurge* sont, pour une part, « la propriété spirituelle » du docteur Eck, pour l'autre celle des théologiens de Louvain [2].

ATTITUDE DE LUTHER   Décidé à ne pas se soumettre, Luther invita les maîtres et les étudiants de Wittemberg, pour le 10 décembre 1520, à assister à la combustion des « livres de Droit ecclésiastique ». Au cours de la cérémonie il jeta dans les flammes un exemplaire de la bulle d'excommunication. Les jeunes gens chantaient des refrains burlesques. Excités par Luther, ils se livrèrent dans les jours qui suivirent à des manifestations violemment hostiles à Rome [3]. Lui-même s'abandonna aux attaques les plus violentes et dénatura les faits dans son écrit intitulé : *Pourquoi les livres du pape et de ses disciples ont été brûlés par le docteur Martin Luther* [4].

Dans la seconde moitié de 1520, Luther faisait paraître trois écrits fort importants et qui seront analysés plus loin : en août, avant la condamnation par Rome, *A la Noblesse chrétienne de la nation allemande*, en allemand ; en octobre, le *De Captivitate babylonica* ; en novembre, le *De libertate hominis christiani* [5]. Le premier se répandit fort vite dans le peuple et c'est encore un des ouvrages les plus lus du novateur. Les protestants appellent ces trois ouvrages les « grands écrits de la Réformation ».

En Allemagne, Eck, chargé de promulguer et de faire exécuter la bulle, rencontra peu d'empressement chez les évêques. Ils ne réalisaient pas le danger que courait alors l'Allemagne catholique et la catastrophe qui les menaçait personnellement. Érasme, dont les moindres paroles se répandaient vite, commença par discréditer l'acte pontifical, puis il le taxa de fausseté.

ROLE DE CHARLES-QUINT   Charles-Quint, se rendant à Aix-la-Chapelle pour y être couronné, fut rejoint par le légat pontifical, Aléandre (26 septembre 1520) ; il lui promit de donner sa vie pour la défense de l'Église et du Saint-Siège et porta, sur son inspiration, le premier placard contre l'hérésie à faire exécuter dans les Pays-Bas. A Louvain et à Liège, à Cologne et à Mayence, les écrits de Luther furent brûlés.

L'empereur jouissait dans le *Reich* d'une autorité fort limitée et les quelque quatre cents principautés allemandes tenaient jalousement

(1) Voir sur ce point notre brochure citée plus haut, *Luther et l'Université de Louvain*, p. 13-16.
(2) *Zu Luthers roemischen Prozess*, p. 99.
(3) H. GRISAR, *op. cit.*, t. I, p. 370 et suiv. Résumé français, p. 112-113.
(4) W., t. VII, p. 161 et suiv. (en allemand). Autres écrits de Luther au sujet de la bulle de Léon X : W., t. VI, p. 576 et suiv. ; 595 et suiv.
(5) W., t. VI, p. 381-469, 484-573 ; t. VII, p. 12-38.

à leur indépendance. Aussi les chefs de l'Empire s'intéressaient-ils surtout à leurs vastes États héréditaires (l'Autriche, allant des confins de
la Bohême et de la Hongrie à l'Adige et au Rhin moyen). Pendant son
long règne, de 1440 à 1493, Frédéric III s'était surtout attaché à développer
la prospérité de sa maison. Tout en continuant cette politique, Maximilien 1er (1493-1519) s'appliqua cependant à relever l'Empire et à
l'unifier davantage. Dans ce but il fit décréter par la diète de Worms
de 1495 la *Paix perpétuelle*, qui abolit la guerre privée et soumit les
différends des princes à une cour d'arbitrage, la *Chambre impériale*. Il
divisa également le *Reich* en dix cercles.

La Diète d'Empire, qui se réunissait annuellement, comprenait trois
collèges : celui des électeurs, celui des princes et celui des villes. L'empereur lui demandait souvent des subsides, par exemple pour ses guerres
contre les Turcs. Les princes, dont il tenait la couronne, ne les lui accordaient pas toujours.

DIÈTE DE WORMS   Une diète était convoquée à Worms pour le 6 janvier 1521 [1], Frédéric de Saxe proposa d'y faire
interroger Luther. Mais les légats Aléandre et Caraccioli s'y opposèrent.
Aléandre parla éloquemment et longuement devant l'assemblée.
Son discours convainquit Charles-Quint : déjà condamné par le pape,
Luther ne devait pas être entendu à Worms. Malheureusement la majorité de la Diète proposa de le convoquer pour lui demander d'abord sa
rétractation, et s'il y consentait, pour l'entendre sur d'autres points.
Préparé par ses partisans, le voyage du moine augustin tourna en triomphe. Il prêcha devant des foules à Erfurt et à Gotha. Le 16 avril 1521,
le jeune religieux, dont le portrait de Lucas Cranach, peint alors, nous
révèle l'audace et la confiance en lui-même, fit son entrée à Worms,
escorté d'une centaine de cavaliers. Le lendemain, à la diète, deux questions lui furent posées : reconnaissait-il pour siens les livres qu'on lui
présentait ? était-il prêt à se rétracter ? Luther, qui semblait très
impressionné, demanda à réfléchir. On lui donna jusqu'au lendemain
pour méditer sa réponse. Les sentiments était fort partagés à son sujet :
fou pour les uns, possédé pour d'autres, rempli du Saint-Esprit pour
quelques-uns.

A la nouvelle demande qui lui fut posée au sujet de sa rétractation,
il répondit par un discours célèbre, préparé avec soin, et lu avec fermeté.
En mes écrits, déclara-t-il, rien de blâmable. Rome exerce en Allemagne
la tyrannie. A une troisième demande de rétractation, Luther répondit
brièvement et conclut ainsi : « Je ne puis ni ne veux me rétracter, parce
qu'il n'est pas sûr ni sincère d'agir contre sa conscience. Que Dieu me
soit en aide ! Amen. »

(1) J. ALÉANDRE, *Depeschen von Wormser Reichstag*, 1521, traduit et expliqué par Pl. KALKOFF,
2e édit., Halle-a-S., 1897 ; J. PAQUIER, *L'humanisme et la Réforme. Jérôme Aléandre, de sa naissance à la fin de son séjour à Brindes* (1480-1529), Paris, 1900 ; Th. BRIEGER, *Aleander und Luther*,
Gotha, 1884 ; A. HAUSRATH, *Luther auf dem Reichstage zu Worms*, 1897 ; Pl. KALKOFF, *Aleander
gegen Luther*, Leipzig, 1908 ; *Die Entscheidung des Wormser Edikts*, Leipzig, 1913 ; *Der Wormser
Reichstag von 1521*, Munich, 1922.

L'hérétique demeura encore quelques jours à Worms ; autour de lui, d'aucuns l'encourageaient à se soumettre ; d'autres à résister. Le 26 avril, il quitta la ville. Cependant la Diète s'était décidée à soutenir l'empereur. En date du 8 mai, paraissait donc l'édit de mise au ban. Nul ne pouvait donner à Luther vivre et couvert. Chacun, s'il le rencontrait, devait s'en saisir et le livrer au pouvoir impérial [1]. Ces mesures, nous le verrons, n'empêchèrent pas l'hérétique de demeurer en Allemagne et d'y vivre en paix jusqu'à la fin de ses jours.

(1) *Deutsche Reichstagsakten*, nouvelle série, t. II, édit. A. WREDE, p. 640 et suiv., Gotha, 1896.

LUTHER, DE SA CONDAMNATION A SA MORT (1521-1546). DIFFUSION DU LUTHÉRANISME EN ALLEMAGNE [1]

§ 1. — Luther à la Wartbourg.

ENLÈVEMENT DE LUTHER
A Worms, l'électeur de Saxe avait mûr son plan. Le 4 mai au soir, cinq cavaliers fondirent sur la voiture qui transportait Luther, Amsdorf et un religieux augustin. Le premier, par des chemins détournés, fut conduit à cheval au château de la Wartbourg, qui appartenait à Frédéric le Sage. Dans cette retraite, où il passera dix-huit mois, l'hérétique tint à vivre ignoré. Il se fit appeler le « chevalier Georges ». Beaucoup, dans l'Empire, se demandaient ce qu'il était devenu : enlevé par ses ennemis ? mis à mort ?

LE LUTHÉRANISME EN ALLEMAGNE
A partir de 1521, l'histoire de Luther se confond avec celle du luthéranisme en Allemagne. Ce chapitre étudiera donc avant tout la diffusion de l'hérésie dans ce pays, l'accueil qu'elle rencontra dans les populations et chez les princes, les différentes décisions arrêtées par les autorités de l'Empire pour s'y opposer.

Cependant, des discussions mettent aux prises ceux qu'on appellera plus tard les protestants ; les doctrines zwingliennes pénètrent de Suisse et font concurrence aux doctrines luthériennes ; le mouvement anabaptiste qui se développe menace l'Allemagne d'une révolution sociale ; des confessions de foi tentent de grouper autour d'un symbole tous les chrétiens séparés de l'Église.

Finalement le luthéranisme parvient à faire reconnaître par l'Empire une de ces confessions de foi. Elle est placée sur un pied d'égalité avec la doctrine catholique. Au prince de chaque territoire le droit de choisir l'une ou l'autre et de l'imposer à ses sujets.

SÉJOUR DE LUTHER A LA WARTBOURG
Les dix-huit mois passés par Luther à la Wartbourg dans une solitude bien défendue furent consacrés par lui à un travail acharné et singulièrement fécond. Comme principaux ouvrages composés ou commencés alors, et

---

(1) La plupart des sources et des ouvrages modernes devant servir à ce chapitre sont déjà signalés en tête du chapitre premier. Les autres seront mentionnés au fur et à mesure de notre exposé.

sur certains desquels il nous faudra revenir, citons : sa *Rationis Lato-
mianae confutatio* [1], réponse à l'écrit d'un professeur de Louvain, Latomus, qui était sorti de presse le 7 mai 1521 ; le *De votis monasticis* [2] ;
le *De abroganda missa privata* et le *Vom Miszbrauch der Messe* [3]. Luther
commença à la Wartbourg la traduction allemande de la Bible. D'autres
écrits moins considérables commentent des psaumes, les épîtres et les
évangiles du missel, le *Magnificat* ; traitent de la confession (*Von der
Beicht*) et de bien d'autres sujets, de la bulle des excommunications
réservées au pape (*In coena Domini* [4]). Parmi ces œuvres secondaires, la
plus intéressante à lire est sans aucun doute celle consacrée au cantique
de Marie.

Le *Magnificat verdeutschet und ausgelegt* (1521) est adressé au prince
Jean-Frédéric de Saxe pour le remercier d'une démarche que celui-ci
avait faite auprès de son oncle, l'électeur Frédéric, en faveur de Luther,
après la bulle d'excommunication [5]. L'auteur divise le cantique de Marie
en dix parties qu'il commente l'une après l'autre.

Les vertus de la Vierge mises en un relief spécial sont l'humilité et
le parfait abandon à la volonté de Dieu. Luther en parle avec beaucoup
d'onction et l'on cite avec raison ce commentaire comme preuve de sa
grande piété.

Le réformateur admet encore l'intercession de Marie quand il écrit,
dans sa préface au prince :

Que la douce Mère de Dieu veuille m'obtenir l'esprit, pour expliquer de
façon utile et profonde son cantique (p. 545).

Et à la fin de son opuscule :

Prions Dieu pour la vraie intelligence de ce *Magnificat*... de façon qu'il
brûle et vive dans notre corps et notre âme. Que Dieu nous l'accorde par l'intercession et la volonté de sa chère mère, Marie. Amen (p. 601).

Cependant il recommande d'éviter de faire de Marie *ein Abgott* (p. 658).
Car elle n'est pas une *Abgottin*, comme certains le pensent, qui recourent
plus à elle qu'à Dieu même. « Elle ne donne rien ; Dieu seul donne. »
Cet avertissement se trouve encore répété plus bas (p. 573 et 574).

Dans les lettres qu'il continue à écrire à ses amis, aucun indice de
repentir. Il y intercale des prières courtes, mais ardentes, pour lui-même
et contre ses adversaires. Cependant, de son aveu, il ne prie pas assez.
On le voit comme jadis aux prises avec les tentations. Il écrit à Mélanchthon, le 13 juillet 1521 [6] :

Je devrais brûler des ardeurs de l'esprit et je brûle dans la chair, dans la
luxure, la paresse, l'inaction, la somnolence ; je ne sais si Dieu ne s'est pas
détourné de moi, parce que vous ne priez point pour moi.

Les démons le poursuivent. Il confie à Nicolas Gerbel, le 1er novembre
de la même année :

Croyez-moi, on m'a livré dans cette solitude à des milliers de démons. I

---

(1) W., t. VIII, p. 43 et suiv.
(2) *Ibid.*, p. 564 et suiv.
(3) *Ibid.*, p. 398 et suiv., 477 et suiv.
(4) *Ibid.*, p. 691 et suiv. Cet écrit est plein de grossières injures contre le pape.
(5) W., t. VII, p. 544 et suiv.
(6) W. B., t. II, p. 356.

est bien plus facile de combattre contre le diable incarné, c'est-à-dire contre les hommes, que contre les esprits de malice. Souvent je succombe, mais la droite du Seigneur me relève [1].

A ce qu'il raconte, le démon se présenta un soir à lui sous la forme d'un chien qu'il put heureusement saisir et jeter par la fenêtre. Une autre fois, pendant la nuit, le diable lui lança un sac de noisettes, etc., etc. [2]. Il parle notamment de ces attaques diaboliques dans les *Tischreden* [3]. D'après la légende, Luther aurait jeté son encrier contre Satan. A la Wartbourg et ailleurs on montre les taches, témoins de ces pugilats [4].

Bien avant la Wartbourg d'ailleurs, Luther avait entendu rugir le diable ; celui-ci l'avait saisi plusieurs fois par la tête. Et l'esprit malin n'était pas seul à se dévoiler à lui ; des anges, le Christ lui-même lui seraient apparus [5]. Les visions de la Wartbourg qu'il appelle son « Pathmos » lui semblent de plus en plus une confirmation céleste de sa doctrine. Quoi d'étonnant que l'ennemi de Dieu et des hommes se déchaîne contre lui [6] ?

ACTIVITÉ DE ZWILLING ET DE KARLSTADT Dès les débuts de son séjour à la Wartbourg, des nouvelles venues d'Erfurt lui avaient appris que, pendant plusieurs jours, les étudiants, appuyés par la populace, avec la tolérance du sénat et des autorités académiques, avaient saccagé les maisons des chanoines. Plus tard on lui révéla des faits plus graves qui s'étaient passés à Wittemberg. Gabriel Zwilling, jeune moine augustin, déclamait contre la messe et voulait la remplacer par la cène. Karlstadt [7] lui aussi se proposait de faire bannir de l'électorat « l'abus de la messe » ; mais le prince, toujours prudent, ne céda pas. Comme l'agitation continuait, Luther, vêtu en chevalier, se rendit à Wittemberg chez des amis. Il y resta huit jours, puis, suffisamment renseigné, revint à la Wartbourg et y composa un écrit intitulé *A tous les chrétiens : loyale exhortation à se garder de la sédition*. Ce n'était pas, disait-il, le *maître omnes*, c'est-à-dire la foule, mais les autorités seules qui devaient réprimer les oppositions au vrai Évangile [8].

Toutefois Karlstadt et Zwilling reprirent bientôt leurs menées. Le premier célébra la cène dans la collégiale et offrit à ceux qui le désiraient la communion sous les deux espèces. Zwilling, vêtu en simple étudiant, se mit à parcourir les environs, prohibant les vêtements ecclésiastiques. Cependant des prêtres se préparant à célébrer la messe étaient attaqués. On brûla des statues et des images des saints, des « idoles », suivant Karl-

(1) W. B., t. II, p. 397.
(2) Koestlin-Kawerau, *Martin Luther*, t. I, p. 439-440 ; H. Grisar, *Luther*, t. I, p. 395-396 ; t. III, p. 616-618.
(3) Par exemple W. T., t. III, nᵒ 3814 (5 avril 1538).
(4) H. Grisar, t. I, p. 407.
(5) Id., *op. cit.*, t. III, p. 619-620.
(6) H. Grisar, édit. franç. abrégée, p. 433.
(7) Karlstadt (André Bodenstein) (vers 1480-1541), ancien chanoine et archidiacre, fut d'abord gagné par Luther, défendit ses doctrines à la dispute de Leipzig (voir plus haut) et se sépara peu à peu de son maître, qu'il trouvait trop modéré notamment dans les questions de culte, de l'Eucharistie, etc. Nous parlerons souvent de lui dans la suite.
(8) W., t. VIII, p. 676 et suiv.

stadt. Les novateurs tonnaient contre bien d'autres abus : jeûnes, célibat des prêtres, par exemple.

DÉBUTS DE L'ANABAPTISME — Danger plus grave encore : de nouveaux prophètes commençaient à répandre leurs rêveries religieuses et sociales. Il fallait supprimer le baptême des enfants. L'homme, instruit directement par l'Esprit, devait renoncer à tout bien et à toute affection. Une transformation sociale radicale se produirait. Or trois anabaptistes venus de Zwickau reçurent bon accueil auprès de Mélanchthon.

Sans vouloir rendre Luther responsable de ces innovations, il faut bien avouer que sur plusieurs points Zwilling, Karlstadt et les anabaptistes ne faisaient que déduire les conséquences de ses idées.

Mais le réformateur se défiait de la logique. Sûr de pouvoir compter sur l'électeur, invité par les autorités communales et académiques, malgré le ban impérial, il rentra sur la scène publique et revint prendre sa place à Wittemberg. Il y entra le 6 mars 1522. Dès le dimanche suivant, il recommençait ses prédications. Sa parole éloquente parvint à rétablir le calme [1]. Ne rien brusquer : tel est alors son mot d'ordre. En 1523 la langue allemande n'est pas encore prescrite dans la liturgie ; les anciens ornements sont maintenus. Mais Luther raye de la messe l'offertoire et le canon. Le célébrant chante les consécrations [2]. Est-ce prudence ou dissimulation ? Sans doute, les deux à la fois. Pour Luther et ses disciples prêtres, il n'existait plus de sacrifice de la messe.

§ 2. — La première propagation du luthéranisme (1521-1525).

LES HUMANISTES FAVORABLES A LUTHER — Luther trouva ses premiers alliés parmi les humanistes. Ils saluaient en lui le futur porte-parole de la réforme et de la liberté spirituelle, le propagateur de la lumière à opposer aux ténèbres de l'ignorance et de la barbarie. Ainsi s'explique l'attitude plus ou moins longtemps hésitante d'Érasme, de Mutien, de Crotus Rubianus, l'auteur des *Epistolae virorum obscurorum*, de Wilibald Pirkheimer, de Jean Faber, plus tard évêque de Vienne. Certains se déclarèrent très vite en faveur du novateur, par exemple Mélanchthon et Justus Jonas. Quant au grand Dürer, il se mit certainement à la remorque du réformateur, mais on ne peut dire dans quels sentiments il mourut (6 avril 1528).

Humaniste, Ulrich de Hutten appartenait aussi à la noblesse. Il s'engagea, comme Franz de Sickingen et Silvestre de Schaumburg, au service des idées nouvelles. La chevalerie révolutionnaire d'Allemagne s'enthousiasma pour le nouvel évangile. Le pays fut bientôt inondé de

---

(1) Ces sermons forment le fond d'un traité de Luther publié sous ce titre : *De la réception du sacrement sous les deux espèces* (W., t. X, II, p. 11 et suiv.).
(2) H. GRISAR, *Luther*, t. II, p. 592-595. W., t. XII, p. 31-37 et 205 et suiv.

pamphlets et de manifestes violents émanés de Hutten ou de Crotus [1]. C'est poussé par ses nouveaux amis que Luther lança le manifeste *A la Noblesse chrétienne de la nation allemande.*

De l'étranger vinrent aussi dès 1519 des félicitations et des encouragements à Luther. Celles par exemple d'un curé de Prague, Jean Poduska, et de son vicaire, Wenceslas Rozdalovsky, disciples d'Érasme.

ADHÉSIONS AU LUTHÉRANISME Beaucoup de prêtres, de religieux, de religieuses adhérèrent à la réforme et se marièrent. Quatorze ermites de saint Augustin quittèrent leur ordre. Ainsi Jean Lang, le confident de Luther. Au moins sept abbés bénédictins d'Allemagne apostasièrent et prirent femme [2]. On signale la défection de 15 nonnes de Nimbschen, de 16 de Mansfelt, etc. Luther dans ses écrits contre les vœux, cités plus haut, et en d'autres endroits [3], poussa sans vergogne ecclésiastiques, moines et religieuses à se libérer des obligations qu'ils avaient contractées devant Dieu. Parmi les transfuges de la vie sacerdotale et religieuse, un bon nombre devinrent d'ardents propagateurs du nouvel évangile. Nommons encore Wenceslas Link et Gabriel Zwilling, confrères de Luther à Wittemberg ; Martin Bucer, ancien dominicain ; Jean Eberlin, Henri de Kettenbach, Frédéric Miconius et Conrad Pellican, anciens franciscains ; Jean Oecolampade, ancien brigittin ; Ambroise Blaurer et Wolfgang Müslin (*Musculus*), anciens bénédictins ; et parmi les prêtres séculiers : Wolfgang Capito, André Osiander, Urbain Rhegius, Justus Jonas, Jean Bugenhagen, Nicolas Amsdorf. Enfin un certain nombre de prédicateurs vinrent du laïcat : ainsi Jean Brenz, Jean Agricola, Juste Menius, Gaspard Schwanckfeld. Cette liste n'est pas complète.

La caricature servit beaucoup à discréditer le pape, les évêques, les moines, l'Église. Luther en a donné l'exemple dans son *Passionale Christi et Antichristi*, illustré par Lucas Cranach [4]. Cet artiste et d'autres, comme Holbein et Cranach le jeune, enrichirent d'images la Bible allemande ou d'autres écrits protestants. Dès cette époque se répandirent aussi les chants religieux de Luther [5], de Lazare Spengler, de Paul Speratus, de Jean Walther.

De même que certains ecclésiastiques, religieux et nonnes se libéraient de leurs vœux pour mener une vie plus facile, des autorités civiles

---

(1) H. GRISAR, *Luther*, t. I, p. 331-333, 360-365 ; L. CRISTIANI, *Du luthéranisme au protestantisme*, p. 130-146. Pour compléter la liste des humanistes et des centres humanistes favorables à Luther, voir H. HERMELINCK et W. MAURER dans le t. III du *Handbuch der Kirchengeschichte* de G. KRUEGER, p. 88-89. Voir pour la masse des pamphlets jusque 1524, le même ouvrage, p. 104.
(2) Ph. SCHMITZ, *Histoire de l'ordre de saint Benoît*, t. III, p. 271, Maredsous, 1948.
(3) Par ex. : *Écrit chrétien adressé à Wolfgang Reissenbusch* (supérieur du couvent de l'ordre des chanoines de saint Antoine à Lichtenberg), dans W., t. XVIII, p. 270-279 ; *Aux chevaliers de l'ordre allemand. Exhortation à fuir la fausse chasteté et à choisir la vraie chasteté conjugale, ibid.,* t. XII, p. 232 et suiv. ; *Contre l'état faussement dit ecclésiastique du pape et des évêques, ibid.,* t. X, p. 105 et suiv. Pour les religieuses : *Raisons pour lesquelles les vierges peuvent quitter le cloître et Réponse* (1523), *ibid.,* t. XI, p. 394 et suiv. ; *Comment Dieu est venu en aide à une nonne* (ibid., t. XV, p. 86 et suiv.) ; *Signification du pape-âne et du moine-veau* (ibid., t. XI, p. 368 et suiv.).
(4) W., t. IX, p. 677-715 et *Beilagen.* Voir H. GRISAR, *Luther*, t. II, p. 122-124.
(5) Édit critique de tous les chants religieux de Luther, dans W., t. XXXII. Citons parmi les plus célèbres : *Mon Dieu est une citadelle ; Nous chantons un chant nouveau ; Réjouissez-vous, chers chrétiens ; Seigneur Dieu, nous vous louons.*

passaient ou menaçaient de passer à la foi nouvelle pour revendiquer leurs prétendus droits vis-à-vis des autorités ecclésiastiques ou mettre fin à leurs conflits avec elles, ou pour pouvoir s'emparer des biens d'Église. Luther intervint souvent et efficacement auprès des conseils des villes pour empêcher la prédication de prêtres opposés à la Réforme et leur faire substituer des orateurs sur lesquels il pouvait compter. A Wittemberg il obtint, grâce à la connivence de Frédéric le Sage, que la messe cessât d'être célébrée à partir de la fin de 1524 [1].

PROGRÈS DE LA RÉFORME   Dès cette époque, le luthéranisme commence à s'implanter en Allemagne dans les régions suivantes : en Saxe et en Thuringe (Wittemberg, Zwickau, Magdebourg, Weimar), dans le sud du pays (Nuremberg, Augsbourg, Nördlingen, Ulm, Strasbourg) et en dehors de ces régions, dans quelques villes, comme Riga, Breslau, Hambourg, Brême. De l'Allemagne, la Réforme gagna les Pays-Bas (Anvers, Utrecht, Dordrecht).

§ 3. — L'inexécution de l'édit de Worms (1521-1524).

LA SITUATION POLITIQUE   La situation politique internationale favorisa singulièrement Luther après l'édit de Worms. La France et l'Empire se faisaient la guerre et celle-ci ne se terminera (provisoirement) qu'en 1525 par la bataille de Pavie et le traité de Madrid (1526). Dans le conseil de régence constitué pour remplacer l'empereur, tous les princes, sauf Frédéric le Sage, restaient catholiques et nettement opposés à l'hérésie. Mais ce nouvel organisme, combattu notamment par les villes pour des questions d'impôt, entravé dans son action contre les novateurs par les autorités communales de Nuremberg, où il siégeait, et qui redoutaient des troubles populaires en cas d'exécution de l'édit de Worms, fut vite discrédité et Charles-Quint confia en 1524 tout le pouvoir à son frère Ferdinand.

Trois diètes se tinrent pendant ces années à Nuremberg. A la seconde, en 1522, parut le nonce Chieregati, délégué par Adrien VI, qui prononça un discours célèbre où il proclamait, au nom du pape, la nécessité de la réforme et les responsabilités de la curie romaine [2]. Il réclamait, d'autre part, l'exécution de l'édit de Worms. La diète répondit en prônant les moyens de douceur et proposa la convocation d'un concile dans le délai d'un an sur le territoire allemand. En attendant, l'évangile serait prêché « dans le vrai sens chrétien ». Malheureusement Adrien VI mourut après vingt mois de pontificat.

DIÈTE DE NUREMBERG   A la troisième diète de Nuremberg, en 1524, Clément VII se fit représenter par Campeggio [3]. La haute assemblée renouvela la demande du concile. Elle ne prit pour

---

(1) En 1525, Luther publia l'écrit : « *De l'abomination de la messe basse, qu'on appelle le Canon* » (W., t. XVIII, p. 22 et suiv.).
(2) L. Pastor, *Geschichte des Paepste*, t. IV, 2e p., p. 89 et suiv. ; trad. franç., t. IX, p. 102 et suiv., notamment p. 104-105.
(3) Ou Campeggi (Laurent). Sur ce personnage voir G. Constant, art. *Campeggi (Lorenzo)* dans le *Dictionnaire d'histoire et de géographie ecclésiastique*, t. XI, Paris, 1948, col. 633-640.

la répression de l'erreur aucune mesure catégorique. Bien plus, les membres décidèrent la tenue prochaine à Spire d'une assemblée nationale allemande qui délibérerait sur la manière de se comporter dans les questions religieuses, jusqu'à la réunion du concile général. Campeggio protesta naturellement contre cette solution. Après la diète il parvint par ses négociations politiques à former une ligue des princes de l'Allemagne du sud, dans laquelle entrèrent notamment l'archiduc Ferdinand et le duc de Bavière, afin de s'opposer au protestantisme et de maintenir strictement l'édit de Worms dans leurs États. Dans plusieurs d'entre eux commença à s'exercer une action énergique contre les hérétiques. D'autre part, les princes partisans de la réforme s'affirmèrent dès lors plus ouvertement, notamment Philippe de Hesse et Albert de Hohenzollern, grand maître de l'Ordre Teutonique [1].

On en était là lorsqu'éclata la guerre des paysans.

§ 4. — Les débuts de l'anabaptisme et la guerre des paysans.

LES ANABAPTISTES ALLEMANDS ET SUISSES

Les prophètes de Zwickau, dont il a été question plus haut [2], empruntant dès 1521 le programme des Taborites, prêchaient la communauté des biens et le baptême conféré aux seuls adultes. En Suisse se faisaient jour à partir de 1523 des revendications diverses : suppression de la dîme et communauté des biens ; communion sous les deux espèces ; émancipation de la chair ; réorganisation de la société d'après les lois de Dieu. Là aussi commençaient les discussions sur la valeur du baptême conféré aux enfants. Ces deux mouvements, suisse et allemand, entretenaient d'étroites relations. En 1522, Thomas Munzer (1490-1525) vint s'établir aux environs de Wittemberg. Aux idées du réformateur allemand sur le sacerdoce universel et la sûreté du salut s'unissaient en lui des rêves apocalyptiques remontant à Joachim de Flore et aux hussites et des utopies sociales. Karlstadt devint aussi l'un des principaux chefs du mouvement.

Un anabaptiste de Suisse, Balthasar Hubmaïer, mit le premier en pratique ses doctrines et se fit rebaptiser à Pâques de 1525. Puis il entreprit des voyages de propagande, notamment en Allemagne. Il fonda une communauté de 12.000 croyants sur les terres du comte de Liechtenstein. D'autres illuminés suivirent bientôt son exemple.

Contre ceux qu'il appelait les *Scharmgeister*, Luther publia des écrits violents, notamment le *Wider die himmlischen Propheten* [3].

---

(1) Frédéric, électeur de Saxe, mourut le 5 mai 1525, fidèlement attaché à Luther. Celui-ci devait trouver en Jean, frère et successeur de Frédéric, un protecteur encore plus décidé. Dès 1523, le réformateur avait consacré à ce dernier prince un traité intitulé *De la souveraineté séculière ; jusqu'où lui doit-on obéissance ?* (W., t. XI, p. 245 et suiv.)

(2) Cf. *supra*, p. 56.

(3) W., t. XVIII, p. 37-214. Voir K. Holl, *Luther und die Schwaermer*, dans les *Gesammelte Aufsaetze*, t. I, p. 420-467 ; *Urkunde zur Geschichte des Bauernkriegs und der Wiedertaüfer*, édit. H. Boehmer, dans les *Kleine Texte* de H. Lietzmann, nos 50-51, 1921 ; *Quellen zur Geschichte der Wiedertaüfer*, t. II, édit. K. Schornbaum, dans *Quellen und Forschungen zur Reformationsgeschichte*, t. XVI, Leipzig, 1934 ; E. Hartmann, *Der Kommunistische Gedanke in der Bauernbewegung*, Tubingue, 1923 ; W. Koehler, *Das Taüfertum in der neueren Kirchenhistorischen Forschung*, dans l'*Archiv für Reformationsgeschichte*, t. XXXVII, 1940, p. 93-109, t. XXXVIII, 1941, p. 349-364 ;

L'AGITATION PAYSANNE — Thomas Münzer et Karlstadt semèrent l'agitation dans la population thuringienne. Tous deux durent quitter la Saxe, mais ils répandirent leurs théories ailleurs, notamment dans le sud de l'Allemagne. La révolution commença en effet par la Souabe. Elle trouva le plus d'adeptes parmi les paysans.

Ce n'était pas le premier soulèvement des paysans allemands. De 1431 à 1514 on en signale plusieurs et on leur assigne généralement pour causes la propagande des doctrines hussites et des griefs d'ordre économique. Mais ces mouvements furent locaux et vite réprimés.

Dans la guerre des paysans qui éclata en 1524, Luther n'intervint pas avant le printemps de 1525. Cependant son influence indirecte s'exerça par ses écrits qui s'élevaient contre le pape, les évêques, l'empereur, les princes. Ce furent des étincelles tombées dans la masse populaire facilement inflammable [1].

Les paysans de Souabe, entre autres, exposèrent leurs revendications en douze articles (février 1525). Ils y réclamaient le libre choix de leurs pasteurs, l'emploi des grosses dîmes pour les communautés et la suppression des petites dîmes, l'abolition du servage, la libre jouissance de la chasse, des forêts, le tout « conformément à l'Évangile ». En Franconie, le soulèvement, parti des territoires ecclésiastiques, s'étendit bientôt aux autres et fut surtout excité par Karlstadt. Il trouva des alliés dans des seigneurs comme Goetz von Berlichingen. Un des points principaux du programme franconien porta sur la sécularisation des principautés et biens ecclésiastiques de l'Empire. Un réformateur plus radical encore que les autres, Michel Gaissmaier, prêcha l'égalité parfaite et la conformité en tous points à la parole de Dieu. Ses idées se répandirent du Tyrol à Salzbourg, en Styrie et dans les pays autour de l'Enns. Enfin Thomas Münzer travailla surtout la Saxe et la Thuringe.

Bientôt toute l'Allemagne fut sillonnée de ces bandes de paysans, auxquels se joignaient des prolétaires urbains, des moines défroqués, des nobles. On brûla les églises, les monastères, les châteaux.

Les princes en l'absence de l'empereur s'organisèrent, quoique assez tardivement, pour la résistance. Un des chefs de l'alliance de Souabe, le comte Georges Truchess de Waldburg, battit les révoltés, mais se montra excessif dans la répression. Le duc Antoine de Lorraine ne fit pas preuve de plus de douceur. Le 15 mai se livra en Thuringe la bataille de Frankenhausen. Münzer fait prisonnier eut la tête tranchée.

LUTHER ET LES PAYSANS — Les paysans de Souabe avaient envoyé à Luther leurs douze articles pour en obtenir l'approbation. Le moine apostat répondit par l'*Ermahnung zum Frieden* (avril 1525) [2]. Quand il l'écrivait, il croyait encore pouvoir

O. H. Brandt, *Thomas Münzer. Sein Leben und seine Schriften*, Iéna, 1933 ; Fr. Guenther, *Der deutsche Bauernkrieg*, 2 vol., Munich et Berlin, 1933-1935 ; M.-G. Franz, *Der deutsche Bauernkrieg* ; L. Cristiani, *Luther et la question sociale*, Paris, 1912. Voir de plus K. Schottenloher, *op. cit.*, aux mots *Bauernkrieg, Karlstadt, Münzer, Wiedertäufer.*
(1) W., t. XVIII, p. 280 ; H. Grisar, *Luther*, t. I, p. 483-510.
(2) W., t. XVIII, p. 279-334.

ramener les insurgés à la raison par ses paroles, car les nouvelles des combats sanglants déjà commencés alors n'étaient pas parvenues jusqu'à Wittemberg.

Il s'adresse d'abord aux princes et aux seigneurs. Comme aux « évêques aveugles » et aux « fous prêtres et moines », il leur reproche de s'opposer à la prédication de l'évangile, ce qui excite la colère de Dieu et les rend méprisables aux yeux du peuple. « Ce ne sont pas les paysans, chers seigneurs, qui se soulèvent contre vous, mais c'est Dieu lui-même qui s'oppose à vous. »

Il parle beaucoup plus longuement aux paysans, « à ses chers amis », et reconnaît nettement devant eux que les princes oppressent tellement le peuple qu'ils eussent mérité d'être précipités de leur trône par Dieu. Cependant il répudie les moyens violents et exhorte les révoltés à la patience. Dieu les aidera, s'ils ont une bonne conscience. Dans le cas contraire, il les punira, car « celui qui se servira du glaive périra par le glaive ». Que les princes soient méchants, qu'ils agissent injustement, cela n'autorise pas la révolte, surtout chez des chrétiens. Ce serait faire fausse route, ce serait renier l'esprit de l'évangile que de se livrer à des violences. Les paysans ayant voulu baser leurs revendications sur l'évangile, c'est donc surtout au nom de l'évangile que Luther rejette les douze articles. Il ne se fait pas faute d'ailleurs d'exhorter les princes à plus de justice.

Mais son appel à la paix venait trop tard. Quand roula le torrent dévastateur, Luther tint à se désolidariser d'avec les rebelles : parmi les princes qui luttaient contre eux, il comptait d'ailleurs des amis, par exemple Philippe de Hesse. Son libelle : *Wider die mörderischen und räuberischen Rotten der Bauern*[1], qui ne comporte que quatre pages, est extrêmement dur pour les paysans. Il y prêche, en termes de feu, la guerre sainte contre les « démons ». Qu'on les fasse disparaître ! Qu'on les étrangle ! Le chien fou qui se jette sur vous, déclare-t-il, il faut le tuer, sinon il vous tuera[2] !

Cet écrit violent provoqua la colère des révoltés et la désapprobation de beaucoup d'autres. Ses conséquences furent énormes. Dès lors baisse dans les masses l'enthousiasme pour l'évangile. Dans la pensée de Luther lui-même se produisit peu à peu une évolution de la plus haute importance. Il perd sa confiance dans le peuple organisé en communautés. La populace doit être bridée, comme les ânes. Au contraire, il place de plus en plus sa confiance dans les princes qui l'aideront à mettre sur pied des Églises d'État.

§ 5. — Le mariage de Luther (1525).

LA VIE DE LUTHER A WITTEMBERG D'autres événements que la guerre des paysans marquèrent en 1525 dans la vie de Luther. Alors paraît son *De servo arbitrio* contre Érasme. Alors se conclut la ligue des princes catholiques du Nord, formée à Dessau.

(1) W., t. XVIII, p. 344-361.
(2) D'après K. ALAND (dans la *Theologische literaturzeitung*, t. LXXIV, 1949, col. 299-303)

62   LUTHER DE SA CONDAMNATION A SA MORT

Enfin Luther se marie. Il ne sera question ici que du dernier point.

Dans le couvent sécularisé de Wittemberg l'ancien moine vivait assez pauvrement. Il continuait ses prédications sur la Bible, les dix commandements, le *Pater Noster*, l'*Ave Maria*. Sa correspondance le montre en 1525 accablé de travaux et de soucis. Il écrit par exemple à Spalatin : « Comme Satan fait rage partout contre la Parole [1] ! » Fort affligé et tenté, il prie son ami Amsdorf de venir le réconforter par ses « consolations et son amitié » [2]. Il se sent seul. Pourquoi ne pas s'appliquer à lui-même le conseil donné à tant d'autres et prendre femme ? Cependant il résiste assez longtemps à cette pensée. Le mariage le discréditerait, ferait tort à son œuvre. Toutefois il laisse agir Dieu en lui et, convaincu de faire la volonté de Dieu, il se décide enfin [3].

SON UNION AVEC CATHERINE BORA   Douze cisterciennes de Nimbschen, en Saxe, sentaient peser lourdement sur elles le joug de la vie religieuse. Luther et un conseiller communal de Torgau, Léonard Koppe, préparèrent leur évasion. On casa quelque temps dans le couvent sécularisé de Wittemberg un certain nombre d'entre elles, dont Catherine Bora. Les langues naturellement se délièrent sur cette cohabitation avec des jeunes filles. Luther se permettait d'ailleurs parfois dans ses conversations et ses lettres des plaisanteries assez lestes sur ce sujet [4]. Mélanchthon se fait l'écho des bruits qui circulent au sujet de la conduite du réformateur. Il écrit en grec à son ami Camerarius, le 16 juin 1525. Voici la traduction d'un passage au moins de ce document [5]. Mélanchthon s'y plaint de ce qu'aucun des amis de Luther n'avait été prévenu de cette union, contractée le 13 juin en présence du pasteur de Wittemberg et de cinq témoins, dont Cranach l'ancien. Puis il continue ainsi :

Tu seras peut-être étonné de voir qu'à une époque où les hommes capables et gens de bien sont partout dans la tribulation, il n'en ait pas même compassion et qu'en apparence du moins il vive dans la mollesse et déshonore sa vocation, alors que l'Allemagne aurait besoin de toute sa prudence et de toute sa force. Voici, me semble-t-il, comment la chose est arrivée : notre homme est très facilement accessible et les nonnes, qui lui ont tendu leurs pièges, l'ont attiré à elles. Peut-être ces fréquents rapports l'ont-ils amolli ou même enflammé, bien qu'il ait de la noblesse et de hauts sentiments. C'est ainsi qu'il semble être tombé dans ce nouveau genre de vie fort inopportun. Mais les commérages qui ont couru sur lui et sur des relations illicites ne reposent point sur la vérité... En outre j'espère que le mariage le rendra plus grave (σεμνοτέρον) et le fera renoncer aux bouffonneries (βωμολοχίαν), dont nous l'avons souvent repris.

A Catherine, qui appartenait à une famille noble, s'étaient offerts plusieurs partis. Mais elle ne voulait que Luther ou Amsdorf. Le nouveau marié déclare quelque temps après son union : « Je ne suis ni amoureux,

---

les deux écrits de Luther sur les paysans, mentionnés dans le texte, ont paru en même temps et doivent être interprétés comme un tout. Le second serait simplement une addition faite au premier.

(1) Lettre à Spalatin, 27 mars 1525, W. B., t. III, p. 464.
(2) Lettre du 12 mars 1525, W. B., t. III, p. 455. Cf. H. GRISAR, *Luther*, t. I, p. 464-469.
(3) H. GRISAR, *op. cit.*, t. I, p. 469-483. Voir encore sur le mariage : Al. MEYER, *Luthers Stellung zur Ehe bis zu seine Verheiratung*, Leipzig, 1921 ; E. SEEBERG, *Luthers Ehe*, dans *Christentum und Wissenschaft*, t. I, 1925, p. 289-306 ; E. KROKER, *Katharina von Bora*, Leipzig, 1925.
(4) Voir par exemple sa lettre du 16 avril 1525 à Spalatin, W. B., t. III, p. 474-475.
(5) H. GRISAR, *Luther*, t. I, p. 472-476. Abrégé franç., p. 195.

ni enflammé par la passion, mais j'aime mon épouse [1]. » Catherine sera pour lui une maîtresse de maison active et dévouée. Cependant il conserve non des remords de conscience proprement dits, mais des regrets d'un autre ordre sur l'acte accompli : « Par ce mariage, écrit-il [2], je me suis rabaissé et avili à tel point que, je l'espère, les anges doivent rire et que tous les démons doivent pleurer. »

§ 6. — La confession d'Augsbourg.

LES LIGUES ALLEMANDES Le 19 juillet 1525 avait été conclue à Dessau une ligue des princes catholiques du nord de l'Allemagne, dans laquelle entrèrent le duc Georges de Saxe, Albert de Mayence, Jean de Brandebourg et les ducs Éric et Henri de Brunswick. En réaction, l'électeur Jean de Saxe, successeur de Frédéric le Sage, et Philippe de Hesse, les deux principaux chefs politiques du luthéranisme, formèrent, le 27 février 1526, l'alliance de Torgau.

La situation politique internationale continuait à favoriser les luthériens. Clément VII s'unissait à François Ier, à Venise et à Milan, dans une Sainte Ligue, celle de Cognac (22 mai 1526). Aussi se sentant forte contre l'empereur, la diète de Spire de 1526 refusa-t-elle d'assurer l'exécution de l'édit de Worms, comme le demandait Charles-Quint. Elle décida qu'au sujet de cet édit « les princes devaient se conduire de façon à pouvoir justifier leur façon d'agir devant Dieu et l'empereur ». Les membres catholiques de la Diète reconnurent d'ailleurs l'impossibilité d'aller plus loin. Quant aux luthériens, ils se jugèrent autorisés à passer à l'organisation de leurs églises territoriales, au moins jusqu'au concile et sauf leur responsabilité vis-à-vis de Dieu et de l'empereur.

LA DIÈTE DE SPIRE Les abus commis par les luthériens, qui s'autorisaient des décisions de 1526, portèrent la diète de Spire de 1529 à l'adoption de mesures nouvelles. Les États catholiques et leurs conseillers théologiens se montrèrent en effet plus unis et plus résolus. On maintint naturellement dans son intégrité l'édit de Worms. Dans les lieux où la doctrine nouvelle ne pouvait être supprimée sans trouble, toute extension nouvelle serait interdite jusqu'au concile. Il ne serait pas permis d'y prêcher contre le catholicisme, ni d'y empêcher l'audition de la messe.

Bien que ce texte reconnût le fait accompli, les évangéliques Jean de Saxe, Philippe de Hesse, Georges de Brandebourg-Ansbach, Ernest de Lunebourg, Wolfgang d'Anhalt et quatorze villes libres protestèrent contre lui, le 19 avril 1529. Aussi, dans la suite, tout le parti reçut-il le nom de « protestant ».

LA CONFESSION D'AUGSBOURG Cependant, la même année 1529, était signée entre Louise de Savoie et Marguerite d'Autriche, représentant l'une François Ier et l'autre Charles-

---

(1) A Amsdorf, 21 juin 1525, W. B., t. III, p. 541.
(2) Cité par H. GRISAR, *Luther*, t. I, p. 471 et 472.

Quint, la fameuse « Paix des Dames ». L'empereur disposerait donc du
temps nécessaire en vue du règlement de la question religieuse en Allemagne. Au début de 1530, de Bologne où il allait être couronné, il convoqua la diète à Augsbourg. Les questions religieuses y furent traitées
en premier lieu. Mélanchthon avait composé, au nom des princes, un
long document, la *Confessio Augustana* ou *Confession d'Augsbourg*,
approuvée par Luther [1].

La Confession d'Augsbourg doit son importance capitale à un double
fait : c'est la première confession de foi commune à tous les luthériens ;
ce fut la seule confession de foi protestante autorisée dans l'Empire
depuis 1555.

Il ne faut pas y chercher un exposé complet et détaillé des doctrines
luthériennes. L'auteur, Mélanchthon, savait se montrer accommodant ;
ll'empereur demandait un exposé de la foi protestante pour se rendre
compte de son accord avec le symbole catholique ; les luthériens voulaient se désolidariser d'avec les zwingliens, les anabaptistes et les
« schwarmgeister ». Ainsi s'explique l'omission de certaines doctrines,
l'atténuation d'autres.

A la base se trouvent des articles de Souabe, de Marbourg et de Torgau [2]. On y distingue deux parties. La première, en 21 articles, expose
l'ensemble de la doctrine luthérienne. La seconde, en 7 articles, énumère
les « abus et les lois humaines» de l'Église catholique. Les voici : l'usage
de la communion sous une seule espèce ; le célibat des prêtres ; les messes
vénales et privées ; la confession obligatoire ; le jeûne et l'abstinence ;
les vœux monastiques et la puissance ecclésiastique. Dans la première
partie, des erreurs luthériennes sont soigneusement écartées : celles qui
nient le purgatoire et la transsubstantiation ; celles qui affirment le
serf arbitre, le sacerdoce de tous les fidèles et la prédestination absolue.
D'autres articles paraissent au moins vagues, par exemple l'art. X sur
l'eucharistie, libellé ainsi :

> Sur la cène du Seigneur, ils enseignent que le corps et le sang du Christ sont
> vraiment présents et distribués à ceux qui les reçoivent, et ils désapprouvent
> ceux qui donnent un enseignement opposé à celui-là.

Et l'art. XI, sur la confession :

> Sur la confession, ils enseignent que l'absolution privée doit être maintenue
> dans l'Église, bien que l'énumération de tous les péchés ne soit pas nécessaire.

Sous cette formule de foi figuraient les signatures de Jean de Saxe,
Philippe de Hesse, François et Ernest de Lunebourg, Georges de Brandebourg, Wolfgang d'Anhalt et des représentants de deux villes libres
seulement.

Dans les négociations avec les théologiens catholiques chargés d'examiner le texte de sa confession, Mélanchthon se montra disposé à consentir

(1) Texte dans J.-T. MULLER-Th. KOLDE, *Die symbolischen Bücher der evangelisch-lutherischen Kirche*, p. 35-70, Gütersloh, 1912 ; édit. critique nouvelle dans H. BORNKAMM, *Bekenntnisschriften der evangelischen Kirche*, t. I, 1930, p. 31-137. Cf. K. SCHOTTENLOHER, *op. cit.*, *Territorien*, t. I, p. 18-21. Voir encore E. SCHLINK, *Theologie der lutherischen Bekenntnischriften*, 2e édit., Munich, 1946.
(2) H. HERMELINCK et W. MAURER, *Reformation und Gegenreformation*, dans le *Handbuch der Kirchengeschichte* de KRUEGER, p. 130-134.

encore quelques changements. Mais, de Cobourg, Luther, qui regrettait déjà certaines concessions de son ami, s'opposa à toute modification nouvelle. A la *Confessio Augustana* les théologiens catholiques opposèrent la *Confutatio Augustana*.

Deux autres exposés doctrinaux non-catholiques étaient encore parvenus à la diète : une *Confessio zwingliana*, composée par Zwingle lui-même, et une *Confessio tetrapolitana*, de Bucer et Capito, plus large, plus polémique et plus accentuée sur plusieurs points que celle de Mélanchthon. Elle émanait de quatre villes de la Haute-Allemagne : Strasbourg, Constance, Memmingen et Lindau.

Finalement l'empereur rejeta tous les exposés non-catholiques et déclara de nouveau mettre en vigueur l'édit de Worms de 1521.

De cette diète d'Augsbourg les catholiques avaient attendu de brillants résultats. Ils furent de nouveau cruellement déçus. L'édit de Wormst ne put être exécuté à cause de la résistance qu'il ne cessait de rencontrer. Le futur concile fut ajourné par Clément VII. Puis la formation de la ligue de Smalkalde et la politique conciliatrice de l'empereur achevèrent de rendre caduques les décisions d'Augsbourg [1].

LA LIGUE DE SMALKALDE   Le 29 mars 1531 se scellait définitivement la ligue de Smalkalde, préparée par Jean de Saxe et Ernest de Brunswick. Outre les deux princes que nous venons de nommer, d'autres y adhérèrent : Philippe de Hesse, Wolfgang d'Anhalt, les comtes Gebhardt et Albert de Mansfeld et onze villes. Plus tard la ligue s'étendit encore.

Les ducs catholiques de Bavière eux-mêmes s'unirent aux ligueurs de Smalkalde, par hostilité contre les Habsbourg. Les princes protestants d'Allemagne agirent en France, en Angleterre, en Danemark, en Hongrie, pour obtenir du secours dans leur lutte contre Charles-Quint. Et, comble de malheur, Soliman et les Turcs menaçaient Vienne.

L'INTÉRIM DE NUREMBERG   Ces diverses circonstances, jointes à la politique de conciliation de l'empereur, expliquent l'intérim de Nuremberg, du 23 juillet 1532. La situation religieuse des luthériens leur restait assurée jusqu'à la tenue du concile.

Il ne restait donc plus rien de l'édit de Worms et de la diète d'Augsbourg qui avait urgé son exécution.

§ 7. — Progrès du luthéranisme et de l'anabaptisme en Allemagne (1532-1541).

ADHÉSIONS AU LUTHÉRANISME   Pendant les années qui suivirent la guerre des paysans, mais surtout de 1539 à 1545, le luthéranisme se répandit à ce point en Allemagne qu'on put croire presque tout le pays perdu pour le catholicisme. Princes, évêques, abbés, passent à la religion nouvelle et la font prêcher dans leurs territoires.

(1) Sur ces différentes question, cf. t. XVII, p. 24-28.

A Frédéric le Sage, le premier protecteur de Luther, avait succédé l'électeur Jean. Comme ce dernier prince, les autorités communales favorisèrent, en général, le travail des prédicants qui en grand nombre venaient semer leur foi dans cette région. En Hesse, le landgrave Philippe, quoique dépourvu de sentiments et de besoins religieux, adopta également la réforme, se donna corps et âme à la cause du nouvel évangile et accorda toute liberté aux ministres. Il décida en outre Ulric de Wurtemberg à établir la Réforme dans ses États. Jean et Philippe furent les premiers et les plus fermes soutiens du luthéranisme.

Plus tard, en 1540, Joachim II de Brandebourg introduisit dans son électorat la foi nouvelle. En cas de résistance, les évêques étaient chassés. On supprima les couvents et la couronne s'empara des biens ecclésia tiques.

Le duché de Saxe, distinct de l'électorat, resta fidèle à l'Église tant que vécut le duc Georges, noble et vaillant défenseur du catholicisme. Malheureusement son frère, Henri, puis son neveu, Maurice (1539-1553), adoptèrent une attitude toute différente, introduisirent et organisèrent chez eux l'hérésie.

Celle-ci pénétra aussi de façon plus ou moins profonde dans bien des principautés ecclésiastiques : dans celle de Mayence et dans la Livonie, grâce à l'apostasie de l'archevêque de Riga. L'évêque Franz de Waldeck, qui cumulait les diocèses de Münster, de Minden et d'Osnabrück, adhéra au luthéranisme. Herman de Wied, archevêque de Cologne, fit de même et appela dans ses États Mélanchthon et Bucer. Le prince-abbé de Fulda, Philippe Schenk von Schweinsberg, autorisa chez lui la prédication des doctrines nouvelles. L'abbesse de Quedlinbourg, Anna de Stolberg, réforma officiellement ses domaines (1539). A Schwerin, dans le Meck-lembourg, purent s'installer des ministres luthériens. En dehors des principautés ecclésiastiques, il faut encore énumérer parmi les régions en partie luthéranisées : Brunswick, le Palatinat, la Poméranie, Brême, les comtés de Nassau, le duché de Clèves, le Hanovre, Anhalt. La substitution du protestantisme au catholicisme s'accompagna de violences en bien des endroits.

A la conversion du grand-maître de l'Ordre teutonique, Albert de Brandebourg, Luther lui-même s'employa très activement. Le prince apostasia, se maria et sécularisa les biens de l'ordre en Prusse. Deux évêques de ce pays trahirent le catholicisme et se mirent à la tête des prédicateurs luthériens.

LA PROPAGANDE ANABAPTISTE — Les disciples de Luther durent fréquemment entrer en lutte avec les anabaptistes. Nous connaissons déjà la première phase de leur histoire jusqu'en 1525. Après la défaite des paysans, le mouvement ne cesse de s'étendre, et de nouveaux prophètes occupent la scène [1]. La propagande

(1) Voir p. 59, n. 3 la bibliographie de l'anabaptisme. Ajouter pour la période dont nous retraçons l'histoire ci-dessus : *Quellen zur Geschichte der Wiedertäufer*, t. 1 (G. BOSSERT), 1930 ; t. II (K. SCHORNBAUM), 1934, Leipzig ; C.-A. RAMSEYER, *Histoire des Baptistes depuis les temps apostoliques jusqu'à nos jours*, Paris, 1897 ; G. TUMBULT, *Die Wiedertäufer*, Bielefeld-Leipzig, 1899-RUFUS-M. JONES, *Spiritual Reformers in the 16 th and 17 th centuries*, Londres, 1914 ; H. von SCHU;

part surtout de trois grands centres : la Suisse ; le sud de l'Allemagne et notamment Augsbourg (avec Hans Hut, Jacques Dachser, Sigismond Salminger, Augustin Bader et Pilgram Marbek) et Strasbourg (Michel Sattler) ; enfin la Moravie (Jacques Huter). Les doctrines anabaptistes pénétrèrent également dans le nord de l'Allemagne ; elles firent beaucoup d'adeptes dans les Pays-Bas et gagnèrent jusqu'à la Suède. Ce fut là un grave danger pour la société : beaucoup des novateurs s'abandonnaient à des rêves apocalyptiques, ils s'opposaient résolument à l'État. Aussi leur appliqua-t-on, même dans les principautés acquises à la Réforme, la législation contre les hérétiques. Leur plus grand prédicateur fut Melchior Hoffmann. Ses disciples : Bernt Rothmann, Jean Matthys et Jean de Leyde, s'emparèrent véritablement de Münster dont ils firent le « royaume de Sion » et où ils tentèrent d'établir la communauté des biens et des femmes [1]. Beaucoup des chefs de l'anabaptisme furent arrêtés, torturés et exécutés.

La répression rigoureuse organisée contre les prophètes de Münster ralentit la propagande anabaptiste après 1535. Les sectaires allemands et suisses vécurent désormais dans le calme et furent bientôt absorbés par des églises d'État. Le communisme créé en Moravie par Huter parvint à y réaliser son idéal. Il devint également une force considérable en Hongrie. Mais le pays où continua le plus à se développer l'anabaptisme fut la Hollande, avec Menno Simons et David Joris [2].

LES ARTICLES DE SMALKALDE Tandis que s'étendait la Réforme, s'accroissait la puissance de la ligue de Smalkalde, constituée en 1531.

En 1534, Paul III avait succédé à Clément VII et, dès le début de son pontificat, il marqua sa volonté très nette de tenir un concile. Son nonce, Vergerio, fut envoyé en Allemagne pour y préparer les esprits. Il rencontra Luther en 1535 et le réformateur lui promit de se rendre à l'assemblée dont il avait jadis réclamé la convocation. Cependant les princes protestants, ligués à Smalkalde, se réunissaient en 1537 dans cette ville. L'électeur, Jean Frédéric, successeur de Jean, s'y déclara nettement contre la participation au concile et proposa à Luther de provoquer un contre-synode. Telle fut l'origine des articles de Smalkalde [3]. Cette confession de foi, composée par le chef lui-même de la Réforme, traite d'abord de certaines doctrines relatives à la Divine Majesté sur lesquelles protestants et catholiques sont d'accord. La seconde partie est consacrée à la rédemption par le Christ et, en quatre articles, expose la justification luthérienne par la seule foi, rejette la messe, le purgatoire,

BERT, *Der Kommunismus der Wiedertäufer und Seine Quellen,* dans les *Sitzungsberichte der Heidelberger Akademie der Wissenschaften,* 1919 ; H. RITSCHL, *Die Kommune der Wiedertäufer im Münster,* Bonn-Leipzig, 1923 ; W. WISWEDEL, *Bilder und Führergestalten aus dem Taufertum,* 2 vol., 1928-1930, Cassel ; H. SCHIEDUNG, *Beiträge über die munsterschen Wiedertäufer,* Diss., Münster 1934 ; L. von MURALT, *Glaube und Lehre der Schweizer Wiedertäufer,* Zurich, 1938.

(1) H. ROCHERT, *Das tansendjæhrige Reich der Wiedertäufer zu Münster* (1534-1535), Münster, 1946.

(2) Cf. *infra,* p. 145 et suiv.

(3) Texte dans J.-T. MUELLER, *Die symbolischen Bücher der evangelischer-lutherischen Kirche,* p. 295-317.

les pèlerinages, les reliques, les indulgences, l'invocation des saints.
Les couvents doivent disparaître. La papauté ne repose pas sur le droit
divin. Sur ces points, les catholiques ne pourraient, d'après l'auteur
du formulaire, faire aucune concession à leurs adversaires. Enfin venaient,
dans la dernière partie, des articles sur lesquels la discussion serait possible « avec des hommes sages et prudents ou bien entre nous » (les luthériens). « Le pape et le royaume pontifical ne s'en préoccupent guère.
Car la conscience chez eux ne compte pour rien, mais l'argent, la gloire,
les honneurs, la puissance sont tout pour eux. » Ces points étaient au
nombre de quinze : péché originel, loi, pénitence, évangile, sacrement
de l'autel, confession, etc. L'exposé du réformateur est devenu un des
formulaires de l'Église luthérienne.

LE MARIAGE DE PHILIPPE DE HESSE   Cependant la cause des luthé-
                                      riens qui paraissait devoir triom-
pher subit alors deux graves échecs.

Philippe de Hesse, l'un des principaux protecteurs des idées nouvelles,
fut amené à se rapprocher de l'empereur pour ses affaires matrimoniales [1].

A diverses reprises, Luther avait déclaré, notamment à Philippe de
Hesse lui-même et à Henri VIII d'Angleterre, qu'il ne considérait pas
la bigamie comme formellement interdite aux chrétiens [2]. Or le landgrave n'aimait pas sa femme, fille du catholique duc de Saxe, il se mécon-
duisait et aurait voulu s'unir avec une dame du palais de sa sœur, Marguerite von Saale. Des consultations furent sollicitées de Luther et de
Mélanchthon par l'intermédiaire de Bucer. Philippe laissait entendre
que, s'il n'obtenait pas des réformateurs une réponse satisfaisante, il
se rapprocherait de l'empereur. Les théologiens répondirent que la bigamie, généralement condamnable, pouvait être permise dans le cas de
Philippe. Ils lui recommandaient de garder le secret absolu sur leur avis
et de laisser croire, ce qui choquerait moins, que Marguerite était sa
concubine. Le second mariage eut lieu le 4 mars 1540, en présence de
plusieurs témoins, dont Mélanchthon. Mais cette union fort peu régulière
se divulgua, en partie par l'indiscrétion de Philippe lui-même, mécontenta vivement la cour de Dresde et alerta l'empereur. Une loi de 1532
interdisait en effet la bigamie sous peine de mort.

Fort perplexe, Philippe recourut de nouveau à ses conseillers. Bucer,
Osiander et d'autres étaient d'avis de mentir et de faire passer Marguerite pour une concubine. Avec cette solution, Luther en proposa une
autre assez semblable : nier simplement que sa seconde femme fût légitime et qu'il eût contracté mariage avec elle. Il lui recommandait le
silence, parce que, prétendait-il, il s'agissait d'un secret confessionnel.
A la conférence d'Eisenach de juillet 1541, le chef de la Réforme allemande prononça les paroles célèbres : « Que serait-ce donc si..., pour le

(1) Cf. H. Grisar, *Luther*, t. II, p. 382-405 ; J. Koestlin-G. Kawerau, *Martin Luther*, t. II,
p. 524-531 ; W. Mockwell, *Die Doppelehe des Landgrafs Philipps von Essen*, 1904.

(2) Pour beaucoup d'auteurs protestants, la bigamie apparaissait comme possible à la conscience
générale au xvie siècle, conformément aux exemples bibliques. Cette affirmation nous semble des
plus contestables. Si le droit naturel n'interdit pas la bigamie, elle est contraire au droit divin
positif, dont l'Église ne peut dispenser.

bien de l'Église chrétienne, quelqu'un faisait un bon fort mensonge ?...
Un mensonge nécessaire, utile, qui nous aide n'est pas contre la loi de
Dieu et il (Luther) veut bien le prendre sur lui. »

Or Philippe, s'il menait une vie fort peu édifiante, abhorrait au
moins dans ce cas-ci le mensonge et ne consentit pas à suivre le conseil
de Luther. Pour éviter des poursuites, il se réconcilia avec Charles-Quint
et s'engagea à empêcher une alliance entre la ligue de Smalkalde, d'une
part, la France et l'Angleterre, de l'autre. Depuis 1537, l'empereur,
constatant l'intransigeance des luthériens, penchait de plus en plus
vers une politique d'accord avec eux, que recommandaient les disciples
d'Érasme. Des conférences eurent lieu entre théologiens des deux confessions, à Leipzig, à Haguenau, à Worms et à Ratisbonne (1539-1541) [1].
L'empereur brûlait d'aboutir. Mais la curie romaine et Luther n'approu-
vèrent pas la voie suivie.

POLITIQUE DE CHARLES-QUINT   Ces tentatives avaient divisé les luthériens et diminué la vigueur de la ligue
de Smalkalde. L'empereur s'en convainquit notamment lors de la guerre
qu'il mena contre le duc Guillaume de Clèves. Celui-ci, isolé, dut, par
le traité de Venlo (16 sept. 1543), renoncer à la Gueldre et agir chez lui
contre la Réforme. Toutefois, Charles continua encore quelque temps
sa politique conciliatrice. Pour obtenir l'aide allemande contre les Turcs
et la France, il reconnut, au grand mécontentement du pape, toutes
les sécularisations réalisées par les luthériens jusqu'en 1541. Mais Paul III
ayant convoqué le concile de Trente pour le 15 mars 1545 et les protestants ayant refusé de s'y rendre, l'empereur orienta de plus en plus sa
politique vers la guerre. Il atteignait alors le faîte de sa puissance et
venait de conclure à Crépy la paix avec la France (14 septembre 1544).

Après avoir signé un traité d'alliance avec le pape (7 juin 1546), Charles-
Quint s'attacha à diviser les princes protestants. A la diète de Ratisbonne,
où ne parurent pas les chefs de la ligue de Smalkalde, il parvint à gagner
à sa cause Maurice de Saxe. L'empereur avait soin — contrairement
à ce que faisait le pape — de ne pas représenter la prochaine guerre
comme une guerre de religion, mais comme une offensive contre les
« désobéissants » de la ligue de Smalkalde. Gagnés par cette tactique,
les princes luthériens Hans de Küstrin et Eric II de Brunswick se rap-
prochèrent de Charles-Quint. Le 20 juillet 1546, Jean-Frédéric de Saxe
et Philippe de Hesse, accusés notamment d'avoir séquestré les États
du duc catholique Henri de Brünswick-Wolfenbüttel [2] et de les avoir pro-
testantisés, furent mis au ban de l'Empire.

Le 19 mai 1547 Jean-Frédéric était complètement battu à Muhlberg
par les troupes impériales, italiennes, néerlandaises et celles de Maurice
de Saxe. L'électeur de Saxe et le landgrave de Hesse furent faits prisonniers et ainsi fut dissoute la ligue de Smalkalde.

---

(1) Voir L. CRISTIANI, *Le concile de Trente* (t. XVII, p. 36-40) et H. HERMELINCK et W. MAURER,
Reformation und Gegenreformation, p. 160-162.
(2) Contre lui, Luther publia un pamphlet : *Contre Hans Worst*, qui traitait ce prince de « chien
enragé, de meurtrier, d'incendiaire » (H. GRISAR, résumé français, p. 345).

L'INTÉRIM D'AUGSBOURG Après avoir porté des décrets et des canons sur l'Écriture sainte, le péché originel, la justification, les sacrements en général et enfin le baptême et la confirmation, le concile, apeuré par une épidémie, et redoutant surtout la puissance formidable de l'empereur et sa mainmise sur l'assemblée, décida de se transférer à Bologne. Charles-Quint, fort mécontent, revint à ses projets de conciliation et prit sur lui de régler seul la question religieuse en Allemagne. L'Intérim d'Augsbourg fut préparé par des théologiens des diverses confessions. Du côté catholique deux prélats de tendance érasmienne y travaillèrent surtout, à savoir Jules von Pflug et Michel Helding. Pierre de Soto s'assura de la conformité du texte avec la doctrine catholique. Un seul théologien protestant de marque prit part aux discussions, Jean Agricola.

Dans les articles d'Augsbourg, au nombre de 26, est exposée de façon correcte la foi catholique sur la condition de l'homme avant la chute, le péché originel, etc. Quelques concessions sont consenties aux luthériens en matière de rituel. On autorisa surtout pour eux la communion sous les deux espèces et on permit aux prêtres mariés de vivre avec leurs épouses jusqu'à ce que le concile eût décidé sur ces points et pourvu que le pape accordât les dispenses nécessaires. Une *formula reformationis*, jointe aux articles résumés ci-dessus, fut publiée comme loi de l'Empire le 30 juin 1548 et les synodes durent la mettre à exécution [1].

Cet essai de l'empereur pour purifier l'Allemagne échoua. Contre sa politique de centralisation, dont l'*Interim* et la *Formula reformationis* étaient une manifestation trop nette, s'insurgèrent les princes et les territoires, soucieux surtout de leurs intérêts particuliers. La foi luthérienne déjà ancrée dans bien des âmes se révolta, surtout dans le nord, contre la volonté impériale de rétablir partout la doctrine catholique. L'intérim fut imposé aux princes et aux villes de l'Allemagne du centre et du sud. Mais en réalité il ne put être exécuté. En certains territoires, comme la Saxe et le Brandebourg, on lui substitua un texte établi par les protestants.

§ 8. — Luther de 1529 à sa mort (1546).

ACTIVITÉ DE LUTHER DE 1529 A 1546 De 1529 à 1546 Luther ne cessa de se livrer à un travail intense ; il dirigeait la propagation de ses doctrines, aidait les princes à organiser leur Église, montait fréquemment en chaire et continuait à publier des ouvrages.

Ses deux catéchismes, le grand et le petit, parus en 1529, se composent d'une série de prédications faites par lui en 1528.

CONTROVERSES EUCHARISTIQUES A la théorie eucharistique de Zwingle il avait opposé en 1527 l'écrit intitulé : *Que ces paroles : « Ceci est mon corps » sont encore la vérité* [2], et en

(1) Texte de l'intérim d'Augsbourg dans J.-E. BIECK, Leipzig, 1721 et K.-Th. HERGANG, Leipzig, 1855, et de la *Formula Reformationis* dans J. LE PLAT, *Monumentorum ad historiam concilii Tridentini illustrandam spectantium amplissima collectio*, t. IV, p. 73 et suiv., Louvain, 1784.

(2) W., t. XXIII, p. 64 et suiv.

1528, la *Confession de la Cène du Christ* [1]. Sur la proposition de Philippe de Hesse, des conférences eurent lieu à Marbourg, en septembre 1529, entre Zwingle et Oecolampade, pour la Suisse, Bucer, Hédion et Sturm, pour Strasbourg, Luther, Mélanchthon, Jonas, Cruciger, Myconius et Ménius, pour Wittemberg. Les quinze articles de Marbourg [2], acceptés par les Suisses et les Strasbourgeois, traitent de la Trinité, de la christologie, de la foi, de la justification, du baptême, de la confession privée et du « sacrement du corps et du sang du Christ ». Pour le dernier point tout le monde fut d'accord à rejeter la communion sous une seule espèce et le sacrifice de la messe, mais on ne put s'entendre avec Zwingle sur la question de la présence réelle. Luther refusa toute concession sur ce point. Cela n'empêcha pas le zwinglianisme de pénétrer de plus en plus en Allemagne. Le prophète de la Réforme éprouva beaucoup de peine de l'obstination de Zwingle.

ŒUVRES DE LUTHER DE 1530 A 1544 De 1530 datent plusieurs ouvrages du réformateur. Nommons d'abord le traité sur le mariage [3]. C'est là, déclare Luther, une noble et belle institution ; mais on ne peut la placer parmi les sacrements et elle ne dépend que de l'autorité civile. Nous ne nous y arrêterons pas davantage et ne ferons aussi que signaler quelques pages intitulées *Sendbrief von Dolmetschen*, qui attaquent surtout l'intercession des saints [4].

Le *Wideruf vom Fegefeuer* [5] se rattache aux pourparlers au sujet de la Confession d'Augsbourg. Nous avons vu que Luther se défiait de l'esprit de conciliation de son négociateur, Mélanchthon, et que la *Confessio Augustana* se taisait sur le purgatoire. Pour combler cette lacune, Luther prit la plume. Il voulait dénoncer « les mensonges et les abominations des sophistes » sur ce point et « commencer ainsi un nouveau combat » contre ses ennemis [6].

Les mensonges des sophistes, l'auteur les trouve principalement dans l'interprétation des textes scripturaires par lesquels les théologiens établissent ou établissaient alors l'existence du Purgatoire, à savoir II *Mach.*, XII, 43 suiv., qui sert encore d'épître à une de nos messes des morts ; le verset 12 du *ps.* LXV : *Transivimus per ignem et aquam et eduxisti nos in refrigerium* ; le verset 13 du chapitre XIV de l'Apocalypse, qui se lit également à la messe : *Audivi vocem de coelo... opera enim illorum sequuntur illos* ; enfin I *Cor.* III, 15 : *Sic tamen quasi per ignem.* Bien que Luther rejette du canon le second livre des Macchabées, il s'applique à démontrer qu'il n'y est pas question du purgatoire et dénonce quatre mensonges dans l'exégèse catholique de XII, 43. Sa réfutation paraît faible. Les théologiens d'aujourd'hui recourent surtout à ce passage, mais en insistant sur la tradition catholique très ferme au sujet de ce dogme, tradition dont Luther, conformément à ses principes, ne fait

(1) W., t. XXVII, p. 261 et suiv.
(2) W., t. XXX, III, p. 110 et suiv.
(3) *Ibid.*, III, p. 205 et suiv.
(4) *Ibid.*, II, p. 627-646.
(5) *Ibid.*, II, p. 360-390.
(6) *Ibid.*, II, p. 361.

aucun cas. Dans les deux derniers chapitres de son petit livre, l'auteur étudie d'abord un passage célèbre du IVe livre des Dialogues de saint Grégoire [1], « presque le premier, dit-il, et le plus puissant qui a inventé et introduit le purgatoire et les messes des morts » ; puis, parcourant celles-ci et l'office des défunts, il s'élève contre l'arbitraire avec lequel la liturgie y applique des péricopes scripturaires au purgatoire : *Es mus alles Fegfeur heissen, was neu und altes Testament ihemals gewesen ist.*

C'est encore à de prétendus mensonges des catholiques — *Jam in manibus habeo mendacia de clavibus* [2] — que Luther s'attaque dans son ouvrage, *Von den Schlüsseln.* Il en composa deux rédactions dont la seconde vit le jour en 1530 [3]. On peut considérer ce libelle comme le plus important de ceux que le prophète de Wittemberg consacra au pouvoir de l'Église. Divers abus se trouvent ici stigmatisés. Les catholiques, dit Luther, ont tiré des textes comme MATTH., XVI, 19 (*Et quodcumque ligaveris,* etc.) et MATTH., XVIII, 18 (*Quaecumque alligaveritis*) des conclusions inadmissibles et que les paroles du Christ ne comportent nullement : le pouvoir de faire des lois qui obligent en conscience ; celui d'excommunier pour n'importe quelle raison ; la *plenitudo potestatis* qui autorise le pape à commander ce qu'il veut sur la terre et dans les cieux, à créer et à déposer des empereurs et des rois. Or Jésus donne simplement ici à l'Église le pouvoir de remettre ou de retenir les péchés. Cette prérogative doit être exercée par la communauté ; elle lui permet de punir le pécheur par un jugement public, de le vouer à la mort éternelle en le séparant de la chrétienté ; ou bien d'absoudre le pécheur, qui reconnaît sa faute et se convertit, et de lui rendre le droit à la vie éternelle. Dans ces conditions, le Christ ratifie le jugement de la communauté. Le pouvoir des clefs suppose la foi chez ceux qui l'exercent et chez ceux en faveur de qui ou contre qui il s'exerce.

Cependant Luther ne cessait de travailler à la Bible allemande, commencée à la Wartbourg et terminée en 1534. De cette œuvre capitale il sera question plus loin.

Parmi les ouvrages qu'il lança ensuite, il faut surtout rappeler son commentaire sur l'épître aux Galates (1535).

A Smalkalde, en 1537, il souffrit violemment de la pierre et son entourage craignit pour sa vie. Mais il se rétablit et se remit aussitôt à la besogne. En 1539 paraissait son *Traité des conciles et des Églises* [4].

En 1532, retenu par la maladie et empêché de prêcher, Luther avait expliqué la Bible à sa famille. Les *Postilles domestiques* parurent seulement en 1544. Ses sermons à l'église portent le titre de *Postilles d'église.* La première moitié vit le jour en 1540 et la seconde en 1543 [5]. Il règne dans ces morceaux beaucoup de vie, une grande variété de pensée ; les applications d'ordre pratique ne manquent pas. Mais on y rencontre des

---

(1) Dans *P. L.*, LXXVII, 420-421.
(2) Lettre de Luther, du 20 juillet 1530, à Wenceslas Link, citée dans W., t. XXX, ii, p. 428.
(3) W., t. XXXII, p. 435-464 et 465-507.
(4) W., t. l, p. 509 et suiv.
(5) W., t. LII ; t. VII, p. 463 ; t. X, i, p. 1 ; t. XVII, ii, p. 21 et 22.

digressions, des répétitions, des négligences de style provenant de l'impré-
paration du prédicateur.

SA VIE INTÉRIEURE ET
SES POLÉMIQUES
A diverses époques de sa vie, Luther avait été
secoué par de violentes tempêtes intérieures,
notamment en 1527 et 1528, 1537 et 1538.
Elles provenaient surtout d'angoisses, de remords de conscience, de
« tentations », d' « attaques ». De ces assauts, il rendait le diable responsable. Pour reprendre son calme, il recourait surtout à la prière, mais
aussi aux rapports conjugaux, à un « bon coup de bière » et à des invectives contre le pape. « Cela me rafraîchit le sang, disait-il, l'esprit devient
vif et toutes les tentations faiblissent [1]. »

Ces secousses épouvantables semblent s'être calmées les dernières
années de sa vie. Il est moins assailli que jadis par des doutes sur son
message, sur la vérité de sa doctrine, et de craintes à cause des âmes
qui tomberaient en enfer par son fait [2]. Cependant il est loin d'avoir
acquis la tranquillité parfaite. Des angoisses, provenant en partie de
son état physique, le tourmentent encore. La doctrine zwinglienne
l'exaspère toujours et jusqu'à la fin il l'attaque avec violence, par exemple
dans son écrit *La courte confession sur le saint Sacrement* [3] de 1544.
Il est mécontent de Mélanchthon qui, de fait, abandonne sur plusieurs
points les idées du chef de la Réforme. Il taxe Wittemberg d'ingratitude.
Wittemberg devait rester pour lui la citadelle de la pure foi ! Il tenait
à exercer de là l'autorité suprême et fulminait contre les audacieux
qui s'opposaient aux dogmes de Wittemberg de dures condamnations.
Aussi l'avait-on surnommé le « pape de Wittemberg ». Il s'inquiète aussi
de la corruption des mœurs. Il se demande ce que deviendra sa réforme,
après sa mort. Il exècre et maudit le concile de Trente qui se prépare.
En vue d'établir l'union doctrinale et de pouvoir l'opposer aux catholiques, il présente, en janvier 1545, à l'électeur de Saxe, la « Réformation
de Wittemberg », composée par Mélanchthon en termes prudents [4]. Sa
violence se déchaîne surtout contre les Juifs. Dans son dernier écrit
publié contre eux en 1546, il exhorte les princes à les chasser [5]. Mais
au pape sont toujours réservés ses plus rudes coups. En 1545 il prépare
un ouvrage qu'il ne pourra achever : *Contre la papauté fondée à Rome*
par le diable [6]. L'image placée en tête du livre montre le pape tiré de
l'ouverture béante de l'enfer par les démons, au moyen de cordes ; tandis
qu'il adore le prince des enfers planant au-dessus de lui, les diables le
couronnent d'une tiare dont la pointe se termine en forme d'excrément
humain [7]. D'autres illustrations devaient décorer le volume : le pape-
Satan ; le pape-âne ; le pape chevauchant une truie ; etc. Dans toutes

---

(1) W. T., t. II, n° 2410.
(2) H. GRISAR, *Luther*, t. III, p. 271-272.
(3) Erl., t. XXXII, p. 396 et suiv.
(4) H. GRISAR, *Luther*, t. III, p. 748-757.
(5) Voir quelques écrits de Luther contre les Juifs, W., t. LIII, p. 412 et suiv. ; p. 573 et suiv.
W. LINDEN, *Kampfschriften gegen das Judentum*, 1934.
(6) Erl., t. XXVI, II, p. 131 et suiv.
(7) Reproduction de cette gravure dans H. GRISAR, résumé français, p. 352 et dans le t. IV
de la traduction française de Denifle.

ces gravures naturellement on peut ramasser une profusion d'excréments.

Luther ne ménagea pas non plus dans les derniers mois de sa vie les théologiens de Louvain. Mais la mort le surprit avant l'achèvement de son travail : « Contre les ânes de Paris et de Louvain. » Aux maîtres de l'Université brabançonne le réformateur décerne les épithètes de « sentine maudite et damnée », de « grands flandrins maudits », de « grands et gras porcs d'Épicure », de « ventres pourris ». Au lieu de donner au peuple la solide nourriture de la Bible, ils changent l'Église de Dieu en « cloaque ». Et ce mot le ramène aux excréments encore, sans aucune périphrase [1].

LUTHER A EISLEBEN — Au début de 1546, Luther quitta Wittemberg pour Eisleben, lieu de sa naissance, qui serait aussi celui de sa mort [2]. Sur sa fin circulèrent beaucoup de légendes. Le jésuite François Costerus, dans son *Compendium fidei* de 1607 (paru d'abord en néerlandais en 1595), raconte, en citant sa source, que le défunt aurait été trouvé avec le « cou rouge et gonflé » et il en déduit que le malheureux a été « étranglé par le diable ». Une vingtaine d'années après la mort du prophète, en se basant sur les prétendues révélations d'un de ses serviteurs, on commence à parler d'un suicide. L'oratorien Bozius, dans un ouvrage de 1591, nous rapporte le premier cette version ; à partir du début du XVIIe siècle se répandit la lettre, évidemment fausse, du domestique. Enfin pour Guillaume Reginald, professeur au collège anglais de Douai (1597), Catherine Bora a étranglé son mari.

Les témoins de la mort de Luther sont surtout des protestants (Justus Jonas, Jean Aurifaber, etc.). A l'apothicaire catholique, Jean Landau, mandé aux tout derniers moments, nous devons une relation longue, minutieuse et assez amusante. Ces documents, même s'il leur arrive de forcer un peu la note pieuse, semblent dignes de foi [3].

MORT DE LUTHER — A Eisleben, les derniers jours de sa vie, le réformateur réunissait le soir autour de lui quelques amis. Il parlait souvent de la mort. L'état de sa santé inquiétait Catherine. Le 17 février, il se montra fort agité et se plaignit de l'oppression de sa poitrine. Cependant, soulagé, il se mit à table, parla beaucoup, mangea et but bien, comme d'ordinaire. Mais, remonté chez lui, le mal le reprit et ne lui permit de dormir que deux ou trois heures. Ensuite la situation empira. On fit monter tous les habitants de la maison ; on manda deux médecins. Le moribond murmura : « Mon Dieu, dans quelles souffrances et quelles angoisses je quitte le monde ! » et remercia Dieu le Père de lui avoir révélé son Fils, que le pape blasphémait. Jonas et Coelius lu

(1) Erl., t. LVI, p. 169-178 (en allemand) ; Erl., *Opera latina varii argumenti*, t. IV, p. 486-492
(2) J. Strieder, *Authentische Berichte über Luthers letzte Lebenstunden*, dans la collection des *Kleine Texte* de H. Lietzmann, n° 99, Bonn, 1912 ; H. Grisar, *Luther*, t. III, p. 841-855 ; J. Koestlin-G. Kawerau, *Martin Luther*, t. II, p. 615-627 ; N. Paulus, *Luthers Lebensende*, dans les *Erlaeuterungen zu Janssens Geschichte des deutsche Volkes*, t. I, fasc. 1, Fribourg-en-Br., 1898.
(3) Cependant B. Grabinski publia en 1913 à Paderborn une étude intitulée *Wie ist Luther gestorben ? Eine Kritische Untersuchung*. A l'en croire, les relations qui nous restent de ses derniers moments ne méritent pas créance. Luther aurait succombé subitement d'une attaque d'apoplexie et aurait été trouvé mort le matin dans son lit.

demandèrent s'il mourait dans la foi à sa doctrine. « Oui », répondit-il. On ne put plus tirer de lui aucune autre parole et il expira vers trois heures du matin, à l'âge de 63 ans.

CONCLUSION Une impression générale se dégage de la personne de Luther : comme on l'a dit, celle d'une « plénitude torrentueuse » (Lortz) [1].

Il fut sans conteste possible un des hommes les plus puissants de l'histoire. Entraîné par la force de sa conviction, il met au service de ses idées son intelligence brillante et plus encore sa riche imagination, sa vive sensibilité, son éloquence entraînante, sa facilité de travail et son activité presque inégalables.

Chez lui aussi un bel ensemble de qualités morales. Une âme profondément religieuse, saisie par la grandeur de Dieu, amoureusement attachée au Christ. Une confiance magnifique dans la Providence et dans l'œuvre rédemptrice du Christ. Une haute conception de l'idéal chrétien, qu'il a voulu restituer intégralement à l'humanité, parce que, à l'en croire, l'Église catholique l'avait laissé s'affadir. Un très grand courage, qui se manifeste par exemple lors des épidémies [2], dans la défense du droit opprimé et la correction des fautes morales de ses disciples. Une charité débordante envers les pauvres. Une profondeur d'affection qui lui arrache des accents touchants lors de la mort, à treize ans, de sa fille Madeleine [3].

D'autre part, ses défauts sont non moins apparents : sa grossièreté de langage l'a fait juger par un historien protestant, Hausrath, non seulement *der gröszle, sondern der gröbsle* (le plus grand, mais le plus gras) des écrivains de son temps. Que dire des conseils qu'il donne par exemple à des abbés et à des moines, qui ne peuvent encore quitter la vie religieuse, de contracter un mariage secret ? de la permission, presque de l'ordre, de mentir intimé à Philippe de Hesse ; de la menace qu'il suggère au mari de faire à sa femme qui refuserait, sans raison, le devoir conjugal : « Si la femme ne veut pas, que la servante vienne » [4] ; des remèdes qu'il propose pour se débarrasser des tentations, d'après sa propre expérience : « Quand tu es tenté par la tristesse, le désespoir ou une autre peine de conscience, alors mange, bois, cherche des colloques. Si tu peux te réconforter en pensant à une jeune fille, fais-le. » « Dans les tentations graves deux mouvements sont bons : le premier et le principal, la confiance dans le Christ ; le second, une véhémente et forte colère... De même l'amour d'une jeune fille [5]. »

A cela s'ajoute un amour de la bonne chère et de la boisson, qui, sans

---

(1) H. GRISAR, *Luther*, t. III, p. 907-931 et toutes les biographies modernes de Luther ; J. LORTZ, *Die Reformation in Deutschland*, t. II, p. 381-436 ; L. FEBVRE, *Un destin : Martin Luther*, p. 200-208.

(2) Voir par exemple les belles pages qu'il a écrites en 1527 : *Si l'on peut fuir la mort* (W., t. XXIII, p. 333 et suiv.).

(3) J. KOESTLIN-G. KAWERAU, *Martin Luther*, t. II, p. 596. Luther eut cinq enfants de Catherine Bora : trois garçons et deux filles.

(4) H. GRISAR, *Luther*, t. II, p. 209. Le conseil est naturellement scandaleux. Une autre parole célèbre de Luther : *Pèche fortement*, adressée à Mélanchthon en 1521, ne doit pas être prise pour une invitation à pécher, mais d'après le contexte, à avoir en Dieu une grande confiance (H. GRISAR, résumé français, p. 133-134).

(5) W. T., n° 122 (t. I, p. 49-50) ; n° 833 (*ibid.*, p. 406).

le porter à de graves excès, présente tout de même celui qui se donnait
pour le réformateur de l'Église sous un aspect fort matériel ; une violence
de langage peu commune dans les discussions et les polémiques, où d'ailleurs, à cette époque, le ton s'élevait très facilement. Enfin le défaut
qui, pour nous, l'emporte sur tous les autres et que nous avons déjà
souligné : son insupportable suffisance, sa conviction inébranlable de
parler au nom de Dieu. Défaut qui ne va d'ailleurs pas sans une réelle
humilité, lorsqu'il s'agit de reconnaître la grandeur de Dieu et sa propre
incapacité et indignité [1].

Pour Luther la persuasion de sa mission divine ne fait que se renforcer
avec le temps ; elle devient un axiome. Continuellement on rencontre
dans son œuvre des expressions comme celle-ci : « Dieu m'a révélé cette
doctrine. » Comme celui de saint Paul, l'évangile de Luther vient de
Dieu et non des hommes. Des doutes surgissent bien parfois dans son
âme sur cette qualité d'envoyé divin, sauf dans les dernières années de
sa vie. Des luttes intérieures s'ensuivent, mais de toutes ces angoisses
le diable seul lui paraît responsable. Par volonté, il se maintient, se
fortifie dans la conviction acquise : « Je suis sûr, dit-il, et je veux l'être. »
L'auto-suggestion, nous le savons déjà, joue dans sa vie un rôle immense.

Son œuvre en général lui apparaît donc couverte par Dieu. Mais aussi
un grand nombre d'événements particuliers : par exemple son entrée
au couvent et même son mariage.

Il trouve partout des confirmations : les oppositions à sa doctrine ;
les succès qu'il remporte ; les troubles qu'il suscite. Car comme le Christ
lui-même, il n'est pas venu apporter au monde la paix mais le glaive. Ce
sont là de vrais miracles qui viennent autoriser sa mission et sa doctrine.

A quelques moments sa conscience de héraut de Dieu s'exalte particulièrement. Ainsi lorsqu'il attend sa condamnation par Rome et après
qu'a paru la bulle *Exsurge* ; pendant son séjour à la Wartbourg, où le
diable l'attaque de toutes façons et arrive à ce résultat de le confirmer
dans sa décision d'agir au nom du Christ ; dans sa lutte avec les *Schwarmgeister* et les anabaptistes ; lors de la guerre des paysans ; tandis qu'à
Cobourg, il se tient au courant des tractations relatives à la Confession
d'Augsbourg ; au temps des négociations de Smalkalde (1537) ; et surtout
les dernières années de sa vie, dans ses luttes avec ses contradicteurs [2].

Que dire de son œuvre ? Nous n'en nierons pas certains résultats
bienfaisants. Il contribua à spiritualiser la religion de son temps ; il accé-
léra le mouvement de réforme ; il donna un essor magnifique, même
chez les catholiques, au catéchisme enseigné aux enfants ; il habitua
les théologiens catholiques à recourir plus directement à l'Écriture,
conformément d'ailleurs aux enseignements exprimés également par
les humanistes [3]. Il n'empêche que dans l'ensemble, cette œuvre, pour
le catholique, doit être proclamée néfaste. Enseigner à des milliers d'âmes
à marcher sur leurs scrupules hautement légitimes, attiser les convoitises,

(1) K. HOLL, *Gesammelte Aufsaetze zur Kirchengeschichte*, t. I, p. 396-404.
(2) H. GRISAR, *Luther*, t. II, p. 87-103.
(3) A. HOLL apprécie naturellement beaucoup plus favorablement que nous les résultats de
l'œuvre de Luther, op. cit., p. 468.

par exemple celles des princes pour les biens d'Église, transformer les chefs d'État en chefs d'Église et en potentats, rompre définitivement la splendide unité chrétienne du moyen âge, ouvrir la voie au libre examen, à l'individualisme en matière religieuse, au pullulement des sectes, discréditer les autorités les plus vénérables, tel apparaît essentiellement le résultat de cette vie.

Soulignons surtout le danger immense que représente pour le christianisme et pour la pensée religieuse l'individualisme que Luther a vraiment créé, le déplorable exemple qu'il a donné par là au monde. Pas de type plus représentatif de l'égocentrisme intellectuel et religieux. Voilà donc un homme qui, en proie à des crises intérieures, découvre dans l'Écriture une doctrine qui ne s'y trouve pas, mais le libère de ses inquiétudes : la justification par la foi seule. Engagé dans la mauvaise voie, il la suit jusqu'au bout ; il établit sur des fondements, combien débiles le plus souvent, toute une série de propositions de foi. Il les impose au nom de Dieu.

L'œuvre de Luther, ne doit-on pas même reconnaître qu'elle a échoué en bonne partie et qu'il devrait reconnaître son échec, s'il pouvait encore parler au monde ?

Il a voulu réformer l'Église. Or il ne l'a pas réformée, il l'a scindée, ce qui n'était évidemment pas son but. La branche catholique avait commencé à se réformer sans lui [1]. Elle aurait achevé sa réforme sans lui. Dans la branche luthérienne d'Allemagne, Luther ne semble pas lui-même très convaincu d'une hausse réelle du niveau moral.

Il n'a certainement pas voulu non plus les variations des Églises protestantes dont il est responsable, la liberté de pensée qu'il a déclenchée, et pas davantage « le luthéranisme institutionnel, avec ses faiblesses et ses tares, tel qu'il s'est réalisé dans l'Allemagne du XVIe siècle finissant et du XVIIe à ses débuts, sous la tutelle de petits princes mesquins et infatués, sous le contrôle mécanique de la bureaucratie, avec ses dogmes savamment polis et repolis par le talent microscopique de théologiens appliqués » [2]. Mais encore une fois, de ce luthéranisme Luther n'a-t-il pas signé l'acte de naissance en confiant aux princes le redoutable pouvoir d'organiser et de régir leurs églises ?

Luther a beaucoup démoli : matériellement : églises et couvents saccagés, trésors de l'art anéantis ; moralement : désagrégation de la vie de famille, reconnue par lui, et provenant du relâchement du lien conjugal ; réception beaucoup plus négligée des sacrements même chez les catholiques ; contamination de leurs idées sur les bonnes œuvres au contact des luthériens ; violation plus fréquente du célibat ecclésiastique ; arrêt considérable dans l'assistance des pauvres. Et cette énumération est-elle complète ?

(1) Ce point a été mis en relief par exemple pour l'Italie par le P. Tacchi Venturi, *Storia della Compagnia di Jesu in Italia*, t. I, Rome, 1910, et d'une façon plus générale et très parlante, par A. Dufourcq, *Histoire moderne de l'Église, le christianisme et la désorganisation individualiste*, 1294-1527, Paris, 1925 et par L. Cristiani dans le t. XVII de cette collection. Ce point mériterait une étude d'ensemble et pour tous les pays. Nous admettons cependant que la Réforme protestante est venue accélérer le rythme de la Réforme catholique.

(2) L. Febvre, *op. cit.*, p. 203.

§ 9. — La victoire officielle du luthéranisme.
La paix de religion d'Augsbourg.

CHARLES-QUINT
ET LES PROTESTANTS

De la bataille de Muhlberg (1547) à la paix de religion d'Augsbourg il s'écoule huit années. La première avait sonné la victoire de l'empereur sur les princes luthériens. La seconde marque la victoire officielle du luthéranisme sur l'empereur.

Après Muhlberg, Charles-Quint remit à son allié Maurice de Saxe l'électorat de Saxe confisqué à Jean-Frédéric. Cependant l'impitoyable rigueur exercée par l'empereur contre Jean-Frédéric et Philippe de Hesse, l'opposition à son hispanisation qui paraissait soumettre l'Allemagne au joug de l'étranger, le mécontentement causé par ses tendances absolutistes et ses projets de succession de l'Empire et de l'Espagne provoquèrent entre les princes protestants un rapprochement qui se changea bientôt en conjuration. Maurice de Saxe se prépara à devenir le chef de la nouvelle ligue. Mais longtemps il dissimula sa vraie pensée et tout en négociant, ainsi que d'autres chefs de principautés allemandes, avec le roi de France, il continua à servir Charles-Quint. Tout à coup, en mars 1552, il le surprit à Innsbruck et s'empara presque de sa personne. L'empereur ne tarda pas à se ressaisir ; il dut néanmoins par la transaction de Passau (juin 1552) s'engager à accorder la paix aux princes protestants. Pour la réaliser fut convoquée la diète d'Augsbourg (5 février-27 septembre 1555).

PAIX DE RELIGION D'AUGSBOURG

Le compromis, appelé paix de religion d'Augsbourg [1], a été conclu entre les États immédiats de l'Empire. Les catholiques reconnaissent l'existence et la situation de fait des évangéliques (ou luthériens). A l'avenir les chefs des territoires immédiats pourront choisir entre la religion catholique et la confession d'Augsbourg et imposer l'une de ces deux doctrines à leurs sujets (*jus reformandi*), sauf pour les opposants le droit d'émigrer. Tous les territoires et biens ecclésiastiques et conventuels qui se trouvent aux mains des évangéliques en 1552 leur seront abandonnés. Mais, passé cette date, les chefs des territoires ecclésiastiques qui auraient adhéré ou adhéreraient à la Confession d'Augsbourg devraient renoncer à leurs domaines qui resteraient donc aux catholiques (*reservatum ecclesiasticum*). Cependant la législation contre l'hérésie reste en vigueur dans les États héréditaires de Bourgogne ; dans les villes d'Empire, où depuis 1552 les deux religions sont en présence, la parité doit être observée.

Ainsi se trouve consacrée la division religieuse en Allemagne. Charles-Quint s'était toujours employé à l'empêcher. Aussi, en attendant d'abdiquer, laissa-t-il son frère Ferdinand négocier à Augsbourg.

Un principe barbare s'introduit alors dans le droit public de l'Allemagne, *Cujus regio, illius religio.*

---

(1) Édit. critique de K. BRANDI (*Beitraege zur Reichsgeschichte*, 1546-55, t. IV, 2ᵉ édit., 1927).

L'inobservation du *reservatum ecclesiasticum*, la conclusion, en 1608, de l'*Union évangélique* entre luthériens et calvinistes jusque-là divisés, la constitution de la ligue des princes catholiques, sur l'initiative de Maximilien de Bavière, enfin l'hostilité des princes, soutenus par la France, contre l'empereur provoqueront la guerre de Trente ans.

CAUSES DU SUCCÈS DU LUTHÉRANISME
La plus belle époque de la diffusion du luthéranisme se situe entre 1521 et 1555. Malgré certains coups de force, notamment dans les villes libres, la religion nouvelle se répand alors surtout par la prédication. Son histoire en Allemagne n'offre rien de comparable, sous ce rapport, avec celle des pays scandinaves.

Les succès du luthéranisme en Allemagne sont dus en partie à des causes générales, valables pour d'autres pays que l'Allemagne et d'autres confessions religieuses que le luthéranisme.

Au début de l'époque moderne, à l'âge de la Renaissance, deux grands besoins spirituels se font sentir d'un bout de l'Europe à l'autre : d'abord celui de posséder intégralement la parole de Dieu, la Bible, telle qu'elle sortit de la plume des auteurs inspirés, et sans les interprétations d'un intermédiaire quelconque, fût-ce l'Église ; en second lieu, le besoin d'avoir la certitude de son salut autrement que par la confession et par les bonnes œuvres [1].

Or, Luther le premier exprima de façon complète, forte et populaire, ces deux aspirations du XVIe siècle. Il enleva l'Écriture sainte à la tutelle de l'Église pour la confier à chaque fidèle. Il raya la confession obligatoire du nombre des sacrements, proclama le sacerdoce de tous les croyants et fit reposer la certitude du salut personnel sur la seule foi.

Rechercher la naissance et l'évolution de ces deux désirs religieux nous obligerait à remonter au moins jusqu'au XIVe siècle ; à Wiclef, à Huss, à Marsile de Padoue, à tout le mouvement laïque, dont Lagarde a fait l'histoire [2].

A entretenir ces besoins spirituels contribua pour sa part le déroulement de l'histoire de l'Église aux derniers siècles du moyen âge : division de la Chrétienté en deux et trois obédiences lors du Grand Schisme ; scandales donnés par les papes de la Renaissance ; efforts toujours inutiles tentés par l'Église pour supprimer les abus et se réformer.

A côté de cette double aspiration, l'étude de la psychologie de la fin du moyen âge, surtout dans les pays du centre de l'Europe, révèle bien des aspects troublants. Un esprit d'inquiétude, d'angoisse, d'excitation, résultat des guerres, des crises politiques et religieuses, des épidémies, des menaces turques sur l'Europe. Il se manifeste de multiple façon : dans l'art ; dans le développement de l'astrologie que cultivent même des têtes bien équilibrées comme le cardinal Pierre d'Ailly et le pape Paul III ; dans la sorcellerie, « un des caractères les plus originaux de

---

(1) L. FEBVRE, *Une question mal posée. Les origines de la Réforme française et le problème général des causes de la Réforme*, dans la *Revue historique*, t. CLXI, 1929, p. 1-73.
(2) G. DE LAGARDE, *La naissance de l'esprit laïque au déclin du moyen âge*, 6 vol., Paris, s. d.

l'histoire sociale et religieuse du début de l'époque moderne » ; dans la hantise générale de Satan [1] ; dans le besoin presque maladif de gagner des indulgences et de courir les pèlerinages : la *currendi libido*.

Or il faut bien avouer que, si l'Église n'enseigna jamais aucune erreur doctrinale, elle ne réagit pas alors avec assez d'énergie contre certaines fausses conceptions du dogme. Des prédicateurs ne les redressaient pas nettement ou parfois même, comme nous l'avons vu pour Tetzel, contribuaient à les créer et à les développer dans les esprits. L'ignorance religieuse atteignait, même dans le clergé, des proportions extraordinaires. Combien de fidèles ne croyaient-ils pas fermement que l'indulgence s'acquérait par l'aumône seule et qu'il suffisait d'être dévot à Marie pour gagner sûrement le ciel ? N'est-il pas suggestif de constater dans la vie de saint Thomas More le temps qu'il mit pour arriver à une conception nette de la primauté pontificale, pour laquelle il donna sa vie ? et ne peut-on s'étonner de l'attitude hésitante de l'Église vis-à-vis d'Érasme et de Luther lui-même [2] ?

CAUSES SPÉCIALES A L'ALLEMAGNE   Pour nous restreindre à la seule Allemagne, certaines causes spéciales y expliquent le succès du luthéranisme. Luther, avec ses qualités d'entraîneur, prit la tête de l'opposition à Rome. Il sut faire apparaître comme des abus non seulement ceux que les catholiques dénonçaient également, mais des institutions saintes et fort anciennes dans l'Église, comme le sacrifice de la messe et la confession auriculaire, taxées par lui d'innovations humaines. Sa prudence à ne pas modifier trop rapidement et trop radicalement les cérémonies liturgiques, à l'occasion desquelles s'expliquait le nouvel évangile, facilita beaucoup la diffusion de sa doctrine.

A chacune des classes sociales du *Reich* le luthéranisme apporta des avantages appréciables : aux princes, l'acquisition des biens ecclésiastiques sécularisés et la domination spirituelle ; au bas clergé, une répartition plus équitable des revenus de l'Église par la suppression des évêchés ; aux prêtres et aux moines, fatigués du joug de leurs obligations, la possibilité de s'en affranchir ; au peuple, atteint par les brusques fluctuations de salaires et les crises économiques, l'abolition de la dîme ; à tous, une vie moins ligotée par des règlements ecclésiastiques relatifs notamment au jeûne et à la confession annuelle.

Le mouvement créé par Luther, qui répondait si bien aux aspirations de beaucoup d'âmes allemandes du XVIᵉ siècle, aurait-il pu être arrêté ? Cela nous paraît fort douteux. Pour le contrecarrer, il eût fallu au moins une force considérable. Or cette force n'existait pas alors. L'Allemagne politique souffrait de la division et l'empereur, d'ailleurs occupé par ses guerres, ne disposait pas d'un pouvoir suffisant. L'Église ? Il en a été question plus haut. Signalons ici que deux ou trois évêques seulement

---

(1) E. BROUETTE, *La civilisation chrétienne du XVIᵉ siècle devant le problème satanique*, Extrait des *Études carmélitaines* de 1948.

(2) Ces idées ont été lumineusement exposées par J. LORTZ, *Die Reformation in Deutschland*, t. I, p. 96-138, 205-210.

opposèrent une digue solide à l'erreur. Pour combattre à leurs côtés se trouva-t-il au moins des ecclésiastiques zélés et énergiques ? Sans doute, mais en trop petit nombre. Et puis aucune organisation pour les encadrer, aucun mot d'ordre ou d'encouragement de la part de Rome et de la plupart des pasteurs. Il n'en sera plus de même dans la seconde moitié du XVIe siècle. Dans la première, l'Allemagne ne posséda malheureusement ni More ni Fisher.

§ 10. — Création et organisation des Eglises d'État luthériennes.

TENDANCE DES ÉGLISES NATIONALES Vers la fin du moyen âge et au XVIe siècle plusieurs églises nationales s'organisent. C'est une Église de ce type que réalisent en Espagne Isabelle la Catholique et Ferdinand ; une de ses institutions les plus originales est l'Inquisition espagnole. Henri VIII d'Angleterre crée une Église d'État, séparée de Rome, et qui ne dépend que du roi. Le concordat français a mis aux mains du roi très chrétien la nomination de tous les évêques et abbés du royaume et à diverses reprises, notamment pendant le concile de Trente, se formule en France contre Rome la menace d'un concile national.

CONDITIONS PARTICULIÈRES A L'ALLEMAGNE En Allemagne, ce mouvement se trouva grandement favorisé par l'adhésion de plusieurs princes au luthéranisme, par l'absence de l'empereur, par l'impossibilité de faire exécuter l'édit de Worms, par les troubles sociaux que causèrent la guerre des paysans et l'anabaptisme. Les décisions de la diète de Spire de 1526 laissèrent pratiquement la liberté d'action aux princes protestants. Celles de la diète d'Augsbourg de 1530, qui leur interdisaient de nouvelles initiatives, augmentèrent en eux le sentiment de leur responsabilité vis-à-vis de leurs sujets luthériens. Bien des raisons ou des propensions les portaient à se charger de l'organisation de leur église : l'aide que, depuis 1525, Luther réclamait d'eux ; la cupidité des biens ecclésiastiques ; la passion du pouvoir absolu ou fortement centralisé.

En janvier 1526, l'électeur Jean, sollicité notamment par Luther, inaugura les visites dans un des diocèses de son territoire. En 1527 et 1528, il les étendit à tout son État. Les juristes et les théologiens formant une commission de visites inventoriaient les biens d'Église, organisaient les paroisses et les écoles, éliminaient du clergé les prêtres suspects de papisme, confiaient la surveillance des paroisses et des pasteurs à des surintendants, qui, en accord avec la cour du prince, réglaient aussi les questions matrimoniales [1]. Les autres États luthériens imitèrent cet exemple : les ordonnances liturgiques, les catéchismes de Luther et l'*Instruction aux visiteurs* de Mélanchthon [2] furent composés en vue de cette organisation nouvelle.

(1) H. HERMELINCK et W. MAURER, *Reformation und Gegenreformation*, p. 135-139 ; L. CRISTIANI, *Du luthéranisme au protestantisme*, p. 357-376.
(2) *Corpus reformatorum*, t. XXVI, p. 41 et suiv. Édit. de H. LIETZMANN, dans les *Kleine Texte*, n° 87, 1912.

En vertu de la paix de religion d'Augsbourg de 1555 l'autorité épiscopale se trouva supprimée dans les territoires luthériens. Les princes
en profitèrent pour fonder sur le droit épiscopal l'autorité qu'ils exerçaient déjà par les visites et pour lui donner une extension nouvelle.

ORIGINES DU CONSISTOIRE   Il manquait encore un organisme permanent.
Cet organisme sera le consistoire qui fonc-
tionna en Saxe dès 1542, mais s'établit dans la plupart des États après la
paix de religion d'Augsbourg, et se généralisa dans tous les pays protestants. Le consistoire comprend des membres ecclésiastiques et laïques,
désignés par le prince. Indépendamment des visites entreprises d'après les
besoins, il maintient l'unité de doctrine, nomme ou confirme les curés,
tranche les conflits, etc. Les surintendants, nommés par le prince,
continuent à jouer le rôle d'intermédiaires entre le clergé local et les
autorités religieuses et le consistoire des supérieurs [1]. Bientôt les princes
feront encore un pas de plus et régleront avec leur consistoire des
questions doctrinales.

(1) H. HERMELINCK et W. MAURER, *op. cit.*, p. 275-276.

CHAPITRE III

DOCTRINES ET CONTROVERSES AU SEIN
DU LUTHÉRANISME (1521-1580)
LA DÉFENSE DES THÉOLOGIENS CATHOLIQUES [1]

La production littéraire du prophète du luthéranisme forme une masse imposante : 67 volumes allemands et 38 volumes latins, du format petit in-octavo, dans l'édition complète d'Erlangen. Nous avons signalé à l'occasion un bon nombre de ces œuvres. Il faudra revenir ici aux plus importantes et en donner l'analyse. Cette étude sera précédée d'un aperçu systématique sur l'ensemble de ces écrits.

Aux conclusions fondamentales que sa crise d'âme lui avait fait découvrir, Luther ne changea guère dans la suite. Mais sur des points comme l'Église, l'inspiration de l'Écriture et les sacrements, il se fit plus tardivement ses convictions. Aucun exposé de sa plume ne nous fournit d'une façon vraiment satisfaisante son système complet.

Du vivant du réformateur et après sa mort, de multiples controverses doctrinales mirent aux prises les protestants d'Allemagne. Elles donnèrent lieu à l'établissement d'une *Formule de concorde* (1580) qui constitua définitivement l'Église évangélique.

Dans le camp catholique, les erreurs nouvelles provoquèrent toute une littérature destinée à défendre les dogmes de l'Église. Un paragraphe de ce chapitre les passera rapidement en revue.

§ 1. — Luther prédicateur, exégète et polémiste.

LES DIFFÉRENTS ASPECTS DE L'ŒUVRE DE LUTHER   Parmi les écrits de Luther on peut distinguer trois grandes catégories, si l'on ne tient pas compte de petits traités, destinés aux fidèles surtout, par exemple sur la manière de se confesser, le *Notre Père*, les dix commandements.

LA PRÉDICATION   Dans la première catégorie nous plaçons ses nombreuses prédications [2]. Luther montait souvent en chaire, même parfois à plus d'une reprise par jour, d'abord à l'église de son couvent, puis à l'église paroissiale de Wittemberg. Quand il

---

(1) BIBLIOGRAPHIE. — Les sources et les ouvrages qui n'ont pas encore été signalés en tête du chapitre Ier le seront au cours de celui-ci. Nous recourrons surtout aux travaux du P. Grisar et de Cristiani et au très riche et très utile exposé de H. HERMELINCK et W. MAURER, *Reformation und Gegenreformation*, 2e édit., Tubingue, 1931, t. III du *Handbuch der Kirchengeschichte für Studierende*, de G. KRUEGER.

(2) Cf. H. GRISAR, *Luther*, t. II, p. 565-577.

ne pouvait prendre la parole en public, il prêchait au moins le dimanche chez lui. Il exige une prédication vraiment populaire. « Comme une mère, écrit-il, qui calme ses petits, leur donne le biberon et joue avec eux, leur fait sucer le lait de son sein, et ne leur offre pas à boire du vin ou de la malvoisie, ainsi doivent faire les prédicateurs. » Dans les *Tischreden*, il revient souvent sur la nécessité primordiale de se faire comprendre et sur les qualités du prédicateur.

Optimus praedicator est de quo audito dicere possis : *Das hat er gesagt* : contra pessimus ille est, de quo vere dicitur : *Ich weis nicht, was er gesagt hebt* [1].

Dictum Lutheri : *Lange predigen ist kein kunst, aber recht und wol predigen, lheren*, hoc opus, hic labor est [2].

Ailleurs il énumère les qualités du prédicateur : qu'il sache enseigner exactement et avec ordre ; qu'il ait une « fine tête » ; qu'il soit éloquent ; qu'il soit doué d'une bonne voix ; qu'il possède une mémoire fidèle ; qu'il sache terminer à temps ; qu'il soit convaincu de ce qu'il dit et zélé ; qu'il sache mettre en jeu son corps et sa vie, son bien et son honneur ; enfin il doit se laisser *vexiren und geheien* par tout le monde [3].

Les sujets à développer abondent. A un ministre qui venait d'être nommé prédicant et lui posait cette question : « Que faut-il prêcher ? » ; car il ne connaissait pas bien les psaumes : « D'un seul mot hébreu, répondit Luther, vous pouvez tirer tout un sermon. Ainsi le psaume 31 parle du vrai culte de Dieu, de l'espérance, de la foi, contre les œuvres. Il faut partir des mots de ce psaume : *sperare, fidere, credere, invocare, lamentari* et y trouver le thème de vos développements [4]. »

Sa connaissance de l'Écriture lui permettait de l'incorporer pour ainsi dire dans sa prédication et son talent d'observation lui suggérait quantité d'images et de comparaisons familières. « Son expression, d'après Janssen, dans la *Geschichte des deutschen Volkes* [5], est concise et forte ; l'exposé plein de mouvement et de vie ; ses comparaisons sont, dans toute leur simplicité, prenantes et électrisantes. Il puise dans le trésor de la sagesse populaire. En éloquence populaire peu l'égalent. »

Il faut admirer aussi sa liberté tout apostolique. A la cour même, il lui arrive de stigmatiser très vertement l'amour des grands pour la boisson. « Je vous ai assez souvent averti, déclare-t-il en 1531, de fuir la prostitution ; mais je m'aperçois que ce vice ne cesse de s'étendre [6]. »

Luther aimait à catéchiser les enfants, surtout à la maison. Pour l'enseignement du catéchisme à l'église, il disait qu'il serait souhaitable qu'aucun pasteur ne reçût sa nomination avant de s'être familiarisé avec le catéchisme pendant deux ou trois ans dans les écoles. Au plus tard, à partir de 1528, exista à Wittemberg la coutume de prêcher quatre jours par deux semaines sur des passages du catéchisme. La piété sincère du prédicateur apparaît surtout dans la façon dont il traite du mystère de la Trinité, du Christ et de la parole de Dieu.

---

(1) W. T., n° 2202 (t. II, p. 362).
(2) *Ibid.*, n° 3419 (t. III, p. 309).
(3) *Ibid.*, n° 6793 (t. VI, p. 193).
(4) *Ibid.*, n° 1685 (t. II, p. 181).
(5) Cité par H. GRISAR, t. II, p. 577.
(6) W., t. XXXIV, 2, p. 214.

Malheureusement il se livre trop souvent en chaire à des attaques contre les papistes.

LES COMMENTAIRES DE L'ÉCRITURE SAINTE

Les commentaires de l'Écriture sainte forment une seconde partie, fort considérable, de son œuvre. Il donne des cours détaillés. Pour l'Ancien Testament : sur la Genèse (1535-1545) (*Enarrationes in Genesim*, paru en 1544) [1], sur le Deutéronome (1525) ; sur le psautier (*Dictata super psalterium*, 1513-1515 ; et *Operationes in Psalmos*, psaumes 1-22, 1519-1521) ; sur différents prophètes : Isaïe (1527), Zacharie (1526 ; paru en 1528) ; Jonas et Habacuc (1526), sur tous les petits prophètes (*Praelectiones in prophetas minores*, 1524-1526 ; paru de 1526 à 1545) ; et sur le *Cantique des Cantiques* (1530 ; paru en 1538). Pour le Nouveau Testament, nous connaissons déjà son fameux *Commentaire de l'épître aux Romains* (1515-1516) ; on lui doit de plus des travaux exégétiques sur l'épître aux Galates (commentaire mineur de 1516-1517, paru en 1519, et commentaire majeur de 1531, paru en 1535), sur l'épître aux Hébreux (1517, paru en 1929, édit. J. Ficker), sur la première lettre à Timothée (1528, paru en partie en 1797), sur les lettres à Tite et à Philémon (1527, paru en 1902), sur la première lettre de saint Jean (1527, paru en 1708 et 1799), sur les épîtres de saint Pierre et de saint Jude (1522 et 1523, parus en 1523 et 1524). Très souvent Luther commenta aussi des psaumes (en particulier, par exemple, les 8e, 36e, 109e, 110e, 112e), les psaumes graduels et les sept psaumes de la pénitence, ou bien des passages plus ou moins longs de l'Écriture (par exemple les chapitres 16-20 de saint Jean, 11-15 de saint Matthieu, la péricope *I Cor.*, XV).

Luther, comme exégète, s'intéresse beaucoup plus à l'Ancien Testament qu'au Nouveau [2]. Tandis qu'à l'interprétation du Nouveau il ne donna que trois ou quatre ans de sa vie, à l'Ancien il en consacra vingt-huit, avec des interruptions nécessitées par ses multiples besognes. Dans ses sermons au contraire, le Nouveau Testament l'emporte beaucoup sur l'Ancien, dont il ne retient guère que les Livres pouvant l'aider à faire valoir l'Évangile.

L'Ancien Testament, nous rappelle-t-il, vient des Juifs. Mais, à la différence de l'ancien Israël croyant, l'Israël maudit de Dieu ne l'a pas compris. Il en a corrompu le sens par ses explications rabbiniques. Luther découvre en cette mésintelligence une punition de l'incrédulité des Juifs.

L'exégète ne nous laissa malheureusement aucun commentaire complet des grands prophètes. Des autres, ceux d'Habacuc et de Jonas (1526) sont particulièrement précieux. Cependant dans l'Ancien Testament le prophète de Wittemberg aime surtout le Psautier.

Luther fait magnifiquement et souvent poétiquement revivre à nos

(1) P. MEINHOLD, *Die Genesisvorlesung Luthers und ihre Herausgeber*, Stuttgart, 1936 (*Forschungen zur Kirchen-und Geistesgeschichte*, de E. SEEBERG, E. CASPAR et W. WEBER, t. VIII). Luther a de plus commenté en chaire le Pentateuque, la Genèse, etc.

(2) Voir l'ouvrage tout récent de H. BORNKAMM, *Luther und das Alte Testament*, Tubingue, 1948.

yeux l'Ancien Testament. Les livres de Jonas et de Job par exemple deviennent sous sa plume de véritables drames. Ces antiques écrits lui fournissent de multiples exemples qu'il propose à l'imitation. David est le type idéal du prince, surtout par son obéissance à la volonté de Dieu. Des psaumes 10 et 82 Luther tire un portrait très réussi du bon souverain qu'avec une liberté semblable à celle des anciens prophètes il trace pour le jeune prince-électeur de Saxe, Jean-Frédéric. De mauvais rois présentés dans la Bible doivent détourner du vice, de l'incrédulité, etc., les princes d'aujourd'hui. Les saints de l'Ancien Testament sont opposés à certains prétendus saints de nos temps, parce qu'ils se distinguèrent par leur foi et ne mirent pas leur confiance dans les œuvres. De même que les Juifs péchèrent par orgueil en se targuant de la loi et de la circoncision, de même la curie romaine qui ne voit qu'hérésies en dehors de ses lois.

L'explication de l'Ancien Testament permet naturellement à Luther de mettre en parallèle le vrai Dieu et les idoles, de s'étendre longuement sur le monde créé par Dieu, sur ses beautés et sur ses imperfections. Depuis la faute, ce monde est en bonne partie corrompu. Le soleil ne brille plus comme autrefois. A côté des plantes utiles, il en est d'inutiles et même de nuisibles. Cette dépravation croît partout avec le péché. Des fléaux nouveaux apparaissent avec le temps. Ainsi à son époque, d'après Luther, le « mal français ». Dieu dirige chaque homme en particulier et le monde tout entier depuis ses origines. Un bel exemple du gouvernement divin nous est fourni dans l'histoire de Joseph et de ses frères.

L'Ancien et le Nouveau Testament forment une unité et celle-ci est assurée par le Christ promis dès les premières pages de la Bible. Tous deux contiennent la Loi et l'Évangile, au sens où Luther comprend ces deux termes. Mais, dans le Nouveau, l'Évangile, c'est-à-dire les promesses de salut, dominent.

Les exégètes du moyen âge distinguaient dans l'Écriture quatre sens : littéral ; allégorique ou spirituel, se rapportant surtout à l'Église ; tropologique ou moral ; et anagogique, ou ayant trait à nos fins dernières. Dans ses *Dictata super Psalterium*, Luther suit encore sur ce point ses devanciers. Cependant dès lors il imprime à l'ancien système un caractère personnel. Le sens littéral n'est pas pour lui le sens historique, mais le sens prophétique, à savoir l'annonce du Christ. A ce sens prophétique il rattache le sens tropologique. Quant à la méthode de l'allégorie, il ne l'abandonne pas, mais il la restreint et veut éviter l'arbitraire dans son emploi. Origène et des Pères de l'Église se sont fourvoyés en y recourant, parce qu'elle ne leur faisait pas découvrir le Christ. Luther se sert surtout de l'allégorie lorsqu'un passage ne lui fournirait pas sans elle d'interprétation acceptable. Elle peut intervenir également lorsque le passage comporte un autre sens. Ainsi le veau d'or signifie la doctrine de la justification par les œuvres, inventée par les prêtres et à leur avantage.

On peut affirmer que la doctrine du réformateur sur la justification devient de plus en plus la norme de son exégèse. Il place au-dessus des autres les Livres et les endroits de l'Écriture qui touchent au Christ

(*Christus treiben*). Expression fort vague qui permet au commentateur d'introduire le Christ là où il n'est pas question de lui. D'autre part, les textes relatifs aux forces naturelles de l'homme, à la nécessité de sa collaboration dans l'œuvre du salut, ne trouvent pas grâce à ses yeux [1].

LES ŒUVRES POLÉMIQUES   On peut grouper dans une troisième catégorie les œuvres polémiques de Luther. Rappelons les écrits qu'il publia pour défendre ses 95 thèses sur les Indulgences, pour justifier son attitude à la dispute de Leipzig, pour discréditer la bulle de Léon X qui condamna ses doctrines ; les réponses aux ouvrages lancés contre lui par Eck, Prierias, Latomus et les théologiens de Louvain, Cochlaeus, Catarini et Henri VIII d'Angleterre ; les travaux que suscitèrent de sa part ses controverses avec Zwingle et avec les antonomistes ; enfin ses attaques contre les dogmes ou des institutions catholiques, comme la messe privée et la transsubstantiation.

Dans toute cette production, quelques pièces seulement nous retiendront ici à cause de leur particulière importance : d'abord les trois grands écrits de réforme, lancés dans la seconde moitié de 1520, à savoir : « A la noblesse chrétienne de la Nation allemande pour l'amélioration de l'état chrétien » ; le *De captivitate babylonica ecclesiae praeludium* ; le *De libertate hominis christiani*. Ensuite le *De votis monasticis*, de 1521 ; le *De servo arbitrio* de 1525 ; les grand et petit catéchismes de 1529 ; la Bible allemande, parue par parties jusque 1534 ; enfin les *Tischreden*, qui nous aideront à mieux comprendre la personnalité complexe du réformateur, telle qu'elle apparaissait à ses commensaux.

LE MANIFESTE A LA NOBLESSE ALLEMANDE   Le petit libelle intitulé : *An den christlichen Adel deutscher Nation von des christlichen standes Besserung* parut pendant le mois d'août 1520 [2].

En voici d'abord l'occasion. Nous avons dit plus haut [3] que Franz de Sickingen et Silvestre de Schaumburg s'engagèrent très vite au service des idées nouvelles. Le premier de ces seigneurs avait invité, dès janvier 1520, par l'intermédiaire de Hutten et de Mélanchthon, Luther à se rendre chez lui, dans le cas où il courrait quelque danger. Hutten répéta dans la suite cette invitation. Schaumburg fit au réformateur des propositions semblables. Luther ne put pas y répondre favorablement. Mais il en retint au moins la conviction que la noblesse allemande le soutiendrait dans sa lutte contre Rome qui préparait, comme il le pressentait, sa condamnation [4].

Il annonce, au début de juin 1520, à son ami Spalatin qu'il se dispose à écrire à l'empereur et à toute la noblesse allemande un ouvrage « contre

---

(1) H. GRISAR, *Luther*, t. II, p. 727-737.
(2) Éditions dans W., t. VI, p. 404-469 et dans *Luthers Werke* d'O. CLEMEN, t. I, p. 363-425. texte allemand et traduction française par M. GRAVIER, dans *Luther, les grands écrits réformateurs* (*Collection bilingue des classiques allemands*), Paris, 1944, p. 74-249 et notes, p. 303-315 ; avec une *Introduction* de 70 pages.
(3) P. 56.
(4) K. BENRATH, *op. cit.*, p. XII (cf. *supra*, p. 57-58).

la tyrannie et l'inutilité de la curie romaine ». « J'y traite fort rudement
le pape, écrit-il deux semaines après à Jean Voigt, et presque comme je
le ferais pour l'Antéchrist. »

Le libelle s'adresse à Nicolas Amsdorf, professeur de théologie à Wittemberg, très lié avec Luther et complètement gagné à ses idées. Staupitz
essaya vainement d'arrêter la publication. Le Saint-Esprit lui-même ne
poussait-il pas le moine augustin à prendre la plume ? Ainsi retentit,
suivant l'expression de Jean Lang, « ce coup de trompette pour l'assaut ».
Aucun autre ouvrage de l'auteur ne devait lui gagner autant de partisans dans le peuple allemand. Les 4.000 exemplaires imprimés d'abord
ne suffirent bientôt plus à la demande. D'autres éditions parurent la
même année à Leipzig et à Strasbourg. Luther lui-même ajouta vers le
même temps un chapitre à son texte primitif et modifia celui-ci en quelques points. L'ouvrage fut traduit dans la suite en néerlandais et en
italien. Thomas Murner et Jérôme Emser, en 1520 et 1521, s'appliquèrent à le réfuter.

Le libelle s'applique d'abord à saper les trois murs que les « roma-
nistes », c'est-à-dire les défenseurs de la domination inconditionnelle
et illimitée des papes, ont élevé autour d'eux pour se protéger et empêcher toute réforme : la supériorité de la puissance pontificale sur la
puissance civile ; le droit du pape d'interpréter l'Écriture sainte ; la
prétention des souverains pontifes à convoquer les conciles. Or, répond
Luther, d'abord tous les chrétiens appartiennent à l'état ecclésiastique
et sont prêtres. « L'ordination de l'évêque consiste simplement en ceci,
qu'au nom de l'assemblée, dont tous les participants possèdent un pouvoir égal, il en prend un dans le tas et le charge d'exercer une fonction
pour les autres. » Secondement, chaque chrétien peut comprendre le
vrai sens de l'Écriture, car, suivant la parole de saint Paul : « L'homme
spirituel juge de tout et n'est jugé par personne. » Enfin les conciles ont,
de fait, été convoqués soit par les apôtres, pour le concile de Jérusalem,
soit par des empereurs, pour les conciles ultérieurs. Le droit du pape
n'est donc pas exclusif.

Tout le reste du traité énumère des points qui pourraient avantageusement être soumis à une assemblée œcuménique. Mais trois d'entre
eux sont mis dans un relief spécial : la pompe, l'ambition, la mondanité
des papes qui portent trois couronnes, alors que les autres souverains
se contentent d'une ; la rapacité des cardinaux qui s'emparent des évêchés, des prélatures, des abbayes et appauvrissent ainsi la Chrétienté
et particulièrement l'Allemagne ; la multiplication insensée du personnel de la curie romaine, dont l'entretien pèse aussi très lourdement
sur les fidèles. Puis vient l'énumération de vingt-sept autres abus à
réformer. Tous, sauf ceux du dernier groupe, sont relevés dans le monde
ecclésiastique. Signalons l'envoi des annates à Rome ; les pratiques néfastes
des papes appelées : commendes, expectatives, incorporations, etc. ;
la confirmation des évêques par la curie ; le recours au pape pour des
causes non spirituelles ; la réserve de certains bénéfices au Saint-Siège ;
les cas de conscience réservés au pape ; le serment que les évêques doivent

lui faire ; le baisement des pieds de l'évêque de Rome imposé à des hommes qui sont peut-être cent fois meilleurs que lui ; les pèlerinages à la Ville éternelle, à moins que le pèlerin n'ait reçu l'autorisation de son curé, de sa ville ou de ses supérieurs ; les anniversaires et messes des morts qui devraient être supprimés ou dont le nombre devrait être réduit ; les interdits ; les fêtes multipliées ; certains empêchements de mariage. Chez les laïques, Luther stigmatise surtout le faste dans l'habillement, la bonne chère et l'emploi trop abondant des épices, l'usure et les maisons de tolérance.

LE « DE CAPTIVITATE BABYLONICA »   Le *De captivitate babylonica prae-
ludium* [1] parut d'abord en latin (octobre), mais fut immédiatement traduit en allemand. Même rédigé en cette dernière langue, il ne se présente pas sous l'allure populaire des deux autres écrits de réforme. L'auteur s'adresse à toutes les personnes pieuses qui désirent connaître le sens de l'Écriture et le véritable emploi des sacrements. Il s'agit en effet de ceux-ci dans le *De captivitate babylonica*. Luther commence par nier le nombre septénaire des sacrements. Il n'en reconnaît que trois : « le baptême, la pénitence et le pain ». Mais tous trois se trouvent, par le fait de la curie romaine, réduits en servitude et l'Église a été spoliée de sa liberté.

L'auteur commence par l'eucharistie. Le texte de l'évangile de saint Jean, chapitre VI, prétend-il, ne parle pas d'elle et il faut donc se borner à utiliser les récits de l'institution et le chapitre XI de la première épître aux Corinthiens. Or, d'après ces passages, la communion sous les deux espèces ne peut être refusée aux laïques. Agir comme le fait actuellement l'Église catholique, c'est donc rendre l'eucharistie captive. Un second abus, une seconde forme de captivité résiderait dans la transsubstantiation, dont il n'a pas été question pendant plus de mille ans, mais que les scolastiques inventèrent sous l'influence de la philosophie d'Aristote. Enfin la doctrine du sacrifice de la messe constituerait l'abus le plus impie d'où en sont sortis beaucoup d'autres : suffrages, mérites, anniversaires, mémoires et toutes sortes de moyens pour l'Église de recueillir de l'argent.

Luther traite ensuite du baptême. L'Église catholique lui a fait perdre sa force. Tombés dans le péché, les fidèles oublient leur baptême et ne font plus de cas que des vœux, des œuvres, des satisfactions, des pèlerinages, des indulgences, etc. Or c'est le baptême qui doit et qui peut seul nous sauver, même après que nous l'avons reçu. Suit une longue dissertation sur ce sacrement, d'après les idées du réformateur. « Que cette gloire de notre liberté, que cette science du baptême soient aujourd'hui captives, qui donc en est cause si ce n'est la seule tyrannie du pontife romain ? »

Dans la pénitence, telle qu'elle est pratiquée chez les papistes, il ne reste plus, affirme Luther, le moindre vestige d'un sacrement. Car on l'a vidée de toute idée de foi pour la remplacer par la puissance tyrannique des pontifes. Les trois parties de la pénitence, qu'ils ont inventées,

(1) W., t. VI, p. 483-573 ; O. CLEMEN, *op. cit.*, t. I, p. 426-512.

ont, elles aussi, été dépouillées de tout ce qu'elles pouvaient contenir de bon. Ainsi dans la contrition la foi a été oubliée et ils lui ont substitué la contrition de cœur et l'humilité, qui ne peuvent provenir que de la foi.

Luther ne condamne pas les autres sacrements de l'Église, mais nie que leur existence se dégage de l'Écriture. A propos du mariage, le réformateur s'attaque surtout aux empêchements établis par la loi canonique.

Le *De captivitate babylonica* ne dénonce donc pas seulement des abus que Luther reproche à l'Église en matière sacramentelle. Il expose largement toute la théorie luthérienne sur les sacrements.

LE « *DE LIBERTATE CHRISTIANA* » Un mois après le *De captivitate babylonica*, en novembre 1520, paraissait le *De libertate christiana*, précédé d'une lettre d'envoi à Léon X. Luther en fit une édition allemande abrégée : *Von der Freyheyt eynisz christen Menschen* qui jouit d'un grand succès et fut plusieurs fois réimprimée, tandis que l'original latin, de beaucoup supérieur, ne se répandit guère [1].

Le traité commence par un bel éloge de la foi. Celui qui l'a goûtée ne pourrait assez en écrire, en parler, en penser, en entendre. L'auteur croit posséder ce don précieux auquel il est arrivé par de nombreuses tentations de tout genre. Il espère en disserter mieux que ne l'ont fait jusqu'ici « les disputeurs littéraux et subtils ».

Viennent ensuite deux propositions, résumé de toute l'œuvre : le chrétien est maître de tout et il n'est soumis à rien ; le chrétien est le serviteur très fidèle de tous, le sujet de tous.

L'*homme intérieur* est pleinement libre. Il n'a besoin ni de lois ni de bonnes œuvres. Bien plus, lois et bonnes œuvres sont nuisibles si l'on prétend se justifier par elles. L'auteur répète ici largement et simplement pour les « *rudes* » (*nam illis solis servio*) sa théorie de la justification par la seule foi. La foi, ajoute-t-il, ne nous rend pas oisifs, elle ne nous fait pas vivre mal, mais elle rend inutiles pour le salut les lois et les œuvres. La foi nous convainc de la véracité de Celui à qui nous croyons. Enfin la foi unit l'âme au Christ, comme une épouse à son époux.

L'auteur parle ensuite de l'*homme extérieur* et s'adresse à ceux qui objecteraient : si la foi fait tout et suffit à la justice, pourquoi donc des bonnes œuvres sont-elles prescrites ? Nous nous reposerons donc et ne ferons rien, contents de notre foi. « Non pas ainsi, impies, répond Luther, non pas ainsi. » Car nous ne serons parfaitement intérieurs et spirituels qu'à la résurrection des morts. L'état d'imperfection du chrétien sur la terre l'oblige à se rendre serviteur de tout, sujet à tout. Pour gouverner son corps, il le matera par des jeûnes, des veilles, des labeurs et d'autres disciplines mesurées, il le rendra ainsi esclave de l'esprit, à l'exemple

---

(1) W., t. VII, p. 12-38. Édit. O. CLEMEN, t. II, p. 2-27. Édit. J. SVENNUNG, dans *Kleine Texte für Vorlesungen und Uebungen*, sous la direction de H. LIETZMANN, n° 164, Berlin, 1932, trad. franç. de L. CRISTIANI, sous le titre *De la liberté du chrétien*, dans *Science et religion*, 1914 ; texte et traduction par M. GRAVIER, dans *Luther, Les grands écrits réformateurs* (*Collect. bilingue des classiques allemands*), Paris, 1944, p. 254-310 et notes, p. 316-317.

du Christ. Il agira comme auraient agi Adam et Ève et leur progéniture, au paradis terrestre, si n'était intervenu le péché. Ils avaient à travailler en cet endroit, non pour obtenir la justice qu'ils possédaient déjà, mais pour plaire à Dieu. En un mot :

Les bonnes œuvres ne rendent pas l'homme bon, mais l'homme bon accomplit des bonnes œuvres ; les œuvres mauvaises ne rendent pas l'homme mauvais, mais l'homme mauvais accomplit des œuvres mauvaises.

Luther recommande aussi, toujours dans le même esprit, les œuvres envers le prochain.

Concluons donc que le chrétien ne vit pas en lui-même, mais dans le Christ et dans son prochain, ou qu'il n'est pas en lui-même, mais dans le Christ par la foi, dans le prochain par la charité. Par la foi il s'élève au-dessus de lui-même en Dieu et par la charité il descend en dessous de lui-même dans le prochain, tout en ne cessant de demeurer en Dieu et dans sa charité.

Malgré toutes ses explications, Luther à la fin de son petit traité craint d'être mal compris. La liberté chrétienne ne nous permet pas tout, dit-il. Le chrétien doit choisir une voie moyenne entre les hommes férus de légalité et de cérémonies, *obdurati cerimoniislae*, et ceux qui, au contraire, méprisent les lois, les traditions, les usages chrétiens. En présence des premiers on pourra manger de la viande, se dispenser des jeûnes prescrits et agir à sa guise. Mais, si l'on se trouve avec des simples, des ignorants, encore incapables de comprendre la vraie liberté, on se gardera avec soin de les scandaliser.

Ce traité, d'après des protestants bien connus, est la plus belle œuvre du réformateur, plus le fruit d'une contemplation religieuse que d'un travail théologique. L'écrivain excelle en effet à revêtir ses idées, même fausses et condamnables, de formes mystiques. Il parle un langage qui pénètre jusqu'à l'âme [1].

Les trois grands écrits de réforme répandirent les premiers dans le public les principales erreurs de Luther : celle sur la foi qui seule nous justifie ; celle qui nie la doctrine catholique des sacrements, leur nombre, la transsubstantiation, la messe comme sacrifice. Mais aussi ils posèrent pour la première fois Luther en redresseur des griefs. En 1517, il ne s'en était pris qu'aux indulgences. En 1520 il s'attache à ébranler quantité de croyances, d'usages, de pratiques de la société chrétienne de son temps. Sans doute ces trois ouvrages contiennent-ils certaines critiques pleinement justifiées. Mais, convaincu maintenant d'avoir reçu la mission d'un Jérémie, le moine augustin dépasse toutes les bornes. Il devient incapable de parler un langage modéré et oublie toute modestie.

LE « DE VOTIS MONASTICIS »   A discréditer, à renverser une autre institution chrétienne s'emploie le *De votis monasticis judicium* de 1521 [2]. Effet qu'il obtint à souhait, car ce traité poussa un grand nombre de religieux à trahir leurs engagements sacrés. Les luthériens considèrent encore aujourd'hui cette œuvre comme

---

(1) H. GRISAR, *op. cit.*, t. I, p. 351.
(2) W., t. VIII, p. 573-669 ; O. CLEMEN, *op. cit.*, t. II, p. 188-298. Voir L. CRISTIANI, *Du luthéranisme au protestantisme*, p. 249-258 ; DENIFLE-PAQUIER, *Luther et le luthéranisme*, t. I, 2e édit., en entier et t. II, 2e édit., p. 1-235.

une des plus importantes parmi celles qui sont sorties de la plume de l'ancien moine de Wittemberg.

Avant 1520 Luther ne s'était élevé contre les vœux de religion que dans le cas où l'on prétendait faire d'eux un moyen de justification. Il s'exprimait correctement à leur sujet. Quel changement en 1521, une fois prise la détermination de saper l'Église catholique ! Il envoie alors son livre à son père pour lui faire connaître les moyens par lesquels le Christ le détacha de ses engagements et lui rendit la liberté. Son écrit doit surtout servir à ceux qui « sont torturés par la fournaise de fer de l'Égypte et par le feu très ardent de Babylone, c'est-à-dire par la tyrannie de leur conscience et de leurs péchés », car « les vœux monastiques se sont multipliés et répandus pour le plus grand malheur du christianisme et pour l'immense calamité des âmes ».

Ensuite se déroule le réquisitoire. Il donne nettement l'impression que Luther veut accumuler les raisons contre les vœux et qu'il eut bien de la peine à bâtir certains de ses arguments. Malgré les jugements contraires, cet ouvrage nous paraît, en beaucoup d'endroits, d'une insigne faiblesse.

En premier lieu, non seulement les vœux de religion ne peuvent d'aucune façon invoquer en leur faveur la Parole de Dieu, mais ils lui sont formellement opposés. L'Évangile en effet ne distingue pas entre lois et conseils. Et pour nous borner ici au vœu d'obéissance, il force le religieux à se soumettre à un supérieur alors que le Seigneur commande de se soumettre à tous.

Les vœux doivent être ensuite considérés comme contraires à la foi. Tout ce qui ne vient pas de la foi, dit saint Paul, est péché. Or oserait-on affirmer que le vœu remplit cette condition et plaît à Dieu ? Dieu nous a ordonné la confiance en sa miséricorde et non en notre dignité et notre mérite. Croire que les vœux effacent nos péchés, nous rendent bons, nous sauvent, c'est tomber dans la pire impiété et attribuer à nos œuvres le rôle réservé à la foi.

Il n'est évidemment pas difficile à l'auteur de démontrer ensuite que les engagements monastiques s'opposent également à la liberté évangélique, telle qu'il la conçoit ; mais l'arsenal d'armes forgées contre l'état religieux ne lui paraît pas encore assez riche. Les trois premiers préceptes de Dieu, à savoir la foi, la louange de son saint nom et les œuvres de Dieu ou le culte qui lui est dû, condamnent les vœux. Ceux-ci nous soustrayant en outre à l'obéissance que nous devons à nos parents, nous apprenant à nous désintéresser d'eux et de leurs affaires, constituent une violation du quatrième commandement. Ils nous rendent aussi impossible la pratique de la charité universelle. Et après les commandements de Dieu voici la raison elle-même, le bon sens appelés comme accusateurs. Les vœux contraignent par exemple à observer jusqu'à la mort une chasteté qu'il n'est pas possible à tous d'observer et dont, prétend l'auteur, le supérieur peut dispenser. Tous les vœux donc sont temporels et mutables et la chasteté est de tous *temporalissima*.

Telles sont au moins les idées principales développées dans cet ouvrage célèbre. Il ne tarda naturellement pas à soulever des contradictions. Un franciscain de l'observance, Gaspard Sasger, s'applique, dès 1522, à le réfuter. En 1544 parurent deux importants écrits contre le *De votis*, celui du dominicain Jean Ditenbergh et le troisième livre de l'*Antilutherus* de Clichthove. Cependant les coups les plus sensibles portés à cette œuvre luthérienne le furent par le dominicain Denifle. Il faut lire les passages de son livre où il réfute l'assertion inouïe de Luther d'après laquelle saint Bernard, malade et près de la mort, aurait déclaré mauvaises les années où il observa ses vœux[1] ; ceux encore où le savant dominicain renverse l'affirmation d'après laquelle un supérieur religieux pourrait dispenser d'une façon générale de la règle et des vœux[2]. Denifle expose fort clairement la doctrine catholique sur la perfection chrétienne et l'idéal de la vie[3].

POLÉMIQUE AVEC ÉRASME — De 1521 nous passons à 1525. On se souvient de l'attitude hésitante d'Érasme vis-à-vis des innovations luthériennes. Mais, en 1524, le grand humaniste publia sa *Diatribe sive collatio* pour défendre le libre arbitre. Le prince des humanistes a lu l'*Assertio omnium articulorum M. Lutheri per Bullam Leonis X novissimam damnatorum* (1520)[4]. Il s'y réfère dans sa *Diatribe*[5] ; il l'examine et la critique. Le moine de Wittemberg y développait la thèse que le « libre arbitre après le péché n'est qu'un vain mot et que l'homme, quand il fait ce qu'il peut pèche mortellement ». Pour quel motif Luther rejette-t-il ainsi le libre arbitre ? Pour des raisons scripturaires ? Pas principalement, semble-t-il. Encore une fois il projette dans la Bible un postulat de sa théologie personnelle, qu'il prétend appuyer sur l'expérience. Cependant il affirme énergiquement rester sur le plan scripturaire. Dans la *Diatribe* d'Érasme, comme dans ses écrits qui suivront, les arguments scripturaires et la critique de ceux de l'adversaire occupent le plus de place. Mais ils présentent le moins d'intérêt. En réalité l'humaniste rationalise trop et néglige la grâce. Cet oubli apparaît dès sa définition de la liberté : « la force de la volonté humaine par laquelle l'homme peut s'appliquer à l'œuvre du salut ou s'en détourner ».

Luther répondit à la *Diatribe* par le *De servo arbitrio*[6]. Il y refuse la liberté non seulement, comme dans le Commentaire aux Romains, à l'homme déchu, mais à l'homme tout court. La liberté humaine lui paraît incompatible avec la souveraineté et la toute-puissance divines. Luther

---

(1) *Op. cit.*, t. I, p. 74-94.
(2) *Ibid.*, p. 90-105.
(3) *Ibid.*, p. 235-315.
(4) W., t. VII, p. 142-149 ; A. MEYER, *Étude critique sur les relations d'Érasme et Luther*, Paris, 1909 ; H. HUMBERTCLAUDE, *Érasme et Luther. Leur polémique sur le libre arbitre*, Paris, s. d. (1909) ; K. ZIEKENDRACHT, *Der Streit zwischen Erasmus und Luther über die Willensfreiheit*, Leipzig, 1909 ; L. CRISTIANI, *op. cit.*, p. 339-356 ; H. LAMMERS, *Luthers Anschauung vom Willen*, Berlin, 1935 (dans les *Neue deutsche Forschungen*). La polémique de Luther et d'Érasme au sujet de la liberté humaine a fait l'objet d'une étude du P. DAMANN, au cercle d'études que nous dirigeons à Louvain.
(5) *Desiderii Erasmi de libero arbitrio. Diatribe sive collatio*, 1524 (*Opera omnia*, édit. LECLERC, Leyde, t. XII, col. 1215-1247).
(6) W., t. XVIII, p. 600-787. Édit. O. CLEMEN, t. III, p. 94-293.

nous semble ici beaucoup plus convaincant qu'Érasme, gêné par son catholicisme étriqué et hésitant.

A son adversaire, Érasme opposa alors les *Hyperaspistes Diatribae*[1]. Il semble inutile de s'attarder à cet écrit. L'auteur y défend son ortho-doxie ; mais il y attaque aussi, et de façon virulente. Au point de vue doctrinal, on trouve là peu de nouveautés. Dans le second livre, Érasme se montre plus conservateur qu'auparavant. Il revient à la scolastique, tant abominée jadis. Il met sur pied un argument de tradition. Mais il ne parvient pas à cacher son pélagianisme.

Dans cette célèbre controverse, Érasme témoigne un grand respect à la philosophie ancienne. Quant à l'Évangile, il le donne pour un dépôt vivant confié à l'Église. Luther, au contraire, applique à l'Écriture les procédés mis en honneur par l'humanisme. Le *De servo arbitrio* dissipa toutes les équivoques. Aux chrétiens il représentait un Dieu se jouant de ses créatures et les envoyant soit au ciel soit en enfer, en vertu d'un décret inflexible. Les luthériens reçurent cet ouvrage avec enthousiasme. Les érasmiens se séparèrent définitivement de Luther.

Dans les *Tischreden* Luther exprime souvent ses sentiments sur Érasme :

> Quant à moi, dit-il, je hais violemment et du fond de mon cœur Érasme ; car il se sert du même argument que Caïphe : il vaut mieux qu'un seul homme périsse plutôt que tout le peuple. Pour lui il est plus avantageux que l'Évangile périsse que toute l'Allemagne... Je laisse après moi ce testament et vous en fais mes témoins : je considère Érasme comme le plus grand ennemi du Christ, tel qu'il n'y en a pas eu de semblable en mille ans[2].

LES CATÉCHISMES L'année 1529 est marquée dans l'activité littéraire de Luther par la publication des deux catéchismes. Le petit, destiné aux humbles, évite toute controverse, explique les commandements, le *Credo*, le *Pater*, les sacrements et ajoute quelques prières[3]. Le *Grand catéchisme*[4] s'adresse aux curés et suit le même ordre, en entrant dans plus de détails.

LA BIBLE ALLEMANDE La Bible allemande[5], œuvre immense à laquelle Luther se mit à la Wartbourg, fut publiée par parties, à commencer par le Nouveau Testament (1522). L'édition était complète en 1534.

Luther se plaint souvent de ce qu'avant lui l'Église catholique ait négligé la Bible. « La Bible qui, à cause de ses multiples et infinies utilités, aurait dû se trouver nuit et jour entre les mains de tous les hommes pieux... gisait ensevelie sous des bancs entre le siège et la poussière et était tombée dans l'oubli universel[6]. » « Le 22 février (1538), lit-on encore dans les *Tischreden*, il parle de l'extrême aveuglement sous le papisme,

---

(1) Édit. Leyde, t. X, col. 1249-1536 (1526 et 1527).
(2) W. T., n° 818 (t. I, p. 397-398) ; n° 836 (*ibid.*, p. 407).
(3) W., t. XXX, p. 239-425 ; J. MEIJER, *Historischer Kommentar zu Luthers Kleinem Katechismus*, Gutersloh, 1929.
(4) W., t. XXX, p. 123-238.
(5) Huit volumes et demi dans l'édit. de Weimar.
(6) W. T., n° 6642 (t. V, p. 663).

car il y a trente ans personne ne lisait la Bible et elle était inconnue de tous [1]. »

Comme souvent ailleurs, l'imagination de Luther fausse la vérité. De l'invention de l'imprimerie à 1520, on ne connaît pas moins de cent cinquante-six éditions latines complètes des Livres saints. Pour les seules traductions en allemand, pendant la même période, le chiffre des versions complètes est de dix-sept. Il faut y ajouter les manuscrits. Un auteur en a compté deux cent deux pour l'Allemagne, contenant des traductions de toute la Bible ou de parties de la Bible. Mais, incontestablement, le réformateur contribua beaucoup à répandre davantage dans son pays la connaissance de l'Écriture, qui devint, par sa traduction, le trésor de chaque foyer.

Il se prépara au travail qu'il voulait entreprendre par la lecture assidue de la Bible en grec et en hébreu et par l'approfondissement de sa science de ces deux langues. Il débuta par le Nouveau Testament, dont le besoin se faisait davantage sentir à lui pour ses controverses avec les catholiques et dont il pouvait entreprendre plus aisément la traduction à la Wartbourg. Trois mois à peine lui furent nécessaires pour mener à bien ce travail. Il avait surtout recouru à la collaboration de Mélanchthon et, pour quelques passages seulement, à celles d'autres amis, Spalatin, Mutian, etc. Le Nouveau Testament parut le 21 septembre 1522, sans nom de traducteur ni d'imprimeur et sans date, avec des illustrations de Luc Cranach. Les 3.000 exemplaires en furent vite épuisés et, dès décembre, on dut lancer une deuxième édition améliorée. Jusqu'en 1537 il en parut seize à Wittemberg et, pour toute l'Allemagne, plus de cinquante.

L'Ancien Testament coûta naturellement un labeur plus ardu à Luther et à ses deux aides principaux, Mélanchthon et Matthieu Aurogallus, professeur d'hébreu à Wittemberg. Pour Job, il leur fallut, nous confie le réformateur, jusqu'à quatre jours avant d'arriver à une traduction convenable de certains textes. Divers livres parurent séparément de 1523 à 1534, par exemple le Pentateuque en 1523. Du début de 1534 date la première traduction complète, qui portait le nom de Luther, avec des préfaces pour chaque livre, des gloses et des explications de sa main, et, comme pour le Nouveau Testament, des illustrations sur bois de Luc Cranach. Des années 1530-1540, on signale trente-quatre impressions à Wittemberg et soixante-douze dans le reste de l'Allemagne ; pour tout le temps de la vie de Luther, il y eut quatre-vingt-quatre impressions originales et deux cent cinquante-trois faites d'après elles. Le succès fut donc considérable, réjouit beaucoup le traducteur, et l'encouragea à améliorer toujours davantage son œuvre. Il en commença en 1539, avec Mélanchthon, Cruciger et plusieurs autres savants, une révision complète. L'édition la plus remarquable, la dernière qui vit le jour avant la mort de Luther, date de 1545.

Une qualité contribua beaucoup à populariser la Bible luthérienne,

(1) W. T., n° 3767 (t. III, p. 598). Cf. n° 2844 B. (t. III, p. 23), n° 5008 (t. IV, p. 610), pour nous borner aux *Tischreden*. Pour d'autres passages voir H. GRISAR, *op. cit.*, t. III, p. 456-457. Nous utiliserons surtout dans notre exposé les p. 418-464 du *Luther*, t. III, de cet auteur.

à savoir la perfection de sa langue. Une version trop littérale alourdissait les traductions antérieures. Celles-ci, en outre, s'attachaient au texte latin de la Vulgate, tandis que Luther, suivant le courant humaniste de son époque, s'efforça de rendre partout le texte original. Comme dans ses autres œuvres, le réformateur joint ici, en les purifiant, le haut-allemand au style de la chancellerie saxonne cultivé dès le XIVᵉ siècle. Il exerça ainsi une influence très réelle sur le développement de la langue nationale et aida beaucoup à sa diffusion. Ajoutons qu'il s'applique à parler non seulement correctement, mais clairement et de façon à se faire comprendre par les gens du peuple. Il rejeta certaines expressions proposées avec cette remarque : « Aucun Allemand ne parle ainsi [1]. »

Toutefois, même du point de vue de la traduction, la Bible de Luther est loin d'être parfaite. Dans de nouvelles éditions parues depuis 1883, beaucoup de contresens ont dû être corrigés. Un de ces éditeurs parle de trois mille passages exigeant des modifications. On pourrait pardonner des erreurs de ce genre ; mais Döllinger, Janssen et d'autres dénoncèrent avec beaucoup plus de raison les passages du texte original que Luther changea pour les intérêts de sa polémique avec les catholiques. Il suffira d'en citer quelques exemples. Aux versets de l'épître aux Romains, IV, 15, *Lex enim iram operatur*, il ajoute le mot « seulement » (*nur*) ; à *Rom.*, IX, 28 : *Arbitramur justificari hominem per fidem sine operibus legis*, il introduit aussi le mot « seule », après *fidem* [2].

Les mots de *Rom.*, VIII, 3 : ... *et de peccato damnavit (Deus) peccatum in carne* (ἐν ὁμοιώματι σαρκὸς ἁμαρτίας καὶ περὶ ἁμαρτίας κατέκρινεν τὴν ἁμαρτίαν ἐν τῇ σαρκί), sont ainsi traduits : *Er verdample die Sünde im Fleisch durch Sünde* au lieu de *um der Sünde willen* [3].

Le traducteur remplace régulièrement le mot « juste » de l'original par « pieux » qui chez lui équivaut à avoir la foi et, par là, la justice impu-tée, la justice vraiment personnelle n'existant pas pour Luther.

Au terme « église » se trouve aussi substitué celui de communauté, sauf quand il s'agit dans l'Ancien Testament de temples païens et des lieux de culte illégaux des Israélites.

S'il se permet des libertés avec le texte même, parce qu'elles lui paraissent rendre plus fidèlement la vraie pensée de l'auteur sacré, Luther se gêne naturellement encore moins dans les gloses et les pré-faces. A propos des parfums répandus par Madeleine sur les pieds du Sauveur (Matth., XXVI, 10), il fait cette remarque : « Par là on voit que la foi seule rend une œuvre bonne [4]. » Au texte : *Tu es Petrus* (Matth., XVI, 18), il ajoute cette explication : « Pierre représente ici tous les chrétiens et la confession faite ainsi par toute la communauté est la pierre sur laquelle est bâtie l'Église [5]. »

Enfin les préfaces des diverses parties de l'Écriture dévoilent l'arbi-traire du traducteur dans le choix des livres appartenant ou n'appartenant

(1) H. Grisar, résumé français, p. 270.
(2) W. D. B., t. VII, p. 41 et 39.
(3) *Ibid.*, p. 53.
(4) W. D. B., t. VI, p. 117.
(5) *Ibid.*, p. 77.

pas, d'après lui, au canon : ainsi la lettre aux Hébreux ne vient pas d'un
apôtre : « elle est un agglomérat de diverses parties », « où peut-être s'est
mêlé un peu de bois, de paille ou de foin » [1]. L'Apocalypse n'est ni « apostolique ni prophétique ». « Que chacun pense d'elle ce que son esprit lui
suggère ; mon esprit ne parvient pas à pénétrer ce livre [2]. » De l'épître
de saint Jacques surtout il conteste l'authenticité qui, d'après lui, expose
une doctrine de la justification contraire à celle de saint Paul et du reste
de l'Écriture. Voilà le grief fondamental : saint Jacques prône les bonnes
œuvres. L'auteur, dit encore Luther, veut enseigner les chrétiens et ne
parle pas une fois, malgré l'étendue de son écrit, des souffrances, de la
résurrection, de l'esprit du Christ. Cette lettre utilise de telle façon les
paroles des écrits apostoliques que l'auteur semble parler longtemps
après saint Pierre et saint Paul [3]. Luther l'appelle une « lettre de paille »,
car elle n'a nullement la manière évangélique de s'exprimer [4].

La plus ou moins claire énonciation de la justification par la foi est,
d'après Adolphe Hausrath, « la mesure d'après laquelle Luther juge
de la valeur ou de la non-valeur de chaque livre » [5]. Nous l'avons déjà
noté plus haut.

En réalité, de la traduction de la Bible elle-même, Luther a voulu
faire une arme de guerre contre les catholiques. Les papistes ne peuvent
comprendre l'Écriture, car ils ne comprennent pas le Christ. Ils sont
même incapables de la traduire en allemand. Mais lui, Luther, a reçu
la grâce de mettre en lumière la parole de Dieu et de la proclamer sans
erreur.

Pour se rendre compte du caractère polémique de l'œuvre, il suffirait
presque de s'arrêter à certaines des gravures qui ornent le Nouveau
Testament et les éditions de la Bible de 1534 et de 1541. On y voit par
exemple la prostituée de Babylone et le dragon avec la tiare papale,
ou le diable, sous la forme d'un animal furieux, coiffé d'un chapeau de
cardinal, avec le squelette de la mort poussant un homme en enfer où
brûlent un pape et un moine [6].

LES PROPOS DE TABLE   Les *Propos de table* [7] constituent une des sources
les plus précieuses de la vie de Luther et surtout
de sa psychologie, de sa personnalité morale. Il y est question de tout,
comme dans une conversation familière. Les *Tischreden* nous le révèlent
dans l'intimité, se livrant à des confidences, s'abandonnant en présence
de ses amis. « Curieux mélange, a-t-on écrit [8], du comique et du grave,
du badin et du mystique et de l'austère. » Mais leur critique présente
parfois des difficultés à cause des exagérations auxquelles se livre le

---

(1) W. D. B., t. VII, p. 345.
(2) *Ibid.*, p. 404.
(3) *Ibid.*, t. VII, p. 385-386.
(4) Dans la préface de 1522. Cité par H. GRISAR, *op. cit.*, t. III, p. 443. Voir par exemple encore
W. T., n° 5443 (t. V, p. 157).
(5) H. GRISAR, *op. cit.*, p. 442.
(6) H. GRISAR, résumé français, p. 274.
(7) H. GRISAR, *Luther*, t. II, p. 178-185, 593-597. W. T., 6 vol.
(8) L. CRISTIANI, dans *L'Ami du Clergé*, 22 juin 1939, p. 388.

Histoire de l'Église. T. XVI.

prophète, des contradictions qu'on trouve dans les *Propos de table* quand on confronte certains d'entre eux avec ses écrits, et des affirmations dans lesquelles il mit sans doute une bonne part de plaisanterie et d'ironie.

Dans l'ancien couvent de Wittemberg habitaient des étudiants qui y prenaient leur pension ; des invités, des hôtes de passage partageaient souvent la table de l'ancien moine et de l'ancienne nonne. Les convives prenaient des notes sans que Luther s'y opposât ; bien plus, il les encourageait parfois à le faire.

Quelques-unes de ses paroles ont été recueillies depuis 1529. Mais Conrad Cordatus nous affirme que le premier il commença à les annoter régulièrement et le premier propos sûrement daté de sa collection date d'août 1531. Peu à peu un bon nombre d'autres commensaux de Luther imitèrent Cordatus. Il se forma ainsi différentes collections plus ou moins longues, par exemple celles de Veit Dietrich, de Nicolas Medler, de Jean Schlaginhaufen, d'Antoine Lauterbach, de Jean Mathesius, etc. Elles comprennent 7.075 propos de table, sans compter divers textes parallèles, qui sont datés pour le plus grand nombre. La plupart sont assez courts ; d'autres occupent parfois plusieurs pages et constituent de véritables dissertations.

Pour pas mal de catholiques ou pour bien des gens peu au courant de l'histoire religieuse, les *Propos de table* de Luther constituent une collection de paroles fort libres, de gauloiseries, de grossièretés, voire d'obscénités. On ne peut nier en effet qu'un certain nombre de propos méritent une de ces notes. Les étudiants eux-mêmes qui les recueillaient semblent répugner parfois à reproduire les termes du maître.

Beaucoup de *Propos* se livrent à de violentes attaques. Les personnes les plus malmenées sont les Turcs, les juifs, les anabaptistes et les *Schwarmgeister*, avec Münzer, les antinomistes, avec Agricola, les juristes, et surtout les papistes et le pape. Le pape, déclare Luther, a fait de toutes les choses religieuses un marché, « sauf du baptême des enfants, sans doute parce que ceux-ci naissent nus et sans argent, sinon ils ne seraient pas épargnés » [1]. Il est traité continuellement d'antéchrist [2]. « Si quelqu'un veut ajouter le Turc, le pape est l'esprit de l'antéchrist, et le Turc la chair de celui-ci » [3]. « Il est pire que le Turc » [4].

Le pape est aussi « un vrai diable après le diable » [5]. Il fait tout pour établir sa domination ; il jette les princes les uns contre les autres ; ensuite, jouant secrètement le rôle de Satan, il s'applique à les réconcilier [6]. C'est un *insensatus asinus* [7]. Il n'est pas le chef de l'Église, « sinon l'Église serait une bête à deux têtes » [8]. Dieu le sait et cela apparaît *ex hoc quod privavit eum fructu ventris* [9].

---

(1) W. T., n° 60 (t. I, p. 21).
(2) Par exemple W. T., n° 330 (t. I, p. 135), n° 567 (t. I, p. 259), n° 3443 (t. III, p. 318), n° 3555 (t. III, p. 406), n° 4487 (t. IV, p. 339), n° 6840 et suiv. (t. VI, p. 225 et suiv.).
(3) W. T., n° 330 (t. I, p. 135).
(4) *Ibid.*, n° 1588 (t. II, p. 143).
(5) *Ibid.*, n° 2116 (t. II, p. 326).
(6) *Ibid.*, n° 64 (t. I, p. 22).
(7) *Ibid.*, n° 1346 (t. II, p. 60).
(8) *Ibid.*, n° 1266 (t. II, p. 17).
(9) *Ibid.*, n° 1607 (t. II, p. 150).

Le réformateur en veut surtout à Clément VII, *florentzisch Hurnkindt*.
Mauvais parce qu'il est Italien ; encore pire, parce qu'il est Florentin ; tout
à fait mauvais, parce qu'il est enfant illégitime. Et ajoutez encore quelque
chose de plus mauvais si vous le pouvez : il n'est pas baptisé [1].

A en croire Cristiani environ vingt pour cent des *Tischreden* sont consacrés au pape [2].

Enfin le diable fait aussi très souvent l'objet de l'entretien du maître
avec ses disciples. Quand il s'agit de Satan, les propos orduriers coulent
tout naturellement de la bouche de Luther.

Dans les *Propos de table*, Luther aborde de préférence les questions
théologiques. Il répète à satiété ses doctrines sur la foi, la justification,
le péché originel, l'inutilité des bonnes œuvres, les sacrements, la messe.
La morale se trouve aussi fortement représentée dans ces entretiens
qui roulent fréquemment sur le mariage, le mensonge, etc. Très souvent,
ses commensaux lui posent des questions sur tel passage de la Sainte
Écriture ou le maître lui-même se livre à des dissertations à propos
d'un texte ou d'un livre sacré. Tobie par exemple est présenté comme le
type du bon père de famille ; l'évangéliste Jean est très simple et parle
familièrement. Luther a réponse à tout ; il n'hésite pas ; il affirme catégoriquement devant des auditeurs qui boivent ses paroles et semblent
le considérer comme infaillible. Parfois il se laisse aller à commenter
tel psaume.

Les protestants gardent en général des *Tischreden* une opinion beaucoup plus favorable que les catholiques parce qu'ils les connaissent
surtout par des anthologies où se trouvent réunies les sentences les plus
édifiantes.

Celles-ci en effet abondent. Pour être juste vis-à-vis de cette collection, il ne faut pas la juger par ouï-dire ou se contenter de lire au hasard
quelques centaines de propos. En la dépouillant page par page dans
les six volumes de l'édition critique de Weimar, comme nous nous sommes
astreint à le faire, on y découvre en foule les pensées pieuses, les considérations élevées sur Dieu, Jésus-Christ, etc. Le *Pater noster*, y lisons-nous
par exemple, unit les hommes *zusamen und in einander, quod unus pro
alio et cum alio orat, ideoque fit fortis ac potens, ut omnia mala et etiam
mortem ipsam depellat* [3].

La litanie des litanies est l'oraison dominicale. L'érudition des éruditions
est le décalogue. La vertu des vertus est le symbole ou la foi. Car, comme l'oraison dominicale demande et obtient toutes choses très copieusement, excellem-
ment et très bien, ainsi le décalogue enseigne toutes choses et exhorte très
copieusement, très bien et de très belle façon, et de même la foi fait et pratique
tout très copieusement, très bien et de très belle façon. Ainsi cette trinité
parfait et complète l'homme dans ses pensées, ses paroles, ses actions, c'est-à-
dire qu'elle élève l'esprit, la langue et le corps au sommet de la perfection.
Que pourrait-on désirer de plus [4] ?

(1) W. T., n° 1359 (t. II, p. 69) ; n° 2216, t. II (p. 326), n° 3577 A (t. III, p. 423), etc.
(2) Dans *L'Ami du Clergé*, 20 juillet 1939.
(3) W. T., n° 700 (t. I, p. 340).
(4) *Ibid.*, n° 757 (t. I, p. 360). On pourrait multiplier ces exemples. Voir les tables générales des
Tischreden, t. VI, aux mots : *Christus, Gott*, etc. En ce tome VI où se trouvent groupés des *Tischreden* de différentes années par ordre systématique, il faudra aussi parcourir les p. 3-100 (*Propos
de Luther sur la parole de Dieu et l'Écriture, sur les œuvres de Dieu, sur la création, sur la Trinité,
sur le Christ, sur le Saint-Esprit, etc.*).

De-ci, de-là le cœur du maître s'épanche en prières devant ses disciples. En juin 1532, on souhaitait ardemment la pluie.

[Au repas] le docteur les yeux élevés vers le ciel formule cette prière : Cher Seigneur Dieu, Tu as dit par la bouche de David, ton serviteur : *Prope est Dominus omnibus invocantibus eum, omnibus invocantibus eum in veritate ; voluntatem timentium se faciet Dominus et deprecationem eorum exaudiet et salvos faciet eos*. Pourquoi ne veux-Tu pas nous envoyer la pluie alors que depuis si longtemps nous crions vers Toi et Te prions ? Mais si Tu ne nous accordes pas la pluie, aide-nous en nous donnant quelque chose de meilleur : une vie tranquille et la paix. Et maintenant, nous prions tant et nous avons si souvent prié ; si Tu ne nous écoutes pas, bien-aimé Père, les impies diront que ton fils a menti, quand il a dit : « Je vous le dis en vérité, si vous demandez, etc. ». Et ainsi ils feront de Toi et de ton Fils des menteurs. Je sais bien que nous crions vers Toi de tout notre cœur et que nous prions avec des soupirs ardents. Pourquoi donc ne veux-Tu pas nous exaucer [1] ?

Luther apparaît aussi dans les *Tischreden* enflammé du désir du bien religieux, de l'amélioration morale de ceux qui l'entourent et du peuple chrétien en général. Il aime à s'étendre sur la vie chrétienne, ses devoirs et ses vertus, sur les vices du temps, sur le ministère sacré, la prédication, l'éducation, la vie de famille. Bref, les *Tischreden* nous manifestent le réformateur tout entier ; mais leur supériorité sur les autres sources écrites émanant de Luther lui-même, c'est qu'elles sont toutes spontanées et sans aucun apprêt.

§ 2. — Les doctrines de Luther [2].

LES « *LOCI COMMUNES* » DE MÉLANCHTHON

Pour connaître de façon un peu complète les doctrines de Luther, on ne se contentera pas des confessions de foi luthériennes. L'analyse fournie plus haut de la confession d'Augsbourg suffit à le montrer. Dans les propres ouvrages du maître, nous l'avons dit, ne se trouve pas davantage un exposé complet et suffisamment développé de ses idées théologiques. Heureusement son disciple Mélanchthon s'est chargé de nous le faire à une époque (1521) où le moine de Wittemberg avait déjà proposé ses erreurs fondamentales.

En 1521 Luther avait 38 ans ; Mélanchthon seulement 23. De formation humaniste, devenu professeur de grec à Wittemberg sur la proposition de son grand-oncle Reuchlin, il subit la séduction de la personnalité du réformateur et s'attacha à lui. Aussi fut-il amené à faire un sommaire de ses doctrines. Les *Loci communes rerum theologicarum* connurent seize éditions jusqu'en 1525. Les suivantes sont plus développées, plus théologiques et s'écartent aussi peu à peu de certaines des positions du maître.

---

(1) W. T., n° 1636 (t. II, p. 157 et 158). Cfr. n°ˢ 2058, 3222.
(2) J. KOESTLIN, *Luthers Theologie in ihrer geschichtlichen Entwickelung*, 2ᵉ édit., Stuttgart, 1901, 2 vol. ; J.-A. MOEHLER, *Symbolik oder Darstellung der dogmatischen Gegensaetze der Katholiken und Protestanten nach ihren offentlichen Bekenntnisschriften*, 10ᵉ édit. avec compléments par J.-M. RAICH, Mayence, 1889 ; O. RITSCHL, *Dogmengeschichte des Protestantismus*, t. IV, Leipzig, 1927 ; R. SEEBERG, *Die Lehre Luthers*, dans le *Lehrbuch der Dogmengeschichte*, t. IV, 2ᵉ p., 2ᵉ édit., Leipzig, 1920 ; W. ELERT, *Morphologie des Luthertums*, Munich, 1932, 2 vol. ; J. VAN WALTER, *Die Theologie Luthers*, Gütersloh, 1940 ; article de J. PAQUIER, dans le *Dict. de Théol. cath.*, t. IX, 1, col. 1146-1355, Paris, 1926 (sans doute l'exposé le meilleur et le plus détaillé du côté catholique).

Au début de son *De servo arbitrio* [1], Luther apprécie ainsi le travail de Mélanchthon : *Invictum libellum, meo judicio, non solum immortalitate sed canone quoque ecclesiastico dignum.*

On ne peut parler d'un système théologique chez Luther. Il n'éprouvait pas le besoin d'en échafauder un. Dans les traités sur Dieu et le Verbe, la christologie seule l'intéresse ; et non pas toute la christologie, mais le rôle rédempteur du Christ.

Pour comprendre la doctrine du Luther, on se souviendra de sa formation occamiste (par exemple relativement à la double vérité), de l'autorité exclusive qu'il accorde en matière de foi à l'Écriture sainte et de son mépris pour les objections formulées au nom de la raison.

L'exposé des *Loci communes* comporte dix-sept chapitres [2]. A la fin de ceux-ci figurent de courts résumés. Parcourons rapidement cette œuvre capitale.

L'homme ne jouit d'aucune liberté intérieure. Personnellement Luther arriva à cette proposition par ses expériences internes. Mélanchthon naturellement ne parle pas de celles-ci. Il se base sur la science divine infaillible :

Puisque tout ce qui arrive arrive nécessairement selon la prédestination divine, il n'existe aucune liberté de notre volonté.

Plus tard, en 1525, dans le *De servo arbitrio* [3], Luther lui-même s'exprimera à peu près de la même façon :

Il est absolument nécessaire et salutaire pour le chrétien de se convaincre que Dieu ne sait rien à l'avance de façon contingente. Mais il prévoit et propose et fait tout par sa volonté incommutable, éternelle et infaillible. Cette foudre renverse et broie absolument notre libre arbitre.

L'homme, privé de liberté, accomplit nécessairement le bien ou le mal, selon que Dieu le possède ou ne le possède pas. Cependant il s'agit ici de la liberté intérieure, de la liberté de nos sentiments [4]. Or, depuis le péché originel, Dieu s'est retiré de la créature raisonnable.

Mélanchthon définit ainsi le péché originel :

Une propension native et un mouvement inné ou une énergie qui nous pousse à pécher, comme le feu possède une force interne qui le fait monter... Cette propension a passé d'Adam dans tous ses descendants.

Dieu s'étant retiré de l'homme à la suite du péché d'Adam, toutes les actions de l'homme, internes ou externes, sont des péchés et des péchés mortels. L'observation des commandements de Dieu lui est devenue impossible, car tous les commandements de Dieu reposent sur l'amour. La loi et l'Évangile s'opposent radicalement. Par loi il faut entendre pour Luther tout ce qui est commandé, en particulier dans les deux Testaments. Voici les buts de la loi : nous montrer le péché, multiplier nos péchés et nous désespérer. Heureusement intervient alors

---

(1) *Luthers Werke*, édit. O. CLEMEN, t. III, p. 95.
(2) Nous suivons la première édition des *Loci*, dans le *Corpus Reformatorum*, t. XXI, col. 82 et suiv.
(3) *Luthers Werke*, édit. O. CLEMEN, t. III, p. 108.
(4) Par opposition à la liberté extérieure que Mélanchthon nous accorde d'ailleurs assez parcimonieusement. Elle nous permet par exemple de saluer un homme ou de ne pas le saluer, de nous revêtir ou non de tel habit (*Loci*, édit. cit., col. 90).

l'Évangile. Ce terme s'applique notamment à tous les passages de l'Ancien et du Nouveau Testament où il est question de la grâce, de la miséricorde de Dieu, de ses promesses à l'homme. Leur lecture éveille en nous la *fiducia*, différente de la foi telle que la comprennent les théologiens. Cette confiance que la miséricorde de Dieu ne tient pas compte de nos péchés nous justifie. Non que ces péchés soient remis, supprimés, mais ils ne nous sont pas imputés. Le sang du Christ qui les couvre empêche Dieu de les voir. A ce point du système, nous ne résisterons pas à la tentation de rappeler une remarque de l'auteur de la *Symbolique*, Moehler [1] : « Chose étrange ! Le péché primitif a dégradé l'homme jusque dans le fond de son être. En conséquence, la justification doit à peine le toucher. »

La justification de l'homme provoquée par la confiance ne fait que commencer ici-bas. Elle se complètera au ciel. Mais, même imparfaite, elle empêche Dieu de nous rendre responsables ici-bas de nos fautes, elle nous remplit d'amour et d'espérance ; enfin elle nous libère de la Loi. Celle-ci cependant reste utile pour le justifié : elle lui montre la voie à suivre ; elle l'exhorte à l'humilité notamment, parce qu'elle le rend conscient des péchés qui demeurent en lui. Quant aux bonnes œuvres, bien que dépourvues d'obligation pour le justifié, elles suivent tout naturellement la foi et s'accomplissent aisément. La justification ne se perd que par la défiance. Pour la reconquérir, il suffit donc de la confiance.

Dans les huit derniers articles, Mélanchthon traite notamment des « signes » ou des sacrements. Il faut comprendre par là des témoignages que Dieu nous donne de sa bonne volonté, de sa miséricorde envers nous. Ils ne justifient pas, car seule la foi justifie. Deux sacrements seulement furent institués par le Christ : le baptême et la cène. Dans le baptême, le signe consiste à être plongé dans l'eau. Le ministre qui accomplit le rite signifie la volonté de Dieu que nous soyons ainsi baptisés. La cérémonie elle-même nous atteste que de la mort nous passons à la vie. De même la cène doit raffermir dans la foi.

Dans cette première édition des *Loci* il est encore question des magistrats, laïques et ecclésiastiques, mais nullement de l'Église.

THÉORIES DE LUTHER SUR L'ÉGLISE Luther, après 1517, conçut ou développa ses théories sur l'Église, l'Écriture et son inspiration et les sacrements.

Le concept d'Église a toujours gardé chez lui un certain vague et l'on peut discerner dans son évolution sur ce point diverses étapes.

Jusqu'à la dispute de Leipzig de 1518, le réformateur tient encore les principes catholiques sur l'autorité de l'Église et son inerrance dans les questions de foi. A Staupitz il écrit le 1er septembre 1518 [2] : « Je veux honorer sincèrement l'autorité ecclésiastique. » Et dans ses leçons sur le Psautier, il s'était exprimé ainsi au sujet des hérétiques :

Oh, notre folie ! Combien souvent, combien fortement nous tombons dans

(1) J.-A. MOEHLER, *La Symbolique*, trad. de F. LACHAT, Bruxelles, 1838, t. I, p. 136.
(2) L. B., t. I, p. 223.

ces défauts ! Tous les hérétiques sont tombés parce qu'ils aimaient trop leur
sens propre. Il ne pouvait en arriver autrement que la fausseté leur apparût
vérité et la vérité fausseté... La sagesse, dans sa force originelle, n'habite que
chez les humbles et les doux [1].

Cependant, dès le commentaire sur l'épître aux Romains de 1515, le
professeur de Wittemberg ne s'appuie plus guère que sur l'autorité de
l'Écriture. On s'attendrait à le voir invoquer celle de l'Église. C'est à
peine s'il le fait. Il rejette l'enseignement de l'Église, de la tradition,
des théologiens, par exemple sur la différence entre le péché originel et
les péchés actuels, sur le mérite et les bonnes œuvres, sans s'excuser, et
uniquement parce qu'il pense trouver dans l'épître qu'il commente des
enseignements contraires.

S'il croit encore théoriquement à l'autorité de l'Église, il la nie pratiquement. Il manque d'esprit ecclésiastique. Sa formation théologique
défectueuse, ses fausses conceptions mystiques et surtout son attachement tenace à ses propres idées l'empêchent encore de se placer carrément devant ce dilemme : ou abandonner des doctrines que réprouve
l'autorité, ou rompre avec l'Église [2]. Convaincu de la vérité de ses découvertes, il croyait naïvement que la hiérarchie les adopterait [3].

En 1518, la dispute de Leipzig le contraignit à abandonner les doctrines orthodoxes qu'il conservait encore théoriquement sur l'Église.
Les conciles œcuméniques eux-mêmes deviennent pour lui faillibles
en matière de foi.

Dans les trois grands écrits de réforme de 1520, le moine augustin ne
se contente pas de signaler fortement, haineusement, les multiples abus
qu'il reproche à la papauté comme les jeûnes obligatoires, les pèlerinages,
les excommunications. Il l'accuse d'avoir jeté en captivité les sacrements.
Il repousse la distinction entre clercs et laïques et prône le sacerdoce
universel des fidèles.

Dans la suite, nous le voyons insister de plus en plus sur l'invisibilité
de l'Église. Celle-ci ne constitue pas un organisme extérieur dirigé par
une autorité spirituelle, mais une communauté spirituelle formée par
les vrais croyants, que le Christ seul connaît et dont il est la tête, le
directeur et le maître. Il existe sans doute des fonctions ecclésiastiques,
à savoir la prédication et l'administration des sacrements, mais aucune
autorité spirituelle possédant le droit de faire des lois et d'imposer sa
puissance aux fidèles. Il écrit en 1522 : « Qui nous montrera l'Église,
puisqu'elle est cachée dans le Saint-Esprit et simplement objet de foi ?
Aussi, disons-nous : « Je crois en l'Église » [4]. Bien que la prédication et
l'administration des sacrements soient visibles, la « communauté des
saints » formée pour en profiter ne se voit que par Dieu et l'Église peut
subsister même quand elle ne se compose que d'un enfant au berceau » [5]

(1) W., t. IV, p. 83.
(2) Sans doute à l'époque de Luther le concept de l'Église n'avait pas, même pour les catho
liques, la précision qu'il a aujourd'hui. Mais lui le réalise bien moins que beaucoup de catholique
de son temps. Lortz, op. cit., t. I, p. 392-396, attribue cet état d'esprit à son subjectivisme.
(3) H. Grisar, Luther, t. I, p. 180-186.
(4) De abroganda missa privata, W., t. VIII, p. 419.
(5) W., t. VI, p. 301.

De la véritable Église, Luther s'applique à découvrir les notes, surtout dans son traité *Des conciles et des Églises*, de 1539 [1]. Elle se distingue des autres d'abord parce que la sainte parole de Dieu y est enseignée. Mais comment s'assurer certainement de ce fait, alors que d'autres communautés religieuses prétendent à la même vérité ? A cette question Luther naturellement ne trouve pas de réponse satisfaisante.

Second caractère distinctif : le baptême, enseigné, cru et pratiqué d'après les instructions du Christ. Mais ce signe ne semble pas mieux choisi et, pour ne citer que le baptême des catholiques, le réformateur ne nie pas qu'ils ne cessèrent jamais de l'administrer validement.

Suivent encore cinq autres caractères auxquels on pourrait faire les mêmes objections : l'eucharistie, crue et distribuée d'après les enseignements du Sauveur ; les clefs ou la rémission des péchés par la foi ; le ministère ecclésiastique ; la prière publique ; enfin le support des persécutions, des attaques du monde, du diable et de la chair, etc. Dans la Confession d'Augsbourg, les notes de l'Église se trouvent réduites à deux : la pure doctrine et les vrais sacrements [2]. A bon droit, Luther ne réclame pas pour son Église l'unité, l'apostolicité, la catholicité. Mais il résume dans la sainteté toutes les notes qu'il revendique. Seulement, il déclare que cette sainteté ne doit exister que chez quelques-uns des membres.

Sa théorie, telle que nous venons de l'exposer, exclut naturellement de la vraie Église les méchants, les incrédules, les chrétiens qui se contentent de porter ce nom.

Les vrais chrétiens, les croyants forment des communautés. Même si celles-ci ne sont pas nombreuses, elles ont le droit, en se laissant guider par le Christ, d'élire leur ministre. Aussi doivent-elles d'abord recourir à la prière en se souvenant des paroles du Seigneur : « Là où deux ou trois se réunissent en mon nom, je suis au milieu d'eux. » Après l'élection, les plus considérés (*notiores inter vos*) [3] imposeront les mains au candidat choisi. Le ministre agit au nom de la communauté qui surveille son enseignement et le juge d'après l'Écriture [4].

La guerre des paysans et l'union conclue par Luther avec les princes pour l'organisation de ses églises déterminèrent une nouvelle phase dans l'évolution de son concept sur l'Église. Celle-ci reste sans doute essentiellement invisible, mais le réformateur met de plus en plus l'accent sur ses éléments visibles.

Il suffira de fournir ici quelques exemples de ce développement.

Dans les Articles de Souabe de 1529 [5], nous trouvons ce passage :

Il n'est pas douteux qu'il y ait, qu'il se conserve sur terre jusqu'à la fin des temps une sainte Église chrétienne, conformément à la parole du Christ dans Matthieu, XXVIII, 18-20 : *Voyez, voici que je suis avec vous*, etc. Cette Église n'est autre que les croyants dans le Christ, qui admettent ces articles, les croient et les enseignent et sont pour cela persécutés et martyrisés dans le monde.

(1) W., t. L, p. 488-683.
(2) H. GRISAR, *Luther*, t. III, p. 111-115 ; 767-775.
(3) *De instituendis ministris ecclesiae*, W., t. XII, p. 169 et suiv.
(4) H. GRISAR, *Luther*, t. I, p. 417-422.
(5) W., t. XXX, 3, p. 86 et suiv. Voir encore p. 89 et 90.

Car là où l'Évangile est prêché et s'administrent bien les sacrements, là se trouve la vraie Église.

Ainsi la foi au Christ s'identifie, dans cette pièce, avec l'adhésion extérieure à une formule de foi déterminée.

La Confession d'Augsbourg précise en quoi doit consister le *ministerium ecclesiasticum* :

Au sujet du gouvernement de l'Église, nous enseignons que personne ne peut enseigner officiellement et administrer les sacrements sans une vocation régulière [1].

Et les articles de Smalkalde parlent du pouvoir donné par le Christ à l'Église de choisir et d'ordonner ses ministres [2].

Le caractère visible des Églises luthériennes ne fit que s'accentuer. D'abord parce qu'elles furent organisées par les États et dépendirent étroitement d'eux ; ensuite parce qu'en présence des abus de l'illuminisme, Luther augmenta les pouvoirs de cette Église qu'on pouvait appeler l'Église-Mère, celle de Wittemberg. Les prédicateurs et les pasteurs subissaient un examen sur leur doctrine qui devait se conformer à celle de Wittemberg. On se demande parfois si leur appointement émane de la communauté à laquelle ils doivent présider, des théologiens qui les examinent ou du Consistoire, institution d'État. Il est donc permis de parler d'une papauté collective dans l'Église luthérienne. Les protestants en désaccord avec Luther ne manquèrent pas de lui reprocher d'avoir voulu rétablir au profit de Wittemberg la tyrannie pontificale [3].

Luther entendait bien organiser dans son Église une hiérarchie complète, dont des évêques auraient occupé le faîte. On le voit surtout préoccupé de ce point à partir de 1540. Mais il s'y prit trop tard et ne put que commencer la réalisation de son projet.

A Naumbourg, le chapitre avait porté son choix sur le prévôt Jules de Pflug. L'électeur de Saxe et Wittemberg refusèrent de le reconnaître. Luther proposa alors le prince d'Anhalt. Celui-ci reçut en réalité le siège de Mersebourg et Luther le sacra. Pour Naumbourg le prince nomma Nicolas Amsdorf. Le 20 janvier 1542, à la cathédrale de cette ville, en présence d'une nombreuse assemblée, eut donc lieu un second sacre. Luther, assisté par trois surintendants et un abbé apostat, imposa les mains à son disciple [4].

ATTAQUES CONTRE ROME — Contre Rome Luther n'avait cessé de se déchaîner depuis 1520. A la fin de sa vie il lança contre elle son ouvrage allemand, *Wider das Papstum zu Rom vom Teufel gestift*, qui constitue, d'après l'éditeur de ce traité, E.-L. Enders, « le dernier grand témoignage de Luther contre la papauté » [5].

Paul III venait d'adresser deux brefs à l'empereur, le premier pour le mettre en garde contre sa trop grande condescendance vis-à-vis des

---

(1) Art. 14, dans A.-V. MUELLER, *Die symbolischen Bücher*, p. 42.
(2) *Ibid.*, p. 334, 341 et suiv.
(3) H. GRISAR, *Luther*, t. III, p. 785-796.
(4) ID , t. III, p. 160-167.
(5) Erl., t. XXVI², p. 131 et suiv. ; H. GRISAR, *Luther*, t. III, p. 322-326.

doctrines nouvelles, le second pour obtenir qu'il s'opposât à la réunion d'un concile national allemand et favorisât plutôt la tenue du concile œcuménique. Sollicité, notamment par l'électeur de Saxe, de répondre à ces actes pontificaux, Luther se mit à l'œuvre et publia son écrit le 26 mars 1545. Justus Jonas le traduisit immédiatement en latin.

Trois propositions résument la nouvelle œuvre :

1º Les papes se font passer indûment pour les chefs de la Chrétienté : une pensée si folle vient évidemment du diable ; 2º leur prétention de n'être jugés ni déposés par personne dénote également une origine infernale ; 3º le prétendu transfert de l'Empire des Grecs aux Allemands par les papes constitue aussi un mensonge de l'enfer.

L'auteur met ici au service de sa haine contre la papauté son imagination féconde et sa verve infatigable. Il invente toutes sortes de supplices et de genres de mort à infliger au pape, aux cardinaux, à toute la curie : ainsi leur lier la langue dans le cou et les clouer au gibet ; les jeter à la mer avec les clefs, pour qu'ils puissent librement y lier et y délier...

Le pape est la tête des églises maudites, de tous les pires fripons de cette terre, le représentant du diable, l'ennemi de Dieu et du Christ, le destructeur des églises, le docteur de tous les mensonges, du blasphème et des impiétés, l'archivoleur des voleurs et le ravisseur des clefs, l'assassin des rois et l'instigateur de tous les massacres, le patron suprême de toutes les maisons de débauche... Et ce n'est pas tout ! Quant à lui, Luther, qui par sa mission est le docteur et le prédicateur des églises du Christ, par lui accrédité pour proclamer la vérité, on ne pourra fermer sa bouche. En effet il continue à insulter le souverain pontife et à chanter ses propres louanges et celles de Wittemberg.

LUTHER ET LA LITURGIE   Tandis que la liturgie catholique se présente comme une construction anonyme et séculaire, celle du luthéranisme est, dans ses grandes lignes, l'œuvre de Luther. Il eût voulu modifier les anciens rites de façon à n'y garder que la prédication, la prière et le sacrement et en faire la manifestation de la foi des fidèles et de leur sacerdoce. Mais, pour ne pas heurter les populations, par opposition aux nouveautés des *Schwarmgeister* et des anabaptistes, mû aussi par la conviction de plus en plus arrêtée que le peuple, encore fort matériel, avait besoin d'un culte extérieur et animé, il ne mit jamais sur pied la réforme qu'il rêvait. Sa *Formula Missae* de 1523 et sa *Messe allemande* de 1526 gardent le cadre de la messe catholique, sauf l'offertoire et le canon. Pour le catholique, ce n'est qu'une messe tronquée. Le réformateur parvint à y insuffler son idéal. Il y donna en effet à la prédication la toute première place (par exemple chaises et bancs tournés vers la chaire), et fit participer étroitement à la liturgie les fidèles-prêtres (usage de la langue populaire ; communion sous les deux espèces ; réception dans leur main par les communiants du pain et de la coupe ; introduction du choral, du cantique allemand).

Cette liturgie ne tarda pas à se pétrifier : les prédicants proposèrent de plus en plus la *Parole* tombée de la chaire comme une vérité infaillible ;

l'opposition soulevée par *l'Interim* d'Augsbourg de 1548 fit attacher une importance exagérée aux éléments de la messe conservés par Luther ; les princes publièrent de nombreuses ordonnances ecclésiastiques sur le culte ; enfin les accessoires prirent trop de développement : l'orgue se substitua peu à peu au chœur et la musique polyphonique devint de plus en plus à la mode [1].

LE ROLE DE L'ÉCRITURE DANS LES CONCEPTIONS LUTHÉRIENNES

Luther attribua vite à la Bible une autorité supérieure à celle du pape et des conciles. Il écrit dans une lettre du 18 août 1519 [2] : « On doit plutôt croire à un laïque, qui a pour lui l'Écriture, qu'au pape et au concile, sans l'Écriture. » A Worms, il déclare qu'il ne se soumettra que « convaincu par les témoignages de l'Écriture ou par une raison évidente ; je ne crois ni au pape ni aux conciles seuls, car il est constant qu'ils ont souvent erré et se sont contredits » [3]. Tantôt on le voit confier l'interprétation des livres sacrés à n'importe quel croyant, même à une simple servante de meunier ou à un enfant de neuf ans [4]. Le plus souvent il semble réserver aux communautés le droit de juger de toutes les doctrines [5]. Peu importe d'ailleurs cette différence : car en réalité il ne s'agit que de découvrir la « pure parole de Dieu ». Or le Saint-Esprit la révèle à tous ceux qu'il possède. Luther, vivant cette expérience intime, ayant ce sentiment profond d'être guidé par l'Esprit de Dieu quand il lit l'Écriture, juge tous les croyants capables de subir les mêmes impressions.

Comment s'accomplit cette œuvre du Christ dans notre cœur, tu ne peux le savoir ; mais ton cœur sent bien qu'Il est certainement là, par l'expérience de la foi [6].

Cependant, la contradiction de disciples qui s'appuyaient sur le même principe que lui, mais découvraient dans l'Écriture des sens différents du sien, amena le réformateur non pas à renoncer à sa théorie de l'inspiration personnelle, mais à insister davantage sur la clarté de la Bible par elle-même et sur la « parole extérieure », c'est-à-dire l'enseignement donné par le ministère ecclésiastique. Aux prétentions des illuminés s'oppose ainsi la doctrine des « appelés » par vocation. Pour arriver à la vraie intelligence des textes scripturaires, l'étude de la Bible et particulièrement celle des langues lui paraît aussi indispensable. Que la Bible soit claire, l'ancien moine le répète souvent :

Quand quelqu'un affirme qu'on doit se servir des Pères comme interprètes et que la Bible est obscure, il faut lui répondre que c'est faux. Il n'existe sur la terre aucun livre plus clair que l'Écriture. Elle est vis-à-vis de tous les autres livres comme le soleil vis-à-vis de toutes les autres lumières [7].

(1) R. WILLI, *La liturgie luthérienne*, dans la *Revue d'histoire et de philos. religieuses*, t. VII, 1927, p. 422-450.
(2) W. B., t. I, p. 315.
(3) W., t. VII, p. 883.
(4) *Ibid.*, t. X, 3, p. 359.
(5) *Ibid.*, t. XI, p. 408.
(6) *Ibid.*, t. XIX, p. 489.
(7) *Ibid.*, t. VIII, p. 236.

Et ailleurs :

Quand à un endroit les mots sont obscurs, ils sont clairs à un autre et la comparaison, surtout grâce à la science des langues, fait disparaître toute difficulté [1].

Cependant il reconnaît équivalemment la difficulté de comprendre la Bible, quand il écrit que pour « vraiment la déguster, il faut avoir passé cent ans avec les prophètes, avec Jean-Baptiste, avec le Christ, avec les apôtres » [2], que la Bible est « un livre d'hérétiques » [3], que « toutes les hérésies, même les plus perfides et les plus grossières, ont voulu se cacher derrière la Bible » [4].

Sur l'inspiration, la conception de Luther semble fort large, bien qu'il ne s'exprime pas nettement à ce sujet. Il continue à considérer le Saint-Esprit comme l'auteur des livres sacrés, mais il dénie aux écrivains toute illumination, tout secours divin différent de celui dont jouissaient les prophètes dans leurs prédications orales. Aussi pour certains passages de la Bible se demande-t-il si l'Esprit de Dieu y règne comme en d'autres endroits. L'inspiration des évangélistes ne doit pas être distinguée de la fonction qui leur est confiée. Bien plus, dans les Livres historiques il signale des erreurs.

Sur le canon des Écritures, on ne découvre non plus dans ses ouvrages aucune règle nette, comme celle des catholiques. Son subjectivisme seul l'amène à rejeter un certain nombre de livres inspirés. Il ｒa aît inutile de revenir sur ce sujet.

Ajoutons enfin que, malgré son mépris pour la tradition et les Pères, Luther ne se fait pas faute d'y recourir quand il doit défendre contre ses adversaires son interprétation de l'Écriture. Cette inconséquence se manifeste surtout dans sa polémique eucharistique avec Zwingle [5].

CONCEPTION DES SACREMENTS — Sur les sacrements, le réformateur n'abandonna jamais, du moins en théorie, sa conception opposée à celle de l'Église. Ce sont des signes sans doute, mais ne produisant aucune grâce et destinés simplement à nous rappeler les promesses de Dieu, à exciter notre foi, à manifester celle-ci aux autres croyants.

Cependant, au moins dans ses écrits destinés au peuple, nous le voyons expliquer de telle façon le baptême qu'on pourrait le croire catholique. Ainsi dans le *Petit catéchisme* [6]. « Qu'est-ce que le baptême ? » Réponse : « Ce n'est pas seulement de l'eau, mais de l'eau employée selon l'ordre de Dieu et unie à la parole de Dieu. » — Question : « Que donne le baptême ? A quoi sert-il ? » Réponse : « Il opère la rémission des péchés, délivre de la mort et du péché... » — Question : « Comment l'eau peut-elle opérer

---

(1) W., t. XVIII, p. 606.
(2) Erl., t. LVII, p. 16.
(3) W., t. XVI, p. 624 ; t. XX, p. 588 ; t. XXVII, p. 287.
(4) *Ibid.*, t. XVII, 1, p. 362.
(5) H. GRISAR, *Luther*, t. II, p. 699-720.
(6) W., t. XXX, 1, p. 255.

de si grandes choses ? » Réponse : « Evidemment elle en est incapable ; elle le devient par la parole de Dieu unie à l'eau »[1].

A la présence réelle dans l'eucharistie, Luther garda toujours sa foi entière. Il se contenta de rejeter la transsubstantiation et le sacrifice de la messe, celui-ci surtout. Il le dénonce souvent comme une impiété et un abus scandaleux [2]. La réunion eucharistique, au lieu de se tenir pour rappeler et renouveler de manière non sanglante le sacrifice de la croix, n'a pour but que d'en maintenir le souvenir vivant.

Sa haine contre la messe, surtout contre la partie de la messe qui se célèbre à voix basse, le canon, ne fit que monter avec le temps, à partir de 1520, date de son *De captivitate babylonica*, analysé plus haut. A son séjour à la Wartbourg se rattachent son *De abroganda missa privata*, qu'il traduisit aussitôt en allemand sous le titre : *Vom Missbrauch der Messe* [3]. En 1524, il lança son : *Vom Greuel der Stillmesse* [4]. Il fait un strict devoir aux autorités civiles de supprimer radicalement ce blasphème contre le nom de Dieu. Naturellement, pour lui, les messes privées ne sont qu'un des nombreux moyens inventés par l'Église médiévale pour se procurer de l'argent. On comprend dès lors que des populations fanatisées par ses écrits se soient livrées à de violentes manifestations contre la messe. Et ainsi « la communion pacifique des chrétiens » avec le mystère de foi devant l'autel du sacrifice « fit place à la guerre » [5].

La théorie luthérienne de la justification devait naturellement rendre inutile tout autre sacrifice. Et n'eût-ce pas été faire injure à la plénitude des mérites sur la croix que d'en reconnaître un autre ? Enfin, à l'en croire, tous les fidèles étaient prêtres au sens plénier du mot.

Luther revint encore à la charge en 1533 contre la messe dans le *Von der Winkelmesse und Pfaffenweihe* [6].

IDÉES DE LUTHER SUR LA PÉNITENCE — Les idées de l'ancien moine augustin au sujet de la pénitence restèrent très flottantes. Mélanchthon, qui en 1521 expose fidèlement les pensées du maître, ne reconnaît pas à la pénitence le caractère de sacrement [7]. Elle constitue simplement la « mortification de notre vétusté et la rénovation de notre esprit ». Bref elle se confond avec la vie vraiment chrétienne. Le seul signe ou le seul sacrement de ce renouvellement est le baptême. Par la contrition nous reconnaissons nos péchés en face de Dieu. La confession auriculaire, dans laquelle le pécheur détaille ses péchés, est taxée d'invention humaine. L'absolution, sentence de Dieu et non des hommes, quand elle est prononcée sur chacun de nous, nous apporte la certitude de notre pardon [8].

Parfois cependant on croirait que Luther rend à la pénitence le carac_

(1) W., t. XXX, i, p. 255 et 256.
(2) *Ibid.*, t. VIII, p. 489, etc.
(3) *Ibid.*, t. VIII, p. 413-476 et 482-563.
(4) *Ibid.*, t. XVIII, p. 22-36.
(5) H. GRISAR, *Luther*, t. II, p. 809.
(6) W., t. XXXVIII, p. 185-256.
(7) *Loci communes*, dans le *Corpus Reformatorum*, t. XXI, p. 215.
(8) J.-H. LINKE, *Luthers Lehre von der Beichte*, Erlangen, 1943, 2 vol.

tère d'un vrai sacrement quand il affirme par exemple « qu'elle porte
en soi la promesse et la foi de la rémission des péchés ». Mais jamais il
ne parlera de trois sacrements [1].

§ 3. — Les controverses au sein du protestantisme.

LES ÉTAPES   On distingue d'ordinaire trois moments dans ces controverses. Le premier va jusqu'à la mort de Luther (1546) ;
le deuxième jusqu'à celle de Mélanchthon (1560) ; le troisième se termine
à la formule de Concorde (1580). Leur exposé permettra de lier plus
ample connaissance avec plusieurs des disciples du maître, disciples qui
lui furent parfois bien insoumis.

CONTROVERSES SUR L'EUCHARISTIE   La doctrine qui provoqua toujours le plus de discussions dans
le protestantisme fut incontestablement l'eucharistie. D'accord sur le
rejet du sacrifice de la messe et de la transsubstantiation, les novateurs
se divisèrent sur un autre point, le plus fondamental, la présence réelle
et la manière de la comprendre.

Zwingle proposait depuis 1524 une explication fort radicale des paroles de la consécration prononcées par le Christ. La formule : « Ceci
est mon corps » n'avait pour lui d'autre sens que : Ceci représente mon
corps. Karlstadt, de son côté, les interprétait comme si le Sauveur, en
les prononçant, s'était simplement désigné lui-même. Oecolampade
(1482-1531) [2], un des collaborateurs d'Érasme dans l'édition du Nouveau
Testament, prédicant en divers endroits et professeur à Bâle, ne pouvait
admettre l'explication trop réaliste que Luther donnait de la présence
réelle et n'y voyait aussi qu'une figure. Jean Brenz (1499-1570) [3], un
autre disciple de Luther, croyait bien à la présence réelle, mais, pour lui,
les fidèles seuls recevaient véritablement le corps du Christ.

De cette dernière interprétation se rapproche celle de l'ancien dominicain Martin Bucer (1491-1551), qui fut, après Luther et Mélanchthon,
le plus influent des réformateurs en Allemagne. Sa théorie de la cène
est intermédiaire entre celles de Luther et de Zwingle. Quand nous
recevons le pain et le vin consacrés, nous recevons vraiment le corps et
le sang du Christ. Mais les communiants indignes ne mangent et ne boivent
que du pain et du vin. Voulant faire l'office de conciliateur entre les
zwingliens et les luthériens, Bucer reçut des coups des deux camps [4].

(1) H. GRISAR, *Luther*, t. II, p. 789.
(2) E. STAHELIN, *Das theologische Lebenswerk J. Oekolampads*, dans les *Quellen und Forschungen
zur Reformationsgeschichte*, t. XXI, Leipzig, 1939 (la meilleure et la plus complète biographie
de ce personnage).
(3) Jean Brenz fut un des théologiens les plus marquants du luthéranisme. Il eut de nombreuses controverses avec les catholiques (par exemple Pierre de Soto), avec les calvinistes et
même avec des luthériens. Il adoptait, en effet, de façon générale les positions de Luther et même
la doctrine de celui-ci sur l'ubiquité du corps du Christ (voir plus loin).
(4) Voir H. STROHL, *Bucer, interprète de Luther*, dans la *Revue d'hist. et de philos. religieuses*,
t. XIX, 1939, p. 223-261 ; P. SCHERDING et F. WENDEL, *Un traité d'exégèse pratique de Bucer*,
dans la même revue, t. XXVI, 1946, p. 32-47. Cf. plusieurs articles intéressants sur ce théologien
dans l'*Archiv für Reformationsgeschichte*, t. XXXVI, 1939, et XXXVIII, 1941.

Ces exemples manifestent une fois de plus l'aboutissement de l'exégèse individualiste appliquée à l'Écriture.

Nous avons signalé plus haut l'opposition de Luther à la théorie eucharistique de Zwingle, qui se répandit de plus en plus de la Suisse dans l'Allemagne du Sud. En 1527, ce réformateur, sur le conseil d'Oekolampade et de Capito (1478 ? - 1541) [1], ouvrit la lutte par un écrit envoyé à Wittemberg. Luther lui opposa son traité allemand intitulé : « *Que ces paroles : Ceci est mon corps, doivent être maintenues contre les Schwarmgeister* » [2].

Ce traité nous paraît tout à fait remarquable. L'étude des paroles du Christ à la dernière cène a convaincu Luther de la présence réelle. Toutes les argumentations des adversaires en sens opposé lui paraissent *nugae, ludibria, frivola et nihili argumenta, pueriles ineptaeque rationes*. Il combat surtout Zwingle, les sacramentaires et Oecolampade. Le Christ, dit-on, ne peut être dans l'eucharistie, car il est au ciel ; les apôtres ne témoignèrent aucun respect à l'eucharistie et la mangèrent comme du simple pain ; la « chair » n'est d'aucune utilité, l'esprit seul vaut. A ces objections Luther répond victorieusement. Il cite souvent les Pères et les écrivains ecclésiastiques des premiers siècles : Tertullien, Irénée, saint Cyprien, saint Augustin. Le diable lui paraît responsable du déchaînement des sacramentaires contre la vraie conception de l'eucharistie. Münzer est mort, dit-il, mais son esprit n'a pas cessé de faire du mal.

La controverse continua aux conférences de Marbourg d'octobre 1529. Zwingle et Luther ne parvinrent pas à se mettre d'accord sur la présence réelle. En 1544, la querelle recommença à l'occasion de l'édition des œuvres de Zwingle. Luther condamna la théorie de celui-ci dans la « Courte confession sur le saint sacrement » [3].

Rien d'étonnant à l'opposition violente de Luther à la doctrine radicale de Zwingle. Il y retrouvait l'inspiration de ceux qu'il appelait les *Schwarmgeister* ; celle aussi des humanistes et de leurs explications morales et allégoriques de l'Écriture. Il reprochait aussi à ses adversaires leurs moyens de propagande et de polémique.

L'ANTINOMISME   La seconde grande polémique au temps de Luther fut celle dite de l'antinomisme.

Jean Agricola (vers 1499-1566) [4] dénonça en 1525, alors qu'il remplissait les fonctions de maître d'école à Eisleben, la doctrine de Mélanchthon sur la loi et l'usage de la liberté. La discussion prit fin par la médiation de Luther.

A la suite de sermons prêchés en 1537, Agricola fut accusé, avec raison d'ailleurs, de condamner toute prédication de la loi de Dieu à l'église. Cette seconde affaire se termina encore en douceur. Cependant peu après

---

(1) O.-E. STRASSER, *La pensée théologique de Wolfgang Capiton dans les dernières années de sa vie*, dans les *Mémoires* de l'Université de Neuchâtel, t. XI, 1938.
(2) W., t. XXIII, p. 38-320. Voir plus haut, p. 70 et 71.
(3) *Ibid.*, t. LIV, p. 119-167. Voir E. BIZER, *Studien zur Geschichte des Abendmahlesstreits im 16 Jahrh.* (*Beitraege zur Foerderung christlicher Theologie*, 2e série, t. XLVI), Gütersloh, 1940.
(4) G. KAWERAU, *Joh. Agricola von Eisleben*, Berlin, 1881.

Luther attaqua en chaire, sans d'ailleurs nommer Agricola, « ces antinomistes qui déduisaient de *Rom.*, II, 4, que la pénitence ne devait pas être excitée par la loi, mais par l'Évangile, et qu'il fallait parler de la grâce de Dieu aux âmes avant de les effrayer par sa colère ». De là des discussions, des échanges de lettres, des brouilles suivies de réconciliations. En 1539, Agricola publia un très court libelle intitulé *De duplici legis discrimine*. Luther, de son côté, lança son traité, un peu plus long, *Wider die Antinomer* [1], adressé à un prédicateur et docteur d'Eisleben, Gaspar Güttel. Il s'élève contre la prétention d'écarter de l'église toute prédication des dix commandements de Dieu et de réserver ceux-ci à l'hôtel de ville. Malgré ses efforts, dit-il, pour apaiser cette querelle, il n'y est pas parvenu à cause de la perversité du Malin.

J'ai enseigné, et j'enseigne encore qu'on doit exciter les pécheurs à la pénitence par la prédication ou la méditation des souffrances du Christ, afin qu'ils comprennent combien grande est la colère de Dieu contre le péché.

Mais il ne faut pas en déduire qu'on puisse laisser de côté les lois de Dieu.

On portera donc les pécheurs à la pénitence non seulement par la douce grâce et les souffrances du Christ... mais aussi par la crainte de la Loi.

Agricola avait un grand tort aux yeux de Luther : tirer les conséquences logiques des doctrines du maître. Celui-ci le traita durement ; il l'abandonna à Satan et dit même à Bugenhagen qu'il faudrait le tuer, car il valait mieux faire disparaître les hommes que Dieu [2]. Agricola, alors à Wittemberg, fut forcé de quitter cette ville. Il devint, en 1540, prédicateur de la cour à Berlin [3].

LA CONTROVERSE ADIAPHORITE   Après la mort de Luther, éclata la controverse adiaphorite. A la suite de l'*Interim* d'Augsbourg (1548), Maurice de Saxe, devenu électeur de Saxe, avait chargé des théologiens, et notamment Mélanchthon, de mettre sur pied, pour son nouvel État, une formule de foi qui pourrait être admise par l'empereur et ne répugnerait pas comme celle de l'*Interim* à ses sujets protestants. La confession imaginée alors juxtaposa étrangement des éléments protestants et catholiques. Mélanchthon y introduisit par exemple comme indifférentes (*adiaphora*) plusieurs coutumes catholiques : l'usage du latin dans les cérémonies, les habits liturgiques anciens, les images, le jeûne, les jours de fête de l'Église. Il y mentionna même les sept sacrements. La condescendance de Mélanchthon et l'emploi à Leipzig du terme *adiaphora* soulevèrent contre le nouvel *Interim* de violentes oppositions. Un parti, celui des *Gnesiolutheraner*, se dessina de plus en plus, en opposition avec celui que l'on considérait, depuis la mort de Luther, comme le chef du luthéranisme. Calvin et Brenz blâmèrent très haut Mélanchthon.

(1) W., t. L, p. 468-477.
(2) H. Grisar, *Luther*, t. I, p. 637-638 ; t. III, p. 752. Cf. la table du t. III de cet ouvrage au mot : *Agricola*.
(3) Sur les controverses antinomistes, voir H. Ebeling, *Der Streitpunkt zwischen Luther und Agricola*, dans la *Zeitschrift für Kirchengeschichte*, t. LVI, 1937, p. 361-366.

L'ÉVOLUTION DE MÉLANCHTHON ET SES CONSÉQUENCES

Chez Mélanchthon se faisaient jour de plus en plus des tendances fort différentes de celles de Luther et généralement plus proches du catholicisme. Nous les découvrons notamment dans les éditions des *Loci* de 1535 et 1543 et dans la *Confessio Augustana variata* de 1540 [1]. Voici comment les protestants eux-mêmes nous représentent ces modifications [2].

Elles proviennent en bonne partie de la formation humaniste de ce théologien. On le voit revenir à l'idée de la loi naturelle [3] comme point de départ de la connaissance de Dieu et comme norme de la moralité. Il retombe dans « l'ornière de la tradition catholique » (Seeberg), en accordant une valeur obligatoire à la tradition en vue d'établir l'accord des esprits. Une importance primordiale est donnée par Mélanchthon aux formules de foi de l'ancienne Église. Il s'intéresse à l'aristotélisme et même aux doctrines scolastiques. A l'Église enseignante revient la garde de la doctrine et ainsi se prépare le futur développement de la scolastique luthérienne. Mélanchthon admet un synergisme humain dans l'œuvre du salut, ce qui suppose la liberté ; celle-ci peut accepter la grâce. A la doctrine de la justification vient s'ajouter une doctrine des bonnes œuvres. Quant à la foi, il se la représente surtout, à l'instar des catholiques, comme « l'assentiment aux articles de foi ».

Sur un point seulement Mélanchthon s'écarta de Luther dans un sens moins catholique. Abandonnant le réalisme, il imagina pour expliquer la présence du Christ dans l'eucharistie un système intermédiaire entre celui de Luther et celui de Calvin. Bossuet lui-même se déclarait incapable de comprendre parfaitement cette théorie et il renvoie à la parole de Peucer d'après laquelle Mélanchthon aurait été un peu calviniste [4].

De plus en plus on distinguera dans le luthéranisme les *philippistes*, ou partisans de Mélanchthon, et les *gnesio-lutheraner*, ou vrais luthériens.

L'évolution religieuse de Mélanchthon provoqua trois controverses : la controverse majoriste, la controverse synergistique et la controverse eucharistique. Elles ne nous retiendront guère. Georges Majolr († 1574), professeur à Wittemberg, subit, en 1552, les attaques de Nicoas d'Amsdorf (1483-1565), premier évêque évangélique de Naumbourg, parce qu'il soutenait la nécessité des bonnes œuvres pour le salut. Reprenant une expression de Luther, mais dépassant sa véritable pensée, Amsdorf alla même jusqu'à les déclarer nuisibles pour le salut. Justus Menius, surintendant à Gotha, se rangea du côté de Major, tandis que Mathias Flacius Illyricus, depuis 1541 professeur de grec à Wittemberg, et le plus en vue des *gnesio-lutheraner*, considérait la *renovatio* comme tout à fait distincte de la justification et plutôt de nature juridique. Ces discussions suscitèrent naturellement une nouvelle querelle antinomiste.

(1) *Corpus Reformatorum*, t. XXI, p. 333-1106 et t. XXVI, p. 349-416.
(2) H. HERMELINCK et W. MAURER, *Reformation und Gegenreformation*, p. 153-154.
(3) F.-X. ARNOLD, *Zur Frage des Naturrechts bei Martin Luther*, Munich, 1937.
(4) *Histoire des variations des Églises protestantes*, l. VIII, chap. 39, Paris (Garnier), t. I, p. 377 et 378.

Amsdorf et Flacius défendirent également, en 1555, l'incapacité absolue de l'homme dans l'œuvre du salut contre un professeur de Leipzig, Jean Pfeffinger († 1573), qui admettait les idées mélanchthoniennes sur la liberté. Flacius alla jusqu'à prétendre que le péché originel était devenu, par la chute d'Adam, la substance même de l'homme.

Les idées de Mélanchthon sur l'eucharistie devaient naturellement irriter les luthériens de stricte obédience.

En 1549, Calvin et Farel s'étaient mis d'accord sur la doctrine eucharistique avec Henri Bullinger, qui avait pris la succession de Zwingle en Suisse. On donne à cette conversation le nom de *Consensus Tigurinus*. En réalité la thèse de Zwingle y fut abandonnée pour celle de Calvin. Les théories du réformateur de Genève, notamment sur l'eucharistie, pénétrant en Allemagne, y trouvèrent beaucoup de contradicteurs, notamment dans le camp des *gnesio-lutheraner*. L'attitude peu nette de Mélanchthon le fit accuser de « cryptocalvinisme ».

Malgré leur opposition sur divers points, *gnesio-lutheraner* et philippistes s'entendirent pour repousser les conceptions d'Osiander, nommé depuis 1549 à la nouvelle Université de Königsberg. Pour ce théologien la justification ne pouvait s'expliquer que par la réception interne de la justice du Christ, l'unique médiateur. Cette théorie parut naturellement à presque tous les luthériens non seulement nettement opposée, sur ce point fondamental, à la doctrine du maître, mais fort proche du catholicisme [1].

Entre la mort de Luther et celle de Mélanchthon de nouvelles divisions s'affirmèrent donc au sein du luthéranisme.

LES DIVISIONS LUTHÉRIENNES Les princes luthériens, de 1560 à 1580, ne marquent pas de façon spéciale dans l'histoire du luthéranisme. Un des plus distingués, le duc Christophe de Wurtemberg (1550-1573), poursuivit l'organisation de son Église. Presque tous firent preuve de zèle pour la cause du protestantisme et tous se montrèrent férus de leur autorité suprême dans les questions même spirituelles. La Confession d'Augsbourg leur paraissant avec raison insuffisante sur bien des points, ils la firent compléter par leurs théologiens. Ainsi naquirent des *Corpora Doctrinae*, conçus les uns, comme celui de l'électorat de Saxe et de Poméranie, dans un sens mélanchthonien, les autres, par exemple celui de Brunswick-Wolfenbüttel, prenant davantage pour base les œuvres de Luther, les symboles de l'ancienne Église, la Confession d'Augsbourg et l'apologie de cette confession par Mélanchthon. Enfin, à Nuremberg et dans le Brandebourg, on tenta une alliance entre les idées de Luther et celles de Mélanchthon.

Tandis que Luther avait jalousement gardé pour Wittemberg la direction générale des ecclésiastiques, ceux-ci, à l'époque étudiée ici, allèrent surtout chercher leur formation dans les Universités des divers territoires. Elles servirent aussi de tribunaux d'appel dans les questions

---

(1) Sur ce théologien, voir le *Lexikon für Theologie und Kirche*, t. VII, col. 797 et 798.

controversées. Iéna et Königsberg représentaient alors le mieux la tendance luthérienne rigide. Wittemberg, au contraire, — l'ancien fief de
Luther — se montrait philippiste. Leipzig, Greifswald, Rostock et Marbourg tenaient des positions intermédiaires entre ces extrêmes. Dans
les territoires surtout qui ne possédaient pas d'Universités, des écoles
théologiques fondées par les princes en tenaient lieu (Strasbourg, Altorf,
etc.). Aux Universités, tout l'enseignement théologique et polémique
se trouvait compris dans l'exégèse. Alors se forma, surtout grâce aux
travaux d'un professeur de Tubingue, Jacques Schegk († 1587), une
scolastique luthérienne, à base d'aristotélisme.

Tandis que le gnésio-luthéranisme possédait un véritable chef en Cyria-
que Spangenberg (1528-1604), la tendance modérée obéissait surtout aux
suggestions de Jacques Andreae (1528-1590), chancelier de l'Université
de Tubingue, du fils d'André Osiander, Lucas, prédicateur de la cour
à Stuttgart, de Jacques Heerbrand († 1600), successeur d'Andreae à la
chancellerie de Tubingue, et surtout de Martin Chemnitz (1522-1586),
auteur célèbre, à la fois polémiste, théologien et exégète [1]. Plusieurs
philippistes se rallièrent à cette tendance modérée par l'abandon de la
doctrine eucharistique de Mélanchthon. Le philippisme intégral comptait
comme principal défenseur à Wittemberg, Gaspar Peucer (1525-1602).
Composé surtout d'humanistes, ce parti inclinait, comme Mélanchthon
lui-même, à la conciliation, et même à un accord avec les catholiques.

TENTATIVES D'UNIFICATION — Cependant les luthériens et leurs princes
éprouvaient de plus en plus la nécessité
d'une unification religieuse. Devant eux se dressaient les catholiques
qui, depuis le concile de Trente, formaient un bloc doctrinal sans fissure.
Les protestants devaient d'ailleurs se grouper pour se défendre contre
l'empereur. Le sens dans lequel se ferait l'union doctrinale fut déterminé par la défaite des philippistes à Wittemberg. Peucer y fut accusé
de cryptocalvinisme et l'électeur de Saxe fit jeter en prison les principaux coupables.

Différentes formules d'union virent le jour. Celle de l'électorat de
Saxe rencontra le plus de succès.

Le prince Auguste de Saxe avait convoqué, en 1576, à Torgau, les
théologiens les plus réputés du pays en vue d'arrêter une formule. Des
délibérations de ces sages, dont Jacques Andreae et Martin Chemnitz,
sortit le *Livre de Torgau*. Au moins pour la question de la collaboration
humaine à l'œuvre du salut, ils se rallièrent au synergisme mélanchthonien. Envoyé partout en Allemagne, le *Livre de Torgau* fit l'objet
d'une nouvelle étude et devint le *Livre de Bergen* [2]. Celui-ci cependant
répudia le synergisme de Mélanchthon. La majorité des États luthériens d'Allemagne l'adoptèrent.

---

(1) Chemnitz composa un important ouvrage sur le concile de Trente. Les Louvanistes et Bel-
larmin l'attaquèrent vivement. Sur ce théologien, voir les ouvrages de L.-G.-H. LENTZ (Gotha
1866) et H. HACHFELD (Leipzig, 1867).
(2) Bergen, près de Magdebourg.

LE LIVRE DE BERGEN   Le *Livre de Bergen* ou *Formule de Concorde* de 1580 [1] se divise en deux parties, comprenant chacune douze articles. La première, assez courte, ne fait qu'exposer la doctrine luthérienne et rejeter les doctrines opposées. La seconde, fort longue, reprend les mêmes titres, mais s'applique à établir théologiquement les positions luthériennes et à réfuter les erreurs contraires. Elle recourt souvent à des œuvres des réformateurs ou à des confessions de foi, comme celle d'Augsbourg et les Articles de Smalkalde. Il nous suffira de nous arrêter quelque peu à la première partie. Elle suit toujours le même ordre : état de la question, thèses affirmées, thèses rejetées. La Formule traite des points suivants : I. *Le péché originel.* Il ne laisse rien de bon dans la nature humaine. — II. *Le libre arbitre.* Depuis le péché, l'homme ne peut désirer et vouloir que le mal. Le Christ a suffisamment inculqué par ces mots : « Sans moi vous ne pouvez rien faire » que la volonté ne possède aucune liberté. — III. *De la justice de la foi devant Dieu.* Seule la foi au Christ possède le pouvoir de nous justifier. — IV. *Des bonnes œuvres.* L'homme justifié les accomplit tout naturellement. Il faut exclure leur influence sur notre justification et notre salut. Elles ne sont pas nécessaires au salut. Mais elles ne peuvent lui nuire. — V. *De la Loi et de l'Évangile.* La Loi prescrit, même si elle est exprimée dans le Nouveau Testament. L'Évangile comprend toutes les promesses du salut. — VI. *Du troisième usage de la Loi.* L'Évangile n'est pas une prédication de pénitence, mais une prédication de salut. — VII. *De la Cène du Seigneur.* Cet article enseigne très nettement la foi luthérienne à la présence réelle. — Les articles consacrés à VIII. *La personne du Christ* ; IX. *La descente du Christ aux enfers* ; X. *Les cérémonies ecclésiastiques*, ne doivent pas nous retenir. — Le *XI*[e] sur la *Prédestination et la science de Dieu* ne contient rien sur la réprobation antécédente que cependant Luther admettait. Il déclare que la prescience de Dieu n'est pas la cause de nos péchés ; que le Christ appelle à lui tous les pécheurs et que Dieu veut le salut de tous ; que la prédestination cependant ne vaut que pour les justes. — Enfin le *XII*[e] *article* est consacré à « d'autres hérésies et sectes » : anabaptistes, schwenkfeldiens et antitrinitaires [2].

Il est rare que le livre de Bergen cite par leur nom les adversaires de Luther, comme par exemple Agricola. Mais il dit s'opposer, d'après les endroits, aux stoïciens, aux manichéens, aux pélagiens, aux semi-pélagiens, aux zwingliens, aux sacramentaires, etc. En matière eucharistique il ne rejette pas seulement la *papistica transsubstantiatio*, la messe comme sacrifice, la communion sous une seule espèce, mais les doctrines d'Osiander et de Bucer.

---

(1) MUELLER, *Die symbolischen Bücher der evangelisch-lutherischen Kirche*, p. 517-730.
(2) Il y a lieu de noter ici que Gaspar Schwenckfeld (1489-1561), de noble origine, d'abord ami de Luther, se sépara de lui dès 1525, et se mit à défendre une doctrine de spiritualisme, à la base de laquelle il plaça la « nouvelle naissance ». Il développa aussi la doctrine de la « glorification du corps du Christ ». Ses partisans fondèrent des communautés en Wurtemberg et en Silésie. On trouve encore des Schwenckfeldiens en Pensylvanie et dans le Connecticut, où leurs membres silésiens émigrèrent vers 1720 (Cf. H. HERMELINCK et W. MAURER, *op. cit.*, p. 215 et 216 ; art. SCHWENCKFELD, du *Dictionnaire de Théologie catholique*, rédigé par L. CRISTIANI, t. XIV, 1939, col. 1586-1591.

Bien que plus nette dans le rejet des doctrines que dans l'exposition de ses propres thèses, la *Formule de Concorde* marque en général un retour catégorique aux idées de Luther. Cependant la doctrine de la prédestination et de la réprobation antécédente du maître ne se trouve pas reprise dans ce livre symbolique ; les théologiens de Bergen font un nouveau pas en avant dans le sens de l'*Opus operatum* des catholiques ; l'Église pour eux devient de plus en plus une société visible. Du point de vue de la doctrine eucharistique, la *Formule de Concorde* n'imposa pas l'explication de Luther sur la présence du Christ, que Harnack appelait une « spéculation épouvantable ». D'après le réformateur allemand, le corps du Christ, en vertu de la *communicatio idiomatum*, est déjà présent partout. Il se trouve donc aussi dans le pain avant les paroles consécratoires. Mais celles-ci nous invitent à l'y chercher [1]. Le *Livre de Bergen* rejette naturellement la *papistica transsubstantialio*. Elle doit donc admettre, comme Luther, que le Christ est *sub pane* ou *cum pane*, doctrine que certains théologiens catholiques désignent sous le nom d'impanation.

Comment fut acceptée la nouvelle formule de foi, ajoutée à la Confession d'Augsbourg ? Les luthériens eussent souhaité plus de chaleur dans l'accueil. Il y eut plus de princes d'Empire à bouder l'œuvre d'union qu'il n'y en eut à s'y rallier. Ni le philippisme, ni même le calvinisme ne disparurent d'Allemagne.

§ 4. — La défense des théologiens catholiques [2].

LES THÉOLOGIENS ALLEMANDS Il ne sera pas question ici des prédicateurs. Cependant, dans les divers pays, beaucoup d'entre eux jouirent d'une réputation méritée et s'attirèrent la haine des hérétiques par leur zèle à défendre la foi catholique, à dissiper l'ignorance religieuse, à infuser aux fidèles plus de fierté et d'audace.

Pour les seuls théologiens allemands, Nicolas Paulus dressa une liste de cent soixante et un noms, sans affirmer qu'elle fût complète [3]. Il ne peut être question de nous arrêter ici à tous ces auteurs, auxquels on devrait encore ajouter ceux qui se distinguèrent ailleurs qu'en Allemagne. Nous nous bornerons à étudier brièvement l'œuvre des plus marquants d'entre eux, en procédant par pays et en insistant sur l'apport capital de quelques Universités. Cet exposé se terminera par une revue des écrivains antiluthériens les plus connus ayant appartenu aux ordres religieux.

(1) H. Grass, *Die Abendmahlslehre bei Luther und Calvin*, Gütersloh, 1940.
(2) Bibliographie. — I. Sources. — Il se publie à Münster, depuis 1919, un *Corpus catholicorum. Werke katholischer Schriftsteller im Zeitalter der Glaubensspaltung*, dont il a paru actuellement 24 tomes. Pour les ouvrages qui n'y sont pas encore repris ou n'y seront pas repris, nous donnerons au fur et à mesure de l'exposé les indications nécessaires.
II. Travaux. — Du côté protestant, aucune étude satisfaisante. Du côté catholique, le meilleur exposé, quoique naturellement sommaire et ne dépassant pas l'époque de Luther, nous paraît celui du P. Grisar, dans *Luther*, t. II, p. 685-699. Cf. le résumé français, p. 231-239, 290-294. P. Polman, *L'élément historique dans la controverse religieuse du XVIᵉ siècle* (dans les *Dissertationes* de la Faculté de théologie de Louvain, 2ᵉ série, t. XXIII), Gembloux, 1932 ; H. Hurter, *Nomenclator literarius theologiae catholicae*, t. II et III, Fribourg, 1907.
(3) Dans le *Katholik*, t. LXXIII, p. 213 et suiv., N. Paulus complète les recherches de J. Falk, parues *ibid.*, t. LXXI, 1891, p. 450 et suiv. et t. LXXII, p. 545 et suiv.

Parmi ces ouvrages, un bon nombre ont une réelle valeur, quoique assez souvent composés avec une certaine hâte. Ils manquent de façon générale de l'éloquence, de la fougue qui contribuèrent à populariser les écrits, surtout allemands, du chef de la réforme. Sauf d'assez nombreuses exceptions, les théologiens catholiques continuent à se servir du latin et par conséquent s'adressent surtout à des théologiens.

La position prise par Luther leur fit aborder des sujets peu traités par leurs prédécesseurs des XIVe et XVe siècles, si ce n'est à des points de vue particuliers comme les rapports de l'Église et de l'État et les notes de l'Église. Au XVIe siècle, ils s'arrêtent surtout à l'autorité exercée par l'Église et par le pape, en vertu de l'institution du Christ.

Plus qu'auparavant aussi ils s'intéressent aux questions bibliques. Toutefois, dans leurs ouvrages théologiques, ils recourent encore trop peu aux arguments scripturaires et s'appuient davantage sur les Pères, voire même sur les auteurs ecclésiastiques. Les louvanistes se distinguent en général par leurs connaissances patristiques. Un Jean Eck, au contraire, plutôt spécialisé dans la scolastique, donne l'impression de puiser sa connaissance des Pères dans des florilèges dogmatiques ou canoniques.

Ils attribuent avec raison une grande importance au manque d'unité de foi chez les protestants. Mais ils se montrent crédules, notamment dans les questions historiques. Même les plus critiques utilisent des documents apocryphes des premiers siècles, alors même que les protestants contestent leur authenticité. Ils admettent aisément des légendes au sujet de Luther, le traitent de menteur, de buveur, d'endiablé. Un dominicain, Sylvius, va jusqu'à le faire naître du démon. Bien des théologiens catholiques formulent des doutes sur la bonne foi de leurs adversaires, critiquent leur vie privée et adoptent un ton violent, souvent hautain. Les novateurs leur paraissent des coupables, des traîtres qui doivent être punis. Ils doutent — peut-être avec quelque raison — de l'efficacité des colloques. On ne saurait d'ailleurs oublier que les protestants firent preuve pour le moins d'autant d'intransigeance et de mépris pour leurs adversaires. Et, à la remorque de Luther, ils excellèrent à invectiver et à injurier.

ROLE DE L'UNIVERSITÉ D'INGOLSTADT — En Allemagne, une Université surtout se distingua dans la lutte contre le luthéranisme : celle d'Ingolstadt. Le lecteur connaît Jean Eck, le premier et longtemps le plus redoutable antagoniste de Luther [1]. Nous lui devons des écrits sur la primauté du pape (1520), sur la pratique de la pénitence et de la confession catholique (1522), sur le purgatoire (1523), sur le sacrifice de la messe (1526), sur les vœux (1527). Il faut mettre à part d'abord ses explications des évangiles des dimanches et des fêtes, ses sermons sur les sacrements, dont il avait paru en 1579 dix-sept éditions d'une traduction latine, et surtout son *Enchiridion christianae institutionis*, réimprimé plus de quatre-vingts fois en cin-

(1) *Opera contra Ludderum*, Augsbourg et Ingolstadt, 1530-1531, 2 vol. Pour l'*Enchiridion* (1525), dans les *Canones concilii, provincialis Coloniensis*, Cologne, 1538 (ouvrage de Groper). Étude de J. GREVING, *Reformationsgeschichtliche Studien und Texte*, t. I, Münster, 1906.

quante années et traduit en plusieurs langues. Eck y résume les questions controversées, s'applique à réfuter nettement les erreurs, réunit dans une sorte d'arsenal les principaux textes de la Bible, des conciles et des Pères.

Dans la seconde moitié du XVIe siècle saint Pierre Canisius et Salmeron commentèrent quelques années à Ingolstadt l'épître aux Romains et le *Livre des sentences*. A la même Université, les jésuites qui, à partir de 1588, y disposèrent de deux chaires de théologie, introduisirent une méthode nouvelle, celle de François de Vitoria et des dominicains espagnols : exposé clair et précis du problème ; preuves de la thèse catholique tirées de l'Écriture, des Pères et des conciles ; réfutation des assertions protestantes. Là, comme en d'autres Universités, saint Thomas remplaça le *Livre des Sentences*. Le P. Grégoire de Valencia, qui enseigna à Ingolstadt de 1575 à 1598, contribua beaucoup à la rénovation de la scolastique.

Nommons encore, pour la même Université, deux luthériens convertis : Frédéric Staphylus et Martin Eisengrein [1], qui publièrent aussi des ouvrages contre le luthéranisme [2].

Deux polémistes d'Ingolstadt encore, Jean Cochlaeus et Stanislas Hosius, d'abord humanistes, ne se sont adonnés que sur le tard aux travaux théologiques ; mais leur réputation est trop universelle et leur œuvre contre les protestants trop remarquable pour qu'on omette leur nom ici. Cochlaeus dispose d'un savoir étendu et d'une grande souplesse dans la discussion. Il publia notamment des écrits sur *L'autorité des livres canoniques et de l'Église*, des *Philippiques* contre Mélanchthon, des *Commentaria* (Histoire des faits et des écrits de Luther) [3]. De Stanislas Hosius, dont il sera surtout question à propos de la Pologne, l'ouvrage le plus souvent cité s'intitule : *Confessio fidei catholicae* (1551) [4]. Ces deux auteurs manifestent notamment leur esprit critique en situant dans leur contexte les passages des Pères qu'ils allèguent.

POLÉMISTES ALLEMANDS   D'autres ecclésiastiques séculiers de l'Allemagne, restés en dehors du monde universitaire, entrèrent également en lice. Le plus célèbre est Jean Gropper, de Cologne. Il prit une part considérable aux colloques et diètes d'Augsbourg (1530), Haguenau et Worms (1540), Ratisbonne (1541) et montra toujours une grande condescendance pour les protestants, au moins dans le ton. Il dut défendre ses écrits devant l'Inquisition romaine. Son *Enchiridion christianae institutionis*, paru en 1538, est l'un des ouvrages

(1) A distinguer de Guillaume.
(2) L. Pfleger, *Martin Eisengrein*, Fribourg, 1908 ; J. Metzler, *Petrus Canisius und die Neuerer seiner Zeit*, Munster, 1927.
(3) Dans le *Corpus catholicorum* ont paru jusqu'ici de Cochlée : *Adversus cucullatum Minotaurum Wittembergensem de sacramentorum gratia iterum* (1523), édit. J. Schweizer, no 3 du *Corpus*, 1920 ; *In obscuros viros qui decretorum volumen infami compendio theutonico corruperunt expostulatio* (1530), édit. J. Greven, 1929, no 15 du *Corpus* ; enfin *Aequitatis discussio super concilio delectorum cardinalium*, édit. H. Walter, 1931, no 17 du *Corpus*. Pour les édit. des autres ouvrages, voir P. Polman, *op. cit.*, Bibliographie.
(4) L'ouvrage, dans sa première version, fut composé en quatre jours. Remanié à diverses reprises, il reçut seulement vers 1560 sa forme définitive. Cf. B. Elsner, *Der ermlaendische Bischof Stanislas Hosius als Polemiker*, Koenigsberg, 1911.

les plus complets de la période prétridentine[1]. Citons encore son *De praestantissimo altaris sacramento* (1546), en 2 volumes parus à Anvers (1559), un des meilleurs travaux polémiques parus au XVIᵉ siècle.

Jean Faber publia en latin en 1522 son traité *Contre certaines doctrines nouvelles de Martin Luther*[2], en 1524 son *Marteau contre l'hérésie luthérienne*[3], en 1530 ses *Antilogies*, en 1535 un traité sur la messe et le sacerdoce, en 1536 un autre sur la foi et les bonnes œuvres. D'abord vicaire général de Constance, il était devenu évêque de Vienne en 1530.

Un autre polémiste allemand, Georges Witzel, subit d'abord l'influence d'Érasme et de Luther. Il tomba même dans l'erreur et, quoique prêtre, se maria. Mais il ne tarda pas à rentrer dans la communion catholique et composa ensuite divers ouvrages sur les bonnes œuvres, la justification, l'Église, et son Apologie personnelle. Connaissant bien ses anciens confrères en religion, il put les reprendre avec d'autant plus de vérité. C'était d'ailleurs un combatif et un érudit. Aussi les protestants ne le laissèrent-ils guère jouir de la paix[4].

L'UNIVERSITÉ DE LOUVAIN   Le lecteur se souvient de l'initiative que prit, la première de toutes, l'Université de Louvain en condamnant Luther.

A l'*Alma Mater* brabançonne, Jacques Latomus[5], Eustache de Sichem et Jean Driedo forment la première génération de polémistes antiluthériens[6]. Les deux premiers publiaient dès 1521, l'un l'*Articulorum doctrinae fratris Martini Lutheri per theologos Lovanienses damnatio*, l'autre l'*Errorum Martini Lutheri brevis confutatio*[7]. Ces auteurs abandonnent le terrain scolastique et descendent sur celui de l'adversaire.

On se rappelle que, de la Wartbourg, Luther répondit à Latomus. Il l'estimait beaucoup et le plaçait même, comme controversiste, au-dessus de Eck. A différentes reprises il le mentionne dans ses *Tischreden* et dit notamment à son sujet : *Unus Latomus ist der feinst scriptor contra me gewest*[8].

Eustache de Sichem et Latomus ne déposèrent pas les armes qu'ils avaient prises en 1521. Le premier fit paraître, en 1523, le *Sacramentorum elucidatio simulque nonnulla perversa Martini Lutheri dogmata excludens*[9] ; le second, en 1525, le *De confessione secreta*, en 1526, son remarquable livre *De primatu romani pontificis adversus Lutherum*, en 1530, le *Libellus*

(1) Dans *Canones concilii provincialis Coloniensis*, Cologne, 1538.
(2) *Opera omnia*, fol. IV-204 r., Anvers, 1566.
(3) Publié dans le *Corpus catholicorum* (nᵒˢ 23 et 24) par A. NAGELE, 1941.
(4) Voir la Bibliographie de P. POLMAN, *op. cit.*, au mot : *Wicelinus*.
(5) A distinguer notamment de Barthélemy. De ce dernier le *Corpus catholicorum* a publié (nᵒ 8) en 1924 la *Responsio ad epistolam quandam M. Bucceri* (1543) et l'*Adversus M. Buccerum defensio* (1545) (Édit. L. KEIB).
(6) Sur ces auteurs voir H. DE JONGH, *L'ancienne faculté de théologie de Louvain au premier siècle de son existence* (1432-1540), Louvain, 1911, et notre étude, *Luther et l'Université de Louvain*, dans la *Nouvelle Revue théologique*, t. LIV, 1927, p. 421-426.
(7) Le premier dans les *Opera omnia* de Latomus, fol. 1ᵒ-53 vᵒ, Louvain, 1550 ; le second repris dans la *Bibliotheca reformatoria neerlandica* (S. CRAMER et F. PIJPER), t. III, p. 228-294, La Haye, 1905.
(8) W. T., t. I, p. 202 ; t. II, p. 189 ; t. IV, p. 145 ; t. V, p. 75.
(9) Repris dans la *Bibl. reform. neerl.*, t. III, p. 297-373.

de fide et operibus et de votis atque institutis monasticis [1]. Un autre maître
de Louvain, Driedo, ne publia qu'en 1533 et 1534 des œuvres soigneusement préparées : le *De ecclesiasticis scripturis et dogmatibus libri IV* ;
le *De captivitate et redemptione generis humani* ; le *De concordia liberi
arbitrii et praedestinatione* ; le *De gratia et libero arbitrio* ; enfin le *De
libertate christiana* [2].

En tête de la seconde génération des théologiens louvanistes, brille
Ruard Tapper. A la demande de Charles-Quint il élabora en 1544, avec
ses confrères de la faculté, des *Propositions catholiques* pour venir en
aide aux prédicateurs. Il les prit comme base de ses leçons, mais ne publia
son cours qu'en 1555-1557 en deux volumes intitulés *Explicatio articulorum venerandae facultatis sacrae theologiae generalis studii Lovaniensis*
(Louvain).

Parmi les anciens élèves de Louvain, non religieux, la plus grande figure
est celle d'Albert Pighius. Cet auteur, originaire de l'Overyssel, étudia
aussi à Cologne et se vit comblé de faveurs et chargé de missions par
Adrien VI, Clément VII et Paul III. Vers la fin de sa vie, retiré à Utrecht,
il trouva enfin le temps d'achever, avec une certaine hâte d'ailleurs,
ses grands ouvrages, la *Hierarchiae ecclesiasticae assertio* (Cologne, 1538),
la *Controversiarum praecipuarum in comitiis Ratisponensibus tractatarum...
diligens et luculenta explicatio* (Cologne, 1542). Ces écrits trahissent une
certaine ressemblance avec ceux de Luther. Cela tient surtout aux théories
nominalistes, que Pighius partageait avec le moine augustin.

Un ami des louvanistes et des humanistes, Alard d'Amsterdam († 1544)
publia des traités sur l'eucharistie (Louvain, 1537), le baptême (Solingen,
1539) et trois dissertations sur les principaux fondements de la doctrine
protestante : le péché originel, la justification, les œuvres et les mérites
du juste (Anvers, 1543) [3].

ATTITUDE DE LA SORBONNE   A la Sorbonne, les controversistes s'attaquent moins aux positions fondamen-
tales des luthériens qu'à des points plus secondaires. Ainsi Noël Béda,
Jérôme Hangest, Pierre Couturier. Le plus grand de ces auteurs est
Josse Clichtove, flamand d'origine, qui passa presque toute sa vie en
France [4]. Humaniste convaincu, fort attiré par les questions liturgiques
— et d'ailleurs par d'autres sciences, même profanes — éditeur de
plusieurs œuvres de Pères, il se lança aussi dans la polémique antiluthérienne et y fit toujours preuve d'un grand amour pour la vérité
catholique et d'une louable modération vis-à-vis des hérétiques. Il publia
en 1513 le *De laude monasticae vitae* ; en 1523, le *De veneratione sanctorum* ;
en 1563, le *De vita et moribus sacerdotum*. Mais son ouvrage le plus
célèbre fut l'*Antilutherus* (1524), qui en dépit de son titre laisse de côté
les questions les plus fondamentales. Luther appréciait beaucoup Clichtove pour son érudition.

(1) Dans les *Opera omnia*.
(2) Le premier de ces ouvrages a été réédité à Louvain en 1550.
(3) G. CONSTANT, dans le *Dictionnaire d'histoire et de géographie eccl.*, t. I, col. 1342-1343.
(4) Al. CLERVAL, *De Judoci Chlichtovaei Neoportuensis vita et operibus* (1472-1543), Paris, 1894.

HENRI VIII ET LUTHER En Angleterre, un roi, mais un roi de triste mémoire, Henri VIII, prit le premier la plume contre Luther. Il composa, dès 1521, contre le *De captivitate babylonica*, l'*Assertio septem sacramentorum* [1], qui lui valut le titre de « défenseur de la foi ». Une des futures victimes anglaises du roi schismatique, saint Jean Fisher, humaniste, très versé dans la connaissance de l'Écriture et des Pères, édita, de 1523 à 1525, plusieurs ouvrages. Le premier, *Assertionis regiae defensio* [2], nous le montre très familiarisé avec les écrits de Luther, dont il met en relief les contradictions. Parurent ensuite son *Assertionis Lutheranae confutatio* [3] et le *Sacri sacerdotii defensio contra Lutherum* [4]. En 1527, le cardinal anglais publia encore, contre Jean Oecolampade, un *De veritate corporis et sanguinis Christi in Eucharistia* [5].

D'autres écrivains anglais, comme Étienne Gardiner et Cuthbert Tonstal, prirent aussi la présence réelle comme sujet de leurs travaux [6]. Enfin les réfugiés anglais à Douai et à Louvain participeront également à la lutte : ainsi Nicolas Harpsfield, Nicolas Sanderus et Thomas Stapleton, ces deux derniers professeurs à Louvain dans la seconde moitié du xvie siècle. Mais à l'époque où ils écrivirent, les doctrines calvinistes attiraient plus l'attention que celles de Luther.

LES OPPOSANTS ITALIENS Pour l'Italie, un historien, F. Lauchert, compte jusqu'au concile de Trente soixante-six *adversaires italiens de Luther* [7]. Le plus connu de tous est Ambroise Catharini, dominicain, et que nous allons retrouver parmi les religieux.

DOMINICAINS ET FRANCISCAINS Entre tous les ordres, ceux de saint Dominique et de saint François marquèrent le plus dans la lutte antiluthérienne. Pour les premiers nous venons de citer Catharini [8]. Encore novice, il publia en cinq tomes une *Apologie contre Luther* (1520). L'année suivante, il lançait l'*Excusatio disputationis contra Lutherum ad universas Ecclesias*.

Un autre dominicain bien connu, Jacques Hoogstraeten, de Cologne, dans ses *Cum divo Augustino colloquia contra... Lutheri errores* [9] s'appliqua à enlever aux luthériens le bénéfice du patronage de saint Augustin. On lui doit aussi des écrits sur le culte des saints, le purgatoire, la liberté chrétienne, la justification et les bonnes œuvres [10].

Il faudrait ajouter à ces auteurs au moins trois dominicains. Le premier

(1) Paris, 1562.
(2) Jointe à l'œuvre de Henri VIII.
(3) Anvers, 1545.
(4) Édit. H. KLEINSCHMEINK, dans le *Corpus catholicorum*, n° 9, Munster, 1925.
(5) Cologne, 1527.
(6) Voir P. POLMAN, *op. cit.*, p. 444-446.
(7) Fribourg-en-Brisgau, 1912, dans les *Erlaüterungen und Ergaenzungen zu Janssens Geschichte*, t. VIII.
(8) J. SCHWEIZER, *Ambrosius Catharinus Politus, O. P.* (1484-1553). *Ein Theologe des Reformations Zeitalter*, dans les *Reformations-geschichtliche Studien und Texte*, t. XI-XII, Münster, 1927 ; H. HURTER, *Nomenclator*, t. IV², col. 1168-1173.
(9) Cologne, 1521. Voir N. PAULUS, *Die deutschen Dominikaner im Kampfe gegen Luther*, 1518-1563, dans les *Erlaüterungen*, etc., à l'œuvre de Janssens, cités plus haut, t. IV, fasc. 1 et 2, Fribourg-en-Brisgau, 1903.
(10) Pour les éditions de ces œuvres voir le t. V du *Lexikon für Theologie und Kirche*, au mot *Hoogstraeten*.

porte le même nom et le même prénom que le prêtre séculier, puis évêque de Vienne, Jean Faber ; le second, Jean Fabri d'Heilbronn, est l'auteur de nombreux écrits, dont l'un sur la messe, et un *Enchiridion sacrae scripturae* ; enfin le troisième, Michel Vehe, publia, en 1531, un excellent traité écrit en allemand sur *L'usage du Très saint Sacrement sous une seule espèce* [1], et, en 1535, l'*Assertio sacrorum quorumdam axiomatum quae a nonnullis nostri saeculi pseudo-prophetis in periculosam rapiuntur controversiam* [2].

Aux Pays-Bas le frère prêcheur Jean Bunderius de Gand s'attira un certain renom, mais par des ouvrages assez peu originaux [3].

Aux côtés des dominicains défenseurs de la tradition catholique prirent place un bon nombre de franciscains, dont nous ne signalerons ici que les chefs de file. Augustin d'Alfeld [4] débuta en 1520 par un *Super apostolica Sede*, à propos de la dispute de Leipzig. La même année paraissait sous sa plume le *De communione sub utraque specie* [5]. Plus populaire encore est Gaspard Schatzgeyer. A sa mort, en 1527, il laissait après lui une vingtaine de traités ; en particulier le *Scrutinium divinae scripturae pro conciliatione dissentium dogmatum* (1522), répertoire de citations bibliques [6], le *Tractatus Missae* (1527), l'*Ecclesiasticorum sacramentorum pia, justa atque erudita assertio* (1530). Un de ses confrères, Nicolas Herborn, publia en 1529 un *Locorum communium adversus hujus temporis haereses Enchiridion* [7], où, comme Schatzgeyer, il accumule surtout les textes scripturaires. On lui doit aussi une *Confutatio Lutheranismi Danici* [8]. Thomas Murner, bien connu par ses satires contre Luther, édita aussi : *Eine christliche und briederliche Ermanung* (1520), qui traite de la sainte messe [9], *Von Doctor Martinus Luthers Leren und Predigen* (1520) [10], et plusieurs autres traités : avec vaillance, il défendit les coutumes de l'Église, notamment celle de l'usage du latin dans les cérémonies.

Les autres ordres fournirent un contingent moins considérable à la polémique catholique. On retiendra au moins les noms d'un ancien maître de Luther, chez les ermites de saint Augustin, Barthélemy Usingen, des bénédictins Nicolas Ellenbog († 1543), humaniste fort érudit, qui ramena de nombreux protestants à la foi catholique, et Gervig Blarer (1567), enfin du cistercien Paul Bachmann.

Les travaux des théologiens que nous venons de signaler, joints à ceux que provoquèrent le concile de Trente, contribuèrent notablement à relever la théologie catholique et à la mettre plus en contact que par le passé avec l'Écriture et les Pères de l'Église.

(1) Leipzig, 1531.
(2) Leipzig, 1535.
(3) Cf. P. POLMAN, *op. cit.*, p. 336.
(4) Biographie par P.-L. LEMMENS, parue en 1899. G. HESSE, *Augustin von Alfeld, Verteidiger des Apostolischen Stuhles*, dans F. DOELLE, *Arbeiten des Kirchenhistorischen Seminars*, p. 57-75. Münster, 1930.
(5) K. BUSCHGENS a publié dans le *Corpus catholicorum*, n° 11 (1926) le *Wijder den Wittembergischen Abgot Martin Luther* d'Alfeld.
(6) Édité dans la même collection n° 5 par H. SCHMIDT (1922).
(7) Publié par P. SCHLAGER, dans le *Corpus catholicorum*, n° 12 (1927).
(8) Édit. L. SCHMIDT, Quaracchi, 1902.
(9) Édit. W. PFEIFFER-BELLI, dans *Thomas Murners Deutsche Schriften*, p. 31-87, Berlin, 1927.
(10) *Ibid.*, p. 91-122.

CHAPITRE IV

LE LUTHÉRANISME EN DEHORS
DE L'ALLEMAGNE

§ 1. — Pays Scandinaves [1].

PÉNÉTRATION DE LA RÉFORME L'Union de Calmar de 1397 avait lié les trois royaumes scandinaves. Le Danemark exerçait la suprématie de fait. Cependant, à la fin du xvᵉ siècle, l'entente ne régnait plus entre la Suède, d'une part, le groupe dano-norvégien, de l'autre. Sten Sture, roi de Suède depuis 1492, s'appuya sur le sentiment national, mais il ne put se maintenir sur le trône et Chrétien II de Danemark (1513-1522), avec l'aide des évêques des trois royaumes, rétablit l'union. En 1520, le « Néron scandinave » laissa mettre à mort par un aventurier qui jouissait de sa confiance deux évêques et au moins quatre-vingts nobles (« Bain de sang de Stockholm », 8 novembre). Les jours suivants, le massacre se poursuivit dans tout le pays et en Finlande.

Un jeune homme de vingt-quatre ans, appartenant à une des plus nobles familles de Suède et dont le père avait été décapité lors du « Bain de sang », Ériksson Vasa, souleva les montagnards et les paysans de la Dalécarlie, puis s'empara de Västeras, d'Upsal et de Stockholm. Le triumvirat épiscopal, placé par Christian à la tête du gouvernement, dut prendre la fuite. Gustave devint régent. Il portera le titre royal à partir de juin 1523.

Le troisième royaume scandinave, la Norvège, tomba en 1536 au rang de simple province dépendant de la couronne de Danemark. Quant à la Finlande, elle appartenait à la Suède.

La Réforme pénétra dans ces pays par l'Allemagne. A ce fait rien d'étonnant. Depuis 1448 régnait à Copenhague la dynastie d'Oldenburg et Christian Iᵉʳ était devenu, en 1460, duc de Slesvig et comte de Holstein. Une ville, comme Stockholm, comptait, dit-on, plus de la moitié d'Allemands. Le littoral oriental et une partie du littoral méridional de la Baltique, constituant les pays scandinaves, faisaient partie du domaine commercial de la Hanse. Lubeck surtout dominait la Baltique.

Le mouvement protestant se présente sous des traits différents dans les deux pays dont nous aurons surtout à nous occuper ici. En Suède, la royauté, s'appuyant sur le peuple, créera une Église nationale qu'elle dominera complètement. L'épiscopat, fortement organisé malgré des

(1) BIBLIOGRAPHIE. — *Ekklesia*, sous la direction de F. SIEGMUND-SCHULTZE, t. II, *Die skandinavischen Laender*, fasc. 5-8, Gotha, 1935-1938. F. NIELSEN, J.-O. ANDERSEN et H. HAAR, *Kirkeleksikon for Norden*, depuis 1900. *Cambridge Modern history*, t. II (1903), chap. XVII, *The Scandinavian North*, par W.-E. COLLINS.

tentatives de Gustave Vasa pour diminuer son rôle et son influence, maintiendra autant que possible les institutions liturgiques et ecclésiastiques du passé ; il tâchera de développer dans le peuple les sentiments de piété de Luther. L'Église de Danemark copiera davantage le luthéranisme saxon. Dans les deux pays, d'ailleurs, des causes politico-religieuses expliquent l'union entre la royauté et la Réforme. La victoire de celle-ci sera aussi la victoire de la monarchie, de la bourgeoisie et du peuple sur l'ancienne aristocratie ecclésiastique et laïque. Les luthéranismes suédois et danois sont plus conservateurs que le luthéranisme allemand.

SITUATION DU CATHOLICISME EN SUÈDE [1] Du point de vue ecclésiastique, la Suède, avec ses quelque 750.000 habitants [2], dépendait de huit diocèses. Mais celui de Lund, qui continuait à détenir le titre archiépiscopal, participait fort peu à la vie suédoise. Växjo, la plus petite des autres circonscriptions, ne comptait que 62 paroisses. Upsal, la plus vaste, n'en avait cependant que 318, parce que sa plus grande partie était peu habitée, mais elle possédait la région très riche de l'Uppland. Linköping, puissant diocèse avec 492 paroisses, dont Visby et Calmar, se glorifiait de ses couvents illustres, comme d'ailleurs Upsal, Skara (630 églises), Strängnas (145 paroisses). Enfin Aabo, confinant à la Finlande, commandait à environ 125 églises et Västeraas, avec la vaste province de Dalécarlie, à 80.

Le haut clergé jouissait de grandes richesse grâce à ses domaines, à ses fiefs et à ses dîmes. On estimait la valeur de ses possessions à 12 ou 13 pour cent des terres cultivables. Il faut y ajouter l'exemption d'impôts. Une partie de ses ressources passait naturellement à la curie. Depuis le XVIe siècle les papes se mettaient d'accord avec les rois pour la nomination des évêques. Ceux-ci appartinrent très généralement au pays. Ils se réunissaient fréquemment en conciles et l'importance de ceux-ci se manifesta surtout à l'époque du grand schisme. Le haut clergé adhéra toujours à la théorie conciliaire.

---

(1) BIBLIOGRAPHIE. — On trouvera une copieuse liste de sources et de livres modernes dans l'ouvrage de Jean G.-H. HOFFMANN, *La réforme en Suède*)1523-1572) *et la succession apostolique*, p. 317-329, Neuchâtel-Paris, 1945.
I. SOURCES PRINCIPALES. — *Handlingar roerande Sveriges inre foerhaallanden under Konung Gustav I*, édit. de P.-E. THYSELIUS et V. EKBLOM, Stockholm, 1841-1845, 2 vol. ; *Die evangelischen Kirchenordnungen des XVI. Jahrh.*, t. I-V, édit. de E. SCHLING, Leipzig, 1902-1913. *Konung Gustaf den Foerstes Registratur*, t. I-XXIX (*Handlingar roerande Sveriges historia*, sér. I, édit. du Riksarkivet, Stockholm, 1861-1916) ; *Svenska Riksdagsakter*, t. I et II, Stockholm, 1887-1899.
II. PRINCIPAUX OUVRAGES MODERNES. — E.-G. GEIJER, F.-F. CARLSSON et L. STAVENOW, *Geschichte Schwedens*, Hambourg, 1832-1908, 7 vol. ; H. REUTERDAHL, *Svenska Kyrkans historia*, Lund, 1838-1865, 4 vol. ; J. WEIDLING, *Schwedens Geschichte im Zeitalter der Reformation*, 1881 ; A. BERNARD, *Om den apost Successionen inom den Svensk. lutherska Kyrkan*, Stockholm, 1881 ; ID., *Afgoraende intyg om Petrus Magni, ibid.*, 1884 ; C.-A. CORNELIUS, *Svenska Kyrkans historia efter reformationen*, Upsal, 1887, 2 vol. ; H. MARTIN, *Gustave Vasa et la réforme en Suède*, Paris, 1906 ; J.-A. EKLUND, *Andelifet i Sveriges Kyrka*, Upsal, 1911-1915, 3 vol. ; J. KOLBERG, *Aus dem Leben der letzten Katholische Bischœfe Schwedens*, 1914 ; E. LINDERHOLM, *Gustave Vasa och Reformationen i Sverige*, Upsal, 1917 ; H. BIAUDET, *Gustaf Ericksson Vasa, prince de Suède*, Genève, 1913 ; H. HOLMQUIST, *Sveriges foersta reformatoriska Skrifter*, Karlstads Stifts Julbok, 1913 ; ID., *Den Svenska Reformationens begynnelsen*, 1523-1537, Stockholm, 1923 ; ID., *Die Schwedische Reformation*, 1523-1531, Leipzig, 1925 ; J.-G. H. HOFFMANN, *La réforme en Suède et la succession apostolique (1523-1572)*, Neufchâtel et Paris, 1945 (excellent ouvrage auquel nous avons beaucoup recouru).
(2) Vers 1570.

Au début du XVIe siècle, le catholicisme suédois semble en retard
sur le reste de l'Europe ; le peuple n'a pas oublié ses anciens dieux et
reste fort attaché à ses superstitions ainsi qu'à ses anciennes coutumes.
Malgré une piété sincère, on ne constate, même dans le clergé, que fort
peu d'inquiétude religieuse et philosophique. La production littéraire
se compose presque uniquement de traductions. Quoi qu'on ait dit, l'influence de l'humanisme ne se découvre pas dans ce pays, sauf chez des
étrangers.

Cependant, en 1477, avait été créée l'Université d'Upsal, qui cessa
d'ailleurs d'exister de 1515 à 1593. Le plus marquant de ses professeurs
à l'époque ancienne avait été Érik Olavi († 1486), commentateur de
l'Écriture et surtout auteur d'une chronique fort importante pour l'histoire politique de Suède.

Vasa continua la conquête du pays et l'acheva en 1523. Il trouva,
contre les Danois, un allié précieux dans la ville de Lübeck. Celle-ci lui
ayant fait payer très cher son concours, le roi dut trouver dans les biens
du clergé le moyen de s'acquitter de ses dettes.

Gustave compléta d'abord la hiérarchie qui ne se composait plus
que de deux évêques. Il fit choix de titulaires patriotes et, pour plusieurs,
d'un catholicisme cultivé. Ayant éprouvé à Rome certaines difficultés
au sujet de la confirmation de tel de ses candidats, il menaça de prendre
lui-même le gouvernement de son Église.

INTRODUCTION DU LUTHÉRANISME   En 1523, avaient en effet commencé
                                 ses relations avec l'archidiacre Lau-
rent Andreae gagné aux idées luthériennes [1]. Celles-ci durent pénétrer
peu auparavant à Stockholm par les marchands allemands fixés dans la
ville et au diocèse de Linköping par les troupes de Lübeck qui y arrivèrent en 1522.

Le premier à enseigner ouvertement les doctrines protestantes fut
Olaf Petri qui avait étudié dans des Universités allemandes, notamment
à Wittemberg [2]. L'évêque Brask de Linköping s'éleva aussitôt contre
l'erreur et mena la lutte contre elle avec beaucoup d'énergie. Il protesta,
en 1525, contre le mariage d'Olaf Petri, mais Gustave Vasa lui répondit
que Dieu n'avait pas interdit le mariage [3].

Le roi en effet patronnait de plus en plus le luthéranisme. Il fit de Laurent
Andreae son chancelier. Olaf Petri, prédicateur à Stockholm, lança, en
1526, le premier ouvrage suédois inspiré des idées nouvelles : *Een nyttwgh
underwisnijng* (*Une utile instruction*). Il composa aussi une partie du
Nouveau Testament qui parut en suédois en 1525, traduction de tendances
d'ailleurs modérées. Le roi força, en 1527, Melchior Hoffman, qui était

---

(1) C. H. RUNDGREN, *Laurentius Andreae*, dans *Svenska Akademiens Handlingar ifraan aar*
1886, 8e p., 1893.
(2) Ol. PETRI, *Samlade Skrifter*, édit. B. HESSELMANN, etc., Stockholm, 1914-1917, 4 vol. ;
H. SCHUECK, *Olavus Petri*, 4e édit., Stockholm, 1923 ; J.-E. BERGGREN, *Olavus Petris reformatoriska grundtankar*, Upsal, 1899 ; C. BERGENDOFF, *Olavus Petri and the ecclesiastical transforma-
tionen in Sweden*, New York, 1928 ; S. von ENGESTROEM, *Olavus Petri och den medeltida Kristen-
domen*, Upsal, 1941 ; M. OLM, *Olavus Petri*, Upsal, 1917.
(3) GALLÉN JARL, *Hans Brask*, dans la revue *Credo*, 1928.

venu prêcher à Stockholm ses doctrines subversives et avait suscité des troubles iconoclastes, à quitter le pays.

La Dalécarlie, fort conservatrice, commençait à s'agiter. Gustave, pour l'impressionner, fit exécuter, après un jugement irrégulier, deux évêques-élus, très populaires dans cette province. En juillet 1527, avait lieu le Riksdag réformateur de Västeraas. Aux reproches que Gustave y formula contre le haut clergé (par exemple trop grandes richesses, tendances à dominer l'État), Brask encore une fois répondit nettement. Alors eut aussi lieu une discussion sur les nouvelles doctrines. Finalement le Recès de Västeraas mit à la disposition du roi tous les biens « superflus » des évêques, églises, chanoines, couvents (par exemple les châteaux des évêques) et décréta que les nouvelles doctrines ne contenaient rien d'autre que la parole de Dieu [1]. Des *ordinantia*, sortes d'articles organiques, complétèrent et précisèrent ensuite ces décisions [2]. En voici quelques-unes : le denier de Saint-Pierre sera perçu au profit de la couronne ; il en sera de même des revenus versés auparavant par les couvents à leurs supérieurs étrangers ; les évêques nommés par le roi ne demanderont plus leur confirmation à Rome. A la suite de ces mesures, Brask, le seul homme ayant pris énergiquement en mains la défense des droits de l'Église, quitta définitivement la Suède.

Du 2 au 7 février 1529 se tint à Oerebro un synode général convoqué par le roi et présidé par Laurentius Petri. Il avait été précédé de la publication d'une série d'ouvrages réformateurs de Laurentius lui-même et d'Olaf Petri. Les articles que le premier de ces personnages proposa au concile durent y être atténués [3]. Le texte définitif [4] traite de la prédication de la pure parole de Dieu et du catéchisme ; de la discipline et de l'organisation ecclésiastique ; enfin des cérémonies et anciennes coutumes populaires et liturgiques. Le règlement semble modéré. Le roi lui-même tenait à ne rien brusquer. L'ordonnance d'Oerebro, adoptée par le synode d'Upsal de 1572, deviendra la charte fondamentale de la vie ecclésiastique suédoise.

Cette modération des luthériens suédois parut excessive aux luthériens allemands de Stockholm. D'autre part, l'évêque Magnus de Skara et des membres du parti national s'attaquèrent vivement à la protestantisation du royaume et à ses suites. Des troubles éclatèrent en Västrogothie. Le roi négocia et répondit aux accusations lancées contre lui par un long mémoire justificatif [5]. Le Conseil du royaume, au nom du Riksdag, donna raison au souverain.

Bientôt Gustave, toujours à court d'argent, demanda la livraison de la plus grosse cloche de chaque église et chapelle. Les paysans de plusieurs provinces, notamment de Dalécarlie, se refusèrent à voir partir

---

(1) *Svenska Riksdagsakter...*, t. I, p. 82-87 ou *Konung Gustaf den foerstes Registratur*, t. IV, p. 226-231.

(2) Texte suédois et latin dans *Konung Gustaf...*, p. 241-243, et *Svenska Riksdagsakter*, t. I, p. 89-96. Le texte latin est le plus ancien.

(3) Articles présentés au concile par Laurentius Andreae, d'après les Archives Vaticanes, dans *Kyrkohistorisk Aarsskrift*, p. 86-88, Upsal, 1903.

(4) *Svenska Riksdagsakter*, t. I, p. 188 et suiv.

(5) *Ibid.*, t. I, p. 130-144 ; *Konung Gustaf...*, t. VI, p. 141-162.

leurs cloches. Ils protestèrent aussi contre la célébration de la messe suédoise, commencée à Stockholm. Olaf Petri en effet s'était chargé de modifier l'ancien cérémonial luthérien [1]. Le roi se vengea des Dalécarliens dont les chefs furent arrêtés et plusieurs décapités.

En août 1535, tous les chapitres du royaume furent appelés à élire un archevêque d'Upsal. Un frère d'Olaf Petri, Laurentius Petri, fut choisi. Il avait trente-deux ans et enseignait à l'école d'Upsal. On lui doit notamment un ouvrage violemment antiromain [2]. Son épiscopat sera long et fécond. Ainsi se trouvait organisée l'Église de Suède comme église indépendante avec ses institutions et sa liturgie propres. A la différence de celle d'Allemagne, elle gardait la hiérarchie épiscopale.

LUTTE ENTRE LES ÉVANGÉLIQUES ET LES RÉFORMISTES

De 1532 à 1544, il y a lieu de signaler deux faits très importants pour l'avenir de l'Église de Suède. D'abord la lutte entre les « évangéliques » et les réformistes. Ceux-ci souhaitaient un retour à l'ancienne foi. Le roi prit naturellement parti pour les premiers. Une conspiration, qui éclata à Stockholm et à laquelle avaient pris part quelques réformistes, fut punie de sept condamnations à mort. Les évêques trop conservateurs, comme Sven Jacobi de Skara et Jöris Magni de Linköping, se virent privés de leur siège. En 1542, éclata la plus grave des révoltes de ce règne, celle du Smaaland et de l'Oestergötland. Les rebelles en voulaient surtout à la formule de la messe suédoise de 1541 — fort peu différente d'ailleurs de celle d'Olaf Petri — à la multiplicité des taxes, au recensement du bétail, etc. Le roi parvint à mater les paysans. Enfin le Riksdag de Västeraas de 1544 proclama officiellement le royaume « évangélique ».

ORGANISATION DE L'ÉGLISE SUÉDOISE

D'autre part, Gustave, aidé par un poméranien, disciple de Mélanchthon, Georges Norman [3], parvint à mettre complètement la main sur son Église. A la tête de celle-ci il plaça un *ordinarius* ou surintendant avec pleins pouvoirs sur les évêques et tout le clergé (synode d'Upsal de 1539). Laurentius Petri et Olaf Petri refusèrent d'adhérer à ces décisions. Gustave brisa toutes les résistances à son autorité. Pendant les seize dernières années de son règne (1544-1560), on signale encore quelques faibles essais de résistance, mais qui n'aboutirent pas.

Le roi supprima en pratique l'épiscopat et nomma à la place des évêques des *ordinarii*. Il remania à son gré les diocèses. A Skara, le siège étant venu à vaquer, il exigea que le chapitre, malgré les protestations des chanoines, ordonnât des prêtres d'après un rituel imaginé par Norman. Celui-ci prétendait en effet que l'imposition des mains par l'évêque devait simplement augmenter le respect pour le ministère pastoral. Gustave diminua aussi de plus en plus le nombre des chanoines et reprit les prébendes pour la couronne. Il continua à agir contre les prêtres

(1) O. QUENSEL, *Bidrag till svenska liturgienshistoria*, t. II, Upsal, 1890.
(2) *Refutatio erroris Herberti de consecratione sacramenti eucharistiae*, Hambourg, 1588.
(3) L. SLAVENIUS, *Georg Norman, en biografisk studie*, Lund, 1937.

et les moines, par exemple ceux de Vadstena, jugés fidèles à la doctrine
catholique. Olaf Petri, quelque temps en disgrâce à cause de son attitude lors du synode d'Upsal de 1539, reprit sa place dans la confiance
du roi. Il consacra ses dernières années à des publications. Il mourut
le 19 avril 1552. Le même mois s'éteignit Laurentius Andreae.

En 1552, Laurentius Petri et quelques autres évêques s'étant opposés
à un troisième remariage de Gustave comme contraire aux lois canoniques, le souverain passa simplement outre, appuyé sur l'avis de Norman.

L'évêque d'Upsal se donna tout entier à sa tâche. Il édita des ouvrages
fort utiles pour les prédicateurs, l'éducation du peuple et l'amélioration
des mœurs chrétiennes.

Gustave Vasa, un des plus grands rois de Suède, mourut en août 1560.
Son fils, Éric XIV, donna largement asile aux calvinistes étrangers.
Il n'inclina jamais personnellement vers leurs doctrines, mais leur
influence se fit sentir en Suède sous ce règne. Érik voulut rendre son prestige au corps épiscopal et les *ordinarii* disparurent de plus en plus.

L'archevêque, en face de la propagande des calvinistes et des philippistes — disciples de Mélanchthon, qui s'était écarté de Luther en
des points fondamentaux, s'appliqua à définir plus nettement l'attitude de l'Église de Suède. Sous son influence, le roi se rangea de plus
en plus dans le camp de l'orthodoxie luthérienne. Érik XIV étant tombé
dans la folie, ses frères se jetèrent sur Stockholm (1568). Jean III, l'un
d'eux, fut reconnu par Laurentius Petri. Il restaura presque complètement les anciens diocèses et porta avec les évêques des décrets fort
profitables à la vie ecclésiastique. Quant à l'archevêque d'Upsal, il publia
en 1571 l'*Ordonnance ecclésiastique suédoise* [1]. Elle donnait à l'Église de
Suède sa forme définitive et affirmait clairement le caractère et le rôle
des évêques. Le synode d'Upsal de 1572 l'approuva. Laurentius mourut
le 26 octobre 1573.

La question de la validité des ordres suédois se pose comme celle de la
validité des ordres anglicans. Le sacre de Laurentius Petri semble bien
avoir été valide. Malheureusement l'ordinal suédois de 1571 présente,
pour l'ordination des prêtres et la consécration des évêques, des cérémonies fort différentes des romaines. Les prêtres n'y apparaissent que comme
des prédicateurs et il ne suffit évidemment pas que, dans une ordonnance
de 1571, il soit fait mention du pouvoir sacramentel des ministres [2].

DANEMARK [3] La Réforme prostestante fut précédée d un mouvement
d'humanisme et de renaissance catholique qui n'eut
d'ailleurs pas le temps d'être appliquée. Christian Pedersen († 1554),
chanoine de Lund, qui avait vécu longtemps à Paris, publia des livres de

(1) *Svenska Riksdagsakter*, t. II, p. 433-448 ; O. Ahnfelt, *Laurentius Petri handskrifna Kyr-
koordning avaar* 1561, Lund, 1893.
(2) Cette question est longuement traitée, du point de vue protestant, dans l'ouvrage de J.-
G.-H. Hoffmann, surtout p. 165-180 et 253-276.
(3) Bibliographie. — I. Sources. — Elles se trouvent énumérées dans la publication *Ekklesia*,
t. II, p. 68-71. A retenir surtout : *Skrifter fra Reformationstiden*, Copenhague, 1885-1890, 5 vol.
Kirkehistoriske Samlinger, séries I-VI, 2, Copenhague, 1849-1936. — II. Ouvrages modernes.
— *Ekklesia*, t. II, p. 21-34 (D. Vald. Ammundsen) ; L.-N. Helveg, *Den danske Kirches Historie
til Reformationen* ; Copenhague, 1862-1870, 2 vol ; Id., *Den Danske Kirkes historie efter Refor-*

piété pour le peuple [1]. Le carme Paul Éliae [2] tenta de renouer la théologie et l'Église. Le roi Christian II (1513-1523) employa ces forces, mais recourut aussi à Luther et à Karlstadt. Celui-ci se rendit à l'invitation du prince, mais n'obtenant pas assez de liberté, retourna en Allemagne. Christian rêvait de briser l'influence de la noblesse et du clergé. Il confisqua l'argent recueilli pour les indulgences et se mit à régenter les évêques ; mais, en 1523, la noblesse et le clergé le renversèrent. A Wittemberg, où il séjourna quelque temps, des Danois, Hans Mikkelsen et Christian Pedersen, traduisirent dans leur langue le Nouveau Testament (1524-1529).

Le nouveau roi, Frédéric Ier (1525-1533), était gagné aux idées luthériennes, mais il dut promettre à son avènement de maintenir les droits de la noblesse et du clergé, de défendre celui-ci contre les provisions romaines et d'empêcher la prédication protestante dans le royaume. Cependant il appela dans le pays des théologiens protestants allemands : Jean Wenth et Éberhard Weidensee. Il accorda aussi sa protection au personnage qui allait devenir le Luther danois, Hans Tausen (1494-1561) [3]. D'abord disciple d'Éliae, Hans étudia ensuite à Wittemberg. Revenu au Danemark il lança à Viborg (Jütland), en 1526, le mouvement luthérien, qui se répandit vite dans d'autres villes. Dès cette année Christian et son principal conseiller, Jean de Rantzau, patronnèrent ouvertement le luthéranisme. La diète de 1526 stipula que les évêques du pays recevraient leur confirmation non plus de Rome, mais de Lund. Ainsi furent brisés les liens entre l'Église danoise et le Saint-Siège. L'année suivante, à Oldensee, une assemblée permit la prédication de la nouvelle doctrine et le mariage des prêtres. En 1529, l'évêque-élu de Roskilde dut promettre au roi de ne pas empêcher les ministres de remplir leur office et Tausen devint pasteur à Copenhague. Le catholicisme trouva de valeureux défenseurs en la personne surtout du carme Éliae, qui voyait avec amertume presque tous ses anciens disciples adhérer au protestantisme. Le franciscain Nicolas von Herborn ne se montra pas moins zélé. On lui doit notamment la *Confutatio Lutheranismi Danici* [4].

Comme Charles-Quint et à la même date, mais dans un état d'esprit tout différent, Frédéric Ier demanda, en 1530, aux deux partis religieux l'exposition de leur foi. Ce fut l'origine des quarante-trois articles de

mationen, 2e édit., Copenhague, 1880-1883, 2 vol. ; *Danmarks Riges Historie*, Copenhague, 1896-1907, 6 vol. ; *Det Danske Folks Historie*, Copenhague, 1927-1929, 8 vol. ; E. ARUP, *Danmarks-historie*, 1927-1932, 2 vol. ; L.-P. FABRICIUS, *Danmarks Kirkehistorie*, Copenhague, 1934-1936, 2 vol. ; L. KOCH et H. RŒRDAM, *Fortaellinger af Danmarks Kirkehistorie* 1517 *til* 1848, Copenhague, 1889 ; P. SEVERINSEN, *Hvordam Reformationen indføertes i Danmark*, Copenhague, 1936 ; M. NEEINDAM, *Den danske Reformationshistorie*, Copenhague, 1936 ; G. JORGENSEN, *Reformationen i Danmark*, Copenhague, 1919.

(1) CH. PEDERSEN, *Danske Skrifter*, édit. LIS JACOBSEN, Copenhague, 1932-1936, 5 vol.

(2) P. HELIE, *Skrifter*, Copenhague, 1932-1935, 5 vol. ; J.-O. ANDERSEN, *Paulus Helie*, Copenhague, 1936 ; L. SCHMITT, *Der Karmeliter Paul Heliae, Vorkaempfer der katholischen Kirche gegen die sogenannte Reformation in Daenemark*, Fribourg-en-Brisgau, 1893 ; ID., *Die Verteidigung der katholischen Kirche in Daenemark gegen die Religionsneuerer im 16 Jahrh.*, Paderborn, 1899.

(3) J.-O. ANDERSEN, *Reformationens Begyndelse og Hans Tausen*, Copenhague, 1926. Pour d'autres ouvrages voir H. EHRENERON-MUELLER, *Forfattaleksikon amfattende Danmark, Norge og Island seit* 1880, t. III, col. 152-157, Copenhague, depuis 1924, et *Lexikon für Theologie und Kirche*, t. IX, col. 1024-1025.

(4) Édit. par L. SCHMITT, Quaracchi, 1902.

Copenhague (*Confessio Hafnica*), œuvre de Tausen et de ses compagnons. Les évêques, aidés d'Éliae et de théologiens allemands, composèrent la confession de foi catholique. Le roi fit une réponse dilatoire. Peu après, des troubles iconoclastes, auxquels Tausen essaya vainement de s'opposer, affaiblirent la position des luthériens.

Après la mort de Frédéric Ier (10 avril 1533), les évêques et le parti conservateur tentèrent de rétablir le catholicisme. A la diète de 1533, la juridiction des évêques fut reconnue et Tausen fut expulsé. Mais la bourgeoisie de Copenhague menaça l'évêque, et Tausen dut prendre sa défense. On en vint à un compromis. Mais alors éclata la guerre civile entre le parti du duc Christian, fils aîné de Frédéric Ier (le futur Christian III), et le roi Christian II, jadis détrôné. Christian III l'emporta et monta sur le trône (1536-1559).

Ce zélé luthérien fit jeter en prison les évêques et ne les libéra qu'après renonciation à tous leurs droits et privilèges et promesse de ne plus s'opposer à la Réforme. Leurs biens furent confisqués ainsi que ceux des monastères (Diète de Copenhague, 15-30 octobre 1536).

L'allemand Bugenhagen vint réorganiser l'Église danoise et l'Université de Copenhague (1537-1539). Il sacra le souverain et le surintendant, révisa et compléta l'ordonnance ecclésiastique de Tausen, qui fut confirmée à Odensee, en 1539. Ce document s'étend à toute la vie religieuse, scolaire et charitable. Le roi devient *summus episcopus*. Il n'existe pas de consistoire, comme en Allemagne, et il ne se réunit plus de synodes. Les surintendants, sacrés comme évêques par Bugenhagen, deviennent de simples fonctionnaires pour l'administration. La *Confessio Augustana* remplaça les quarante-trois articles de Copenhague qui n'avaient d'ailleurs jamais obtenu la reconnaissance légale.

Pierre Palladius († 1561), disciple de Luther et de Mélanchthon, évêque de Copenhague et *primus inter pares*, nous a laissé un *Livre de visiles*, document du plus haut intérêt, qui met sous nos yeux la lutte pour la pénétration de l'Évangile et l'amélioration des mœurs et les efforts des conservateurs pour s'opposer aux nouvelles doctrines [1].

En 1550, parut la Bible de Christian, sous la direction de Chr. Pedersen.

L'essai d'un théologien remarquable, le professeur Neils Hemmingaen († 1600), disciple lui aussi de Luther et de Mélanchthon, pour introduire en Danemark les théories de Calvin sur la Cène, n'aboutit pas. Frédéric II (1559-1588) s'opposa à la réception de la *Formule de Concorde*, car il ne tenait pas à provoquer dans son pays les discussions des luthériens allemands.

NORVÈGE ET ISLANDE [2]   A la suite de la peste noire et de la mauvaise administration du royaume, la Norvège était devenue, au début du xvie siècle, un peuple de paysans.

(1) P. PALLADIUS, *Danske Skrifter*, édit. L. JACOBSEN, Copenhague, 1932-1935, 5 vol. ; A.-C.-L HEIBERG a publié le *Visitatsbog* à Copenhague en 1867.
(2) BIBLIOGRAPHIE. — On trouvera une liste détaillée des sources et des ouvrages modernes dans *Ekklesia*, II, *Die Skandinavischen Lænder*, fasc. 6, p. 198-206. Retenons surtout parmi les premières : A.-C. BANG, *Den Norske Kirkes symbolske Boeger*, Christiania, 1889 ; *Norske Rigsregistranter*, Christiania, 1861 et suiv. Parmi les seconds, A.-C. BANG, *Udsigt over den Norske Kirkes. Historie efter Reformationen Christiania*, 1883 ; ID., *Den norske Kirkes historie*, Christiania, 1912

La Réforme n'y apparaît pas comme le résultat d'un mouvement national ou d'un désir de rénovation religieuse et morale. Elle fut imposée au pays qui résista longtemps.

Sous Christian II commença la suppression des couvents. Frédéric Ier (1523-1533), qui s'était engagé lors de son avènement à respecter le catholicisme, aidé de l'humaniste Vincent Lunge, favorable au luthéranisme, protégea les prédicants de passage. Ainsi un moine allemand, Antonius, prêcha la réforme à Bergen et la nouvelle religion se répandit aussi vers la côte. L'archevêque Olav Engelbriktson (1523-1537) et ses collègues ne parvinrent pas à arrêter le mouvement, d'ailleurs encore de peu d'importance.

Lorsque, après une longue lutte, Christian III (1536-1559) fut devenu roi de Danemark et eut conquis la Norvège (1537), il introduisit la Réforme dans ce dernier pays et s'y montra aussi décidé qu'au Danemark. Les évêques catholiques furent déposés et les biens ecclésiastiques confisqués. La Norvège, bien que restant en droit un royaume avec son Église propre, devint une annexe du Danemark. Elle fut organisée d'après l'ordonnance danoise de 1537-1539 et ne reçut qu'en 1607 l'ordonnance spéciale promise depuis longtemps pour elle. La Bible danoise, la liturgie danoise, le livre des chants danois y furent peu à peu introduits et le plus souvent par des surintendants (ou évêques), propriétaires, maîtres d'écoles danois. Les Norvégiens s'opposèrent de tout leur pouvoir aux innovations protestantes. Ils supportèrent surtout de fort mauvais gré l'enlèvement forcé des statues et les modifications apportées à la répartition de la dîme.

L'action d'évêques comme Sjeble Pederson, Jens Skjelderup et André Foss, à Bergen, Frantz Berg et Jens Nilsson, à Oslo, Hans Gaas, à Drontheim, et surtout de Jörgen Eriksson à Stavanger, fit pénétrer peu à peu le protestantisme.

La Réforme pénétra en Islande par un personnage originaire du pays, mais qui avait séjourné en Allemagne et en revint tout pénétré des idées luthériennes, Oddur Gottskalkson († 1556). Il fonda une communauté à Skalholt et traduisit le nouveau Testament en islandais (1540). La chaire épiscopale de Skalholt fut occupée depuis 1540 par un autre disciple de Luther, Gizur Einarson. Mais l'évêque des régions nordiques de l'île, Jon Arason de Holar, s'opposa vigoureusement à la nouvelle forme de religion. Il fut condamné à mort comme traître en 1550 par le roi de Danemark qui introduisit la Réforme en Islande. Elle ne pénétra sérieusement dans les âmes populaires que grâce à l'action de l'évêque Gudbrandur Thorlakson (1571-1627). Ce prélat traduisit toute la Bible en islandais (1584).

FINLANDE [1]   Ce pays dépendait de la Suède. Après la mort de l'évêque Arwid Kurk (1522), Gustave Vasa sécularisa les biens ecclésiastiques. Les décisions de Västeraas (1527) et d'Oerebro (1529) furent

A. BRANDRUD, Den Kristne Kirkes historie, El. Grundrids, Christiania, 1915 ; H. FELT, Norges Kirker i det 16 og 17 aarhundrede, Christiania, 1911 ; J. HELGASON, Islandes Kirke fra Reformationen til vore Dage, Copenhague, 1922 ; H. NIELSSON, De Islandske Bibeloversaettelser, dans le Festschrift Frants Buhl, Copenhague, 1925.
(1) BIBLIOGRAPHIE. — On la trouvera surtout dans Ekklesia, II, Die Skandinavischen Laender,

appliquées au pays. Mais la doctrine luthérienne y fut prêchée par des Fin-
landais, revenus d'Allemagne. A citer d'abord Pierre Särkilaht, rentré d'un
long voyage d'études. Devenu chanoine et écolâtre du chapitre de Turku,
il prêcha le premier la Réforme. Après une longue vacance, le siège épiscopal échut à Martin Skytte (1532). Il intensifia le mouvement luthérien
en envoyant un bon nombre de jeunes gens étudier à Wittemberg. Ceux-ci
devinrent ensuite évêques, curés ou professeurs à l'école cathédrale. Le plus
remarquable d'entre eux fut Michel Agricola. Premier éducateur d'une
génération de prédicants évangéliques à Turku, il y devint ensuite évêque
(1554-1557), publia d'importants ouvrages pour le peuple, traduisit en
finnois le Nouveau Testament (1548) et une partie de l'Ancien (1544),
édita dans la même langue un livre de prières (1544) et un missel. Il s'est
ainsi acquis une grande réputation comme littérateur et linguiste. Aussi
le désigne-t-on d'ordinaire sous le titre de « réformateur de la Finlande ».
La réformation s'introduisit de façon modérée et progressive pour ne pas
choquer le peuple. Aussi le roi de Suède Jean III (1568-1592) trouva-t-il
l'œuvre de protestantisation déjà avancée. Il se servit d'un collaborateur
dévoué et intelligent, Éric Érici Sorolainen, évêque de Turku de 1583-1625.

Lors de la nomination d'Agricola comme évêque de Turku, la partie
orientale du diocèse fut séparée et forma un évêché nouveau, celui de
Vüpuri ou Viborg. Paul Jünsten († 1576) en fut le premier titulaire ; il
passa ensuite à Turku. Son *Chronicon episcoporum Finlandensium* sert
de base à l'histoire du moyen âge de ce pays.

§ 2. — France [1].

LES DÉBUTS DU LUTHÉRANISME.
LE CERCLE DE MEAUX
Les débuts du luthéranisme en France
coïncident à peu près avec un mouvement de renaissance catholique et
évangélique dont les animateurs appartiennent au « cercle de Meaux ».

fasc. 8, p. 195-201. A retenir surtout pour : I. Sources. — *Handlingar och uppsatser roerande
Finlands Kyrkohistoria*, édit. W.-G. Lagus, Helsingfors, 1845-1850, 5 vol. ; *Handlingar roerande
finska Kyrkan och praesterkapet*, édit. K.-G. Leinberg, Iywaeskylae, 1898 et suiv. ; *Historiska
upplysningar om de religioesa roerelserva i Finland i aeldraoch senare tider* (les mouvements reli-
gieux anciens et modernes en Finlande), édit. M. Akiander, Helsingfors, 1857-1863,8 vol. ; *Mikael
Agricolan teskset* (les œuvres), Porvoo, 1931 ;*Urkunder roerande det aeldre Wiborgska Stiftet*, édit. ;
A. Simolin, dans *Veroeffentlichungen der Kirchengeschichtlichen Geselsschaft Finlands*, t. XIII,
Helsingfors, 1916. — II. Ouvrages modernes : J. Gummerus, *Finlands Reformationshistoria*,
Lund, 1924 ; K.-G. Leinberg, *De finska Klostrens Historia*, Iywaeskylae, 1890 ; E. Bergroth,
Suomen Kirkko (l'Église de Finlande),Porvoo, 1902-1903, 2 vol. ; J. Gummerus, *Michael Agricola*,
Iywaeskylae, 1908.

(1) Bibliographie. — I. Sources. — Les principales sources sont mentionnées par L. Cristiani, dans le t. XVII de cette *Histoire de l'Église*, p. 356. Ajouter : A.-L. Herminjard, *Correspondance des Réformateurs dans les pays de langue française*, Genève et Paris, 1866-1897, 9 vol.
II. Travaux. — Voir également L. Cristiani, *loc. cit.* Ajouter : H. Hauser, *Études sur la réforme
française*, Paris, 1909 ; N. Weisz, *Luther et la réforme française*, dans le *Bulletin de la Société d'histoire Prot. Franç.*, t. LXVII, 1917, p. 282-300, et *Les débuts de la Réforme en France*, dans la même
revue, t. LXXIV, 1925, p. 1-20 ; J. Viénot, *Histoire de la Réforme française des origines à l'édit
de Nantes*, Paris, 1926 ; W.-G. Moore, *La réforme allemande et la littérature française. Recherches,
sur la notoriété de Luther en France*, dans les *Publications de la Faculté des Lettres de Strasbourg*, fasc. 52, Strasbourg, 1930 (fondamental) ; J. Pannier, *Les origines françaises du Protestantisme français* (Communication faite au VIe Congrès international d'Histoire à Oslo, 1928) ;
P. Jourda, *Marguerite d'Angoulême, duchesse d'Alençon, reine de Navarre* (1492-1549), Paris,
1930, 2 vol. Pour cet exposé nous avons largement utilisé le travail de W.-G. Moore, cité plus
haut et le t. III du magistral ouvrage de P. Imbart de la Tour, *Les origines de la Réforme*,
surtout p. 169-272 et 368-415, Paris, 1914.

Il ne sera question ici ni des idées spirituelles de Guillaume Briçonnet, évêque de Meaux depuis 1516, ni de la Réforme de son diocèse [1], mais seulement des travaux de Lefèvre d'Étaples (administrateur de l'hôpital de Meaux depuis 1521 et vicaire général de Briçonnet depuis 1523), ainsi que de ses amis sur les Livres saints. Nous nous demanderons ensuite jusqu'à quel point se justifient les reproches adressés à ce groupement et les raisons de l'opposition qu'il rencontra chez les catholiques.

Lefèvre d'Étaples et le cénacle de Meaux prônent surtout la renaissance religieuse par la rénovation intérieure individuelle [2]. La première condition de celle-ci est le retour à l'Évangile. En trois années, du cercle de Meaux sortent les *Commentarii initiatorii*, le Nouveau Testament en français, le Psautier, un recueil d' « Épîtres et d'évangiles ».

Le premier ouvrage de Lefèvre, quoique écrit en latin, s'adresse aux débutants ; il veut leur démontrer le bienfait de l'Évangile, en donner la vraie signification. Sans doute l'auteur se sert-il du texte grec original ; il signale des variantes ou des versions, il fait précéder chacun des commentaires d'annotations brèves et restitue, par la géographie et l'histoire, le cadre des scènes évangéliques, mais à la différence de tant d'autres humanistes, l'érudition n'est pas pour lui le principal. Il recherche surtout à inculquer l'esprit de l'Évangile. Pour le comprendre il faut croire et Dieu illumine le croyant. Lefèvre voit partout dans l'Écriture des symboles, des allégories. Ainsi dans la crèche, le tabernacle où repose l'eucharistie ; dans Marie, l'Église qui veille ; dans Joseph, le peuple chrétien qui adore. L'eau de Cana devient la doctrine des pharisiens et des scribes, tout extérieure et charnelle, qui doit être changée dans le vin de l'esprit.

Pour la masse, prêtres et fidèles, Lefèvre traduisit ensuite les Évangiles. Suivirent les Épîtres, les Actes et l'Apocalypse. Il part de la Vulgate, adopte quelques corrections prises surtout au texte d'Érasme, n'ajoute ici aucun commentaire, aucune note critique. Il ne vise pas à l'élégance ; l'exactitude et la clarté lui suffisent. Sa traduction du Psautier est faite dans le même esprit, mais doit surtout réaccoutumer le peuple à prier. La même année 1524, il donne encore une édition latine des Psaumes.

Enfin, au début de 1525, paraissent les *Épîtres et les Évangiles des cinquante et deux semaines de l'an*, destinés surtout aux prédicateurs, auxquels l'auteur fournit des explications simples et pieuses, de nature à attacher les chrétiens à Jésus et à ses mystères, à les porter à imiter le Sauveur.

Dans l'ensemble des publications et des principes du cercle de Meaux se discernent nettement certaines tendances qui le firent juger dangereux et provoquèrent des comparaisons avec Luther. Il faut surtout signaler l'exaltation de l'Évangile interprété par l'illumination personnelle, la place secondaire attribuée, non en droit, mais en fait, à l'autorité de l'Église, aux traditions doctrinales, aux témoignages des saints Pères.

---

(1) Voir le t. XVII de cette *Histoire de l'Église*, p. 364-368.
(2) P. IMBART DE LA TOUR, *op. cit.*, t. III, p. 110-132, supérieur à la petite monographie de J. BARNAUD, *Jacques Lefèvre d'Étaples, son influence sur les origines de la Réformation française*, Cahors, 1900, qu'Imbart de la Tour a utilisée. Il manque une étude définitive sur le « Cénacle de Meaux. »

Ajoutons l'opposition aux observances trop multipliées et aux dévotions devenues trop extérieures, au recours continuel et superstitieux aux saints qui semblent prendre la place de Dieu, à la confiance en nos propres œuvres et en nos mérites personnels comme s'ils étaient capables de nous sauver. Ces tendances se comprennent aisément dans une école qui réagissait contre le catholicisme extérieur, contre l'intellectualisme des théologiens et des humanistes, qui voulait remettre en honneur la notion du mystère, insistait sur la grâce toute-puissante de Dieu et la faiblesse de l'homme pécheur.

Cependant on n'a pu trouver dans l'enseignement du cercle de Meaux aucune hérésie et presque toutes ses propositions apparaissent orthodoxes, si on les remet dans leur contexte ou si on les rapproche d'autres passages. Ainsi Lefèvre et ses amis, loin de condamner comme inutiles en vue du salut les bonnes œuvres et l'action humaine, les jugent essentielles. Les œuvres appellent la grâce. A celle-ci l'homme peut concourir ou résister. Dieu veut le salut de tous les hommes. Nombre septénaire des sacrements, purgatoire, prière pour les morts, confession obligatoire, ces doctrines ne furent jamais contestées par Lefèvre d'Étapes et ses collaborateurs. Aucune attaque non plus contre les principes qui se trouvent à la base des ordres religieux et des vœux monastiques. Luther et les autres chefs de la Réforme ne s'y trompèrent pas. Ils ne considérèrent jamais Lefèvre d'Étaples comme un allié.

INTRODUCTION DU LUTHÉRANISME EN FRANCE
Les écrits de Luther et d'autres réformateurs allemands se répandirent tôt et rapidement en France.

A la suite de la dispute de Leipzig (juin 1519), les deux parties s'adressèrent à l'Université de Paris pour lui soumettre leur différend. La Sorbonne, où n'existait pas l'unanimité en faveur d'une condamnation des doctrines nouvelles, hésita longtemps avant de répondre. Dix-huit mois s'écoulèrent ainsi jusqu'à la publication de sa *Determinatio* (avril 1521). Cet intervalle fut largement mis à profit par les semeurs d'opinions hérétiques ou suspectes. L'éditeur Froben de Bâle avait déjà imprimé quatre recueils luthériens et en avait expédié des ballots un peu partout, notamment en France. A Paris, en arrivèrent six cents exemplaires dès 1519 ou le début de 1520. Ces publications se lurent sans doute avec d'autant plus d'avidité qu'elles risquaient d'être condamnées. Un libraire bâlois, Resch, fixé à Paris, semble même y avoir fait sortir de presse l'écrit où le chef de la Réforme allemande exposait les raisons pour lesquelles il avait brûlé la bulle pontificale [1].

Avant la fin de la même année 1521, se débitait également dans la capitale, en traduction française, la glose de Mélanchthon sur la *Determinatio* composée en mai. A Paris, commencèrent à circuler une quantité de petits livrets, feuilles volantes, farces, complaintes, si bien que, le 3 août, le Parlement enjoignit aux libraires, imprimeurs et autres personnes détenant des livres luthériens de les porter à la Cour, sous peine de cent livres d'amende et de l'emprisonnement.

(1) Cf. *supra*, p. 50.

En mars 1522, le concile de Paris s'émeut de la diffusion d'ouvrages hérétiques, comme ceux de Luther, *La captivité de Babylone* et *Les vœux monastiques*, et de Carlstadt contre *Le célibat des prêtres* et *La puissance ecclésiastique*. En juillet 1523, une perquisition ordonnée par le Parlement fait découvrir chez Louis Berquin des livres de Luther, de Mélanchthon et de Carlstadt.

Le 5 octobre, d'autres écrits circulant à Paris sont encore condamnés par la Sorbonne : les *Loci communes*, le récit de la dispute de Leipzig, les *Commentaires sur l'épître aux Romains*, les *Declamationes* sur saint Paul, tous de Mélanchthon.

Les grandes maisons typographiques allemandes ayant des représentants à Paris ou à Lyon, les ouvrages des réformateurs arrivent dans ces villes et de là se répandent dans les provinces de toutes sortes de manières, notamment par le colportage et les bateaux. Des indications, sommaires et éparpillées, permettent de croire, dès ces premières années, à une diffusion considérable des traités hérétiques : à Lyon (octobre 1520), à Grenoble, à Avignon (1521), dans la Gironde (1523, au plus tard), à Tournai (1523), à Meaux (1523), à Metz (fin de 1521), en Franche-Comté (1523), à Montbéliard (1524). Pour plusieurs de ces villes ou régions, par exemple pour Meaux, les textes supposent une pénétration déjà assez profonde, et jugée inquiétante, des ouvrages hérétiques. Des documents parlent spécialement de la Bible allemande de Luther et des efforts faits en France pour l'y obtenir.

Les défections commencent à se produire, d'abord dans le monde ecclésiastique : en 1522, celle d'un prédicateur franciscain d'Avignon, le frère Lambert, et en 1523, dans l'entourage de Lefèvre d'Étaples, celle de Guillaume Farel [1]. Lambert lancera, en janvier 1523, un manifeste expliquant sa sortie de son ordre [2] et, en août, un « commentaire évangélique sur la règle franciscaine [3] », tous deux contenant de violentes diatribes, le manifeste, contre les moines, le commentaire, contre la papauté et la hiérarchie.

Vers la même époque, un seigneur dauphinois, Anémond du Coct, devenu suspect, se rend à Wittemberg, à Zurich et à Bâle. Il revient secrètement, à plusieurs reprises, à Paris et à Lyon. Son rêve serait d'organiser systématiquement la propagande luthérienne. Il tâche de mettre sur pied une imprimerie française. Il traduit et fait imprimer des traités de Luther et donne une préface à Lambert, cité plus haut, pour son commentaire sur la règle franciscaine. La préface rivalise de violence avec le commentaire contre les « franciscolâtres », ces « renards » et « cette stupide tête d'âne qui s'appelle le pape et l'antéchrist ».

L'hérésie commence à s'étaler en chaire. Au couvent des augustins de Paris, un moine, Arnaud de Bronoux, prêcha, dès 1523, le Nouvel Évangile. Il s'en prend à l'observance, aux œuvres méritoires, au sou-

---

(1) Sur Guillaume Farel, voir F. BEVAN, *William Farel*, Londres, 1893 ; J. BARNAUD, *La jeunesse et la conversion de Guillaume Farel*, dans les *Études théologiques et religieuses*, 1929, p. 38-72.
(2) A.-L. HERMINJARD, *op. cit.*, t. I, n° 64.
(3) *In Minoritarum regulam commentarii vere evangelici* (avec préface de Luther), Wittemberg, juillet 1523.

verain pontife, à la hiérarchie. L'évêque Briçonnet, que la Sorbonne soupçonne de connivence avec les nouveautés, doit révoquer plusieurs de ses prédicateurs. A Lyon, un dominicain, Aimé Maigret, scandalise par ses sermons d'allure luthérienne. A Grenoble, un autre religieux, Sébiville, enseigne, sans fard, l'hérésie. Prédicateur fort goûté, il ne s'écarta d'abord que timidement de la vraie doctrine. Mais, au carême de 1524, il s'en prendra ouvertement aux lois ecclésiastiques, au jeûne, au célibat. Même dans les couvents de femmes, il se faisait l'apôtre du mariage des religieux. Son influence gagnait toujours. Zwingle et Oecolampade le patronnaient. Il est en passe de devenir le Luther de la France.

D'autres prédicateurs encore, comme Pierre Caroli et Martial Mazurier, tous deux du cénacle de Meaux, sont dénoncés pour leurs erreurs.

De l'intérêt porté en France au mouvement luthérien témoignent également les voyages entrepris en Allemagne par des Français. On en connaît au moins six, notamment ceux de François Lambert, cité plus haut, et de Guillaume Dumolin, un autre religieux. Ces deux personnages s'occupèrent à l'étranger de traductions luthériennes et les propagèrent dans leur patrie.

Même à l'Université de Paris, le luthéranisme rencontre de chaudes sympathies. Assez peu, il est vrai, à la Faculté de théologie, mais bien plus à celle des arts, en particulier parmi les étudiants étrangers, allemands ou suisses. Un collège, celui du cardinal Lemoine, paraît suspect.

Trois grandes villes situées près des frontières alimentaient principalement le marché français en productions hérétiques : Anvers, Bâle et Strasbourg (Strasbourg parce qu'y passèrent ou y séjournèrent de nombreux réformateurs). En chacun de ces centres travaillaient des imprimeurs, dont on connaît les publications, des traducteurs ou des propagandistes, chargés de la transmission. A Anvers, l'un des imprimeurs les plus actifs paraît avoir été Martin Lempereur. Il faut joindre aux traductions sorties de son officine celles de Louis Berquin et d'Antoine Papillon. Douze versions françaises de Luther peuvent se repérer avant 1535. Mais la littérature hérétique ou suspecte compte une quantité d'ouvrages, traités, pamphlets : traductions d'œuvres souvent édifiantes et populaires, dues à des luthériens connus comme Brenz et Farel, ou de notoriété bien moindre ; publications, d'origine allemande, même antérieures à la Réforme, répandues en France, comme le *Narrenschiff*, de Sébastien Brant, traduit en vers français en 1497-1498, et en prose en 1499, et le recueil des contes d'Eulenspiegel ; ouvrages français publiés à l'étranger, ainsi *La Pasquille d'Allemagne* destinée à instruire les Français sur la situation religieuse au delà du Rhin ; écrits populaires, souvent grossiers, légendaires ou même fantastiques, traitant de Luther ; et toutes sortes de satires, sous forme par exemple de chansons ou de dialogues ; sans compter des œuvres de premier ordre, comme le *Miroir de l'âme pécheresse*, de Marguerite de Navarre, princesse qui protégea humanistes et réformateurs, lut plusieurs écrits de Luther, se montra fort teintée d'idées luthériennes, mais ne voulut nullement répandre le luthéranisme en France[1].

(1) Cf. P. JOURDA, *Marguerite d'Angoulême*.

Si celui-ci trouva ses premiers adeptes parmi les prêtres et les religieux, il gagna bien vite le monde laïque et même les classes les plus humbles (celles-ci, à la faveur d'une crise économique et sociale particulièrement sérieuse dans les villes). On peut déjà déduire des pages précédentes ce caractère populaire et démocratique du mouvement en France. Paysans et ouvriers, par exemple des cardeurs et des tisserands, se trouvent touchés. On nous représente des prédicateurs publiquement interrompus et critiqués ; des orateurs improvisés qui se lèvent dans les églises. Des femmes même s'en mêlent. Mais, sauf dans des villes comme Lyon et Meaux, le mouvement apparaît moins social qu'intellectuel et religieux.

A l'opinion publique s'adressent notamment les écrits de Berquin, courts et mordants. On lui attribue en général la *Farce des Théologastres* où sont tournés en dérision les maîtres de la Sorbonne. Mais la satire recouvre chez lui la leçon. L'Écriture seule peut nous sauver et tirer l'Église de son marasme. Berquin se défendait d'être luthérien : il ne prétendait que rendre la religion plus intérieure.

CONDAMNATION DU LUTHÉRANISME PAR LA SORBONNE ET LE PARLEMENT

Tels nous apparaissent les principaux épisodes de la diffusion du luthéranisme en France jusque vers la fin de 1523. Presque tout de suite, les autorités s'alarmèrent et amorcèrent des contre-mesures.

La *Determinatio* du 15 avril 1521 n'a été que mentionnée plus haut. Il faut revenir à cette importante condamnation par la Sorbonne des doctrines luthériennes.

Antérieurement, deux censures avaient déjà paru contre les erreurs nouvelles : en février 1520, celles de Louvain et de Cologne, associées ; en juin 1520, celle de la bulle *Exsurge*.

En avril 1521, la Faculté de théologie parisienne disposait de plus d'œuvres du réformateur allemand que les théologiens belges et allemands et la curie romaine, en 1520. Au cours de cette dernière année avaient notamment paru les trois grands écrits de réforme.

La *Determinatio* commence par un assez long préambule où Luther se trouve rapproché des hérétiques des temps passés qui, repoussant l'autorité de l'Église, prétendent appuyer leurs nouveautés sur l'Écriture. Le réformateur allemand renouvelle les erreurs des manichéens, des hussites, des wicléfites, des cathares, des vaudois, etc. Son livre *De captivitate babylonica* contient en particulier des doctrines très pernicieuses. Aussi la Sacrée Faculté a-t-elle examiné avec soin l'ensemble du système luthérien.

Vient ensuite l'énoncé d'un grand nombre de propositions extraites des sermons et des livres du moine augustin et plus spécialement du *De captivitate babylonica*. Elles sont suivies de notes théologiques : hérésies, erreurs théologiques, témérités, thèses scandaleuses, etc. La condamnation de la Sorbonne se présente de façon plus complète, plus étendue que celles de Louvain, de Cologne et de Léon X.

Voici d'abord des passages extraits du *De captivitate babylonica* : sur

les sacrements (dix-neuf propositions), sur les constitutions ecclésiastiques (une), sur les œuvres (une), sur les vœux (deux), sur l'essence
divine et l'âme forme du corps (une). Les autres sont tirées d'ouvrages
divers du réformateur allemand ; sur l'Immaculée Conception (une),
la contrition et ce qui la précède (dix), la confession (sept), l'absolution
(quatre), la satisfaction (sept), les communiants (deux), la certitude
de la charité (deux), les péchés (quatre), les préceptes (six), les conseils
évangéliques (quatre), le Purgatoire (neuf), les conciles généraux (quatre),
l'espérance (une), la peine du feu appliquée aux hérétiques (une), l'observation et la cessation de l'obligation des lois (une), la guerre contre les
Turcs (une), les immunités ecclésiastiques (une), le libre arbitre (cinq),
enfin la philosophie et la théologie scolastique (sept) et les œuvres de
Denis l'Aréopagite (une). Sous ce dernier titre on ne rencontre naturellement que des censures comme : fausse, téméraire. Dans les autres, la
plupart des thèses de Luther sont taxées d'hérésie [1].

Enfin la conclusion de ce document déclare que la condamnation
de ces propositions a été ratifiée solennellement et du consentement
de tous [2].

Pour arrêter la propagande, Sorbonne et Parlement s'unirent : par
son arrêté du 13 juin 1521, la haute cour de justice interdit d'imprimer
et de vendre les libelles et traités concernant l'Écriture et la religion
chrétienne, s'ils n'avaient été revus auparavant par la faculté de théologie.
Dès lors, à Paris, s'organisent des perquisitions dans les imprimeries et
les librairies. On y saisit les ouvrages suspects qui seront ensuite brûlés.
On arrête des imprimeurs et des libraires. En province, les évêques se
chargent de la besogne d'épuration.

Bientôt se dressent les premiers bûchers. Jean Vallière, ermite augustin,
est brûlé à la porte Saint-Honoré dès 1523.

Et dès lors aussi des théologiens catholiques, comme le dominicain
Lambert Deschamps et le prêtre séculier Clichtove, dont il a été parlé
plus haut, prennent en divers écrits la défense de la doctrine catholique.

ATTITUDE DE LA ROYAUTÉ   Quelle est cependant l'attitude de la royauté
vis-à-vis des innovations religieuses ?

François Ier ne veut pas trahir sa religion, celle de la France ; mais il
entend aussi protéger les intellectuels. Ainsi s'explique sa politique, taxée
parfois d'incohérence, de contradictions, de faiblesse. La discrimination
des œuvres multiples qui paraissent alors peut d'ailleurs sembler parfois
bien malaisée. Il en est de nettement luthériennes ; dans d'autres se
découvrent seulement des tendances hérétiques ; et surtout que de
publications où domine l'attaque contre la scolastique, les moines, les
abus de la cour romaine !

Il faut aussi tenir compte des circonstances extérieures qui, nous allons
le voir, expliquent les changements dans l'attitude du roi dans les questions
religieuses.

(1) C. Duplessis d'Argentré, *Collectio judiciorum de novis erroribus*, t. I, p. 367-374.
(2) Texte du préambule et de la conclusion dans C. Duplessis d'Argentré, *op. cit.*, t. II,
p. ii-v ; texte des propositions condamnées, *ibid.*, t. I, à l'année 1517.

L'*Apologie* de Berquin, dont le texte ne nous a pas été conservé, avait été soumise à l'examen de la Sorbonne par un ordre de François Ier. La Sorbonne condamna cet ouvrage au feu. Mais la sévérité des docteurs mécontenta François Ier qui protégeait l'humaniste. Voulant alors gagner le gouvernement de vitesse, la Faculté condamna, du 23 au 26 juin, plusieurs autres ouvrages ou traductions de Berquin. Le Parlement le fit arrêter en juillet. Mais le roi ordonna son élargissement et requit de l'Université les motifs de sa censure.

Cependant, dans la seconde moitié de 1524, un rapprochement se produit entre François Ier et Clément VII ; celui-ci a représenté au souverain les progrès de l'hérésie. De là une accentuation de la politique de répressions qui se manifeste surtout, il est vrai, après le désastre de Pavie, pendant la captivité du roi. La régente Louise de Savoie veut arrêter les progrès de la Réforme. Tout un programme d'action s'élabore. Le Parlement crée à Paris une commission de quatre membres pour se charger des informations et des poursuites. Il intime à deux archevêques, à cinq évêques et à deux chapitres l'ordre de nommer également des inquisiteurs pour dépister les erreurs de Luther. Sébiville, Maigret, Caroli, Mazurier, Roussel, Nicole Mangin, Lefèvre sont poursuivis. L'évêque Briçonnet lui-même doit comparaître devant un président de la Cour. Aussi le groupe de Meaux juge-t-il prudent de se disperser. En décembre 1525 est arrêté un chanoine de Tours, Jean Papillon. En janvier 1526, le Parlement fait incarcérer Berquin pour la seconde fois. Le 17 février, est brûlé Guillaume Joubert, accusé d'avoir médit de Dieu, de la Vierge et des saints.

Le roi, rentré en mars, fit de nouveau relâcher Berquin. Il prit sous son patronage Lefèvre d'Étaples, Gérard Roussel et d'autres proscrits de Meaux. Béda, l'âme de la résistance antiluthérienne, fut condamné à se taire.

Il y eut bien encore une exécution en août 1526, celle de Pavant, aux juges duquel François Ier lui-même avait mandé de procéder diligemment. Cependant diverses mesures prises alors par son ordre manifestent une atténuation des rigueurs. Aussi les luthériens reprennent-ils courage. Farel endoctrine le bas peuple. Des prédicateurs suspects remontent en chaire. Les proscrits de Meaux rentrent en France.

Mais le clergé vient à la rescousse du Parlement pour organiser la défense religieuse contre le luthéranisme. En 1528, plusieurs conciles se réunissent à Bourges, à Paris, à Lyon. Duprat, archevêque de Sens, préside celui de Paris. Il soumet d'abord aux évêques assemblés seize articles où sont exposés les dogmes catholiques niés par les protestants et trente-neuf qui énumèrent les thèses erronées de ceux-ci. Il propose ensuite des mesures pénales graduées contre les suspects, les hérétiques, obstinés, repentants ou relaps : monitions, excommunications, remise au bras séculier. Des mesures semblables seront prises dans d'autres conciles et exécutées. Enfin les assemblées conciliaires se mettent d'accord sur la lutte contre certains abus dans le culte des saints, la pratique des indulgences ; elles recommandent la prédication de l'Évangile et de la morale au peuple. Programme très sage où sont évitées les exagérations, où l'on s'abstient soigneusement de déclarer la guerre à l'humanisme et à la critique des textes appliquée aux Écritures.

D'autre part, les rapports entre François Ier et Clément VII ne cessent de se resserrer par la ligue de Cognac de 1526 et par le sac de Rome de 1527.

Vers la fin de 1527, les perquisitions reprennent, les arrestations et les exécutions suivent : deux hérétiques brûlés à Paris en octobre de cette année, un à Rouen en 1528.

Berquin se sent de nouveau menacé, mais François Ier continue à le protéger. Malheureusement l'humaniste abusa de la confiance du roi à son égard. Il tira d'un écrit de Béda douze propositions qu'il dénonça comme hérétiques et voulut faire censurer. Une statue de la Vierge fut mutilée et le roi s'émut fort de ce sacrilège. Toutefois on dut profiter de son absence et de celle de sa sœur, Marguerite, pour arrêter de nouveau Berquin. La cour le condamna à mort et fit immédiatement exécuter la sentence (17 avril 1529).

En 1530, l'orientation religieuse change. Pour l'humanisme c'est la victoire. La paix de Cambrai (1529) a terminé la seconde guerre entre François Ier et Charles-Quint. Le roi de France doit éviter de persécuter pour s'assurer l'alliance des princes allemands contre l'empereur. La Sorbonne se montre disposée à entrer en relations avec Bucer et Mélanchthon.

Cependant, de 1529 à 1540, l'hérésie se propage rapidement. A Paris et dans les environs, les mutilations de statues se sont multipliées. Le 1er novembre 1533, le recteur de l'Université, Nicolas Cop, prononce un discours sur la justification, composé par Calvin. Dans la nuit du 17 au 18 octobre 1534, les novateurs affichent des placards dans la capitale, à Orléans, à Tours, à Blois et jusque sur la porte de la chambre royale au château d'Amboise[1]. Il faut bien que le Parlement intervienne avec énergie. Trois cents personnes de toute condition, mais surtout des ouvriers, sont arrêtés et vingt-quatre d'entre eux périssent, étranglés et brûlés. La communauté de Paris, où dominent des immigrés, étrangers ou provinciaux, compte quelques milliers de membres.

Au second centre ancien du luthéranisme, à Meaux, un habitant, accusé d'avoir tenu des propos contre la messe, se voit condamner à mort. La petite communauté locale vit et agit même en dehors de la ville.

Les revendications économiques jointes aux passions religieuses suscitent, en 1529, une émeute ouvrière à Lyon[2]. De cette ville, la doctrine hérétique se propage dans la région du Rhône, en Vivarais, à Montpellier, à Nîmes, à Narbonne, à Mende, et jusqu'à Toulouse, dans le Quercy et le pays albigeois. Des livres luthériens venus très probablement de

---

(1) Voir l'étude de L. Febvre, *L'origine des placards de 1534*, dans le t. VII, 1945, de la *Bibliothèque d'Humanisme et Renaissance*, p. 62-75.
(2) H. Hauser, *Étude critique sur la « Rebeine » de Lyon, 1529*, dans *Revue historique*, t. LXI, 1896, insérée dans *Études sur la Réforme française*, Paris, 1909, p. 104-183 ; N. Weiss et H. Hauser, *La Réforme et l'émeute lyonnaise de 1529*, dans le *Bulletin de la Société d'Histoire du protestantisme français*, t. LIX, 1910, p. 496-501.

Lyon, sont signalés à Clermont en 1535. Déjà la bourgeoisie d'Issoire paraît contaminée, à voir comment elle réagit quelques années plus tard[1].

Un coup d'œil rapide suffira pour les autres régions de France. Pour la Picardie : le roi écrit au pape en 1529 que la secte luthérienne commence à y pulluler. Dans le pays normand, on découvre l'hérésie non seulement à Rouen, à Caen, à Avranches, où sont exécutées trois femmes, mais dans des villes d'importance secondaire, ainsi Anneville-en-Caux, et même dans la campagne. A Alençon existe un actif foyer de luthéranisme. On le trouve dans les Alpes, où subsistent des restes de la secte vaudoise, et en Provence. De 1528 à 1531 l'hérésie pénètre également dans le Centre, en Orléanais, au pays chartrain, dans le Beauvaisis, en Champagne, en Bourgogne, en Vivarais. Enfin le développement de la Réforme semble plus tardif dans les régions de la Loire, à Bourges, à Poitiers, à Bordeaux.

On pourrait difficilement évaluer les forces du luthéranisme en France, vers 1540, au moment où Calvin prend la tête de la Réforme. La Sorbonne, les Parlements et Rome exagèrent les effectifs de la doctrine nouvelle. Les luthériens au contraire les dissimulèrent. En réalité, la pénétration de la religion venue d'Allemagne semble peu profonde. Dans quelques villes importantes des groupes assez considérables lui sont gagnés. Ailleurs il s'agit plutôt de cas isolés, mais multiples.

§ 3. — Pays-Bas [2].

LA PÉNÉTRATION LUTHÉRIENNE PAR ANVERS

Il se trouvait à Anvers un couvent d'ermites de saint Augustin dont les membres, et surtout le prieur, Jacques Praepositus, entretenaient des relations avec Luther. Cette commu_

---

(1) Cf. H. HAUSER, *Études sur la Réforme française, Notes et documents sur la Réforme en Auvergne*, p. 205-252.

(2) BIBLIOGRAPHIE. — I. SOURCES. — H. PIRENNE, *Bibliographie de l'Histoire de Belgique*, 3e édit. revue et complétée avec la collab. de H. NOWÉ et H. OBREEN, Bruxelles, 1931 ; P. FREDERICQ, *Corpus documentorum Inquisitionis haereticae pravitatis Neerlandicae*, Gand et La Haye, 1879-1906, 5 vol. ; *Corpus documentorum sacratissimarum Indulgentiarum Neerlandicarum* (1300-1600), La Haye, 1922 ; *Bibliotheca reformatoria Neerlandica. Geschriften uit den tijd der Hervorming in de Nederlanden*, édit. S. CRAMER et F. PIJPER, La Haye, depuis 1903 ; Fr. DE ENZINAS, *Mémoires* (1543-1545), édit. C.-A. CAMPAN, Bruxelles, 1862, 2 vol. ; J. DE WESENBEKE, *Mémoires* (1524-1566), édit. Ch. RAHLENBECK, Bruxelles, 1859 ; L.-Ph.-C. VAN DEN BERGH, *Correspondance de Marguerite d'Autriche sur les affaires des Pays-Bas* (1506-1528), Leyde, 1845-1847, 2 vol. ; Ch. LAURENT, J. LAMEERE et H. SIMONT, *Ordonnances des Pays-Bas sous le règne de Charles-Quint*, 1506-1555, Bruxelles, 1893-1922 ; H. LONCHAY, *Les édits des princes-évêques de Liège en matière d'hérésie au XVIe siècle* (Univ. de Liège, Travaux du cours pratique d'Hist. nationale de P. FREDERICQ), Gand, 1883 ; *Bibliographie des martyrologes protestants néerlandais* (dans la *Bibliotheca belgica*, sous la direction de F. VAN DER HAEGHEN, P. BERGMANS et A. ROERSCH, t. XIX), Gand, depuis 1880 ; J. CHAPEAVILLE, *Gesta pontificum Leodiensium ab Erardo a Marcka usque ad Ferdinandum Bavarum* (1505-1612) (dans J. CHAPEAVILLE, *Qui gesta pontif. Tungrensium, Traject. et Leodiens. scripserunt auctores praecipui*, t. III, Liège, 1616 ; J. LYNA, *De gesta van de Luiksche Prinsbisschopen E. Van der Marck, Corn. Van Bergen en J. Van Oostenrijk* (1536-1545), dans les *Bijdragen tot de Geschiedenis*, t. XVI, 1925 ; J. BRUSTHEM, *Vie d'Erard de la Marck, prince-évêque de Liège*, édit. J. REUSENS, dans le *Bullet. Inst. archéol. liégeois*, t. VII, 1866 ; A. CAUCHIE et A. VAN HOVE, *Documents concernant la principauté de Liège, spécialement au début du XVIe siècle. Extraits des papiers du cardinal Jérôme Aléandre*, Bruxelles, 1908-1920, 2 vol., dans la *Commission royale d'Histoire*. Coll. in-8o.

II. TRAVAUX. — H. PIRENNE, *Histoire de Belgique*, t. III, 3e édit., Bruxelles, 1923 ; L. KNAPPERT, *Geschiedenis van de Hervorming en de Hervormde Kerk der Nederlanden*, 1911-1912, 2 vol. ; *Het ontstaan en de Bevestiging van het protestantisme in de Nederlanden*, Utrecht, 1924 ; J. REITSMA, *Geschiedenis van de Hervorming en de Hervormde Kerk der Nederlanden*, 3e édit., Groningue, 1916 ; J.-G. DE HOOP-SCHEFFER, *Geschiedenis der Kerkhervorming in Nederland* 1531, Amsterdam, 1873, 2 vol. ; J. PONT, *Geschiedenis van het Lutheranisme in de Nederlanden*

nauté, rattachée à la congrégation de Saxe, comptera plusieurs secta-
teurs de la Réforme et en fut le plus ancien foyer en Belgique[1].

Le grand port abritait une population très cosmopolite, d'Allemands
surtout, riches et influents ; elle augmentera encore après 1532 par
l'arrivée de protestants forcés de quitter certaines régions plus catholiques
de l'Allemagne. Charles-Quint, qui avait signé cette année l'*Interim de
Nuremberg*, devait bien laisser la liberté religieuse aux soldats allemands
enrôlés en grand nombre dans son armée. La ville comptait aussi beaucoup de juifs, prétendûment convertis, qui, par haine de l'Église, favori-
seraient le mouvement luthérien. L'évêque de Cambrai, dont dépendait
Anvers, résidait fort loin d'elle. L'esprit érasmien s'était répandu dans
les milieux cultivés et le peuple, très réaliste, tenait avant tout à gagner
de l'argent. Déjà garanti contre l'Inquisition par un accord conclu avec
l'évêque de Cambrai en 1450, le magistrat parviendra toujours à éviter
l'intervention gouvernementale en matière religieuse et à obtenir l'inexécu-
tion de la législation de Charles-Quint contre l'hérésie. La tolérance la
plus grande lui paraissait nécessaire pour la prospérité de la ville.

Aussi les prédications luthériennes s'y multiplient-elles vite. Non seulement les ouvrages de Luther et d'autres réformateurs y pénètrent de
l'Allemagne, mais ils s'y impriment, notamment dans les ateliers de
Hillen, de Vorsterman et de Martin De Keyser (Lempereur). Il sort
de ces usines des livres latins, français et néerlandais[2].

DIFFUSION DU LUTHÉRANISME   Le gouvernement de Marguerite d'Autriche commença par assister impassible
à la propagande luthérienne. Cependant la foi nouvelle se répandait et,
avant 1525, on la signale notamment à Dordrecht, à Gand, à Courtrai,
à Louvain, à Bruxelles, à Tournai, à Ypres, à Bruges, à Namur. La
gouvernante mentionne comme régions infestées le Hainaut, le Luxembourg, le Brabant et la Flandre[3]. Pourtant, en dehors d'Anvers, pour
le pays flamand, et de Tournai, pour le wallon, le luthéranisme ne

tot 1618, Harlem, 1911 ; J. Loosjes, *Geschiedenis van de Lutersche Kerk in de Nederlanden*, La
Haye, 1921 ; E. Hubert, *Étude sur la condition des protestants en Belgique depuis Charles-Quint
jusqu'à Joseph II*, Bruxelles, 1882 ; P. Fredericq, *La question des Indulgences dans les Pays-Bas
au commencement du XVIe siècle*, Bruxelles, 1899 (Bull. Académie) ; *Geschiedenis der Inquisitie
in de Nederlanden*, Gand, 1892-1897, 2 vol. ; A. Henne, *Histoire du règne de Charles-Quint en
Belgique*, Bruxelles, 1858-1860, 10 vol. ; H. Fredericq, *De Nederlanden onder Keizer Karel V.
De dertig eerste jaren der XVIe eeuw*, Gand, 1885 ; J.-S. Theissen, *De regeering van Karel V in
de Noordelijke Nederlanden*, Amsterdam, 1912 ; R. Haepke, *Die Regierung Karls V und der euro-
paeische Norden*, Lubeck, 1914 ; Gh. de Boom, *Marguerite d'Autriche. Sa vie et la Pré-Renais-
sance*, Bruxelles, 1935 ; L.-E. Halkin, *Le cardinal Erard de la Marck, prince-évêque de Liège*, Liège,
1930 (dans la Bibl. de la Faculté de Philos. et Lettres de l'Univ. de Liège, fasc. XLIII) ; *Réforme
protestante et Réforme catholique au diocèse de Liège. Histoire des règnes de Corneille de Berghes et
de Georges d'Autriche, princes-évêques de Liège*, Liège, 1936 (même collect., fasc. LXXII) ; J.-M.-J.
Hoog, *Onze Martelaren*, dans le *Nederlandsche Archief voor Kerkgeschiedenis*, t. I, 190 ; *De
Martelaren der Hervorming in Nederland tot 1566*, Schiedam, 1885 ; J. Loosjes, *Naamlist van
predikanten en proponenten der Lutersche Kerk in Nederland. Biographie en bibliographie*. La Haye,
1925.

(1) H.-Q. Janssen, *Jacobus Praepositus, Luthers leerling en vriend, geschetst in zijn lijden en
strijden voor de Hervorming*, Amsterdam, 1862.

(2) J.-A. Goris, *Étude sur les colonies marchandes méridionales (Portugais, Espagnols, Italiens)
à Anvers, de 1488 à 1587*, dans le *Recueil de Travaux* de la Faculté de Philos. et Lettres de l'Université de Louvain, Louvain, 1925 (voir surtout p. 546-606) ; P. Kalkoff, *Die Anfaengen der
Gegenreformation in den Niederlaendern*, Halle, 1903 (voir surtout le t. I, chap. II), 2 vol.

(3) P. Fredericq, *Corpus docum. Inquisitionis*, t. IV et V, voir les tables de ces volumes.

poussera pas de profondes racines en Belgique et moins encore dans la Hollande actuelle. Dans la principauté de Liège, la première propagation de l'hérésie vint aussi de l'Allemagne. Elle est mal connue, mais du/ avoir quelque importance puisque, dès avant 1531, les princes évêques portèrent plusieurs édits pour s'y opposer.

LA RÉPRESSION   Charles-Quint, décidé à agir énergiquement, voulut d'abord organiser une inquisition d'État, copiée sur l'Inquisition d'Espagne. Il en nomma commissaire un membre du Conseil de Brabant, François Van der Hulst. Peu après montaient au bûcher deux augustins du couvent d'Anvers, Henri Voes et Jean Van Essen, les premiers martyrs de la Réforme en Belgique [1]. Aléandre avait obtenu de l'empereur l'autorisation d'agir contre Jacques Praepositus. Deux inquisiteurs, désignés par l'évêque de Cambrai, instruisirent sa cause. Il abjura ses erreurs, le 9 février 1522, mais retomba ensuite dans l'hérésie et prit la fuite. Vers le même temps, quatre autres prévenus comparurent en jugement ; les deux plus connus étaient un confrère de Praepositus, Henri de Zutphen, et un humaniste, pensionnaire d'Anvers, Corneille Graphaeus. Deux des accusés s'enfuirent, un troisième fit amende honorable ; le quatrième fut relâché. Le gouvernement et le nonce n'obtinrent donc pas l'effet escompté de ces arrestations. Dans ces cas et dans d'autres, se manifeste clairement la mollesse des juges laïques. Mais, le 9 octobre 1523, Van der Hulst, qui avait été reconnu par Adrien VI, fut déposé de ses fonctions. L'empereur en vint alors à un nouveau système d'inquisition, propre aux Pays-Bas et qui devait subsister dans la suite. Les membres du Tribunal étaient proposés par le gouvernement et nommés par le pape. Leurs pouvoirs furent surtout déterminés par un bref de Clément VII, du 20 mars 1525. Ils pouvaient procéder d'accord avec les évêques ou se passer de leur concours [2].

Cependant Charles-Quint avait inauguré la publication des fameuses ordonnances contre l'hérésie [3]. Le texte du premier de ces édits est perdu. Nous savons qu'il datait du 28 ou 29 septembre 1520 et qu'il fut porté sous l'inspiration d'Aléandre. Il émanait de Charles-Quint, comme duc de Brabant, et stipulait sans aucun doute que les livres suspects seraient brûlés [4]. Quelques mois après, une ordonnance, celle-là conservée, édictait les mêmes prescriptions [5]. Enfin l'édit de Worms, du 8 mai 1521, fut également publié aux Pays-Bas [6]. Dès le 8 octobre 1520 des livres hérétiques furent brûlés à Louvain.

Parmi les placards suivants, celui du 14 octobre 1529 présente une

---

(1) P. FREDERICQ, *op. cit.*, t. IV, p. 100-105, 115-120, 122, 143, 160, 173-181, 183-184, 187-206, 208-213, 215-228, 230-237, 247-248, 256-258, 262-263, 268-270, 273, 276, 284, 293-294 et 302. Cf. H. PIRENNE, *Histoire de Belgique*, t. III, p. 349-351 et KALKOFF, *op. cit.*, t. II, p. 61 et suiv.

(2) P. FREDERICQ, *op. cit.*, t. IV, p. 275-278, 319-325.

(3) Souvent appelées *Placards*. Ce terme ne fut nullement réservé à la législation de l'empereur contre l'hérésie aux Pays-Bas. Il désigne une forme spéciale d'actes du souverain portant le sceau plaqué (P. BONENFANT, dans les *Miscellanea Historica Alb. de Meyer*, t. II, p. 781-790), Louvain-Bruxelles, 1946.

(4) P. KALKOFF, *Das eerste Plakat Karls V gegen die Evangelischen in der Nierderlaendern*, dans l'*Archiv für Reformationsgeschichte*, t. I, 1904.

(5) *Ordonnances des Pays-Bas*, 2e série, t. II, p. 70 et 71, Bruxelles, 1898.

(6) *Placcaeten van Vlaanderen*, t. I, p. 83-102.

importance exceptionnelle. Il défend d'imprimer ou écrire, faire imprimer ou écrire, vendre, acheter, distribuer, lire, garder, recevoir ou retenir, prêcher, instruire, soutenir ou défendre, communiquer ou disputer, des livres ou doctrines de Luther ou autres hérétiques. Sont prohibés les ouvrages publiés sans déclaration des auteurs ou imprimeurs. L'ordonnance interdit en outre de peindre, faire peindre ou conserver des images injurieuses pour Dieu et les saints, et de discuter sur la Sainte Écriture ; elle enjoint de livrer les écrits des hérétiques et de se munir de l'*imprimatur* pour tout ouvrage traitant de la Bible. Le placard de 1529 inaugure des pénalités beaucoup plus sévères que les précédents, qui ne stipulaient guère que des confiscations de biens. Dans celui-ci se trouve vraiment prodiguée la peine de mort. Elle atteint même le fait d'avoir logé, reçu, favorisé et soutenu sciemment des hérétiques, si ceux-ci ne sont pas dénoncés dans les quinze jours après la promulgation de l'édit [1]. Un placard antérieur, du 17 août 1526, interdisait déjà de proposer en chaire les erreurs luthériennes, de tenir des réunions où l'on parlerait de la Sainte Écriture, d'y assister, de rien dire, publiquement ou dans les maisons privées, contre la foi, la Vierge, les sacrements [2].

Allié et ami de Charles-Quint, le prince-évêque de Liège, Érard de la Marck, ne fit pas preuve de moins de zèle. Un mois après l'empereur (17 octobre 1520), il publiait son premier édit contre les luthériens. Plus modéré que l'édit destiné aux Pays-Bas, il ignorait même la torture [3]. Les 20 et 21 octobre se déroulait à Liège un autodafé semblable à celui de Louvain. Du 15 janvier 1526 date un second acte d'Érard qui traite de la réforme du clergé et édicte des peines contre l'impression et la vente de livres non approuvés. Le prince rencontra une certaine résistance de la part surtout du Tiers État qui craignait de voir la principauté soumise en matière d'hérésie à un régime d'exception [4].

L'ANABAPTISME L'histoire de l'anabaptisme dans les Pays-Bas méridionaux débute vers 1535 [5].

Par son importance numérique, il se situe entre le luthéranisme et le calvinisme. Plus répandu que le premier, il le fut moins que le second. On peut estimer à plusieurs milliers le nombre de ses adhérents. La seule communauté d'Anvers comptait en 1566, d'après Morillon, vicaire général de Malines, environ deux mille mennistes [6]. Sous le nom général

---

(1) *Placcaeten van Vlaanderen*, t. I, p. 107-113 ; P. Fredericq, *Les placards du 14 oct. et du 31 déc. 1529 contre les protestants des Pays-Bas*, dans les *Mélanges Godefroid Kurth*, t. I, p. 255-260, Liège, 1908.

(2) *Placcaeten van Vlaanderen*, t. I, p. 103-107.

(3) L.-E. Halkin, *Le plus ancien texte d'édit promulgué contre les luthériens*, extrait de la *Rev. d'Histoire ecclésiastique*, t. XXIV, 1929.

(4) L.-E. Halkin, *Le cardinal de la Marck*, p. 149-154 ; *L'Édit de Worms et la répression du luthéranisme dans la principauté de Liège*, dans les *Miscellanea Hist. Alb. de Meyer*, t. II, p. 791-800 ; E. Fairon, *La répression de l'hérésie et la question constitutionnelle dans la principauté de Liège*, Nessonvaux, 1930 ; W. Bax, *Het Protestantisme in het Bisdom van Luik en vooral te Maastricht (1505-1557)*, La Haye, 1937.

(5) Le principal ouvrage d'ensemble est celui de W.-J. Kuhler, *Geschiedenis der nederlandsche Doopsgezinden in de XVIe eeuw*, Haarlem, 1932. Voir aussi le bon résumé de L.-J. Rogier, *Geschiedenis van het katholicisme in Noord-Nederland in de 16e en de 17e eeuw*, t. I, Amsterdam, 1945, p. 140-157.

(6) K. Vos, *De Dopsgezinden te Antwerpen in de XVIe eeuw*, dans le *Bull. de la Commission royale d'Hist.*, t. LXXXIV, 1920, p. 325 et 331.

d'anabaptisme, nous savons déjà qu'il faut comprendre des systèmes assez différents. Tous rejetaient le baptême des enfants, parce que le baptême exige la foi. Ce rite n'est d'ailleurs qu'un symbole de la renaissance religieuse, car ces sectaires repoussent naturellement tous les sacrements dans le sens catholique. Chez eux pas de sacerdoce. Le monde actuel, mauvais, doit finir et même, pour certains, il faut l'anéantir par le glaive. Tous réprouvent la propriété privée et, admettant l'inspiration directe du Saint-Esprit pour les lecteurs de la Bible, y trouvent toutes sortes de rêves apocalyptiques plus ou moins dangereux.

Depuis 1525, on signale en quelques points de la Belgique des sectaires pour lesquels on ne trouve pas de relations d'idées bien nettes avec les anabaptistes postérieurs : à Lille, dans le Hainaut, en Brabant et en Flandre, Coppin et Quentin Couturier, Picart et leurs adeptes ; et à Anvers surtout Loy Prustyreck, couvreur en ardoises, qui dut tenir par exemple sur la corruption du monde et de la chair des principes manichéens. Il fut brûlé en 1544. Ses disciples, dénommés Loystes ou sadducéens, parce qu'ils niaient la résurrection de la chair, se répandirent en Brabant et en Flandre [1].

En 1529-1530 commencent à se répandre les doctrines de l'allemand Melchior Hoffmann [2]. Il prône une vie de renoncement et d'obéissance à Dieu et prétend qu'un petit nombre de sauvés appartiendra au royaume à venir de Dieu sur terre. Il admet, d'autre part, que Dieu parle immédiatement à quelques élus. Cette dernière conception se retrouve dans le système radical et révolutionnaire de Matthys et de Jean de Leyde ou de l'anabaptisme de Münster. En 1531, Hoffmann arriva à Amsterdam. En 1534, ses doctrines se découvrent en Flandre. Sous leur forme la plus avancée — la communication directe avec Dieu — on constate surtout leur existence à Gand ; sous une forme plus modérée, à Bruges. Même après l'arrestation d'Hoffmann, à Strasbourg, Münster restera le centre de cette sorte d'anabaptisme. Les années 1532-1534, années de cherté de vie, marquèrent un fort accroissement de secte. De petits villages possèdent leurs anabaptistes. La région du Rhin, les villes de la Meuse, dans la Hollande du Sud, Utrecht, mais surtout les provinces de Groningue et de Frise se montrent sympathiques à ces doctrines. Le Limbourg semble beaucoup plus épargné. A la nouvelle du danger qui menaçait Münster, des centaines d'anabaptistes des Pays-Bas volèrent à son secours, sous la conduite de Jean de Leyde. Les autorités communales des villes hollandaises, par lesquelles ils passaient, parvinrent à les arrêter. Après la catastrophe de Münster, un fanatique, Jean van Geelen, envoyé par Jean van Leyde, vint se fixer à Amsterdam et y regroupa les sectaires. Avec une troupe de quelques centaines d'hommes, il tâcha de se rendre maître de l'hôtel de ville, mais sa bande y fut assiégée et réduite à merci.

A Jean van Geelen succéda à Amsterdam David Joris. Anversois d'ori-

---

(1) J. FREDERIKS, *De secte der Loisten of Antwerpsche Libertijnen*, Gand, 1891 ; F. PRIMS, *Geschiedenis van Antwerpen*, t. VII, 3, p. 289 et 290 ; P. FREDERICQ, *Corpus*, t. V, p. 94 ; GENARD, dans l'*Antwerpsche Archivienblad*, t. VIII, p. 323.
(2) Cf. *supra*, p. 67.

gine, c'était un homme bien intentionné, mais farci d'idées fantaisistes. Sa secte se répandit en Westphalie et dans les Pays-Bas.

Ces systèmes anabaptistes et d'autres, assez peu connus, différaient entre eux sur certains points, par exemple sur l'incarnation du Christ. Une théorie fort suivie chez eux semble avoir été celle du sommeil des âmes après la mort jusqu'au jour du dernier jugement.

Bientôt se fit également sentir dans les Pays-Bas l'influence des erreurs, nettement antisociales et apocalyptiques, de Jan van Batenburg, fils du bourgmestre de Steenwijk, qui voulait faire disparaître l'humanité par le meurtre et l'incendie, mais périt lui-même sur un bûcher en 1538. Même après sa mort, ses disciples appliquèrent ses principes et semèrent la terreur, principalement dans l'Overijssel. Plusieurs de leurs bandes continuèrent leurs sanglantes randonnées jusqu'en 1570.

Cependant la doctrine anabaptiste la plus populaire à cette époque fut celle de Menno Simons († 1559), prêtre originaire de Frise. Il recommandait la pacification intérieure et faisait abstraction de tout souci terrestre. Ce dernier mouvement souleva une violente réprobation et ses adeptes furent poursuivis et exécutés sans aucun ménagement.

Persécutés en Flandre [1] et en d'autres régions, les mennistes se réfugièrent surtout en Frise. Dans les Pays-Bas du Nord, vers 1550, il existait en plusieurs villes, comme Leeuwarden et Dokkum, des communautés dont il subsiste des restes. Leurs chefs, Leenaert Bouwens et Dirk Philipsz, ne partageaient pas les idées modérées de Menno.

La majorité des anabaptistes de toutes sectes appartenaient au prolétariat, et surtout aux ouvriers du textile et du bâtiment. Les guerres, en restreignant le commerce, la concurrence de l'étranger, de l'Angleterre surtout, en atteignant l'industrie textile, avaient multiplié les chômeurs et contribué à diminuer la population urbaine [2]. Le système suranné des impôts et de l'administration ne permettait pas à l'État et aux villes de lever les ressources financières qui leur étaient nécessaires et les rendait incapables de faire respecter l'ordre public. D'autre part, atteintes elles aussi par les fréquentes crises, les institutions religieuses et bienfaisantes manquaient des moyens pécuniaires pour remédier à la misère du peuple.

Dans les communautés anabaptistes, on rencontrait cependant aussi des personnes riches et cultivées. Elles comptaient un bon nombre de femmes.

ATTITUDE DE CHARLES-QUINT ET DU DUC D'ALBE VIS-A-VIS DES ANABAPTISTES Du 10 juin 1535 date un placard extrêmement rigoureux de Charles-Quint contre les nouvelles sectes. Il décrète la peine du feu contre leurs membres qui s'obstinent, contre les prosélytes, contre les rebaptisés, contre les « prophètes, papistes ou évêques » [3] ; aux rebaptisés qui font amende honorable, sera

---

(1) A.-L.-E. VERHEYDEN, *Menisme in Vlaanderen*, Bruxelles, 1942 ; *De Doopsgezinden te Gent* (1530-1630), extrait des *Bijdragen tot de Geschiedenis en de Oudheidkunde*, s. d.

(2) L.-J. ROGIER, *Geschiedenis*, t. I, p. 10-14.

(3) Les anabaptistes s'étaient en effet organisés et avaient divisé le pays en régions à la tête desquelles se trouvait un évêque. Plus tard, même certaines communautés plus importantes en eurent un.

infligée la mort par l'épée, s'ils appartiennent au sexe masculin, et par la fosse, s'ils appartiennent au sexe féminin, la mort aussi pour les personnes ayant logé des rebaptisés ou rebaptiseurs. Enfin on considère comme fauteurs, adhérents ou complices les gens ayant négligé de dénoncer les sectaires qu'ils connaissent.

Il ne faut donc pas s'étonner si, sur les 877 victimes mentionnées dans les martyrologes protestants, 617 appartiennent à l'anabaptisme. Gand en compte 124, de 1535 à 1592 ; Bruges 45, de 1538 à 1571 ; Anvers, au moins deux cents en quarante années [1].

Les communautés dont on connaît le mieux l'histoire sont celles d'Anvers et de Gand. Dans ces deux villes, les premières exécutions datent de l'année même du placard résumé plus haut. Parmi les prédicateurs, évêques ou « anciens », nous trouvons Leenaert Bouwens dont on nous assure qu'il rebaptisa environ dix mille chrétiens au cours de ses voyages en Belgique et en Hollande. Sa tête, comme celle de plusieurs notables anabaptistes, était mise à prix [2].

Les années du gouvernement du duc d'Albe furent pour eux les plus sanglantes. De 1569 à 1574, les Gantois purent assister à quarante exécutions. La Pacification de Gand, de 1576, permit aux anabaptistes de vivre plus librement. Après la réconciliation des provinces méridionales avec l'Espagne, la plupart d'entre eux se réfugièrent en Hollande.

Pour condamner ces doctrines dont la plupart ne menaçaient pas seulement l'Église mais la société, catholiques, luthériens et calvinistes se trouvaient d'accord.

Dans la principauté de Liège, la distinction entre luthériens et anabaptistes apparaît moins nette qu'aux Pays-Bas. De Maastricht, où exista certainement une importante communauté de sectaires, et du duché de Juliers, où se pratiquait une certaine tolérance, l'erreur gagna les États d'Érard de la Marck. Il y eut des arrestations et même des exécutions. Un des condamnés de Liège estimait à 1.500 le nombre de ses coreligionnaires [3].

Jusqu'en 1550 Charles-Quint continua à édicter des placards contre les hérétiques. Les uns restreignent toujours la liberté de la presse [4] ; d'autres, de portée plus générale, n'ajoutent guère aux ordonnances antérieures. Cependant celui du 22 septembre 1540 déclare pour la première fois que les hérétiques deviennent incapables de disposer de leurs biens à partir du jour où ils tombent dans l'erreur [5] ; et celui du 28 avril 1550 interdit désormais les changements de domicile sans un certificat du curé de l'endroit où la personne en question a résidé en dernier lieu ; il emploie aussi pour la première fois — et c'est cependant le dernier édit de Charles-Quint en matière religieuse — le terme d'inquisiteurs

---

(1) L.-E. VERHEYDEN, Het Gentsche Martyrologium (1530-1595), Bruges, s. d. ; Het Brugsch Martyrologium (12 oct. 1527-7 august. 1573), Bruges, s. d. ; Vos, art. cit., p. 316-317.
(2) Vos, art. cit., p. 330-390 ; Menno Simons, Leyde, 1914 ; GENARD, Antwerpsche Archivienblad, t. II-IV, VII-XIV.
(3) L.-E. HALKIN, Erard de la Marck, p. 170-174 ; J. LYNA, De Wederdoopers in het graafschap Loon, dans le Bull. de la Soc. scient. et littéraire du Limbourg, t. XXXV (1920).
(4) Ordonnances des Pays-Bas, 2e série, t. IV, p. 61, 210, 430 ; t. V, p. 6, 112, 307, etc.
(5) Ibid., t. IV, p. 224-229.

et enjoint aux juges et officiers civils de les aider par tous moyens dans l'exercice de leurs fonctions [1]. Le Conseil de Brabant et le magistrat d'Anvers obtinrent, le 25 septembre suivant, dispense du certificat du curé pour les marchands étrangers arrivant aux Pays-Bas.

Toutes ces mesures portées contre les luthériens et les anabaptistes empêchèrent évidemment une vaste diffusion de leurs erreurs. Elles n'obtinrent cependant pas tous les résultats qu'en escomptait l'empereur. Elles s'avérèrent inapplicables dans un pays ouvert de tous côtés, entouré de régions contaminées, vivant de l'industrie et du commerce international. Comme nous venons d'en donner un exemple, l'empereur lui-même dut atténuer leur sévérité outrée. En réalité, les anabaptistes seuls se virent traités avec une rigueur impitoyable.

Jusqu'en 1544 les inquisiteurs apostoliques agirent sans accord avec les Conseils de justice, fort jaloux de leur autorité, et craignant toujours qu'on ne dépassât la mesure dans la répression. Un bref de Paul III (1544) et un placard de Charles-Quint (28 avril 1550) organisèrent l'action commune. Les inquisiteurs, considérés désormais comme fonctionnaires impériaux, durent recevoir main-forte des officiers civils [2].

LES MOUVEMENTS LUTHÉRIEN ET ANABAPTISTE A LIÈGE

Moins important que dans les Pays-Bas, le mouvement luthérien et anabaptiste de la principauté de Liège constitua cependant un danger pour l'avenir du christianisme dans cet État. Mais Érard de la Marck et son deuxième successeur, Georges d'Autriche (1544-1557), s'appliquèrent de tout leur pouvoir à l'enrayer. La répression n'atteignit pas dans leur principauté la rigueur qu'y mit Charles-Quint. Et cependant, à la mort de l'empereur, les diverses sectes hérétiques se trouvaient réduites à l'impuissance.

Un édit d'Érard de la Marck, en date du 9 mai 1534, aggrava les peines portées antérieurement. Sur un total de 73 personnes exécutées pendant le règne de ce prince, 42 au moins sont signalées comme anabaptistes [3].

Le préambule d'un nouvel édit, porté par Georges d'Autriche, signale la recrudescence de l'hérésie et l'inefficacité des mesures prises contre elle.

La cité même ne paraît pas avoir été un des plus importants foyers des erreurs nouvelles. On n'y connaît, pour l'époque de Corneille de Berghes (1538-1544), qu'une seule exécution capitale et deux sous le règne de Georges d'Autriche. Peu de traces d'hérésies aussi dans la partie wallonne de la principauté ; mais dans le diocèse, qui s'étendait beaucoup plus loin que la principauté, il s'en trouve davantage, au Luxembourg, dans le Brabant wallon et surtout dans le Namurois.

Le mouvement luthérien et encore plus le mouvement anabaptiste progressèrent tout autrement dans les régions flamandes de la principauté et du diocèse. Pour la principauté, les villes de Hasselt et de

(1) *Placcaeten van Vlaanderen*, t. I, p. 157-170.
(2) H. Pirenne, *op. cit.*, t. III, p. 366-368.
(3) L.-E. Halkin, *Erard de la Marck*, p. 124-128, 151-157, 167-188.

Tongres sont les plus contaminées. Pour le diocèse, Louvain. Les traces d'hérésie se multiplient à mesure qu'on s'avance vers le Nord et l'Est, à Maastricht, Ruremonde, Venloo et dans le duché de Juliers.

Ainsi s'explique l'édit nouveau de Georges d'Autriche auquel nous faisions allusion ci-dessus. Érard de la Marck n'avait jamais pu parvenir, malgré son vif désir, à mettre sur pied un édit général comme celui-là. Sa préparation dura longtemps ; l'établissement de son texte donna lieu à de longues discussions. Le Tiers État continuait en effet à opposer certaines difficultés à la législation contre l'hérésie, surtout en matière de confiscation de biens.

Le nouvel édit énumérait les peines encourues pour les divers délits : la mort appliquée non seulement aux hérétiques, mais à toutes les personnes qui par leurs mœurs et leur façon de vivre se séparaient de la communauté des fidèles. Le dernier supplice s'accompagnait de la confiscation des biens : peines prévues pour le crime de lèse-majesté auquel l'hérésie se trouvait assimilée. Les obstinés comme les relaps devaient périr sur le bûcher. Les repentants non relaps seraient décapités. L'édit se terminait par un index des livres prohibés [1].

§ 4. — Pays de l'Europe Méridionale.

ÉTAT RELIGIEUX DE L'ITALIE [2] Diverses circonstances préparèrent ou favorisèrent la Réforme protestante en Italie. En premier lieu, l'extrême division politique et morale de la péninsule. Elle empêcha longtemps toute répression concertée. Les principautés redoutaient de laisser s'établir sur leur territoire une juridiction étrangère et n'étaient pas mécontentes de voir la cour de Rome aux prises avec de nouvelles difficultés. Une seconde cause fut l'état du clergé : prêtres mal recrutés et jouissant de peu de prestige ; évêques manquant au devoir de la résidence ; conflits entre cardinaux

---

(1) Sur tout ceci voir l'ouvrage de L.-E. HALKIN, *Histoire religieuse des règnes de Corneille de Berghes et de Georges d'Autriche*, p. 115-129, et *passim*. Il a été question dans un autre chapitre du rôle de l'Université de Louvain dans la défense de la foi catholique contre Luther, ainsi que des principaux polémistes antiluthériens des Pays-Bas.

(2) BIBLIOGRAPHIE. — I. SOURCES. — Les principaux ouvrages servant de sources seront étudiés au cours de notre exposé. Citons ces deux recueils de sources : *Per la storia degli eretici italiani del sec. XVI in Europa* (Testi raccolti da D. CANTIMORI et E. FEIST, Rome, 1937) ; en 1925, à Turin, P. CHIMINELLI avait publié les *Scritti religiosi dei riformatori italiani*.

II. TRAVAUX. — E. RODOCANACHI, *La Réforme en Italie*, Paris, 1920-1921, 2 vol. (la meilleure étude d'ensemble ; un peu vieillie sur quelques points depuis les études de Cantimori, Lemmi et d'autres auteurs) ; G. BUSCHBELL, *Reformation und Inquisition in Italia um die Mitte des XVI Jahrh.*, Paderborn, 1910 ; D. CANTIMORI, *Eretici italiani del Cinquecento. Ricerche Storice*, Florence, 1939 (*Biblioteca storica Sansoni*, nouvelle série, t. I) ; ID., *Attegiamenti della vita culturale italiana del secolo XVI di fronte alle Riforma*, dans la *Rivista storica italiana*, 5ᵉ série, t. 1, 1936, p. 41-69 ; ID., *Recenti studi intorno alla Riforma in Italia e ai Riformatori italiani all'estero*, dans la même revue, 5ᵉ série, t. I, 1936, p. 83-110 (important) ; F.-C. CHURCH, *I Riformatori italiani*, trad. de D. CANTIMORI, Florence, 1935 ; B. FONTANA, *Documenti Vaticani contra l'eresia luterana in Italia*, dans l'*Archivio della societa Romana di Storia Patria*, t. XV, 1892, p. 71-165, 365-464 ; F. LEMMI, *La Riforma in Italia e i riformatori italiani all'estero nel secolo XVI*, Milan, 1939 (*Documenti di storia e di pensiero politico*) ; J.-R. CHARBONNEL, *La pensée italienne au XVIᵉ siècle et le courant libertin*, Paris, 1919 ; F. BOLGIANO, *Riforma e Controriforma in Italia*, dans la *Nuova Rivista Storica*, t. XXVI, 1942 ; C. STANZE, *Luther und Italien*, dans la *Zeitschrift für systematische Theologie*, t. XVI, 1939 ; H. HERMELINCK et W. MAURER, *Reformation und Gegenreformation*, p. 191-194 (ouvrage déjà souvent cité) ; P. CHIMINELLI, *Bibliografia della storia della Riforma religiosa in Italia*, Turin, 1921.

et évêques, entre évêques et ordres religieux, à quoi il faut ajouter la mésentente de certains ordres religieux. On doit aussi attribuer une importance considérable au mouvement intellectuel italien. Celui des humanistes d'abord, dont beaucoup se montrèrent nettement païens (Académie romaine). Même les humanistes chrétiens, comme Bembo, Nicolas V et Pie II, avant leur pontificat, apparaissent comme de bien tièdes serviteurs de l'Église. Les humanistes n'apprécient nullement l'esprit du catholicisme tel qu'on le comprend à Rome ; ils méprisent le latin de l'Écriture et de la liturgie. En général leur attitude fut d'abord, comme en Allemagne, favorable à la Réforme protestante ; plus tard, ils lui devinrent hostiles. Après les humanistes, les philosophes. Plusieurs d'entre eux, quelle que fût leur école, soutinrent des thèses antichrétiennes. Pierre Pomponazzi (1462-1526), par exemple, croit à l'existence de l'âme, mais enseigne que la philosophie ne peut la démontrer, pas plus d'ailleurs que la liberté de la volonté ; il ne cache pas ses répugnances pour les doctrines de l'immortalité de l'âme, de la résurrection des corps, de la récompense et du châtiment après la mort. La philosophie doit seule, pour lui, s'occuper des problèmes métaphysiques et ne laisser à la religion que le règlement de la vie pratique. Par son système, Nifo (1473-1538 ou 1545) aboutit, quoique avec circonspection, à rejeter le surnaturel, les miracles, les anges, les démons et la puissance divine. Enfin l'étude de l'hébreu se répandit beaucoup dans le monde cultivé de l'Italie. Des cours de cette langue s'ouvrirent en plusieurs villes. De nombreuses éditions des livres saints ou d'études sur l'Écriture parurent alors. Quoique le but primitif de ces recherches eût été de défendre le catholicisme contre les Juifs (par exemple chez Ambrogio Traversari), elles aboutirent à ébranler la confiance dans les textes sacrés (L. Valla, par exemple).

Extérieurement, la foi paraît toujours vivante. Les reliques jouissent encore d'un grand succès. Il se publie et se lit beaucoup de livres de piété. Mais les Italiens s'attachent surtout aux démonstrations cultuelles. Chez beaucoup les convictions religieuses manquent de profondeur. L'indifférence s'accroît. L'influence de Machiavel s'exerce toujours et le christianisme paraît à certains opposé à la vraie conception de l'humanité. Même sous des plumes très respectables, on trouve de violentes diatribes contre le Saint-Siège et le clergé. La conduite morale de plusieurs papes, le népotisme, les mauvais exemples venus de tous les rangs du clergé, l'avidité du monde ecclésiastique forment le thème très répandu d'attaques virulentes [1].

CARACTÈRES DU MOUVEMENT LUTHÉRIEN — En dépit de multiples différences locales, un caractère commun domine dans le mouvement protestant de l'Italie. Il est, surtout aux débuts, moins violent et plus conciliant que par exemple en Allemagne. Des prêtres, des religieux, des personnes pieuses sont d'abord

---

(1) Vue rapide dans J. Burckhardt, *La civilisation en Italie au temps de la Renaissance*, Paris, 1885, 2 vol. (trad. de Schmitt) ; sur les origines du malaise, J. Guiraud, *L'Église romaine et les origines de la Renaissance*, Paris, 1909.

gagnés aux idées nouvelles et longtemps il sera fort difficile de distinguer
entre les fidèles de l'Église et les esprits imbus des erreurs religieuses.
L'Italien répugne aux solutions brutales ; il ne se formalise pas si aisément que l'étranger de scandales qu'il s'est habitué à rencontrer à Rome
et dont il profite ; il veut garder à la Ville Éternelle son rôle qui assure
à celle-ci la considération, l'afflux des étrangers et la richesse ; il met
d'accord, avec sa souplesse bien connue, des choses qui semblent incon-
ciliables ; il respecte les traditions. Les rapports de l'Italie avec la curie
romaine sont beaucoup plus étroits et fréquents que les relations entre-
tenues avec elle par d'autres pays. Enfin l'humanisme platonisant de
la Renaissance a créé des dispositions mystiques, s'alliant avec une
réforme sérieuse, mais non avec une profession de foi nouvelle. Ce désir
de réforme, celui de voir abolir des abus et des exigences financières du
clergé ne cessent de s'exprimer alors.

Ennemis du radicalisme, les gens de la péninsule témoigneront plus
de sympathie au luthéranisme qu'au calvinisme. Du luthéranisme même,
ils retiendront surtout les doctrines les plus conformes aux aspirations
de leur âme : foi comme moyen exclusif de justification et de salut ;
inutilité de la confession et de l'intercession des saints ; négation des
sacrements, à part le baptême et l'eucharistie, etc.

En général les campagnes ne furent pas touchées par le mouvement
protestant. En dehors d'elles il fit des adeptes dans toutes les classes de
la société.

LA DIFFUSION DU LUTHÉRANISME   La diffusion des tendances et des
                                   doctrines luthériennes se fit en Italie
par la publication de certains ouvrages.

Dès 1520 ou 1521 pénétraient dans ce pays, par le moyen d'un libraire
de Pavie, les écrits de Luther, *De libertate christiana* et *A la noblesse
chrétienne de la Nation allemande*. Les années suivantes on voit se multiplier les ouvrages hérétiques. Bientôt se publient en Italie même des
livres suspects. Un humaniste, dont il sera question plus loin, Celio
Secondo Curione (1503-1569), lançait vers 1543 le *Pasquillus extaticus*,
traduit en français en 1547.

La controverse religieuse commença en 1543 par la publication à
Venise du *Trattato utilissimo del Beneficio di Jesu Cristo Crocifisso*[1].
Le traité se répandit partout et reçut plusieurs traductions. De ton modéré,
si bien que beaucoup s'y trompèrent, il prônait la justification par la
seule foi. L'Inquisition le poursuivit avec ardeur et Catharini[2] s'appliqua à
le réfuter. Très grand fut également le succès du *Della tragedia di M. Francesco Negro Bassanese intitolata Libero arbitrio*. Le nom de l'auteur ne
figure que sur la troisième édition, de 1550, les deux premières ayant
paru en 1546 et en 1547. Nous avons ici une tragédie, sous forme de
mystère, à personnages symboliques, où se trouvent surtout attaquées

---

(1) A. Meozzi, *Per la storia del Valdesianesimo in Italia* (*Il beneficio di Cristo*, dans la *Civita
moderna*, t. XII (1940), p. 68-77).
(2) Voir p. 122.

les œuvres méritoires, et qui s'en prend violemment au pape, mis en parallèle avec le Christ.

Catharini prit aussi la peine de réfuter le *Sommario della sacra scrittura*, paru antérieurement à 1537 et qui semble la traduction d'un ouvrage français. Antérieurement à 1537 on connaît aussi des textes anglais et hollandais de ce petit traité. L'auteur doit être un ecclésiastique d'Utrecht qui écrivait en 1523. Comme le *Beneficio di Jesu Cristo*, il recommande la seule foi.

Agostino Mainardi (1482-1542), ermite de saint Augustin, comme Luther, fit paraître en 1552, sous un pseudonyme, l'*Annatomia della Messa*, un livre particulièrement violent parce que l'auteur, réfugié en Suisse, s'y trouvait à l'abri des poursuites. Il semble plutôt calviniste que luthérien. Pour lui, la messe n'est qu'une invention humaine.

Tous ces écrits furent dépassés en importance par ceux d'Ochino [1]. Né en 1487, Bernardino Ochino entra d'abord chez les franciscains de l'Observance, puis il passa chez les capucins. Son ordre promut au généralat ce prédicateur très renommé et réputé de grande vertu. Mais bientôt pour de justes raisons on se défia de lui. Mandé à Rome, il partit pour Genève, jeta le froc aux orties et embrassa le protestantisme. Il mourut en Moravie. On a de lui des *Dialogues* au nombre de trente [2]. Le ton garde une plus grande modération que celui des autres réformateurs. Mais on découvre dans ces écrits toutes les doctrines fondamentales de l'hérésie en Italie : justification par la foi, prédestination dans le sens luthérien, négation du purgatoire, de l'utilité des bonnes œuvres, rejet de la confession, de la clôture, des vœux, des pèlerinages.

La prédication répandait aussi des doctrines plus ou moins hérétiques. Ainsi le carme Gio Batti Pallavicino commença à tonner dès 1527 à Brescia contre les abus de l'Église. L'Inquisition le poursuivit à plusieurs reprises pour des propositions luthériennes.

Plus efficace apparaît encore, surtout dans le monde cultivé, l'action de certaines Universités, comme Bologne, Ferrare, Padoue, et celle des académies. L'Académie de la *Renommée* à Venise dut être fermée en 1558. Celle des *Endormis* à Rovigo connut le même sort en 1562. Mais la plus active paraît avoir été celle de Modène « l'auberge des lettrés ». On y lisait et on faisait circuler en ville des livres hérétiques, où se traitaient très librement les problèmes religieux controversés. Le pape, informé que le danger était moins menaçant que certains le pensaient, usa de mansuétude, mais le duc de Ferrare prononça la dissolution de l'académie.

Nous avons déjà nommé le principal défenseur de l'orthodoxie dans la péninsule : Ambroggio Catharini. Parmi plusieurs autres, il faut encore retenir le nom de Girolamo Muzio (1496-1576), qui publia notamment contre Ochino, Vergerio, Bullinger, etc. Sauf son *De Romana ecclesia*, tous ses ouvrages parurent en italien.

(1) K. BENRATH, *Bernardino Ochino von Siena. Ein Beitrag zur Geschichte der Reformation,* 2e édit., Brunswick, 1892 ; R.-H. BAINTON, *Bernardino Ochino esule e riformatore Senese del Cinquecento* (1487-1563), trad. de l'anglais par E. GIANTURCO, Florence, 1940 (*Bibliotheca storica Sansoni*, Nouv. série, t. IV).
(2) Rodocanachi publie en appendice de son t. I de longs extraits des *Dialogues* d'Ochino (p. 361-404).

LES CENTRES DE DIFFUSION
DU LUTHÉRANISME
Il faut distinguer dans l'histoire du pro-
testantisme italien au xvie siècle trois
centres principaux de diffusion : Venise,
Naples et le Nord-Ouest.

VENISE   Venise [1], en rapports étroits avec l'Allemagne, subit fortement
son influence religieuse. Dès 1524 et 1527, on y brûla des ouvrages hérétiques. Ici, comme dans beaucoup d'autres régions, le mouvement part de religieux. Fra Girolamo Galateo, franciscain, professeur de
théologie, fut condamné à mort par l'évêque Caraffa, le futur Paul IV.
La ville qui ne prêta le concours du bras séculier qu'à partir de 1547,
se refusa à exécuter la sentence épiscopale. Galateo resta en prison jusqu'à sa mort (1541). Un conventuel de Venise, Bartolommeo Fonzio, lui
aussi professeur, jugea bon de se soustraire à l'Inquisition locale, se
réfugia à Rome, mais fut arrêté à Pavie. Son procès dura quatre ans et
se termina, en 1558, par sa condamnation et sa mise à mort. Il avait traduit l'écrit de Luther *A la Noblesse chrétienne* et composé un *Catechismo
interlocutorio* où l'Inquisition releva quarante-quatre chefs d'hérésie. Le
coupable attaquait surtout le culte des saints et les sacrements de
l'Église catholique.

Fra Baldo Lupetino, lui aussi frère mineur, avait scandalisé les fidèles
par des diatribes, lancées au cours de ses sermons, contre les indulgences,
le purgatoire, le jeûne, les mérites de l'homme, la prière pour les morts.
Dans la suite, il soutint encore d'autres erreurs. Il fut dégradé et puis
« immergé en secret et en silence dans la profondeur de la mer » (août 1556)[2].

Enfin un dernier franciscain, Antonio Bruccioli, commentateur et
éditeur de plusieurs livres de la Bible, fondateur d'une imprimerie, fut
traduit trois fois devant l'Inquisition. Il abjura chaque fois ses erreurs,
mais tomba par la suite dans l'anabaptisme.

De Venise, le protestantisme se diffusa dans toute la Haute Italie :
à Vérone, à Bergame, que dut fuir Jérôme Zanchi (1516-1590) qui pro-
fessa ensuite à Strasbourg, de 1553 à 1563, à Heidelberg et à Neustadt et se
livra à une étude approfondie des confessions réformées. Padoue surtout
fut un nid d'hérétiques. Francisco Spiera, après avoir vécu jusqu'à quarante ans dans la débauche, s'enflamma d'amour pour l'Écriture Sainte et
réunit dans sa maison des gens qu'il endoctrinait. Devant l'inquisiteur, il
abjura et faillit ensuite perdre la raison. On ne sait ce qu'il devint.

Mais l'hérétique le plus en vue de l'Italie du nord est Pier Paolo Vergerio
(vers 1498, † à Tubingue, 1565). Évêque de Capo d'Istria, il fut chargé
par Clément VII et par Paul III de missions diplomatiques notamment en Allemagne, en vue de la réunion du futur concile. Au cours
de ce dernier voyage (1535), il fut présenté à Luther, contre qui il se
montra longtemps fort animé. Accusé de la publication d'une pièce
licencieuse, Vergerio plaida sa cause d'abord devant le concile de Trente,

(1) K. BENRATH, *Geschichte der Reformation in Venedig*, Halle, 1887 (*Verein für Reformationsgeschichte*).
(2) RODOCANACHI, *op. cit.*, t. II, p. 495-499.

puis devant l'inquisiteur de Venise. Il fut finalement condamné, privé de son évêché, et plus tard excommunié et banni. Il se réfugia en Allemagne en 1549. Après sa séparation d'avec l'Église, il publia contre elle de violents réquisitoires [1].

NAPLES — Naples constitue le centre principal de la Réforme en Italie. Plusieurs personnages y jouèrent un rôle considérable.

Juan de Valdès [2], castillan, humaniste grand ami d'Érasme, vint en 1529 à Naples où les Espagnols s'étaient définitivement établis. Dans sa maison se réunissaient des lettrés des deux sexes, parmi lesquels plusieurs quittèrent ensuite l'Église ou eurent maille à partir avec l'Inquisition. D'autres heureusement lui restèrent fidèles. Valdès exerça sur son cercle une influence profonde. Il s'appliquait à réformer les hommes, non l'Église, à les délivrer de leurs passions, à leur faire acquérir le renoncement. Il leur recommandait pour arriver à ces résultats le retour à Jésus. Il prônait naturellement beaucoup aussi l'étude de l'Écriture Sainte. Dans son système moral et ascétique, le maître attribuait peu de valeur aux sacrements. Mais il réprouvait les idées et les procédés de Luther ; jusqu'à sa mort, il ne cessa d'assister à la messe et de communier. On lui doit des commentaires de l'Écriture, des considérations pour aider les âmes à se perfectionner, etc. [3].

Tous ou presque tous les personnages qu'il nous reste à nommer à Naples appartinrent au cénacle de Valdès : Giulia Gonzaga, traductrice du psautier, et auteur d'un *Alfabeto cristiano*, comme en avait publié Valdès ; la célèbre Vittoria Colonna [4] et Catherine Cibo, deux femmes remarquables, avides de voir la réforme de l'Église, mais que leurs relations avec les novateurs rendirent fort suspectes à Rome ; Galeazzo Caracciolo, neveu de Paul IV, qui, à cause de ses hautes fonctions à la cour de Naples, fit de fréquents voyages en Allemagne et se laissa aussi gagner par les idées protestantes. En 1551, il abandonna sa patrie et sa famille pour aller se fixer à Genève où il mourut en 1586 [5]. Pietro Carnesecchi [6], humaniste et protonotaire apostolique, devint suspect par ses voyages, ses propos, ses relations ; cité plusieurs fois devant le Saint-Office de 1557 à 1566, il fut décapité.

Deux disciples du cercle lettré de Valdès se rendirent tristement célèbres : Bernardino Ochino et Pietro Martire Vermiglio (Pierre Martyr, 1502-1562). Leurs carrières se ressemblent à certains égards. Il a déjà été question du premier [7]. Comme Ochino, Pierre Martyr, chanoine régu-

(1) Voir les principales éditions de ses œuvres dans RODOCANACHI, *op. cit.*, t. I, p. 458-460 Études de F. HUBERT (Gœttingue, 1893) et P. PASCHINI (Rome, 1925).
(2) Études de E. BOEHMER (Londres, 1882), M. CARASCO (Genève, 1880), E. CIONE (Bari, 1938). Voir en outre CHURCH, *I reformatori italiani* (cité dans la bibliographie en tête de cet article), ch. III.
(3) Pour ses ouvrages voir E. RODOCANACHI, *op. cit.*, t. I, p. 457-458.
(4) B. FELICI ANGELI, *Notizie... sulla vita di Caterina-Cybo-Varano*, Camerino, 1892. Divers auteurs, *Vittoria Colonna, marchese di Piscara*, Rome, 1947 ; A. AMY BERNARDY, *La vita et l'opere di V. C.*, Florence, 1927.
(5) G. GALIFFE, *Le refuge italien de Genève*, Genève, 1881.
(6) A. AGOSTINI, *P. Carnesecchi*, Florence, 1899.
(7) Cf. *supra*, p. 153.

lier de saint Augustin, acquit la réputation d'un grand orateur[1]. La lecture d'ouvrages de Bucer et de Zwingle le jeta dans des hésitations qu'augmentèrent encore ses relations avec un autre ami de Valdès, Marcantonio Flaminio (1498-1550). A l'instar aussi d'Ochino, le ton de ses prédications le fit soupçonner d'hérésie. Enfin l'apostat Ochino encore l'engagea à suivre son exemple. Il alla, lui, s'établir à Strasbourg[2].

LE NORD-OUEST Pour le troisième centre de la Réforme en Italie, le Nord-Ouest, il y a moins de noms à citer. Ochino et Vermigli, avant de quitter l'Italie, passèrent par Florence et Lucques et y firent entendre leur parole aux humanistes de ces villes. Pierre Martyr donna à Celio Secundo Curione (1503-1569), déjà gagné aux idées luthériennes par la fréquentation des ouvrages de Luther et de Mélanchthon, le conseil de se réfugier dans des pays plus sûrs. Curione alla donc s'établir à Bâle. Aonio Paleario (1500-1570), poète et rhéteur, fut condamné à mort par l'Inquisition en 1567[3].

Les humanistes et les gens compromis pour raison religieuse trouvaient dans le Nord-Ouest un asile sûr à la cour de Ferrare, où la duchesse Renée[4], fille de Louis XII de France, quoique très adonnée à la dévotion, leur offrait sa haute protection. Elle avait eu pour maître Lefèvre d'Étaples. Mais sa cour reçut surtout des calvinistes fuyant la France. Aussi eut-elle à se justifier devant l'Inquisition. Celle-ci finit par la relâcher. Elle semble avoir hésité, comme tant d'autres, entre le catholicisme et le protestantisme. Elle mourut en 1575 et son fils s'abstint de faire sonner les cloches de l'église de la ville pour son enterrement. Ferrare avait été, de son vivant, et resta après sa mort, un foyer d'hérésie.

APOGÉE ET DÉCLIN DU MOUVEMENT Le mouvement protestant italien atteignit son apogée sous Jules III (1550-1555). Aussi son successeur, le terrible Paul IV, prit-il d'énergiques mesures contre la propagation de l'hérésie. Sous les papes suivants, on compte encore beaucoup d'exécutions. A partir de Pie V (1566-1572) se manifeste un déclin marqué de l'hérésie. Sa ruine en Italie fut due surtout à la rigueur de l'Inquisition.

L'histoire du protestantisme dans ce pays présente des caractères particuliers que nous avons esquissés en tête de cet exposé. L'humanisme et les questions religieuses y provoquèrent des discussions passionnées et créèrent des doutes, des hésitations dans bien des âmes, comme Renée de France, Vittoria Colonna et sans doute Valdès lui-même. Malheureusement cette lutte d'idées n'alla pas sans victimes. Parmi les catho-

(1) G. Schmidt, *P. M. V. Leben und ausgewaehlte Schriften*, Elberfeld, 1856.
(2) La propagande protestante rencontra un succès spécial en Calabre et en Pouille, où restaient depuis le moyen âge des colonies de Vaudois. Le gouvernement de Naples et l'Inquisition romaine finirent par en avoir raison. A lire l'étude de P.-M. Scaduto, *Tra inquisitione Riformati*, dans l'*Archivum historicum S. J.*, t. XV, 1946, p. 1-76.
(3) J. Bonnet, *Aonio Paleario. Étude sur la Réforme en Italie*, Paris, 1863.
(4) B. Fontana, *Renata di Francia*, Rome, 1889-1899, 3 vol. ; E. Rodocanachi, *Renée de France, duchesse de Ferrare*, Paris, 1896 ; J. Pannier, dans les *Études théologiques et religieuses*, 1929.

liques qui trahirent le catholicisme, Ochino, Pierre Martyr et Vergerio
sont sans doute les plus connus. Ils ne nous paraissent guère sympathiques. Les hérétiques italiens peuvent difficilement être classés dans
une des catégories classiques du protestantisme au XVIᵉ siècle : luthériens
et surtout calvinistes les repoussent en général. Les zwingliens leur sont
moins hostiles.

ESPAGNE [1]   Dès la fin du XVᵉ siècle fonctionnait en Espagne une Inquisition d'État avec son *Consèjo de la Suprêma* et ses tribunaux
provinciaux. Elle s'appliquait à empêcher l'entrée dans ce pays d'ouvrages
suspects ou hérétiques et surveillait de près ceux qui circulaient dans
la péninsule ou parvenaient à s'y faire imprimer. Il faut lui reconnaître le
mérite d'avoir enrayé la propagande protestante. Mais de sa vigilance minutieuse eurent aussi à souffrir bien des personnes irréprochables, voire des
saints. Les œuvres d'une Thérèse d'Avila, d'un Jean de la Croix ne purent
paraître qu'après leur mort. Une rigueur implacable ne déplaisait pas
aux Espagnols qui tenaient avant tout à l'intégrité de leur foi. Il existait
d'ailleurs en Espagne un danger réel pour l'orthodoxie provenant des
Alumbrados ou illuminés, quiétistes plus ou moins accentués. Vu leurs
tendances à l'intériorisation du christianisme, il était souvent difficile
de déterminer jusqu'à quel point ils admettaient les erreurs protestantes.
Pour certaines des victimes de l'Inquisition, on peut se demander jusqu'à
quel point elles furent vraiment luthériennes.

Avant de partir pour Naples, en 1529, Juan de Valdès [2] avait déjà lu
le *De libertate christiana* de Luther, ainsi que des ouvrages de Bucer, qui
l'avaient confirmé dans la doctrine étudiée ci-dessus à propos du luthéranisme italien. Son frère, Alonso [3], plus âgé, se fit connaître avant lui,
devint secrétaire impérial et mourut en 1532. On doit, semble-t-il, lui
attribuer le célèbre *Dialogo de Mercurio y Caron*, très sévère pour les
abus du Saint-Siège.

Des rapports très étroits existaient naturellement sous Charles-Quint
entre la péninsule et l'Allemagne.

(1) Le Dr E. SCHAEFER, professeur à l'Université de Rostock, publia en 1902 à Gütersloh trois
volumes intitulés : *Beitraege zur Geschichte des spanischen Protestantismus und der Inquisition
im sechzehnten Jahrhundert*. Le premier étudie la procédure de l'Inquisition contre les hérétiques
protestants, la diffusion du protestantisme en Espagne et l'histoire des deux principales communautés protestantes de ce pays, Valladolid et Séville. Dans l'introduction, Schaefer passe en revue
et apprécie les ouvrages parus avant le sien, c'est-à-dire surtout l'*Historia de los protestantes españoles* d'Adolphe de Castro (Cadix, 1851 ; trad. all. de H. HERTZ, Francfort, 1866), qui, le premier,
utilisa un bon nombre de documents d'Autos de Fe ; la première édition de l'*Historia de los hete-
rodoxos españoles* de M. MENENDEZ Y PELAYO, ouvrage dont il sera question plus bas ; sa documen-
tation est encore plus étendue et le ton moins passionné que celui de Castro ; enfin la *Geschichte
des spanischen Protestantismus im 16 Jahrhundert*, du protestant C.-A. Wilkens, basée sur une
étude soigneuse des sources, mais de ton trop apologétique. Le 2ᵉ et le 3ᵉ volumes de Schaefer sont
uniquement consacrés à la publication des sources. De 1928 datent les t. IV et V de la 2ᵉ édition
du célèbre ouvrage de M. Menendez y Pelayo, mentionné plus haut (t. XVI et XVII des *Obras
completas*), et qui traitent du XVIᵉ et du XVIIᵉ siècle. Il existe de cet ouvrage une troisième édition
que nous n'avons pas pu nous procurer. En 1934, le P. B. LLORCA nous donnait un travail intitulé :
Die spanische Inquisition und die Alumbrados (1509-1667), Berlin-Bonn, 1934. Il reste à mentionner
un ouvrage de premier ordre, celui de M. BATAILLON, *Érasme et l'Espagne. Recherches sur l'histoire
spirituelle du XVIᵉ siècle*, Paris, 1937.
(2) Cf. *supra*, p. 155.
(3) Voir sur ce personnage M. MENENDEZ Y PELAYO, *op. cit.*, t. IV, p. 121-161. Cet auteur attribue encore à Juan le *Dialogo de Mercurio y Caron* (*Ibid.*, p. 187-255).

Il faut signaler, pour l'Espagne, deux grands centres contaminés par les doctrines de Wittemberg, Valladolid et Séville.

On connaît [1], pour la première de ces villes et des villes voisines, comme Zamora, cinquante-cinq personnes accusées de doctrines suspectes, dont vingt-huit femmes. Citons Augustin de Cazalla, avant son apostasie chapelain de l'empereur, prédicateur préféré de la régente, doña Juana, et alors adversaire des hérétiques ; ses deux frères, François et Jean de Vivario, ses deux sœurs, Béatrice et Constance, leur mère, doña Leonor ; plusieurs religieuses de Belen, dont deux, belles-sœurs de Cazalla ; des femmes en rapports fréquents avec ce monastère, et une nonne de Sainte-Catherine de Sienne à Valladolid. A côté d'ouvrages calvinistes, comme l'*Institution chrétienne*, on faisait circuler en cachette le *De libertate christiana*, le *De bonis operibus*, le catéchisme, l'*Evangelien-Postille* et le commentaire de l'épître aux Galates, tous de Luther, etc. Les suspects de Valladolid entretenaient des rapports avec ceux de Séville. En 1558 l'Inquisition connut par des dénonciations la propagande à laquelle se livrait Christobal de Padilla et ordonna son arrestation. Puis elle parvint à faire la pleine lumière sur le cercle de Valladolid. Beaucoup de suspects furent jetés en prison et les procès commencèrent. Un premier autodafé se déroula le dimanche de la Trinité 1559, en présence de doña Juana, régente, et du jeune don Carlos. Le nombre de prisonniers qui y furent amenés se montait à trente. Augustin de Cazalla, considéré comme le principal coupable, fut dégradé puis livré au feu, malgré sa sincère conversion. Il fit une mort édifiante. Deux autres prêtres et onze autres personnes, dont cinq femmes, subirent le même supplice. Un seul d'entre eux refusa obstinément de se rétracter. Les autres accusés furent réconciliés et se virent condamnés soit à la prison perpétuelle, soit à une détention temporaire.

Au second autodafé, du 8 octobre 1559, se trouvait Philippe II en personne. Vingt-cinq détenus y comparurent. Douze d'entre eux montèrent au bûcher, parmi lesquels don Carlos de Seso et Fray Domingo de Rojas. Deux seulement ne donnèrent aucun signe de pénitence.

Les habitants de Séville [2] considérés comme protestants étaient plus nombreux que ceux de Valladolid, à savoir cent vingt-sept. Parmi eux mentionnons le Docteur Juan Gil, jadis chanoine et prédicateur renommé, devenu depuis 1540 le chef des protestants de Séville, qui s'employa activement à répandre les erreurs protestantes et acquit une grande influence ; Constantino Ponce de la Fuente, également connu jadis par son éloquence et par son ouvrage, *La confessio de un pecador penitente* (1544) ; et un laïque, Rodrigo de Valera, qui se faisait entendre jusque dans les rues. Dans la liste des gens accusés de luthéranisme nous trouvons trente-huit femmes, des prêtres séculiers et des religieux, surtout vingt-quatre hiéronymites appartenant presque tous au monastère de Saint-Isidore de Séville. Le centre protestant de cette ville se forma plus anciennement que celui de Valladolid. Il fallut jusque quatre autodafés pour

(1) Schaefer, *op. cit.*, t. I, p. 202-399 ; M. Menendez y Pelayo, *op. cit.*, t. IV, p. 389 et suiv.
(2) M. Menendez y Pelayo, *op. cit.*, t. V, p. 7-110.

un si grand nombre d'accusés. Au premier eurent lieu seize exécutions, au second quatorze, au troisième neuf, au quatrième douze. Les fugitifs étaient représentés par leur statue et les morts par leurs ossements.

L'archevêque de Séville, dom Ferdinand de Valdès — qu'il ne faut pas confondre avec les homonymes cités plus haut — exerçait alors les fonctions de grand inquisiteur et s'inspirait surtout des conseils de Melchior Cano, dont on a pu dire en jouant sur son nom qu'en vrai chien de chasse, il flairait de loin les hérésies. Ce célèbre dominicain s'acharna même contre d'irréprochables ecclésiastiques, comme l'archevêque de Tolède, Fray Bartolome Carranza [1], et des saints, comme Louis de Grenade, Jean d'Avila et François de Borgia.

De deux luthériens, les frères Enzinas, qui avaient étudié dans les Pays-Bas, le premier, Jaime, était déjà mort sur le bûcher à Rome en 1547. Le second, Francisco, s'enfuit en Allemagne [2]. Francisco de San Roman, un autre protestant trop ardent à répandre ses doctrines, avait été exécuté dès 1542 [3].

Plusieurs luthériens espagnols répandirent, comme les Enzinas et Francisco de San Roman, leurs doctrines à l'étranger, ainsi : Juan Diaz, Pedro Nuñez Vela, Juan Pérez de la Pineda, Antonio del Corro, etc. [4].

Il n'y a pas lieu de nous arrêter à l'histoire du luthéranisme en Portugal. Son principal adepte fut, nous affirme-t-on, Damian de Goes, qui entretenait des relations avec Luther et Mélanchthon. Traduit en justice, il abjura l'hérésie en 1572 [5].

§ 5. — Pays de l'Est [6].

Dans les pays de l'Europe orientale, le luthéranisme ne dut pas son extension, comme par exemple dans les pays du Nord, à la faveur des souverains. Il fit surtout des conquêtes dans la noblesse et dans la bourgeoisie des villes proches de l'Allemagne.

BOHÊME [7]   Le luthéranisme s'infiltra dans les trois groupes religieux du pays : chez les utraquistes, qui comptaient pour eux à peu près les deux tiers de la population ; chez les frères bohêmes (envi-

(1) Voir M. MENENDEZ Y PELAYO, op. cit., t. V, p. 7-73.
(2) ID., t. IV, p. 272-274, 277-305.
(3) Ibid., p. 274-277.
(4) Ibid., p. 257-307 ; t. V, p. 121-204.
(5) ID., t. IV, p. 163-185.
(6) H. HERMELINK et W. MAUERER, Reformation und Gegenreformation, p. 185-191, dans le Handbuch der Kirchengeschichte für Studierende, de G. KRUEGER, t. III, Tübingue, 1931 ; H. KOCH, Protestantismus bei den Slaven, 1930.
(7) BIBLIOGRAPHIE. — F. PALACKY, Geschichte von Boehmens, 1834-1867, 5 vol. ; A. NAEGLE, Kirchengeschichte Boehmens, Vienne, 1915, 2 vol. ; B. BRETHOLZ, Geschichte Boehmens und Maehrens, Reichenberg, 1922-1924, 4 vol. ; J.-Th. MUELLER, Geschichte der Boehmischen Brüder, t. I, 1923, t. II, 1931 ; F. HREYSA, Die Boehmischen Konfessionen, ihre Entstehung, ihr Wesen und Geschichte, dans le Jahrbuch der Gesellsschaft für die Geschichte des Protestantismus in Oesterreich, t. XXXV, 1914, p. 81-123 ; ID., Die evangelische Konfession der Boehmischen Brüder, 1928 ; A. GINDELY, Geschichte des Boehmischen Brüder, Prague, 1857 ; ID., Rudolf II und seine Zeit, Prague, 1863, 2 vol. ; ID., Geschichte der Gegenreformation in Boehmen, Prag, 1894 ; F. HREJYSA, Ceska Konfese, Prague, 1912 ; F. KRYATUFEK, Vscobecny cirkevni dejepis, Prague, 1892, 3 vol. ; E. DENIS, Fin de l'indépendance bohême, Paris, 1890, 2 vol. Nous tenons à exprimer notre gratitude au R. P. Raeik, S. J., qui nous a fourni sur l'histoire du luthéranisme dans son pays au XVIᵉ siècle d'érudites notes dont nous avons largement profité.

ron cinq pour cent) ; enfin chez les catholiques (un tiers environ), allemands
ou tchèques d'origine.

Malheureusement l'Église catholique ne possédait dans ce pays aucune
hiérarchie ; peu nombreux, les ecclésiastiques n'y avaient pas la valeur
nécessaire pour résister à l'invasion luthérienne.

Dans les pays frontières, en majorité catholiques, la religion nouvelle
vint de Franconie et de Saxe. Elle se répandit surtout dans la Joachims-
thal par Jean Mathesius († 1565) [1] et Nicolas Hermann († 1561) ; puis
dans l'Eger, où prêchèrent Jérôme Tiberius et Jean Habermann († 1590) ;
enfin dans quelques grands domaines.

Chez les utraquistes qui formaient une Église fortement disciplinée,
Havel Cahera, après avoir étudié à Wittemberg en 1523, se fit élire administrateur de la communauté de Prague et y prêcha le luthéranisme. Mais
son origine allemande le fit haïr et il dut renoncer à son entreprise. L'archiduc Ferdinand, élu roi en 1526, le chassa du pays. Cependant bien des
utraquistes adhérèrent au luthéranisme. Leur évêque, Jean Augusta, leur
donna une confession de foi, qui, suivant Luther, exprimait bien ses
doctrines. Le calvinisme fit aussi dans la suite des adhérents chez les
utraquistes.

Le souverain, après la bataille de Mühlberg, s'appliqua à consolider
sa couronne contre la noblesse et les villes et à rétablir et réorganiser
le catholicisme. Le siège archiépiscopal fut rétabli à Prague (1561), mais
le Landtag ne soutint pas le souverain.

Aux « vieux utraquistes », partisans de la conciliation, s'opposèrent
bientôt les « jeunes utraquistes ». Ceux-ci prirent de plus en plus d'influence
et déclarèrent la guerre aux jésuites qui avaient fondé leur premier
collège à Prague en 1556 et en ouvrirent un second à Olmütz en 1566.
Le roi dut reconnaître le consistoire luthérien des « jeunes utraquistes ».
En 1575, Maximilien II approuva la confession luthérienne de Bohême.
Rodolphe II, en 1609, accorda aux luthériens la pleine liberté religieuse.
Mais la bataille de la Montagne Blanche (8 novembre 1620) donna le
coup de mort au protestantisme en Bohême. Des milliers d'habitants
émigrèrent ; beaucoup se convertirent, soit librement, soit par contrainte.

En 1528, une partie considérable de la noblesse tchèque passa dans
la secte des Frères Bohêmes. Ceux-ci entretenaient depuis longtemps
des relations avec Wittemberg, et de nombreux jeunes frères y firent
leurs études. Aussi, à partir de 1532, constate-t-on leur union avec Luther.
Ce dernier composa pour le roi Ferdinand une confession de foi. Mais
les frères préféraient à sa doctrine eucharistique celle de Bucer ; d'ailleurs
ils se méfiaient des Allemands et du luthéranisant Mistopol. Ils voulaient
se libérer de toute influence étrangère. De 1548 à 1552 sévit une persécution qui força des frères à émigrer en Pologne et en Prusse. Après la
mort de Ferdinand (1564), beaucoup rentrèrent au pays. Jean Augusta,
cité plus haut, proposait la création d'une Église nationale évangélique
en s'unissant aux jeunes utraquistes. Jean Blahoslav († 1571), un autre

---

(1) J. Mathæsius, *Ausgewaehlte Werke*, édit. G. Loesche, Prague, 1896-1900, 4 vol. ; G. Loesche,
J. Mathesius, 1895, 2 vol.

de leurs évêques, au contraire, ainsi que ses successeurs, s'opposèrent
à l'union avec ce parti, trop influencé par l'Allemagne. Les frères bohêmes
traduisirent en tchèque toute la Bible, de 1564 à 1594. Cette version, d'une
grande pureté de langue, est considérée comme la meilleure œuvre littéraire de ce temps.

Luther attendait beaucoup de la Bohême. Ses espérances furent en
bonne partie déçues. Les habitants témoignent peu de sympathie aux
luthériens qui ont introduit dans le pays une confession allemande et ont
provoqué une forte émigration d'Allemands chez eux.

POLOGNE[1]   La Pologne constituait au début du xvie siècle une très
grande puissance. Depuis 1386, la Lithuanie lui était unie.
La Prusse occidentale, avec les villes de Thorn, Kulm, Marienburg,
Elbing et Dantzig, lui avait été cédée en 1466. Le grand maître de l'ordre
teutonique lui devait l'hommage pour la Prusse orientale. Le nord de la
Livonie reconnaissait aussi sa suzeraineté.

Le roi Sigismond (1506-1548) avait épousé une princesse de la maison
Sforza. A la cour, dans le clergé et la noblesse, l'humanisme florissait.
Il jouissait de la protection du cardinal et évêque de Cracovie, Zbigniew
Olesnicky, et un poète, Grégoire de Sanok, devint archevêque de Lwow.
L'histoire de Pologne fut alors écrite par Jean Dlugossz. Le centre de
ce mouvement se trouvait à l'Université de Cracovie où brilla notamment
Michel de Bystrzykow, un des maîtres de Copernic.

Le luthéranisme pénétra d'abord en Pologne par de jeunes seigneurs
qui se mirent à l'école de Mélanchthon à Wittemberg. La noblesse, très
indépendante, n'obéit pas à l'interdiction, portée en 1534, d'aller étudier
dans cette ville. Le roi, fort bon catholique, interdit sévèrement, en
1520 et en 1523, la diffusion et la lecture d'écrits luthériens. Il ne put
empêcher la formation de communautés qui se recrutèrent en partie
dans l'aristocratie. L'état anarchique du pays favorisa la propagande.
Deux évêques, Jean Taski († 1531), archevêque de Poznan et primat de
Pologne, et André Krzycki de Przemysl, combattirent vigoureusement
les novateurs.

Ce fut naturellement dans les villes allemandes de la Prusse orientale
que le luthéranisme rencontra le plus de faveur. Il trouvait un protecteur
puissant à la cour même du roi dans le dernier maître de l'Ordre teutonique, Albert de Brandebourg, qui, comme nous le savons déjà, se déclara
pour Luther et sécularisa les biens de l'Ordre. Il reconnut la suzeraineté
de Sigismond. Parmi les prédicateurs de la doctrine nouvelle mentionnons :

(1) BIBLIOGRAPHIE. — I. SOURCES. — *Monumenta reformationis Polonicae et Lithuanicae,*
depuis 1911.
II. TRAVAUX. — K. VOELKER, *Der Protestantismus in Polen auf Grund der einheimischen
Geschichtschreibung,* 1910 et surtout *Kirchengeschichte Polens,* Berlin, 1930 ; Th. WOTSCHKE,
Geschichte der Reformation in Polen, 1911 ; J. STAEMMLER, *Der Protestantismus in Polen,* 1925 ;
G. DAVID, *Le protestantisme en Pologne jusqu'en 1570,* 1927 ; E. KONIECKI, *Geschichte der Refor-
mation in Polen,* 3e édit., 1904 ; G. KRAUSE, *Reformation und Gegenreformation in ehemaligen
Koenigreich Polen,* 2e édit., 1905 ; M. BULINSKI, *Historya Kosciola Polskiego,* Cracovie, 1873-
1874, 3 vol. ; LUBOWITSCH, *Istoria Reformaza v Polschja,* Varsovie, 1883 ; H. HERMELINCK et
W. MAUERER, *Reformation und Gegenreformation,* p. 189-190 ; O. HALECKI, *La Pologne de 963
à 1914,* Paris, 1933 ; A. BERGA, *Pierre Skarga (1536-1612), Étude sur la Pologne du XVIe siècle
et le protestantisme polonais,* Paris, 1916, p. 56-107.

André Samuel, ancien dominicain, Étienne Lutomirski et Jean Seklucyan, auteur d'une confession de foi, de plusieurs catéchismes et livres de chants, traducteur du Nouveau Testament en polonais. Il faut ajouter à ces prédicateurs, pour l'époque de Sigismond II Auguste (1548-1577), l'italien Vergerio, rencontré dans un paragraphe précédent[1].

Sous le nouveau roi, d'abord hésitant au point de vue religieux, le calvinisme se répandit dans la noblesse gagnée à l'humanisme. Le luthéranisme eut beaucoup à souffrir de la propagande, non seulement de cette secte, mais de celle des frères bohêmes, des sociniens, des anabaptistes et même des antitrinitariens.

Nous arrêterons ici l'histoire du protestantisme dans ce pays. Il sera question ailleurs du calvinisme et de la réaction catholique.

HONGRIE[2]   De 1516 à 1526 règne sur la Hongrie le roi Louis II, un Jagellon. Aidé par Campeggio, il prit des mesures sévères contre les luthériens qui gagnaient des adeptes dans la bourgeoisie allemande des villes et dans la noblesse magyare, formée aux Universités allemandes. Il y eut alors quelques exécutions capitales.

En 1526, le roi fut battu par Soliman II à Mohacs et périt dans la fuite. Une longue lutte pour la succession s'engagea entre le voïvode de Transylvanie, Zapolya, et Ferdinand d'Autriche. Le premier, soutenu par les évêques, régna sur la Hongrie de l'Est, tandis que le second établit son pouvoir dans le Sud-Est. Zapolya poursuivit, comme Ferdinand, les doctrines luthériennes, mais ayant reconnu la souveraineté de Soliman, qui avait conquis pour lui la capitale (1529), il fut excommunié par le pape. Turcs et luthériens ne tolérèrent ni les prêtres ni la pratique du catholicisme. La situation créée par la lutte dynastique et par le manque de ministres du culte favorisa grandement, après la bataille de Mohacs, l'extension du luthéranisme.

Les principaux champions de la doctrine nouvelle furent : Devay Biro († vers 1545), élève de Luther à Wittemberg, plusieurs fois jeté en prison, et qui plus tard passa au calvinisme ; Jean Sylvestre Erdoesy († vers 1560), également élève à Wittemberg, qui fonda une école célèbre à Ujsziget, près de Sarvar, traduisit et fit imprimer le Nouveau Testament en magyar. Ces deux personnages formèrent la langue magyare écrite. Un autre centre de luthéranisme fut l'école de Bartfeld (Léonard Stöckel, 1539)

Jean Houter († 1549) constitua la première communauté luthérienne en Transylvanie (1542). En 1545 cinq villes de Haute-Hongrie adhérèrent à la Réforme. La *Confessio pentapolitana* fut rédigée dans le sens de la Confession d'Augsbourg. La plupart des nobles embrassèrent la Réforme. Cependant dans la suite les éléments nationalistes, par opposition

(1) Cf. *supra*, p. 154 et 155.
(2) BIBLIOGRAPHIE. — I. SOURCES. — BUNYITAI-RAPAICS-KARACSONYI, *Monumenta ecclesiastic tempore innovatae in Hungaria religionis illustrantia*, Rome, 1902-1912, 5 vol.
II. TRAVAUX. — L. BALICS, *Geschichte des katholischen Kirche in Ungarn*, Budapest, 1885 1890 (en hongrois), 3 vol. ; J. KARACSONYI, *Kirchengeschichte Ungarns*, Nagyvarad, 1915 (e hongrois) ; J.-S. SZABO, *Der Protestantismus in Ungarn*, 1927 (trad. allemande de B. vo Horvath) ; G. LOESCHE, *Luther, Melanchton und Calvin in Oesterreich-Ungarn*, 1909 ; J. KARA SONYI, *Kirchengeschichte Ungarns in Hauptzuegen*, Nagyvarad, 1906 (en hongrois) ; H. HERME LINK et W. MAUERER, *Reformation und Gegenreformation*, p. 188.

l'Allemagne, se rallièrent de plus en plus au calvinisme. Les Allemands et en partie les Slovaques restèrent fidèles au luthéranisme.

TRANSYLVANIE[1] Ce fut surtout par la nation saxonne que se répandit le luthéranisme en Transylvanie. Les troubles occasionnés par la lutte pour le trône entre Zapolya et la maison de Hongrie, ainsi que la guerre turque permirent à Jean Houter de Cronstadt († 1549), dont il a déjà été question plus haut, de prêcher et de diffuser le luthéranisme. L'exemption des chapitres de la juridiction des évêques d'Alba Julia et de Gran et les abus du clergé empêchèrent toute résistance organisée et contribuèrent à détacher de Rome les habitants. Houter publia en 1542 une *Formula Reformationis* et en 1547 la *Reformatio ecclesiarum saxonicarum et transylvanica*. Après sa mort, un évêque de l'Église nationale, nommé par la représentation populaire, adopta la confession d'Augsbourg. La famille de Zapolya elle-même devint luthérienne. Mais, tandis que les magyars et les székelys faisaient de même, les Roumains n'abandonnèrent pas l'Église orthodoxe. Le Landtag de 1554 accorda à tous la liberté religieuse. A cette époque, le calvinisme commençait à s'introduire dans le pays. En 1571, il existait quatre confessions reconnues : la catholique, l'évangélique, la réformée et l'unitarienne.

AUTRES PAYS DE L'EST[2] L'histoire du luthéranisme en Moravie se déroula à peu près comme en Bohême. La religion nouvelle posséda bientôt sa capitale dans la grande ville d'Iglau, où prêcha en 1522-1524 Paul Speratus (1484-1551). Condamné à mort, il s'enfuit à Wittemberg. Les luthériens se groupèrent alors soit à Prerau, chez les seigneurs de Zierotin, soit à Eibenschitz, qui possédait une école célèbre. Bientôt, grâce à la protection de puissants barons, de nombreux anabaptistes arrivèrent d'Allemagne. Dans ce pays se pratiqua une très large tolérance pour toutes les sectes.

Enfin, en Haute et Basse-Autriche, en Styrie, en Carinthie et en Carniole, malgré les mesures énergiques et des exécutions capitales, le luthéranisme se répandit dans l'aristocratie, dont les fils allaient étudier à Wittemberg, Tubingue, puis Genève, et dans la bourgeoisie de quelques villes (Klagenfurt, Graz, etc.). La Confession d'Augsbourg était un moyen de s'opposer aux Habsbourg. En Carinthie et en Carniole, Hans Ungnad de Sonnegk (1493-1568) et Primus Truber (1508-1568) travaillèrent le plus à assurer le succès de la nouvelle doctrine. Truber, exilé en Souabe, y traduisit en slovène la Bible et un grand nombre d'ouvrages allemands des réformateurs (ces travaux créèrent le slovène écrit). Quant à Ungnad, aidé de réfugiés croates, il publia aussi une trentaine d'ouvrages, dont la Bible, dans cette dernière langue. Truber, en 1561, organisa l'Église de Laybach, mais fut expulsé en 1566 par l'archiduc Charles.

(1) F. TEUTSCH, *Geschichte der evangelischen Kirche in Siebenbuergen*, Hermannstadt, 1921-1922, 2 vol. ; J. Houters *ausgewaehlte Schriften*, édit. O. NETOLICZKA, Vienne, 1898.
(2) G. LOESCHE, *Geschichte des Protestantismus in Oesterreich*, 2e édit., 1930 ; J. LOSERTH, *Die Reformation und Gegenreformation in den inneroesterreichischen Laendern*, 1898 ; E. OTTO, *Reformation und Gegenreformation in Oststeimark*, 1913 ; H. HERMELINCK et W. MAURER, *Reformation und Gegenreformation*, p. 187-189.

LIVRE II

CALVIN ET LE CALVINISME

CHAPITRE PREMIER

LA JEUNESSE DE CALVIN [1]

Après Luther, Calvin [2]. Car, quelle que soit l'importance des autres théologiens protestants, Mélanchthon ou Farel, Zwingle, Bucer, Carlstadt ou Capiton, il n'y a que deux réformateurs, nés à un quart de siècle d'intervalle. Calvin donc voit le jour le 10 juillet 1509 à Noyon, aux confins de la Picardie et de l'Ile-de-France, là même où, depuis des siècles, s'affirme une tendance frondeuse que tous les historiens ont soulignée à plaisir : « la vieille et triste Picardie », écrit Michelet, la « colérique Picardie... où semble entassée l'histoire de l'antique France ».

(1) BIBLIOGRAPHIE. — I. SOURCES. — On trouvera le détail des documents utilisés dans le présent chapitre dans H. HAUSER, *Les sources de l'histoire de France, XVIᵉ siècle*, t. II, *François Iᵉʳ et Henri II*, Paris, 1909 et suiv. Nous nous bornons à signaler : *Corpus reformatorum. Opera CALVINI*, t. XXIX-LXXXVII, édit. G. BAUM, Ed. CUNITZ, Ed. REUSS, ERICHSON, Brunswick-Berlin-Leipzig, 1834 et suiv. (On trouvera un catalogue chronologique des œuvres du réformateur aux tomes LVIII-LIX, p. 462 et suiv., les trois états de sa *Vie* par THÉODORE DE BÈZE et COLLADON, ainsi qu'un éphéméride, au moins partiel, fondé surtout sur les documents genevois au t. XXI) ; *Correspondance des Réformateurs dans les pays de langue française*, édit. A.-L. HERMINJARD, Genève-Paris, 1866-1897 ; *Catalogue des Actes de François Iᵉʳ*, Académie des Sciences morales et politiques, 1887-1908 ; *Ordonnances des rois de France, Règne de François Iᵉʳ*, Paris, 1902-1941, 6 vol. parus ; *Histoire ecclésiastique des églises réformées au royaume de France, 1521-1563*, édit. G. BAUM, Ed. CUNITZ, R. REUSS, Paris, 1883-1889. On pourra lire l'*Institution chrétienne* soit dans l'édition H. CHATELAIN-J. PANNIER, Paris, 1911 (Bibliothèque de l'Ecole des Hautes-Études, Sciences historiques et philologiques, fasc. 177-178), soit dans l'édition J. PANNIER, Paris, les Belles-Lettres, 1936-1939, 4 vol. Utiliser l'édition récente du *Traité des Reliques* et de l'*Excuse aux Nicodémites* par A. AUTIN, Paris, 1921.

II. TRAVAUX. — Le travail de base reste l'ouvrage, touffu, mais très riche, passionné, discutable parfois et confus, mais fortement documenté, d'E. DOUMERGUE, *Jean Calvin, les hommes et les choses de son temps* : 1ʳᵉ partie, *La préparation*, t. I, *La jeunesse*, t. II, *Les premiers essais* ; 2ᵉ partie, *Le milieu*, t. III, *La Genève calviniste*, et, non tomé, *L'iconographie calvinienne* ; 3ᵉ partie, *La pensée (ou le programme)*, t. IV, *La pensée religieuse* ; t. V, *La pensée ecclésiastique et la pensée politique* ; 4ᵉ partie, *L'œuvre*, t. VI, *La lutte*, t. VII, *Le Triomphe*, 8 vol. in-fᵒ, Lausanne, Paris, Neuilly (*La Cause*), 1899-1927 ; représente le point de vue protestant. Utiliser les notices critiques du *Dictionnaire de théologie catholique*, publié sous la direction de A. VACANT, E. MANGENOT, E. AMANN, Paris, 1909 et suiv. ; du *Dictionnaire d'histoire et de géographie ecclésiastiques*, publié sous la direction de A. BAUDRILLART, A. VOGT, U. ROUZIÈS, Paris, 1912 et suiv. ; de Eug. et Em. HAAG, *La France protestante*, Paris, 2ᵉ édit., 1877 et suiv. ; de J.-J. HERZOG, *Real Encyclopaedie für protestantische Theologie und Kirsche*, 3ᵉ édit., Leipzig, 1896 et suiv. Parmi les travaux les plus récents : JEAN D. BENOIT, *Jean Calvin, la vie, l'homme, la pensée*, Paris, 1948. — *Calvin et la Réforme en France par un groupe de professeurs de la Faculté de Théologie protestante d'Aix-en-Provence*, Aix, 1944 ; et surtout J.-F. MAC NEILL, *Thirty years of Calvin Study* (dans Church history, American Society of church history, New York, t. XVII, 1948, p. 207-240).

Études d'ensemble sur la période : P. IMBART DE LA TOUR, *Les origines de la Réforme*, Paris, 1905 et suiv., spécialement le t. IV ; PASTOR, *Histoire des papes*, trad. A. POIZAT, à partir du t. XI, Paris, 1925 ; A. DUFOURCQ, *Histoire moderne de l'Église*, t. VIII, Paris, 1933 ; H. HAUSER et A. RENAUDET, *Les débuts de l'âge moderne, la Renaissance et la Réforme*, Paris, 1929 ; J. VIÉNOT, *Histoire de la Réforme française, des origines à l'édit de Nantes*, Paris, 1926 (peu objectif) ; C. TERRASSE, *François Iᵉʳ, le roi et le règne*, Paris, 1943-1948.

Études de détail : A. LEFRANC, *La jeunesse de Calvin*, Paris, 1888 ; J. PANNIER, *Recherches sur l'évolution religieuse de Calvin jusqu'à sa conversion*, dans *Revue d'histoire et de philosophie religieuse*, publiée par la Faculté de Théologie protestante de Strasbourg, 1923-1924, et *Calvin à Strasbourg* (*Ibid.*, 1925) ; H. HAUSER, *Études sur la Réforme française*, 1909 ; A. AUTIN, *L'échec de la Réforme en France au XVIᵉ siècle*, Paris, 1918 ; *Un épisode de la vie de Calvin, La crise du Nicodémisme*, Toulon, 1917 ; *L'Institution chrétienne de Calvin*, Paris, 1929 ; M. BOEGNER, *Les Catéchismes de Calvin*, Paris, 1905 ; L. MONOD, *Le caractère de Calvin d'après ses œuvres*, Paris, 1912 ; sur la psychologie et les méthodes de discussion de Calvin, indications dans L. FEBVRE, *Le problème de l'incroyance au XVIᵉ siècle. La religion de Rabelais*, Paris, 1942.

(2) C'est le nom courant, tiré du latin *Calvinus*. La forme picarde était *Cauvin*.

Fortement féodale, fortement communale et démocratique, poursuit-il, fut cette ardente Picardie. Les premières communes de France sont les grandes villes ecclésiastiques de Noyon, de Saint-Quentin, d'Amiens, de Laon. Le même pays donna Calvin et commença la ligue contre Calvin. Un ermite d'Amiens avait enlevé toute l'Europe... à Jérusalem par l'élan de la religion. Un légiste de Noyon changea cette religion dans la moitié des pays occidentaux [1].

Calvin ? Le fils d'une terre où l'amour passionné de la liberté politique — et des libertés tout court — a, tout naturellement, provoqué l'esprit de controverse, développé le goût de l'opposition, enflammé les enthousiasmes froids, — et l'indignation contre les abus et les vices. La Picardie et les provinces du Nord ont donné à la France quelques-uns de ses meilleurs humanistes, — et l'un des éléments essentiels de l'humanisme, c'est d'abord l'esprit critique : Lefèvre d'Étaples naît aux confins de ce pays d'où sont originaires aussi Gérard Roussel, et Vatable, et Pierre Ramus, et le premier traducteur de la Bible, Pierre Olivetan, qui, tous, plus ou moins, donneront dans la Réforme. Si Lefèvre, si Roussel ne sont allés jusqu'à la rupture, Vatable et Olivetan, eux, ont sauté le pas. Avec Calvin, avant même Calvin [2].

Un fait de plus : Noyon, vieille cité ecclésiastique, et l'un des évêchés-pairies, « Noyon la Sainte », vieille cité bourgeoise, où les bourgeois sont fiers de leurs privilèges, est agitée, à l'aube du XVIe siècle, par les querelles qui opposent — parfois sur des motifs futiles — l'évêque et son chapitre, querelles à quoi prennent part, pour ou contre, les habitants. « Calvin est sorti protestant de sa ville natale », écrit Abel Lefranc [3] : le mot, excessif en apparence, est vrai, peut-être, au fond, psychologiquement. Protestant ? Non, sans doute, au sens plein ; mais déjà révolté, au moins réfractaire.

§ 1. — Le milieu familial.

LA FAMILLE   Sa famille est bourgeoise, de petite bourgeoisie, et récente : « maison honneste et de moyennes facultés » dit Théodore de Bèze. Mais elle a déjà pignon sur rue. Le grand-père, simple marinier sur l'Oise, à Pont-l'Évêque, avait eu trois fils. Deux d'entre eux, Richard et Jacques [4], ne franchirent pas l'étape : forgerons ou serruriers à Paris, ils resteront au stade de l'artisanat, près du peuple, et leur neveu Jean sera leur pensionnaire durant ses années d'études. Le troisième, le père du réformateur, Gérard Cauvin, appartient à la basoche : il a gravi un premier échelon ; il est le premier, dans la famille, à représenter la culture et la vie de l'esprit. Notaire apostolique, puis notaire et promoteur du chapitre, greffier, procureur fiscal du comté, Gérard Cauvin apparaît comme un esprit avisé, recherché, dira Th. de Bèze, pour son « bon entendement » et son « bon conseil ». Il avait l'expérience des affaires ; le cha-

---

(1) *Tableau de la France*, édit. L. REFORT, Paris, Belles-Lettres, 1934, p. 85-87, 90.
(2) Olivetan dès 1525 fréquente à Strasbourg CAPITON, FAREL, BUCER, et adhère à la Réforme naissante.
(3) *La jeunesse de Calvin*, p. x.
(4) Peut-être Jacques Cauvin était-il fils de Richard ?

pitre lui accordait sa confiance. Fixé à Noyon vers 1481, il obtint le droit
de bourgeoisie en 1497. Sa maison, sise place au blé, à l'angle de la rue
Fromentière, près de la cathédrale et de l'église de Sainte-Godeberte,
avait belle apparence.

Il avait épousé la fille d'un hôtelier de Cambrai, Jeanne Le Franc,
fort dévote, et qui ne manquait pas un pèlerinage à l'abbaye d'Ourscamp
toute proche, où elle conduisit plus tard le petit Jean Calvin honorer
les reliques de sainte Anne.

De cette union naquirent cinq fils et deux filles. L'un des fils, Charles,
se fera très vite remarquer par son esprit frondeur ; par quoi il ressemblait
à son père [1]. Car maître Gérard Cauvin, s'il joue un rôle des plus actifs,
et s'il a, parmi la noblesse du pays, des protecteurs, les Montmor, les
Hangest, paraît avoir été un mécontent, un homme d'opposition, peut-
être un révolté. La fin du père et du fils est identique : l'autorité de
l'Église, au moins sur le plan juridique, leur fut à tous deux insupportable.
Tous deux, — et Jean après eux, — se révolteront contre elle.

Ce n'est pas que la famille de Calvin eût à se plaindre. A ses fils, Gérard
Cauvin avait su faire attribuer, très jeunes, plusieurs bénéfices. Pour ne
parler que de Jean, il avait obtenu le 29 mai 1521, alors qu'il avait douze
ans, une portion des revenus que rapportait la chapelle de La Gésine
(il la résignera en 1529 en faveur de son frère Antoine), puis, le 27 septembre 1527, la cure de Marteville qu'il échange, en 1529, contre celle
de Pont-l'Évêque. Mais le procureur Cauvin, à la suite sans doute d'embarras d'argent, eut des difficultés avec les chanoines : chargé de liquider
la succession de deux chapelains, il ne rend pas ses comptes ; blâmé,
censuré, puis excommunié, c'est tout juste si sa dépouille obtint en 1531
des obsèques religieuses et une sépulture en terre sainte, sur la promesse
faite par ses enfants de s'acquitter de sa dette. Et Charles Cauvin, de
son côté, excommunié lui aussi à la suite d'un duel, opposant décidé
en matière de discipline et de foi, refusera les sacrements à l'heure de sa
mort en 1537 : sa dépouille sera portée au gibet. Ce sont des caractères
âpres, autoritaires, entêtés que ces Cauvin. Jean aura de qui tenir : il
ne sera pas « le premier de sa famille qui se soit opposé à l'Église » [2].

L'ENFANCE A NOYON De la prime jeunesse de Calvin on ignore tout.
Il dut avoir une enfance pieuse, grâce au moins
à l'exemple et aux leçons de sa mère. Baptisé à Sainte-Godeberte, plus
tard élève au collège des Capettes où il apprit le rudiment, on l'imagine
volontiers déjà méditatif et réfléchi ; on le suit plus sûrement à cette
abbaye d'Ourscamp, aux rives de l'Oise, où il dut accomplir, tout enfant,
plus d'un pèlerinage. Mais il est difficile de rien préciser.

Est-il imprudent, cependant, d'admettre qu'il n'a pu rester insensible
aux querelles qui opposaient l'évêque de Noyon et le chapitre de sa cathédrale, aux disputes que provoquaient la barbe du prélat ou les reliques

---

(1) Des autres fils de Gérard Cauvin, deux moururent jeunes ; un autre suivit le réformateur à
Genève, sans jouer aucun rôle marquant.
(2) A. LEFRANC, *op. cit.*, p. 21.

de saint Éloi, aux sanctions spectaculaires, mais inefficaces, dont se menaçaient réciproquement prélat et chanoines ? Témoin de ces désordres
regrettables, en fut-il frappé au point de s'orienter déjà vers les idées
nouvelles ? Même si la réforme s'est développée secrètement assez tôt
à Noyon, il paraît difficile de soutenir pareille hypothèse. Si précoce
qu'il fût, peut-on croire qu'à quatorze ans à peine Jean Calvin ait pu
d'abord s'intéresser à ces querelles de clocher, ensuite en tirer des
conclusions ? Car il n'a que quatorze ans à l'heure de son départ pour
Paris, et c'est alors seulement que s'ouvre réellement son destin.

§ 2. — Les études.

PREMIÈRES ÉTUDES A PARIS   Il quitte Noyon au mois d'août 1523,
                               à l'heure où, déjà, se dessine en France
le mouvement préréformé, où s'affirme à Paris, dans les Universités,
voire un peu partout en province, le mouvement humaniste.

Le voici pensionnaire de son oncle Richard Cauvin, le serrurier, qui
habite près de Saint-Germain-l'Auxerrois. Il est inscrit d'abord comme
externe (on disait alors : *martinet*) au collège de la Marche, aux pentes
de la montagne Sainte-Geneviève. On y appliquait déjà les méthodes
nouvelles. Le jeune étudiant eut la chance d'y rencontrer un maître
éminent, Mathurin Cordier, qui lui enseigna le latin. Cordier avait rompu
avec la routine scolastique : grammairien averti, professeur dévoué corps
et âme à ses élèves, pédagogue subtil, ses leçons marquèrent profondément Calvin par leur sûreté, leur vie, leur humanité. L'enfant lui dut,
avec de beaux exemples moraux, une impeccable érudition, une sûreté
de style dont il allait très vite donner la preuve : sa reconnaissance s'exprimera plus tard dans la dédicace émue de son commentaire à l'*Épître
aux Thessaloniciens* [1].

Du collège de la Marche, Calvin passa rapidement, en 1526, au collège
de Montaigu que dirigeait le sévère, l'intransigeant Noël Beda. Changement brutal, d'une maison ouverte aux théories pédagogiques récentes
et qui les appliquait sérieusement à un établissement demeuré dans la
ligne la plus austère et la plus stricte d'une tradition violemment discutée ;
même si Jean Standonck était passé par là [2]. On se souvient des attaques
sarcastiques de Rabelais contre la pouillerie du vieux collège. Discipline
d'une rigoureuse intransigeance, enseignement aveuglément fidèle aux
méthodes ancestrales, absence totale d'hygiène, tels étaient, environ
1520, les caractères du régime de Montaigu. On y pratiquait un strict
ascétisme : silence et jeûne prolongés, ainsi que dans les plus durs monastères ; la férule ou le fouet sanctionnaient les plus innocentes peccadilles ;
et l'on travaillait âprement de l'aube première à la nuit tombée, Pierre
Tempête le bien nommé veillant à faire respecter la règle.

C'est dans cette maison aux salles sombres, aux cours étroites, aux

---

(1) Il lui dédiera aussi, témoignage de l'empreinte reçue, ses *Commentaires des Epîtres de sain[t]
Paul* (1546 et suiv.), cf. *Opera*, t. XLIX.
(2) Cf. A. RENAUDET, *Préréforme et Humanisme à Paris pendant les premières guerres d'Italie*.
Paris, 1916, 1ᵣₑ partie, ch. IV.

maîtres sévères et sûrs — excessivement ! — de l'excellence de leurs principes que Calvin achève sa vie scolaire. Tout près de ces collèges illustres que l'on nomme Coqueret, Sainte-Barbe et Duplessis, et Navarre où enseignait alors Clichtove, disciple de Lefèvre, mais dès 1521, accusateur de Luther et bientôt animateur des conciles de Sens et de Paris. Dans ce quartier où des libraires humanistes ont ouvert ou vont établir leur officine, et ce sont les Simon de Colines, les Wechsel, les Josse Bade, les Antoine Augereau, les Henri Estienne qui, demain, vont imprimer les œuvres des réformés. A l'ombre des clochers des Mathurins, où l'Université tient ses séances plénières, et de Saint-Germain-des-Prés où ont prié Briçonnet et Lefèvre d'Étaples. Tout près de cette rue des Marais où le premier pasteur protestant prêchera, publiquement, vers 1555, dans la première église réformée de Paris. Il serait absurde d'imaginer Calvin, émule de Panurge, menant tapage rue du Fouarre aux assemblées de l'Université, ou place Maubert, et continuant la tradition de Villon et des Enfants sans souci. La vie bruyante du Quartier latin n'est pas son fait, ni les beuveries ou la débauche : on en peut juger par la suite de sa vie qu'aucune passion sensuelle ne viendra troubler [1] ; la rudesse, la violence, les excès explosifs de la vie estudiantine, il ne les a jamais pratiqués ; dès lors il se révèle, en matière de mœurs, l'homme austère qui ne souffre pas d'atteintes aux principes qu'il s'est fixés — ou qu'on lui a enseignés. Il s'est plié tout naturellement à la règle ; sans en avoir souffert, semble-t-il. Beda n'a rien eu à refréner chez son élève : Rabelais rejette le froc qui lui a été imposé ; Calvin, qui n'a jamais reçu les ordres, gardera toute sa vie une rigidité de conduite que l'on paraît avoir, pour les besoins de la polémique, injustement suspectée. C'est à Montaigu, on a le droit de le penser, qu'il apprit la valeur de la règle et de la discipline, cette discipline — civile et sociale autant que religieuse — qu'il imposera plus tard à Genève, avec une même rigueur, totale et durable.

Cordier l'avait initié au latin, dans un esprit de très large compréhension, avec un goût littéraire très sûr. Beda ou Jean Tempête et leurs collègues l'ont formé de même à la dialectique, à cet art de l'argumentation, plus subtil qu'il ne paraît, qui le rendra redoutable bientôt à ses adversaires. Le Calvin qui mènera la lutte contre la papauté et l'orthodoxie, mais aussi contre les antitrinitaires, les anabaptistes ou les libertins, quand ce ne sera pas contre ses propres partisans, c'est à Montaigu qu'il s'est formé, sans regimber, comme le fait à la même époque Rabelais, contre des méthodes désuètes. Il les a jugées, certes, mais il les a froidement acceptées aussi, et il en a tiré ce qu'elles gardaient de bon.

Il noue enfin, à Montaigu, de solides amitiés auxquelles il restera toute sa vie fidèle, notamment avec les quatre fils du premier médecin de François Ier, et surtout avec l'un d'eux, Nicolas Cop, le futur recteur de l'Université. Avec, de même, son cousin Pierre Olivetan, avec les fils de son protecteur, M. de Montmor, ou Fernel. Le sérieux déjà marqué

(1) Il faut rejeter force légendes calomnieuses, notamment celle qui veut que Calvin ait été marqué au fer rouge pour un crime contre nature. Il faut croire Th. de Bèze lorsqu'il écrit : « Quant à ses mœurs, il estoit surtout fort consciencieux, ennemi des vices, et fort adonné au service de Dieu... »

du caractère de Calvin, son application acharnée à l'étude, ses progrès, son érudition, ses qualités de dialecticien forçaient la sympathie : « On ne le tenoit pour escolier, dit Bèze, mais comme l'un des docteurs ordinaires... » On a parlé de son affabilité : pourquoi pas ? On n'a pas le droit de ne pas constater que Calvin conquit à Paris des affections que rien ne fit se démentir, ni le temps, ni l'éloignement, ni le danger. Les historiens de Calvin retrouveront à Genève les fils de Cop, et d'autres amis du réformateur : les fils de Guillaume Budé, ou les Estienne (pour ne citer que ceux-là), qui viendront grossir les rangs des premiers disciples.

Des cinq années qu'il passa ainsi à Paris, qu'a dû retenir le jeune étudiant ? La connaissance la plus solide et, à certains égards, la plus neuve du latin, d'abord. Calvin a pu apprendre à lire les grandes œuvres de l'antiquité romaine dans un texte savamment critiqué, et commenté dans un esprit original, orienté vers une interprétation à la fois littérale et morale. Il n'est pas imprudent d'écrire qu'il a découvert les œuvres essentielles, — orateurs, philosophes, moralistes, — de Cicéron à Sénèque ; il s'est initié à la philosophie aristotélicienne, comme il était de règle, et à la scolastique : il a lu saint Bonaventure, saint Thomas et Duns Scott ; il a appris, et profondément, l'art de la dispute scolaire. Il a des bases solides : le grade de maître ès arts, qu'il obtint en 1528 ou 1529, à vingt ans à peine, récompense cinq ans d'un effort laborieux et continu [1].

ÉTUDES SUPÉRIEURES On s'attendrait, l'heure venue des études supérieures et du choix implicite d'une carrière, à voir Calvin s'orienter vers la théologie et l'étude des problèmes religieux à quoi le préparait son séjour à Montaigu. Il n'en est rien : il entame des études de droit, à Orléans d'abord, puis à Bourges. Sur le conseil, croit-on, et le désir de son père qui, malgré ses premiers projets, souhaitait de le voir faire carrière hors de l'Église. Vers 1526 en effet commencent les difficultés qui opposent Gérard Cauvin et le chapitre de Noyon. Il est possible que le père, à même de juger avec son sens critique de Picard les faiblesses de certains ecclésiastiques, ait rêvé pour son fils, dont il pressentait les rares qualités, d'emplois laïques dans la judicature ou l'administration : à en croire Théodore de Bèze, « c'estoit meilleur moyen pour parvenir aux biens et aux honneurs », tandis que sa naissance modeste lui interdisait, semblait-il, les hautes charges de l'Église.

Jean Calvin part donc, en 1528, pour Orléans où les études juridiques, — droit civil et droit canon, — étaient en renom, et où, loin des censures de la Sorbonne, les maîtres universitaires gardaient une relative indépendance. Il y sera l'élève de Pierre de l'Estoile, esprit pénétrant, commentateur ingénieux, mais qui restait fidèle aux idées et aux méthodes d'autrefois. Calvin, à en croire Florimond de Raemond, « sous un corps sec et atténué, eut toujours un esprit vert et vigoureux, ...hardi aux attaques » ; il était « grand jeûneur même en son jeune âge, soit qu'il le fît pour sa

---

(1) Il paraît peu probable qu'il ait, sur les bancs de Montaigu, rencontré Ignace de Loyola qui venait y reprendre ses études. C'est le 2 février 1528 qu'Ignace arrive à Paris. A cette date, Calvin était parti pour Orléans. Si émouvante que puisse être l'image de cette rencontre, on a tout lieu de la croire erronée.

santé... soit pour avoir l'esprit plus à délivre, afin d'écrire, étudier et
améliorer sa mémoire... Calvin parloit peu ; ce n'estoit que propos sérieux
et qui portoient coup ; jamais parmi les compagnies, tousjours retiré.
Aussi estoit-il de son naturel mélancolicque et songe creux... ». Le réformateur lui-même écrira plus tard : « J'estois d'ung naturel un peu sauvage
et honteux, aimant le recoi et la tranquillité... » Même s'il faut croire
Papire Masson et imaginer un Calvin « porté à l'ironie socratique », voilà
de quoi pressentir en l'étudiant l'austérité du futur chef genevois. Il
est timide, réservé ; il fuit les compagnies bruyantes et tapageuses qui
seraient de son âge ; il est déjà fragile : il impose pourtant à son corps
la plus dure discipline et triomphe de ses malaises ; il vit en ascète et
se soumet aux jeûnes les plus stricts. Il aime la dispute. Pour la dispute ?
Non certes, mais par souci d'atteindre le vrai. Avec cela, mélancolique.
A l'âge des plaisirs, il les ignore ou veut les ignorer. Insensibilité ? Système raisonné ? On n'ose, s'agissant d'un jeune homme, s'attacher à
l'une ou l'autre hypothèse. Toutes deux paraissent plausibles.

Timidité, réserve qui n'empêchent pas le jeune étudiant de s'imposer
par la force de son caractère, la rigueur de sa tenue, l'austérité de sa
conduite. La « nation » dont il fait partie (entendez la corporation d'étudiants où il compte) l'élit comme procureur : preuve évidente de l'influence qu'il exerçait déjà. Surtout il noue, ici encore, de solides et durables
amitiés, avec François Daniel, qui sera précepteur de son fils ; avec
Nicolas Duchemin à qui, un jour, il dédiera un opuscule sur l'incompatibilité entre les fonctions publiques et la pratique de la foi
réformée.

Il ne reste, d'ailleurs, qu'un an à peine à Orléans. A la fin de 1529, on
le retrouve à Bourges où il poursuit d'un même effort ses études de droit
et sa formation d'humaniste, celle-ci prenant, du reste, le dessus dans
ses préoccupations. S'il rêva jamais la carrière d'Érasme, c'est bien à
ce moment. Il est, en effet, l'élève d'Alciat, alors dans toute sa gloire,
mais il loge chez Melchior Wolmar, et il suit son enseignement. Le premier
lui révèle, sans doute, tout ce que peut apporter d'inédit aux hommes
du XVIe siècle l'étude rationnelle du droit, fondée sur l'analyse historique
des textes. Mais, si les leçons d'Alciat le confirment dans la méthode
dialectique qu'il s'est dès lors forgée, celles de Melchior Wolmar ont,
dans son évolution, une autre importance. Plus qu'au couvent des jaco-
bins, plus qu'aux grandes écoles, près la cathédrale où se donnait alors
l'enseignement universitaire, on imagine un Calvin écoutant de tout
son zèle, dans le recueillement de son cabinet, les gloses de l'humaniste
Wolmar : « Je mêlai à l'étude du droit celle des lettres grecques à ton
instigation et sous ta direction », lui dira-t-il plus tard dans sa dédicace
du *Commentaire à la IIe Épître aux Corinthiens*. Il n'est pas besoin de
souligner l'importance de cette découverte : elle amena Calvin, malgré
les désirs de son père, et par le biais de l'humanisme, à l'étude de la
théologie. Avec le grec, ou après lui, l'hébreu. La culture littéraire, ou
plutôt la culture philologique l'emporte décidément sur la culture juridique. Déjà sans doute, comme il était de règle alors, apparaissent les

préoccupations religieuses : Bourges est un foyer d'évangélisme — et Melchior Wolmar un luthérien déclaré.

LE SÉJOUR A PARIS Calvin pourtant, même si ses goûts le portent ailleurs, achève ses études de droit et conquiert en 1530 sa licence ès lois. Ici se place, le 26 mai 1531, la mort de son père dont les circonstances douloureuses durent le troubler profondément et marquer durement ses réflexions. Elle le libérait pourtant d'un devoir, lui laissant la possibilité d'obéir désormais à ses désirs. Ses études de droit n'ont-elles pas, du reste, été poussées assez loin ? Il est revenu à Noyon voir mourir Gérard Cauvin et régler sa succession. Cette obligation remplie, ce n'est ni à Orléans qu'il se fixe, ni à Bourges, mais à Paris où il va, quelques années, suivre le mouvement intellectuel qui s'affirme sous sa double forme, humaniste et religieuse, et renoncer définitivement à commenter le *Digeste*.

C'est l'heure où François Ier vient de fonder la « trilingue et noble Académie », le futur Collège de France. Calvin y suivra les leçons des lecteurs royaux, et, d'abord, celles de Danès qui prolongeront l'enseignement de Melchior Wolmar. Il connaît Guillaume Budé, patron des chercheurs et des érudits, dont il protégera plus tard à Genève le fils. Avec Vatable, il apprend l'hébreu. L'étude des lettres classiques l'occupe tout entier. On le voit aux cours de Toussaint, de Guidacerius, peut-être d'Oronce Finé qui enseigne les mathématiques ; il est assidu aux collèges de Cambrai et de Tréguier où les lecteurs donnent leur enseignement. Il leur demande non pas, comme Budé, une science exacte de l'antiquité, ni, comme Rabelais, un art de vivre. Le stoïcisme ni l'épicurisme ne l'attirent, non plus que la joie de savoir pour savoir. De la culture qu'il reçoit, il attend une arme, des méthodes : un art d'écrire, un art de discuter moins formel que la scolastique. Il a trop subi l'empire des maîtres de Montaigu pour croire que la philosophie païenne peut suffire à instruire l'homme et à le former, à lui fournir des principes et une règle de vie. A l'heure où quelques-uns se détournent du christianisme, il reste chrétien, même — et surtout — si, désormais, se posent à lui de nouveaux, d'inquiétants problèmes. Il demande d'abord à Cicéron et à Sénèque des leçons de style : elles ne seront pas perdues. De même il leur demandera bientôt de l'aider à construire un état, à définir une législation. Pour l'instant, et tout à sa découverte de l'antiquité, il publie son premier travail, un commentaire savant du *De Clementia*[1] établi d'après l'édition procurée par Érasme en 1529. C'est la première fois que le nom de Calvin est révélé au public lettré. Faut-il dire à l'occasion d'un exercice scolaire ? Il ne le semble pas. Certes, le jeune écrivain fait preuve d'une érudition abondante et sûre ; il argumente clairement, avec une précision qui ne laisse dans l'ombre aucune difficulté. Mais surtout il affiche un libéralisme surprenant : ce commentaire, est-ce autre chose qu'un panégyrique de la tolérance, un appel à la clémence de François Ier, à l'heure même

(1) *L'Annaei Senecae libri de Clementia, cum Commentario.* Paris, Cyaneus. Cf. *Opera*, t. V ; la préface est du 4 avril 1532.

où cette clémence avait tant de raisons, tant d'occasions de s'exercer ? Appel d'un chrétien plus que d'un disciple de Sénèque, tout Calvin, dans ces pages, se révèle, sensible et humain, préoccupé de charité sociale plus que de perfection individuelle. Il se dégage de cet écrit un bel idéal : celui du pardon.

Années de recueillement que celles-là, et de méditation ; à peine troublées par la maladie et le manque d'argent [1], mais qui dépassent déjà le stade de l'Humanisme. Autant que Sénèque, Calvin lit Érasme ; autant que les anciens, les modernes. Déjà se dessine son évolution religieuse, fruit de longues réflexions, de scrupuleuses lectures, d'un examen approfondi des textes et de la tradition. Ici se pose un problème délicat : celui de l'évolution, et, bientôt, de la conversion de Calvin à la Réforme.

§ 3. — L'évolution religieuse de Calvin.

INFLUENCES SUBIES PAR CALVIN « Rien ne permet de conjecturer à quel moment commence le combat intérieur qui se déclare, — écrit Abel Lefranc [2] de la crise à laquelle aboutissent, environ 1532, les études de Calvin, — et à quel moment il finit... »

Rien ne prouve que l'enfant qu'il était encore en 1523 ait eu, à Noyon, la moindre notion des nouveautés qui commençaient à agiter les esprits : la Réforme ne se développa guère avant 1530 dans sa ville natale ; tout au plus a-t-il pu constater certaines faiblesses de la discipline. En revanche, il paraît difficile de supposer qu'à Paris, entre 1523 et 1528, il ait ignoré le mouvement luthérien et surtout le mouvement évangélique. On se refuse à admettre qu'à La Marche ou à Montaigu, dans l'entourage de Mathurin Cordier ou de Noël Beda, le jeune étudiant n'ait pas entendu parler de Lefèvre d'Étaples, de Briçonnet, des disputes que provoquaient les idées fabriciennes et le mouvement de Meaux, voire de Luther puisque c'est le 15 novembre 1521 que, sur le rapport, précisément, de Beda, les livres de Luther ont été condamnés. Un peu plus tard, en 1525, après Pavie, Lefèvre fuira jusqu'à Strasbourg les premières poursuites contre les novateurs qu'ont permises la défaite et la captivité du roi. Lefèvre poursuit depuis 1509 ses publications, ses commentaires, ses traductions de l'Écriture : commentaire et traduction latine des *Psaumes* (1509-1524), traduction du Nouveau et de l'Ancien Testament (1523-1528), en attendant sa Bible française, — travaux dont on devait parler au Quartier latin. La duchesse d'Alençon, — Marguerite d'Angoulême, sœur de François Ier, — amie de Briçonnet, évêque de Meaux, dont elle a fait son directeur de conscience, favorise les novateurs dont elle suit avec une inquiète curiosité les efforts et les travaux : c'est en 1525 qu'elle compose ce *Dialogue en forme de vision nocturne*, preuve évidente de ses préoccupations spirituelles, où elle discute quelques-uns des thèmes que

---

(1) C'est alors, s'il les vit jamais, qui le prouvera ? qu'il faudrait placer les rencontres de Calvin avec Ignace de Loyola et Rabelais, assidus eux aussi aux leçons des lecteurs royaux.
(2) *Jeunesse de Calvin*, p. 96-97.

se posaient déjà certains esprits religieux. On dispute ferme à Paris, dans les églises et autour de la Sorbonne : le curé de Saint-Jean-en-Grève, du Chesne, et Noël Beda mènent la lutte contre Luther et les novateurs, quels qu'ils soient. Le 20 mars 1525, un arrêt du Parlement condamne Luther ; le doux Briçonnet lui-même interdit la lecture de la Bible en langue vulgaire, puis, le 15 octobre 1525, proscrit à son tour le luthéranisme. Une première exécution a eu lieu le 8 août 1523. Louis de Berquin, dont les audaces avaient exaspéré les théologiens, est arrêté en 1525 et n'échappe que de justesse à la mort [1]. Et le concile de Paris en 1528 condamne solennellement l'hérésie.

Or Calvin vit au milieu de cette agitation qui devait troubler profondément la vie des collèges et provoquer parmi les maîtres et parmi les étudiants force réflexions et force disputes. Il n'a pu ne pas entendre les diatribes de Beda contre Luther, Lefèvre et Briçonnet. Ami de Nicolas Cop, il a dû écouter le père de ce dernier, Guillaume Cop, ami d'Érasme et de Reuchlin, parler des idées érasmiennes. Il est enfin le parent et le compagnon d'Olivetan, déjà conquis à la Réforme, et qui va bientôt quitter la France pour garder le droit de penser librement. Ce serait alors, selon Théodore de Bèze, que Calvin aurait commencé à évoluer, à lire l'Écriture, à se détacher de la stricte discipline, à s'écarter des cérémonies rituelles : on notera que c'est le moment où sa famille, en difficulté avec le chapitre de Noyon, affiche un anticléricalisme assez avancé et fait fi des menaces de l'Église.

Faut-il tenter de préciser davantage ? Il paraît imprudent de rien affirmer avant 1528, avant son séjour à Orléans et à Bourges. D'autant qu'au témoignage de Calvin lui-même, dans sa préface au commentaire des Psaumes, il était alors « si obstinément adonné aux superstitions de la papauté qu'il étoit bien mal aisé qu'on le pût tirer de ce bourbier si profond ». Est-ce à Olivetan, comme l'écrit Théodore de Bèze, est-ce à Melchior Wolmar, voire à Alciat qu'il doit la nouvelle orientation de sa pensée ? Audacieux qui se risquerait à rien avancer... A-t-il, à Bourges, entendu prêcher ces préréformateurs qui se nomment Jean Michel, Michel d'Arande et Jean Chaponneau ? C'est possible. Mais qui peut le dire ? Il a certainement lu plus d'un livre réformé. Lesquels ? Érasme ? Sûrement : c'est à lui qu'il doit l'idée de commenter Sénèque ; il s'est initié à sa doctrine, à sa morale pratique. Luther ? Peut-être, mais non pas certes ses ouvrages écrits en allemand : Calvin dira plus tard avoir ignoré cette langue. Les livres rédigés en latin ? Il a pu en trouver quelques-uns chez son maître Wolmar. Le fameux discours de Nicolas Cop, rédigé par lui, contient en plus d'un endroit des emprunts formels à Luther, notamment à l'un de ses sermons, emprunts qui témoignent d'une réelle familiarité avec ces textes. On relèverait encore plus d'un souvenir de Luther dans l'*Institution chrétienne*, notamment des formules prises au *Betbüchlein*. Mais de quand datent ces lectures ? Il est impossible de le dire. L'un des derniers à s'être occupé de ce problème, M. W. G. Moore, écrit : « Les précisions manquent pour la période

(1) Cf. *supra*, p. 138-142.

de sa jeunesse, et l'on est réduit à des conjectures. » C'est bien dire, même si l'historien ajoute : « Il faut faire, dans la formation théologique de Calvin, une très large part à l'influence forte et soutenue de la lecture de Luther [1]. »

SON ORIENTATION
VERS LES IDÉES RÉFORMATRICES

On hésitera donc à désigner l'initiateur. Wolmar, selon Florimond de Raemond, fut « le premier qui lui donna le goût de l'hérésie ». Ce fut, d'après Théodore de Bèze, Olivetan, et M. Jacques Pannier se rallie à cette opinion, admettant que c'est grâce à ce dernier que Calvin, ayant « goûté quelque chose de la pure religion », commença, peut-être à Orléans et dès 1528, à « se distraire des superstitions papales » [2]. Il reste probable cependant que c'est à l'instigation de Wolmar et peut-être avec son aide que Calvin a lu le Nouveau Testament en grec, comme il est probable qu'il entendit son maître lui parler de Luther, lui expliquer les catéchismes, et commenter pour lui la conception que se faisait le réformateur de la liberté chrétienne.

Calvin s'oriente donc vers les idées nouvelles. A quelle date ? Entre 1528 et 1530 probablement. Il n'est pas permis de préciser davantage. Encore faut-il noter que si le jeune étudiant a pu ou a su s'intéresser aux tendances nouvelles, — qu'elles soient d'Érasme, de Lefèvre ou de Luther, — on ne saurait écrire qu'il leur a déjà donné son adhésion. Les faiblesses, certaines faiblesses de l'Église, dans la discipline surtout, ne devaient être que trop évidentes à ses yeux ; avait-il, pour cela, renoncé à la foi de sa jeunesse ? Pas encore, d'autant que, si l'on en juge par son attitude à Genève, Calvin, homme d'autorité, n'a pu de prime abord songer à discuter l'autorité de l'Église, ni, simplement, la mettre en doute un seul instant. Mais qui pourra dire ses luttes intérieures ? Les documents font défaut. Disons simplement qu'il n'est pas « converti » en 1530, mais prêt à la conversion, qu'il y eut chez lui évolution plus qu'intuition, raisonnement plus qu'illumination, même si dans sa préface au commentaire des Psaumes il dit que sa conversion fut subite. Dans une lettre au cardinal Sadolet, dont on reparlera, il esquisse la courbe d'un changement qui semble avoir été tout intellectuel et fondé non sur le spectacle des abus ecclésiastiques, mais sur une étude approfondie de la tradition, et sur la conviction lentement établie qu'il était appelé par Dieu à rétablir l'Église dans sa pureté primitive. La logique seule le conduisit à la rupture avec Rome : il y parvint sans l'angoisse qu'éprouvèrent d'autres esprits. A la différence de Luther, ce n'est pas le spectacle des abus, le scandale devant le relâchement de la discipline, mais un rigoureux examen de la doctrine qui l'amenèrent à se séparer du catholicisme, et c'est peut-être à cet instant que s'exerça, par les lettres qu'il lui écrivit, l'influence d'Olivetan alors occupé à traduire la Bible.

Il serait plus facile de retracer cette évolution si l'on était mieux ren-

(1) W. G. MOORE, *La réforme allemande et la littérature française. Recherches sur la notoriété de Luther en France.* Strasbourg, 1930, p. 320-322.
(2) *Recherches sur l'évolution religieuse de Calvin...*, p. 11.

seigné sur les allées et venues du jeune licencié ; elles restent incertaines·
Il est hors de doute qu'il séjourne à Noyon lors de la mort de son père,
au printemps de 1531. Mais ensuite ? Où le trouver en 1532-1533 ? Il
revient à Orléans, peut-être à Bourges, continuer ses études juridiques ;
il les achève, croit-on, par la conquête du doctorat. Mais il s'agit, ici et
là, de séjours rapides coupés de rapides retours à Paris et à Noyon. Quelques dates : il est à Paris à la fin d'avril 1532, à Noyon en septembre,
sûrement à Orléans, peut-être à Paris en mai-juin 1533. C'est alors qu'il
eut un curieux entretien avec la sœur de son ami François Daniel qui
prenait le voile, et qu'il interrogea sévèrement sur la qualité de sa vocation, — preuve des doutes qui se dessinaient dans son esprit. A l'été
de 1533, il est de nouveau à Noyon, mais à l'automne, il est revenu à
Paris au collège Fortet, et là il est le témoin très sûr des graves incidents
qui opposent, au Quartier latin, partisans et adversaires des idées nouvelles.
Ces événements, il les a suivis de près et les conte avec précision dans
une de ses lettres : c'est dire leur signification à ses yeux. Les étudiants
du collège de Navarre, dans une farce méchante et grossière, ont ridiculisé
la sœur du roi et Gérard Roussel, un de ses protégés, suspects à leurs
yeux. La Sorbonne de sa propre initiative censure une réédition du
premier livre de la reine de Navarre : le Miroir de l'âme pécheresse. Le
roi se fâche : le guet intervient au collège ; des étudiants, les plus tapageurs, sont emprisonnés ; et l'Université, avertie du déplaisir royal,
désapprouve la Sorbonne qui est contrainte de se rétracter. Des théologiens s'affrontèrent : le curé de Saint-André-des-Arcs, Le Clerc, responsable
de la censure, — le confesseur du roi, Guillaume Petit, qui représentait
l'autorité. Il y eut désaveu public, et solennel. C'étaient là des affaires
graves : Calvin les suivit de près ; il les narra longuement[1] ; il dut les
méditer plus longuement encore. Cette action énergique du pouvoir
en faveur d'une princesse aux idées très larges, protectrice de Lefèvre
et de Briçonnet, curieuse des plus hauts problèmes mystiques, pouvait-
elle laisser Calvin indifférent ? On ne le pense pas. Il était, dès longtemps,
mêlé aux agitations du Quartier latin : il n'en faut d'autre preuve que
la lettre où il narre en détail ces événements.

§ 4. — La conversion.

LE DISCOURS DE NICOLAS COP   C'est ici que se place le premier geste,
                                    le premier acte de Calvin, la prise de
position qu'expliquent les événements récents.

Le 1er novembre 1533, Nicolas Cop, en sa qualité de recteur de l'Université, prononce dans l'église des Mathurins le discours de rentrée de
l'Université. Discours audacieux, composé « d'une façon tout autre
que la coustume ». Discours où s'affirment quelques-unes des tendances
les plus nettes des novateurs : Sola dei gratia peccata remittit... Evan-

_____

(1) Cf. Opera, t. X, col. 27-29 ; voir aussi une lettre de Sturm à Bucer, Correspondance des
Réformateurs, édit. A. L. HERMINJARD, t. III, p. 94, n° 432 et P. JOURDA, Marguerite d'Angoulême, Paris, 1930, t. I, p. 177-180.

gelium remissionem peccatorum gratis pollicetur... Le rôle exclusif de la
grâce dans le salut, la lecture de l'Évangile ? thèses alors suspectes.
Cop, c'est-à-dire Calvin qui a rédigé cette harangue, tout en invoquant
la Vierge (précaution prudente !), affirmait le salut par la grâce gratuite,
l'inutilité des œuvres, la justification par la foi et les seuls mérites du
Christ, et prêchait la tolérance. La religion, affirmait Cop, n'a sa source
que dans l'Évangile et son achèvement que dans la foi et non dans les
œuvres prescrites par la loi ; elle est un abandon total et confiant de
l'âme à la miséricorde divine ; le salut, dès lors, est un don gratuit et
non le paiement de bonnes œuvres intéressées. De quoi déchaîner la
foudre. Elle éclata sans attendre : le Parlement, devant le scandale,
instruit le procès du recteur. Cop, cité à la barre, s'enfuit jusqu'à Bâle,
et Calvin disparaît, pour échapper aux poursuites [1].

Qu'il y ait, dans ce discours, des idées empruntées à Érasme ou à
Luther, peu importe : il reste la première affirmation des idées que Calvin
allait, bientôt, mettre en forme. Il est l'aboutissement logique de ces
réflexions qu'il décrira bientôt dans sa lettre au cardinal Sadolet :
« ... offensé de cette nouveauté, écrit-il (et il s'agit des idées de Luther
comme de celles d'Érasme ou des préréformés français), je confesse qu'au
commencement j'y ai vaillamment et courageusement résisté... Il me
fâchoit bien de confesser que toute ma vie j'eusse été nourri en erreur
et en ignorance », et il ajoute : « ... une chose y avoit qui me gardoit
de croire ces gens-là, c'estoit la révérence de l'Église... ». La rupture,
quand elle se produit, n'est que l'aboutissement d'une longue et logique
méditation. Elle s'accompagnait d'une émotion sincère que Calvin,
longtemps après, ne songeait pas à dissimuler.

PÉRÉGRINATIONS DE CALVIN Ici commencent ses errances. Ni l'orthodoxie, ni les novateurs ne triomphent
pleinement. Calvin, qui s'est caché à Noyon, peut, grâce à la protection
de Marguerite de Navarre, revenir à Paris. Mais c'est pour y voir la Sorbonne inquiéter les lecteurs royaux, et Beda défendre la tradition. Beda,
battu, est exilé au Mont-Saint-Michel ; l'heure est à l'indulgence : le
roi ne doit-il pas se ménager la confiance des réformés allemands ? Sa
politique extérieure l'exige, car, par l'entremise de Jean et de Guillaume
du Bellay, il se sert d'eux contre Charles-Quint [2]. Sa sœur l'encourage
dans cette tendance, et Bucer l'en félicite. Le temporel l'emporte sur le
spirituel. Calvin, pour autant, n'est pas rassuré : s'il revient de Noyon
à Paris, c'est pour repartir aussitôt pour les environs d'Angoulême :

(1) On a le droit de se demander si Calvin n'a pas été incité à rédiger le fameux discours par
l'attitude — en apparence décidée — du roi, durant l'année 1533, à l'occasion des divers incidents
qui la marquèrent et, spécialement, des événements d'octobre ? Le discours de Nicolas Cop se
place exactement au moment des poursuites provoquées par la représentation de la farce donnée
au collège de Navarre et des discussions relatives à la censure portée contre le *Miroir de l'âme
pécheresse.* Calvin a pu croire le moment venu de l'offensive victorieuse : n'allait-il pas forcer la
décision du roi (cf. JOURDA, *Marguerite d'Angoulême,* t. I, p. 174-182) ? De fait, après le discours
du recteur Cop, l'attitude de François Iᵉʳ restera, jusqu'à l'affaire des placards, assez hésitante...
(2) *Correspondance des Réformateurs dans les pays de langue française,* édit. A. L. HERMIN-
JARD, t. III, p. 132 ; N. WEISS et V. L. BOURRILLY, *Jean du Bellay, les Protestants et la Sorbonne*
(1529-1535), dans *Bull. de la Soc. d'hist. du protestantisme français,* t. LII, 1903.

il va chercher refuge auprès de son ami l'humaniste du Tillet, curé de Claix, dont il exploite la riche bibliothèque, car il ne perd pas une minute pour poursuivre son long examen de la vérité catholique ; c'est là, peut-être, qu'il jettera les premières bases de l'*Institution chrétienne*. D'Angou-lême, il passe à Nérac, soit qu'il veuille y profiter de la protection que lui assure la reine de Navarre, soit qu'il veuille y saluer le vieux Lefèvre d'Étaples qui s'y est retiré vers 1531. Voyages rapides : on le retrouve à Orléans au début du printemps, puis, au mois de mai, à Noyon où, geste capital, il résigne ses bénéfices, ceci à l'âge même où il devrait recevoir les ordres : de ces avantages matériels, il ne peut ni ne veut remplir les obligations, — ni les matérielles, ni les morales ; sa conscience lui interdit d'en profiter : il y renonce. Indication précise, et précieuse : elle marque la rupture effective avec l'Église. On ne saurait suspecter Calvin d'hypocrisie : à l'heure décisive il sait rompre — et il rompt — avec son passé, avec ce qui semblait son avenir. Il ne sera pas d'Église.

LE PROBLÈME
DE LA JUSTIFICATION

Il a, dès lors, longuement et silencieusement réfléchi au problème que posaient les premiers novateurs, celui de la justification. Il conclut que Dieu seul nous sauve par le sacrifice de Jésus, que la foi seule permet de participer à ce sacrifice, et non les œuvres. Il rejette l'autorité de l'Église, qu'il nie, ne reconnaissant de valeur qu'à l'Écriture seule. Il n'est pas l'homme des compromis : il est allé jusqu'au bout de sa pensée ; jamais il ne reviendra sur ses pas. Il s'est, lentement, détaché de l'ortho-doxie : des maîtres incomparables, Cordier peut-être, Wolmar proba-blement, lui ont révélé l'Évangile dans ce qu'il croit sa pureté. La disci-pline de Montaigu l'a rompu à la scolastique et aux rigueurs de la dialec-tique (elles ne lui seront pas inutiles) — et l'esprit critique des lecteurs royaux aux méthodes de l'humanisme. Il a longtemps étudié le droit : il devra bientôt à ce travail d'être capable d'organiser la cité de Genève et de lui donner une constitution et des lois. Il a vu, enfin, certaines faiblesses de l'Église : il a été le témoin avisé des efforts impuissants de Briçonnet pour les corriger, du goût de Marguerite de Navarre pour la vie de l'esprit. Il a noué les plus solides amitiés, et les plus durables. Il s'est formé dans l'ombre l'intelligence et le cœur : le moment est venu de l'action publique.

L'EXIL

Elle commence par de longs et pénibles voyages, par la recherche d'un asile sûr. 1534 : c'est l'année où François Ier quête l'appui des luthériens allemands et où, à l'instigation de Marguerite, il veut convaincre Mélanchthon de venir en France travailler à la réconciliation des Églises ; c'est aussi l'année de la fuite de Calvin. A l'heure même où la sœur du roi paraît triompher de l'intransigeance de Montmorency [1], où les du Bellay négocient avec les princes allemands, Calvin connaît les premières épreuves.

En mai, à Noyon, il est emprisonné quelques jours à la suite d'un tumulte

(1) P. JOURDA, *op. cit.*, p. 182.

populaire, puis élargi [1]. On le voit à Paris où il fréquente les esprits les plus divers : Étienne de la Forge, conquis aux idées nouvelles, le libertin Pocque, Michel Servet, le futur théoricien de l'antitrinitarisme, qu'il poursuivra tous deux, — le second jusques au bûcher. Il s'échappe vers le midi, vers Nérac peut-être, vers Angoulême sûrement (du Tillet lui assure toujours un refuge), vers Poitiers où il enseigne les idées nouvelles et où son passage a laissé plus d'un souvenir [2]. Il remonte ensuite vers Orléans où il écrit, contre les anabaptistes, son second livre : la *Psychopannychia* où il défend l'immortalité de l'âme.

Nulle part, malgré les apparences du bon vouloir royal, il ne se sent en sûreté. D'où cette existence fugitive qui le conduit du nord au sud et le ramène vers Paris. Le 18 octobre 1534 la maladroite affaire des Placards [3] exaspère chez François Ier le sens de l'autorité : il n'est plus question d'indulgence pour les novateurs en qui le souverain ne voit plus que des révoltés, au politique comme au religieux : par delà la messe et la doctrine catholique de la communion, par delà le pape et « sa vermine de cardinaux, d'évêques, de prêtres, de moines et autres cafards diseurs de messes », n'est-ce pas à lui qu'ont osé s'en prendre les auteurs du factum affiché à la porte même de sa chambre au château d'Amboise ? S'il ignore le nom du responsable, Antoine Marcourt, futur pasteur de Neuchâtel, il englobe dans sa colère tous ceux qu'il tient pour suspects — et ce sont les protégés de sa sœur. Avec Marot, avec beaucoup d'autres, Calvin gagne au large. C'est l'heure de l'exil, de l'expatriation définitive, et de la pleine rupture.

(1) On discute de la réalité de cet emprisonnement, cf. J. Viénot, *op. cit.*, p. 189, n. 1 et Th. Dufour, *Calvinisme*, dans *Mélanges Picot*, 1913, p. 11 : tous deux prétendent que c'est un autre Calvin qui fut alors incarcéré.

(2) On veut que ce soit là qu'il ait institué la « manducation », la communion sans messe.

(3) Cf. N. Weiss et V. L. Bourrilly, *L'affaire des placards*, dans *Bulletin de la Société d'histoire du protestantisme français*, t. LIII, 1904 et L. Febvre, *L'origine des placards de 1534*, dans *Bibliothèque d'Humanisme et Renaissance*, t. VI, 1945.

CHAPITRE II

L'INSTITUTION CHRÉTIENNE

§ 1. — Les errances.

CALVIN A BALE Calvin quitte donc la France pour chercher une seconde patrie — où trouver la liberté d'affirmer ce qui, bientôt, va être sa doctrine, — ce qui, déjà, est sa foi.

Logiquement il se dirige vers l'est, vers ces pays, de Suisse ou d'Allemagne, aux bords du Rhin, où depuis quinze ans s'affirme une libre, une audacieuse recherche spirituelle. Par Metz, il gagne Strasbourg, puis Bâle, la ville où Érasme habita, où prêcha Capiton, qui entendit les leçons du juriste Boniface Amerbach ; Bâle, la ville d'Oecolampade, l'un des pôles de la Réforme germanique, Bâle, cité d'étudiants, d'imprimeurs, d'humanistes, de théologiens, largement accueillante à tous les fugitifs. La date ? Il est impossible de la préciser : fin de 1534 ? début de 1535 ? A l'heure où le roi et les princes suivent la procession expiatoire du 21 janvier 1535 et où s'allument les premiers bûchers, au lendemain des lettres patentes du 13 et du 29 janvier qui, brutalement, interdisaient de rien imprimer et prescrivaient l'extermination des hérétiques, Calvin devait déjà se trouver en Suisse : il a trouvé un logis chez Catherine Klein ; il va rencontrer tour à tour Viret, Bullinger, Caroli et Carlstadt, l'imprimeur Platter, l'helléniste Oporin, Balthazar Ruch et Ruprecht Winter, futurs éditeurs de l'*Institution*.

SON ÉTAT D'AME Il a pris un premier pseudonyme, Lucianus. Il en trouvera d'autres bientôt. Comment l'imaginer à ce moment ? Non pas, déjà, sous les traits émaciés du vieillard prématuré qui gouvernera Genève, mais tel que l'a peint Léonard Limosin alors qu'il était jeune encore : le front large, les yeux perçants et lumineux, les sourcils noirs et fourrés, le nez long, mince et fin, en lame de couteau, la bouche petite, la barbe longue et fournie, le visage enfoui sous le bonnet sombre. Catherine Klein confiera plus tard à Ramus le charme qui émanait de ce petit homme aux épaules voûtées, à l'air méditatif, timide et volontaire à la fois, sinon dur [1]. Tel il sera maître de la cité qu'il va réformer, tel il est lorsqu'il arrive à Bâle, ville de la pensée libre, où il a retrouvé Nicolas Cop qui l'introduit auprès des réformés.

L'exil ne saurait le conduire au pessimisme ou à l'abandon : il s'agit d'un exil délibéré, volontaire, et qui ne laisse pas de place à la tristesse, mais à l'action. Voici déjà l'homme au travail : juin 1535, il donne une

(1) Cf. *supra*, p. 172, le croquis que Florimond de Raemond donne de Calvin.

préface, éloquente dans son ample sobriété, dans sa mordante ironie, à la traduction de la Bible que publie son cousin Olivetan [1]. On y lit déjà des déclarations précises : « Sans l'Évangile, nous sommes inutiles et vains ; sans l'Évangile, toute richesse est pauvreté, sagesse est folie devant Dieu, force est faiblesse... Mais par la force de l'Évangile, nous sommes faits enfants de Dieu. » Il étudie à nouveau l'hébreu avec Sébastien Munster, élève de Reuchlin, qui publie en 1534-1535 une *Biblia hebraïca* ; il poursuivra cette formation à Strasbourg avec Bucer et Capiton. Surtout il prépare, il achève, il publie l'*Institution chrétienne*, éditée en 1536.

SÉJOUR EN ITALIE   On le croirait au port : il n'en est rien. De quelques années encore, il ne sera pas fixé. Son destin se dessine, certes ; il n'est pas arrêté. Calvin ne resta pas longtemps à Bâle en 1536 ; quelques mois à peine. Il passe les Alpes, gagne l'Italie ; entre mars et juillet 1536 il séjourne à Ferrare, chez la duchesse Renée de France [2]. Il y trouve un milieu sympathique aux nouveautés, parmi les dames d'honneur françaises de la duchesse surtout : Mme de Soubise et ses filles sont d'audacieuses propagandistes du luthéranisme. Calvin profitera de son séjour à Ferrare pour composer deux lettres, deux traités sur des questions qui lui tiennent à cœur : il les publiera en 1537 ; elles constituent sa première attaque contre les tièdes, les hésitants, les « nicodémites » qu'il fustigera bientôt violemment. A son vieil ami Duchemin qui veut entrer dans les ordres, il conseille de « fuir les cérémonies et superstitions papales », enseigne la « pure observation de la religion chrétienne » ; il lui reproche de feindre une foi qu'il n'a plus, de s'associer à une liturgie qu'il réprouve : « Si le Seigneur est Dieu, suivez-le... » Quant à lui, il a pris parti : il attaque les pratiques catholiques, l'abus des indulgences, l'assistance à la messe, l'usage de l'eau bénite. Il écrit ensuite au protégé de Marguerite de Navarre, Gérard Roussel, évêque nommé d'Oloron, pour lui tracer un tableau du véritable ministère évangélique et lui déconseiller de coiffer la mitre ; il en profite pour attaquer les « faux prophètes et caphardz », les prêtres, ces « petits vilains larronneaux et brigandeaux » et affirmer à nouveau la nécessité d'éviter les cérémonies en usage chez les impies [3].

PASSAGE EN FRANCE   Un scandale provoqué à l'office du vendredi saint par un protégé de la duchesse obligea Calvin à prendre le large à nouveau : il rentre en France ; le chancelier du Bourg a signé le 16 juillet 1535 l'édit de Coucy qui suspend les poursuites contre les suspects. Calvin en profite pour faire un rapide voyage à Noyon où

---

(1) *Opera*, t. IX. C'est en octobre 1534 que Luther achève de traduire la Bible en allemand, en octobre 1536 que Tyndel termine sa traduction anglaise.

(2) Voir *supra*, p. 157. Cf. P. JOURDA, *Marot*, Paris, 1950, p. 27.

(3) Cf. *Opera*, t. V: *Epistolae duae de rebus hoc saeculo cognitu necessariis* (Bâle, Lasius et Platter, 1537). Elles ont pour titre, l'une : *Epistola prima de fugiendis impiorum illicitis sacris et puritate christianae religionis observanda*, l'autre : *De christiani hominis officio in sacerdotis papalis ecclesiae vel administrandis, vel rejiciendis*. Traduction dans le *Recueil des Opuscules* procuré par TH. DE BÈZE à Genève en 1566. Ces deux lettres préparent l'*Excuse aux Nicodémites*, cf. *infra*, p. 219.

il règle des affaires de famille, puis à Paris, mais il repart presqu'aussitôt pour Strasbourg où il sait devoir se trouver plus en sûreté qu'en France. La guerre lui interdit le chemin direct par la Champagne ; par Lyon il gagne Genève où il passe à la fin de juillet ou au début d'août 1536. Et c'est l'heure décisive : « Il prétendoit seulement d'y passer, dira Bèze, sans se donner autrement à cognoistre... » Il allait, malgré un court exil, s'y arrêter pour le reste de sa vie.

PREMIER SÉJOUR A GENÈVE (1536-1538)   A peine arrivait-il aux bords du lac Léman que Farel accourut, Farel l'un des champions de la Réforme et qui avait pu juger de la valeur du jeune érudit, comme pressentir ses forces et le rôle qu'il devait jouer. Farel avait fondé la première église réformée de Paris en 1523, église secrète encore, mais qui devait fructifier. Il était passé à Bâle en 1524, s'était disputé avec Érasme, avait été expulsé, était allé réformer Montbéliard, avait retrouvé à Strasbourg, chez Capiton, Lefèvre d'Étaples, Gérard Roussel et Michel d'Arande. Revenu à Bâle en 1526, il avait évangélisé la Suisse romande, s'était battu un peu partout avec des succès divers et avait aboli le culte catholique à Neuchâtel en 1530. Genève enfin lui avait paru un lieu propice à une action vigoureuse : la ville était mal gouvernée par un évêque mondain, issu de la maison de Savoie, et de conduite peu rigoureuse ; le catholicisme y était en décadence ; Farel y vint enseigner à l'automne de 1532 avec Antoine Froment. Il y prêcha l'Écriture, secrètement d'abord, puis publiquement devant des conventicules. Il provoqua des bagarres, et, finalement, l'expulsion de l'évêque qui ne sut se défendre. Farel était soutenu par Berne, combattu par Fribourg. Viret l'avait aidé à constituer la première communauté réformée, à baptiser, marier, conduire des obsèques selon le rite nouveau. Le 1er mars 1534, Farel avait inauguré le premier culte public : la lutte contre l'Église romaine se faisait donc plus ardente. En 1535 il prêchait dans la cathédrale Saint-Pierre ; en juillet, en août, à son instigation, le peuple brisa les images et abolit la messe. Genève est conquise à la Réforme le 21 mai 1536 : l'évêque et le duc de Savoie entament la lutte sur le plan politique, tandis que Berne soutient la jeune république et signe avec elle un traité d'alliance, le 7 août.

C'est le moment où Calvin passe à Genève, au lendemain de la mise en vente de l'*Institution*, paré d'un prestige éclatant : n'est-il pas le premier Français qui formule, et de quelle façon explicite ! les idées dont on discutait en Suisse et aux bords du Rhin depuis une quinzaine d'années ? Cette arrivée du réformateur, Farel y voit un signe de la Providence. Il harcèle Calvin, lui montre l'occasion qui se présente d'appliquer ses idées, le devoir qui l'attend ; il insiste, supplie, ordonne, menace, maudit au nom du Seigneur celui qui se refuse à l'écouter, et le jeune maître accepte enfin de s'arrêter au pied des Alpes, de continuer son enseignement à Genève, et d'y contribuer à la réforme des mœurs. Il est nommé professeur de saintes lettres dans l'église de Genève, et commence en septembre à expliquer saint Paul.

Avant de le suivre dans sa carrière, il convient d'analyser le livre qui fonde le dogme de la nouvelle Église.

§ 2. — L'Institution chrétienne.

PRÉPARATION ET RÉDACTION « Le calvinisme est tout entier dans l'*Institution chrétienne* », écrit à bon droit Imbart de la Tour. Il reprenait une formule excellente de Brunetière : « Pour connaître Calvin, on n'a besoin que de l'*Institution chrétienne*, et son œuvre française, en ce sens, est plus qu'une partie de son œuvre littéraire : elle est vraiment cette œuvre entière [1]. » Toute la suite de ses écrits, traités sur le dogme ou la liturgie, commentaires de l'Écriture et sermons, ouvrages de polémique, catéchismes et confession de foi, ne seront que la monnaie de ce premier livre, œuvre capitale pour l'histoire littéraire et pour l'histoire tout court : il se place au premier rang des écrits des réformateurs : les *Loci communes* de Mélanchthon (1521), le *Commentarius de vera et falsa religione* de Zwingle (1525), la *Summaire déclaration de Farel* (1535), surtout le *Grand* et le *Petit Catéchisme* de Luther.

A quel moment le projet de ce *credo* est-il né dans l'esprit de Calvin ? Assez tôt, s'il faut en croire les historiens protestants qui le font remonter à 1529, à l'heure où Calvin s'oriente décidément vers la Réforme. C'est possible. La première ébauche, les premières rédactions dateraient de la fin de 1533 ou du début de 1534, lors du séjour chez du Tillet [2]. C'est l'avis de F. de Raemond : « C'est là où il ourdit premièrement pour surprendre la chrétienté la toile de son *Institution...* » ; il entretenait ses amis « du dessein de son *Institution*, leur faisoit ouverture de tous les secrets de sa théologie, lisoit ses chapitres à mesure qu'il les composoit... ». Le texte reste peu sûr. On a le droit, simplement, de supposer que Calvin pensait alors à son livre, mettait au net dans son esprit sa doctrine, en tentait l'essai, en de longues causeries, sur ses auditeurs.

On est porté à croire que le projet prit forme et fut exécuté assez rapidement de janvier à août 1535 pendant le premier séjour à Bâle. Rien d'étonnant à une aussi rapide rédaction : on sait la merveilleuse facilité de Calvin ; le livre avait mûri depuis des mois. Il faut, semble-t-il, se rallier aux précisions de Théodore de Bèze, informé de près : à l'en croire, l'*Institution*, en même temps qu'un traité théologique, serait une protestation contre la politique royale. François Ier, en effet, venait d'adresser le 1er février aux princes allemands, ses alliés, un mémoire où il tentait de justifier la répression dirigée contre les réformés après l'affaire des placards ; il leur avait envoyé, pour expliquer son attitude, Guillaume et Jean du Bellay ; il tentait d'amener Mélanchthon à venir discuter avec la Sorbonne ; il forçait Beda à faire amende honorable, puis l'exilait ; mais il représentait aux luthériens les réformés français comme de redou-

---

(1) P. IMBART DE LA TOUR, *op. cit.*, t. IV, p. 55 ; F. BRUNETIÈRE, *Histoire de la littérature française*, t. I, p. 226.
(2) Cf. *supra*, p. 180.

tables rebelles politiques qu'il frappait à ce titre — et à ce titre seul [1]. De quoi s'indigna Calvin : les réformés ne sont pas des révoltés, leur loyalisme est hors de doute, et s'ils se séparent de la majorité de leurs compatriotes, c'est uniquement sur des questions de dogme. D'où la nécessité de définir, pour la France, leur dogme. D'où l'*Institution*, ce livre qu'il médite depuis des années, peut-être sans penser encore à l'écrire et où il va mettre, avec sa connaissance de la Bible et son expérience religieuse, son autorité de chef qui s'ignore mais va se révéler d'un seul coup. Il pourra, par la suite, l'enrichir ; il n'en modifiera jamais les grandes lignes : le manuel original deviendra une encyclopédie ; il restera dans les éditions postérieures ce qu'il était en 1536.

Bèze précise que c'est à Bâle que le livre fut *rédigé*. Calvin se borne à dire que c'est à l'occasion de la persécution de 1534-1535 qu'il fut « publié » : pour innocenter ses frères, d'abord, pour éclairer les étrangers aussi. Ce n'était alors qu'un manuel — *breve enchiridion* — imprimé « non à autre intention sinon à fin qu'on fust adverti quelle foye tenoient ceux lesquels je voyoye que ces meschans et deloyaux flatteurs diffamoient vilenement » [2]. Bèze reviendra sur ce thème : « Il fit imprimer à Basle sa première *Institution chrestienne*, un Apologétique addressé au feu roi Françoys, premier de ce nom, pour les povres fidèles persecutez ausquels à tort on imposoit le nom d'anabaptistes pour s'excuser envers les princes protestants des persécutions qu'on leur faisoit... »

LE PROJET DE CALVIN Il paraît certain que la première intention de Calvin était de doctrine : il voulait rédiger une somme de sa croyance, — et qu'une partie du livre était ou conçue ou peut-être rédigée avant que ne fût connu le mémoire aux princes protestan's. Il s'était proposé d'expliquer l'Écriture aux « simples », de leur « prester la main pour les conduire et les ayder à trouver la somme de ce que Dieu nous a voulu enseigner en sa parolle », — et c'est pourquoi, après avoir écrit en latin pour « servir à toutes gens d'estude de quelque nation qu'ilz feussent », il traduira son livre en français « pour donner accès à tous enfans de Dieu à bien et droictement entendre l'Escriture saincte » [3]. Il n'est pas moins sûr qu'à ce premier projet se superpose une intention de combat : Calvin va défendre les siens et alerter l'opinion publique en France et en Allemagne. « C'est fraude et trahison, écrit-il dans l'épître au roi, que [notre foi] sans cause est notée de sédition et maléfice » ; contre les « pharisiens », il veut prouver la justice de sa cause ; que le roi juge, mais, ajoute-t-il, « nous mettons notre espérance en Dieu vivant ». Et il oppose le martyre des novateurs à la vie que mènent les catholiques et surtout leurs prêtres : « Leur ventre leur est pour Dieu, leur cuisine pour religion... ilz vivent tous d'un pot. » Au catéchisme donc s'ajoute un plaidoyer ; d'où certains chapitres — les

(1) Cf. V. L. Bourrilly et N. Weiss, *loc. cit.* Voir une lettre du 10 mai 1535 de Sturm à Bucer (A. L. Herminjard, *op. cit.*, t. III, p. 271).
(2) Cf. *Opera*, t. XXI, p. 24-25 ; même indication chez le pasteur Colladon, *ibid.*, p. 57-58.
(3) Même note au début de l'*Épître au Roy* : « Mon propos estoit d'enseigner quelques rudimens...» mais aussi de rédiger une « confession de foy ».

5e et 6e de l'édition latine de 1536 — sur les faux sacrements et la liberté chrétienne qui ne répondent pas à l'objet primitif de l'ouvrage. D'où, surtout, la préface, la fameuse lettre à François Ier, d'un ton si noble, où l'on peut lire cette déclaration sans ambiguïté : « Il m'a semblé estre expedient de faire servir ce present livre tant d'instruction à ceux que premierement j'avoye deliberé d'enseigner (ce qui permet de croire à une rédaction déjà ancienne du livre) que aussi de confession de foy envers toy... J'ay icy comprins quasi une somme de ceste mesme doctrine laquelle ilz estiment devoir estre punie par prison, bannissement, proscription et feu. » On ne saurait mieux dire l'actualité du livre ; pour la doctrine réformée, elle n'est ni nouvelle, ni inconnue, ni incertaine, même si elle n'a pas provoqué de miracles. On objectera la doctrine des Pères ? Mais les Pères ont pu se tromper, et la tradition n'est qu'une « mauvaise coustume », qu'une « peste publique ». Il oppose à l'Église « visible et apparente... au siège de l'Église romaine », la seule, la véritable Église qui garde la parole de Dieu et « l'administration des sacrements bien instituée », car il ne faut pas chercher l'Église « en la beauté des édifices », ni dans « ces Évesques cornus ». Il nie l'infaillibilité papale et affirme une dernière fois que les réformés ne sont pas des révoltés.

CARACTÈRES DE L'INSTITUTION CHRÉTIENNE Appel à la conscience du roi, protestation contre la persécution, mais surtout catéchisme supérieur, telle apparaît l'*Institution* de 1536 (le mot est employé, dès le 28 mars, par un de ses premiers lecteurs [1]). Le fait est certain ; il ne saurait faire oublier l'autre intention de Calvin, même s'il a voulu donner à sa doctrine un ordre logique, une « mise en pages » que l'on chercherait en vain dans les livres antérieurs de Mélanchthon et de Zwingle, une objectivité que n'avait pas su atteindre Farel. Calvin écrit en latin, pour être lu partout et parce qu'il fallait d'abord être lu partout, Farel ayant déjà écrit en français pour les Français : l'heure de la traduction viendra plus tard. Mais, dès lors, il s'adresse à tous ceux qui « desirent d'estre instruictz en la doctrine de salut ».

Il a mis au point son texte, rédigé dans la fièvre son épître au roi : elle est datée du 23 août ; le manuscrit dut être remis aux éditeurs probablement en ce même mois. Ce sont Thomas Platter, Balthazar Ruch qui avait pris le nom de Lasius, Oporin, humaniste féru de grec, et Winter. Le livre parut en mars 1536 pour la foire de printemps à Francfort, sous un titre assez long, comme il était de mise alors, titre publicitaire et rédigé par les éditeurs : *Christianae religionis Institutio, totam fere pietatis summam et quicquid est in doctrina salutis cognitu necessarium complectens : omnibus pietatis studiosis lectu dignissimum opus ac recens editum* [2]. Calvin l'abrégera ; l'édition de 1539 annonce seulement : *Christianae religionis Institutio, vere demum suo titulo respondens.*

---

(1) Marc Bertschi, de Bâle, dans A. L. HERMINJARD, t. IV, p. 23, note 9.
(2) Cf. *Opera*, t. I. Sur les éditions postérieures, cf. *infra*, p. 192-193.

L'ÉDITION DE 1536   Cette première édition du catéchisme calvinien comprend six chapitres seulement. Le premier traite de la loi : elle émane tout entière du Décalogue, c'est-à-dire de Dieu et non du pape, des conciles ou des Pères. Le second est consacré à la foi contenue dans le symbole des apôtres inspiré par l'Esprit. Le troisième traite de la prière : elle dérive de Jésus lui-même qui a dicté le *Pater* à ses disciples. Le quatrième définit les sacrements, réduits à deux : le baptême et la communion. Là devait se borner la rédaction primitive de l'ouvrage. Calvin y ajouta *in extremis* les deux derniers chapitres qui traitent des faux sacrements et des rapports entre le chrétien et l'État : Calvin y affirme la liberté qu'a le croyant de choisir sa foi. Ces deux chapitres lui ont été suggérés par les circonstances politiques.

L'ensemble était précédé de l'épître au roi. Calvin y soutenait que la Réforme n'était pas une religion nouvelle, mais un retour à l'éternelle parole de Dieu telle qu'elle a été dictée aux apôtres par le Saint-Esprit. La Réforme ne se prouve pas par des miracles ; l'heure de ceux-ci est passée ; loin d'être en contradiction avec les Pères, elle est d'accord avec eux ; elle rejette non pas la Tradition, mais certaines traditions récentes et mensongères ; elle discute non pas l'Église en soi, mais ses faiblesses. Elle a entraîné des troubles ? Elle ne saurait en être tenue pour responsable. Ils ne sont autre chose que les assauts de Satan contre la vraie religion.

Cette préface nerveuse, écrite dans une langue pleine de mouvement et de souvenirs bibliques, respire la conviction, un courage assuré. Calvin réclame impérieusement, au nom de la vérité, la reconnaissance, et non plus la tolérance, d'un mouvement qui veut représenter la doctrine même de Jésus restituée dans sa pureté originelle : le traité de théologie s'ouvre ainsi sur une vibrante apologie.

Au bout de quelques mois, dès le début de 1537, l'édition était épuisée.

§ 3. — Les éditions de 1539-1541.

LES ARTICLES DE 1536   L'autorité du jeune théologien s'affirme : il enseigne, il prêche, il rédige en novembre 1536 les fameux « articles »[1] que la ville adoptera le 16 janvier 1537, articles où il règle l'organisation de la Cène, d'abord trimestrielle, puis mensuelle, puis hebdomadaire, la discipline de la cérémonie, les sanctions (« la correction et discipline d'excommunication ») à l'égard des contrevenants ; où il organise d'autre part l'instruction religieuse des enfants et l'observance du repos dominical. Son activité ne se borne pas à l'enseignement religieux : il veut une réforme totale de la cité ; il ne croit pas, son sermon fini, ne plus avoir qu'à se reposer ; il porte son effort sur la réforme des mœurs, proscrit les danses et les beuveries, poursuit les débauchés, nombreux dans une ville fière d'avoir reconquis sa liberté ; bientôt il réorganisera les pouvoirs politiques.

(1) *Opera*, t. X, p. 5 : *Articles concernant l'organisation de l'Église.*

L'INSTRUCTION ET CONFESSION DE FOY

En janvier ou février 1537 il publie un catéchisme qui est un résumé de l'*Institution* plus qu'un véritable manuel à l'intention des enfants [1] (c'est « le calvinisme en raccourci », a-t-on pu dire), et une *Instruction et Confession de foy dont on use en l'Église de Genève* [2], véritable charte de l'Église et de l'État, qui prescrit, pour obtenir le droit de cité, un serment religieux et politique — ou l'exil. Ainsi Calvin, appuyé par Farel, s'arroge de sa propre autorité des pouvoirs civils autant que religieux. Son intransigeante dureté provoqua une réaction : il se forma à Genève un parti de libertins qui ne voyait dans la Réforme que la libération politique et ne se souciait guère des mœurs ni du dogme. Beaucoup de citoyens refusent de prêter le serment alors même que le conseil de ville le prescrit. Des difficultés de tout ordre, dogmatiques, disciplinaires, politiques, surgissent chaque jour. Un courant d'opinion hostile à Calvin se manifeste et se précise (on constate, à la même date, qu'à Bâle ou à Zurich par exemple les réfugiés français deviennent suspects). Alors éclate l'affaire Caroli. Caroli, ancien curé d'Alençon, censuré par la Sorbonne dès 1525, avait jeté le froc aux orties et pris la fuite lors de l'affaire des placards. Devenu pasteur à Lausanne, il accusa Calvin d'arianisme. Battu après une âpre discussion, il reviendra à l'orthodoxie, puis à la Réforme, enfin au catholicisme. D'autres conflits s'engagent avec les antitrinitaires que mène Claude d'Allod, ou avec les anabaptistes en 1537. Le réformateur, sur la brèche, répond à toutes les offensives, tente d'imposer des principes moraux autant que le dogme qu'il a défini. Contre quoi l'on proteste.

CONFLIT AVEC L'ÉTAT

Les opposants arrivent au pouvoir en février 1538. L'affaire se complique de querelles politiques et liturgiques avec la république bernoise qui réclame la conformité du culte génevois au sien. Calvin défend le principe de la liberté de l'Église à l'égard de l'État et prêche malgré la défense qui lui a été faite. La question est grave pour lui ; à l'obligation de signer la confession de foi, il veut ajouter celle de se soumettre à l'excommunication décidée par les seuls ministres de la foi. S'il réussit, son pouvoir est définitivement établi, — l'opposition, de ce fait, cessant d'exister. Mais l'opposition triomphe : le 23 avril 1538 les conseils bannissent Calvin et Farel, qui, au dire de Bullinger, « ont trop de zèle » ; ils avaient refusé d'administrer la Cène dans une ville « ainsi troublée et meslée » ; on leur reprochait de sortir de leur rôle de prédicants, de juger — sans en avoir le droit — la conduite de l'État et celle des particuliers, et de refuser de se conformer à la liturgie bernoise que le conseil de Genève avait fini par accepter. Calvin est déjà tout entier dans ce conflit. Il ne saurait admettre un compromis : foi, morale, discipline constituent un tout intangible. Il accepte

---

(1) *Opera*, t. V, p. 313 : *Catechismus, sive christianae religionis Institutio...* Bâle, 1538. Il l'améliorera dans son second catéchisme, de 1541. Cf. *ibid.*, t. XXII, p. 5-74.
(2) *Opera*, t. XXII, p. 77. Voir aussi son *Instruction puérile de la doctrine chrétienne, ibid.*, p. 97-114.

ce second exil, non sans irritation et humiliation. Les bases cependant sont jetées : il pourra bientôt construire — et solidement.

Pour l'instant, Farel gagne Neuchâtel ; Calvin, après quelques semaines passées à Berne et à Bâle, se rend à Strasbourg où il a noué des amitiés et sait trouver un refuge, Strasbourg, asile des réformés français. On y a dit la première messe en allemand dans la chapelle Saint-Jean de la cathédrale en 1524, puis à Saint-Thomas dont le chapitre, dirigé par Bucer, a accepté la réforme en 1528. Capiton, ami d'Érasme, de Zwingle, d'Occolampade, et qui propage les idées de Luther, habite aux bords du Rhin depuis 1523 : il a donné asile à Lefèvre d'Étaples et à Gérard Roussel en 1525, lorsqu'ils ont fui la première persécution. Bucer, ancien dominicain qui s'est défroqué et a épousé une religieuse, est arrivé lui aussi à Strasbourg en 1523. Le conseil de ville, sous l'impulsion de Jean Sturm, a décidé que les pasteurs prêcheront l'Évangile seul. Il y a là, au pied de la vieille cathédrale, un centre réformé qui joue un rôle capital dans la diffusion des idées nouvelles.

CALVIN A STRASBOURG   Calvin s'y installe en septembre. Il y sera pasteur de l'Église française, — une Église qui groupe environ 1.500 exilés — de 1538 à 1541, et contribuera de toutes ses forces à l'organisation de la foi réformée et de la jeune église strasbourgeoise. Il enseigne, il explique l'Écriture ; il exerce les fonctions de pasteur sans avoir été consacré, mais n'a-t-il pas, depuis longtemps, senti l'appel de la vocation ? Théologien, certes, il l'est : ses premiers écrits l'ont prouvé. Mais il est aussi un apôtre, un homme d'action, et l'action, pour lui, c'est le pastorat dont il se fait une très haute conception et qu'il exerce en conscience, y déployant une étonnante activité. Il donne trois leçons de théologie et quatre sermons par semaine ; il commence à rédiger ses commentaires sur saint Paul ; il apprend à ses élèves à remplacer la confession par l'examen de conscience ; il dispute avec les anabaptistes ; il suit de près les négociations politiques et religieuses, la conférence de Francfort en février 1539, bientôt, en 1540 et 1541, celles de Haguenau, Worms, Ratisbonne où il rencontrera Mélanchthon qui « le print dès lors en singulière amitié ». Il vit là dans un milieu totalement et sincèrement conquis à la Réforme ; il précise sa connaissance des Pères, affermit ses idées, affirme sa valeur, devient un personnage, et continue ses polémiques, répondant avec violence au cardinal Sadolet [1] qui tentait de ramener Genève à l'orthodoxie : à quels signes reconnaît-on la véritable Église, lui demande-t-il avec hauteur ? Non pas à ceux qui marquent l'Église romaine... Il publie en 1539, chez Wendelin Rihel, sa deuxième édition latine de l'*Institution*, enrichie, plus mûre, plus complexe dans son développement avec ses dix-sept chapitres : étape intermédiaire entre l'édition princeps et la traduction de 1541. Il y avait travaillé dès octobre 1538, mais n'avait pu la publier à Genève. Il la signa *Alcuino* et *Calvino*, d'un anagramme et de son nom. Ses additions,

---

(1) *Jacobi Sadoleti... epistola ad senatum populumque genovensem... Joannis Calvini Responsio.* Strasbourg, septembre 1539. *Opera*, t. V, p. 365 et suiv. Traduction : Genève, du Bois, 1540.

— abstraction faite des chapitres initiaux sur la connaissance de Dieu et de l'homme, — esquisse des rapports de l'humanité avec le Créateur, — et du dernier, consacré à la vie intérieure du croyant, répondent aux exigences de la conjoncture : le chapitre XI, — sur le baptême, — réplique aux thèses des anabaptistes ; le paragraphe sur la Trinité est largement étoffé : Calvin a disputé de ce thème avec Caroli et avec Servet. Sans cesse en éveil, il ne perd pas une occasion d'affirmer sa doctrine — sur le plan dogmatique comme en polémiquant lorsque s'en offre l'occasion. C'est ainsi qu'il écrit encore, en 1539, son commentaire sur l'Épître aux Romains, puis, en 1541, à l'occasion d'une dispute entre luthériens et zwinglistes, un *Traité de la Cène* [1] qui développe les chapitres consacrés à ce sujet dans son grand livre.

Sur ces entrefaites, il s'est marié, en août 1540, avec la veuve d'un anabaptiste, Idelette de Bure, « femme grave et honneste », dit Th. de Bèze, qui avait deux enfants, — « et avec elle a toujours vescu paisiblement... ». Elle donna à Calvin non pas trois, mais un enfant : un fils ; Jacques, mort au berceau. Elle devait elle-même s'éteindre le 29 mars 1548 : Calvin l'aima profondément ; elle lui avait donné un foyer.

RETOUR A GENEVE   Cependant, en son absence, Genève restait livrée aux troubles, troubles de conscience et de conduite. Privés d'un chef et d'un orateur puissant, les réformés hésitaient sur le dogme, cependant que les libertins affichaient leurs désordres. De loin, Calvin cherchait, sans y parvenir, à pacifier les esprits. La lettre de Sadolet avait rendu confiance aux catholiques : ils relevèrent la tête. La réponse du réformateur fit grosse impression sans, pour autant, apaiser les disputes et rétablir l'unité. L'influence politique de Berne, d'autre part, se faisait plus pressante et menaçait l'indépendance de la cité. On en vint à regretter l'exilé. Les partisans de Farel, — les Guillermins, — se tournèrent vers lui : dès février 1539, puis en 1540, tandis qu'il était au colloque de Worms avec Bucer et Mélanchthon, on le rappela [2] ; il résista, ne jugeant pas encore son heure venue. Le 1er mai 1541 enfin, le conseil annula son bannissement et le pria de revenir. Convaincu de l'opportunité de son retour, Calvin se mit en route le 2 septembre. Le 10 il rentrait à Genève en vainqueur [3] ; « y estant arrivé et reçeu de singulière affection par ce povre peuple recognoissant sa faute, écrit Bèze, et affamé d'ouïr son fidèle recteur, y fut retenu pour toujours » : tout aussitôt, d'un seul coup, comme s'il n'avait jamais dû s'absenter, son autorité se trouva rétablie dans toute son étendue. Le 13, il rédigeait une ordonnance réformant l'Église de Genève, que les conseils adoptèrent sur-le-champ [4].

(1) *Commentarii in epistolam Pauli ad Romanos*, Strasbourg, 1540 ; — *Petit Traité de la Sainte Cène*, Genève, du Bois, 1541 ; cf. *Opera*, t. XLIX et V.

(2) Cf. *Opera*, t. XXI, col. 266 et suiv. Les conseils de Genève délèguent en octobre 1540 Amy Perrin pour prier Calvin de revenir, et demander à la cité de Strasbourg de favoriser son retour.

(3) Le 9 septembre, le Conseil s'était préoccupé de lui assurer un logis ; le 20, d'acheter du drap pour lui faire une robe ; le 1er octobre, le Conseil votait « à cest homme de grand savoir et propice à la restauration des églises chrétiennes », qui, de plus, « supporte grande charge des passants », un traitement annuel de 500 florins, douze « coppes » de froment et deux « bossot » de vin.

(4) Elle organisait notamment le Consistoire, véritable tribunal supérieur exclusivement ecclésiastique, chargé de veiller au respect des ordonnances et de la loi morale.

L'ÉDITION DE 1541   Presqu'aussitôt paraissait l'édition principale de l'*Institution* (on ne saurait écrire : l'édition définitive, car il ne cessa de la remanier). Édition française, cette fois, traduction soigneusement exécutée par lui-même et qui est un des monuments de la langue : *Institution de la religion chrestienne en laquelle est comprinse une somme de piété et quasi tout ce qui est nécessoire à congnoistre en la doctrine du salut, composée par Iean Calvin et translatée en françoys par luy-mesme.* Quoique publiée sans nom de lieu ni d'imprimeur, il semble assuré qu'elle fut procurée à Genève même par Jacques Gérard.

Calvin l'avait préparée dès longtemps, durant son exil à Strasbourg, certainement, et, peut-être — d'après une lettre à François Daniel, — dès octobre 1536. Ses diverses activités l'avaient empêché de la terminer plus vite. Il avait été rapidement convaincu de la nécessité d'écrire non plus pour les seuls savants, — théologiens, érudits, professeurs, étudiants, — mais pour le peuple, et de mettre à sa portée le résultat de sa longue méditation. Il se devait d'user de la langue vulgaire, comme avaient fait Luther, Lefèvre, Briçonnet, Caroli, Farel, Berquin ou Olivetan. Si importante que soit l'*Institution* de 1536 qui définissait le dogme calviniste, elle le cède en influence à la traduction de 1541 qui va porter au loin, dans une forme accessible à tous, la pensée du réformateur. C'est dans ce texte neuf et vigoureux que le livre va pénétrer en France, grâce aux offices des colporteurs, notamment Antoine Le Noir, et qu'il sera condamné le 1er juillet 1542 par un arrêt du Parlement qui interdit conjointement la lecture des deux textes latin et français, les désignant de façon explicite parmi tous les ouvrages déjà censurés [1]. Ce qui n'empêchera pas la propagande clandestine de les répandre largement, surtout peut-être lorsqu'ils auront été brûlés par la main du bourreau.

LE SUCCÈS DU LIVRE   Dès lors les éditions se multiplient. Du vivant même de Calvin, il parut sept éditions latines sans cesse augmentées (1543, 1545, 1550, 1553, 1554, 1559, 1561) et dix éditions françaises (1545, 1551, 1553, 1554, 1557, 1560, 1561, 1562, 1563, 1564). De ces éditions, plusieurs ont été plusieurs fois réimprimées. MM. Abel Lefranc et Jacques Pannier les groupent en trois familles :

	Édition latine.	Traduction française.
1re famille.	1536	
2e famille, 1re révision	1539	1541
2e révision	1543-1545	1545
3e révision	1550-1553-1554	1551-1553-1554-1557
3e famille. Rédaction définitive	1559-1561	1560-1561-1562-1563-1564

Est-il besoin d'insister sur le succès de l'ouvrage ? Peu de livres ont été si vite et si souvent réimprimés. Les éditions vont, d'année en année, s'enrichissant. Les 17 chapitres de la traduction de 1541 deviennent 21 en 1545, 24 en 1551 ; en 1559, l'œuvre, dans sa forme définitive, se

---

(1) Cf. *Bull. Soc. hist. protestantisme français*, 1884, p. 15 et suiv., et 1893, p. 8 et suiv.

divise en quatre livres et 80 chapitres. Calvin a préparé cette dernière
édition. Il n'est pas sûr qu'il l'ait revue [1]. Il a dirigé le travail plutôt
qu'il ne l'a exécuté. Du point de vue dogmatique, elle reste l'aboutissement de toute la vie de Calvin : le « manuel » de 1536 est devenu une
« somme » où il dresse « doctrine contre doctrine, morale contre morale,
liturgie contre liturgie ». Les éditions se multiplieront encore après 1561 :
elles dériveront de la traduction de 1560. Ce sont elles qui apporteront
leur doctrine aux protestants durant les guerres de religion.

§ 4. — La doctrine de Calvin.

Quelle est donc cette doctrine telle que Calvin la définit en 1536 et
en 1541 ? L'*Institution chrétienne* s'ouvre sur deux chapitres consacrés
au problème de la connaissance de Dieu et de la connaissance de l'homme.

DIEU ET L'HOMME   Il convient, avant tout, de prouver l'existence de
Dieu et sa toute-puissance, et de démontrer la misère
de l'homme qui le conduit à désirer la Vérité, c'est-à-dire Dieu. Il y a
en nous une « inclination naturelle » à croire en Dieu : la croyance religieuse est une notion générale, universelle, même chez les Barbares.
L'homme connaît Dieu : l'Univers le lui révèle ; mais la notion qu'il
en a est une notion corrompue ; il se fait une fausse idée de Dieu et l'honore
mal. Il y a une « connaissance spéciale » de Dieu qui le fait honorer justement, qui le fait aimer et craindre à la fois. Ses œuvres, — les astres,
les phénomènes naturels, — nous le révèlent, et l'existence de l'homme
prouve sa puissance, sa justice et sa miséricorde.

Mais cette connaissance naturelle est de peu de valeur. C'est par la
foi surtout que nous découvrons Dieu. Il a parlé ; il a révélé ce qu'il
était. L'Écriture nous le dit, à défaut des philosophies impuissantes,
car la raison et les sens n'ont que le sensible pour domaine : « La doctrine
par les créatures est universelle à tous ; l'instruction de la parole est
l'escolle particulière des enfans de Dieu. » L'Écriture, livre parfait, livre
complet, porte en elle-même la preuve de sa vérité, vérité confirmée
par le sang des martyrs et par la révélation qu'en fait en nous l'Esprit.
Son autorité, antérieure à celle de l'Église, est fondée sur le témoignage
intérieur : la vérité est découverte par un acte de foi que nous dicte une
illumination ; elle n'a « aucun besoin d'artifices de paroles » ; aucun
écrit humain n'a « cette vigueur à nous émouvoir » ; elle surmonte toutes
« les grâces de l'industrie humaine » ; elle est approuvée par tous ses
lecteurs, par « le consentement de tous les peuples », d'habitude si divers.
On ne saurait arriver à Dieu par d'autres voies : il n'a parlé que par

---

(1) Cf. G. LANSON, dans *Revue historique*, t. LIV, 1894, p. 61-62, et 76. Ce n'est pas ici qu'il convient de discuter du choix du texte de base pour une édition critique de l'*Institution*. Le problème
a été traité dans toute son ampleur par G. Lanson (*loc. cit.*) et par Abel Lefranc et Jacques Pannier
(introduction à l'édition critique de l'*Institution*, p. 36-52). Deux faits à retenir simplement : le
texte de 1541 est entièrement de Calvin, il n'en est pas ainsi du texte français de 1560 : la traduction est souvent fautive, du fait des copistes. Par ailleurs, historiquement, les seules éditions qui
comptent sont les éditions latines de 1536-1539, et, plus encore, la traduction française de 1541 :
c'est à elle que nous nous reportons toujours.

l'Écriture. Grâce à elle, on le connaît « plus en vive expérience qu'en vaine spéculation » ; on y découvre sa miséricorde et sa justice, sa puissance et sa bonté. Elle est la règle de la foi, un tout qu'il faut interpréter dans son sens naturel, et non dans un sens allégorique. Elle n'est expliquée que par la tradition *primitive* : le symbole des apôtres, saint Paul, et les premiers conciles, seuls principes sur lesquels on ait le droit de s'appuyer.

Que l'homme, simple créature, se garde de trop de confiance en soi ; qu'à se connaître il apprenne à s'humilier, à voir « sa pauvreté, ignominie, turpitude et faiblesse » : il n'est rien ; le péché originel, « corruption héréditaire, dépravation de nostre nature », lui a fait perdre sa dignité d'image de Dieu ; de ce péché découlent les faiblesses de la chair, les souillures de la concupiscence. L'homme n'est que corruption — mais c'est par la faute d'Adam, non par la volonté de Dieu, « veu qu'il [Adam] avoit eu de la grâce de Dieu une droicture naturelle et que, par sa folie, il est tresbuché en vanité »[1].

Faute qui amène Calvin à parler de la liberté humaine : il ne convient ni de l'exalter, ni de la minimiser. Étudiant les facultés de l'homme et rejetant les classifications des philosophes, voire de docteurs comme saint Jean Chrysostome qui donnent à l'homme plus de vertu qu'il n'en a, Calvin aborde le problème du « franc arbitre ». La vraie doctrine n'est pas celle d'Origène, de saint Augustin, de saint Bernard ou de saint Thomas d'Aquin. Il n'y en a qu'une, et qui affirme l'humilité de l'homme : « Il n'y a nul danger que l'homme se démette trop fort, moyennant qu'il entende qu'il lui faut recouvrer en Dieu ce qui luy deffault... Maudit est celuy qui se confie en l'homme et met sa vertu en la chair... »[2].

L'intelligence, valable — et encore ! —pour les choses terrestres est incapable de pénétrer les vérités divines : l'homme peut édifier une doctrine politique et sociale, s'adonner aux arts, à la philosophie, aux sciences mécaniques, et ne laisse point d'être assuré de beaucoup de dons de Dieu, mais la notion de la connaissance divine est incomplète pour lui, même chez les plus grands philosophes : « L'homme, naturellement, ne peut congnoistre des choses spirituelles. » La loi naturelle est insuffisante pour bien régler notre vie. L'intelligence doit être éclairée par le Saint-Esprit qui lui est nécessaire comme la clarté du soleil l'est à nos yeux. L'homme peut, certes, distinguer le bien du mal, mais le désir qu'il a du bien n'est pas une preuve de sa liberté ; c'est une inclination de nature plutôt que le fruit d'une délibération rationnelle, car « tout homme est en soy perdu et ruyné ». Il pèche, non par contrainte, mais volontairement, car, de même que son intelligence est impuissante à saisir Dieu par ses seules forces, sa volonté est essentiellement incapable de réaliser le bien : « Vouloir mal est de la nature corrumpue ; vouloir bien est de grâce. » La grâce seule, en effet, corrige l'impuissance de la volonté : le Seigneur abolit notre volonté perverse ; il est l'auteur de tout bien :

(1) *L'Institution chrétienne*, édit. A. Lefranc, H. Chatelain, J. Pannier, Paris, 1911, chap. i, p. 4, 19, 22, 23, 28, chap. ii, p. 30, 34, 38.
(2) *Ibid.*, chap. ii, p. 51.

Sans luy nous ne pouvons rien faire...Il ne nous reste aucune portion en toutes bonnes œuvres si nous voulons conserver à Dieu son honneur entièrement.. La première partie des bonnes œuvres est la volunté, l'autre est de s'efforcer à l'exécuter... Dieu est autheur de l'un et de l'autre... Dieu commence et parfaict le bon œuvre en nous...

Contre Pélage et contre la Sorbonne, le théologien s'appuie ici sur saint Augustin.

Le fidèle est, toute sa vie, soumis à un rude combat entre l'Esprit et la chair. Chemin faisant, Calvin réfute l'hérésie des anabaptistes qui légitiment l'immoralité sous prétexte d'obéir à l'Esprit. Il constate que l'homme, captif du péché, ne peut « en sa propre nature ni désirer le bien en sa volunté, ni s'y applicquer ». Trompé par Satan, abandonné par Dieu, il s'endurcit dans le mal. Dieu seul, dirigeant tous nos actes, « fleschit et tourne la volunté des hommes à son plaisir. »

Après avoir ainsi esquissé la théorie des œuvres et réfuté rapidement quelques objections possibles, Calvin aborde le fond de son sujet : il va étudier successivement la loi, d'après le Décalogue, — la foi, d'après le symbole des apôtres, — la pénitence et la justification par la foi ou par les œuvres, — la notion de prédestination, — la prière, en se fondant sur le *Pater*, — les sacrements vrais : le baptême ou la Cène, — ou faux : confirmation, pénitence, extrême-onction, ordre et mariage ; il définira ensuite la liberté chrétienne, la puissance ecclésiastique et civile, et terminera par une large conclusion sur la vie chrétienne [1].

LA LOI   Dieu nous a dicté sa loi. Nous en avons une connaissance double : intérieure, et c'est notre conscience qui nous la révèle, mais une conscience incertaine, et donc insuffisante, — extérieure, par le Décalogue auquel nous sommes tenus d'obéir. Elle n'impose rien que de juste : il suffit de l'appliquer sans chercher à y rien ajouter : « C'est pour néant que nous imaginons nouvelles formes d'œuvres pour acquérir la grâce de Dieu. » Elle exige la justice intérieure et extérieure, dans nos actes comme dans nos pensées ; elle requiert une « pureté angélique » : le Christ l'a redit qui a restitué dans sa teneur exacte la loi corrompue par les Pharisiens.

La loi se résume en deux commandements : honorer Dieu, servir le prochain. D'où le précepte de Jésus : « Vous aimerez Dieu... et vostre prochain. » Calvin analyse les dix commandements et définit ce que chacun exige ou n'exige pas. Du premier, il tire cette conséquence que le culte des saints n'est pas prescrit par Dieu ; s'appuyant sur le second, il condamne l'idolâtrie, les superstitions, le culte des images : Dieu ne veut de service que spirituel, — « il ne permect qu'on luy face image » ; il n'y a, dans les églises, que trop d'images indécentes : elles sont une des formes que prend la concupiscence de la chair. Calvin s'élève de même contre les pèlerinages. En vertu du troisième commandement, il condamne la sorcellerie, les blasphèmes, les faux serments, les serments faits au nom des saints. Il maintient, d'après le quatrième, l'observance du dimanche, et prescrit, avec le cinquième, l'obéissance aux parents et

(1) *Ibid.*, chap. ɪɪ, p. 60, 69, 72, 76-77, 85, 90.

aux supérieurs. L'examen du septième précepte lui permet de soulever
le problème du célibat des prêtres et des « moinesses » ; il rappelle le
mot de l'Écriture : « Il n'est pas bon à l'homme d'être seul », et le fait
que dans la primitive Église les prêtres se mariaient. Les trois derniers
commandements lui permettent d'insister sur les devoirs de charité
qu'ils impliquent, et l'obligation où ils mettent l'homme de résister à
la concupiscence. Cette analyse achevée, il résume à nouveau le « sommaire » de la loi ; il tient en une règle : l'amour de Dieu et du prochain,
— « la fin des commandemens est charité, de conscience pure et foy
non faincte », — et se refuse à faire une distinction entre le péché mortel
et le péché véniel : « Tout péché est mortel. »

L'objet de la loi est de montrer la justice divine et l'injustice humaine,
« l'imbécillité », « l'impureté » de l'homme, d'abattre son orgueil, de découvrir « nostre iniquité », — mais aussi, en contraste, et notre impuissance
foncière affirmée, de nous faire aimer la grâce et la miséricorde divines,
la grâce surtout, « bride pour réfréner la concupiscence de la chair »,
et moyen d'aimer et d'exécuter la volonté de Dieu. Jésus n'a pas aboli
la loi biblique : il l'a accomplie, se bornant à abroger les cérémonies
extérieures [1].

LA FOI   L'homme, dès lors, sera sauvé par la miséricorde de Dieu s'il
sait la recevoir en ferme foi. La foi n'est pas la crédulité, ni
une « opinion vaine et vide » : elle « prend siège au cueur de l'homme »
et s'appuie sur la parole de Dieu qui nous a révélé qu'Il est, et ce qu'Il
est, mais aussi ce qu'Il veut.

La Foi est une congnoissance de la volunté de Dieu prinse de sa parole...
une ferme et certaine coggnoissance de la bonne volunté de Dieu envers nous,
laquelle estant fondée sur la promesse gratuite donnée en Jésus-Christ est
révélée à nostre entendement et scellée en nostre cœur par le Saint-Esprit.

Elle est connaissance ; elle est aussi confiance, quels que soient les
tentations, les doutes, les épreuves.

La Sorbonne se trompe, pour qui la foi n'est que le consentement
de notre intelligence : il faut qu'elle prenne racine « au profond du cueur »,
— et Calvin condamne ces « théologiens sophistes » qui nient que l'on
puisse être assuré d'avoir le Saint-Esprit, qui croient à la foi sans amour,
et à la « foi implicite ».

LA TRINITÉ   Le symbole des apôtres est le résumé de ce que nous
devons croire touchant les trois personnes de la Trinité
et l'Église. Il n'y a qu'un Dieu, quoiqu'aient pu penser les manichéens,
un Dieu en trois personnes : Père, Fils, Esprit, un et éternel. S'appuyant
sur la Bible, Calvin affirme la divinité du Fils et celle de l'Esprit. Il
montre à la fois la distinction et l'union des trois personnes : « Un seul
Dieu, une Essence. Qui sont les trois ? Non pas trois dieux, ny trois
Essences, mais trois Propriétez... Une Essence et trois Personnes. » Il
rejette donc les hérésies des ariens, des sabelliens, des antitrinitaires [2].

(1) *Ibid.*, chap. III, p. 117, 130, 156, 166, 177, 180.
(2) *Ibid.*, chap. IV, p. 187, 189, 190-191, 204, 230.

Entrant dans le texte même du symbole, il l'explique en détail. Dieu
le Père est le créateur et le conservateur du monde ; Jésus, fils de Dieu
en esprit et en chair, est le Sauveur : il s'est incarné, et le mystère de
l'Incarnation nous vaut d'être réconciliés avec Dieu qui nous reconnaît
comme ses enfants. Jésus est à la fois vrai Dieu et vrai homme, quoi
qu'en aient écrit les manichéens ou les marcionites qui nient sa nature
humaine. Calvin insiste sur cette union des deux natures de l'Homme-
Dieu, et sur son humanité. Il en vient alors au mystère de la Rédemption :
par sa mort obéissante, Jésus nous a rachetés ; par sa Passion, il s'est
chargé du péché des autres : « Il a gousté la mort pour tous ». Calvin
admet la réalité de la descente aux enfers, mais nie la « fable » des limbes ;
en descendant aux enfers, Jésus a simplement triomphé de la mort.
La résurrection est le symbole de la nouvelle vie du croyant, l'Ascension
la preuve que le Ciel est ouvert aux hommes. Le réformateur passe rapidement sur l'Esprit, et sur les effets du salut que Jésus a apporté aux
hommes [1].

L'ÉGLISE   Il en vient alors à la notion de l'Église catholique — mais
non apostolique et romaine, même si, déclare-t-il, il doit
en parler ailleurs « plus amplement ». Il souligne l'unité de l'Église « catholique ou universelle », « sainte » même si elle n'a pas encore atteint sa
perfection, unité qui se manifeste dans la communion des saints. « Partout
où nous voyons la parolle de Dieu estre repurement preschée et escoutée,
les sacremens estre administrez selon l'institution du Christ, là il ne
fault doubter nullement qu'il n'y ayt esglise... » Il y a une Église universelle, et, dans chaque ville ou village, des églises particulières. Leur
signe ? La prédication de la parole, l'administration des sacrements.
Satan a fait que « la pure prédication de l'Évangile a esté cachée de
longues années », mais elle est désormais rétablie. Calvin admet qu'il
subsiste des dissentiments sur des points secondaires, que l'on supporte
certaines imperfections dans les membres de l'Église, mais il affirme
la nécessité de la discipline, collective ou individuelle, qui entraîne le
droit d'excommunier — « pour vie deshonneste et meschante » — adultères, paillards, larrons, voleurs, rapineurs, homicides, séditieux, ivrognes,
gourmands, parjures et blasphémateurs, car l'Église, corps du Christ,
ne « peut estre contaminée par membres pourris », et le troupeau des
bons doit être protégé. L'excommunication, du reste, n'est qu'un avertissement d'avoir à se corriger : il faut ramener les excommuniés parmi les
justes. Ce qui conduit Calvin à parler du « royaume du pape » et à l'attaquer avec violence. L'Église romaine ? C'est une « prestrise perverse et
forgée de mensonges » qui pratique, au lieu de la Cène, « un sacrifice
abominable », et qui se plaît à des « superstitions infinies » : ses « assemblées publiques sont comme Escoles d'idolâtrie et impiété ». On peut
se séparer d'elle sans scrupule ni crainte :

C'est plutôt une figure de Babylon que la Cité saincte de Dieu. Or, si c'est
chose notoire que l'Antéchrist y règne, de cela il nous fault inférer que ce sont

(1) *Ibid.*, chap. IV, p. 253, 255.

esglises de Dieu, veu que l'Escripture nous prédit qu'il sera assiz au sanctuaire de Dieu. Mais il faut entendre que ce sont esglises contaminées et polluës de ses abominations.

Parlant de la rémission des péchés, il affirme qu'elle est obtenue par la seule grâce de Dieu et non par nos vains mérites, « par la clémence de Dieu, moyennant le mérite de Jésus-Christ, par la sanctification de son esperit, la rémission de noz pechez nous a esté faicte et nous est faicte journellement en tant que nous sommes uniz au corps de l'Église ». Les novatiens et les anabaptistes se sont trompés qui « ne font nul espoir au pescheur » : Dieu lui-même n'a-t-il pas pardonné à saint Pierre qui l'avait renié ? Seul est irrémissible le péché contre le Saint-Esprit, le désespoir, la résistance à la grâce « seulement pour y résister ».

Enfin Calvin affirme sa certitude en la résurrection de la chair et la vie éternelle, « but et accomplissement de nostre béatitude », certitude fondée sur la résurrection de Jésus. Elle entraîne tout naturellement la résurrection des bons et la mort, c'est-à-dire la punition, des méchants, une punition éternelle. La foi entraîne l'espérance du salut qui ne saurait reposer sur les œuvres [1].

LA PÉNITENCE   Elle entraîne aussi le désir de la pénitence, sans que Calvin attache à ce mot le sens de confession : « C'est une vraye conversion de nostre vie à suyvre Dieu et la voye qu'il nous monstre, procedente d'une craincte de Dieu droicte et non feincte, laquelle consiste en la mortification de nostre chair et nostre vieil homme, et vivification de l'Esprit. » La pénitence n'est pas une simple pratique machinale, mais un changement total de vie, une transformation de l'âme, une « régénération spirituelle ».

Pleurer, jeûner, se couvrir la tête de cendres ne sont que signes extérieurs de tristesse, tels que les pratiquaient les Juifs. Le principal est « de rompre le cueur et non les vestemens », surtout de haïr le péché. La vie d'un chrétien « est un estude et exercitation perpétuelle de mortifier la chair... jusqu'à ce que l'Esprit de Dieu règne en nous ». Calvin est à son aise, ici, pour discuter l'enseignement des « sophistes » et le ridiculiser. A quoi bon la contrition, la confession, la satisfaction qu'exige l'Église catholique ? Qui est sûr d'avoir la contrition parfaite ? Et la confession a-t-elle été instituée par Jésus ou par les hommes ? Elle a été instaurée par les évêques, par ceux de Rome surtout et de l'Europe occidentale. Elle était interdite à Byzance, et saint Jean Chrysostome n'en voulait pas. C'est à Dieu seul qu'il convient de confesser nos fautes, — ou à ceux de nos frères que nous avons offensés. C'est l'exemple du publicain qu'il faut suivre, déclare Calvin, dans une page fort belle. Mais il rejette la confession auriculaire, « pestilente et pernicieuse à l'Église » : elle n'apporte ni fruit, ni utilité, mais provoque au contraire à de nouvelles fautes [2].

Pourtant Jésus a donné aux apôtres le pouvoir de lier et de délier

(1) *Ibid.*, chap. IV, p. 265-266, 270, 272, 276, 280-283, 284, 291, 293.
(2) *Ibid.*, chap. V, p. 303, 306, 307, 309, 324.

les péchés ? Non : sa parole se rapportait à leur enseignement seul. Ils lient et délient les hommes en leur révélant la parole divine : « La puissance des clefs est simplement la prédication de l'Évangile » « et mesmes n'est pas tant puissance que ministère, si nous avons esgard aux hommes ». Jésus aussi a pu par là définir le pouvoir qu'il confiait à ses ministres d'excommunier les indignes. Quant à l'interprétation catholique de la formule évangélique, Calvin la rejette. Et il proteste contre tous les moyens en honneur dans l'Église romaine pour remettre les péchés, contre les « porteurs de rogatons », la pratique des indulgences, et « l'achat du paradis » au prix du sang et de l'intercession des martyrs. Croire à de pareilles possibilités, c'est blasphémer. Quant à la « satisfaction », c'est-à-dire aux pénitences qu'impose l'Église, — « les larmes, jeusnes, oblations, aumosnes et autres œuvres de charité », — si on les tient pour salvatrices, on se trompe : « Tout revient à ceste somme que par la clemence de Dieu nous obtenons pardon de nos pechez, mais que cela se faict moyennant le mérite de noz œuvres. » Non : la rémission des péchés est gratuite, et l'honneur de notre salut appartient au Christ seul. Erreur que de distinguer péchés véniels et péchés mortels ! erreur que de croire pouvoir payer une faute ! Jésus seul a payé pour nous, a payé pour tous. Et si Dieu envoie des châtiments ou des épreuves à ceux, bien rares ! des hommes qui sont bons, ce n'est pas pour les punir, mais parce qu'il les aime, et pour les corriger : « Quand le Seigneur nous afflige, il nous afflige afin de ne point nous condamner avec ce monde... » Du reste n'avons-nous pas pour nous convaincre la parole de Jésus ? « Ta foi t'a sauvée », dit-il à la pécheresse : c'est donc qu'il absout gratuitement.

Calvin, dès lors, rejette catégoriquement la confession, et, par conséquence, le purgatoire, « construict de plusieurs blasphèmes..., fiction pernicieuse de Sathan » qui tend à diminuer les mérites de Jésus, « anéantit la croix de Christ », et exalte notre orgueil : c'est « un pur et horrible blasphesme contre Jésus-Christ »[1].

DE LA JUSTIFICATION PAR LA FOI ET DU MÉRITE DES ŒUVRES

La question tient au cœur de tous les réformés, de Calvin autant que de Mélanchthon, de Zwingle ou de Luther : il lui consacre un chapitre entier, le sixième. La loi nous maudit puisque nous sommes incapables de l'exécuter par nos propres forces. Un seul refuge de salut : la foi. Mais comment peut-elle nous justifier ? « Celuy donc est justifié qui n'est point estimé comme pecheur mais comme juste. » L'homme, dit-on, peut être tenu pour juste grâce à ses œuvres, ou par sa foi. La Sorbonne essaie de concilier les deux explications. En vain, car l'Écriture nous enseigne à nous détourner des œuvres « pour regarder seulement la miséricorde de Dieu et la parfaicte saincteté de Christ... Si en l'Évangile la justice nous est offerte, par cela est forclose toute considération des œuvres. » Et Calvin n'hésite pas à écrire : « Celuy qui est justifié par foy est justifié sans aucun mérite de ses œuvres. »

(1) *Ibid.*, chap. v, p. 327, 331, 334, 343, 349-350.

Justification toute gratuite : rémission de nos péchés, réconciliation avec Dieu, elle nous vient de Jésus : « C'est par le seul moyen de Jésus-Christ que nous sommes justifiez devant Dieu... Il nous faut cacher soulz la robe de Christ... pour avoir tesmoignage de justice devant la face de nostre Père céleste. » Calvin se plaît à opposer la perfection de Dieu à l'iniquité de l'homme, « pourriture et vermine inutile et abominable » ; Dieu « nous confère justice de sa benignité gratuite »[1].

Objection : n'y a-t-il pas de justice chez les hommes ? Il y a eu chez les païens des sages, mais leurs vertus suffisent-elles à les justifier ? Ils ont produit de beaux, non de bons fruits. Calvin ne se lasse pas de répéter : « Nous sommes appellez... non pas selon noz œuvres, mais selon [l'] élection et grâce [de Dieu] », ou d'affirmer : « La grâce n'est plus grâce si les œuvres ont quelque valeur. » Aux chrétiens de nom, — hypocrites de fait, — manque la pureté du cœur : « Il fault que la purification du cœur précède : à ce que les œuvres provenantes de nous soient amyablement receues de Dieu. » Ceux même qui sont régénérés n'ont pas de justice par eux-mêmes : « Nous serons tousjours dignes de mort avec noz effors et entre-prises... Toute la justice des hommes assemblée en un monceau ne suffiroit pas à la récompense d'un seul péché... La rémission des péchez est gra-tuite. » Autant d'affirmations d'une sèche netteté.

Le théologien n'est pas moins net lorsqu'il souligne la relativité, l'inu-tilité des œuvres surérogatoires, également indignes de louanges : « Ce ne sont que fatras lesquels [Dieu] n'a point commandés... Toutes nos justices ne sont qu'ordure et puantise devant Dieu... » Elles ne prouvent rien sinon que nous avons la grâce : « Ce sont tesmoignages que Dieu habite et règne en nous. » Où est alors le mérite ? Elles sont pleines d'ordure et d'immundicité. » Calvin ajoute pourtant : « Cela n'empesche point que Dieu ne reçoive les œuvres comme causes inférieures », ce qui a quelque valeur en elles étant l'effet de la grâce. Et de redire : « L'origine et effect de nostre salut gît en la délection du Père céleste »[2].

Thèse qui n'interdit point, pour autant, de pratiquer les bonnes œuvres : « Nous ne songeons pas une Foy qui soit vuide de toutes bonnes œuvres » ; s'il répète : « Nous situons la justice en la Foy, non pas aux œuvres », il ajoute aussitôt : « Nous ne sommes point justifiez sans les œuvres, com-bien que ce ne soit point par les œuvres. » Sa théorie n'est pas pour dé-tourner les hommes du bien et les inciter au péché « en prêchant la remission des pechez gratuite », mais il redit : « Nous nions que les œuvres justi-fient... afin... qu'on ne leur attribue salut. » D'où une discussion serrée de l'Épître de saint Jacques : « Le royaume des Cieux n'est pas salaire de serviteurs, mais héritage d'enfants », et, de nouveau, ce principe : « La vocation de tous fidèles... appartient à [la] seule grâce » de Dieu. Dieu n'a-t-il pas payé l'ouvrier de la onzième heure autant que ceux qui avaient durement besogné à la chaleur du jour ? Les œuvres donc ne sont que des exercices ou des tribulations que le Père nous inflige pour nous faire imiter Jésus et nous mortifier comme lui. Conclusion : « La

_____

(1) *Ibid.*, chap. vi, p. 355, 356-357, 358, 362-363, 367, 372.
(2) *Ibid.*, chap. vi, p. 377-378, 381, 383-385, 386-392.

justice ne gît point en quelque peu de bonnes œuvres, mais en une observation entière et consommée de la volunté de Dieu »[1].

L'ANCIEN ET LE NOUVEAU TESTAMENT — Ici, pour répondre aux anabaptistes, qui niaient la valeur de l'Ancien Testament, Calvin développe un parallèle entre les livres anciens de la Bible et l'Évangile ou les Écrits des apôtres.

Dieu, écrit-il, a promis aux Israélites, non une félicité terrestre, mais la vie éternelle. Son alliance, toute gratuite, est fondée sur la miséricorde, non sur leurs mérites. Jésus a servi de médiateur pour eux comme pour nous. Leurs âmes, éclairées par la parole divine, entraient déjà en communication avec Dieu : « l'alliance spirituelle » existait déjà. Les patriarches ont souffert et connu des malheurs durant leur vie terrestre : c'est qu'ils attendaient une vie meilleure et le jugement dernier ; « ilz ont... attendu une autre béatitude que de la vie terrienne... Leur expérience n'etoit pas de jouyr de la promesse sinon après la mort. » De même les prophètes. Il n'en subsiste pas moins des différences entre les deux séries de livres sacrés. Calvin en distingue cinq : on ne trouve dans l'Ancien Testament qu'une invitation indirecte à penser à l'héritage céleste qui nous est promis ; le Nouveau Testament nous y engage directement. L'Ancien Testament représente la Vérité en images symboliques, le Nouveau en substance. L'un exprime la lettre, l'autre l'esprit de la doctrine. L'un est une loi de servitude, l'autre enseigne la liberté. Enfin, alors que, selon la loi mosaïque, un seul peuple avait été choisi par Dieu pour recevoir sa parole, grâce au Nouveau Testament, tous les peuples sont appelés à l'entendre, et tous sont rachetés[2].

LA PRÉDESTINATION — Calvin arrive alors à l'un des points essentiels de sa doctrine. Le problème est périlleux : il le sait, il l'avoue. Il croit pouvoir l'éclairer à la lumière de la seule parole de Dieu : « Nous pouvons seurement suyvre l'Escripture. »

D'abord, pour préciser le sens de sa pensée, trois définitions. Qu'est-ce que la prescience de Dieu ? « Il n'y a rien de futur ni de passé à sa congnoissance, mais toutes choses luy sont présentes. » Qu'est-ce que la prédestination ? « Le conseil éternel de Dieu par lequel il a déterminé ce qu'il vouloit faire d'un chascun homme, ... ordonne les uns à la vie éternelle, les autres à éternelle damnation. » Qu'est-ce que la Providence ? « L'ordre que tient Dieu au gouvernement du monde. »

Il affirme catégoriquement la prédestination, ce qu'il appelle « l'élection gratuite » :

Ceux qu'il [Dieu] appelle à salut, nous disons qu'il les receoit de sa miséricorde gratuite sans avoir esgard aucun à leur propre dignité... Cela se fait par son jugement occulte et incompréhensible, combien qu'il soit juste et équitable.

A toutes les interprétations qu'on a proposées de ce mystère, Calvin oppose la doctrine de saint Paul : les œuvres ne servent de rien au salut ;

(1) *Ibid.*, chap. VI, p. 399-400, 402, 403, 422, 423, 432.
(2) *Ibid.*, t. II, chap. VII, p. 444-445.

« le salut des fidèles est fondé sur le bon plaisir de l'eslection de Dieu. »
L'Écriture ne nous offre-t-elle pas l'exemple symbolique d'Ésaü et de
Jacob ? « Dieu accepte en grâce ses esleuz pour ce qu'il luy plaist »[1].

Pareille théorie soulève des protestations. Le choix de Dieu, sa colère
— dit Calvin, — serait-il sans motif ? Comment expliquer qu'il réprouve
les uns et sauve les autres ? Il n'est d'autre explication que son impéné-
trable volonté dont il est le seul à savoir les motifs. Il sauve ou punit
parce qu'il le veut, — et à bon droit : ne sommes-nous pas tous corrom-
pus ? « Il ne se peut faire que Dieu ne nous ayt en haine. Et ce non pas
d'une cruauté tyrannique, mais par une équité raisonnable », du fait du
péché originel : « Ce n'est point de merveille si [les hommes] sont assu-
jettis à damnation ». Mais Adam a été poussé, contraint au péché ? « Il
faut tousjours revenir au seul plaisir de Dieu... Pourquoy il l'a voulu,
ce n'est pas à nous d'en demander la raison. » Mais pourquoi Dieu im-
pute-t-il à péché ce qu'il a évidemment imposé ? Il l'a voulu ; il l'a prévu ;
inclinons-nous devant sa mystérieuse sagesse : la punition de l'homme
ne provient-elle pas de sa corruption qui ne peut être imputée au Créateur ? Mais il choisit tel ou tel plutôt qu'un autre ! C'est que sa miséricorde est libre : elle se montre « où bon lui semble... En donnant à aucuns
ce qu'ilz ne meritent point, il peut démonstrer sa grâce gratuite ; en ne
la donnant point à tous, démonstrer ce que tous méritent. »

Malgré cette loi incompréhensible à notre raison et qui risque d'être
désespérante, la prédestination ne nous enlève aucun motif de bien agir.
Le devoir d'obéissance à la loi reste total, et saint Paul « enseigne que
la fin de nostre eslection est à ce que nous menions... vie saincte et irrepre-
hensible ». Quel que soit notre sort futur, — ce sort que nous ignorerons
jusqu'à l'heure dernière, — nous devons vivre comme si nous faisions
déjà partie des élus. Sans, pour cela, qu'aucun mérite puisse contribuer
à notre salut. Encore une fois « toute la somme de salut gist en la miséricorde de Dieu ».

Mais l'homme veut savoir s'il sera damné ?

Nous avons un tesmoignage assez ferme et évident que nous sommes escrits
au livre de vie si nous communiquons à Christ... Tous ceux desquels il sera receu
en vraye foy seront tenuz du Père céleste pour ses enfans... Recevons donc
Christ...

La Providence n'est pas seulement générale, mais spéciale, — universelle, mais individuelle. « Nous constituons Dieu maistre et modérateur
de toutes choses. » Elle n'est pas cependant une nécessité totale et, si
l'on ose dire, fatale. Dieu intervient dans la vie humaine directement et
indirectement, pour écarter les dangers qui la menacent constamment :
« Rien ne vient sinon comme il l'a destiné... il nous a receuz en sa sauve-
garde, nous a commiz en la charge de ses anges » qui ont pour mission
de nous protéger : « Le Seigneur est mon protecteur, qu'est-ce que je
craindroye ? [2] »

Après avoir posé les fondements de son dogme, — l'existence de Dieu,

(1) *Ibid.*, chap. VIII, p. 470-471, 474.
(2) *Ibid.*, p. 478-479, 480, 485-486, 488, 491, 504.

la force de la loi, la nécessité de la foi et la définition de son contenu, l'inutilité des œuvres, le salut gratuit par la prédestination, — Calvin aborde les problèmes de la discipline : la prière, les sacrements.

L'ORAISON   Elle est définie, d'abord, dans sa généralité. Elle est une conséquence de la misère humaine : la créature déchue est obligée d'implorer les secours qui lui sont nécessaires. Tout le bien que nous pouvons espérer est en Dieu et en son fils : c'est d'eux qu'il nous le faut attendre, à eux qu'il faut le demander ; il faut que « par prieres et oraisons demandions de luy [Dieu] ce que nous avons apprins y estre ». La prière, « communication des hommes avec Dieu », est nécessaire et légitime[1].

Elle requiert un état d'esprit spécial, fait d'humilité, de sincérité, de confiance totale, d'abandon, de foi en un mot, car « c'est la foy qui obtient tout ». Elle est à la fois l'obéissance à un ordre, l'espoir d'une promesse ; Dieu nous a prescrit de l'invoquer au nom de son fils : « ... demandez, venez à moy... quiconques invoquera le nom du Seigneur sera sauvé... » Le nom du Seigneur ? c'est-à-dire, à la fois, le nom du Père et celui du Fils, médiateur unique, mais d'eux seuls. Il est inutile de s'adresser aux saints ou aux défunts : « Il n'y en a rien en l'Escriture... »

La prière doit être tour à tour « petition et action de grâces », supplication, remerciement, ou louange. On en distingue deux formes : les prières publiques, la prière individuelle. Calvin insiste surtout sur la seconde, qu'il convient de faire du fond du cœur, « l'huys fermé ». On doit la prononcer en langue vulgaire et non en latin, « en langaige commun du pays qui se puisse entendre de toute l'assemblée. »

De cette prière, collective ou non, Jésus nous a laissé le modèle, « nous ayant baillé un formulaire d'oraison », le *Pater*. Il débute par une invocation qui, du même coup, salue la paternité du Créateur, salué par son propre fils, et la fraternité des hommes soulignée par l'adjectif *notre* : « Nous sommes tous enfans communs d'un père. » De sorte qu'en priant, si nous supplions pour nous-mêmes, d'abord, nous prions aussi pour tous sans exception.

Deux parties dans cette prière : l'une est un hommage à Dieu, à sa majesté ; elle veut sanctifier son nom, souhaite l'établissement de son règne, l'exécution de sa volonté. Cet ensemble de « petitions » regarde « l'honneur de Dieu seulement, sans avoir considération de nous ». La seconde, en revanche, concerne l'homme seul, et ses besoins ; elle demande la rémission de nos péchés, elle supplie que nous soient épargnées les tentations et les épreuves. Jésus nous a, de la sorte, enseigné ce qu'il faut demander et comment il convient de le demander : il nous a donné le résumé de toutes les prières à faire, le modèle de « l'oraison légitime ». Occasion pour Calvin, une fois encore, de condamner la théorie catholique des œuvres et des mérites. A quelle heure prier ? Le matin, avant chaque repas, le soir, mais sans superstition, sans faire de l'oraison autre chose que ce qu'elle doit être : un hommage, une humble sup-

(1) *Ibid.*, chap. ix, p. 519-520.

plication. On la répétera avec persévérance, même si elle n'est pas exaucée[1].

LES SACREMENTS Les quatre chapitres qui suivent, du Xe au XIIIe, constituent une analyse serrée des sacrements que le réformateur tient pour véritables et de ceux qu'il rejette.

Qu'est-ce qu'un sacrement ? C'est « un signe extérieur par lequel nostre Seigneur nous represente et testifie sa bonne volonté envers nous, pour soustenir et confermer l'imbécillité de nostre Foy. » C'est donc à la fois un témoignage de la parole divine et un « exercice pour nous rendre plus certains de la parole et des promesses de Dieu. » Pour être utiles, les sacrements doivent être reçus avec foi sous l'influence du Saint-Esprit. Ils n'ont « d'autre office que de nous représenter les promesses de Dieu » ; on ne saurait trouver en eux aucune vertu intrinsèque ; ils ne confèrent pas la grâce : ils « ne servent ou ne profitent de rien sinon à ceux desquels ils sont prins et reçeus par foy. » Comparés aux miracles et aux cérémonies de l'Ancien Testament, « ce sont... enseignes de nostre profession [= croyance]... par lesquelles nous nous advouons publiquement à Dieu ». Les cérémonies mosaïques, — circoncision, ablutions, — symbolisaient la venue future de Jésus ; les sacrements sont un souvenir visible de son passage sur terre et de son sacrifice[2].

LE BAPTÊME Le baptême est, en même temps, un moyen d'augmenter la foi et un signe de la purification de nos fautes. « Il nous fault sçavoir que, en quelque temps que nous sommes baptizés, nous sommes une fois lavés et purgés pour tout le temps de nostre vie. » Que si, baptisés, il nous arrive de pécher, le souvenir du sacrement reçu nous rendra confiance en nous assurant de notre pardon, car le baptême « n'est pas effacé par les peches subsequens ». A la fois mortification et union de notre âme à celle de Jésus, il fait naître en nous, par l'action du Saint-Esprit, un homme nouveau. Par ailleurs, il est un moyen de confesser notre foi.

Sa valeur dépend de la foi du croyant, non de la personne qui l'administre. Contre les anabaptistes, Calvin nie l'utilité d'un renouvellement du baptême. Il prouve, en une longue discussion, que le baptême des enfants, analogue à l'antique circoncision, et qui confirme l'alliance de la grâce, est conforme à la parole de Dieu. A quel âge convient-il de le recevoir ? Dès l'enfance, encore une fois, car il est « le signe de nostre regeneration et nativité spirituelle », et il convient de recevoir ce signe de bonne heure[3].

LA CÈNE DU SEIGNEUR Calvin parle assez rapidement du baptême, il insiste beaucoup plus sur la communion, car, sur ce point, comme tous les réformés, il rompt violemment avec l'orthodoxie.

(1) *Ibid.*, p. 526, 528, 532, 537, 541, 547, 552, 560.
(2) *Ibid.*, chap. x, p. 567, 572, 575, 577.
(3) *Ibid.*, chap. xi, p. 583, 622.

Il affirme d'abord l'utilité de la cène comme moyen de confesser la foi, car elle est la commémoration répétée et universelle du sacrifice de Jésus, — comme une exhortation à l'union et à la charité, — surtout comme un moyen d'augmenter la foi. Le croyant est intimement uni à Jésus-Christ : Dieu « nous asseure et confirme que le corps de Nostre Seigneur Jésus-Christ a tellement esté une fois livré pour nous qu'il est maintenant nostre et qu'il le sera perpétuellement ». On discute, sur ce point, de façon trop matérielle : « Contentons-nous de l'[Jésus] avoir spirituellement. » Car, sans ambages, le théologien rejette la croyance à la transsubstantiation. Le « pain visible » est un « signe » (le mot revient sans cesse à propos des sacrements) par lequel nous est « figuré le pain spirituel. » La communion est toute spirituelle et réalisée par la foi. Jésus-Christ est la Parole faite chair. En lui est la Vie. Mais Calvin nie la présence réelle, la présence locale de son corps glorieux, et condamne l'adoration « charnelle » du corps de Jésus au Saint-Sacrement. Il le faut « plustost adorer spirituellement en la gloire des cieux qu'inventer ceste si dangereuse forme d'adoration »[1].

On ne saurait communier sans préparation. Calvin se refuse à admettre que l'on participe à la cène sans s'être mis dans les dispositions voulues : le fidèle doit s'examiner avec conscience, vérifier la qualité de sa foi, de sa charité, sans que pour cela il lui soit nécessaire de se confesser. Il ne convient pas non plus qu'il attende pour communier d'être parfait.

Coup sur coup le réformateur condamne ce qu'il considère comme des erreurs : il affirme la nécessité de la communion fréquente, pareille pratique ne peut que réveiller la foi ; il ne saurait être question d'une simple communion annuelle ; un chrétien sincère se doit de se rendre à la cène au moins une fois par semaine. La communion sera faite sous les deux espèces du pain et du vin, comme dans la primitive Église. Ici, Calvin saisit l'occasion de dire sa pensée sur la messe : à ses yeux, elle n'est à aucun degré, à aucun moment, un sacrifice réel renouvelant le sacrifice de la Passion — qu'elle risquerait, si la thèse romaine était vraie, d'effacer, — procurant la rémission des péchés, constituant enfin un don offert à Dieu ; pareille croyance n'est que « blasphème et déshonneur intolérable ». Jésus a offert, une fois pour toutes, un seul sacrifice. Et Calvin de condamner les « messes privées » et la « pillerie » qu'elles représentent, car un sacrifice ne peut être qu'un geste expiatoire ou une louange : l'expiation ne saurait exister dans la messe, la seule valable ayant été accomplie par le Sauveur sur le Calvaire, tandis que les prêtres vendent la messe comme Judas a vendu le Christ. La louange ? Le sacrifice symbolique de la cène telle que le conçoit Calvin suffit à honorer la mémoire de Jésus. Si le baptême constitue pour l'homme son « entrée [dans] l'Église et une première profession de foy », la cène, « assiduelle nourriture », ne peut être qu'un symbole.

Y a-t-il d'autres sacrements, se demande alors Calvin ? Non : le but essentiel des sacrements étant de confirmer les promesses de Dieu, était-il utile d'en instituer d'autres que le baptême et la cène ? A quoi bon ajouter à

(1) *Ibid.*, chap. xii, p. 625, 628, 629, 643-644.

ceux-ci, d'institution divine, d'autres manifestations, d'invention humaine ? On ne trouve, dit-il, dans la discipline romaine, que trop de « pompes, de cérémonies, de basteleries.» Pourquoi discuter du baptême par aspersion ou par immersion ? Pourquoi des gestes et des cérémonies inutiles ? La cène se réduit à quelques prières, un sermon sans faux effets oratoires, direct et simple, à la communion, à des chants, à une action de grâce. Inutile de se demander si l'on doit communier avec une hostie ou rompre le pain ordinaire, boire ou non le vin du calice, et si ce vin doit être rouge ou blanc, ou le pain préparé avec ou sans levain : un rite, le plus simple qui soit [1].

LES « FAUX SACREMENTS » Mais il y a, pour Calvin, des rites que l'on a faussement appelés sacrements, car si la cène et le baptême sont d'institution divine, il n'en est pas de même d'autres cérémonies inventées par les hommes qui n'avaient aucun droit à les instituer et à les imposer.

Quoique saint Luc parle de l'imposition des mains telle que la pratiquaient les apôtres, il n'y a pas lieu, déclare Calvin, de conserver, en tant que sacrement, la confirmation : elle n'a pas été instituée par Dieu ; il est inutile d'ajouter cette cérémonie au sacrement de baptême, car elle est une « droicte contumelie contre [lui] qui en obscurcist et abolist l'usage... » ; l'onction d'huile que l'on y pratique, « c'est huyle pollue par mensonge du diable. » Que les évêques « prouvent Dieu estre l'autheur de leur confirmation ! » A ce faux sacrement, le réformateur substituerait volontiers une cérémonie publique dans laquelle, vers l'âge de dix ans, les enfants feraient la preuve de leur instruction religieuse.

De la pénitence, il n'est plus question. Ni la confession, ni l'absolution, ni la pénitence extérieure ne constituent un sacrement.

La cérémonie de l'extrême-onction n'est que vanité, ou, pour parler comme Calvin, « une batellerie et singerie ». On se réfère à tort, pour la justifier, à saint Jacques : il parlait pour le temps où les apôtres pouvaient accomplir des miracles. Jésus seul, et ses disciples, ont opéré des guérisons. L'onction dernière ne saurait guérir ni le corps ni l'âme malades.

Sur le sacrement de l'ordre, la verve de Calvin se déchaîne, sardonique et violente. Combien faut-il en distinguer ? Y a-t-il un sacrement de l'ordre ? ou sept ? ou neuf ? Que signifie la série des ordres, acolytes, « huissiers », exorcistes, etc. ? «Ces choses... ne se peuvent ouyr sans rire. » Quelle est l'origine de cette hiérarchie savante et inutile ? Que signifie la tonsure ? Autant de points sur lesquels s'exerce l'ironie calvinienne, toute proche de celle de certains humanistes, un Ulrich de Hutten, par exemple. Pour s'en tenir à la prêtrise proprement dite, Calvin affirme avec force qu'il n'y a jamais eu, qu'il ne saurait y avoir à jamais qu'un seul prêtre : Jésus. La prêtrise ? « Un sacrilège damnable ». Les apôtres annonçaient l'Évangile, administraient les sacrements : là se bornait leur rôle et leur activité. Les prêtres, les évêques n'ont fait que travestir

(1) *Ibid.*, chap. xii, p. 654, 659, 660, 665.

leurs gestes, les compliquer inutilement. Calvin s'emporte avec une violence farouche contre toute la hiérarchie romaine : l'attribution des évêchés s'opère de manière honteuse ; les bénéfices, cures ou évêchés, ne sont que « loyers des maquerellages et paillardises. » On doit revenir aux habitudes de la primitive Eglise : les ministres de Dieu seront élus par « le Magistrat ou le Conseil, ou bien aucuns des plus anciens », ou bien « par les princes ou autres supérieurs qui ont zèle de piété. » Sur un point encore il convient de revenir aux coutumes apostoliques : la cérémonie de l'ordination avait, au temps des apôtres, une autre grandeur que les pompes romaines, d'inspiration judaïque ou païenne. Calvin les rejette avec mépris et souhaite le retour à la tradition évangélique.

Il reconnaît enfin que le mariage est d'institution divine, sans pour cela lui reconnaître la qualité de sacrement. Il se refuse à l'interdire aux prêtres et s'étonne de règlements qu'il déclare absurdes et d'interdictions qui ne se justifient pas.

Calvin rejette donc après une discussion serrée et qu'il tient pour victorieuse cinq sacrements sur sept. Il n'est pas sans se rendre compte que pareille révolution dans la discipline ne va pas sans danger : ne risque-t-elle pas d'abandonner l'homme à ses faiblesses ? de le conduire à des fautes graves, à de répréhensibles excès ? A Calvin se pose alors le problème de la liberté chrétienne[1].

LA LIBERTÉ CHRÉTIENNE — Qu'est-elle ? que doit-elle être ? Comment en user sans licence ou sans abus ? Problème grave, « car les uns sous couleur de ceste liberté rejettent toute obéissance de Dieu et abondonnent toute licence à leur chair. Les autres contredisent... »

Ne comptons sur aucune justification provenant de la stricte observance de la loi : on ne saurait avoir nul égard aux œuvres humaines ; il convient « d'embrasser la seule miséricorde de Dieu ». Ceci n'empêchera pas, du reste, d'obéir à cette loi et de l'accomplir de bon cœur, non pour gagner d'impossibles mérites, mais uniquement dans l'espoir d'être agréable à Dieu. Il convient, par ailleurs, de ne pas s'embarrasser de scrupules au sujet de ce que Calvin lui-même appelle les « choses indifférentes ». Sans, pour autant, invoquer ce dernier principe pour s'autoriser à vivre dans un luxe indécent, « en banquetz, en habillemens et en édifices de grand appareil et de pompe désordonnée. » Les richesses sont permises — Dieu ne nous les accorde-t-il pas ? — et l'usage des biens de ce monde est licite : « ...n'est en aucun lieu deffendu ou de rire ou de se saouller (au sens de *salurari*), ou d'acquérir nouvelles possessions, ou de se delecter avec instrumens de musique, ou de boire vin », mais à condition d'user « des dons de Dieu avec pure conscience » ; « que chascun en son estat vive ou povrement, ou mediocrement, ou richement », mais « pour vivre, non pour se remplir de délices. » Il faut savoir se contenter de ce qui nous est donné, savoir « bien porter abjection et honneur, fain et abondance, povreté et opulence. » Il convient de ne jamais causer de scandale aux

(1) *Ibid.*, chap. XIII, p. 675, 677, 682, 688, 690, 697, 695.

faibles, même s'il est licite de montrer qu'on est libre : on doit au contraire user de sa liberté pour contribuer de son mieux à l'édification du prochain.

Calvin note enfin que la liberté spirituelle relève de Dieu seul et non de lois civiles ou politiques. Il rejette — en principe, car il en ira autrement à Genève, — le vieux principe : *Cujus regio, ejus religio*[1].

LA PUISSANCE ECCLÉSIASTIQUE Cette indication lui fournit une transition pour aborder un autre aspect important de sa théorie, celui de la puissance et des droits de l'Église. Il s'en prend, d'abord, aux lois par lesquelles l'Église romaine porte atteinte, d'après lui, à la liberté chrétienne. Est-ce à dire qu'il rejette la puissance ecclésiastique ? Il s'en garde, songeant à celle qu'il rêve d'instaurer, mais il la définit strictement. Elle est fondée sur la parole de Dieu. D'elle découle l'autorité des prophètes, des apôtres, des pasteurs. Leur rôle terrestre, leur devoir est de contraindre « toute gloire, hautesse et vertu de ce monde d'obéir et succumber à la Majesté divine. »

Mais il rejette l'autorité de l'Église romaine qui, selon lui, veut imposer sa foi telle qu'il lui a plu de la déterminer, contre tout droit. « Il est, prétend-on, en l'auctorité de l'Église de faire nouveaux articles de la foi » ; on n'hésite pas à soutenir que « l'autorité de l'Église est pareille à celle de la Saincte Escriture » — thèse qu'il rejette avec colère : « Ilz forgent des doctrines, écrit-il des papes, auxquelles ilz requièrent que nous croyons... » Comment osent-ils s'attribuer le droit de légiférer ? Ils allèguent le Saint-Esprit, affirment que l'Église ne peut faillir, ni les conciles, et soutiennent que « leurs traditions sont révélations du Saint-Esprit » et continuent l'œuvre des apôtres. Calvin se refuse à les suivre : « Il convient distinguer Jérusalem de Babylone, l'Église de Christ de la compagnie de Satan. » Il n'est qu'une Église, celle qui se conforme à la parole de Dieu. Le Saint-Esprit agit en elle, non en contredisant, mais en confirmant la Parole, ce qui exclut, évidemment, toute addition postérieure à l'œuvre des apôtres[2].

Rome a beau jeu d'affirmer que la vérité a toujours été conservée par la succession des pontifes, même lorsqu'ils l'ont enrichie. Non, rétorque l'*Institution* : que de décisions erronées et contradictoires dans l'œuvre des conciles ! « La vérité n'est pas toujours nourrie au sein des pasteurs... Ce qui a esté faict en l'un a esté desfaict de l'autre... Mesmes en doctrines, il y a grand combat et repugnance entre les conciles... » Est-il besoin de souligner le désaccord entre les églises d'Orient et celle de Rome ? A peine si le réformateur admet les décisions des « anciens » conciles — sans qu'il désigne, d'ailleurs, celui où la vérité a cessé de s'exprimer. Rome affirme que ses traditions remontent aux apôtres ? Bien à tort, d'après lui : il suffit pour s'assurer de la valeur de cette affirmation de constater la part prise par le clergé dans le pouvoir civil, ses pompes et son luxe : « Ils sont transportés et aveuglés d'une insatiable cupidité de dominer », écrit-il des prêtres catholiques.

(1) *Ibid.*, chap. xiv, p. 707, 708, 713, 714.
(2) *Ibid.*, chap. xv, p. 725, 726, 728-729.

L'Église, sans doute, rappelle avec raison que la parole de Dieu exige que l'homme obéisse à César. Certes, mais il s'agit d'une adhésion libre aux ordres reconnus conformes à la loi divine. Rien de plus. Il y a de faux prophètes, et les préceptes de l'Église formulés par des hommes ne peuvent pas, ne doivent pas être préférés au commandement de Dieu : à quoi bon la confession, le jeûne, le respect du dimanche, l'interdiction du mariage pour les prêtres, les pèlerinages, les œuvres, le culte des images, les prières machinales ? Rien de tout cela n'est dans l'Écriture :

> Le commandement de Dieu est mesprisé et adneanty pour garder les préceptes des hommes... C'est cent fois plus horrible péché en eux de ne s'estre confessez une fois l'an en l'aureille d'un prestre que d'avoir mené sa meschante vie tout au long de l'année, avoir toucbé de la chair au bout de la langue au vendredy que d'avoir souillé tous ses membres chascun jour par paillardise..., un prestre estre conjoinct en mariage legitime que d'estre entaché de mille adultères, ...n'avoir point employé son argent aux désordonnées pompes de leurs Églises que d'avoir délaissé un povre en une extresme nécessité, ...n'avoir point barboté à certaines heures longues parolles sans sens que de n'avoir jamais prié en vraye affection.

Et de conclure : « Qu'est-ce anneantir le commandement de Dieu par ses traditions [celles de l'Église] si cela ne l'est ? » Et de rejeter, pour leur illogisme, les commandements de l'Église : « Celui qui est absous en adultère est condamné pour son manger. Une femme légitime est deffendue à celuy auquel est permise une paillarde »[1].

Pourtant, s'il rejette avec la hiérarchie l'autorité de l'Église romaine, Calvin admet la nécessité d'un ordre, d'une « règle d'honnesteté ». Il n'en connaît qu'une : « suivre les coutumes et les loix du pays où nous vivons ». (Peut-être pensait-il, en écrivant cette formule, aux coutumes qu'il allait imposer à Genève, car on ne voit pas comment il eût pu concilier sa doctrine et les coutumes ou les lois du royaume de France ?) On respectera donc, mais sans tomber dans la superstition, les cérémonies utiles à l'édification commune, prières ou chants collectifs par exemple. Ce faisant, « chascun volontairement imposera quelque nécessité à sa liberté. » Mais il s'agira d'une libre contrainte, et librement acceptée, à condition que l'on ne tombe pas dans « l'abus des cérémonies » dont Calvin ne veut à aucun prix[2].

DU GOUVERNEMENT CIVIL — Reste, avant de conclure, un dernier problème à résoudre, celui des rapports du croyant et du pouvoir civil, de l'Église et de l'État.

Le croyant n'a pas à mépriser l'autorité civile. Les lois politiques, les lois de police ou d'organisation sociale ont leur raison d'être : elles sont utiles, elles sont légitimes, — ne serait-ce qu'en servant la religion contre les idolâtres et les blasphémateurs (Ici encore, il est permis de se demander si Calvin ne pensait pas au jour où il lui serait donné de conjuguer pouvoir religieux et pouvoir civil — et de mettre celui-ci au service de celui-là ?). Calvin distingue ici trois éléments : le magistrat, la loi, le peuple.

Le magistrat a une mission divine : il est le lointain successeur des

(1) *Ibid.*, p. 736, 738, 744, 747-748.
(2) *Ibid.*, p. 749, 750, 751.

conducteurs de peuples de la Bible, Moïse, Joseph, David. Comme eux,
il est vicaire de Dieu et a un devoir strict à remplir : veiller au bonheur
du peuple qu'il guide sur le chemin de la vie terrestre, exécuter « l'office
de Dieu. » Calvin admet qu'il y a diverses espèces de magistrats comme
il y a différentes formes de gouvernement, — monarchie, aristocratie,
démocratie, qui ont, chacune, leurs avantages et leurs faiblesses. Mais,
dans l'une ou l'autre de ces formes, toujours les magistrats sont « protecteurs et conservateurs de la tranquilité publicque », récompensent
ou honorent les bons citoyens, refrènent ou punissent les méchants.
De ce devoir découlent le pouvoir judiciaire avec sa conséquence
logique, le droit de vie et de mort, — le droit de faire la guerre ou la
paix, — le droit de lever l'impôt : théorie classique de la distinction
des pouvoirs ; Calvin ne l'envisage que pour en montrer la justice et le
fondement.

Sur la loi, il est rapide. Son objet n'est pas d'édicter un code, mais seulement de formuler des principes. A l'heure où certains tendent à revenir
aux lois mosaïques, il constate que seule subsiste la loi morale telle que
la définit le décalogue, et telle qu'il vient de l'analyser. Les lois cérémo-
nielles, les lois judiciaires, bonnes pour les Israélites seuls, sont abrogées.
Le théologien se borne à définir quelques grands principes : la loi se résume
en la parole de Jésus, aimer Dieu, servir son prochain, — à indiquer les
crimes les plus graves, qu'il convient de punir, et ce sont le vol, le faux
témoignage, l'homicide, l'adultère, — et à préciser justement qu'à des
peuples divers il faut des lois diverses[1].

Ces lois, le peuple y aura recours pour se défendre dans les procès contre
les voisins, dans les affaires publiques, éventuellement pour se protéger
contre la tyrannie. Il recourra donc à elles, mais sans haine contre son
prochain : il s'agira pour lui simplement de faire respecter ses droits.
Car il y a des cas où l'on ne doit pas résister au méchant : il faut savoir
subir les épreuves, souffrir les offenses, comme Jésus l'a fait, mais jusqu'à
un certain point seulement. Chacun a le droit, en effet, de défendre son
bien « sans offence ne dommage de charité. » Chacun a le devoir, d'autre
part, d'honorer le magistrat et la loi et de leur obéir ; l'Écriture l'ordonne.
Si le magistrat se trompe, s'il commet une faute, on tâchera de l'éclairer
et de porter remède à ses erreurs, mais avec respect et sans violence,
même s'il est méprisable dans sa conduite privée : la fonction qu'il exerce,
d'institution divine, exige le respect et c'est la fonction que l'on honore
en lui. C'est pourquoi Calvin n'est nullement gêné pour affirmer, sur
l'exemple de la Bible, que l'autorité royale est de droit divin : on doit
révérence aux princes, aux rois « quelz qu'ilz soyent », même s'ils sont
injustes, même s'ils persécutent leurs sujets. Ceux-ci doivent subir
l'épreuve sans se plaindre ni se révolter, en expiation de leurs péchés et
dans l'adoration de la volonté de Dieu qui leur suscitera peut-être des
libérateurs. Mais, malgré la révérence due au magistrat, l'obéissance
est due, d'abord, au Roi des Rois[2].

(1) *Ibid.*, chap. xvi, p. 758, 761.
(2) *Ibid.*, p. 773, 779.

LA VIE CHRÉTIENNE   Sa doctrine ainsi définie, — dogme, discipline, organisation de l'Église, rapports des Églises et de l'État, — il ne reste plus à Calvin qu'à tracer les règles générales de la vie chrétienne, ce qu'il fait au chapitre XVII de son livre. Les principes lui en sont fournis par l'Écriture.

Règle première : aimer le bien, car Dieu est saint ; or « il nous luy fault ressembler. » La vie morale du chrétien doit être en harmonie avec sa croyance, « tendre à la perfection que Dieu nous commande. » Elle sera un long, un tenace effort qui ne reculera devant aucun sacrifice. Offrons notre cœur en sacrifice vivant au Père : le chrétien ne s'appartient pas, — « nous ne sommes point nôtres, nous sommes au Seigneur. » Toute notre activité n'a qu'un but : « suivre seulement le Seigneur », servir sa gloire, chercher « dans l'abnégation de nous-mesmes » ce qui lui plaît et cela seul. Trois principes : combattre et anéantir notre orgueil, ce « faux cuyder » que condamne à la même heure la reine de Navarre, chercher le bien du prochain, implorer la bénédiction de Dieu [1].

Il ne nous ménage pas les épreuves : nous nous y soumettrons avec confiance, nous porterons notre croix. « Celuy qui aura une telle affection, quelque chose qu'il advienne, jamais ne se réputera malheureux. » Des accidents de toute espèce nous menacent, chaque jour, à toute heure : maladies, incendies, guerres, morts inattendues : « C'est le bon plaisir du Père céleste de exercer ainsi ses serviteurs. » Comme le Christ, dont il porte le nom, le chrétien sera humble, patient, battra sa coulpe des fautes passées. S'il est persécuté, il sait que c'est pour la justice : « Dieu corrige ceux qu'il ayme. » L'épreuve nous invite à penser à la vie future, à la récompense éternelle ; là gît la différence entre le christianisme et le stoïcisme. La vie présente peut offrir d'exquises délices ; « elle reste pleine d'inquiétudes, de troubles et du tout misérable. » Il convient de remercier Dieu de nous l'avoir donnée, mais aussi la mépriser et ne pas redouter la mort « comme si c'estoit le plus grand malheur qui leur peust advenir ». Affrontons-la en pensant au jugement de Dieu, en aspirant à « l'immortalité future » qui nous est promise. Quant aux biens de la terre, usons-en, mais sans excès ; goûtons les joies de ce monde sans nous y attacher ; évitons le superflu et ne considérons les biens qui nous échoient que comme un dépôt. Que chacun vive selon sa vocation [2].

LA DOCTRINE DE CALVIN   Ce n'est pas ici le lieu, quelqu'intérêt qu'il présente, de définir le style de Calvin, sobre quoique souvent oratoire, ample et grave tour à tour, ou rapide, incisif, âpre et vif, un style qui se déploie avec une aisance familière où la période éloquente succède à la verve réaliste. On l'a dit triste ; il n'est — et encore pas toujours ! — qu'austère. Il a la clarté, la concision, le mouvement, la vie : il fait époque dans l'histoire des lettres françaises.

Mais il importe de résumer, à grands traits, la doctrine calviniste pour en prendre une vue d'ensemble. Nourri de la Bible qu'il a lue dans le

(1) *Ibid.*, chap. xvii, p. 785, 788, 789, 791.
(2) *Ibid.*, p. 799, 800, 805, 811, 815.

texte ou dans les traductions d'Érasme, de Lefèvre, d'Olivétan, utilisant fréquemment les Pères, mais aussi les philosophes, Aristote et Platon, Cicéron et Sénèque, citant à la rencontre ses coreligionnaires ou ses adversaires, Luther par exemple ou Beda, Calvin a voulu avant tout définir sa foi, la présenter sous une forme logique et vigoureuse, sans exclure, chemin faisant, la politique.

Il insiste, comme tous les réformateurs, sur la nécessité de se référer plus qu'à l'histoire à l'Écriture, livre complet, livre parfait, qui porte en soi la preuve de sa vérité, une vérité confirmée, par la suite, par l'exemple des martyrs et l'illumination de l'Esprit. C'est là un trait essentiel de sa pensée : il ne veut aucun médiateur entre l'homme et Dieu, le Christ excepté. Rien en dehors de l'Écriture n'a de valeur à ses yeux. Il n'admet de dogme que s'il le découvre formulé dans l'Ancien ou le Nouveau Testament. La foi ne connaît qu'une règle, celle qui lui est dictée par la Bible qu'il faut interpréter dans son sens naturel et non dans un vain rêve symbolique ou allégorique. La lettre seule compte, expliquée par la tradition primitive : le symbole des apôtres, les épîtres de saint Paul, les définitions établies par les premiers conciles. C'est cette tradition synthétique, arbitraire mais apparemment claire, qu'il oppose à tous : aux catholiques endormis dans leurs erreurs, aux protestants abandonnés aux excès de leur individualisme. Une vérité : celle de l'Écriture. Une Église : celle dont Calvin détermine le dogme et la discipline ; de là, par la suite, ses luttes contre certains de ses coreligionnaires qui tenteront d'interpréter sa pensée. De là son souci d'un dogme accepté par tous, voire imposé, comme son souci de l'autorité.

A le lire, on éprouve l'impression qu'il obéit au Dieu terrible de la Bible, au justicier jaloux, à Jéhovah, plutôt qu'il ne suit le Sauveur et ne s'inspire de la miséricorde et de l'amour prêchés dans l'Évangile. Il oppose dans une farouche antithèse le Dieu Tout-Puissant, volonté immuable, éternelle, souveraine et toujours en action puisque de par sa mystérieuse, son inintelligible providence il dirige le monde jusqu'en ses plus humbles réactions, à l'Homme Néant, privé de sa liberté par la chute de ses premiers parents, corrompu par les appels de la chair, esclave aveugle de ses passions, dépourvu, malgré son fol orgueil, de tout mérite. Un médiateur : la seconde personne de la Trinité, le Christ, qui a expié pour nous ; le Christ en faveur de qui le Père accorde sa grâce à qui lui plaît : Calvin rejette la théorie de l'intercession des saints. Un seul moyen de salut : la foi au Christ. Nulle autre liberté que celle de Dieu, seul à vouloir, seul à pouvoir, seul à nous prédestiner à sa guise : nous sommes élus ou damnés, parce qu'il le veut ainsi, et uniquement parce qu'il le veut. L'homme n'opère pas son salut : il l'obtient, il est élu ; à aucun moment, d'aucune manière il n'y collabore ; l'élection, fixée de toute éternité, est antérieure à nos œuvres, antérieure même à notre foi. Mais tous peuvent avoir accès au salut : peu importe leur condition sociale, ou leur race. Dieu choisit qui il lui plaît.

A bon droit, car si l'homme a perdu ses propres chances de salut, c'est par sa seule faute. Dieu, sans doute, a permis ou voulu qu'Adam péchât, mais c'est Adam seul qui a péché, de par sa volonté propre (mais alors il était libre ? Il y a là, dans la doctrine, un point qui reste obscur ou imprécis). Dès lors la volonté humaine, rivée au mal, ne peut que le mal, — pouvoir qui, aux yeux de Calvin, est une nécessité logique, non une contrainte divine. Il ne faut pas chercher à comprendre davantage, mais s'attacher à la foi, croire par une adhésion totale à la vérité révélée, par une illumination intérieure qui donne la certitude du salut. Calvin semble admettre que la vérité une fois perçue, est définitive et qu'elle implique une certitude inébranlable du salut et l'effort pour réaliser la perfection, — non pour mériter, mais au moins pour justifier l'élection.

De cela découle logiquement la doctrine pratique, la discipline calvinienne : la religion n'est pas seulement une vérité, mais encore une vie. La vérité impose une loi, divine dans son texte, morale dans son application : le Décalogue. La sanctification doit accompagner la justification gratuite : sans elle nous risquerions de nous abandonner à notre sens individuel. L'effort est nécessaire. Il se concrétise dans la pratique religieuse, l'observance des sacrements réduits à ceux-là seuls dont Calvin croit trouver mention explicite dans l'Écriture : il se tient sur ce point à égale distance de Zwingle qui se refuse à voir en eux autre chose que des symboles, et de Luther qui, dans son mysticisme, leur garde quelque peu de leur valeur orthodoxe. Calvin rejette la plupart des sacrements de l'Église de Rome et se refuse à admettre la transsubstantiation, quoiqu'il reconnaisse que, dans la cène et par la communion, Jésus nous communique un peu de son humanité. Très strict sur le plan moral, il flagelle et condamne les vices qu'il poursuivra, qu'il voudra de son mieux chasser de Genève. Mais il n'enseigne ni un ascétisme comparable à celui que prônent les grands ordres monastiques, ni un mysticisme auquel il refuse d'accéder. Il a, si l'on ose dire, les pieds sur la terre plutôt que la tête dans le ciel, ou le cœur près du cœur de Jésus : à preuve son souci de régler en détail plus d'un problème terrestre, — l'usage des biens de ce monde, l'organisation de la loi, de l'État, la définition des droits et des devoirs des citoyens, — les développements sur l'impôt, la justice ou la guerre, ou sur la monarchie et la démocratie corrigée par une sage oligarchie. Sa théologie est celle d'un juriste, d'un homme d'État, nullement celle d'un mystique.

Ce que fonde Calvin, — forçons-nous sa pensée ? nous ne le croyons pas, — c'est une Église séculière, terrestre, préoccupée d'exiger de ses fidèles une existence droite et tempérée, plus qu'une vie religieuse intense, une vie du cœur s'élançant vers Dieu. Une Église terrestre, dirait-on, et dont l'activité se concrétise dans le prêche, la surveillance des mœurs et l'administration des sacrements, symboles plus qu'occasion d'un enrichissement mystique. Elle est le corps visible du Christ ; elle enseigne sa loi, elle applique sa morale. Mais y vit-on pleinement de la vie intérieure du Sauveur ? C'est ce qu'il est permis de se demander. On y entre par le baptême ; elle est dirigée par un corps de ministres, — diacres, anciens, pasteurs, — dont le rôle est d'assurer le prêche, l'orthodoxie de la foi, la fidélité aux sacrements, la rigueur de la conduite, — l'objet

essentiel du culte étant le prêche, celui de la doctrine uné discipline de
mœurs austère et rigide : le consistoire des pasteurs aura pleine autorité
pour surveiller les mœurs de la communauté, ceci jusques à l'excommunication. Les églises groupées constitueront une communauté oligar-
chique ; Calvin affirme l'autonomie des églises sans leur reconnaître
une indépendance totale. Les églises se réuniront en colloques, en synodes,
sans constituer cependant une hiérarchie. Il convient de noter que Calvin
retire aux fidèles la libre interprétation de l'Écriture : il a pu, quant à
lui, comme Luther ou Mélanchthon, interpréter la Bible selon sa conscience — ou sa dialectique, mais, une fois la tradition restaurée, on ne
saurait la discuter de nouveau. C'est pourquoi le réformateur attache
une importance considérable au choix des pasteurs auxquels il délègue
une autorité quasi totale.

Il sépare soigneusement l'Église de l'État, le spirituel du temporel.
L'Église n'a aucun pouvoir séculier. Elle n'a de pouvoir que sur les âmes,
mais, ces âmes, l'État ne saurait exercer sur elles la moindre pression
spirituelle. L'une et l'autre sont au service de Dieu. L'État a le devoir
de protéger l'Église et ses ministres, de faire respecter la loi religieuse :
c'était, sans le reconnaître, conserver la tradition romaine.

Un dogme net et clair, une morale austère, une définition de l'État
dans ses principes généraux, tel est le contenu de l'*Institution chrétienne*.
Elle marque une date capitale dans l'évolution de la Réforme. On ne
saurait discuter qu'avec elle ; à la double date de 1536-1541, c'en est
fini de l'individualisme protestant.

D'une part, elle représente une rupture brutale de la Réforme française,
et, peut-être, de la Réforme en général avec l'humanisme à tendance
païenne. Il ne s'agit plus de revenir à tout le passé indistinctement, et
donc au paganisme dans ce qu'il pouvait avoir de moralement utilisable,
mais seulement au temps de la primitive Église, celle des apôtres, au seul
livre qui compte, la Bible. D'autre part, elle marque la constitution de la
Réforme en mouvement cohérent et ordonné: elle prépare le premier synode
général des églises réformées en 1559 : ce qui n'était encore que tendances individuelles, voire individualistes, se transforme en une confession
dotée de principes solidement fondés en logique. L'Église romaine, en
condamnant Luther, a provoqué le schisme au centre de l'Europe.
Calvin, en publiant son livre, transforme les tentatives éparses en un dogme
cohérent. Il fonde une Église nouvelle ; il lui donne un centre, Genève, —
un chef, lui-même, — des cadres, ses compagnons et les ministres
qu'il va soigneusement choisir, — un catéchisme et une foi. Il enseigne
aux réformés que c'est eux qui sont dans le vrai, même s'ils ont rompu
avec Rome, surtout s'ils ont rompu avec Rome : ils ont, par eux-mêmes,
puis grâce à lui, renoué la tradition, retrouvé l'Église du premier siècle,
celle des apôtres et des Pères, le dogme pur dans son intégrité, le culte
dépouillé de toutes les idolâtries qui empestaient depuis des siècles l'Église
corrompue. A Rome, devenue la Babylone moderne, — Calvin reprendra
sans cesse cette comparaison, — il oppose la Jérusalem nouvelle, Genève,
où prêchent, où enseignent les véritables héritiers des apôtres.

L'ORIGINALITÉ DE CALVIN Quelle est, dans cette œuvre solide, la part personnelle du réformateur ? Celle, semble-t-il, d'un logicien, d'un ordonnateur.

Il prétend bien ne rien inventer. Comme ses aînés, il fonde sa doctrine sur l'Écriture que ses études d'humaniste lui ont permis de lire dans le texte grec et le texte hébraïque, l'Écriture qu'il ne cessera d'étudier toute sa vie puisque, installé à Genève, il entreprendra une longue et vaste série de commentaires sur les *Actes des apôtres*, les *Synoptiques*, le *Pentateuque*, les psaumes, les prophètes. Il a éclairé son enquête de toutes les données que lui fournissait la théologie traditionnelle, — les Pères grecs et latins, saint Jean Chrysostome, Origène, saint Jérôme, saint Augustin, saint Hilaire, s'appuyant surtout sur saint Jean Chrysostome et saint Augustin. Il a lu les docteurs du moyen âge : saint Anselme, saint Bernard, saint Thomas, et le Maître des Sentences qu'il discute et critique avec une acerbe ironie. La base, cependant, reste, pour lui, la Bible qu'il explique à la lumière de son illumination propre, mais aussi avec l'aide de ses prédécesseurs immédiats : il suit Érasme lorsqu'il propose son explication du symbole des apôtres et de l'oraison dominicale ; il s'inspire du catéchisme de Luther et il est d'accord avec lui sur les problèmes de la justification et des œuvres ; il doit à Mélanchthon sa théorie des sacrements signes extérieurs ou symboles. Il va, simplement, plus loin qu'eux et plus radicalement, rejetant, sans en rien garder, et la tradition et les cérémonies orthodoxes.

On peut se demander s'il a découvert une thèse nouvelle. On doit reconnaître qu'il met de l'ordre dans des doctrines assez confuses et parfois contradictoires. Quand il intervient dans la bataille théologique, c'est pour regrouper les arguments épars, pour mettre de la discipline dans une action tumultueuse, en bon logicien, en bon humaniste qui a pris d'excellentes leçons de rhétorique, et sait organiser, clarifier un exposé. Il mène le combat contre Rome, et, bientôt, contre les dissidents de la Réforme : il s'en est déjà pris à Servet et aux antitrinitaires ; il attaquera, dans son livre, les anabaptistes ; ce sera l'heure, demain, des libertins spirituels, puis des athées, un Dolet, un des Périers, qu'il poursuivra à travers l'averroïsme des universitaires de Padoue.

Là se découvre son originalité : il a mis de l'ordre dans le chaos des théories protestantes, défini logiquement une doctrine, rejeté les tendances individualistes, fondé une orthodoxie cohérente, condamné l'esprit de libre examen. A l'ancienne Église, il substitue une Église nouvelle aussi rigoureuse que sa doctrine, aussi hostile à la liberté de l'enseignement religieux, une Église qui veut être une et universelle, comme celle de Rome. S'il y eût eu, en France, environ 1540, un Henri VIII, la tentative de Calvin aurait pu réussir sur le plan politique. Mais un François Ier ou un Henri II, déjà maîtres de leur clergé, auraient-ils pu supporter son autoritarisme et devenir les simples agents d'exécution du réformateur ? On verra d'ailleurs, plus loin, que l'Église de France avait une autre vitalité que l'Église anglaise.

CHAPITRE III

CALVIN CHEF DU CALVINISME

§ 1. — La prise du pouvoir à Genève.

PREMIÈRES MESURES   Calvin rentre donc à Genève en septembre 1541. Il s'agit désormais pour lui de mettre sa doctrine en œuvre, et, d'abord, d'asseoir son autorité pour éviter de voir se reproduire les incidents passés. A peine arrivé, il est remonté dans la chaire de la cathédrale Saint-Pierre et a repris la série de ses instructions comme s'il ne s'était rien passé. En même temps il rétablit la discipline, mais il y met d'abord quelque tolérance. Il s'appuie sur Viret, sur le conseil qui l'a rappelé et qui, le 20 novembre, promulgue la nouvelle loi civile et religieuse. En quelques mois le réformateur instaurera dans la ville un régime aristocratique qui doit assurer son pouvoir : il réorganise les conseils oligarchiques chargés d'administrer la cité, — syndics, petit conseil, conseils des soixante et des deux cents, — car il ne songe pas à laisser à la masse le soin des affaires ; c'est à la bourgeoisie de s'en occuper, car, seule à ses yeux, elle a l'expérience voulue pour le faire. De ces conseils civils il limite strictement les droits, pour assurer l'indépendance de l'Église, d'abord, mais aussi pour ne pas donner à son Église un caractère trop étroitement national, car il ne prêche pas pour Genève seule, mais pour le monde entier [1]. S'il accueille avec joie les nouvelles recrues qui lui viennent de France et qui infusent à la ville un sang nouveau, lui apportent des convictions et des enthousiasmes, il surveille de près ce recrutement, l'élargissant ou le limitant selon la conjoncture, jaloux de n'accorder le droit de cité, la bourgeoisie, qu'à ceux qui en sont dignes ; il importe de ne point ouvrir trop largement la porte aux étrangers : point de brebis galeuses dans le troupeau !

ACTION SUR LES MŒURS   Parallèlement, il poursuit son action sur les mœurs, pourchasse les débauchés, les impies, les rebelles, les hérétiques, tous ceux qui, de façon ou d'autre, refusent de plier. Dans cette tâche, il a pour le soutenir le corps des pasteurs dont il surveille attentivement la composition et qu'il forme avec un soin jaloux : il y appelle des Français dont il fait ses créatures et qui dépendent d'abord de lui. Législateur autant que théologien, il veille aux moindres détails de l'organisation civile, sociale ou politique : il s'occupe de l'artillerie, de la voirie, de l'hygiène, réglemente la vie intime de ses conci-

---

(1) Cf. F. Tissot, *Les relations entre l'Église et l'État à Genève au temps de Calvin*, Lausanne, 1874. E. Choisy, *La théocratie à Genève au temps de Calvin*, Genève, 1897. G. Goyau, *Une Ville-Église, Genève*, t. I, Paris, 1919.

toyens, — on n'ose écrire : de ses sujets ; il multiplie les édits sur les jeux et les tavernes, sur le choix des noms à donner aux enfants au jour de leur baptême, sur le mariage. Les conseils, même s'ils lui sont acquis en majorité, n'en essaient pas moins de limiter son emprise, et mènent une opposition tenace et habile. Les résistances se raidissent. Il aura besoin de toute son autorité, de toute sa tenace énergie pour les briser au cours d'une lutte qui ne se terminera qu'en 1555, après d'âpres vicissitudes.

CALVIN BRISE L'OPPOSITION En décembre 1547, demi-révolte. En février 1548, la majorité calviniste, dans les conseils, est entamée. En octobre Calvin se voit infliger un blâme, et les conseils restreignent l'attribution du droit de bourgeoisie aux immigrés français. En 1553, les syndics seront pris dans les rangs de l'opposition : Calvin ne sera sauvé que par le procès intenté alors à Servet, où il fera triompher sa doctrine, et — partant — ses principes politiques. Une réconciliation suivra en 1554. Les syndics, en 1555, seront de nouveau pris parmi les partisans du théologien ; l'opposition est alors définitivement écrasée. Calvin domine à la fois le consistoire et les conseils : il ouvre largement la porte aux émigrés français qui l'épaulent. La discipline se rétablit, totale. On ne discutera plus les pouvoirs et l'autorité du chef.

§ 2. — Les écrits de Calvin de 1541 à 1547.

Mais, pendant cette difficile période qui le voit triompher de ses adversaires politiques (ils discutent parfois, il est vrai, ses idées autant que sa politique), c'est surtout aux affaires religieuses que Calvin a donné le meilleur de son activité, pourchassant à Genève, en Suisse, en France tous ceux qui menacent à ses yeux la vérité.

Double activité : l'une d'enseignement et de propagande, l'autre de polémique, toujours en raison des circonstances extérieures.

L'ENSEIGNEMENT La première est constituée, si l'on peut dire, par le « monnayage » de l'*Institution* qui reste la somme de sa pensée. Calvin reprend tel ou tel point important de sa doctrine, pour y mettre l'accent, étoffer son argumentation, insister sur un aspect non pas négligé, mais trop rapidement traité en 1536 ou en 1541. De ce courant font partie le *Petit Traiclé de la Saincte Cène* (1541, réédité en 1542 et 1545), diverses éditions du *Catéchisme de Genève* (1542, 1545, 1547, 1548, soit en français, soit en latin, soit en italien), un traité sur le libre arbitre (*Defensio doctrinae de servitute arbitrii, contra Pighium*, Genève, 1541), divers commentaires sur l'Écriture : *Exposition sur l'epistre de S. Iude* (1542), *sur les deux epistres de S. Pierre* (1545), des commentaires en latin d'abord, en français ensuite, sur les deux premières épîtres aux Corinthiens (1546-1547), puis sur les quatre épîtres aux Galates, aux Éphésiens, aux Philippiens, aux Colossiens (1548). A ce groupe, il convient de rattacher divers traités de liturgie : *La manyere de faire prieres aux eglises... tant devant la predication comme après* (1542), la *Forme des prieres et chants ecclesiastiques* (1545), un *Projet d'ordonnance sur les mariages* (1545), un *Projet d'ordonnance sur les noms de baptesme* (1546), un *Projet d'un ordre de visitation des églises de campagne* (1546), et une *Ordonnance sur la police des églises de campagne* (1547) : on y voit se déployer le génie de l'organisation dont témoigne désormais toute la vie, toute l'activité de Calvin.

LA POLÉMIQUE. LE TRAITÉ DES RELIQUES (1543)

Second groupe : les écrits polémiques. Ce sont, pour cette période, les plus neufs, s'agissant ici de poursuivre la bataille sur le terrain choisi par les adversaires et non de développer la doctrine. Il n'y a plus d'anabaptistes à Genève depuis 1537 ; il n'y aura bientôt plus d'athées une fois que Calvin aura réglé, en octobre 1553, l'affaire Servet. Entre ces deux dates, il se bat sur deux fronts. D'abord contre Sébastien Castellion [1], qui, converti vers 1540, et principal du collège à Genève de 1541 à 1543, a irrité le théologien par son humeur querelleuse et son esprit critique : il y a, entre les deux hommes, totale incompatibilité de caractère ; de plus Castellion défend un rationalisme radical auquel ne peut adhérer le réformateur : il dispute sur *le Cantique des Cantiques* ; il attaque Calvin publiquement. Genève le désavoue, il quitte la ville en juin 1544. Première victoire.

Contre les sorciers, Calvin adopte la même attitude rigoureuse que celle du catholique ; leur affaire est vite liquidée, avec la même vigueur, la même rigueur qu'apportait en de pareilles affaires le clergé romain. Il polémique à nouveau contre Caroli qui à Metz, en 1543, blasphème contre la nouvelle foi.

Il s'attaque ensuite à l'une des formes les plus populaires du culte catholique, le respect des reliques, et compose à ce sujet un de ses livres les plus vivants : L'*Advertissement tres utile du grand proffit qui reviendroit à la Chrestienté s'il se faisoit inventaire de tous les corps sainctz et reliques qui sont tant en Italie qu'en France, Allemagne, Hespaigne et autres Royaumes* [2]. Le livre, paru à Genève en 1543, eut de multiples éditions et fut traduit en latin, en allemand, en anglais, en hollandais.

Calvin souhaite que l'on dresse un inventaire de toutes les reliques. Que de fausses on en découvrirait, n'eût-on que le catalogue de celles que l'on conserve à Paris, Toulouse, Reims et Poitiers ! « Si on avoit un role de toutes les reliques du monde, on verroit clairement combien on auroit été abusé par ci devant. » Il énumère toutes les reliques de Jésus : « ... On n'a point laissé échapper le corps de Jésus-Christ sans en retenir quelque loppin... » Et d'ironiser sur leur multiplicité : le précieux sang ? On en garde quelques gouttes à La Rochelle, à Mantoue, à Rome, à Saint-Eustache de Paris, — mais « en l'église naissante iamais n'en a été mention. » Les cruches de Cana, découvertes huit cents ans après

(1) Cf. F. Buisson, *Sébastien Castellion. Sa vie et son œuvre* (1515-1563). Paris, 1891, 2 vol. et S. Zweig, *Castellion contre Calvin*, Paris, 1946.
(2) Cf. *Opera*, t. VI. Consulter l'édition récente de A. Autin, 1921 (*Chefs-d'œuvre méconnus*).

le miracle ? « Je ne sais point tous les lieux où on les montre... » Le linceul
du supplicié ? On en vénère un à Saint-Jean de Latran, mais aussi un
second à Aix-la-Chapelle : « Il faut bien que l'un ou l'autre soit faux. »
La Croix ? « Advisons-nous combien il y en a de pièces par tout le monde...
Si on vouloit ramasser tout ce qui s'en est trouvé, il y en auroit la charge
d'un bon grand basteau... » Les clous ? On en compte quatorze. Il n'y
a pas moins de quatre fers de la lance qui ouvrit le flanc du Sauveur.
Et la couronne d'épines ! et la robe du Christ ! est-elle à Argenteuil,
ou bien à Trèves ? Et le saint suaire ! « Il y a une demi-douzaine de villes
pour le moins qui se vantent d'avoir le suaire de la sépulture tout entier... »
La critique s'en donne à cœur joie de montrer l'impossibilité — matérielle
ou psychologique — qu'il y a eu à recueillir ces restes sacrés. Sans parler
du silence des évangélistes sur ce point, aucune autorité ne prouve que
Jésus « ait été sacrifié avec quatorze clous et qu'on eut employé une
haie tout entière à lui faire sa couronne d'épines, ou qu'un fer de lance
en ait depuis enfanté trois autres... ou que d'un suaire seul il en soit
sorti une couvée... » Et l'énumération continue, implacable : défilent
les images miraculeuses de Jésus et les souvenirs de la Vierge : ses cheveux,
son lait, sa chemise, son peigne, ses portraits. On conserve l'épée de
saint Michel.

Le ton de l'exposé, fort irrévérencieux, évoque la manière de Bonaventure des Périers, annonce celle d'Henri Estienne, voire de Pascal.
L'ironie du critique se déchaîne, âpre et sarcastique. On a des reliques
de saint Jean-Baptiste — dont le corps, pourtant, fut brûlé. On a multiplié les reliques des apôtres, que l'on a, trop naïvement, imaginés vêtus
à la mode du moyen âge : Toulouse se vante de conserver les corps de
six apôtres. « Advisons, se demande Calvin, lesquels [de ceux-ci] ont
deux corps ou trois. » Il a beau écrire : « Il nous faut dépêcher, autrement
nous ne sortirions jamais de ceste forêt », il ne résiste pas au plaisir de
défiler la litanie des martyrs et des saints ! Combien connaît-on de saint
Denis, de saint Laurent, de saint Sébastien, de saint Antoine... Et le
catalogue qu'il dresse de leurs reliques n'est pas exhaustif, loin de là,
car il doit subsister de leurs restes dans les lointaines églises d'Orient.

Sa conclusion est catégorique : « Par toute l'histoire évangélique, il
n'y a pas un seul mot de toutes ces choses... Tout cela a été controuvé
pour abuser le simple peuple... » Logiquement quant à lui, il affirme :
« C'est une idolâtrie execrable d'adorer relique aucune... Cette façon de
faire est une pollution et ordure qu'on ne devroit nullement tolerer en
l'Eglise... » Il condamne donc une fois de plus, et dans quels termes !
l'hommage rendu aux reliques et aux images. Un coup de plus, et un coup
direct porté à la liturgie romaine.

L'EXCUSE AUX NICODÉMITES   Songeant aux réformés isolés parmi la
                                    masse des catholiques, il compose, à
leur intention, un *Petit Traiclé monstrant que doit faire un homme fidèle
entre les papistes* (1543) auquel fait suite, en 1544, l'*Excuse à Messieurs
les Nicodémites sur la complaincte qu'ils font de sa trop grande rigueur.*

Deux écrits qui visent au même but : réconforter, encourager les timorés [1]. Il s'agissait là d'un problème qui lui tenait à cœur. Ne l'avait-il pas abordé dans ses lettres à Duchemin et à Gérard Roussel ? Au bout de quinze ans de réflexions politiques et religieuses, après des mois d'action et de propagande, il n'avait pu que constater la tiédeur, la pusillanimité ou le double jeu de chrétiens sincères, mais hésitants. Beaucoup de croyants, en France surtout, demeuraient partisans d'une conciliation entre l'esprit de la Réforme et l'observation du rite orthodoxe : tendance dangereuse pour le calvinisme à ses débuts et qui pouvait arrêter net son élan. Ç'avait été l'attitude de Lefèvre d'Étaples et celle de Briçonnet qui avaient voulu accorder à leur façon certaines tendances réformisantes (prédication nourrie de l'Évangile, piété plus sobre) avec une fidélité foncière à l'Église. C'était la tendance de tous ceux qui espéraient encore, au moins en France, une réforme dans l'Église, par l'Église, et, au besoin — mais seulement au besoin — malgré l'Église. Entre la stricte orthodoxie et la rébellion, n'y avait-il pas encore place pour un compromis, une solution moyenne, celle qu'avait adoptée, au temps de Jésus, Nicodème ?

Bien des esprits hésitaient : crainte de déplaire au roi et à ses ministres, souci d'éviter le scandale, poltronnerie, prudence ou pensée politique, ils reculaient devant le geste décisif, se refusaient à affirmer les droits de la conscience individuelle, demeuraient fidèles à leurs habitudes religieuses, au point d'aboutir à un illogisme qui ne les choquait pas. Pareille attitude ne pouvait être celle de Calvin : il se refusait aux solutions de compromis ; le scandale ne l'effrayait pas, et, dans sa logique rigoureuse, il se révoltait devant ces tergiversations.

C'est pour décider les hésitants qu'il publie ces deux traités. Dans l'un, il rappelle aux vrais croyants qu'il ne faut « ni mesurer le devoir à notre propre commodité », ni « chercher ce qui est expédient à la chair », ni « prendre les moyens de nous exempter de péril ou de fascherie. » On doit tout sacrifier à Dieu, quitter Babylone, fuir à Genève :

> Il ne fault doulter que toutes cérémonies qui emportent idolatrie manifeste sont contraires à la confession d'un chrestien. Pourtant se prosterner devant les images, adorer les reliques des saincts, aller en pellerinages, porter chandelles devant les ydolles, achepter des messes ou des indulgences, ce sont toutes choses meschantes et desplaisantes à Dieu.

Calvin condamne de même l'assistance aux processions, comme aux messes pour les défunts ; tout au plus admet-il, pour les réformés, l'assistance à la messe dominicale, mais à condition expresse d'y prier Dieu « qu'il vueille remettre sus sa pauvre Église ». « Bien heureux est celuy qui est loing de telles abominations », poursuit-il ; il convient, en tout cas, de « s'abstenir de toute idolatrie pour se conserver pur et immaculé envers Dieu », et prêcher la vérité au risque de la mort : «... La gloire de Dieu... nous doit bien estre plus précieuse que ceste vie caduque et transitoire... » ; au moins le supplier de nous « retirer de ceste abysme ou bien dresser une droicte forme d'Eglise par tout le monde. » C'est, déjà, tout

---

(1) Cf. *Opera*, t. VI ; édit. A. Autin, à la suite du *Traité des Reliques*, Paris, 1921. Voir A. Autin, *Un épisode de la vie de Calvin, la crise du Nicodémisme* (1535-1545), Toulon, 1917.

le contenu de l'*Excuse*, mais exposé sans verve, sans passion, sans flamme. Il n'a pu convaincre par la logique et par la douceur ? Il se battra, avec quelle violence ! pour « abbatre les abominations et idolatries qui regnent sur la terre. »

Et c'est l'*Excuse* où, dès l'exorde, il pose avec force le problème : « Ou nous sommes du tout à Dieu, ou seulement en partie. Si nous sommes siens du tout, glorifions-le tant de corps que d'esprit. » Il distingue plusieurs sortes de nicodémites : les ambitieux, d'abord, ceux « qui font profession de prêcher l'Évangile, ...qui ont tousjours le mot d'édification en la bouche, ...les prescheurs qui, au lieu de s'exposer à la mort pour relever le vray service de Dieu en abolissant les idolâtries, veulent fere Jésus-Christ leur cuisinier pour leur bien apprester à dîner. » Ensuite les protonotaires délicats qui sont bien contents d'avoir l'Évangile et d'en deviser joyeusement... avec les dames « moyennant que cela ne les empesche point de vivre à leur plaisir. » Troisième catégorie : «...ceux qui convertissent à demi la chrétienté en philosophie » et attendent paisiblement « s'il se fera quelque bonne réformation », mais sans y aider ; « ceste bande est quasi toute de gens de lettres » : il vise ici, de toute évidence, les humanistes qui ne sont pas allés jusqu'à la pleine réforme. On rangerait volontiers avec eux « les lucianiques ou épicuriens. » Enfin « les marchands et le commun du peuple, lesquels, se trouvant bien en leur mesnage, se faschent qu'on les vienne inquiéter. » Mais tous, il les qualifie, avec cette crudité qui est du siècle, de « cureurs de retrectz » — et, en les stigmatisant, il définit encore sa doctrine.

Il proteste contre leur modération, soutient qu'il faut affirmer sa foi hautement et à tout risque. A ceux qui disent : « Comment ? Quitterons-nous tout pour nous enfuir ne sachant où ? ou bien nous exposerons-nous à la mort ? », il répond qu'il faut risquer la mort. On lui objectera qu'il est lui-même à l'abri. Certes, mais il a exposé lui aussi, et il reste prêt à verser tout son sang. Nicodème, du nom duquel se couvrent ces poltrons, n'a pas agi ainsi à la mort du Christ : « Apres avoir été instruit, il le confesse apertement de jour, voire à l'heure qu'il y avoit plus grand péril que jamais. » Conclusion : « Que chacun se fortifie en la science de Dieu pour avoir meilleur courage à mettre la main à la pâte, c'est-à-dire mettre peine à exalter le règne de Nostre Seigneur Jésus... Et que nul ne fuie de peur d'ouïr sa condamnation. » Affirmation qui ne souffre aucune réserve et propre à exalter les courages hésitants : la leçon ne sera pas perdue, et Calvin verra accourir à ses côtés nombre de croyants convaincus par lui de l'impossibilité de pactiser avec Rome et de la nécessité d'affirmer leur foi ; ainsi la veuve de Guillaume Budé, ainsi M. de Falais qui s'exile à ses côtés et se ruine pour la cause, et combien d'autres ! Sa correspondance ne fera, sur ce point, que confirmer sa pensée : il faut quitter la France, écrit-il à ceux qui lui demandent où est leur devoir ; il faut s'exiler à Genève ; il faut, au moins, renoncer à la messe. Il le dit à Renée de Ferrare ; il le répète à Marguerite de Navarre, avec instance : on ne saurait pactiser avec le catholicisme ; il ne s'agit pas de tenir secrètes ses pensées, il faut agir, manifester sa foi, et hautement — au risque de la vie. Cette intransigeance sera pour beaucoup dans le succès du calvinisme : elle accentue, elle renforce la rupture de 1536-1541.

CALVIN ET LA POLITIQUE GÉNÉRALE
Les préoccupations théologiques n'empêchent pas Calvin de suivre la situation politique générale où se joue, peut-être, — en Allemagne comme en France, — le sort de la Réforme encore débile. De ce souci procédait la fameuse épître à François Ier mise en préface à l'*Institution*, et, pour une bonne part, l'*Institution* elle-même. Il en est de même des *Actes de la journée impériale de Ratisbonne* (1541), compte-rendu de ce colloque qui avait mis en présence catholiques et réformés. Les *Actes* sont suivis, en 1543, d'une prière à Charles-Quint, — *Supplex exhortatio ad Caesarem* [1], écrite à l'occasion du colloque qui devait se tenir à Spire en 1544, colloque qui, dans la pensée de l'empereur, devait essayer de mettre fin aux querelles religieuses. Calvin, dans ces pages, précise une fois de plus sa doctrine, rejette les critiques que lui adressent les catholiques et supplie l'empereur de purifier l'Eglise. Il voulait, avec cet opuscule, appuyer les efforts de Bucer qui devait être à Spire l'avocat des protestants. Parallèlement, il réfutait, toujours en 1544, — en latin d'abord, puis en français, les décisions de la Sorbonne touchant les réformés [2].

LES LIBERTINS SPIRITUELS
Il revient à nouveau à l'erreur des anabaptistes qu'il fustige, en 1545, dans une *Briefve Instruction* [3], pour prendre ensuite la défense de Farel contre les calomnies de Caroli, et préfacer la « Somme » de Mélanchthon. Mais surtout il s'élève contre une secte plus dangereuse à ses yeux que toutes celles qu'il a jusqu'alors combattues, et c'est le rapide mais décisif essai *Contre la secte phantastique des libertins qui se disent spirituels* [4], dans lequel il s'en prend à deux illuminés, Pocque et Quintin, qu'il connaissait depuis 1534 environ, mais qui, vers cette date, prenaient en France, et notamment auprès de Marguerite de Navarre, une influence qu'il avait, tout de suite, jugée pernicieuse. On peut en gros définir leur doctrine comme une grossière déformation de certains aspects du mysticisme catholique, déformation qui, plus d'un siècle à l'avance, fait penser au quiétisme. « Ce sont genz ignares et idiotz », déclare Calvin : ils ne savent pas qu'ils reprennent les lointaines erreurs des valentiniens, des cardoniens, des manichéens ; leur secte n'en est pas moins « pernicieuse », leurs rêveries « diaboliques » — et c'est pourquoi Calvin les fouaille et révèle leur hérésie : il n'y a a « si meschant brigandage, ni poison si pernicieux au monde que ceste maudicte doctrine », pire encore — et ce n'est pas peu dire ! — que la doctrine romaine, « car encore le pape laisse il quelque forme de religion... mais tout le but de ceux-cy est de mesler le Ciel et la Terre... et ne laisser nulle différence entre les hommes et les bestes. » Ne soutient-

---

(1) Cf. *Opera*, t. VI, l'ouvrage est traduit en 1544.
(2) *Articuli facultatis Parisiensis cum antidote*, Genève, 1544. *Opera*, t. VII, p. 1-44.
(3) Cf. *Opera*, t. VII, p. 45-142.
(4) *Ibid.*, p. 145-252.

elle pas que tout ce que nous faisons est l'œuvre de Dieu, qu'il intervient dans le moindre de nos actes, et que, dès lors, la qualité, la nature de ces actes ne doit en rien inquiéter nos consciences ? Les libertins font de Jésus « un sac de toutes villanies », « constituent la saincteté du fidèle en une ignorance brutalle », « mettent à l'homme la bride sur le col à fin qu'il n'y ait rien qui le retienne ou empesche de se donner du bon temps... », ouvrant ainsi la porte à tous les désordres et les justifiant par une fausse et coupable interprétation de l'Écriture. Ils profanent le mariage ; ils condamnent la propriété privée ; bref, ils dénaturent cyniquement l'esprit du christianisme [1]. Avec eux, « toute abomination » est « couverte », « toute ordure... trouvée de bonne odeur », et Dieu, — Calvin ne recule pas devant la crudité de certaines formules, — Dieu devient le « maquereau des paillardz, le recelleur des larrons et meurtriers... »

Que l'on ne s'étonne pas de voir le réformateur accabler de ses sarcasmes et discuter en détail la théorie des libertins : elle connaissait alors en France le plus vif succès. La reine de Navarre, elle-même, dans son goût pour une religion fondée d'abord sur l'élan mystique et l'abandon à la volonté de Dieu, ne protégeait-elle pas les chefs des libertins ? En la circonstance, elle prit fait et cause pour eux. Calvin en fut blessé et écrivit à la reine une lettre respectueuse et digne, et d'une hautaine fierté, pour maintenir entièrement sa thèse et montrer à la princesse les dangers que courait son âme : « Je serois bien lasche, écrivait-il, si en voyant la vérité de Dieu ainsi assallye, je faisois du muet sans sonner mot... »

Ainsi le théologien suit de près l'évolution religieuse de son temps et ne cesse de poursuivre tous ceux, — catholiques romains ou réformés orthodoxes, — qui mettent en péril sa doctrine, sa vérité.

§ 3. — Le gouvernement de Calvin. Ses caractères et ses buts.

LA THÉOCRATIE GÉNEVOISE L'essentiel de son œuvre, cependant, reste l'organisation politique et religieuse de Genève dont il veut faire la citadelle de la foi réformée. A la demi-anarchie qui avait marqué la fin du règne de la maison de Savoie, il substitue une discipline sévère. Genève n'aura connu que quelques années le gouvernement démocratique. Elle sera soumise à la plus stricte théocratie : une loi, — la Bible, — devant laquelle chacun doit plier. Un chef, Calvin, qui, s'il n'a pas théoriquement le titre et les prérogatives de chef de l'Etat, n'en exerce pas moins en fait la plus rude dictature, appuyé par le Consistoire, et imposant aux conseils ses vues, ses directives, ses décisions. Si, nominalement, Genève reste une république, en fait elle est soumise au pouvoir religieux le plus strict, et qui veut, à tout prix, faire régner la morale chrétienne. Elle se voit imposer une discipline totale, collective et individuelle, extérieure et intérieure.

---

(1) Calvin reviendra sur ce thème dans une *Epistre contre un certain cordelier suppost de la secte des libertins...* (1547). *Opera*, t. VII, p. 341.

SUPPRESSION DU CULTE CATHOLIQUE
Calvin a soin de supprimer tout ce qui pourrait, même de loin, rappeler l'idolâtrie romaine : le culte catholique a disparu totalement ; les images sont détruites ; les noms que l'on donne aux enfants, au jour du baptême, sont empruntés à l'Ancien Testament et non plus au catalogue des saints [1]. Sont poursuivis tous ceux qui dans le feu de la conversation laissent échapper la moindre formule rappelant les anciennes habitudes, — ainsi les mendiants qui demandent au nom de la Vierge qu'on leur donne un peu de soupe. Mais ce n'est pas tout : qui vend des chapelets ou des « chandelles » — des cierges — se voit infliger une amende de dix sols. Interdiction de vendre des encensoirs, des calices, des croix, des ornements, — de porter des cierges à bénir le jour de la Chandeleur, — de commémorer les fêtes inscrites au calendrier catholique ; interdiction de réciter les prières en latin et de dire les grâces ou de prier pour les morts, « qui est chose terrible et détestable. » Interdiction d'honorer la Vierge et les saints : on supprimera la salutation angélique de tous les livres de piété imprimés à Genève ; on poursuivra une femme coupable d'avoir prié saint Félix. Interdiction de pratiquer le jeûne et l'abstinence. Interdiction d'attacher un mérite aux bonnes œuvres. Interdiction des mariages mixtes. Au point que certains Genevois, surtout avant 1550, se fâchent, protestent, réclament « qu'on les laisse en paix. » A la moindre peccadille, ils sont traduits devant le consistoire ou les conseils, et maugréent que « la loy d'aultrefois valoit bien ceste cy et que depuis que ceste loy est venue, nous n'avons gayre [= guère] gaigné... » ou affirment que les « predicans d'aultre foys estoient aussi bons que ceulx d'à présent... » [2]. Mais, en même temps qu'il poursuit les survivances catholiques, Calvin, parallèlement, combat tous les dissidents — sur le plan politique ou sur le plan religieux.

L'ABSOLUTISME DE CALVIN
La lutte sera longue : le réformateur connaîtra des heures dures, des échecs momentanés ; il verra ses adversaires près de triompher ; il vaincra tout de même, grâce à son intransigeante ténacité, à son courage de fer, à une volonté qui ne plie devant aucun obstacle. Il est imprudent de critiquer les chefs religieux de la cité, et Calvin le premier : Guillaume du Bois, de Beauvais, sera traduit devant le conseil pour avoir traité celui-ci d'hypocrite, et n'échappera que de justesse à ses sanctions ; Philibert Berthelier à son tour connaîtra les rigueurs de la justice pour avoir déclaré — non sans verdeur, on l'avoue, — au sortir d'un sermon : « Calvin ne veult pas que nous toussions, mais nous peterons et roterons... » Il y a danger, à Genève et aux environs, à ne pas peser ses paroles : un mot trop haut, une phrase malsonnante amènent une citation devant le juge. Ainsi en est-il de celui qui a osé dire que « les predicans d'aultre foys estoient aussi bons que ceulx d'à présent... », ou de Jacques Nicolas Vulliet à qui

(1) Cf. *Opera*, t. X, p. 49 : *Projet d'ordonnance sur les noms de baptesme*.
(2) Je ne multiplie pas les références. Tous les faits auxquels il est fait allusion ici sont explicitement mentionnés dans les *Annales Calviniani* (*Opera*, t. XXI) d'après les registres du Consistoire ou des Conseils.

est intenté un procès criminel pour avoir dit à un réfugié : « Je vois bien que tu es françoys ; vous autres, Françoys, vous venez faire icy des synagogues après avoir chassé les honnestes gens qui disoyent la vérité, mais sous peu on vous enverra fere vos synagogues autre part... » On n'était pas sans se rendre compte, à Genève, de la place de plus en plus grande et de l'influence prises par les Français immigrés. D'où des incidents de ce genre.

L'UNITÉ MORALE — Calvin veut voir régner dans sa ville non seulement l'unité de la foi, mais une unité morale que rien ne vienne entamer. Il surveille, avec quel soin jaloux ! le choix des pasteurs et des maîtres d'école, et leur impose un serment [1], s'informe de leur conduite, admoneste celui qui « ne fayct ce que ung bon ministre doibt faire », démet de leurs fonctions tel ou tel d'entre eux, ainsi ceux qui « auraient parlé de se donner au diable. » Ainsi encore en 1544 poursuivra-t-il Castellion pour certains propos scandaleux : n'a-t-il pas osé soutenir que les ministres font « tout au contrayre de S. Paul, disant que S. Paul estoyt humble et que les ministres son fiers ; S. Paul estoyt sobre et eulx n'hont cure que de leur ventre ; S. Paul estoyt vigillant sur les fidèles et eux vellie [= veillent] à jouer ; S. Paul estoyt caste et eulx sont palliars [= paillards] ; S. Paul fust imprisoner et les ministres font imprisoner les aultres... » [2]. Texte significatif.

Ce qu'il exige des ministres, il l'exige aussi des fidèles. L'un d'eux tente-t-il de se suicider ? Il l'admoneste. Un certain frère Noël soutient que le Nouveau Testament a été écrit par le diable : Calvin le fait poursuivre. Il fait enquêter de même tous ceux qui sont suspects de se livrer à la magie, à la sorcellerie, d'user de paroles « charmelleuses » ou d'invoquer Satan, tel Amy Gagnet, soupçonné d'avoir « achepté ung dyable familier... un dyable noir » enfermé dans une bouteille. Calvin traque les indifférents : les punitions pleuvent sur ceux qui se révèlent incapables de réciter « l'oraison et la confession » en français, ou qui les disent « povrement », sur ceux aussi qui n'assistent pas au prêche ou ne participent pas à la cène dans l'un des trois temples de Genève, Saint-Pierre, Saint-Gervais ou la Madeleine.

SURVEILLANCE EXERCÉE SUR LES CITOYENS GÉNEVOIS — Plus encore, il surveille la conduite privée de ses concitoyens pour les contraindre à la vie chrétienne la plus stricte : les jeux les plus innocents, — quilles, jeu de dames, — sont à peine tolérés ; interdits les jeux de dés ou de cartes, où l'on risque de l'argent. Inquiétés, les jeunes gens qui se laissent aller à danser, les hommes faits qui hantent les tavernes (Marot, on le sait, quittera Genève pour s'être ainsi compromis). Qui est surpris à blasphémer ou à lancer un juron est poursuivi, comme le sont ceux qui chantent des chansons deshonnêtes, et les adultères, et les « paillards » contre qui s'exerce particu-

(1) *Opera*, t. XXI, col. 335.
(2) *Opera*, t. XXI, col. 336. Cf. F. Buisson, *op. cit.*, I, p. 193-221.

lièrement la vindicte de Calvin ; « pour ce que la paillardise et les jeux
règnent grandement en Genève », le procureur général est invité à poursuivre ; les coupables se verront frappés de six jours de prison et de cinq
florins d'amende. De même Calvin s'inquiète de voir les hommes et les
femmes se baigner en commun aux étuves.

La surveillance la plus sévère pèse sur Genève : individus, familles,
métiers, aucun groupe social, aucune activité n'échappe à la police de
Calvin. De liberté de croyance, il n'est plus question. La controverse est
interdite : Caroli, Castellion, bientôt Michel Servet sauront ce qu'il en
coûte de discuter la foi calviniste. On n'imprime plus sans le visa de la
censure, sans l'autorisation de Calvin qui lit tout, même les livres de ses
amis, un Cop, un Bullinger — dont il devrait être sûr. On brûle l'*Amadis* :
c'est un roman et donc un livre dangereux. Genève vit sous le signe de la
sanction ou de l'excommunication. Le citoyen y est soumis à la règle
commune, et n'y saurait échapper : mœurs, costumes, distractions, repas,
livres, tout est surveillé de près. L'école forme les enfants selon les
directives du chef ; l'église les guide dans le chemin de la vertu lorsqu'ils
sont devenus des hommes, — l'église, c'est-à-dire Calvin. L'assistance
au culte est obligatoire, et contrôlée : maisons et rues doivent rester
vides et silencieuses à l'heure du prêche et de la cène ; la police y veille
avec rigueur. Il ne suffit pas de se rendre au temple : il faut s'y bien
tenir et participer à la cène aux dates réglementaires. Comme il faut subir
les enquêtes du magistrat, — de véritables visites domiciliaires — et ses
interrogatoires. Comme il faut subir la surveillance de tous et de chacun,
parents, enfants, domestiques, amis ou voisins, toujours prêts à signaler
le moindre manquement à la règle. On est vertueux à Genève, par conviction sincère ou par force, parce que l'on ne peut faire autrement si l'on
ne veut pas être inquiété. Unité morale, imposée par la loi — et par la
police ; triomphe de la discipline : impossible à qui que ce soit d'y échapper.
Il faut l'accepter, et prêter le serment exigé par Calvin de ses fidèles, —
serment religieux et politique, — ou s'exiler.

Grâce à cette dureté que rien, jamais, ne fit fléchir, Calvin put s'assurer
à Genève un double pouvoir : direct, sur le plan religieux, — indirect,
sur le plan politique, d'une égale intransigeance et qui, malgré de longues
résistances et des luttes parfois indécises, finit par s'imposer à tous sans
que personne n'osât plus le discuter. Mais l'autorité du théologien, dès lors,
s'affirmait avec une égale volonté, une force égale et des résultats inégaux,
mais impressionnants sur le plan international.

§ 4. — La propagande calviniste en Europe (1541-1547).

SUCCÈS DES IDÉES CALVINISTES   Aussi bien, et plus peut-être que
celle de Luther — au moins plus
largement — la doctrine de Calvin s'est affirmée très vite en Europe,
dès qu'elle a été définie par l'*Institution*, voire dès le discours de Nicolas
Cop. Son influence, pour ne s'être exercée d'abord que sur des individus
ou des groupes restreints, n'en a été que plus efficace car elle s'exerçait

sur des élites. On ne saurait mieux la définir qu'en la comparant, toutes proportions gardées, à celle d'Ignace de Loyola. Elles s'affirment, contemporaines, parallèles, mais de sens contraire, l'une tendant à l'exaltation de la papauté, l'autre instaurant au contraire une église indépendante de Rome, mais qui, dans sa doctrine, est aussi sévère, et, dans sa discipline, plus intransigeante — à l'époque surtout où elle est définie.

LA PROPAGANDE CALVINISTE   A Bâle, à Strasbourg, à Genève, puis dans les colloques où il se rend — et ce sont les discussions de Francfort, de Haguenau, de Worms, puis de Ratisbonne qui se déroulent de 1539 à 1541, — Calvin, qui n'a pas encore la notoriété de Luther, de Mélanchthon, ou simplement de Bucer, de Capiton ou de Zwingle, est tout de suite considéré par ceux qui le rencontrent, — catholiques ou réformés, — comme un esprit hors ligne, un dialecticien dangereux, un théoricien capable de construire, et comme un allié ou un ennemi redoutable. Son action personnelle, directe, est amplifiée par celle, plus lointaine, de ses écrits : l'*Institution chrétienne*, le *Catéchisme* sont traduits très vite en allemand, en anglais, en italien, en espagnol, en hongrois, en grec [1], et ces traductions vont porter la pensée de Calvin dans l'Europe entière, aux limites exactes du monde civilisé, — puis avec eux, après eux, la longue série des livres calviniens, qu'ils soient écrits en latin ou en français, contribue à orienter toute une famille d'esprits dans le sens voulu par le réformateur. Leur action est appuyée par une abondante correspondance [2] adressée, un peu partout en Europe, à tous ceux qui, de près ou de loin, adhèrent aux idées nouvelles. Il essaie, en France, d'agir sur François Ier par l'intermédiaire de la reine de Navarre dont il s'exagère, après 1540, l'influence, mais qui paraît encore capable à ses yeux d'animer une réforme : il attache assez de prix à son intervention pour intervenir près d'elle dans l'affaire des libertins spirituels [3]. Il tente en Allemagne de convaincre Charles-Quint — et c'est en 1542 — qu'il doit rétablir la paix dans l'Eglise [4]. Ce qui ne l'empêcha pas, avec un sens politique très avisé, de lutter de loin par ses lettres et directement par ses conversations pour briser l'unité impériale des Allemagnes. Il répond avec une ironie sarcastique aux arrêts de la Sorbonne et offre contre eux un « antidote » [5]. Dès que le concile de Trente entame ses travaux, il les suit avec un intérêt passionné ; il reprend le combat avec toute son érudition et une âpreté qui rappelle ses luttes contre les théologiens de Paris [6].

Le 16 février 1546, quand meurt Luther, qui va succéder à la tête du mouvement réformé, au théologien de Wittemberg ? Ni Bucer, ni

---

(1) Traductions de l'*Institution*, en anglais : 1548, en grec : 1551, en italien : 1557, en hollandais : 1560, — du *Catéchisme*, en italien : 1545, en anglais : 1550, en espagnol : 1550, en allemand : 1556. Je ne cite que les principales.

(2) On la trouvera dans les t. X-XX des *Opera*. Cf. plus bas, chap. IV, p. 234. Sur cette action de Calvin, cf. F. DE CRUE, *L'action politique de Calvin hors de Genève d'après sa correspondance*, Genève, 1909.

(3) Cf. *supra*, p. 222.

(4) Cf. *Supplex exhortatio ad Caesarem* (1543), *Opera*, t. VI, p. 453.

(5) Cf. *Articuli facultatis parisiensis cum antidote* (1543), *Opera*, t. VII, p. 1.

(6) Cf. *Acta synodi Tridentinae, cum antidote* (1547), *Opera*, t. VII, p. 365.

Bullinger, ni Zwingle, — aucun des survivants, mais le dernier venu :
Calvin. Il fait désormais figure de chef religieux, malgré les divisions
qui se marquent dans le mouvement protestant. Il incarne la plus haute
autorité morale et doctrinale de la Réforme. Ses idées vont triompher
surtout en Suisse et en France où le luthéranisme ne gagnera plus de
terrain, non plus que la doctrine de Zwingle. Son *Petit Traicté de la Cène*,
en 1545, a tranché aux yeux de beaucoup de fidèles le débat entre le réalisme de Luther et le mysticisme de Zwingle : il a prêché sa doctrine à
Berne, à Zürich, disputé contre Bullinger, et sa théologie, plus vivante,
et, malgré tout, plus mystique que celle de ce dernier, lui a rallié nombre
de pasteurs ; à leur tour ils exposent ses théories, si bien que, le 31 mai
1549, il pourra signer un accord avec Bullinger et, de la sorte, faire triompher ses vues en Suisse, puis dans l'ouest de l'Europe, — l'Angleterre
échappant, en partie, à son enseignement de par le caractère politique
imposé, outre-Manche, à la Réforme.

On voit se grouper à Genève, autour de sa jeune autorité, des esprits
enthousiastes venus de tous les points de l'horizon : l'Anglais Knox, le
Flamand Philippe Marnix de Sainte-Aldegonde, des Italiens comme
Ochino [1], général des Capucins, qui, ami de Juan Valdès, s'abandonne
sans retour à l'hérésie en 1542, ou Caracciolo. Ne parlons pas des Français : ils sont nombreux, — au royaume de France, d'abord, dans les
pays voisins ensuite, en Rhénanie, dans les Flandres et aux Pays-Bas,
jusqu'en Suède où le médecin Beurré introduit le calvinisme ; tous, qu'ils
soient passés ou non par Genève, se font les propagandistes de l'*Institution*
parce qu'ils ont aimé la pensée de Calvin, son savoir, son impeccable
logique, et que, déçus par les faiblesses de l'Église, autant que séduits
par certains aspects de l'esprit critique humaniste, ils ont accepté les
conclusions dogmatiques et la sévère discipline instaurées par le réformateur [2].

LES RÉSISTANCES   Ce n'est pas dire que la doctrine genevoise triomphe
partout — et totalement. Loin de là. Elle se heurte,
au contraire, à de vives et d'habiles résistances qui, bientôt, vont s'organiser, ou, simplement, à de décevantes défaillances. Au royaume de
France, Calvin doit constater le refus intransigeant de François Ier,
qui, demain, sera celui d'Henri II. Refus du roi ; mais refus aussi du
peuple de France, qu'il s'agisse de Montmorency ou du laboureur ; refus
d'abandonner la prière pour les morts, la messe et les saints familiers.
Échec aussi du côté de la reine de Navarre qui se donne à un mysticisme
étranger aux idées qu'enseigne l'*Institution* ; que l'on relise la *Comédie
jouée à Mont-de-Marsan* [3], et que l'on y étudie surtout le rôle de la « Ravie
de l'Amour de Dieu », on sera fixé : l'intransigeance, la logique totalitaire

---

(1) Cf. t. XVII, L. Cristiani, *L'Église à l'époque du concile de Trente*, p. 291 et suiv. ; cf.
supra, p. 155, *infra*, p. 279-282, 283, 293, 371-372, 412, 427.
(2) On ne saurait exagérer à cet égard le rôle joué par l'Académie genevoise, création de Calvin,
d'où sortirent les pasteurs de la nouvelle église. Sur ce point, cf. Ch. Borgeaud, *Histoire de l'Université de Genève, L'Académie de Calvin*, Genève, 1900, t. I.
(3) Marguerite de Navarre, *Dernières Poésies*, édit. A. Lefranc, Paris, 1896 et surtout
Théâtre profane, édit. V. L. Saulnier, Paris, 1946.

de Calvin ne seront jamais le fait de la princesse qui cherche à briser les chaînes de ses *Prisons* et tente, dans ses *Chansons spirituelles*, de dire les élans de son cœur vers un Dieu sensible, d'abord, à l'amour de ses créatures ; elle est bien loin, ici, de ce qu'elle avait écrit, environ 1530, dans le *Miroir de l'Ame pécheresse* ou le *Discord de l'Esprit et de la Chair*. A la religion fondée sur la crainte, elle tend à substituer une religion fondée sur l'abandon et sur l'amour — et ce n'est pas ce qu'enseignait Calvin.

Il a, d'un autre côté, des correspondants en Italie, à Rome, à Venise, à Turin. Ses écrits lui ont gagné Bernardino Ochino, — et Renée de France, à Ferrare d'abord, puis en France, où elle est revenue, lui garde son amitié, et peut-être son adhésion. Mais la renaissance catholique marque déjà des succès dans la péninsule sans qu'il soit besoin d'attendre les décisions du concile de Trente. Sans parler de la résistance, que sur un plan opposé, lui marquent, ici et là, les rationalistes élèves des philosophes padouans et disciples de Pompanozzi, auxquels il va se heurter à Genève même dans la personne et la doctrine de Servet. Dont il ne saura se débarrasser que par une exécution tragique, et qui lui sera durement reprochée : n'avait-il pas réclamé pour lui le droit d'interpréter librement la doctrine ? pourquoi se refusait-il à laisser discuter la sienne ?

De l'Espagne, est-il utile de parler ? La doctrine ne s'infiltre pas au delà des Pyrénées, ou de façon très sporadique, même si les idées d'Érasme y ont connu un vif succès et si le luthéranisme y a gagné quelques adeptes [1].

PROGRÈS DU CALVINISME A L'EST ET AU NORD DE L'EUROPE — En revanche vers l'est, vers le nord, le calvinisme marque des progrès et gagne du terrain malgré l'expansion très active du luthéranisme. En Europe centrale, d'abord ; et surtout en Bohême où le souvenir de Jean Huss restait vivant, voire en Pologne, où, à la cour du roi Sigismond, un franciscain explique l'*Institution* et gagne aux idées de Calvin une grande partie de la noblesse. A tel point que le prince, convaincu de la vérité du calvinisme, réclamera violemment à Rome pour son peuple la communion sous les deux espèces, le droit de se marier pour ses prêtres, et une réforme des abus. L'orthodoxie triomphera, mais après une lutte sévère, et non sans de tragiques vicissitudes.

En Allemagne, la doctrine génevoise a la malchance d'arriver un peu tard : les idées de Luther se sont imposées. Celles du réformateur français sont étudiées avec curiosité, certes, voire avec sympathie, mais sans plus. On trouverait, sans doute, des amis de Calvin un peu partout, en Bavière ou en Wurtemberg, à Ulm, à Augsbourg, mais guère au delà. Ni en Saxe, ni dans les principautés du nord et du nord-est, — Hesse, Brandebourg, Poméranie, Hanovre, — ce qui sera plus tard la Prusse, — il ne semble guère avoir compté de partisans, moins encore d'églises alliées : Luther s'est taillé la part du lion. Le calvinisme se heurte un peu partout à de

---

(1) Cf. M. BATAILLON, *Alonso de Valdès, auteur du Dialogo de Mercurio y Caron,* dans *Homenaje a Menendez Pidal,* Madrid, 1925, t. Iᵉʳ, et voir plus haut, p. 157-159.

vives réactions luthériennes, tandis qu'en Autriche, grâce à l'autorité
des Habsbourg, il connaît de sérieuses résistances catholiques.

Par contre, et tout naturellement, il s'infiltre assez vite et assez profondément tout au long de l'ancienne « rue des Prêtres », sur les deux rives
du Rhin, qui sont en relations étroites avec la Suisse, et dans les villes
desquelles on a vu Calvin, on a écouté sa parole. Là, il compte de
nombreux amis, agissants, influents : on accepte son enseignement ; mieux :
on le désire, on l'appelle. Strasbourg et l'Alsace, Metz et la Lorraine,
plus loin encore les villes du Palatinat ; dans les principautés, les évêchés
rhénans on lit les Bibles d'Olivetan et de Robert Estienne, et l'*Institution
chrétienne* plus que les écrits de Luther [1] : c'est à des calvinistes qu'un
siècle plus tard Bossuet, jeune chanoine de Metz, se heurtera à ses débuts ;
c'est un calviniste que le pasteur Robert Ferri contre lequel il engagera
sa première polémique. La doctrine genevoise ici gagne du terrain, et
loin : elle s'étendra jusqu'aux Flandres, jusqu'à la Frise ; elle passera
la mer du Nord : Warwick sera son promoteur en Angleterre avec Knox,
disciple direct du maître : il existe à Londres, dès 1550, une église calviniste française à laquelle s'attachent la plupart des réfugiés français ;
le roi Édouard VI lui-même sera gagné aux idées genevoises, et Calvin
lui dédiera plusieurs ouvrages dont une *Exposition sur les Psaumes* [2]
(1557), mais la mort du roi et l'avènement de Marie Tudor arrêteront
ce mouvement au profit de l'anglicanisme, et Knox, propagandiste avoué
de Calvin, devra se réfugier à Genève. L'expansion, de ce côté, se voit
très vite arrêtée — ou limitée.

LE PROBLÈME DE L'UNITÉ   Dernier venu, et dernier survivant des
PROTESTANTE   grands réformateurs, Calvin ne réussira
                            pas à réaliser son rêve, rétablir parmi les
protestants l'unité de doctrine. Il se heurta, en effet, sur ce point, à des
positions fortement établies, à la plus vive, à la plus tenace opposition
dont ses efforts ne purent triompher. Dès son retour à Genève, il s'était
employé à unifier les points de vue, à concilier les doctrines opposées.
En vain : il a pu faire, en 1543, des concessions à Zwingle sur la question
de la cène lorsque parurent les œuvres complètes de ce dernier ; Luther,
opposé à Zwingle, s'irrita de cette attitude et réveilla la querelle : la cène
n'est pas un simple symbole. La dispute reprendra en 1553 lorsque West-
phal, pasteur à Hambourg, se fera contre Calvin le défenseur intransigeant
de la doctrine luthérienne, au risque de se voir traité de « papiste », mais
il ralliera l'Allemagne à ses idées, et Calvin n'y trouvera plus, pour partager
sa foi, que quelques isolés. Mélanchthon lui-même, quoique très lié avec
lui, n'adhérera pas à sa doctrine et se tiendra dans une attitude assez
réservée.

On se battra dans le camp protestant non seulement sur la question
des sacrements, mais sur celle de la prédestination, et Mélanchthon se

---

(1) Sur la confusion religieuse en Rhénanie, cf. les réflexions de L. FEBVRE dans *Le Rhin, problèmes d'histoire...* Paris, 1935, p. 111-112.
(2) Cf. *Opera*, t. XXXI : *Commentarius in librum Psalmorum*.

refusera à admettre que Dieu ait voulu de toute éternité la chute de l'homme ; et Bullinger distinguera la prescience de la prédestination. Nombre d'églises suisses se réserveront, et l'on verra Berne accueillir et protéger certains adversaires de Calvin, un Bolsec notamment, dont elle fera un pasteur de Thonon. Il y eut, pendant plusieurs années, une véritable crise dans les rapports entre Genève et Berne, — ne parlait-on pas à Berne, où l'on reprochait à Calvin son hostilité à Zwingle, de brûler ses livres si on les introduisait dans le canton ? En Suisse même l'unité ne s'est pas réalisée.

A plus forte raison en Allemagne où, pour des raisons politiques (sans parler de son antériorité), le luthéranisme s'est imposé, et s'est constitué en Église nationale, — tout comme le calvinisme à Genève, mais sur un autre espace, et avec de plus larges moyens d'expansion ou de défense : il s'est posé comme la seule religion orthodoxe en Allemagne, et à ce titre, s'est proclamé religion unique. Il ne s'est pas agi pour lui simplement de ruiner le catholicisme outre-Rhin, mais de s'opposer aussi à la propagande et au succès d'autres sectes réformées, de celles, surtout, dont l'origine n'était pas allemande. A la libre discussion, à la tolérance réciproque dont avaient fait preuve à l'origine les diverses confessions protestantes, succède un état d'esprit tout différent : ce n'est pas seulement en France que les calvinistes sont pourchassés et persécutés, c'est aussi outre-Rhin, et, un peu plus tard, tout simplement à Strasbourg, jusque-là citadelle de la liberté religieuse et accueillante à tous. On souscrit, en Allemagne, à la confession d'Augsbourg, mais non pas aux articles de foi dictés par Calvin.

ÉCHEC DES TENTATIVES D'UNIFICATION Il faut bien, très objectivement, souligner l'échec des tentatives d'unification. A l'heure où l'Église catholique, au prix de mille difficultés, de discussions souvent confuses et parfois décevantes, cherche au concile de Trente et réussit à poser les principes d'une réforme de l'Église, dans l'Église, par l'Église, réforme qui a sauvé, tardivement, son unité, les églises protestantes cherchent en vain à définir en plusieurs rencontres une foi commune. On ne saurait, s'agissant de réformés qui rejettent dans le passé l'autorité de pareilles réunions, parler de concile. Mais c'est un large « colloque » que cette assemblée, suggérée dès 1543, réclamée en 1548 par Crammer, qui se réunira à Worms en 1553. Pourtant les calvinistes n'y seront pas représentés, ni, seulement, convoqués. Catholiques et luthériens seuls s'y affronteront : Calvin enverra bien une ambassade conduite par Guillaume Farel et Théodore de Bèze, avec mission de demander aux réformés allemands de soutenir les réformés de France, mais c'est à la confession d'Augsbourg, qui affirmait la présence réelle, que se rallièrent les théologiens germaniques. Ils condescendirent toutefois à prévoir, — le colloque n'ayant pas abouti, — la réunion d'un synode réformé où toutes les confessions seraient admises. Ce synode ne fut jamais convoqué. L'échec du colloque de Worms provoqua la division définitive du mouvement réformé en trois grandes tendances :

la luthérienne, aux Allemagnes, d'un bout à l'autre de l'Empire, — l'anglicane en Grande-Bretagne, — la calviniste, en Suisse et en France, aux bords du Rhin et en Écosse, de Genève aux Pays-Bas et jusqu'à Édimbourg. Le calvinisme n'a pu triompher ni du sens individuel ni du sens national, et Calvin ne réalisa pas, — quoique le dernier survivant des grands réformateurs, et le plus habile politique, — la grande pensée qui fut la sienne : il n'y aura pas, face à Saint-Pierre de Rome, une Église protestante dont le Vatican serait à Genève, à Saint-Pierre. Il y aura des églises protestantes, celles dont Bossuet écrira savamment les variations, qui se sont fondées sur la division, Zwingle s'opposant à Luther, Calvin aux anabaptistes, Michel Servet à Calvin. Pouvait-il en être autrement de mouvements nés à des moments différents, en des pays très variés, d'esprits opposés les uns aux autres et qui, tous, se fondaient sur la libre interprétation de la Bible ? Calvin admettait cette libre discussion lorsqu'il rejetait le dogme romain ; il la repoussait lorsqu'il s'agissait de sa propre pensée. Mais comment eût-il pu, logiquement, faire triompher le principe d'autorité, qu'il avait jeté bas, comme ses rivaux, d'un mouvement de pensée très conscient ?

Et comment rallier à une doctrine unique des esprits divers à qui on a donné pour principe que la vérité sort du « libre examen » ? Ils ont, tout naturellement, adhéré à celle qui leur convenait et se sont refusés à toute concession à une confession commune. D'autant que, diverses sur le plan théologique, les églises le sont aussi sur le plan national — et s'opposent ainsi un peu plus. La seule qui ait échappé à cette tendance politique est l'église calviniste, peut-être parce qu'elle a été fondée à Genève, dans une république, et parce que son chef a fait de la république une théocratie, où l'unité religieuse prime toute considération nationale. On ne saurait nier que s'il a échoué sur le plan européen, Calvin a réussi sur un plan que l'on dirait volontiers largement régional et qu'il a pu grouper dans une même foi, une même discipline, un même rite la plupart des communautés réformées de l'ouest européen, de Genève à l'Écosse par les pays du Rhin, — Alsace, Palatinat, Flandre et Pays-Bas.

Et surtout les églises de France. Il a ainsi constitué, aux bords et à l'ouest du Rhin, équilibrant les églises luthériennes, une fédération d'églises calvinistes qui resteront fidèles à sa pensée.

CHAPITRE IV

LA PERSONNALITÉ DE CALVIN

On ne saurait terminer cette étude sur les origines et les premiers développements de la Réforme sans tenter de définir la personnalité du théologien, en l'opposant à Luther qui l'a précédé dans la voie de l'hérésie.

L'AUSTÈRE CALVIN — Il apparaît, dès sa jeunesse, comme un pur intellectuel, un « cérébral », dit Imbart de La Tour. A la différence du moine allemand, il a, toute sa vie, attaché peu de prix, pour ne pas dire simplement aucun, aux plaisirs de la terre. On a, longtemps, dans la polémique, attaqué ses mœurs ; on l'a chargé de vices infâmes : de ce fait, il aurait été, a-t-on dit, emprisonné et marqué au fer rouge. La polémique s'est déchaînée contre lui avec une virulence qui ne s'explique que par les mœurs du temps, d'abord, puis, reconnaissons-le, par l'esprit de parti, compréhensible — humainement parlant, injustifiable sur le plan de l'histoire. Il n'est pas nécessaire pour discuter sa doctrine de se placer sur un autre plan que sur le plan religieux. Calvin a ignoré les flambées de la sensualité. On ne connaît de lui aucun propos comparable à ceux de Luther, aucune de ces plaisanteries osées auxquelles s'est plu ce dernier. Il n'a pas apprécié les plaisirs de la cuisine, ni aimé à boire. Les mots salés ne sont pas de son goût. Il s'est marié, peut-on croire, pour prêcher d'exemple et affirmer par ce geste sa doctrine, prouver qu'un ministre de Dieu pouvait, devait être marié. Et qui a-t-il épousé ? Une veuve d'âge mûr, « femme grave et honnête » qui avait deux enfants. Ce faisant, il obéit non à l'appel des sens, mais à une conviction logique : il applique un programme. Sa femme, son enfant morts, il ne s'est pas remarié ; il a vécu, jusqu'à sa fin, dans la plus stricte austérité, celle-là même qu'il imposait aux Génevois.

A quoi bon insister ? S'il a poursuivi, comme il l'a fait, durant toute sa vie de chef d'État, tous ceux qui s'abandonnaient au plaisir, ce n'est pas seulement par souci de la morale publique, mais par conviction : ivrognes, adultères, filles délurées, cabaretiers, tenanciers de maisons de jeux ou de salles de danse furent, sur ses ordres, impitoyablement traqués, et toujours durement frappés. Aucun d'eux n'obtint la moindre indulgence. Dès son arrivée, les « admonitions » frappant l'inconduite sous toutes ses formes ont plu sur Genève. Dès le 19 juillet 1538 le conseil n'a-t-il pas publié à sa prière une interdiction d'aller « de nuyct après neuf heures pour joyer, palliarder, ne taverner, ne aussy ivrogner » ? On multiplierait les exemples. La cause paraît bien entendue si l'on veut

bien renoncer à d'inutiles polémiques. On ne saurait taxer le réformateur
d'hypocrisie : il a mis d'accord ses actes et sa doctrine. On doit renoncer
à la légende d'un Calvin dissimulant ses vices. Ses mœurs furent intègres.
Il vécut simplement, sobrement, pauvrement, du salaire minime qui lui
fut accordé par les conseils de Strasbourg ou de Genève, sans attacher
le moindre prix aux joies les plus humbles, les plus licites. Pourquoi ne
pas croire Théodore de Bèze qui a vécu dans son intimité ?

Quant à son vivre ordinaire, chacun sera tesmoin qu'il a esté tellement tem-
péré que, d'excès, il n'y en eut jamais, de chicheté aussi peu, mais une médiocrité
louable, hors mis qu'il avait par trop peu d'esgart à sa santé, s'estant contenté
par plusieurs années d'un seul repas pour le plus en vingt-quatre heures, et
jamais ne prenant rien entre deux… Estant de si petite vie, il dormoit fort peu…
estant en continuel et très heureux travail d'esprit… Y avoit il maison, pour
la qualité d'un tel homme, je ne di point moins somptueusement, mais plus
povrement parée [1] ?

LE LABORIEUX CALVIN Il n'a connu qu'un seul plaisir : l'action, par
le travail, — un travaii démesuré. Malgré
sa mauvaise santé : la maigreur décharnée que révèlent ses portraits
est un indice sûr ; avant de connaître les souffrances de ses dernières
maladies, la goutte, la pierre, des hémorroïdes, la « fièvre phtysicque »,
il avait été assailli d'incoercibles migraines qui le privaient de sommeil
et l'épuisaient sans abattre son énergie. Ici encore il convient de citer
Théodore de Bèze :

S'il faut mettre en avant le travail, ie ne croy point qu'il se puisse trouver
son pareil. Outre ce qu'il preschoit tous les iours de sepmaine en sepmaine, le
plus souvent et tant qu'il a peu, il a presché deux fois tous les dimanches ;
il lisoit trois fois la sepmaine en théologie, il faisoit les remonstrances au consistoire et comme une leçon entière tous les vendredis en la conférence de l'Escriture que nous appelons Congregation… Au reste qui pourroit raconter ses autres
travaux ordinaires et extraordinaires ? Je ne sçay si homme de nostre temps a
eu plus à ouïr, à respondre et à escrire, ni de choses de plus grande importance [2].

Et c'est exact : « Jamais n'a cessé de travailler iour et nuict après
l'œuvre du Seigneur. » En ce siècle qui vit tant de travailleurs acharnés,
— un Érasme, un Budé, — l'activité déployée par Calvin dépasse tout
ce que l'on peut imaginer.

LE MAITRE Théologien, il enseigna de toutes les manières, par la
parole et par la plume : il a multiplié les sermons, les conférences, les leçons, et joint à cette action directe mais limitée à ses seuls
auditeurs helvétiques, l'action plus lointaine et plus générale qu'exerçaient ses écrits. La collection de ses œuvres complètes se chiffre par
soixante volumes in quarto d'un texte serré : on y a recueilli tout ce qui
a pu être conservé de ses prêches, mais surtout les traités qu'il a multipliés après l'*Institution chrétienne*, et cette innombrable correspondance
qui a porté son influence dans toute l'Europe occidentale : lettres à des
rois, à des princes, à des théologiens, à des professeurs, mais aussi à de
simples particuliers, et de tout rang, dont il voulait confirmer la foi,

(1) *Opera*, t. XXI, col. 34-35. Son héritage n'atteignit pas 200 écus.
(2) *Ibid.*, t. XXI, col. 33.

encourager l'esprit de sacrifice. Il a été servi par une incomparable facilité, une aptitude extraordinaire à rédiger vite — qu'il partageait, d'ailleurs, avec plusieurs de ses contemporains, mais qui n'en reste pas moins éblouissante. Elle s'accompagne d'une clarté, d'une logique, d'une précision qui font de lui un maître au sens plein du mot. Le succès de sa doctrine suffit à prouver ses qualités d'apôtre, d'enseigneur, de dialecticien.

ÉTENDUE ET LIMITE DE SES CONNAISSANCES — Elles étaient servies par une mémoire hors de pair qui fournissait à point nommé à l'orateur dans sa chaire, à l'écrivain dans son cabinet, les faits, les idées, les citations les plus sûrs. Il n'est que de feuilleter, au tome LIX des *Œuvres*, l'index des citations faites par Calvin d'après la seule Écriture, de la *Genèse* à l'*Apocalypse* : il ne comprend pas moins de 129 colonnes, avec prédominance des emprunts faits aux *Psaumes* et (on s'en doute) à saint Paul. On ne doute pas que beaucoup de ces références ne renvoient à des textes relus soigneusement pour la rédaction d'un livre, mais beaucoup aussi sont certainement des citations spontanées, jaillies à l'heure voulue d'un cerveau admirablement armé. On ne s'en étonnera pas, sachant à quel point les hommes du XVIe siècle avaient su exercer leur mémoire. Celle de Calvin paraît cependant exceptionnelle. Mais elle ne s'est exercée que dans un domaine assez limité, à l'inverse de la plupart des humanistes qui ont exploré des champs plus vastes et plus divers. Très vite, et dès qu'il s'est orienté vers les recherches théologiques, Calvin a limité son enquête. Loin de vouloir l'étendre à l'infini, — et c'était le but que visait, dans son appétit de savoir, un Rabelais, ou, avec plus de discrétion, un Érasme, — il n'a pas voulu, ses études terminées, pousser plus loin que ne l'exigeait la tâche fixée.

Il s'est satisfait des résultats auxquels était parvenue non pas la science de son temps, mais celle du moyen âge. Comme la plupart de ses contemporains, il ignore les découvertes de Copernic : quel intérêt lui auraient-elles offert ? Il connaît, des lettres classiques, ce que devait en connaître un « artien » évolué : il sait le latin, mais aussi le grec, l'hébreu ; il a lu les grands auteurs classiques ; il ignore le détail de l'antiquité, celui dont s'enchante — même si ce n'est qu'à travers les compilations de Ravisius Textor, — le père de Gargantua. On peut se demander si ces érudits et ces savants que lisait Rabelais, — Pline l'Ancien ou Porphyre, — Calvin les a simplement feuilletés. Il n'a de curiosité que théologique. Mais, dans ce domaine, il ne redoute personne : il sait tout ce qu'il faut savoir ; il a lu tout ce qu'il fallait lire pour disputer : l'Écriture, d'abord, les Pères, quelques scolastiques qu'il ne cesse de railler, théologiens du dogme ou de la morale. Rien en dehors des problèmes que posent ces deux ordres de questions ne l'intéresse, et il demeure étranger aux problèmes littéraires, esthétiques, voire philosophiques auxquels s'attachent alors un Rabelais, et bientôt un Ronsard. La vérité seule, divine et humaine, le préoccupe, sous la forme de l'idée pure, puis de son application pratique.

Mais, à la différence de ses contemporains, il néglige le concret de la vie. Même nourri de la Bible, comme plus tard Bossuet, il ignore la nature :

il n'a pas salué l'éclat du soleil, admiré la pureté de l'aurore comme le
psalmiste qui devait y voir les « effets » de la « lumière infinie » du Seigneur.
Les images qu'il emprunte aux paysages qu'il connaît ne sont que les
formes faciles de précises comparaisons, — rien de plus. A-t-il été sensible
aux arts ? Sûrement pas. Il les condamnait pour la plupart comme une
manifestation de la sensualité humaine ou de ses erreurs dogmatiques :
le temple calviniste est un temple nu, vide de statues, de tableaux, de
toutes les images susceptibles ou de distraire ceux qui les regardent ou
de briser l'élan direct de la pensée vers Dieu. Il n'y aura, de longtemps,
de style calviniste en peinture ou en sculpture. Tout au plus admettra-
t-il la musique, s'agissant spécialement du chant choral, expression collective des élans individuels, qui unit dans une manifestation unanime et
anonyme les sentiments de tous et de chacun, mais sans l'aide des orgues
ou des instruments de musique. La musique sacrée se satisfait de la voix
humaine, capable à elle seule de traduire l'amour ou le repentir, la crainte
ou la confiance, la honte du pécheur et la joie du croyant, sans que rien
vienne mêler à sa pure sincérité l'attrait physique des cordes et des bois.
Il ignore, sous toutes les formes qu'elle a pu prendre, la beauté physique,
source du désordre et du péché. Ses yeux s'élèvent plus haut que l'horizon
terrestre ; son oreille entend la parole même de Dieu ; sa pensée conçoit
la création comme une simple image du Créateur, et va, d'instinct, au
delà des apparences qu'elle néglige, qu'elle méprise, qu'elle voudrait
rejeter au néant.

LE GÉOMÈTRE DOCTRINAIRE　　　Il n'est, pour Calvin, qu'un monde :
　　　　　　　　　　　　　　　　　celui des Idées, plus réel que le monde réel.
Et c'est dans l'étude des idées qu'il se cantonne, dogme et morale, le
premier conditionnant la seconde. Il s'agira pour lui, la doctrine fixée
dans ses principes et ses conséquences, de l'enseigner, de la répandre et
de la prouver contre tous ses adversaires ; ceux d'hier : les défenseurs de
l'orthodoxie romaine ; ceux de demain : les hérétiques qui vont plus loin
que lui.

　　Il avait été préparé à cette tâche par ses fortes études. Quoi qu'il ait
pu dire des théologiens, il leur doit une formation technique qui, mise au
service d'une mémoire solide et d'une intelligence peu commune, fut
pour lui la meilleure des armes. Il avait appris de ses maîtres l'art de
définir, l'art de discuter et celui d'entasser les preuves, une dialectique
formelle qu'il sut employer, par la suite, à l'exposition des problèmes les
plus hauts. Il n'y eut en lui, dans sa carrière, qu'un seul désir : convaincre
ceux qui l'écoutaient ou le lisaient de la vérité de sa doctrine. Et ce désir
explique sa méthode. Des deux formes de l'art de persuader que définira
Pascal, il n'a connu que l'esprit de géométrie. De là les caractères essentiels
de ses livres : un ordre rigoureux, un plan logique et clair, méthodiquement établi, qui combine l'indispensable analyse et le raisonnement dialectique, un raisonnement inflexible, mais qui ne laisse pas d'être captieux
par endroits ; il cite ses preuves : les textes qu'il puise abondamment dans
les deux Testaments, parfois chez les Pères, et de préférence chez saint

Augustin ; il ne craint pas de les accumuler. Après quoi il aborde la discussion, argumente, réfute les objections possibles. Le procédé pourrait
fatiguer (il n'est pas un chapitre de l'*Institution* qui soit autrement équi-
libré), mais cette monotonie n'est pas sans force : à la longue, l'esprit
critique s'endort au ronron d'un rythme sans cesse repris.

L'ART DE L'EXPOSITION   Dans le cadre ainsi défini, le théologien a
coulé sa pensée dans une forme dure et froide,
sinon « triste » comme a dit Bossuet. La phrase de Calvin est volontairement incolore, toute en grisaille, abstraite. Rarement il fait appel à
une image ou une comparaison. Sa règle est nette à cet égard : il ne cherche
jamais à parler aux sens, mais seulement à l'intelligence. Il n'a ni l'abandon, ni le rythme, ni la couleur, ni le mouvement, ni la variété de Rabelais,
et lui reste, du point de vue de la vie, très inférieur. On ne saurait lui
reprocher, dirons-nous, cette carence : il n'écrit pas un récit endiablé
où les qualités esthétiques sont indispensables ; il compose un exposé
doctrinal où la rigueur doit avoir la première place, avec la clarté. Sur ce
point, son originalité s'affirme. Rabelais exagérait quand il raillait l'éloquence grotesque d'un Janotus de Bragmardo, mais il dénonçait un mal
réel. Calvin crée, du premier coup, le style de la théologie moderne, rompt
avec les survivances médiévales et annexe à la littérature française une
province nouvelle.

Il rejette le vocabulaire technique, obscur et pédant, des scolastiques.
S'il utilise encore le latin, la langue internationale des écoles, il emploie,
chaque fois qu'il le peut, la langue nationale. Il use des mots de tous les
jours, ceux-là que l'artisan, la femme, l'enfant peuvent comprendre
sans peine ; il rejette le jargon dans laquel s'empêtraient ses rivaux, et
trace la voie, ce faisant, à un François de Sales, un Vincent de Paul,
un Bossuet. Les termes les plus simples, les plus communs, lui suffisent
parce qu'ils sont les plus clairs. Car c'est la clarté qu'il cherche d'abord,
et, par elle, la force. Il a l'art des formules sobres et lourdes de sens, qui
se fixent dans la mémoire et résument une définition, un principe, une
discussion, une conclusion, — les formules qu'on ne saurait discuter ou
rejeter parce qu'elles traduisent dans un style impeccable une pensée
sûre de ses résultats. Au jargon pédant de ses adversaires il oppose la
langue, la syntaxe, le style les plus simples et les plus expressifs, qui s'appuient sur une expérience sûre des maîtres les plus grands de l'éloquence
latine, de Cicéron à Sénèque, dont il a su garder le meilleur. L'art de
Calvin ? Il est dépourvu de tout esthétisme inutile, comme de tout pédan-
tisme ; il est sobre, direct et tel que l'ignorant lui-même est capable
d'en sentir la portée, tel que l'homme du peuple saisisse, à travers une
phrase dépouillée, une pensée solide et personnelle. Là était le danger
pour le catholicisme : l'art de Calvin mettait, avec une exceptionnelle
clarté, une interprétation très personnelle des problèmes les plus hauts
à la portée du peuple tout entier. Non plus en latin, mais dans la langue
courante, une langue maniée par un implacable logicien, maître de sa
méthode et de ses textes, redoutable dans ses affirmations et ses raison-

nements, habile et souple dans la défensive, capable de dérobades inattendues, de sophismes ingénieux, d'illogismes qui ne l'arrêtaient pas, et
qui n'hésitait pas, dans la dispute, à user d'arguments contradictoires :
Calvin avait été marqué pour toujours, quoi qu'il en eût, par la Sorbonne
et par les maîtres dont il rejetait avec violence les leçons.

L'HOMME DE GOUVERNEMENT
ET L'ARISTOCRATE
    Le théologien disputeur, en lui, s'est
doublé très vite d'un homme d'Etat,
le professeur d'un politique : Calvin ne
s'est pas contenté de définir une doctrine et de l'enseigner ; il l'a imposée,
avec un sens des réalités qui n'a d'égal, de son temps, que celui d'Ignace
de Loyola. Aux prises avec les hommes, il a su leur imposer sa volonté,
sans bruit, sans éclat, sans fausse éloquence. Il n'eut jamais la vitalité
exubérante de Luther, ni les éclats tapageurs d'un Farel. Ce timide
n'était pas un tribun : il ne fut jamais l'homme de la foule ; il n'aima pas
la place publique et les réactions violentes des masses passionnées ; il
lui fallait le silence du cabinet pour méditer, et, pour agir, l'intimité
des conseils où il pouvait, sans risque de tumulte, faire entendre ses
raisons. Incapacité physique de s'imposer ? Peut-être. Trait de caractère
plutôt. Calvin est un aristocrate qui sait agir en chef, et qui sait que le
chef ne prend pas obligatoirement la tête de ses troupes, n'est pas obligé
d'agir corporellement. A d'autres l'action directe. Il se contente de méditer
ses décisions, de les prendre et de les imposer.

Mais avec une infrangible volonté, une audace froide que rien n'arrête.
Qui eût osé prédire à l'élève de Melchior Wolmar le destin qui l'attendait ?
Qui eût pu prévoir, environ 1530, que l'humaniste émacié qu'il était déjà,
que cet homme aux épaules voûtées, à la poitrine étroite, aux traits
amaigris, serait bientôt un fondateur de religion et un chef d'État redoutable et redouté ? Il s'est très tôt fixé une voie ; il l'a suivie sans jamais
s'en écarter d'une ligne, imposant à tous ses décrets, n'écoutant que sa
propre pensée, admirablement renseigné par ses fidèles, et n'hésitant
jamais à frapper, s'il le fallait, et durement, pour triompher, — ou plutôt
pour faire triompher sa vérité, qu'il s'agisse de dogme, de morale ou de
politique.

Sans se priver cependant de céder à la conjoncture et de manœuvrer
où et quand il fallait. Ce logicien rigoureux, sur le plan concret fut un
habile réaliste : par la correspondance qu'il entretenait, par les visites
qu'il recevait, par les espions qu'il envoyait partout, il se trouva être,
aussi bien que l'empereur ou le roi, au courant de tout ce qui se passait
en Europe, et capable de juger des hommes et des faits. Il sut choisir
ses lieutenants, ses ministres, écarter les agités, les incertains, les hésitants et ceux qui risquaient de n'être pas de simples exécutants : il n'accepta aucun de ceux qui, si peu que ce soit, ont manifesté à son égard des
réserves, à plus forte raison des critiques, — et c'est pourquoi il ne voulut
pas à ses côtés d'un Caroli, d'un Ami Perrin, d'un Antoine de Marcourt.
De tous il exigea une obéissance totale, passive, une adhésion aveugle
à sa doctrine, et c'est pourquoi il frappera un Marot ou un Servet. Mais

c'est aussi pourquoi il a su manœuvrer entre Charles-Quint et Henri II, s'appuyant sur les rois très chrétiens, François Ier, Henri II, pour combattre le premier, sur les protestants allemands pour obtenir des seconds des concessions. Il saura, simple bourgeois, menacer et flatter les princes les plus puissants, intéresser à ses œuvres les rois d'Angleterre et de Danemark, tenter de conserver l'appui hésitant de Marguerite de Navarre, agir sur le primat d'Angleterre, Crammer, et sur le réformateur de l'Écosse, John Knox. Un seul but compte à ses yeux : le triomphe de la Réforme, de *sa* Réforme. Il n'y pourra réussir pleinement : la France restait trop profondément catholique pour se rallier à lui. Il n'en a pas moins agi en grand homme d'Etat, conscient de ses devoirs, sûr de ses moyens, en grand chef qui devait exiger l'obéissance, — et l'obtenir.

CALVIN, LE SOLITAIRE   De là, sans doute, la légende de dureté qui l'entoure. Elle paraît excessive. Les épreuves l'ont marqué : il n'a vécu, tout jeune, que pour ses études ; devenu homme, que pour son œuvre. A-t-il connu les tendresses familiales ? Il vivait en un temps et dans un milieu où elles s'extériorisaient assez peu ; il a surtout vécu, très tôt, loin des siens, collégien à Paris, puis étudiant, et, plus tard, dans des circonstances qui ne laissaient guère de place aux élans sentimentaux. Cela suffit-il pour le taxer d'insensibilité ? Il a aimé sa femme, dont la mort le priva très tôt ; il n'a que peu connu les joies de la vie conjugale ni de la paternité ; mais, privé d'Idelette de Bure, il a su dire la douleur que lui causait sa fin. Il a aimé ses maîtres qu'il a su remercier en d'émouvantes dédicaces ; il a aimé ses élèves et ses amis, même s'il ne l'a pas avoué en d'indiscrètes confessions. Il semble avoir été un caractère triste que le spectacle de la vie a définitivement assombri. A aucun moment dans sa vie ni dans son œuvre n'apparaît l'éclat de la joie, de l'enjouement, de l'abandon. Il a vécu muré dans une tristesse que rien, jamais, ne vint éclairer. A l'inverse de Luther, il a ignoré les détentes de la gaieté. On ne saurait l'imaginer autrement que le visage grave, les traits austères, à peine animés, à des moments fugitifs, par une note d'ironie sarcastique ou de colère, mais jamais par un sourire spontané. On chercherait en vain, il est vrai, dans son existence les raisons qu'il aurait pu avoir de sourire : il n'a connu que l'austérité de l'étude, les inquiétudes de l'esprit, les tristesses de la lutte, de l'exil, des supplices infligés à ceux qui l'avaient suivi. A lui plus qu'à personne s'appliquerait le prestigieux symbole du Moïse de Vigny, puissant et solitaire, et qui n'a connu de la vie que l'effort et les responsabilités. Nulle halte joyeuse dans son existence ; aucun repos ; nulle détente : l'action, toujours. N'est-ce pas cette tristesse dont furent marqués ses jours qui a donné à sa doctrine ce pessimisme âpre et total que rien jamais ne put adoucir ?

Dans quelle mesure par ailleurs la maladie qui fit très tôt de lui un vieil homme n'a-t-elle pas eu son influence dans cette austérité virile, certes, impressionnante, mais pénible à la longue et un peu démoralisante ? On y a fait allusion. N'en a-t-il pas tiré quelque acrimonie ? Ne l'a-t-elle pas durci dans sa passion, sa volonté d'accomplir son œuvre ?

LA CERTITUDE TRANCHANTE Il y a quelque chose de dur dans son caractère. N'est-ce pas l'attitude orgueilleuse, mais grande du Serviteur de Dieu qui se sait marqué par la Providence et qui ne vit que pour lui obéir et pour exécuter sa volonté ? Il l'a dit ; il l'a répété, à bon droit : « Je parle par la bouche du Maître... » a-t-il déclaré aux nicodémites. Il est permis de voir dans cette attitude, avec la conscience qu'avait Calvin de sa valeur, le souci de rester fidèle à son rôle, la conviction d'être l'instrument de Dieu, la certitude d'avoir été appelé par la Providence à réformer l'Église, à la ramener à ses vertus primitives. D'où la certitude hautaine qu'il eut, dès 1536, d'être en possession de la vérité, comme aussi ses colères, ses refus de discuter, son mépris pour ses adversaires, et sa facilité à les couvrir d'injures souvent grossières, quand ce n'est pas sa haine et les rigueurs qu'elle entraîne : on sait comment il traita Sébastien Castellion et Michel Servet. Attitude qui se laisse déceler dès la reprise du pouvoir à Genève en 1541. Calvin s'est cru désigné par Dieu pour discuter le dogme catholique : il n'a jamais admis que le dogme calviniste fût sujet à discussion. De là ses violences, explicables si l'on admet qu'il y eut chez lui le tempérament et la conviction d'un Inquisiteur.

LA SPIRITUALITÉ CALVINIENNE Cette intransigeance se fondait en raison sur une véritable illumination intérieure. Le « démoniacle » Calvin, comme parle Rabelais, « l'imposteur » de Genève porte en lui toutes les certitudes et l'élan des vieux prophètes. Comme Moïse l'a fait pour Israël, Calvin entend, à Genève, révéler Dieu et les lois de Dieu. Calvin, dans les livres saints, a préféré ceux de l'Ancien Testament, les épîtres de saint Paul, ou les pages sombres de l'*Apocalypse* à la douceur évangélique. Dans les trois personnes de la Trinité, il a voué son culte à l'Esprit Saint inspirateur de la vérité, d'abord, et, surtout, au Père, mais au Père dans sa majesté terrible de Créateur, de Dieu omniscient et vengeur : c'est au Tout Puissant que va son culte plutôt qu'au Fils ; au Dieu qui sait, qui prévoit tout, qui juge et qui punit plus qu'au Sauveur, — au Dieu vengeur plutôt qu'au Christ qui a voulu sauver les hommes. Non qu'il ne rende hommage à celui-ci : le Christ est à ses yeux le seul médiateur ; mais son rôle, si important qu'il soit, équivaut-il à celui dont le psalmiste a dit la majesté, dont les prophètes ont chanté l'éternelle prescience ?

Calvin a mis l'accent sur la foi plus que sur l'espoir et sur l'amour. Il a adoré le Dieu jaloux d'Israël, le Créateur qui, dans son arbitraire inexplicable, a, de toute éternité, fixé sans recours, sans appel, le sort de chaque homme, le Tout-Puissant devant qui la créature n'est que néant. Il ne paraît guère avoir connu l'amour, la charité enseignés par le Christ ; il n'a pas connu la tendresse d'une Catherine de Sienne, l'ardeur d'une Thérèse d'Avila. Il a eu la conviction de posséder la vérité intégrale, celle aussi de son propre salut, et cela lui a suffi : tremblant devant la divine majesté, il a connu les joies de l'adoration, de la soumission, non pas celles de l'abandon.

Moraliste rigoureux, croyant sincère, il a ignoré les élans de la tendresse
et de la confiance. Il n'a vu dans la prière que l'adoration, dans l'observation de la loi qu'une discipline dont rien ne saurait adoucir la dureté,
dans la fréquentation des sacrements qu'un signe, un symbole, et non
au sens plein du mot une communion. Il accomplit, en célébrant la cène,
un geste respectueux, il commémore un sacrifice plutôt qu'il ne participe
réellement au sacrifice de Jésus. Comme, en respectant le Décalogue,
il obéit à la loi en serviteur respectueux ; il ne lui donne pas l'adhésion
profonde de l'homme libre.

On en revient toujours avec lui à la notion d'ordre, de discipline plus
qu'à celle de l'amour. Théologien, défenseur de la foi et de la règle, il
reste un chef d'État, un logicien rigide qui a le souci de l'autorité collective plus que le sens du don de soi, de l'imitation consciente des leçons
et des exemples de Jésus. Il avait en lui le goût de l'unité, de l'autorité,
de l'obéissance ; mais non pas le sens de l'inquiétude. En lui se combinent
les nouveautés dogmatiques du xvie siècle et la persistance d'un mora-
lisme viril qui se rattache à l'austérité médiévale. On n'en finirait pas
d'énumérer ses contradictions : démocrate (mais par horreur de la supériorité), il est hostile à la liberté ; républicain, il exerce la dictature et
organise un gouvernement aristocratique ; partisan de la liberté de pensée,
il s'impose à Genève par une redoutable intransigeance qui ne souffre
pas la moindre opposition ; chrétien soumis à la toute-puissance divine,
il enseigne à la fois l'obéissance et une crainte pessimiste propre à décou-
rager les bonnes volontés. A bien y réfléchir, les contradictions pourtant
disparaissent : il n'y a rien de bon dans l'homme ; tout ce qui est bon
vient de Dieu, et Calvin est le messager de Dieu.

Doctrinaire impérieux, directeur de conscience fondant son action
sur la force autant que sur la persuasion, épris du pouvoir temporel parce
qu'il comptait appuyer sur lui son pouvoir spirituel et parce qu'il estimait
que le spirituel devait l'emporter sur le temporel et se le subordonner,
ce fondateur de religion qui a rompu avec Rome et voulu ruiner l'autorité
pontificale, apparaît en définitive comme ayant établi à Genève un pouvoir religieux aussi cohérent, aussi entier que celui qu'il avait voulu
briser.

A la veille du concile de Trente, à l'heure où l'Église catholique entame
enfin son effort de réforme, Calvin, au nom de la liberté, achève de fonder
une Église absolue, une doctrine qu'il ne laisse pas discuter. Cet ennemi
de l'autorité aboutit paradoxalement à définir une orthodoxie qui, de
son vivant du moins, se révélera aussi intransigeante que l'orthodoxie
romaine, une orthodoxie figée dans son dogme et sa morale, et sans
possibilités d'évolution. Le mouvement que dessine, qu'impose Calvin,
s'immobilise aussitôt : il fut, en réalité, une réaction arbitraire, un
retour à un christianisme archaïsant, qui se refusait à tout progrès de
la pensée religieuse. L'avenir devait prouver l'impossibilité d'arrêter
à une forme définitivement fixée l'orthodoxie calviniste.

Mais l'essor du calvinisme se dessinait à peine en 1547. La mort de
Luther, en 1546, met Calvin à la tête du mouvement réformé. La réunion

du premier synode protestant à Paris, en 1559, marquera les progrès considérables qu'a faits, en peu d'années, sa doctrine : la religion nouvelle, prenant conscience de ses forces, n'hésite plus désormais à passer de la propagande pacifique à l'action directe ; l'heure de l'action politique commence : calvinisme et catholicisme vont se heurter sur le plan politique et militaire. Les guerres de religion vont commencer.

CHAPITRE V

LE DÉVELOPPEMENT DU CALVINISME EN FRANCE SOUS FRANÇOIS Ier [1]

§ 1. — Les moyens de propagande.

CONDITIONS FAVORABLES A LA PROPAGANDE CALVINISTE
La propagande calviniste put s'exercer, dès ses débuts, par les moyens les plus divers. Elle profita, d'emblée, de la situation de fait qu'avait provoquée la préréforme, des tendances intellectuelles définies et développées par l'Humanisme, de l'effort accompli par les précurseurs. On comptait parmi eux non seulement des érudits attachés à de savants travaux d'exégèse, mais aussi des hommes d'action qui se firent les avocats des idées nouvelles. On ne saurait sous-estimer à cet égard l'influence des protégés de Marguerite de Navarre qui, à Alençon, à Bourges, en Navarre et en Béarn, prêchèrent de bonne heure, et souvent avec succès, les théories de Lefèvre d'Étaples et de Briçonnet. De ces hommes, les uns, — Farel, Maigret, Calvin lui-même, — s'exilèrent ; d'autres, tel Jean de Caturce, payèrent leur enseignement de leur vie et montèrent sur le bûcher ; d'autres enfin, — Sébiville, ou Caroli, voire, à un degré différent, Gérard Roussel, flottèrent, incertains, de l'hérésie à l'orthodoxie. Mais tous agirent pareillement.

Autour d'eux, très vite et un peu partout en France, se constituèrent des groupes de fidèles vivant en marge de l'Église catholique, et qui, à leur tour, prêchèrent par la parole ou par l'exemple. De là une lente, une invisible progression des tendances préréformées, un cheminement impossible à définir avec sûreté, de ville à ville, de province à province, au hasard de voyages d'affaires ou de rencontres fortuites. Propagande irrégulière et, de toute évidence, très incertaine, mais qui prépare les voies. On la voit, parfois, au long d'une route déterminée, plus nette et plus fructueuse aux centres urbains et aux carrefours, puis se diluant ou s'effaçant pour s'affirmer à nouveau plus loin. Est-il audacieux d'écrire qu'elle préparait le terrain au calvinisme ? qu'elle lui préparait, pour le futur, des cadres énergiques et convaincus ? Il ne le semble pas. On ne saurait expliquer autrement le brusque succès de l'hérésie : elle rencon-

---

(1) Les prémices de la réforme catholique en France et les conditions qui ont permis au mouvement de naître, de se développer, enfin de s'affirmer sont étudiés au t. XVII et ici plus haut p. 133 et suiv. On n'envisagera donc pas, dans ces pages, ce qu'on appelle la « préréforme ». Il s'agit simplement d'étudier l'essor du calvinisme, de définir ses moyens de propagande, — qui ne sont pas, toujours strictement calvinistes, loin de là ! d'étudier ses succès, de marquer enfin les résistances qui l'empêcheront de s'imposer en France comme le mouvement luthérien put s'imposer en Allemagne. Pour la bibliographie, se reporter aux chapitres précédents ; quelques études de détail seront indiquées au cours de l'exposé.

trait en France un champ d'expérience préparé depuis une bonne dizaine d'années.

Dès la publication de l'*Institution chrétienne*, cette propagande se fait plus active et plus audacieuse. Elle est encouragée et dirigée de loin par les Français qui ont émigré en Suisse, de Genève à Berne, de Bâle à Zürich, et spécialement par Calvin lui-même et les lettres innombrables qu'il adresse à tous ceux qui partagent sa doctrine et qu'il soutient ou encourage de loin. Il est aidé dans sa tâche par tous ceux qui se groupent autour de lui, Farel le premier, mais surtout par les plus humbles fidèles dont la correspondance assure à ses idées le plus large rayonnement. Ils écrivent à leurs parents, à leurs amis restés en France. Beaucoup d'entre eux reviennent dans le royaume, furtivement, à tout risque, pour transmettre le message calvinien, et ce ne sont pas les propagandistes les moins actifs, ni les moins heureux : grâce à eux la doctrine se propage de façon vivante ; ils apportent le dernier état de la pensée du réformateur, l'écho des luttes qu'il soutient, la conclusion de ses disputes. A ces émissaires secrets, qui sont, très vite, obligés de dissimuler leur activité, s'ajoutent — et ceux-ci ne cachent pas leurs opinions — les marchands ou les étudiants étrangers appelés en France par leur trafic ou leurs recherches : luthériens ou calvinistes, ils parlent de la confession luthérienne, des articles de foi édictés à Genève ; leur propagande orale est de celles qui portent le plus. Ils disent aux Français la protection accordée aux réformés par les princes allemands, plus tard par Henri VIII en Angleterre, et leur action fut vite si évidente que François Ier n'était pas loin d'admettre que certains mouvements populaires qui agitèrent la Normandie et l'Aunis en 1542 avaient été fomentés par eux. A peine implanté à Genève, donc, le calvinisme pratique une politique d'expansion orale qui porte immédiatement ses fruits.

LA PRÉDICATION   D'autant que cette politique s'appuie sur la prédication, publique ou secrète, qui a débuté, on le sait, bien avant que Calvin ait fixé sa doctrine.

Le temps est loin déjà où Michel d'Arande prêchait en petit comité devant le cercle de la princesse, où l'aumônier de Marguerite, Jean Michel, allait sur son ordre « annoncer la parole de Nostre Seigneur » à ses sujets du Berry, où Michel d'Arande lui succédait et subissait la censure de l'archevêque, puis se rendait à Alençon. Plus proche, mais dépassé déjà, le temps où Gérard Roussel prêchait au Louvre en 1533, devant, dit-on, quatre ou cinq mille personnes (le chiffre paraît exagéré...) et, de sermon en sermon, devait changer le lieu de ses homélies pour accueillir une foule grandissante : il parlait, dit Érasme, avec beaucoup de liberté de la foi, de l'Église, du culte des saints : « Tous les hommes sont au Louvre » pour l'écouter, écrit un réformé. D'autres prêtres ont suivi son exemple et enseignent ouvertement en chaire la doctrine nouvelle. Ainsi, en 1542, Landry, curé de Sainte-Croix, ou, en 1545, Perrucel, frère mineur, en l'église Saint-Paul, pour ne parler que de Paris. Un peu partout des moines de tous les ordres, des augustins, des carmes, soutiennent les opinions les plus avancées. Landry nie l'existence du purgatoire, l'utilité du jeûne et de l'abstinence. Toussaint Gibert enseigne la justification par la foi ; le cordelier Métayer soutient qu'un enfant mort sans avoir reçu le baptême est sauvé. Tous ces sermons provoquent à la riposte, à la dispute — et la discussion même ajoute à la propagande, ne serait-ce qu'en divisant ou en inquiétant les esprits, en forçant beaucoup d'entre eux à hésiter, à s'interroger, et par là-même à discuter la foi orthodoxe. Les orateurs réformés, — ou réformisants — sont ardents, nourris de l'Écriture, habiles à la dialectique, sincères et leurs adversaires catholiques restent trop souvent de piètres sermonnaires, mal informés et peu éloquents. S'il n'existe pas encore, à proprement parler, une éloquence de la chaire calviniste, avant que le nouveau culte ne devienne public, du moins y a-t-il déjà une action par la parole dont l'influence est profonde ; elle explique en partie le brusque développement du calvinisme après 1550.

LE THÉATRE ET LA CHANSON   Cette action est appuyée par les représentations dramatiques et par les chansons populaires, les unes et les autres constituant d'efficaces moyens de propagande sur les esprits les plus simples. On joue encore des mystères : les *Actes des Apôtres*, par exemple, à Bourges [1] en 1536, à Paris en 1540, le *Mystère de l'Ancien Testament* à Amiens en 1541. Le public du XVIe siècle accueillait ces œuvres anciennes comme un moyen d'édification autant que comme un plaisir des yeux et de l'esprit. Or leur représentation à l'heure même où l'on discutait de l'utilité pour les fidèles de lire la Bible, et de la nécessité de fonder l'enseignement religieux sur la seule Écriture, n'était-ce pas une incitation à lire les livres sacrés ? Ainsi pourrait-on s'expliquer en partie la politique qui aboutit, après des poursuites, à interdire, le 17 novembre 1548, la représentation des mystères jugée dangereuse pour la foi plus que pour les mœurs.

Mais l'activité dramatique ne se bornait pas aux seuls mystères. On compose ou l'on joue, environ 1540, plus d'une pièce où s'accusent sinon l'influence protestante, au moins des tendances hétérodoxes. C'est l'époque où Marguerite de Navarre rédige quelques-unes de ces comédies profanes [2] où elle développe des idées assez audacieuses : *le Malade*, où il est enseigné que pour guérir point n'est besoin de recourir aux lumières d'un médecin, un homme, mais bien d'appeler le secours de Dieu dans une foi simple et confiante, et c'est là, par essence, une idée réformée, sinon calviniste ; *l'Inquisiteur*, qui montre comment un inquisiteur intransigeant se convertit pour avoir entendu des enfants expliquer leur joie par leur abandon à Dieu, — et ce pourrait être un plaidoyer en faveur de Marot, poursuivi pour son indépendance d'esprit, en même temps qu'un pamphlet contre Beda. Ce sera bientôt la farce de *Trop, Prou, Peu, Moins*, pièce énigmatique dont la critique cherche

---

(1) B. LEBÈGUE, *Le Mystère des Actes des Apôtres*, Paris, 1929. Le texte en avait été établi par un moine augustin de l'abbaye de Saint-Michel, Jean Chapponneau, qui devait, en 1538, devenir pasteur de Neuchâtel.

(2) MARGUERITE DE NAVARRE, *Théâtre profane*, édit. V. L. SAULNIER, Paris, 1946.

en vain à définir le sens, mais qui paraît bien être un procès de l'Inquisition, et, qui sait ? à la fois une tentative pour défendre Étienne Dolet et une réponse à l'*Excuse aux nicodémites*, une justification personnelle contre les reproches de Calvin. Ce sera enfin la *Comédie jouée à Mont-de-Marsan*, en 1548, où Marguerite affirmera, avec quel élan ! son mysticisme, son refus d'accepter la condamnation par Calvin des libertins spirituels, ses hésitations entre une sagesse raisonnable et un mysticisme éperdu. On ne saurait certes écrire qu'il s'agit ici de pièces calvinistes, puisque deux d'entre elles au moins pourraient constituer des réponses à des critiques adressées de Genève à la reine. Mais, sans être l'œuvre d'un esprit conquis à la Réforme, elles n'en témoignent pas moins de tendances qui pouvaient conduire à la Réforme, d'inquiétudes, de recherches curieuses, d'un effort d'analyse qui s'avère insatisfait d'une acceptation spontanée de la stricte orthodoxie, de critiques, enfin, qui sont dans la ligne de la préréforme, au moins. Or, ces pièces, si l'une d'elles seulement a été publiée (en 1547, — et c'est la farce de *Trop, Prou, Peu, Moins*, la plus obscure), on ne peut douter qu'elles aient été lues au moins par les familiers de la princesse, et commentées d'abord dans le cercle de ses intimes, ensuite plus loin. On ne saurait discuter, quelle que soit l'explication que l'on propose de la pensée religieuse de la princesse, que son attitude ait prêté à de grands espoirs d'un côté, à de sévères critiques de l'autre. Ses comédies sont, en dehors de toute doctrine, un témoignage.

Il en est un autre que Calvin, s'il le connut, ne dut guère apprécier, mais qui reste comme une preuve de plus des efforts que faisaient alors les esprits pour trouver, hors d'une orthodoxie figée dans une froide observance du culte, des raisons de vivre et de croire. Il s'agit de ces pièces qu'Émile Picot a publiées sous le titre de *Théâtre mystique de Pierre du Val et des libertins spirituels de Rouen au XVI*e* siècle* [1], où il est question surtout de la prédestination et de la grâce. Aucune de ces pièces n'est d'inspiration calviniste, loin de là. Mais toutes témoignent de cette inquiétude religieuse qui fermentait alors un peu partout en France, d'un effort pour trouver ailleurs que dans la stricte pratique un apaisement pour les cœurs et les esprits. Tendance, au moins, réformisante : un indice de plus et qui en dit long, car il prouve à la fois la justesse des inquiétudes qu'éprouvait Calvin, et les menaces dont le catholicisme avait des raisons de se défendre.

Les comédies de Pierre du Val sont des comédies de doctrine ; celles de Marguerite de Navarre touchent tour à tour à la doctrine et à la polémique. Il est d'autres pièces, oubliées, qui eurent environ 1540 leur heure de succès et qui donnent, carrément, dans le ton du pamphlet anticlérical. Moralités et farces sont nombreuses où est attaqué, avec une violence grandissante, le type traditionnel du mauvais moine. Les collèges s'emparent de ce thème. On joue, en 1524, — titre significatif, — une *Farce des Théologastres* ; les étudiants de Paris raillent Beda et la Sorbonne, Gérard Roussel et Marguerite ; à Montpellier, en 1527, on donne des

(1) Paris, 1862. Un certain nombre de ces pièces datent précisément de 1540.

farces d'inspiration luthérienne sur « l'état de l'Église » ou sur « le miroir de la foi ». A-t-on joué cette *Maladie de Chrestienté* (encore un titre qui en dit long) que fit imprimer à Neuchâtel, en 1533, un dominicain défroqué, Thomas Malingre, de qui pourrait être aussi certaine *Vérité cachée* [1] ? Rien ne le prouve, mais il reste qu'il s'agit, ici et là, de discussions doctrinales développées selon une technique médiévale encore, mais qui traitent de problèmes actuels. Dans la première, on voit « Chrestienté » malade (le règne des abstractions n'est pas fini : à preuve les comédies de Marguerite), soignée inutilement par « Hypocrisie » et « Péché » qui lui proposent, pour remède, l'une la glose et la confession, l'autre la paresse, puis guérie par « Inspiration » qui lui fait prendre « un bouillon de quatre langues », — c'est l'Évangile, — et « ung vin blanc bien pur » — entendez l'amour de Dieu, bouillon et vin qu'elle trouvera dans la rue de « Saincte Bible ». Est-il besoin de plus de commentaires ? De ces deux pièces, la seconde, *la Vérité cachée*, sera condamnée par la Sorbonne, en 1543.

D'autres pièces, jouées à Rouen de 1535 à 1545, s'en prennent moins au dogme qu'à la discipline et critiquent âprement la mauvaise conduite des moines ou des prêtres, la simonie du clergé, l'immoralité des religieuses. Les auteurs anonymes de ces farces, où la gauloiserie traditionnelle le cède toujours presque à la violence des partisans, utilisent la même veine que la reine de Navarre, si sévère, dans l'*Heptaméron* pour les prêtres sensuels et les religieuses perdues [2]. Ses contes ne verront le jour qu'en 1559, mais le *Pantagruel* et le *Gargantua* ont paru, où, dès 1532-1534, Rabelais par la bouche de ses héros, et surtout de Frère Jean, fouaille de sa verve comique les moines « ocieux », les pèlerins ignares, et ridiculise l'habitude de la prière machinale [3]. Autant d'indices que l'on ne saurait discuter : ils témoignent des critiques sévères que méritaient les mauvais bergers. Mais, à la différence du moyen âge [4], la satire ici se fait sarcastique, violente, ou sérieuse et attristée : elle prépare les esprits à la discussion de la discipline et du dogme.

Mystères hérités de la tradition médiévale, moralités à tendance idéologique ou mystique, farces de jour en jour plus âpres, contes symboliques ou réalistes, à ces œuvres destinées au grand public littéraire ou à des cercles lettrés, il convient d'ajouter les chansons, très diverses de ton et de forme. Eustorg de Beaulieu publie en 1546 sa *Chrestienne Resjouïssance*, recueil de 160 pièces où un ancien prêtre (un de plus !) réfugié à Genève collige curieusement nombre de morceaux d'inspiration protestante dont beaucoup sont dirigés contre le pape, l'Église et la Sorbonne, tandis que d'autres chantent l'espoir ou la colère des réformés. Il s'agit

---

(1) Le Roux de Lincy, *Recueil de farces, moralités et sermons*, Paris, 1837.

(2) Opposer la farce de « Sœur Fesne »,publiée par Le Roux de Lincy et tel conte de l'*Heptaméron*, le 22e par exemple, qui met en scène dans une aventure vraie la sœur du poète Héroët (cf. P. Jourda, *op. cit.*, t. II, p. 778), ou les nouvelles 1, 29, 60, 61, etc. On ne peut tout citer... (cf. *ibid.*, p. 806-808).

(3) Cf. *Gargantua*, chap. xiv, xxxviii-xxxix-xl, xlv, sans parler des attaques contre les « Sorbonicoles », *ibid.*, ch. xix. Voir P. Jourda, *Le Gargantua de Rabelais*, Paris, 1948, et L. Febvre, *Le problème de l'incroyance au XVIe siècle. La religion de Rabelais*, Paris, 1942.

(4) Car il s'agit ici — il convient d'y insister, — d'une vieille tradition. Il suffit, pour s'en convaincre, de relire Rutebœuf. Mais si, au moyen âge, on critiquait les hommes, désormais, ce sont les principes que l'on attaque et leur valeur, et sur un ton polémique qui ne trompe pas.

souvent de pièces d'origine populaire, — rondeaux, ballades, chansons, — dont le rythme d'abord, et souvent la forme sont respectés, mais dont le sens est transposé dans une intention polémique ou édifiante. En 1547, dans les *Marguerites de la Marguerite des Princesses*, paraîtront ces *Chansons Spirituelles*, si neuves d'inspiration et de forme, si mal connues aujourd'hui, où balbutie, avant Ronsard, le lyrisme français, et qui sont, tour à tour, de sévères critiques des faiblesses du catholicisme ou d'admirables cris d'espérance et de foi qui enseignent que l'amour de Dieu prime tout :

> Vray Dieu du Ciel, réconfortez mon âme
> Et la bruslez de vostre ardente flamme...

ou ce refrain :

> Resveille toy, Seigneur Dieu,
>   Fais ton effort
> De venger en chascun lieu
>   Des tiens la mort.

qui sonne déjà comme une réponse aux supplices commençants :

> Tu veux que ton Evangile
> Soit preschée par les tiens
> En chasteau, bourgade et ville,
> Sans que l'on en cele riens.
> Donne donc à tes servans
> Cueur ferme et fort,
> Et que d'amour tous fervens
> Ayment la mort...

On multiplierait les citations : toutes prouveraient à quel point la sœur de François Ier a pu subir l'influence de Briçonnet, réagir aux événements contemporains, et donc, sans se séparer de l'Église, vivre en marge de l'orthodoxie d'une religion personnelle où le mysticisme tient la plus large place. Or, ces chansons, un recueil protestant, les *Annonces de l'Esprit et de l'Ame fidèles*, en retiendra plusieurs en 1602 [1], preuve qu'elles avaient été adoptées par les réformés.

Au même titre que le plus fameux des recueils lyriques de l'époque, la traduction des *Psaumes*, exécutée par Marot à partir de 1533. On sait que le VIe Psaume parut à cette date, ou seul, ou avec le *Miroir de l'Ame pécheresse* [2] et les prières rituelles ; on sait que Marot a traduit en vers français le *Pater*, la *Salutation Angélique*, le *Credo*, les *Grâces* et le *Décalogue*, et que tous ces vers, publiés en 1533 sous le titre quasi calviniste d'*Instruction et Foy d'ung Chrestien mise en Françoys par Clement Marot* ont été aussitôt tenus pour suspects et manquèrent être condamnés par la Sorbonne. Premier essai, suivi en 1539, d'une publication partielle de douze psaumes, puis en 1541 de la traduction de trente d'entre eux, constamment et fréquemment réimprimés depuis. Dès 1541, cette traduction sera adoptée par les églises calvinistes, et les psaumes seront chantés

---

(1) Cf. P. JOURDA, *Les Annonces de l'Esprit et de l'Ame fidèles*, dans *Mélanges Laumonier*, 1935.
(2) Cf. P. VILLEY, *Tableau chronologique des publications de Marot*, *Revue du XVIe siècle*, t. VIII, et tirage à part, Paris, Champion, 1921, p. 32-33 ; J. PLATTARD, *Marot*, Paris, 1938, chap. XII. L'attribution à Marot de poèmes religieux d'inspiration calviniste reste douteuse, cf. *ibid.*, p. 196 et suiv. Mais il a écrit plus d'une poésie pieuse, notamment une *Oraison devant le Crucifix* ; cf. P. JOURDA, *Marot*, Paris, 1950, chap. V.

dans les temples selon la version procurée par maître Clément — mais
aussi, à la cour, par les courtisans et les grandes dames, — preuve de
leur succès, même parmi les catholiques. En 1543 il donne la traduction
de Cinquante Psaumes [1]. Théodore de Bèze achèvera l'entreprise à
laquelle Calvin s'était intéressé [2] : ne s'était-il pas lui-même essayé
à traduire en vers quelques psaumes qu'il publie en 1542 en appendice
à son opuscule : *La forme des prieres et chantz ecclesiastiques* [3] ? La version
de Marot, harmonisée par les musiciens du temps, fournit aux réformés
un recueil de cantiques auquel ils n'ont jamais renoncé. C'est en chantant
ses strophes que les armées calvinistes iront à la bataille, — d'Aubigné
en témoigne ; c'est à leurs accents que les réformés monteront au bûcher.
Il n'est meilleur instrument de propagande que la chanson : Arius en a
usé, et Luther ; Marot a fourni au calvinisme, dès ses débuts, un recueil
qu'aucun autre ne pourra jamais remplacer.

LE LIVRE   Ces œuvres dramatiques, ces chansons feront leur œuvre
par la tradition orale, en volant de bouche en bouche, de
ville à ville, de province à province. A leur action s'ajoute celle du livre.

La Sorbonne comprit si bien le danger qu'en toute occasion elle chercha
soit à supprimer purement et simplement l'imprimerie, coupable de propager largement la fausse doctrine et de répandre l'hérésie, soit à censurer
les livres qu'elle jugeait dangereux et à en interdire formellement la
lecture aux fidèles. Le 13 mai 1521 — le luthéranisme se répand à peine !
— le Parlement de Paris interdit d'imprimer tout ouvrage de théologie
qui n'aurait pas l'*imprimatur* ; treize ans après, lors de l'affaire des placards, en 1534-1535, la Faculté obtient du roi un édit interdisant de
rien imprimer, — mais l'édit ne fut pas appliqué. En 1533, en 1541,
en 1544, en 1551, elle publie de longues listes de livres suspects où figurent
pêle-mêle les poésies de la reine de Navarre, les livres « obscènes » de
Rabelais, et ceux de Calvin — pour ne citer que les noms les plus illustres.
Elle mène la lutte énergiquement, mais inutilement. Dès 1530, nombre
d'imprimeurs, un peu partout en France, mais surtout dans l'ouest,
à Lyon, et à Paris, ont adhéré aux tendances hérétiques. A tout risque,
ils l'ont bientôt éprouvé : l'éditeur de Marguerite de Navarre, Simon
Dubois, d'Alençon, qui a publié des traités de Luther, voit fermer ses
ateliers en 1533 — et Dolet paiera de sa vie l'audace qu'il a mise à publier
des livres suspects. La Réforme autant que l'humanisme a, d'emblée,
annexé la découverte toute neuve de l'imprimerie et l'a mise à son service.

Dès 1520 les écrits luthériens pénètrent en France soit dans leur texte
original, soit bientôt en traductions maniables, et accessibles à tous [4].
Ce qui s'est passé entre 1520 et 1530 pour les écrits de Luther et des

(1) Une note curieuse : le 15 octobre 1543, Calvin « pour et au nom de Clément Marot » demande
qu'il lui soit fait « quelque bien » pour « complir les seaulmes de David » ; le Consistoire répond qu'il
prenne « passience pour le présent ». *Opera*, t. XXI, col. 321.
(2) O. DOUEN, *Clément Marot et le psautier huguenot*, Paris, 1878.
(3) *Opera*, t. VI, col. 211.
(4) Voir plus haut, 1re partie, chap. IV, p. 135-138. Cf. MOORE, *La Réforme allemande et la littérature française* ; indications assez précises dans le *Journal d'un bourgeois de Paris*, éd. V.-L. BOUR-
RILLY, p. 81, 101 et *passim*.

réformés allemands se passe à partir de 1536 pour Calvin et ses disciples. Les impressions clandestines se multiplient ; colporteurs ou gros marchands venus de l'étranger réussissent à introduire en France d'importants ballots de livres suspects qui se répandent vite autour de Paris et de Lyon et que l'on reproduit un peu partout. La diffusion sous le manteau des ouvrages censurés ou condamnés s'organise en dépit de toutes les mesures policières ou judiciaires. Les imprimeurs se cachent ; les colporteurs se cachent ; mais on imprime et on vend les ouvrages subversifs. Interdiction d'imprimer « es lieux et chambres cachées ». Ordre de faire figurer sur chaque livre le nom et la marque de l'imprimeur. Interdiction, ordre inutiles. Parmi les éditeurs, les uns bravent la justice et publient audacieusement des livres suspects, tel Étienne Dolet ; d'autres émigrent, ainsi Robert Estienne ; mais beaucoup de maîtres-imprimeurs, voire de simples compagnons, impriment dans une chambre discrète, un grenier, une cave obscure, les placards, les feuillets, et même les écrits plus amples qui leur viennent de Neuchâtel, de Genève, de Bâle, de Strasbourg, de Francfort dissimulés dans les sacs des colporteurs, et qui pénètrent partout. Ces colporteurs, dont on ne saurait exagérer le rôle, gagnent Lyon ou Paris, puis, de là, les plus humbles villes où ils savent trouver un asile sûr : on reproduit hâtivement les livres qu'ils ont apportés.

On ne les met pas en montre, de peur de la justice ; mais ils circulent sous le manteau, confiés à des fidèles dont la foi est connue. Et si, parfois, un colporteur, un libraire, un lecteur sont pris sur le fait, qu'importe ? Ils seront incarcérés et punis ; les exemplaires saisis seront brûlés. Mais d'autres continueront la tâche. Ces livres, on les trouve partout : chez d'humbles artisans, de gros bourgeois, des nobles, dans les collèges, voire dans des couvents — malgré la plus stricte surveillance. On les prête aux amis de qui l'on est sûr ; on les cache de son mieux ; et on les lit avec quelle ardente curiosité !

Leur circulation est facilitée, parce que les imprimeurs habiles ont substitué aux lourds in-folios, encombrants et intransportables, des formats plus maniables. Les volumes se font plus petits, moins épais, moins lourds ; on peut les cacher sous un pourpoint ou une robe, les porter sur soi sans risque d'être remarqué, les glisser discrètement dans la main d'un ami, ou, s'il le faut, s'en débarrasser. Ajoutez que l'on s'ingénie à dissimuler cette dangereuse marchandise sous des titres d'apparence bénigne, et qui trompent parfois l'acheteur. Qu'est-ce que ce *Petit Traiclé de la Saincte Eucharistie* ? Un livre qui n'est rien moins qu'orthodoxe : il suffit de le feuilleter pour y sentir un parfum d'hérésie. Le naïf qui achète la *Manière de faire prier aux églises françoises... imprimée à Rome par le commandement du pape*, ignore, certes, que le livre vient de Strasbourg et qu'il a pour auteur Calvin. Le réformé connaît la marchandise qu'il achète, mais plus d'un croyant fidèle s'y laisse prendre malgré les avertissements de la censure ecclésiastique qui signale nombre de titres trompeurs : on ne peut dresser, publier, faire connaître à tous une liste exhaustive de tous les livres suspects. Les ouvrages à tendance réformée se multiplient : un titre anodin cache la pensée calviniste. Elle se répand dans les almanachs, dans les ouvrages destinés aux écoles ; l'hérésie se glisse jusque dans les alphabets et les grammaires, ou dans ces pronostications où s'était exercée, naguère, la verve de Rabelais. On notera que les silences sont aussi expressifs que les affirmations : combien de livres de piété ne contiennent plus les prières à la Vierge, les prières pour les saints ou pour les morts ! Ainsi se propage un peu partout, de Rouen à Lyon, de Saint-Quentin à Bordeaux et à Toulouse, une littérature réformée qui, d'inspiration d'abord luthérienne et allemande, devient vite une littérature française et calviniste. On lit la *Bible* en français, et c'est la *Bible* d'Olivétan, préfacée par Calvin, qui a trois éditions de 1536 à 1540 ; puis c'est la *Bible* de Genève, revue par Calvin, qui paraît en 1543 et dont les éditions complètes ou fragmentaires (les *Évangiles*, les *Psaumes*) ne cessent de se multiplier.

OUVRAGES D'ÉDIFICATION On lit peut-être plus encore, — car la *Bible* n'est pas accessible à chacun, — d'innombrables manuels de piété, faits de citations de l'Écriture ou d'oraisons diverses, ou des traités mystiques, le plus souvent anonymes, qui offrent aux âmes assoiffées d'une vie religieuse intense une nourriture qui, pour n'être pas de stricte obédience calviniste, n'est certes plus rigoureusement catholique, qui n'est sûrement pas dans l'esprit de la Sorbonne. Traités comparables en tous points à ces Méditations que la reine de Navarre publie depuis 1533, — le *Miroir de l'Ame pécheresse*, et groupe en 1547 dans les *Marguerites de la Marguerite des Princesses*. On n'y lit pas le *Dialogue en forme de vision nocturne* [1] où, dès 1524-1525, sur la grâce, les œuvres, la prédestination, la princesse adhérait aux idées de Lefèvre, sans rompre pour autant avec l'Église, mais on y trouve le *Discord entre l'esprit et la chair* et le *Triomphe de l'Agneau*, méditations diffuses mais significatives que l'on a le droit de rapprocher du *Livre de vraye et parfaicte oraison* ou de cette *Brève instruction pour se confesser en vérité* dont on peut dire qu'ils exposent une doctrine en marge et qu'aurait alors rejetée l'Université de Paris, gardienne de la foi : n'enseignent-ils pas que le chrétien, dans le sentiment profond de son impuissance, doit s'abandonner à la grâce, à la miséricorde de Dieu et au choix qu'opère l'amour du Créateur pour sa créature ?

Les dix ou quinze ans qui s'écoulent de 1535 à 1550 voient se développer toute une littérature pieuse qui, sans rompre ouvertement avec l'orthodoxie, ne se place pas moins en marge de la stricte doctrine, et qui favorise d'autant l'expansion des idées calvinistes. C'est à ce groupe que se rattachent, avec les *Dernières Poésies* de Marguerite, les livrets que publient les libertins spirituels, ce Pocque et ce Quintin, violemment pris à partie par Calvin, mais qui n'en servent pas moins sa doctrine en enseignant à leurs lecteurs à se détacher librement du strict formalisme auquel s'en tient alors l'Église de France. Ils disent le « vray moyen et principal sentier qui conduict au vray chemin de la vie immortelle du Christ » par l'effusion sentimentale, par l'abandon à l'Esprit, aux

(1) Réimprimé dans la *Revue du XVIe siècle*, 1926.

dépens même de la loi. Et ce n'est certes pas le point de vue de Calvin, puisqu'il n'est pas le moins du monde question dans ces écrits d'une revision du dogme ou de la discipline, mais simplement d'une amélioration, d'un réchauffement de la vie intérieure. Il n'en reste pas moins que, même combattus par Calvin, les libertins et leurs adeptes se mettent en marge de l'orthodoxie, et favorisent ainsi — peut-être sans le vouloir — le libre choix souhaité par le Génevois.

OUVRAGES DE POLÉMIQUE A ces ouvrages d'édification s'ajoutent très vite des ouvrages de polémique, plus propres encore à répandre la doctrine. Il était amusant, et dans le ton de la tradition gauloise, de prêter à l'adversaire des idées qu'il n'avait pas. C'est ce que fit un partisan de Calvin, Marcourt, en publiant une *Confession de Noël Beda* où il montrait le fougueux théologien, exilé par le roi, méditant sur son sort, adhérant aux doctrines qu'il avait condamnées, proclamant qu'il n'est qu'un seul médiateur : le Christ, professant la prédestination, rejetant une partie des sacrements et de la discipline, niant l'utilité des œuvres, et proclamant avec vigueur la justification par la foi. Livre habile que celui-là, fondé sur un procédé de polémique très sûr, et dont le ton restait modéré : un Beda converti ! Il y avait de quoi rire...

Marcourt devait récidiver en 1533, en publiant un *Livre des Marchands* : « Ilz traficquent, ilz vendent, ilz revendent... » De quels marchands s'agit-il ? Des prêtres qui « traficquent des vivants, des morts, des corps, des âmes », et qui « vendent » la messe : c'était là un des points où portait le plus la polémique réformée qui n'hésitait pas à taxer prêtres et moines de simonie[1]. Et d'en appeler aux princes pour corriger de tels abus ! Le *Livre des Marchands* connut un plein succès : il était déjà d'un ton assez vif, mais sans atteindre encore l'excès. Marcourt devait aller plus loin, en 1534, avec sa *Déclaration de la Messe*, à peu près contemporaine des fameux placards et qui était faite de violences et d'injures passionnées : il ne s'agissait plus de sourire ou de se moquer. C'était une négation brutale de la messe et de sa signification : la messe ? une « abomination »... Attaque furieuse qui laissait prévoir les pires pamphlets des guerres de religion.

On ne saurait oublier que prennent leur place, dans cette série, les écrits venus de Suisse, signés de Farel, de Calvin, dont on a déjà parlé : le *Traité des Reliques*, par exemple, ou l'*Excuse aux Nicodémites* qui, pour avoir plus de tenue, n'en constituent pas moins une critique aussi passionnée des croyances orthodoxes.

LA CRITIQUE ORALE Faut-il s'étonner que, pareille propagande s'exerçant plus ou moins ouvertement, les esprits se soient vite échauffés, et que les partisans de Calvin aient publiquement, et souvent avec violence, affiché leur foi et critiqué les croyances qu'ils

---

(1) On lira, sur ce thème, le *Balladin* qui fut attribué à Marot, ou la *Déploration de Florimond Robertet* qui est, incontestablement, de lui.

avaient rejetées ? Il est difficile d'évaluer cet aspect de l'expansion calviniste. Sa réalité est hors de doute. Très vite on en vint à discuter de la nouvelle doctrine qui s'opposait à l'orthodoxie. Phénomène normal en matière religieuse comme en matière politique. Les langues se déchaînent, pour ou contre Rome. Les familles se divisent : maris et femmes, parents et enfants prennent parti, se heurtent et se divisent. On dispute dans les écoles et les collèges, à l'établi et au marché, dans les boutiques et sur la place, entre voisins, entre amis, entre marchands et clients, entre inconnus, dans un dîner, au sortir d'un office, à l'issue d'un procès, partout où les langues sont libres, — et là aussi où elles ne le sont pas, sans que le ton baisse pour cela.

Le Français aime la dispute : le conflit qui vient de naître lui offre d'amples occasions de s'y exercer. Ici, c'est un fils qui refuse d'aller à la messe avec ses parents, ou de participer à la prière en commun ; là c'est un ami qui vante à un compère la lecture de la Bible, se voit répondre vertement, et s'engage à son tour. La critique des prêtres et des moines, — thème éternel ! — se fait plus acerbe, plus violente : hier, c'était, à l'auberge du village, à la taverne la plus proche, un prétexte à de gaillardes, à de grasses plaisanteries ; il s'agit, désormais, de critiques qui portent plus loin que des mots salés. On aborde de plus hauts problèmes — inhabituels : les pratiques, la prière, le culte des saints, — et de plus difficiles encore : le dogme, les sacrements. Les arguments s'opposent. Il suffit d'un convaincu pour déchaîner la bagarre, ou simplement le scandale, sans peur du risque.

La parole même n'est pas nécessaire. Il suffit que tel ou tel bourgeois ayant pignon sur rue, que tel artisan avantageusement connu, qu'une femme cesse d'aller aux offices, ou, comme l'a fait Marot, mange du lard en carême pour qu'une foule de gens, informés de pareil geste, glosent pour ou contre. Et les dénonciations de pleuvoir, entraînant avec les enquêtes religieuses ou judiciaires de règle, la fièvre des esprits.

Elle se traduit par des actes, publics ou clandestins. Insultes aux images, bris de statues, affiches lacérées, sarcasmes ou insultes à l'égard de ceux qui restent fidèles à la foi de leurs pères et continuent à fréquenter l'église. Les choses n'en sont pas encore au point où elles arriveront, quinze ou vingt ans plus tard, après le massacre de Vassy, mais déjà l'unité religieuse de la France est compromise. Un peu partout on placarde aux murs des factums qui correspondent à nos tracts, où l'on critique la religion établie, où l'on exalte la foi nouvelle. Les villes sont nombreuses où éclatent des incidents significatifs, dont sont responsables des humanistes, — tel Scaliger à Agen, — des prêtres ou des moines qui renient leur foi, des légistes de tout grade, des étudiants, des artisans.

FIDÉLITÉ DES MASSES AU CATHOLICISME — La masse reste fidèle encore. Elle le restera. Mais elle réagit mal, même si les gestes des iconoclastes l'exaspèrent momentanément. On sait avec quel éclat des processions de pénitence se déroulent, à Paris par exemple, en expiation ou en réparation des incidents les plus graves,

ainsi la procession de janvier 1535, après l'affaire des placards, que le roi
et ses fils suivirent, un cierge à la main, à la tête des corps constitués.
Ce sont là de spectaculaires protestations, mais qui n'arrêtent pas les
progrès de l'hérésie : c'est dans la France entière, à Alençon, à Caen,
à Bordeaux, à Toulouse, à Bourges, au Puy, en bien d'autres villes encore
que l'on brise des statues, des vitraux ou des croix. Des cérémonies expia-
toires répondent à ces insultes : elles veulent frapper les esprits et les
maintenir dans la règle. Le mal gagne pourtant, et vite, et un peu partout,
sans que rien entrave ou arrête la contagion, faute peut-être du seul remède
qui l'eût jugulée : la réforme catholique. Elle ne viendra que plus tard
— trop tard pour que la guerre civile soit évitée.

Les remèdes politiques, les mesures de répression, sporadiques d'ailleurs, incertaines, souvent même très vite rapportées en raison des néces-
cités de la politique extérieure de François Ier, n'y suffisaient plus. Avaient-
elles même la force et la conviction nécessaires ? On a le droit d'en douter.
A l'élan des novateurs, la France catholique n'oppose jusqu'en 1550
qu'une résistance incertaine, malgré des sursauts. Le mal a gagné, très
vite et partout, toutes les classes de la nation.

§ 2. — Le succès de la Réforme en France.

CARACTÈRES DE LA RÉFORME FRANÇAISE

Faut-il souligner le fait que l'essor propre
du calvinisme en France date surtout de
1541, date où l'*Institution*, pour la pre-
mière fois traduite en français, fut accessible à la masse des fidèles ? A vrai
dire, la Réforme s'était déjà répandue depuis dix ans dans le royaume,
autour du diocèse de Meaux, d'abord, avec l'évangélisme fabricien, un peu
partout ensuite sous la forme du luthéranisme. L'influence de Calvin ne
fera que s'ajouter à ces premières formes du renouveau religieux ; elle
ne s'imposera qu'environ 1550, au bout de dix ans, profitant des tendances
qui se seront affirmées, de l'état d'esprit très libre qui régnait alors en
France, et qui fut, au début, beaucoup moins constructif que critique,
état d'esprit qui va de ce que Calvin nommait le « nicodémisme » (encore
faudrait-il englober sous ce vocable les tendances diverses qui vont du
libertinage spirituel assez suspect que conçoit un Pocque au mysticisme
individualiste très élevé de Marguerite de Navarre, respectueuse de la
tradition autant que désireuse de nouveautés acceptables pour les conformistes) à l'érasmisme, d'une part, — au luthéranisme d'abord, au calvinisme
ensuite, d'autre part ; sans parler de l'esprit critique dont fait preuve,
sous une forme joyeuse, maître François Rabelais, et des tendances plus
audacieuses d'un des Périers. Un seul trait commun à toutes ces tendances :
un individualisme tour à tour nonchalant ou agressif, ondoyant ou catégorique, mais qui resta longtemps en marge de la dictature génevoise ;
elle s'affirma très tard.

Avec elle, se dessinera la tendance unitaire de la Réforme française.
Jusqu'en 1540 au moins, jusqu'en 1550 en fait, elle se propage au hasard,
sans plan d'ensemble, au gré de la conjoncture qui permet à tel individu

d'enseigner la doctrine nouvelle ici plutôt que là. D'où un caractère propre à la Réforme française à ses débuts : un individualisme total, qu'il s'agisse de la doctrine ou de la discipline, et qui se pose d'abord moins par des principes constructifs que par une critique acerbe de ce dont on ne veut plus.

L'HUMANISME. LES UNIVERSITÉS La tendance nouvelle s'est infiltrée, d'abord, dans les milieux intellectuels, sous le couvert de l'humanisme. C'est parmi les humanistes qu'il faut chercher les premiers adhérents à la Réforme. La majeure partie des esprits cultivés a été conquise, très vite, aux idées venues d'Italie, propagées dès la fin du xve siècle, et favorisées par l'essor de l'imprimerie.

Dans l'ivresse de leurs découvertes, beaucoup d'esprits ne séparent pas la recherche religieuse de la recherche érudite : c'est en partie par l'érudition que Calvin a été conduit à la rupture ; il en a été de même de Dolet, de des Périers, de Castellion, de Michel Servet qui pousseront leur enquête jusqu'à l'athéisme, comme de ces poètes néo-latins si nombreux alors, un Nicolas Bourbon, par exemple, précepteur de Jeanne d'Albret, qui abandonne la stricte orthodoxie. Si Guillaume Budé ne paraît pas s'être détaché de la foi traditionnelle, son fils sera des convertis et gagnera Genève.

Les Universités, dans l'ensemble, résistent, — au moins en ce qui concerne le corps enseignant. On ne saurait noter aucune adhésion collective ni aux ébauches de réforme, ni à l'hérésie quand elle a été définie. Parmi les onze Universités que comptait le royaume, — Paris, Orléans, Bourges, Cahors, Toulouse, Montpellier, Aix, Valence, Caen, Poitiers, Bordeaux, — pas une ne rompit en corps avec Rome. Aucune faculté, aucun collège ne s'est rallié en bloc au calvinisme. Il semble au contraire que la fin du xve et le début du xvie siècle ait marqué un raidissement de leur attitude. On sait l'effort de réforme intérieure qui se développa alors dans l'Université de Paris [1]. Effort qui se développe dans le sens de la tradition : les Universités, sévèrement disciplinées, observaient les règles les plus strictes de la pratique catholique, expliquant Aristote, enseignant la scolastique, respectant les méthodes surannées. Attitude qui provoqua les sarcasmes de Rabelais. On y pratiquait encore la dispute comme au moyen âge ; on y lisait le *Donat* et le *Facet*, Barthole chez les juristes et, chez les médecins, Galien, et l'on y étudiait doctement les « sacres Décrétales ». Le courant platonicien qui commence à se manifester dans les milieux littéraires n'y pénètre pas, et lorsque François Ier voudra rénover l'enseignement, il ne pourra le faire à l'Université de Paris, jalouse de ses traditions : il devra créer le corps des lecteurs royaux, modeste ébauche du Collège de France. On ne saurait enseigner le grec à la Faculté des Arts, ni l'hébreu à la Faculté de Théologie, non plus que les mathématiques selon des méthodes rajeunies, ou la géographie. Les Universités vivent sur leur passé, occupées à défendre leurs privilèges, leurs prérogatives ou leurs préséances, et Rabelais n'avait pas tort qui

(1) A. RENAUDET, *Préréforme et Humanisme pendant les premières guerres d'Italie*, Paris, 1916.

ridiculisait alors (même s'il forçait la note et outrait la caricature) les Thubal Holoferne et les Janotus de Bragmardo.

Mais si l'esprit nouveau ne pénètre pas à la Sorbonne, citadelle de l'orthodoxie, et soumise pendant des années à l'influence intransigeante de Noël Beda, il s'infiltre en l'âme d'isolés qui, peu à peu, se groupent et, dans leur amour du savoir, rejettent la tradition surannée. De ces esprits, on en trouve partout, et dans tous les milieux intellectuels. A Paris, d'abord, à la cour et dans les hautes fonctions de l'État, mais aussi dans l'Université même, et, en province, jusqu'en d'humbles couvents. Que l'on songe à l'amitié qui liait au couvent du Puy-Saint-Martin ces deux inconnus, Rabelais et Pierre Amy, tous deux curieux du grec, tous deux en rapports épistolaires avec Budé... On sait ce que représente le cercle de lettrés qui se groupe à la cour, environ 1520, auprès de la duchesse d'Alençon, qui sera bientôt reine de Navarre : elle favorise à la fois l'essor de la poésie et celui de l'humanisme sous sa double forme païenne et chrétienne, et le roi et sa mère, Louise de Savoie, ne se désintéressent pas de ce qui se dit dans les assemblées qu'elle préside. Elle protégera Marot ; elle cherchera à rendre la poésie plus vivante et plus directe, mais encore elle sera curieuse de Platon et suivra passionnément les efforts des premiers traducteurs : c'est à elle [1], sans doute, que l'on doit les premiers essais d'interprétation de la pensée platonicienne que réalisèrent Antoine Héroët, Étienne Dolet, Bonaventure des Périers, Pierre du Val — et l'évêque de Séez, Nicolas Dangu. Elle a essayé d'apprendre l'hébreu ; elle a usé de son influence en faveur de tous ceux, poètes néo-latins, érudits, philosophes, qu'attirait l'humanisme. Il n'est pas besoin de rappeler avec quelle inquiète curiosité elle suivit et protégea l'effort d'un Lefèvre d'Étaples, d'un Briçonnet, d'un Berquin. Si elle s'entoure d'humanistes, elle s'entoure aussi d'ecclésiastiques désireux de rénover la discipline et la foi, de rendre à la religion ce qu'elle avait peut-être perdu dans un formalisme excessif : elle a pour aumôniers un Gérard Roussel, suspect aux orthodoxes, un Michel d'Arande qui donnera des gages à l'hérésie ; elle envoie dans ses terres des prêcheurs « évangélicques » de l'école de Briçonnet et leurs sermons provoqueront parfois des scandales [2].

Il s'agit là d'un cercle de cour ? On lui opposerait un peu partout, — à Lyon, à Toulouse, à Montpellier, à Bordeaux, en Poitou, — de plus humbles réunions d'humanistes, moins en vue, mais aussi actives. Ainsi Rabelais trouvera-t-il un protecteur en l'évêque de Maillezais, Geoffroy d'Estissac, — et, au prieuré de Ligugé, un groupe d'amis tels que Jean Bouchet, procureur au siège de Poitiers et médiocre poète, ou l'avocat Tiraqueau, féru de grec. Il sera, à Montpellier, le familier des médecins Rondelet, Saporta ou Scyrron. A Nîmes, un luthérien avoué, le professeur Claude Baduel, exercera une profonde influence sur le collège qu'il dirige

(1) Cf. A. Lefranc, Grands écrivains français de la Renaissance, Paris, 1914.
(2) Il convient de signaler ici que la première traduction française d'un texte de Luther, un sermon : De la préparation à la mort, par Antoine d'Oraison, un prêtre, entre 1520 et 1524 sans doute, a été dédiée à Marguerite, cf. R. Marichal, Antoine d'Oraison, premier traducteur français de Luther, dans la Bibliothèque d'Humanisme et Renaissance, t. IX, 1947, p. 78 et suiv.

et sur la ville même. A Agen, ce sera Scaliger. A Toulouse, après le supplice de Jean de Caturce, deux juristes, Mathieu Pac et Jean de Boyssoné, seront compromis et poursuivis à l'occasion d'un procès dirigé contre les luthériens. Ainsi, à côté des Universités demeurées enfermées dans la foi traditionnelle, apparaissent un peu partout des groupes d'esprits qui n'hésitent pas à s'engager dans les voies nouvelles — pour y aller plus ou moins loin. Beaucoup s'arrêtent en route : les uns parce que la recherche érudite, l'humanisme pur leur suffit ; d'autres par amour de leur repos, par peur des sanctions qui, déjà, sont appliquées ; d'autres par loyalisme politique ; d'autres enfin par simple orthodoxie. Mais tous pratiquent et enseignent des méthodes nouvelles, et proposent à leurs amis d'autres lectures que celles que recommandent les maîtres orthodoxes. Leur influence ne cesse de s'étendre.

Est-il audacieux d'avancer que, dès lors, on ne trouve plus de stricts croyants que dans les Facultés de Théologie, farouchement attachées à la pureté de la foi ? Lorsque, en 1533, l'Université de Paris inscrira le *Miroir de l'âme pécheresse* parmi les livres suspects, le roi prescrira une enquête, et la Faculté des Arts protestera qu'elle n'a jamais voulu condamner le livre de la princesse : la responsabilité de ce geste appartient aux seuls théologiens. De même, Beda exilé, les « artiens » refuseront de demander son rappel. Si l'Université tout entière approuve les mesures de répression prises par le pouvoir royal, elle se divise sur des questions précises : la Faculté des Arts — elle encore ! — réclamera une étude plus approfondie des lettres antiques, indispensable pour comprendre l'Écriture. Il arrivera que, même à la Faculté de Théologie, certains professeurs, — frère Bernard, maître Guillard, — se voient rappelés à l'ordre pour avoir soutenu des opinions discutables. Il ne s'agit que de cas individuels : ils restent significatifs.

Les Facultés de Droit et de Médecine s'ouvrent aux idées suspectes. On se souvient qu'un luthérien convaincu, Melchior Wolmar, fut le professeur de Calvin à Orléans, et que le réformateur suivit les leçons de ce novateur, Alciat. Rabelais, à Montpellier, trouva un climat intellectuel très différent du climat sorbonnique ; la Faculté de Médecine y comptait des esprits tout proches de la Réforme, Scyrron — pour n'en citer qu'un — et celle de Droit un Sannavy, un Bonneil qui, tout comme à Toulouse Pac ou Boyssoné, s'occupent de théologie autant que de droit. Calvin se fera de nombreux amis à l'Université de Poitiers où viendra bientôt Charles de Sainte-Marthe (encore un protégé de la reine de Navarre !) qui étudie les *Psaumes* autant que le *Digeste* et qui, un temps, donnera dans l'hérésie, puisqu'il s'exilera à Genève. A Bordeaux, autour du collège de Guyenne que dirige Govéa, où enseignera après 1534 Mathurin Cordier, un groupe de professeurs s'intéresse à l'évangélisme. A Bourges, on confie en 1547 une chaire à François Baudouin, qui, peu d'années auparavant, poursuivi comme hérétique, s'est réfugié à Strasbourg, puis à Genève, et s'est lié avec Bucer, avec Calvin lui-même.

Malgré l'apparente unité et l'orthodoxie des Universités, il n'en est pas une qui ne compte, parmi ses maîtres, un ou plusieurs humanistes qui, de près ou de loin, suivent le mouvement qui se développe, et, souvent, le considèrent avec faveur.

LES ÉTUDIANTS　　Il n'y a pas que les maîtres. Il y a les étudiants, plus nombreux que jamais. Tout naturellement, presque d'instinct, ils vont à l'Évangélisme, puis à la Réforme. Ils achètent, ils dévorent, ils se communiquent de main en main les livres défendus — d'autant plus intéressants qu'ils sont interdits ! — la *Bible* d'Olivetan, l'*Institution chrétienne*, les *Articles de la Foy*, le *Catéchisme*, le *Traité des Reliques*. Comment beaucoup de jeunes ne se sentiraient-ils pas attirés par une doctrine qui a l'attrait de la nouveauté, représente un rajeunissement de la religion, et incarne, face à la Sorbonne murée dans une immobilité hargneuse, le mouvement, le dynamisme auquel ils adhèrent de tout leur élan ? Le phénomène est classique : à quel âge prendrait-on parti pour les novateurs, avec violence s'il le faut, sinon dans l'adolescence ?

D'autant que les jeunes Français sont aidés, encouragés par leurs camarades étrangers, nombreux dans les villes d'Université, qui viennent d'Allemagne, de Suisse, des Flandres, d'Angleterre, d'Écosse où se propage la doctrine, et dont beaucoup ont déjà donné leur adhésion à Luther dès 1520, ou, dès 1536, à Calvin. Même si la guerre éclate entre la France et leur pays, ils demeurent attachés à l'Université qui les a accueillis, et continuent leur propagande, car l'heure n'est pas encore venue des mesures de police à l'égard des étrangers, surtout des étudiants : il existe une internationale des intellectuels, qui demeure à l'abri des représailles, et s'avère d'autant plus efficace que les nationalismes ne sont pas encore nés.

Ces étudiants — jeunes encore ou déjà mûris par de longues études — français ou européens venus de tous pays, entraînés par leurs lectures, ne se privent pas de manifester leurs opinions : à Toulouse, ils se réunissent pour étudier ensemble la Bible ou les livres de Luther ; à Montpellier, ils jouent une moralité audacieuse qui vaut à quelques-uns d'entre eux de se voir poursuivis ; à Poitiers, lors de son rapide séjour, Calvin opère plusieurs conversions. Un peu partout, en toute occasion, — un sermon, la soutenance d'une thèse, d'humbles examens, — des étudiants se permettent de contredire un prédicateur, de soutenir des opinions suspectes, d'afficher des tendances réformées. La masse demeure orthodoxe : à preuve les incidents de 1533, à Paris ; les étudiants de Navarre, dans leur ensemble, restaient donc fidèles à la tradition, et se refusaient aux changements.

Les autres, ceux qui lisent Lefèvre, ou Luther, ou Berquin, ou Calvin, ont pris parti tout de suite, avec l'intrépidité de leur âge : ils fourniront bientôt les cadres du parti, lorsque le conflit, du plan religieux, passera sur le plan politique. Ils n'en sont encore qu'aux gestes tapageurs, — on n'ose écrire, s'agissant de tels problèmes : aux farces d'étudiants, mais qui sait ? Demain ils passeront aux actes, — quel que soit le métier qu'ils auront choisi, — professeurs, avocats, médecins, juges ou notaires. Aussi, de loin, Calvin suit-il les progrès de la propagande bénévole qu'ils exercent : il sait que d'eux dépend, en grande partie, l'essor de la Réforme.

PROGRÈS DU CALVINISME EN PROVINCE
Les pouvoirs publics ou religieux mesurent difficilement encore l'étendue du mal : leur tolérance accorde les grades réglementaires à un nombre croissant de candidats sans qu'il soit toujours question de vérifier exactement la pureté de leur foi. Qui pourra mesurer de quel poids fut, dans le succès momentané du calvinisme en France, le rôle d'humbles collèges provinciaux ? L'heure est proche où Ramus osera s'en prendre, à Paris, au maître incontesté, Aristote, et, derrière lui, à la foi ancestrale, osera soutenir que toute la doctrine se ramène à la lecture de saint Paul et de saint Augustin (Calvin, lui, s'en était tenu à saint Paul seul). Ramus sera condamné en 1545, et par des humanistes tels que Danès. Indice probant : la coupure se précise entre les deux formes de l'humanisme, celle qui s'en tient à l'enseignement de l'Église, celle qui va à la Réforme.

Un peu partout en province, après 1530, se développe le courant novateur. Il n'est pas rare qu'un principal, dans son collège, groupe autour de lui des régents qui partagent ses idées. Ainsi Govéa, qui appelle à Bordeaux Mathurin Cordier après l'affaire des placards, — et Montaigne sera l'élève du collège de Guyenne, et Cordier finira par se réfugier à Genève [1]. On signale, à Montpellier, des suspects : un certain Jean le Comte, un Antoine Jonas dont on sait qu'il fut pleinement luthérien. Le collège de Nîmes, que dirige Claude Baduel, s'ouvre largement aux tendances réformées : Baduel n'est-il pas en relations épistolaires suivies avec Mélanchthon, puis avec Calvin dès que celui-ci s'affirme comme le chef du mouvement réformé français ? On y lit saint Paul dans le texte ; on y commente l'Évangile à la manière de Briçonnet et de Calvin. Or Baduel est le protégé de la reine de Navarre qui — elle n'en est pas à une inconséquence près — l'a recommandé aux consuls pour prendre la direction du collège. Grâce à lui, durant les sept ans de son principalat, les idées calvinistes pourront librement se répandre en Languedoc : c'est en 1551 seulement qu'à son tour il prendra le chemin de Genève [2].

Propagande des professeurs et des « pédagogues », propagande des étudiants... Qui pourra mesurer leur étendue ? Les premiers sont plus mesurés : on compterait parmi eux plus d'un nicodémite dont Calvin raillerait les hésitations ou la prudence. Les seconds sont plus ardents : la plupart d'entre eux n'ont rien à perdre, et tout à gagner au contraire dans une adhésion à une doctrine qui paraît vouée au succès ; sans parler du fait que l'élan réformé a de quoi plaire aux jeunes. Faut-il, pour cela, diminuer le rôle des maîtres ? Il ne le semble pas ; il convient, au contraire, de penser que nombre de jeunes étudiants, leurs grades conquis, deviennent maîtres à leur tour, et qu'ici ou là ils répandent à leur tour

(1) Cf. E. GAULLIEUR, *Histoire du Collège de Guyenne*, Paris, 1874.
(2) Mélanchton et Bucer n'ont cessé de recommander Baduel à la princesse. Cf. P. JOURDA, *Répertoire... de la Correspondance de Marguerite d'Angoulême*, Paris, 1930, p. 133, 153, 176, et M. J. GAUFRÈS, *Claude Baduel et la réforme des études*, 1880.

la bonne parole. Les anciens, plus timorés, ne le font pas sans hésitations prudentes ; leurs cadets y mettent plus de fougue. Une fougue que n'entrave pas la surveillance officielle qui contrôle — ou prétend contrôler — le commerce des livres, l'enseignement, et qui exige, dans la discipline des écoles et des collèges, le strict respect des pratiques traditionnelles. Certes, on assiste à la messe dans les collèges ; on dit les prières rituelles ; on honore les saints et la Vierge ; on prie pour les âmes du purgatoire ; on jeûne et l'on pratique l'abstinence. Sincèrement ? Qui le dira ? Il y a, sans aucun doute, beaucoup de nicodémites encore parmi les collégiens et les étudiants, et qui n'affirmeront leur foi qu'à l'heure grave où il faudra, coûte que coûte, prendre parti. En attendant l'on surveille l'attitude de maître Mathurin Cordier ou de maître Claude Baduel ; on note les réticences de tel pédagogue, les réserves de tel autre, une réflexion, un mot qui en dit long. Et, lentement, le doute s'établit dans les esprits sur les notions qui paraissent le plus sûrement établies.

Sans parler de tout ce qui se dit — ou se tait — dans les conversations particulières. Le Français a, de tout temps, été habile à l'ironie, aux silences expressifs ou aux sous-entendus autant qu'aux sarcasmes et à la critique ouverte. De l'humble classe du village que dirige un écolâtre, frais émoulu des leçons de tel maître hésitant, aux collèges des plus célèbres Universités où enseignent librement jusqu'en 1550 des humanistes en renom, en passant par l'échelle des professeurs de tout ordre, étudiants besogneux, précepteurs qui, eux-mêmes, achèvent leurs études, professeurs émérites, c'est un peu partout en France que, par la parole ou l'exemple, se répandent les idées de Luther d'abord, ensuite de Calvin. Propagande qu'aident les plaisanteries joyeuses de Marot raillant frère Lubin, prototype des moines dissolus, ou vilipendant les rigueurs de la justice ecclésiastique et parlementaire dans l'*Enfer*, — de Rabelais [1] daubant sur les Papimanes et les Papefigues, — qu'appuient surtout les audaces de des Périers dans le *Cymbalum Mundi* [2] ou de Dolet. De celles-ci, toutes ne vont pas dans le sens calviniste, mais les calvinistes ne se privent pas de s'en servir, même si leur chef s'en prend à maître Alcofribas Nasier, qui le lui rend avec usure, attaquant les « imposteurs » de Genève et le « démoniacle » Calvin. Trop tard !

Les contemporains ont mesuré le danger de cette propagande scolaire ou universitaire. Ils ont tenté de l'enrayer — sans grand succès. Les novateurs ont des amis qui les protègent : en 1537, à Agen, trois régents de Bordeaux, réfugiés comme précepteurs en diverses familles, font lire à leurs élèves — et aux parents de ces enfants — les derniers livres de Luther et de Zwingle (Calvin n'est pas encore connu, mais son heure viendra) ; dénoncés au guet, ils prennent la fuite avant qu'on ne vienne les arrêter. La liberté de l'enseignement (surveillé par l'Église plus qu'il

(1) De celles-ci, dont on multiplierait les exemples, beaucoup viennent de la tradition médiévale et ecclésiastique et ne sauraient constituer la preuve que Rabelais ait adhéré à l'hérésie : Lucien Febvre l'a démontré. Elles n'en vont pas moins, à cette époque, dans le même sens que la Réforme : la Sorbonne ne s'y est pas trompée.
(2) Cf. L. FEBVRE, *Origène et Des Périers ou l'énigme du « Cymbalum Mundi »*, Paris, 1942, et L. WENCELIUS, *Bonaventure des Périers, moraliste ou libertin*, dans *Bulletin de l'Association G. Budé*, décembre 1949.

n'est contrôlé par l'État que les clercs poussent à intervenir, trop tard dans la plupart des cas) permet aux étudiants issus des Universités entre 1525 et 1545 — c'est-à-dire pendant la période où se répandent les écrits de Luther, puis ceux de Calvin, — de gagner nombre d'esprits à leur cause, surtout parmi les enfants et les adolescents. Ils formeront bientôt les cadres des troupes calvinistes, à l'heure du massacre de Vassy et des guerres de religion. Ils iront, d'un même cœur, à la bataille ou au bûcher.

LE CLERGÉ   Ce développement de la tendance réformiste dans les milieux humanistes est-il antérieur au même mouvement dans les milieux ecclésiastiques ? Il est difficile d'en décider. On décèle pareil mouvement en effet, dès l'origine, dans les milieux strictement religieux, mais, précisément, chez ceux des prêtres ou des moines qui pouvaient dès l'origine être acquis aux tendances de l'humanisme. Convient-il de considérer en Lefèvre d'Étaples, Briçonnet, Gérard Roussel, et bien d'autres, l'humaniste, d'abord, ou, inversement, le prêtre ? Est-ce parce que prêtres ou parce qu'humanistes qu'ils ont adhéré aux idées nouvelles ? On ne peut répondre, faute de confidences des intéressés. Calvin, lui, est allé de l'humanisme à la Réforme.

Il semble sûr que, dès le début de la querelle, le clergé français — le régulier comme le séculier — a été touché. Quoi d'étonnant ? La Réforme allemande n'est-elle pas née de la révolte d'un moine ? Il en sera de même en France. C'est à l'abbaye de Saint-Germain-des-Prés, c'est à l'évêché de Meaux que sont nées les premières tendances réformistes (il n'est, pour s'en convaincre, que de feuilleter les lettres [1] de Briçonnet à la sœur du roi), — et leurs premiers défenseurs seront des prêtres humanistes ; ainsi Lefèvre d'Étaples, dont on ne saurait exagérer l'influence.

Grâce à lui, dès l'origine, toutes les classes du clergé sont touchées par les idées nouvelles, à commencer par l'épiscopat. Les évêques de France, environ 1520-1540, sont choisis dans les rangs de la noblesse, des parlementaires, de la haute bourgeoisie. Beaucoup d'entre eux ont échappé à la formation universitaire, mais sont ouverts aux idées venues d'Italie. « Hauts fonctionnaires », pour la plupart, ils occupent un rang dans les cadres de l'État et de la diplomatie. Rares, — un Briçonnet, — ceux qui résident, prêchent, et s'occupent de leurs ouailles. Un Jean du Bellay, évêque du Mans puis de Paris, un Guillaume Pellicier, évêque de Maguelonne, un cardinal de Tournon sont des serviteurs du roi plutôt que de l'Église ; en attendant les Guise, ministres d'Henri II ou de Charles IX, et les Châtillon qui renonceront leur foi. On se doute que ces grands seigneurs, ou ces grands bourgeois, n'ont rien des Sorbonagres. Ont-ils suivi les cours de l'Université ? Sont-ils férus de scolastique ? Ont-ils lu Aristote ? La chose est peu probable. Gallicans, ces princes de l'Église s'inquiètent assez peu de l'universalité romaine. La politique

(1) Elles abondent en formules significatives : « L'Église est à présent vide et sèche comme un torrent... Chascun cherche son profit et honneur. Il n'est plus question de celuy de Dieu... Il n'est qu'une doctrine évangélique... » Rien, là, d'hérétique, mais l'affirmation de la nécessité d'une réforme des mœurs, de la discipline et de la vie intérieure.

de François Ier, dont ils sont les lieutenants ou les ministres, les intéresse plus que les querelles dogmatiques. Ce sont pour la plupart des lettrés, favorables à l'humanisme, et par là même portés à admettre certaines tendances nouvelles. Ils lisent Érasme ou Lefèvre d'Étaples ; ils protègent Rabelais, Marot, voire Dolet ; ils affectent à l'égard de la curie, voire du pape, une indépendance totale sur le plan politique, et partielle, indéniablement, sur le plan doctrinal[1].

LE HAUT CLERGÉ   Le haut clergé, dans son ensemble, est favorable à l'idée d'une réforme qu'il juge nécessaire. Briçonnet, ou le confesseur du roi, Guillaume Petit, évêque de Senlis, tentent d'agir. D'autres prélats partagent leurs vues, s'ils n'appliquent pas leurs méthodes. Ainsi l'évêque de Paris, Étienne Poncher, le protonotaire Georges d'Armagnac qui deviendra évêque de Rodez et cardinal, ou Louis Gaillard, évêque de Chartres, qui arracha de « l'enfer » du Châtelet Marot emprisonné pour avoir mangé du lard en carême. Gérard Roussel, évêque d'Oloron, sera suspect aux orthodoxes et aux réformés en même temps, parce qu'il ne s'est résolument engagé d'aucun côté. L'évêque de Séez, Nicolas Dangu, protégé de Marguerite et platonicien convaincu, n'est pas de ceux qui se refusent à tout projet de réforme. L'épiscopat manifeste sa tendance de façon concrète aux conciles de Bourges (1528) et de Paris (3 février 1528), de Lyon (mars 1528)[2]. Des réformes ? Soit. Une hérésie ? Non. Ce n'est pas avant le milieu du siècle que l'on comptera dans les rangs des évêques des abandons comme celui du cardinal de Châtillon.

Avec les prélats, les grands corps de l'Église, chanoines ou prébendiers, choisis dans la noblesse ou l'élite de la bourgeoisie (beaucoup appartiennent aux milieux parlementaires ou financiers), restent eux aussi conservateurs, et fidèles à la foi romaine. Résolument hostiles à toute nouveauté dans le dogme ou la discipline, ils ont le culte de la tradition et de l'ordre ; ce sont, par définition, des ennemis de Luther, puis de Calvin. Autant que les théologiens de Sorbonne, mais pour d'autres raisons, ils seront les défenseurs de la doctrine établie. Leurs préoccupations parfois ne vont pas plus loin que des questions de préséance ou de protocole : l'évêque a-t-il ou non le droit de porter la barbe ? grave querelle qui opposera, des années durant, le chapitre de Noyon à son évêque, — et dont Calvin a entendu les échos. Ce n'est pas dans les rangs des prébendiers, à de rares exceptions près[3], qu'on cherchera des hérétiques ou des suspects, — tel le confesseur du roi, Guillaume Petit, grand lecteur d'Érasme. L'opposition même — si traditionnelle — du chapitre à l'évêque joue son rôle, quand l'évêque semble indifférent au danger de la propagande réformiste.

---

(1) On notera que les chapitres cathédraux — ou les abbés — réagissent souvent avec plus de vivacité que les prélats : ils sont sur place et mesurent le danger que court l'orthodoxie.

(2) Cf. *supra*, p. 140-141.

(3) Le 23 décembre 1523, par exemple, Morand, chanoine d'Amiens, est arrêté pour avoir prêché des propositions tirées des livres de Luther ; en 1525, Jean Papillon, chanoine de St-Germain-l'Auxerrois, suspect, est emprisonné. Mais les exemples sont peu nombreux relativement.

LE CLERGÉ PAROISSIAL   Il n'en est pas de même dans le clergé paroissial, qui a la charge directe des âmes, dans
les villes ou les campagnes. Ici les cas d'hérésie sont plus fréquents,
sans être encore trop nombreux. Un peu partout on signale des prêtres
suspects, notamment dans l'ouest, et surtout dans les terres de Marguerite où les prêches de Caroli semblent avoir semé le doute. Ainsi encore
à Meaux. Le mal gagne les provinces du midi, grâce, peut-être, à l'action
de Jean de Caturce, grâce aussi peut-être à la persistance des souvenirs
albigeois : des prêtres sont poursuivis à Cahors, à Montauban, à Narbonne ;
il semble, par ailleurs, que les Vaudois aient eu des sympathies parmi
le clergé méridional. On signale peu de défections dans les grands centres,
sans doute parce qu'ils sont plus étroitement surveillés : le cas du curé
de Sainte-Croix, à Paris, Landry, dont les sermons en 1542 agitent la
foule et causent grand scandale, paraît bien avoir été un cas limite,
même s'il n'est pas le seul à prêcher « librement » [1], et si l'on peut citer
avec lui quelques autres sermonnaires audacieux, le clergé rural, plus
près du peuple, plus sensible aux abus, vivant de plus en plus chichement,
à peine frotté de théologie, abandonné à lui-même, et sans cadres pour
le guider, paraît avoir été plus sensible à la propagande, peut-être parce
qu'il a cru la Réforme capable de corriger les maux dont il souffrait.

LE CLERGÉ RÉGULIER   Mais c'est dans le clergé régulier que le calvinisme
trouvera très vite le plus grand nombre d'adhé-
sions. Les ordres cloîtrés, déjà réformés en partie, chartreux ou bénédictins, paraissent n'avoir pas subi la contagion : la règle stricte, strictement observée, les en a préservés. Mais les ordres mineurs, les ordres
mendiants fournirent à Calvin nombre de recrues, et des plus ardentes.
Mêlés à la vie de tous les jours, en contact direct avec le peuple, sensibles
à ses réactions, en perpétuels déplacements, comment les carmes, les jaco-
bins, les augustins, les prêcheurs de toute robe auraient-ils pu échapper
à la fermentation dont ils étaient les témoins ? Beaucoup d'entre eux,
d'ailleurs, dont les monastères étaient en ruines, ne menaient plus la vie
conventuelle. Ils fourniront eux-mêmes un ferment de choix au désordre,
même s'il subsiste des exceptions — les cordeliers de Meaux, par exemple,
qui se refusent à subir la réforme prescrite par Briçonnet, et poursuivent
leur évêque en justice. Indépendants, ils ont savouré le goût de la liberté ;
partisans d'un égalitarisme total, ils seront sensibles au caractère démocratique des idées luthériennes ou calvinistes ; éloquents, ils se feront les
avocats de Calvin, — sans pour cela renoncer toujours à l'inconduite
dont se plaignent alors les observateurs qui n'ont que trop de raisons
de la dénoncer : ils sont une des causes de la Réforme ; ils en seront
les fourriers. Après Luther, comme Luther. Audacieux, libres de leurs
actes comme de leur parole, en guerre avouée souvent avec les cadres
hiérarchiques des paroisses ou des évêchés, invectivant contre les curés
ou les théologiens, vivant de la charité publique au hasard de leurs quêtes.

_____

(1) Landry, du reste, au témoignage de Th. de Bèze, t. I, p. 48, se rétracta : « il se dédit comme
u voulut en présence de la cour du Parlement ».

sans grande formation théologique, ils prêchent souvent un mysticisme très libre. D'autres vont plus loin, tel cet augustin de Paris, Jean Vallère, brûlé en 1523 pour avoir blasphémé les noms de Jésus et de Marie, ou ces cordeliers — Étienne Machopolis qui avait suivi les leçons de Luther, et Étienne Rénier qui prêchèrent les premiers la Réforme à Annonay. Tel encore le bénédictin Jean Michel qui, après avoir visité les églises réformées de Suisse, prêcha la Réforme en Berry et fut exécuté à Paris, ou le jacobin Vindocin, brûlé en 1539 à Agen sur la promenade du Gravier. Ce sont les moines qui fournissent quelques-uns des premiers convertis, et non des moins actifs : Lambert, d'Avignon, franciscain, ira étudier à Wittemberg près de Luther, puis sera un des fidèles de Calvin à Genève ; franciscain encore Sébiville qui prêche à Grenoble des théories toutes proches de celles que soutint le Génevois ; à Lyon, à Rouen le dominicain Meigret défendra des théories suspectes et sera poursuivi pour avoir prêché la justification par la foi [1]. A Paris, la Sorbonne devra censurer plus d'un mendiant issu des couvents de la rue Saint-Jacques, et fera comparoir des orateurs audacieux et passionnés. A Toulouse c'est dans la cellule d'un augustin, frère Thaddée, que Jean de Caturce et ses amis s'étaient réunis : on y commentait l'Évangile ; on y protestait contre les abus. Il semble que ce soit dans l'ordre abandonné par Luther que l'on ait compté les plus nombreuses défections, au point que le général de l'ordre s'inquiéta, et que l'évêque de Paris intervint avec énergie pour épurer le monastère empoisonné par l'hérésie. Un peu partout, dans tous les ordres, dans nombre de couvents, on découvre des suspects : la contagion est facile, et la propagande s'exerce de bouche à oreille dans les cloîtres, aussi facilement, et plus peut-être qu'ailleurs. Elle s'opère même d'ordre à ordre, les moines de robes différentes oubliant en la conjoncture esprit de corps et rivalités. L'ordre le moins touché — celui des prêcheurs — verra pourtant un de ses membres, un inquisiteur, frère de Rochette, brûlé à Toulouse.

Il ne s'agit, sans doute et malgré tout, que d'une minorité, d'une poignée d'individus, mais agissants, influents aussi, de par leur qualité : un moine gagné à l'hérésie, de quel exemple n'est-il pas ? Plusieurs passeront à Genève : ils ne seront pas plus soumis à Calvin qu'au pape, et le réformateur se plaindra de leur afflux ; il devra les surveiller, voire les censurer ; il refusera souvent de faire d'eux des pasteurs ; il redoutera leur indépendance, leur esprit anarchique. Recrues suspectes que celles-là, orgueilleuses, entêtées, et trop individualistes pour se plier à la rigueur des principes génevois. Mais elles auront joué un rôle important au royaume de France, guidé les esprits, encouragé et favorisé la rupture avec Rome d'âmes simples et faciles à convaincre.

LA NOBLESSE   Comme le haut clergé, la noblesse de cour reste, et restera longtemps réfractaire. Malgré la politique royale favorable aux réformés d'Allemagne ; malgré la curiosité dont témoigne la

---

[1] Cf. H. Guy, Le sermon d'Aimé Meigret, dans Mélanges Jeanroy, Paris, 1928, et Le sermon d'Aimé Meigret (texte in extenso), Grenoble, 1929.

reine de Navarre pour les nouveautés et la protection qu'elle accorde aux théologiens avancés. Attitude normale : les grands seigneurs se satisfont de la foi de leurs pères, et les questions religieuses ne sont pas de celles qui les préoccupent. S'ils sont, bien souvent, acquis aux principes de la Renaissance, c'est à peu près uniquement aux principes mondains d'élégance et de luxe que Rabelais décrit dans le mythe de Thélème. La joie de vivre leur suffit, et une morale très large, celle-là même de Thélème [1]. Pour leur *credo*, ils se contentent de répéter celui qu'ils ont appris dans leur enfance, et ne se tracassent ni des problèmes de discipline, ni des questions dogmatiques que soulèvent Luther, Mélanchthon ou Calvin. Querelles de théologiens, querelles de pédants... Ceux qui s'intéressent à l'humanisme, — un Lazare de Baïf par exemple, — ne vont pas plus loin que l'humanisme païen et ne dépassent pas le stade des études sur l'antiquité.

Le roi, certes, ne cache pas qu'il souhaite une réforme. Il ne suit que modérément la Sorbonne dans sa politique de répression ; il protège Berquin, qui ne sera exécuté qu'à la faveur d'une procédure précipitée ; il protège Marot dont les incartades l'amusent, et il accueille avec plaisir sa traduction des *Psaumes* ; il pense confier à Érasme la direction d'un collège distinct de l'Université ; il s'intéresse à la tentative de Briçonnet et fait de Lefèvre d'Étaples un des gardes de sa bibliothèque ; il invite Mélanchthon à venir à Paris pour débattre les grands problèmes religieux ; il confie à Guillaume et à Jean du Bellay, à Lazare de Baïf le soin de lui concilier l'appui des princes protestants d'Allemagne, quoique luthériens, et cherche à s'entendre avec eux : on l'a vu lors de l'affaire des placards, et son attitude n'a pas été sans pousser Calvin à définir, plus vite peut-être qu'il ne l'eût fait, la doctrine réformée. Il protège Rabelais, et lorsque sa sœur a maille à partir avec la Sorbonne, il prend son parti avec éclat. Autant de signes qu'il ménage la Réforme. Mais sur le plan dogmatique il ne s'engage pas, — et les courtisans ne s'engagent pas plus que lui.

Sans doute dans l'entourage de Marguerite de Navarre se préoccupe-t-on un peu plus de ces questions. La princesse les a soulevées, dès 1524, dans ce *Dialogue en forme de vision nocturne*, où elle agitait le problème des œuvres et celui de la justification par la foi. Elle a demandé à Briçonnet de la guider dans la vie spirituelle. Elle s'oriente, à partir de 1531, vers une religion mystique. Mais est-elle allée plus loin ? Il semble difficile de l'admettre ; elle n'adhère pas, en tout cas, au calvinisme [2]. Elle protège, certes, des penseurs audacieux qu'elle envoie prêcher dans ses apanages, à Alençon, à Bourges ; elle fait confier à Roussel l'évêché d'Oloron, à Michel d'Arande celui de Saint-Paul-Trois-Châteaux ; elle accueille à Nérac le vieux Lefèvre qui finira là sa carrière. Mais a-t-elle jamais assisté à la fameuse messe en sept points ? Rien ne le prouve. Elle ne s'est pas séparée de son frère, ni de l'Église ; elle a, comme beaucoup, désiré une réforme dans l'Église et par l'Église ; mais elle n'a pas voulu la rupture,

---

(1) Ainsi Louis de Ronsard, le père du poète, qui vouait son château de la Possonnière *Voluptati et Gratiis...*
(2) Cf. *supra*, p. 137.

à l'heure même où elle se retire dans ses terres, en 1541, pour ne plus reparaître que fugitivement à la cour. Du reste, que subsistait-il alors de son influence passée [1] ?

A l'exemple de ses maîtres, la cour oscille, suivant la conjoncture, de l'attentisme à la répression. Elle sourit quand il le faut à Briçonnet et à Mélanchthon, écoute les prêches de Gérard Roussel, fredonne les Psaumes traduits par Marot et s'irrite du conservatisme de la Sorbonne, mais elle s'indigne lors de l'affaire des placards et suit la procession royale, tête nue, un cierge en main. Dès que le roi engage la lutte contre Luther et se rapproche de Rome, la cour obéit à l'orientation nouvelle, mais si la politique exige quelque relâchement ou quelque indulgence, on ferme les yeux. Politique et courtisanerie d'abord : rares sont alors les grands seigneurs pleinement convertis. Qui citerait-on ? Les La Marck, princes de Sedan ; la dame de Malesherbes...

En est-il de même hors du Louvre, de Fontainebleau, et des châteaux de la Loire ? Non. La noblesse rurale, en contact plus direct avec la propagande qui a été décrite, marque très tôt des curiosités, des adhésions timides, des conversions. Elle ne connaît pas les raisons politiques qui retiennent la noblesse de cour dans la tradition romaine et royale. Le seigneur du village écoutera librement le prêcheur évangélique qui traverse ses terres, et il lui permettra de prêcher. C'est une distraction entre deux chasses que d'écouter un moine défroqué enseigner les idées venues d'Augsbourg ou de Genève. De la curiosité, on passera tout naturellement à l'étude et à la conviction. Il ne s'agit encore que de faits isolés : on ne saurait noter, avant 1550, l'adhésion d'une partie de la noblesse provinciale à la doctrine de Calvin. Mais les conversions individuelles préparent les conversions collectives : la noblesse rurale fournira des cadres subalternes à l'armée protestante lorsqu'elle se constituera, mais, en France comme dans les principautés allemandes, il entrera dans ces conversions plus d'un élément d'ordre politique. Pour un convaincu comme d'Aubigné ou La Noue, combien d'ambitieux ?

LES PARLEMENTAIRES On s'attendrait à voir les conversions plus nombreuses dans les rangs des parlementaires, de ceux qui occupent les grandes charges de justice, de finance ou d'administration, comme chez de plus humbles magistrats et parmi les bourgeois qui exercent des professions libérales. Calvin lui-même n'a-t-il pas délaissé le droit pour la théologie ?

On compte parmi ces bourgeois, qu'ils appartiennent à la grande ou à la moyenne bourgeoisie, nombre d'humanistes qui ne reculent pas devant certaines audaces : un Briand de Vallée, à Bordeaux, ami de Rabelais, ou un Jacques de Minut à Toulouse pour ne citer que deux noms de parlementaires, surtout un Adam Fumée, correspondant de Calvin. Ce sont pour la plupart des esprits lucides, curieux des questions intellectuelles, intéressés par certaines nouveautés au moins, celles sur-

---

(1) Sur Renée de France, duchesse de Ferrare, cf. *supra*, p. 183. Plusieurs de ses suivantes, Anne de Soubise et ses filles, passeront à l'hérésie.

tout qui touchent les lettres païennes, — les précurseurs, par exemple,
d'un du Vair. Mais, pour les mêmes raisons que les prébendiers ecclésiastiques, ils ne dépassent pas certaines limites : leurs fonctions officielles,
dont ils sont fiers, leur interdisent de les franchir, et leur âge, — car
ce sont déjà des hommes mûrs, — les protège de certaines audaces auxquelles se laisseront aller, un quart de siècle plus tard, leurs héritiers
ou leurs successeurs. Pour l'instant, ils incarnent la résistance au mal :
le premier président de Paris, Lizet, est, dès le début de l'action, le ferme
appui de Beda ; parlant au chancelier du Prat en 1527, il affirme : « On
ne peut abattre les têtes d'une hydre qu'en l'exterminant du tout... »
La force de la tradition demeure trop grande en eux pour qu'ils cèdent
à une propagande qui, malgré son ampleur, reste sporadique ou incertaine. Il en est de même, entre 1530 et 1550, dans les rangs de la bourgeoisie d'affaires : un Étienne de la Forge est une exception. En revanche,
en marge des chambres ou des parquets, avocats, procureurs, notaires,
médecins, apothicaires, plus près du peuple, plus accessibles à certaines
influences et dont beaucoup sont plus fraîchement issus des collèges
et des Universités prêtent une oreille plus attentive aux discours que
commencent à tenir les émissaires de Genève ou les convertis locaux
— car c'est du peuple que va venir l'élan. Les légistes libres, — ceux qui
n'exercent pas de fonction publique, et les médecins peuvent plus facilement se risquer, sans trop se compromettre encore, à lire des livres,
à écouter des conversations suspectes. Et ils ne s'en privent pas : c'est
un médecin, Tisserand, qui propage à Meaux les idées de Calvin.

LE PEUPLE DES VILLES C'est dans le peuple surtout, et surtout dans
les villes, que la Réforme, luthérienne ou calvi-
niste, va trouver tout de suite ses plus gros effectifs, ses partisans les
plus décidés. Parmi les « gens méchaniques », comme parle le Bourgeois
de Paris, tisserands de Lyon, « cardeurs de laine et drapiers drapants »
de Meaux, artisans de tout ordre et de tous métiers à Paris et dans les
grandes villes, — artisans, c'est-à-dire en même temps patrons, compagnons et apprentis, et avec eux leurs femmes, leurs parents, leurs enfants,
vite gagnés aux idées qui se propagent plus facilement dans les quartiers
populaires — où la surveillance est réduite — que dans les Universités
ou les grands corps de l'État. Milieu prompt à la révolte contre le pouvoir
religieux comme contre le pouvoir royal. D'où ces émeutes de Meaux,
de Lyon (la Rebaine de 1529) qui ont des origines sociales ou politiques
autant que théologiques. Une enquête prescrite par Briçonnet en 1525
révèle chez beaucoup de gens du peuple des tendances réformistes avouées :
plus d'un fidèle refuse de se confesser, de prier les saints, affirme douter
du Purgatoire, conséquences de ses propres enseignements décrits par
Lefèvre à Farel le 6 juillet 1524 : « De quelle joie tressaille mon cœur
quand je vois la pure connaissance du Christ répandue déjà dans une
grande partie de l'Europe et que j'entrevois la même bénédiction accordée
à notre chère France... Maintenant, par tout ce diocèse, l'Évangile est
lu au peuple les dimanches et jours de fête, et l'officiant peut ajouter

à cette lecture les paroles d'exhortation qu'elle lui suggère... » Les procès
d'hérésie instruits à partir de 1540 révèlent que dans tous les corps de
métiers on compte des réformés convaincus. Les attentats contre les
images, les sacrilèges plus nombreux sont le fait de gens du peuple passés
à l'action violente pour affirmer leur foi. Il serait vain de chercher des
groupes de protestants dans la noblesse ou la haute bourgeoisie : on
en découvrirait, au contraire, très tôt dans les rangs du peuple. A Meaux
où l'action de Briçonnet avait été accueillie avec enthousiasme, il se
constitue en 1546 une véritable communauté réformée où l'on célèbre
la cène et où l'on enseigne l'Évangile ; de même à Rouen, Lyon, La Rochelle, Orléans, presque toujours dans les faubourgs où ces groupes se
cachent mieux.

Le peuple est sensible à l'égalitarisme démocratique et à la doctrine
mystique enseignés par les réformés et qui satisfont le premier ses rancœurs, ses misères, la seconde son besoin d'amour : la parole de Dieu
lui est désormais révélée directement ; il peut la comprendre, la goûter,
l'appliquer à sa vie de chaque jour ; elle lui enseigne la liberté, la charité,
l'égalité ; elle le pousse parfois à l'action, presque toujours à la dispute :
en tout autre pays que la France, de pareilles tendances eussent pu aboutir
à une révolte sociale, comme il en avait été en Allemagne. L'heure n'en
était pas venue : la majorité des villes et des bourgs reste catholique,
par attachement aux formes traditionnelles du culte et de la liturgie ;
en France les membres des confréries ou des corporations n'ont pas voulu
renoncer à prier leur saint patron, à se grouper sous sa bannière, à se
rendre en corps aux offices solennels qui célébraient sa mémoire. Mais
il s'y constitue de plus en plus d'importantes et actives minorités.

LES PAYSANS   La paysannerie au contraire reste fidèle à l'orthodoxie,
sauf en certaines régions de Provence, là où demeurent
des centres vaudois [1]. Les conversions, au village, dans les hameaux et
dans les fermes, sont peu nombreuses, malgré les abus sociaux que certaines tendances de la Réforme auraient pu contribuer à corriger [2] :
la révolution religieuse, en Allemagne, s'était accompagnée du partage
des biens du clergé, de la suppression de quantités de privilèges. Pourquoi
n'en eût-il pas été de même en France ? D'autant que les querelles du
paysan avec les feudataires, — nobles ou ecclésiastiques, — étaient
constantes, ne fut-ce qu'à propos de la dîme. Or la révolution n'éclate
pas.

Le paysan français, soumis à son curé, si médiocre fût-il souvent,
demeure fidèle à ce que rejetait Calvin : le culte des saints, le culte des
morts. Il ne peut renoncer à saluer le saint local, à prier devant cette
statue, dans son église, devant laquelle avaient prié ses ancêtres, à vénérer
ces reliques, vilipendées par Calvin, auxquelles il gardait une entière
confiance. Comment eût-il pu ne pas rêver devant ces vitraux qui lui

(1) Cf. *infra*, p. 272-273.
(2) A titre d'exemple, la monographie du chan. CANTALOUBE, *Les origines de la Réforme protestante dans un village cévenol*, dans *Bull. du Comité de l'Art chrétien de Nîmes*, 1946, p. 378-396.

donnaient une idée du ciel ? ou se résoudre à ne plus entendre les cloches, dans l'humble église où il avait été baptisé, où il s'était marié, où il savait qu'on chanterait pour lui l'office des morts, tinter l'angélus, ou le glas ? Et comment eût-il pu comprendre quelque chose aux doctrines que l'on discutait avec tant d'âpreté dans les villes ? La question de la grâce, celle de la justification par la foi, que pouvaient-elles lui dire ? Quant aux œuvres, comment eût-il renoncé à celles qu'il avait accoutumé de pratiquer et auxquelles il attachait tant d'importance ? Son *Credo*, ce *Pater*, ces *Ave* qu'il répète, le matin, à midi et le soir, à l'angélus, lui suffisent : il peut les murmurer en tenant les mancherons de sa charrue, en brandissant sa pioche ou sa hache ; mais les *Psaumes* ? L'attachement au sol, à sa solidité, à sa pérennité, prime en lui la curiosité. Il vit du passé, il le continue sans se pencher sur l'avenir autrement que pour penser à ses récoltes. Avant 1550, la Réforme ne gagnera guère dans nos campagnes, et, même au temps des guerres de religion, elle n'y fera qu'un nombre minime d'adeptes [1].

En fait cependant, à quelques exceptions près, c'est dans les classes populaires, — moyenne et petite bourgeoisie, moines mendiants, artisanat, gens de métier, prolétariat ouvrier que se manifestent, — plus ou moins nombreuses, plus ou moins rapides, — les défections, les adhésions aux théories de Luther : c'est parmi elles que Calvin trouvera ses premiers, ses plus fidèles amis.

§ 3. — La résistance à la Réforme [2].

LA POLITIQUE ROYALE — On a déjà vu plus haut quelles en avaient été les oscillations. Oscillations incompréhensibles, si on oublie que François Ier paraît bien avoir réagi surtout en politique. Il n'est ferme, il n'est intransigeant que sur un point, son autorité qu'il ne laisse pas entamer. Or il se considère comme le chef de l'Église de France ; d'où les mesures qu'il prend contre les suspects traités par lui et par ses fonctionnaires comme des agitateurs dangereux. Cela ne l'empêche nullement de vouloir conclure en même temps une alliance avec les réformés allemands.

La publication de l'*Institution chrétienne*, en 1536, ne modifie pas son attitude, peut-être parce que le livre, écrit en latin, ne risque pas encore de toucher les foules et de les convaincre.

Il n'en sera pas de même un peu plus tard, lorsqu'il sera convaincu du danger couru à la fois par l'unité nationale et par la couronne, surtout lorsque la traduction de l'*Institution* fournira aux Français un corps de doctrine systématique. Mais, dès 1538, une attitude de combat résolue succède à la temporisation et à la conciliation. L'Église a jugé les écrits hérétiques ; elle les a, de façon répétée, condamnés : à l'État de punir puisqu'il s'agit de troubles sociaux et politiques. Le roi et ses légistes

(1) Les défections massives ne se produiront qu'après 1550 lorsque la Réforme s'appuiera sur un parti politique — et sur les ambitions que provoqua sa naissance.
(2) Sur les résistances à la propagande luthérienne, cf. *supra*, p. 138-142.

ne font qu'appliquer une vieille théorie médiévale. Les parlements, désormais, interviendront dans la lutte contre l'hérésie, autant et plus que la Sorbonne : les cas de sédition relèvent de la justice royale, et la Réforme, vue sous certains de ses aspects, constitue une véritable sédition, un « vray crime de rebellion » dit un arrêt de 1534. C'est en vertu de ce principe que sont intervenus les parlements, celui de Toulouse dans l'affaire de Caturce, celui de Paris dans celle des placards. L'Église, du reste, impuissante temporellement, en appelle au bras séculier. La répression désormais sera affaire royale. Orientation nouvelle qui se dessine, semble-t-il, dès après les entrevues de Nice et d'Aigues-Mortes, en 1538, qui marquent le déclin de l'influence pacificatrice de Marguerite de Navarre.

En moins de deux ans, trois édits se succèdent, signés le 16 décembre 1538, le 24 juin 1539, le 1er juin 1540, — ce dernier à Fontainebleau, — qui, tous trois, condamnent définitivement l'hérésie sur le plan gouvernemental, la mettent hors la loi, et confient la répression aux Parlements. Par des lettres signées à Lyon le 30 août 1542, enfin, le roi accorde à ceux-ci les pouvoirs d'enquête et d'instruction nécessaires pour enrayer les progrès de l'hérésie. Les Parlements donc auront désormais à connaître de tous suspects, à enquêter, instruire, juger, sans attendre d'être saisis par les pouvoirs religieux. Leurs décisions seront sans appel : il convient de frapper vite et fort. Sans se dessaisir, au contraire, le roi étend les moyens judiciaires de poursuite et hâte la procédure.

LES PARLEMENTS ET L'HÉRÉSIE (1540-1549)   L'heure des nicodémites est passée. Demeurent face à face l'orthodoxie et la Réforme, sans tiers parti. Les deux adversaires prennent position de façon décidée : l'Église et les Parlements pour défendre la foi catholique, les partisans de Calvin pour gagner le plus d'adhérents et le plus de terrain possible.

La Sorbonne dresse en 1542 la première liste complète de livres incriminés pour leurs tendances, et, dès lors, proscrits ; en 1543, elle résume en vingt-quatre articles les principes essentiels, indiscutables, de la foi que tous, docteurs et bacheliers, devront signer et jurer d'observer. Le 23 juillet, un édit sanctionne ces articles et prescrit leur publication dans tout le royaume [1]. Dès le 1er juillet, François Ier avait ordonné que tous les exemplaires de l'*Institution* fussent remis aux Parlements et que, sous peine de pendaison, nul imprimeur, nul libraire n'osât éditer ou vendre un livre qui ne portât pas le visa de la censure ecclésiastique. On s'en prend donc à la fois aux livres, qui sont les meilleurs agents de la propagande calviniste, et aux suspects, ceux qui les impriment, les vendent, les colportent, et surtout les lisent et en divulguent autour d'eux le contenu.

Le guet parcourt les rues de Paris, en juillet 1542, en proclamant à son de trompes, à tous les carrefours, l'obligation pour tous de déposer

---

(1) Calvin répondit par un opuscule : *Articuli a Facultate theologica Parisiensi determinati. Cum antidote*, 1544 (Cf. *Opera*, t. VII).

dans les vingt-quatre heures au greffe du Parlement, tous livres suspects, et, spécialement, l'*Institution*. Le commerce de la librairie se voit plus étroitement surveillé ; les Facultés sont invitées à constituer des commissions chargées de déceler les livres condamnés, et la mesure est étendue à toutes les Universités. Le Parlement, que mène le premier président Lizet, enregistre l'index des ouvrages interdits par la Sorbonne : il sera refait deux fois, et complété, en 1545 et en 1546. Les libraires parisiens protestent, — en vain. Un peu partout en province on enquête, chez les libraires d'abord, mais aussi dans les bibliothèques privées, les couvents, les collèges ; les livres saisis sont brûlés de la main du bourreau en place publique ; les libraires suspects, déférés à la justice, emprisonnés, quelquefois torturés et exécutés. Quant aux colporteurs sur lesquels on saisit quelqu'exemplaire des livres condamnés, on les brûle sans autre forme de procès. Le 14 janvier 1544, un exemplaire de l'*Institution* et plusieurs volumes édités par Dolet sont brûlés en grand apparat devant Notre-Dame de Paris, — parmi eux des œuvres d'Érasme et de Lefèvre.

La répression se fait plus sévère et plus générale. Les procès se multiplient, que suivent nombre de condamnations et d'exécutions. Un peu partout les Parlements frappent, vite et fort. A Paris, en 1542, une arrestation de marque : celle du curé Landry [1]. On visite, on enquête dans les collèges et les couvents ; on fait droit à chaque délation. A quoi bon, avec Crespin dans son *Livre des Martyrs*, citer les noms d'inconnus morts pour leur foi ? Il suffit d'en mentionner un, le plus célèbre : Étienne Dolet sera brûlé le 3 août 1546 pour ses blasphèmes [2] ; il était, en fait, plus athée que calviniste, mais on ne distingue pas entre l'incroyance et l'hérésie : on les frappe également. Enquête à Meaux en 1546 : soixante arrestations le 8 septembre, quatorze condamnations à la question extraordinaire et au feu, et quatre bannissements [3]. Enquêtes en Picardie, à Amiens, à Chauny, à Noyon, d'où s'enfuit Laurent de Normandie, un ami de Calvin qui fera un réfugié de plus à Genève. Enquêtes à Troyes, à Langres, à Sens, où en moins d'un an treize personnes sont inculpées. Des commissaires itinérants parcourent les provinces, aux quatre points cardinaux. Ils enquêtent, interrogent, inculpent, incarcèrent. Ils frappent également bourgeois, artisans ou paysans : des magistrats, des notaires, des officiers royaux, des clercs, des marchands, des artisans. Dans le centre, peu de résultats. Dans l'ouest au contraire, le péril menace davantage : cent dix-huit personnes sont arrêtées en 1545 à La Rochelle, dont vingt-cinq subiront le supplice capital. Le Parlement de Paris étend sa juridiction à l'est, à l'ouest, au sud, au nord — et frappe partout avec rigueur. Le conseiller Pierre Hotman, qui enquête à Orléans et à Beaugency, emprisonne à tort et à travers — il faut l'avouer : à Orléans, par exemple, il inquiète à la fois l'official et le théologal de l'évêché, et le bailli royal, si bien qu'on doit rapidement innocenter les inculpés.

---

(1) Cf. *supra*, p. 263.
(2) Mais aussi pour avoir imprimé des livres d'Érasme (*Le chevalier chrétien, Le moyen de bien et catholiquement se confesser*), de Lefèvre et de Marot.
(3) Bèze, *Histoire ecclésiastique*, t. I, p. 67, estime à 3 à 400, « qu'hommes que femmes », le chiffre des fidèles groupés à Meaux par le cardeur Pierre Le Clerc.

L'activité des Parlements de province se manifeste de façon fort inégale. En Dauphiné, on ne signale, en sept ans, que onze cas d'hérésie et six condamnations légères. C'est peu. On constate pourtant, dans cette province, l'existence de centres protestants. Le Parlement de Normandie manifeste quelque tiédeur dans la répression. Le Parlement de Guyenne à Bordeaux paraît avoir été assez modéré : il a épuré, en 1535, le collège de Guyenne où l'enseignement s'avérait assez suspect ; mais avec quelle indulgence ! Les inculpés, au nombre de huit, ont été condamnés à faire amende honorable et à suivre une procession, cierge en main. En 1542, le Parlement fait opérer quelques enquêtes dans son ressort, mais sans excès de rigueur. Peut-être cette indulgence était-elle due au voisinage et à l'influence de la reine de Navarre qui résidait alors dans ses États ? On la voit, en effet, intervenir en faveur d'André Mélanchthon, cousin du réformateur, pédagogue à Agen, et compromis pour ses opinions. Vers 1546, les magistrats bordelais se montreront un peu plus sévères, mais sans excès, et si peu, au gré du pouvoir central, qu'à la suite d'une révolte en Guyenne, le Parlement se verra suspendu : les pouvoirs de police seront confiés à une mission extraordinaire qui appliquera la loi dans toute sa rigueur.

En revanche les cours de Toulouse et d'Aix, fidèles à la tradition du droit écrit, — le droit romain, — ne tolèrent pas l'hérésie : elle est une atteinte à l'unité nationale, au pouvoir royal. Comme l'Inquisition a combattu les Albigeois, comme leurs prédécesseurs ont lutté contre les tendances séparatistes (que l'on se souvienne du sort réservé à Bernard Délicieux), les parlementaires de Languedoc et de Provence frappent, et frappent fort. On instruit à Toulouse, de 1540 à 1549, deux cents procès. On enquête, on poursuit à Montauban comme à Beaucaire, à Marvejols comme à Narbonne. En peu d'années, les juges de Toulouse enverront dix-huit suspects au bûcher. Quant au Parlement d'Aix, il suffit, pour juger de son activité, de rappeler, sans le raconter (à quoi bon ?) le lamentable massacre des Vaudois à Mérindol et Cabrières. Condamnés dès 1540, le baron d'Oppède, premier président de Provence, n'a de cesse qu'il n'obtienne l'autorisation d'exécuter l'arrêt prononcé le 18 octobre par le Parlement : il prescrivait l'exécution de plusieurs hérétiques, l'expulsion de la population de Mérindol et la destruction du village. Le pouvoir royal hésita deux ans, préférant user de la douceur ou de la persuasion. Le roi chargea Guillaume du Bellay d'une enquête et prescrivit un délai pour permettre aux hérétiques de se convertir. Sadolet, évêque de Carpentras, s'employa en vain à les convaincre. Leur intransigeance résolue, quelques gestes malheureux dont ils ne surent s'abstenir exaspérèrent les magistrats aixois. Ils obtinrent la permission d'agir ; une dernière fois les Vaudois refusèrent de se soumettre. Les bandes du baron Paulin de la Garde, qui traversaient la province pour gagner le Piémont, se chargèrent d'exécuter l'arrêt. Et ce fut, en avril 1545, la mise à sac d'une vingtaine de villages, le siège de Cabrières et le massacre des survivants, — opération policière qui eut dans l'Europe entière un retentissement profond. François Ier lui-même s'indigna, et la reine de Navarre en conçut une douleur qui s'exprime dans ses confidences à un ami de Sleidan : l'atrocité de cette affaire lui arracha des cris d'horreur. Ce massacre [1], — en dehors de sa barbarie, — gênait la politique de François Ier qui, pour avoir dénoncé publiquement au traité de Crépy, en 1542, son alliance avec les protestants, n'en continuait pas moins à négocier avec eux.

La répression, violente par endroits, plus modérée en d'autres, était, en réalité, difficile à mener méthodiquement selon un plan d'ensemble. Les enquêtes, dans les grandes villes surtout, étaient longues et peu sûres, malgré l'espionnage ou les délations. Il était facile aux suspects de se cacher pour peu qu'ils voulussent être prudents et ne pas afficher leur croyance avec trop d'ostentation. De plus la procédure restait judiciaire plus que théologique : le magistrat enquêteur s'attachait à juger des faits précis plutôt qu'une doctrine, à établir une faute matérielle plutôt qu'à discuter des idées. L'instruction, dans l'ensemble, demeurait régulière et impartiale. On recourait à la torture, certes, mais lorsque l'inculpé se refusait à répondre aux questions qui lui étaient posées. Le condamné gardait le droit de faire appel ; il n'était pas rare de voir un jugement réformé ou cassé ; les Parlements n'hésitaient pas à revoir les décisions des magistrats locaux ou des juges ecclésiastiques dès qu'ils découvraient un vice de forme, un abus, un excès. Et le juge qui disposait de toute une échelle de peines restait un juge : il savait graduer les sanctions suivant la gravité de la faute et la qualité du coupable. On ne punissait pas également un laïque ou un prêtre, un propos rapide ou une affirmation répétée, la rupture du jeûne ou un blasphème, des hésitations sur la discipline ou la négation de la présence réelle. Les magistrats ont gardé une liberté réelle : ils avaient le respect de leur fonction ; juges, ils ne se sont pas crus obligés de frapper toujours et uniformément.

Dans les arrêts des Parlements, il n'est pas rare de constater que des inculpés sont acquittés, mis en liberté provisoire, ou frappés de peines qui restent, malgré tout, légères : nombre d'entre eux sont condamnés à faire amende honorable au parvis de l'église paroissiale, à suivre une procession ; d'autres sont frappés d'une amende ; à des cas plus graves on applique le fouet ; aux irréductibles sont réservés la confiscation des biens, le bannissement, le bûcher enfin, dressé au porche de la cathédrale où l'on conduit les condamnés en grand appareil, au son du bourdon, devant le peuple friand de cet horrible spectacle, devant l'évêque et le magistrat. On doit reconnaître l'énergie farouche dont font preuve, à l'heure suprême, les martyrs de la foi nouvelle. Quelques-uns abjurent ; la plupart vont d'un pied ferme à la mort la plus cruelle malgré les exhortations de ceux qui veulent leur arracher un désaveu. Ceux-là ont vraiment la foi à qui l'on coupe ou l'on perce la langue avant de les brûler parce qu'ils affirment encore leur croyance alors qu'on les traîne au bûcher. Les supplices pourtant, avant 1550, restent encore peu nombreux —

---

(1) John Viénot, *op. cit.*, p. 160, estime qu'il y eut vingt mille victimes et trente (?) villages détruits, mais il ne donne aucune référence. Imbert de la Tour (*op. cit.*, t. IV, p. 336) écrit : un millier seulement. Il est difficile d'établir un chiffre exact. Bèze parle de huit cents personnes environ massacrées à Cabrières (*Histoire ecclésiastique*, t. I, p. 29 de l'édit. de 1841).

relativement : à Paris, en 1543, le Parlement aura à se prononcer sur quarante-trois cas d'hérésie ; de ces quarante-trois procès, pas un ne se termine par une condamnation à mort, et quatorze aboutissent à un acquittement.

LES RÉSULTATS   Quelle fut la valeur de ces sanctions ? On a le droit de la juger inégale. On a pu constater que l'action judiciaire fut lente, discontinue, incertaine suivant les régions où elle s'exerçait. Beaucoup de partisans de la Réforme y échappèrent et continuèrent, sous le couvert, leur propagande. D'autres s'engagèrent résolument dans la procédure que leur facilitait le formalisme scrupuleux des divers ordres judiciaires : il est des procès qui durèrent ainsi des années, assurant aux inculpés une possibilité prolongée d'action. D'autres enfin, nombreux, bénéficient de protections de toute espèce.

Les étrangers, d'abord : soldats des bandes suisses, Allemands — qu'ils soient lansquenets ou reîtres — venus d'Augsbourg ou d'Ulm, de Cologne ou de Dresde ; étudiants qui cherchent le savoir auprès de l'illustre Université de Paris, mais aussi à Poitiers, Orléans, Toulouse, Bourges, et qu'il importe de ménager — pour le bon renom de la France : ils ne font que passer, dit-on ? oui certes, mais durant leur séjour, bref ou long, ils répandent les idées nouvelles, car, ces étudiants, ils viennent précisément des pays où la Réforme s'est installée : l'Angleterre anglicane d'Henri VIII, les principautés allemandes du Rhin ou de l'intérieur, plus ou moins conquises à Luther, l'Alsace où Strasbourg est accueillante aux théories les plus opposées, la Suisse où s'affirme l'autorité de Calvin. Et c'est ainsi qu'André Mélanchthon pourra propager à Agen, où il est professeur, la doctrine de son cousin. On en dirait autant de tous les commerçants : changeurs, banquiers, libraires, armuriers ; ils aident à l'essor économique du pays : c'est une raison de les ménager, — mais, plus encore, tous se réclament de leur nationalité ; comment, dès lors, les inquiéter s'ils se permettent d'enseigner la doctrine d'Augsbourg ou celle de Genève, si on découvre, dans leurs bagages ou à leur éventaire, un livre de Mélanchthon, de Luther, de Calvin ? Le magistrat hésite à procéder contre eux, et, s'il le fait quand même, leurs protecteurs naturels, leurs protecteurs nationaux interviennent. Comment agir contre eux ? On s'abstient.

Les Français, du reste, bénéficient eux aussi d'interventions qui limitent singulièrement les pouvoirs de l'Église ou de la judicature. Il n'est que de citer à nouveau trois noms : Berquin, que le roi lui-même sauvera deux fois des poursuites ; Marot qui échappe à « l'enfer »[1] ; Rabelais enfin qui, pour n'être ni luthérien, ni calviniste (il s'en défend, avec quelle verve !), n'en a pas moins été suspect. On sait avec quel soin jaloux la reine de Navarre a toujours protégé ses familiers, d'abord, mais aussi des inconnus tel André Mélanchthon[2]. Dès lors que l'un de ces privilégiés est menacé, il lui suffit d'un appel en haut lieu : la cause est évoquée

(1) Pour être finalement — paradoxe ! — banni de Genève par Calvin !
(2) Cf. Madelena SAEZ POMES, *Margareta de Angulema y Andrès Melanchton*, dans *Principe de Viana*, Pamplona, t. VII, n° 24, et A. LOPEZ DE MENESES, *A. Melanchthon et le parlement de Bordeaux*, dans *Revue historique de Bordeaux*, 1940.

en conseil privé, remise au jugement du prince, autant dire étouffée. Car les Parlements ne peuvent que s'incliner si le roi demande que tel procès soit soumis à « Messieurs du Conseil privé », — c'est-à-dire à sa décision souveraine.

Et il ne s'agit pas seulement du bon plaisir du roi, de ses goûts personnels, de son amitié pour les humanistes, mais aussi, mais surtout des intérêts de sa politique générale. De quel poids ont pesé dans ses décisions, et, partant, dans celle de ses Parlements, les nécessités de son alliance avec les princes protestants, les besoins de sa stratégie ?

Ne convient-il pas, d'autre part, de tenir compte de ce qu'a pu être, un peu partout, l'humanité de certains juges appelés à juger des réformés ? Il convient de prendre ce mot d'humanité au sens large : il veut dire, ici, charité, mais, là, intérêt. Un juge, pressé ou convaincu, fait arrêter Marot, mais un autre, moins convaincu, le fait libérer sur l'intervention d'un évêque : pourquoi tenir tête à un prince de l'Église ? Les théologiens de Sorbonne inquiètent Rabelais, mais Jean du Bellay le couvre de sa protection : il aura, quelque temps, la paix, — une paix relative, mais qui lui permettra d'écrire le *Tiers* et le *Quart Livre* ; en tout cas il ne sera ni jeté en prison ni envoyé au bûcher. Il y a des prélats tolérants : le cardinal de Ferrare, Hippolyte d'Este, de la maison des ducs de Ferrare, archevêque de Lyon, n'a pas l'ombrageuse orthodoxie de son frère : il laisse, de longues années, les imprimeurs de sa bonne ville éditer et vendre la Bible en français. Quoi d'étonnant ? Lyon, ville cosmopolite, est largement ouverte aux influences étrangères et l'on y est, plus qu'à Paris, car elle n'a pas d'Université, indulgent aux audaces. Il n'y a pas lieu dès lors d'être surpris que des juges aient été indulgents aux novateurs, ou timorés, ou carrément hostiles à la répression. Beaucoup hésitèrent à poursuivre — et pour tant de raisons ! Celui-là ne veut pas frapper un parent, un ami, ou simplement un homme en place : le vent, qui sait ? peut tourner. Cet autre ne sait exactement, dans le tumulte, où est son devoir, et, sachant la jurisprudence, hésite à rendre un arrêt qui peut être cassé, demain, par un Parlement indulgent. Un autre encore temporise pour y voir plus clair. Il est des juges qui ne frappent pas parce qu'ils sont en discussion avec des officiers du roi. D'autres ont peur de se voir dessaisir. Antérieurement à 1550, et malgré des exceptions, la magistrature en France hésite à s'engager au sens plein du mot : elle tergiverse, louvoie et, dans la mesure où elle le peut, elle étouffe des affaires ennuyeuses et qu'elle juge propres à lui créer des embarras. Il en sera autrement lorsque les guerres de religion auront commencé. Alors, mais alors seulement, chacun devra prendre position.

ATTITUDE DE L'ÉGLISE   Les juges ne font ainsi qu'adopter l'attitude incertaine de l'Église qui, pendant un quart de siècle, ne s'engage, en France, que prudemment et non sans bien des flottements.

Il y a peu de Noël Beda. On compterait parmi les prélats ceux qui font preuve d'intransigeance et en appellent au bras séculier. Beaucoup répugnent à voir la répression de l'hérésie confiée aux Parlements et redoutent un possible conflit de pouvoirs. Plusieurs évêques font preuve d'une modération que l'on n'a peut-être pas assez mise en valeur : ils veulent redresser les esprits, les ramener dans la bonne voie plutôt que frapper vite et fort ; ils sont partisans pour le moins d'une réforme de la discipline et des mœurs. On sait leurs noms : ce sont un Sadolet, un Jean du Bellay, un cardinal de Bourbon, un Jean de Selves, un du Chastel, moins avancés, moins compromis qu'un Gérard Roussel ; ils sentent la nécessité d'une réforme ; ils la désirent et ils en ont indiqué les grandes lignes aux conciles de Bourges et de Sens [1] ; ils s'inquiètent à voir que Rome ne mesure pas la force envahissante de l'hérésie, mais cependant ils hésitent à frapper, et se refusent, humanistes et chrétiens, à faire appel aux supplices pour ramener au bercail les brebis égarées ; ils croient encore à la force de la persuasion ; ils préfèrent la mansuétude à la rigueur ; par répugnance à mêler les laïques à des querelles religieuses ? peut-être ; mais aussi par charité chrétienne. Ils se rangeraient volontiers, environ 1545, aux côtés de la reine de Navarre et si le roi, vieilli, voulait bien encore écouter sa « mignonne ».

LA SITUATION A LA MORT DE FRANÇOIS Ier — En 1547 donc, lorsque meurt François Ier, la situation reste confuse.

Il est indéniable que, depuis à peu près trente ans, il s'est développé dans le royaume un courant d'idées nouvelles qui s'est assez largement répandu un peu dans toutes les classes de la société, de la noblesse à la paysannerie, de Paris au fond des provinces les plus reculées, avec des centres où la contagion paraît plus développée : Lyon, Toulouse, Bordeaux, Rouen, peut-être Orléans et Bourges. Les progrès du calvinisme s'affirment, d'abord et surtout, dans les centres urbains et dans ceux où la culture est le plus développée. On les décèle auprès des collèges, des Universités, malgré la résistance des théologiens, auprès des officines des libraires, — mais aussi en de plus humbles cités, Meaux par exemple ou Alençon, ou telles bourgades de Picardie où l'on trouve ou bien des prêtres ou bien des humanistes qu'anime l'esprit nouveau, là encore où passe un prédicateur qui s'attaque aux abus, les dénonce avec violence ou, simplement, prend, dans sa prédication, le contre-pied des méthodes usuelles et commente naïvement l'Écriture. Autour de ces centres, et sporadiquement, des isolés sont conquis par les souffles venus à la fois de France, d'Allemagne et de Suisse.

Il serait vain de chercher les responsables et si c'est le doux Lefèvre d'Étaples, Briçonnet le modéré, l'enthousiaste Luther ou l'intraitable Calvin : tous ont plus ou moins agi ; les défections viennent de l'un ou de l'autre. Il s'agit ici d'influences d'abord vagues et confuses qui ne se précisent que lentement et ne prennent forme visible que le jour où l'*Institution* traduite en français commence à se répandre largement. Jusqu'en 1541, voire quelque peu au delà, il s'agit de tendances plutôt que d'un mouvement.

(1) Cf. *supra*, p. 140.

Que ces tendances s'affirment de plus en plus, qu'elles se précisent et se multiplient, c'est l'évidence même. Constituent-elles pour autant une doctrine calviniste, et les réformés un parti ? La chose paraît peu soutenable. Le parti protestant ne deviendra une force religieuse et politique redoutable qu'après 1550, lorsqu'il s'appuiera sur une doctrine logiquement constituée et qui peut se répandre facilement, le calvinisme, et sur l'église qui est le séminaire de cette doctrine, l'Église génevoise. Or si l'*Institution* date de 1536, écrite en latin, elle ne peut toucher encore, elle ne touchera quelque temps que des isolés, et l'on a vu plus haut que, parmi les Français qui savaient le latin, — théologiens, universitaires de tout grade, officiers royaux, bourgeois exerçant des professions libérales, — la plupart, malgré d'éclatantes exceptions, demeurent fidèles à l'orthodoxie. Après 1541 seulement, et lorsque la traduction établie par Calvin pourra porter au loin ses idées, le nombre des âmes conquises pourra croître. D'autre part, si puissante et si persuasive qu'ait été, d'emblée, l'influence personnelle du réformateur, elle ne prendra toute son ampleur que lorsque celui-ci aura pu assurer son autorité, devenir le chef incontesté de la république génevoise et organiser systématiquement sa propagande. Jusque-là son action n'a porté que sur quelques isolés, et ce fut avant son exil, avant que sa pensée ne se fût pleinement fixée. De 1536 à 1541, quelle qu'ait pu être l'influence de ses lettres, elle ne s'exerce encore que de façon très incertaine. Il n'en est plus de même après 1541 lorsqu'il fait figure de chef d'État et de pontife de la Réforme.

Son action fut pourtant favorisée, malgré la résistance ardente de la Sorbonne et de certains milieux ecclésiastiques, à la fois par l'essor de l'humanisme et par les flottements de la politique royale. Le premier, en favorisant l'esprit critique et le libre examen, a porté certains esprits à accueillir avec faveur, dès 1520, les recherches d'Érasme et de Lefèvre, les efforts de Briçonnet, voire à lire avec curiosité les petits livres qui apportaient de la foire de Francfort, ou de Strasbourg, ou de Bâle, les méditations de Luther et de Mélanchthon, un peu plus tard de Calvin. Les seconds contribuèrent à freiner la répression, à rendre moins rudes certaines mesures dont ceux qui avaient à les appliquer pouvaient se demander si elles resteraient longtemps en vigueur.

Ne convient-il pas aussi de tenir compte du tempérament français porté naturellement à critiquer la politique romaine, du mécontentement provoqué chez les clercs par la fiscalité pontificale, par les nominations multipliées d'Italiens aux bénéfices lucratifs ? par l'habitude enracinée dans les esprits de se gausser, sinon de l'Église, au moins de ses ministres, et plus encore des moines, habitude que devait renforcer, environ 1520-1540, chez des hommes au réalisme précis, capables de bien voir et de bien juger, la constatation d'abus au moins fâcheux ?

Ne faut-il pas enfin constater que, dans la nécessaire répression, beaucoup de ceux qui furent appelés à sévir mirent dans les sanctions qu'ils durent prendre ou le soin de respecter les formes traditionnelles de la justice, ou le souci de ne frapper qu'avec humanité, ou, pourquoi ne pas employer le mot, avec une relative modération ?

Il y eut alors, la chose est évidente, un ensemble de conjonctures qui, sans permettre aux idées réformées de pénétrer profondément l'âme populaire, ne les en laissèrent pas moins gagner du terrain. Ce sont, d'ailleurs, les conjonctures encore, mais des conjonctures plus générales, — la mort de François Ier, — l'avènement de Henri II qui, très vite, se résolut à frapper les hérétiques, — la longévité, malgré ses maladies, de Calvin, et son intransigeance, en même temps que sa fiévreuse propagande, qui permirent, après 1547, au calvinisme de pénétrer, et cette fois au point de compromettre l'unité religieuse et nationale, au plus profond du royaume.

Il est permis de se demander si une réforme catholique, vigoureusement entreprise dès 1530 sur le plan national à défaut du plan européen, n'eût pas enrayé, ou au moins fortement limité les progrès du calvinisme que le désordre réel de l'Église et sa lenteur à réagir dans le sens du redressement matériel et moral nécessaire favorisèrent considérablement. Sans parler des problèmes purement humains qui furent très vite soulevés, et, après 1550, largement exploités. Les nécessités de la politique terrestre de l'Église, le souci des intérêts matériels à ménager, les lenteurs du concile de Trente empêchèrent cette réforme de s'opérer et permirent à Calvin de s'imposer comme le chef d'une religion nouvelle dont le succès put, un demi-siècle, inquiéter les rois de France et les souverains pontifes au point de compromettre l'unité politique et morale du royaume et de menacer gravement la position du catholicisme [1].

(1) Il n'est, pour mesurer à la fois l'étendue et le caractère sporadique des progrès de la Réforme à ses débuts, que de lire l'*Histoire ecclésiastique* de Théodore de Bèze : il signale un peu partout la présence de luthériens, puis de calvinistes, puis les rigueurs de la répression. Mais il ne dit jamais le nombre des adhérents à l'hérésie, si ce n'est à propos de l'affaire de Meaux où il le chiffre à quatre cents, venus de la ville et de plusieurs villages, « mesmes de cinq ou six lieues à la ronde », — et à propos des progrès qu'ils font à Lyon où, dit-il, l'assemblée s'est accrue « d'environ 35 personnes. »

CHAPITRE VI

LE CALVINISME AUX PAYS-BAS ET LES TROUBLES RELIGIEUX[1]

§ 1. — Des origines du calvinisme à la furie iconoclaste (environ 1540-1566).

PÉNÉTRATION DU CALVINISME AUX PAYS-BAS

Dans les Pays-Bas les plus anciennes traces du calvinisme se remarquent au sud-ouest, particulièrement à Tournai, Lille, Valenciennes et dans les environs. L'histoire de la première

(1) BIBLIOGRAPHIE. — La période qui va de 1566 à 1585 est la mieux étudiée de l'histoire des Pays-Bas. Les auteurs se placent surtout sur le plan politique. Mais même pour l'histoire religieuse la bibliographie est énorme. On la trouvera réunie, au moins jusqu'à la date où a paru ce dernier ouvrage, dans H. PIRENNE, *Bibliographie de l'histoire de Belgique*, 3e édit. revue et complétée par H. NOWÉ et H. OBRIEN, nos 3374-3651, Bruxelles, 1931. Nous nous bornerons à reprendre ici les sources ou collections de sources capitales et les ouvrages généraux indispensables en complétant, quand il y a lieu, les indications de Pirenne-Nowé-Obreen.

I. SOURCES. — L.-P. GACHARD, *Correspondance de Philippe II sur les affaires des Pays-Bas* (—1577), Bruxelles, 1848-1879, 5 vol. ; ID., *Correspondance de Marguerite d'Autriche, duchesse de Parme, avec Philippe II* (1559-1565), Bruxelles, 1867-1881, 3 vol. ; ID., *Correspondance de Guillaume le Taciturne*, Bruxelles, 1847-1866, 6 vol. ; ID., *Correspondance d'Alexandre Farnèse avec Philippe II* (1578-1581), Bruxelles, 1853 ; ID., *Actes des États généraux des Pays-Bas* (1576-1585), Bruxelles, 1861-1866, 2 vol. ; Fr.-A.-F.-l. DE REIFFENBERG, *Correspondance de Marguerite d'Autriche, duchesse de Parme, avec Philippe II*, Bruxelles, 1842 ; J.-S. THEISSEN et H.-A. ENNO VAN GELDER, *Correspondance française de Marguerite d'Autriche, duchesse de Parme, avec Philippe II* (1565-1567), Utrecht, 1925-1942, 3 vol. parus ; E. POULLET et Ch. PIOT, *Correspondance du cardinal de Granvelle* (1565-1586), Bruxelles, 1877-1896, 12 vol. ; G. GROEN VAN PRINSTERER, *Archives ou correspondance inédite de la maison d'Orange-Nassau* (1552-1789), Leyde, 1835-1915, 35 vol. ; *Bibliotheca reformatoria neerlandica. Geschriften uit den tijd der Hervorming in de Nederlanden*, édit. S. CRAMER et F. PIJPER, La Haye, depuis 1903 ; *Livre synodal contenant les articles résolus dans les synodes des églises wallonnes des Pays-Bas*, 1565-1685, t. l, La Haye, 1896 ; *De synoden der Nederlandsche hervormden kerken onder het Kruis gedurende de Jahren* 1563-1577, édit. N.-C. KIST, dans le *Nederlandsche Archief voor Kerkgeschiedenis*, t. IX, 1849 ; V. GAILLARD, *Archives du Conseil de Flandre*, Gand, 1856 ; E. DE COUSSEMAKER, *Troubles religieux du XVIe siècle dans la Flandre maritime*, Bruges, 1877, 4 vol. ; A.-C. DE SCHREVEL, *Recueil de documents relatifs aux troubles religieux en Flandre* (1577-1584), Bruges, 1921-1928, 3 vol. ; P.-C. HOOFF, *Nederlandsche historiën* (1555-1587), Amsterdam, 1642 ; RENON DE FRANCE, *Histoire des causes de la désunion, révoltes et altérations des Pays-Bas* (1555-1592), édit. Ch. PIOT, Bruxelles, 1886-1891, 3 vol. ; P. BOR, *Oorsprongk, begin en vervolgh der Nederlandsche oorlogen* (1555-1600), Amsterdam, 1679-1684, 4 vol. ; E. VAN METTEREN, *Historie der Nederlandschen ende haerder naburen oorlogen ende geschiedenissen* (-1612), La Haye, 1614 ; F. VAN DER HAERT (HARAEUS), *De initiis tumultum belgicorum* (1555-1567), Douai, 1587 et : *Onpartijdige verklaringhe der oorsaken der Nederlantschen oorloghs* (1566-1608), Anvers, 1612 ; VIGLIUS et HOPPERUS, *Mémoires sur le commencement des troubles des Pays-Bas*, édit. W. VAUTERS, Bruxelles, 1858 ; J. DE WESENBEKE, *Mémoires*, édit. Ch. RAHLENBECK, Bruxelles, 1859 ; *Mémoires anonymes sur les troubles des Pays-Bas* (1565-1580), édit. J. BLAES et A. HENNE, Bruxelles, 1859-1866, 5 vol. ; PONTUS PAYEN, *Mémoires*, édit. A. HENNE, Bruxelles, 1860, 2 vol. ; M.-A. DEL RIO, *Mémoires* (1576-1578), édit. et trad. A. DELVIGNE, Bruxelles, 1869-1871; 3 vol. ; F. STRADA, *De Gallo Belgico*, Rome, 1632-1647, 2 vol.

II. TRAVAUX. — H.-A. ENNO VAN GELDER, *Révolutionnaire Reformatie. De vestiging van de gereformeerde Kerk in de Nederlandsche gewesten gedurende de eerste jaren van de opstand tegen Filips II* (1575-1585), Amsterdam, 1943 (*Patria*, nº XXXI) ; E. GOSSART, *Espagnols et Flamands au XVIe siècle*, Bruxelles, 1905-1906, 2 vol. ; A. HOCQUET, *Tournai et le Tournaisis au XVIe siècle*, dans les *Mémoires in-4° de l'Académie royale de Belgique*, t. l, Bruxelles, 1906 ; E. HUBERT, *Étude sur la condition des protestants en Belgique depuis Charles-Quint jusque Joseph II*, Liége (1882) ; L. KNAPPERT, *Het ontstaan en de vestiging van het protestantisme in de Nederlanden*, Utrecht, 1924, et *Geschiedenis der nederlandsche hervormde Kerk gedurende de XVIe en XVIIe eeuw*,

diffusion de cette forme religieuse manifeste, à côté de l'influence personnelle de Calvin [1], celles de communautés allemandes, notamment
de l'Église réformée de Strasbourg, et de groupements formés en Angleterre, où dominaient des habitants des Pays-Bas émigrés pour cause
de religion. Pierre Bruly, ami de Calvin et chef de la communauté de
Strasbourg, parvint à exercer quelque temps son ministère à Tournai,
Valenciennes, Douai, Arras, Lille. Mais il fut vite recherché et arrêté.
En même temps que Bruly, périrent par le feu sur la grand'place de
Tournai, le 19 février 1545, cinq personnes accusées de relations avec lui [2].

Les prédications ne furent pas interrompues par son supplice. De sa
mort à 1555 on mentionne encore dix exécutions. Vers 1556 entre en
scène Guy de Bray, originaire de Mons, que le calvinisme wallon considère
comme son principal animateur et organisateur. Membre d'abord d'une
des communautés réformées de fugitifs des Pays-Bas en Angleterre,
il quitta Londres en 1553, prêcha à Lille et à Gand, puis voyagea en
Allemagne, en France, en Suisse. Vers 1559, il prit la direction de l'Église
calviniste de Tournai. Des processions de sectaires, comptant des centaines de participants, se déroulaient dans la ville, en chantant les psaumes
de Marot. La gouvernante, Marguerite de Parme, s'effraya de cette effer-
vescence et envoya des commissaires à Tournai. Ceux-ci, de la fin de
1561 à la fin d'août 1563, prononcèrent quinze exécutions capitales et
multiplièrent les bannissements, les confiscations, les amendes. Cependant
la propagande réformée se poursuivait. Après avoir recruté des adeptes
surtout parmi les artisans et les petites gens, le calvinisme se répandait
dans la bourgeoisie, la noblesse, le monde des fonctionnaires. Les prêches
et les « chanteries » réunissaient jusqu'à deux mille personnes. On affichait
des placards contre les prêtres, on les insultait, on leur jetait des pierres.

Guy de Bray, dont la tête avait été mise à prix, parvint à s'enfuir et
à se réfugier à Sedan. Son zèle imprudent le poussa à revenir aux Pays-
Bas, à Anvers (1566), puis à Valenciennes. Arrêté dans cette dernière
ville, il fut exécuté le 31 mai 1567. On lui doit plusieurs ouvrages, notamment : le « Baston de la foy », « La racine, source et fondement des anabaptistes ou rebaptizez de nostre temps » (texte français 1565, 1589 et 1595,
trad. néerl. 1570, 1585, 1589 et 1608), écrit contre ces sectaires que Bray
jugeait plus dangereux que les papistes ; il rédigea aussi la *Confessio
Belgica* ou Confession de foi des Églises néerlandaises (1re édit. en 1561).
Sa source principale pour ce travail fut la *Confessio gallicana* de 1559,
qu'il compléta sur plusieurs points [3].

Amsterdam, 1911 ; B. DE MEESTER, *Le Saint-Siège et les troubles des Pays-Bas de 1566 à 1579*,
Louvain, 1934 ; F.-D.-J. MOORREES, *Geschiedenis der Kerkhervorming in de zuidelijke Nederlanden*,
Leyde, 1908 ; F. RACHFALL, *Wilhelm von Oranien und die Niederländische Aufstand*, Halle, La
Haye, 1906 ; J. REITSMA, *Geschiedenis van de Hervorming en der hervormde Kerk der Nederlan-
den*. 3e édit., Utrecht, 1916 ; L.-J. ROGIER, *Geschiedenis van het Katholicisme in Noord-Nederland
in de XVIe en de XVIIe eeuw*, Amsterdam, 1945-1946, 2 vol..

(1) F.-L. RUTGERS, *Calvijns invloed op de Reformatie in de Nederlanden*, Leyde, 1899.
(2) Ch. PAILLARD, *Une page de l'histoire des Pays-Bas. Le procès de Pierre Bruly*, Paris, 1878
(La première partie de ce travail a paru dans les *Mémoires couronnés et autres Mémoires de l'Académie royale de Belgique*, t. XVIII, 1878) ; R. REUSS, *Pierre Bruly, ancien dominicain de Metz,
ministre de l'Église française de Strasbourg*, Strasbourg, 1878 ; A. HOCQUET, *Tournai et le Tournaisis au XVIe siècle, au point de vue politique et social*, p. 84-87 ; L.-J. ROGIER, *Geschiedenis van
het Katholicisme in Noord Nederland in de XVIe en de XVIIe eeuw*, t. I, p. 157-177.
(3) Dans K. MUELLER, *Die Bekenntnisschriften der reformierter Kirche*, Leipzig, 1903, p. 233-

COMMUNAUTÉS CALVINISTES
DANS LES PAYS FLAMANDS
Cependant, le calvinisme avait gagné les régions flamandes. Dès avant 1559, on comptait certainement à Anvers deux communautés, l'une flamande, l'autre wallonne. Cornelis Van Haamstede, auteur d'une histoire célèbre des martyrs protestants, sera un des principaux apôtres réformés de la métropole commerciale. A partir de 1559, aux victimes anabaptistes et sacramentaires viennent s'en ajouter d'autres, certainement calvinistes, notamment un carme apostat de Bruges, Christophe Fabricius, qui dirigea une des communautés d'Anvers. Les nouvelles doctrines se répandirent aussi à Gand, grâce à l'action de jeunes avocats ayant étudié en France, à des soldats qui avaient guerroyé dans ce pays et en Allemagne, à l'importation clandestine de livres hérétiques, surtout de l'*Institution chrétienne* et, pour le peuple, au compagnonnage [1].

De bonne heure aussi s'exerça l'action de ministres calvinistes dans de nombreuses villes de la Flandre, surtout maritime : Armentières, Bailleul, Bergues-Saint-Winnoc, Bruges, Cassel, Courtrai, Hondschoote, Ypres. A la suite d'un prêche de grande allure organisé dans la châtellenie de Cassel, à Boescheppe, les commissaires et échevins d'Ypres prononcèrent trente-six exécutions, dont sept capitales ; à Bailleul, la même année, des commissaires du gouvernement condamnèrent à diverses peines deux cent neuf personnes suspectes d'hérésie [2].

S'avançant de plus en plus vers le nord, le calvinisme pénétra à Bois-le-Duc, puis dans les ports de la Hollande et de la Zélande.

A cette époque primitive, les communautés calvinistes portent le nom d' « églises sous la croix » et, dans les lettres qu'échangent entre eux les membres de ces divers groupements, chacun de ces derniers est désigné par une appellation spéciale : la « Vigne » pour Anvers, le « Glaive » ou la « Fleur de Lys » pour Gand, la « Palme » pour Tournai, etc. [3]. La plupart doivent encore se contenter des ministres de passage. Ailleurs on trouve assez vite un prédicant stable avec ancien et diacres. Le consistoire se réunit de temps en temps chez un des membres.

PROGRÈS DU CALVINISME
APRÈS 1560
Vers 1560, la force du mouvement calviniste paraît indéniable. Les sectaires commencent à se réunir non plus seulement dans des maisons, mais dans les clairières des bois, dans des ravins, des gorges de montagnes, plus souvent encore devant les murs ou les remparts des villes. C'est l'époque des *Hagepreeken*, ou « prêches des

---

249 ; A.-A. Van Schelven, *De Nederdeutsche Vluchtelingen der XVIe eeuw in Engeland en Duitschland*, La Haye, 1909 ; A. Van Langeraad, *Guido de Bray. Zijn Leven en zijne werken*, Zierickzee, 1884 ; L. Knappert, *Het ontstaan en de vestiging van het protestantisme in de Nederlanden*, p. 309-339 ; F. Pijper, dans *Bibliotheca reformatoria Neerl.*, t. VIII, p. 463-490, La Haye, 1911 ; *Bibliographie des martyrologes protestants néerlandais*, t. I, La Haye, 1892, p. 33-67 ; H. Pirenne, *Histoire de Belgique*, t. III, 3e édit., Bruxelles, 1923, p. 370-371, 427-431.

(1) Fl. Prims, *Geschiedenis van Antwerpen*, t. VIII, 1,p. 9-51 ; V. Fris, *Histoire de Gand*, 2e édit., p. 188-189, Gand, 1930 ; L. Knappert, *Het ontstaan*, surtout p. 342 et suiv. ; F. Rachfall, *Wilhelm von Oranien und die Niederlaendische Aufstand*, t. I, La Haye, 1906, p. 414-416.

(2) Faits recueillis dans la publication capitale de E. de Coussemaker, *Troubles religieux du XVIe s. dans la Flandre maritime*.

(3) *Nederlandsch Archief voor Kerkgeschiedenis*, t. IX, 1849, p. 209-210.

haies. » A partir de 1563, nous avons conservé des actes de synodes provinciaux qui se réunirent à Tournai, Armentières, Anvers, Dordrecht, Emden. Celui de 1571, tenu dans cette dernière ville sous la présidence du Malinois Van der Heyden, décida en principe l'établissement des « classes » ou groupement de plusieurs localités voisines [1]. Les succès des Huguenots stimulent l'ardeur des fidèles. Des prédicants venus de France, de Genève, d'Angleterre, d'Allemagne, mais aussi un bon nombre de ministres autochtones en rapports avec Calvin et Genève, où ils avaient même suivi les cours de l'Académie, distribuent la bonne parole. De plus en plus se dévoile le ferment révolutionnaire inhérent au calvinisme, à l'opposé du luthéranisme. La nouvelle doctrine, en effet, veut soumettre l'État à l'Évangile interprété par les pasteurs. Des troubles, encore peu importants et vite réprimés, éclatent de-ci de-là, notamment à Valenciennes [2].

Les réunions auxquelles les fidèles se rendaient en armes et les agitations qui commençaient à secouer les villes n'étaient pas de nature à déplaire aux gens du peuple qu'atteignait durement la crise économique du XVIe siècle avec toutes ses conséquences. Découvertes géographiques, transition de l'économie féodale à l'économie moderne, guerres de Charles-Quint, décadence de l'industrie drapière, épidémies, fréquence des mauvaises récoltes contribuaient à diminuer la valeur de l'argent, à raréfier les moyens d'alimentation, à augmenter le chômage, à provoquer l'émigration. A celle-ci il ne faut pas seulement assigner une cause religieuse [3].

Il n'est donc pas étonnant de trouver les premiers foyers calvinistes dans les villes industrielles des Pays-Bas. Bien que la doctrine de Genève fît des adeptes, comme nous l'avons dit plus haut, dans d'autres classes de la population, elle rencontra les plus nombreuses sympathies parmi les salariés et les chômeurs [4].

Dans la principauté de Liège, le calvinisme n'apparaît clairement que plus tard, à savoir vers les débuts du règne de Gérard de Groosbeck (1563) [5].

§ 2. — La furie iconoclaste (août-septembre 1566) et le gouvernement du duc d'Albe (1567-1573).

OFFENSIVES CALVINISTES   Les années 1564 et 1565 ont été marquées par des événements de la plus haute importance. Les seigneurs du Conseil d'État obtiennent le rappel de Granveille, le tout-puissant ministre de Philippe II (janvier 1564). Puis, ils

(1) De synoden der Nederlandsche hervormde Kerken onder het Kruis, gedurende de Jahren 1563-1577, etc., édit. N.-C. KIST, ibid., t. IX, 1849, p. 113-208.
(2) CH. PAILLARD, Histoire des troubles religieux de Valenciennes, 1560-1567, Bruxelles, 1874-1876, 4 vol.
(3) L.-J. ROGIER, Geschiedenis van het Katholicisme in Noord-Nederland in de XVIe en XVIIe eeuw, t. I, p. 166.
(4) Histoire de Belgique, t. III³, p. 435 et 436 ; L.-J. ROGIER, op. cit., t. I, p. 158-159.
(5) C. TIHON, La principauté et le diocèse de Liège sous Robert de Berghes (1557-1584), p. 164-214, Liège, Paris, 1923 ; J. DARIS, Hist. du diocèse et de la principauté de Liège pendant le XVIe siècle, p. 203-230 ; 387-448, Liège, 1884 ; A. PAQUAY, La répression des troubles calvinistes à Hasselt par Gérard de Groosbeck, dans L'Ancien Pays de Looz, t. VI, 1902, p. 35 et suiv.

font demander au roi par le comte d'Egmont, envoyé à Madrid, le retrait ou l'adoucissement des placards contre l'hérésie. Mais le souverain se refuse à toute concession par les dépêches du Bois de Ségovie (oct. 1565). Alors des calvinistes convaincus, appartenant surtout à la petite noblesse ou à la haute bourgeoisie (le bâtard de Hames, l'avocat tournaisien Gilles de Clercq, les deux frères Marnix de Sainte-Aldegonde, etc.), conçoivent le projet de réunir en un vaste « compromis », qui s'opposerait au maintien de l'inquisition, toute la noblesse des provinces. Le succès dépasse leurs espérances. Des chanoines mêmes et des abbés donnent leur adhésion. On peut compter sur l'appui moral de la plupart des grands seigneurs. Catholiques, mais souvent indifférents et gagnés aux idées érasmiennes, ils s'unissent aux calvinistes pour revenir au régime de liberté d'autrefois et mettre fin à la persécution religieuse. Une députation de confédérés obtient de la gouvernante, Marguerite de Parme, la modération provisoire des édits contre l'hérésie. Le soir même a lieu le « Banquet des Gueux » (5 avril 1565). Les calvinistes se sont emparés du mouvement d'opposition à Philippe II.

DESTRUCTION D'ÉGLISES ET DE COUVENTS — Après le « Compromis des Nobles », ils se montrèrent de plus en plus exigeants et audacieux ; à la suppression des placards s'ajoute une nouvelle revendication : la liberté du culte public. Et, en effet, les prêches se tiennent de plus en plus ouvertement. Les consistoires des principales villes, comme Anvers et Gand, prennent la direction de tout le mouvement. Fanatisés par des prédicants, les démolisseurs se jettent sur les églises et les couvents, et, en moins d'un mois, accumulent en Belgique et en Hollande des ruines telles que jamais ces pays n'en avaient connues auparavant.

La Flandre maritime, par où commença le saccage, sera aussi la plus rudement éprouvée. Du 10 au 20 août, la plupart des églises, c'est-à-dire une centaine, y furent détruites, plus souvent pillées ou violées. En dehors de la Flandre maritime, citons encore, pour la seconde moitié d'août : Comines, Audenarde, Anvers, Bois-le-Duc, Gand, Tournai, Enghien. Vers la fin du mois d'août et dans les premiers jours de septembre, la plupart des villes des Pays-Bas du nord subirent aussi l'iconoclasme, notamment Amsterdam, Leyde, Delft, Utrecht [1].

Le mouvement, au moins dans les principales localités, a été concerté. A Anvers, les semaines qui précèdent l'iconoclasme sont marquées par la vente redoublée de libelles anticatholiques, par l'affichage de placards séditieux, par la multiplication de prêches en dehors de la ville. Ces assemblées réunissent des milliers de personnes, gens du peuple, riches marchands, seigneurs et grandes dames, protégés par une forte bande armée. En ville même, la surexcitation atteint son comble quand se répand la rumeur de sa surprise prochaine par les troupes gouvernementales. Le 19 août, arrivent à Anvers des gens qui racontent les premiers saccages

(1) W.-J.-F. Nuyens, *Geschiedenis der nederlandsche beroerten in de zestiende eeuw*, t. I, Amsterdam, 1866.

en Flandre [1]. Le lendemain, après vêpres, une troupe d'environ deux cents hommes pénètre dans la cathédrale Notre-Dame, prétendûment pour y assister au salut. Le prédicant Hermann Moded monte en chaire et tonne contre l'idolâtrie. Les sacrilèges s'attaquent d'abord à la statue de la Vierge, dont ils brisent la tête et les bras. Puis les vases sacrés sont retirés du tabernacle et les saintes hosties piétinées, les reliques dispersées, les ornements lacérés, les autels, statues et tableaux brisés. Les iconoclastes s'attaquèrent ensuite aux autres églises et couvents de la ville et des environs. Ces scènes horribles durèrent quatre jours. Le prince d'Orange, gouverneur de la ville et qui l'avait quittée le 19, y rentra le 26, pour rétablir l'ordre. Le 2 septembre il accorda aux réformés la jouissance de trois églises de la cité. Pour assurer le succès de ces démonstrations impies, des calvinistes appartenant aux plus hautes classes sociales, et surtout de gros marchands anversois, allemands, espagnols, avaient recruté des exécuteurs du bas peuple, la plupart étrangers à la ville [2].

A Gand aussi, la plupart des iconoclastes furent des étrangers, mais travaillant dans la ville. Le 22 août ils envahirent les différentes églises et couvents par troupes de trente, quarante, cinquante, parmi lesquels des femmes et des enfants. Comme à Anvers, Moded exhorta, au moins indirectement, le peuple au saccage. Un violent calviniste, Lievin Ongherra, dirigea les opérations. Après les troubles, le bourreau exécuta à Gand même quarante-six démolisseurs ; vingt autres subirent la peine de mort à Bruxelles, trente-quatre furent flagellés ou libérés, cent soixante-cinq prirent la fuite [3].

A Tournai, les démolisseurs se présentent le 23 août, après une préparation assez semblable à celle d'Anvers : notamment prêches multipliés et abondamment suivis, que dirigent les ministres Ambroise Wille et Pérégrin de la Grange. Comme à Anvers aussi, le mouvement se déclenche à la suite des nouvelles reçues d'autres villes, surtout d'Anvers et de Gand. Sept églises de la ville, dont la cathédrale, sont soumises au pillage. Des scènes semblables se passent le même jour dans six abbayes et couvents. Les jours suivants c'est le tour de nombreuses églises et abbayes du Hainaut et du Tournaisis, notamment de Saint-Amand, Hasnon,

(1) R. van Roosbroeck, *Het wonderjaar te Antwerpen*, 1566-1567, p. 5-23 ; F. Prims, *Het wonderjaar*, 2ᵉ édit., Anvers, 1941 ; *Geschiedenis van Antwerpen*, t. VIII, 1, p. 63-83 ; *De Antwerpsche Beeldenstorm en de geestelijkheid*, dans *Ons geloof*, avril 1946. Le nom de *Wonderjaar* a été donné à l'année qui va de Pâques 1565 à Pâques 1566 par des contemporains. Pour eux : *Wonder* appliqué à ce temps, signifie épouvantable, plutôt qu'admirable. L'épithète a été reprise par le grand romancier flamand H. Conscience.

(2) J. A. Gorris, *Étude sur les colonies marchandes méridionales (Portugais, Espagnols, Italiens) à Anvers de 1488 à 1567*, Louvain, 1905, p. 577-598 ; L. Van der Essen, *Le progrès du luthéranisme et du calvinisme dans le monde commercial d'Anvers et l'espionnage politique du marchand Philippe Dauvy, agent secret de Marguerite de Parme, en 1566-1567*, dans le *Vierteljaehrschrift für sozial und Wirtschaftsgeschichte*, t. XII, 1914, p. 125-134 ; Id., *Épisodes de l'histoire religieuse et commerciale d'Anvers dans la seconde moitié du XVIᵉ siècle*, dans le *Bull. de la Commiss. royale d'histoire*, t. XXX, 1911, p. 321-362 ; A. Cauchie, *Épisodes de l'histoire religieuse de la ville d'Anvers pendant le second semestre de l'année 1566*, dans les *Analectes pour servir à l'hist. ecclés. de la Belgique*, 2ᵉ série, t. VII, 1892, p. 20-60.

(3) V. Fris, *Notes pour servir à l'histoire des iconoclastes et des calvinistes à Gand, de 1566 à 1568*, dans les *Annales de la Société d'hist. et d'archéol. de Gand*, t. IX, 1909, p. 36-142 : B. de Jonghe, *Gendsche Geschiedenissen of te kronyck van de Beroerten in ketterye binnen in omtrent de stad van Gend sedert het jaar 1566 tot J. 1585*, t. I, Gand, 1752.

Crespin, Vicogne, Marchiennes [1]. A la fin de décembre, les calvinistes de Tournai s'étant vu retirer les principales concessions qui leur avaient été faites pour l'exercice de leur religion, formèrent avec des contingents venus des environs et de la Flandre une armée de près de six mille hommes, et recommencèrent à incendier les églises et les couvents. Ils furent enfin battus par les troupes royales. Du début de 1567 à 1570, cent cinquante-neuf personnes seront exécutées à Tournai pour cause de religion [2].

LA RÉPRESSION   En général les autorités communales se montrèrent impuissantes : elles se trouvaient prises au dépourvu et ne disposaient pas de troupes. Elles intervinrent souvent beaucoup trop tard. A Malines, le magistrat, considérant que le nombre des sectaires montait environ à huit ou dix mille, renonça à s'opposer à la fureur iconoclaste. Mieux valait, pensait-il, laisser briser quelques statues que de s'exposer à des massacres [3]. On cite cependant des localités où l'énergie des autorités locales ou bien la bourgeoisie contint les démolisseurs, par exemple à Bruges, à Furnes, à Dordrecht, à Gouda, à Haarlem. Ailleurs des habitants constituèrent des troupes armées qui coururent sus aux barbares. Ainsi à Grammont. Si la Flandre wallonne eut en général moins à souffrir que la Flandre flamande, elle le dut également à la résistance du peuple. Douai, Flines, Anchin furent ainsi préservés de la dévastation, non sans lutte toutefois et sans effusion de sang [4].

La grande masse des iconoclastes se composait d'artisans, d'ouvriers sans travail et de vagabonds. Parmi les condamnés du Conseil des Troubles, sous le duc d'Albe, et d'autres juridictions qui fonctionnèrent parallèlement, on mentionne surtout des cordonniers, taverniers, cuveliers, potiers, couturiers, escriniers, tisserands, etc. [5]. Anvers regorgeait de chômeurs en 1566. Au commencement d'août il y en avait huit mille dans la région d'Audenarde. Le commerce avec l'extérieur avait cessé. L'hiver de 1564 avait été fort rude. Les prix montèrent surtout en 1565, notamment à la suite de l'interdiction d'exporter aux Pays-Bas le blé danois. Cependant, parmi les iconoclastes des Pays-Bas du nord, figurent des membres de l'aristocratie, par exemple un Renesse, un Van Zuylen van Nyevelt, un Batenburg.

Parmi ces iconoclastes, la plupart furent aussi des voleurs. Cependant les instigateurs du mouvement agissaient en général par conviction. A Gand et à Tournai, ils firent remettre aux magistrats les orfèvreries brisées. A Gand, d'après des spécialistes, la plupart des envahisseurs des églises étaient des exaltés religieux agissant sur les ordres d'un chef qui lui-même ne brisait rien et veillait à ce que tout se fît méthodiquement [6].

(1) A. HOCQUET, op. cit., p. 118-133 ; P. BEUZART, Les hérésies pendant le moyen âge et la Réforme jusqu'à la mort de Philippe II (1598), dans la région de Douai, d'Arras et au pays de l'Alleu, Paris, 1912, p. 249-252.
(2) A. HOCQUET, op. cit., p. 134-194.
(3) E. VAN AUTENBOER, Het wonderjaar te Mechelen (1566-1567), Malines, 1943 (Thèse de doctorat, non imprimée).
(4) E. HAUTCŒUR, Histoire de l'abbaye de Flines, Lille, 1909, p. 208.
(5) D'après l'ouvrage de COUSSEMAKER, cité p. 281, n. 2.
(6) G. DES MAREZ, Documents relatifs aux excès commis à Ypres par les iconoclastes les 15 et 16 août 1566, dans le Bull. Comm. royale Hist., t. LXXXIX, 1925.

Les malheurs des Pays-Bas, de la Flandre surtout, ne se terminent pas, tant s'en faut, avec la fin de 1566. Dans la suite les scènes d'iconoclasme reprendront, notamment en 1572 et en 1578. Mais elles ne se présenteront plus avec le même ensemble et ne ressembleront plus, comme en 1566, à une épidémie de saccages et d'incendies.

Bouleversée par ces excès, la gouvernante finit par autoriser, le 23 août 1566, la tenue des prêches aux endroits où ils avaient eu lieu jusqu'alors. Aussi les calvinistes commencèrent-ils de-ci de-là à construire de modestes églises près de certaines villes, par exemple d'Anvers, d'Ypres, d'Audenarde. D'autre part, Marguerite obtint des gouverneurs qu'ils arrêtassent et réprimassent les troubles. Ainsi firent Guillaume d'Orange à Anvers et le comte d'Egmont en Flandre. De nombreuses personnes accusées d'iconoclasme durent payer de leur vie leurs forfaits. Mais des gouverneurs, dépassant les instructions de Marguerite de Parme, permirent aux calvinistes de s'établir de-ci de-là sur un pied d'égalité avec les catholiques. Dès lors, s'appuyant sur des membres de l'aristocratie résolument catholiques, comme Mansfelt, à qui elle confia le gouvernement de Bruxelles, comptant aussi sur le peuple où commençait à se réveiller le sentiment catholique, la princesse porta, le 8 octobre, un édit d'expulsion contre les prédicants étrangers. Elle organisa aussi contre les calvinistes une campagne qui dura de décembre 1566 à mai 1567 et se termina par une victoire complète. Après cette première guerre de religion, elle pensa reprendre sa politique modérée : abolition de l'inquisition de Charles-Quint, adoucissement des placards et réunion des États généraux. Malheureusement Philippe II ne l'entendait pas ainsi. Marguerite dut céder la place au duc d'Albe, envoyé avec d'imposantes troupes pour réduire les Pays-Bas.

Un juge excellent, fort bon catholique, l'Italien di Bomalès, fixé à Anvers, écrivait en 1566 à Francese di Marchi : « Parmi les dix millions d'âmes que compte ce pays, on n'en trouverait pas vingt qui veulent l'inquisition. » Sans doute en eût-on trouvé moins encore pour approuver les mesures du duc d'Albe. Ce gouverneur, dira un évêque de Namur, « a fait plus de mal à la religion en sept ou huit ans que Luther et Calvin et tous leurs suppôts »[1].

Les principales mesures du duc d'Albe, celles qui révoltèrent le plus le pays, furent d'abord l'institution du « Conseil des troubles », appelé par le peuple le « Conseil du sang », juridiction extraordinaire, investie de pouvoirs illimités et inconstitutionnels, qui prononça de nombreuses condamnations, parmi lesquelles celles des comtes d'Egmont et de Hornes ; puis, en vue de remédier à la pénurie financière, l'établissement d'impôts onéreux et non consentis par le pays : le centième denier (un pour cent de la valeur de tous les biens), le vingtième (cinq pour cent sur la vente des immeubles) et le dixième (dix pour cent sur la vente des biens meubles).

---

(1) B. DE MEESTER, *Le Saint-Siège et les troubles des Pays-Bas*, p. 88 et 95.

MÉCONTENTEMENT GÉNÉRAL Les autorités religieuses des Pays-Bas ne manquèrent pas d'avertir le gouverneur des dangers de sa politique outrancière. Ainsi fit l'évêque d'Ypres, Rythovius, qui, en 1567, implora la grâce du comte d'Egmont, et encore en septembre 1568, s'appliqua à faire comprendre au duc d'Albe l'impopularité du dixième denier, de nature à surexciter la masse ouvrière. L'évêque de Middelbourg, Nicolas a Castro, tenta une démarche semblable. Ces tentatives ayant échoué, Rythovius et ses collègues de Gand et de Bruges, Corneille Jansenius et Remi Driutius, sollicitèrent une audience, afin d'obtenir du gouverneur l'abolition de la taxe exécrée. Ils écrivirent ensuite au souverain en personne. Puis Rythovius, l'évêque d'Arras, Jean Richardot, et Jean, abbé d'Anchin, prièrent le monarque de se faire renseigner sur l'état exact du pays par des hommes « de bien et de rang, de réprimer les excès de la soldatesque espagnole et de ménager les catholiques, trop souvent confondus avec les hérétiques. » De son côté, la Faculté de théologie de Louvain suppliait le roi, soit de se rendre lui-même dans les Pays-Bas, soit de remplacer le duc d'Albe par un autre gouverneur, capable de gagner l'estime et la confiance du peuple [1]. Plusieurs abbés et ecclésiastiques firent partie d'une ambassade envoyée à Madrid par les États de diverses provinces. Philippe II consentit enfin à surseoir à la levée du dixième et du vingtième denier et à se contenter d'une contribution de deux millions de florins à fournir pendant dix années [2].

Le mécontentement contre le dixième denier s'exprimait même dans la chaire chrétienne. Un jésuite alla jusqu'à y déclarer excommuniés ceux qui se mêlaient de faire exécuter cette mesure [3].

§ 3. — La Pacification de Gand (1576).

ROLE DES ÉTATS GÉNÉRAUX La concession que nous venons de mentionner, le rappel du duc d'Albe, l'abolition du « Conseil des troubles », le « pardon général » de 1574 [4], enfin la bonne volonté du nouveau gouverneur, Requesens, ne ramenèrent pas le calme aux Pays-Bas. Bien plus la levée du siège de Leyde par les troupes espagnoles (1574) enhardit de plus en plus les calvinistes du Nord et les États généraux, convoqués par le gouverneur, proclamèrent hautement les revendications du pays. Miné par le travail et les soucis, Requesens expira le 5 mars 1576.

En attendant la nomination et la reconnaissance de son successeur, le Conseil d'État prit légalement en mains la direction du pays, sous l'autorité du souverain. Mais manquant de prestige, ne recevant pas

(1) F. CLAESSENS, *Esquisse biographique de deux évêques belges au XVIe siècle*, dans les *Analectes pour servir à l'hist. eccl. de la Belgique*, t. VII, 1870, p. 345-353 ; P.-F.-X. DE RAM, dans l'*Annuaire de l'Univ. cath.*, 1856, p. 294.
(2) U. BERLIÈRE, *Dom Mathieu Moulart, abbé de Saint-Ghislain et évêque d'Arras*, dans la *Revue bénédictine*, t. XI, 1894, p. 256-263 ; *Bull. Commiss. royale d'Hist.*, 2e série, 1858 ; B. DE MEESTER, *op. cit.*, p. 8-70.
(3) *Correspondance de Granvelle*, t. IV, p. 35, 99, 147, 155, 157, 167.
(4) H. PIRENNE, *op. cit.*, t. IV, p. 51 ; B. DE MEESTER, *op. cit.*, p. 97-100.

d'instructions de Madrid, incapable d'obtenir le retrait des troupes espagnoles et d'empêcher leur mutinerie, cet organisme se discrédita de plus en plus. Cependant les États, de Brabant d'abord, puis de Hainaut et de Flandre, intervenaient toujours davantage dans les affaires du pays et Orange prenait de plus en plus conscience du rôle qu'il se croyait appelé à jouer pour le bien commun des XVII Provinces. Un des amis du prince, Van der Linden, abbé de Sainte-Gertrude de Louvain, membre des États de Brabant [1], semble en bonne partie responsable d'une initiative révolutionnaire : l'arrestation de plusieurs conseillers d'État et la mise sous surveillance des autres.

PACIFICATION DE GAND   Peu à peu, aux États de Brabant et de Hainaut vinrent se joindre ceux des autres provinces. Bien que protestant de leur fidélité au roi, comme d'ailleurs de leur obéissance à l'Église, les États généraux se substitueront de plus en plus au souverain. Ils lèveront même une armée à opposer à l'armée espagnole, dont ils exigent unanimement le départ. Ils veulent conclure la paix avec les provinces du nord, en guerre avec Philippe II. Dans ce but ils mirent sur pied la fameuse *Pacification de Gand*. Deux jours après la fixation de son texte, éclatait à Anvers la *Furie espagnole*. Bloquée par l'armée des États, l'armée du roi catholique se dégagea, puis se livra dans la ville à d'horribles excès, pillant et massacrant 7.000 personnes. Ces nouvelles, vite connues à Bruxelles, ancrèrent les États dans leur attitude.

SES CAUSES   Pour comprendre la *Pacification de Gand*, il faut insister davantage sur la situation des provinces septentrionales des Pays-Bas.

En 1572, les Gueux, par leur flotte et par leurs troupes de terre, s'étaient emparés de La Brielle et d'un bon nombre d'autres villes de Hollande et de Zélande, qui se déclarèrent pour le prince d'Orange. Il en fut de même ensuite pour les provinces de Gueldre, d'Overyssel et de Frise. Guillaume fut proclamé *Stadhouder* ou gouverneur et chargé de continuer la guerre avec le duc d'Albe, puis avec son successeur, Requesens.

Ces occupations se firent à peu près partout de la même manière, notamment à Eenkuyzen, à Alkmaar, pour la Hollande du Nord, à Dordrecht, à Leyde, à Delft, à Schiedam, à Gouda, pour la Hollande du Sud. Orange ne voulait arriver alors qu'à établir la liberté religieuse partout, mais il devait compter avec les Gueux, qui détestaient l'Église et prétendaient supprimer des abus comme les vœux de religion et la messe ; il devait compter aussi avec les prédicants et de petites minorités de calvinistes convaincus, entreprenants et décidés à imposer en tous lieux la seule doctrine de Calvin. Dès que les Gueux étaient entrés dans la place, et souvent malgré l'opposition du magistrat, un ou plusieurs prédicants tenaient leurs réunions, tâchaient d'obtenir au moins une église. On

---

(1) Notice sur ce personnage dans la *Biographie nationale* (de Belgique), t. XII, col. 218 ; Pirenne, *op. cit.*, t. IV, p. 74.

s'appliquait à faire pénétrer quelques personnes sûres dans le Conseil de la ville. En représentant à la population les catholiques actifs comme des traîtres et des partisans de l'Espagne, il n'était pas difficile de rendre la vie impossible aux religieux et aux prêtres, voire même de les forcer à s'exiler, de confisquer les biens ecclésiastiques, de prohiber le culte catholique, A Alkmaar, ville de 6.000 habitants, la communauté calviniste comptait 160 membres en 1576 (440 en 1587). A Dordrecht, où il y avait 8.000 communiants en 1573, la minorité non catholique ne se composait que de quelque 370 calvinistes. Au profit d'un tout petit nombre de réformés se firent partout les révolutions dans les villes du nord [1]. Or la guerre entre l'Espagne et les provinces du nord pesait lourdement sur celles du sud. Là en effet se trouvaient beaucoup plus en sûreté les armées espagnoles, détestées par les Belges, à cause de leurs mutineries, des pillages auxquels elles se livraient continuellement, des violences qu'elles exerçaient. A tout prix il fallait donc faire la paix.

SON CARACTÈRE La *Pacification de Gand* (5 novembre 1576) a été passée entre les États généraux, d'une part, et les délégués du prince d'Orange et des provinces de Hollande et de Zélande, de l'autre. Elle a avant tout pour but, nous l'avons dit, de rétablir la paix et d'obtenir du roi le retrait immédiat des troupes espagnoles et étrangères. Ce résultat obtenu, les États généraux régleraient la question religieuse dans les provinces de Hollande et de Zélande. Provisoirement, celles-ci obtenaient la liberté religieuse, à condition qu'elles ne tenteraient rien contre la paix publique et l'exercice de la religion catholique dans les autres provinces. Tous les placards en matière de religion étaient suspendus et tous les bannis pour cause de religion pouvaient rentrer dans le pays [2].

Restait à faire accepter ce traité par le nouveau gouverneur, Don Juan d'Autriche. Les États étaient bien décidés à ne le reconnaître qu'à cette condition. Dans les négociations avec le prince, des évêques, comme Moulart d'Arras, Rythovius d'Ypres, Driutius de Bruges, Pintaflour de Tournai, et des abbés, comme Jean Van der Linden, jouèrent un rôle essentiel. Le vainqueur de Lépante avait reçu pour mot d'ordre de son souverain le maintien intact de la religion catholique et de la souveraineté du roi. Or, ces deux points ne lui paraissaient pas assez nettement stipulés. Avec raison, puisque les provinces du nord obtenaient pratiquement la liberté religieuse pour les calvinistes et ne s'engageaient pas même à tolérer chez elles l'exercice de la religion catholique. Cependant ces évêques ayant déclaré maintenir devant Dieu, Sa Sainteté et Sa Majesté, que la *Pacification de Gand* ne portait pas atteinte à la religion et tendait plutôt à l'affermir, la Faculté de Théologie ayant tranché dans le même sens, le gouverneur ratifia la *Pacification de Gand*, le 12 février 1579 [3].

---

(1) H.-A. Enno van Gelder, *Revolutionnaire Reformatie. De vestiging van de gereformeerde Kerk in de Nederlandsche gewesten, gedurende de eerste jaren van de opstand tegen Filips II* (1575-1585), p. 7-33.
(2) Texte dans *Placcaeten... van Brabandt*, t. 1, Anvers, 1648, p. 586-591.
(3) A.-C. de Schrevel, *Remi Drieux, évêque de Bruges, et les troubles des Pays-Bas*, dans la *Revue*

290 LE CALVINISME AUX PAYS-BAS ET LES TROUBLES RELIGIEUX

L'UNION DE BRUXELLES — Au texte de la *Pacification de Gand*, confirmée par le gouverneur, fut joint un texte nouveau, celui de l'*Union de Bruxelles* (9 janvier 1577). Dans les États généraux se dessinaient de plus en plus deux partis : l'un, commençant à percer les menées du Taciturne, entendait maintenir avant tout l'exercice exclusif du culte catholique et aspirait à une réconciliation avec le roi. L'autre, d'accord avec le prince d'Orange, reléguait au second plan la question religieuse et envisageait surtout de secouer la domination de l'Espagne. Au premier parti semblent avoir appartenu tous les membres ecclésiastiques des États et un bon nombre des membres de l'État noble. La Hollande et la Zélande adhérèrent aussi à l'*Union de Bruxelles* parce qu'elle s'opposait nettement à l'étranger. Sa grande différence avec la *Pacification de Gand*, c'est qu'elle maintient plus expressément la religion catholique et l'obéissance au roi. Comme l'a remarqué Pirenne, l'*Union de Bruxelles* est une interprétation catholique de la *Pacification de Gand* [1].

Le roi, à son tour, approuva la *Pacification de Gand* et l'*Union de Bruxelles*, le 7 avril 1577. Outre l'amnistie générale, la confirmation de la *Pacification de Gand*, la promesse de maintenir les anciens privilèges et de ne nommer dans le gouvernement et l'administration que des « naturels du pays », un article, le XIe, contenait la promesse des États, « sur leur conscience devant Dieu et devant les hommes, d'entretenir et de maintenir en toutes choses et partout la religion catholique romaine et l'autorité du roi » [2]. A cause de cet article qui semblait menacer l'exercice du culte calviniste en Hollande et Zélande, les partisans d'Orange s'abstinrent de paraître à la publication de l'Édit, baptisé par eux du nom de « Paix des prêtres » [3].

POLÉMIQUES AUTOUR DE LA PACIFICATION DE GAND — La *Pacification de Gand* donna lieu bien vite à des polémiques. Lindanus, évêque de Ruremonde, écrit à Grégoire XIII qu'il ne l'a jamais approuvée [4]. Metsius, évêque de Bois-le-Duc, paraît aussi y avoir été opposé dès le principe [5]. Plusieurs prélats et la Faculté de Droit de Louvain jugeaient en effet que les États généraux n'avaient pas à régler la question de la tolérance religieuse [6]. Michel Baius, dans une lettre adressée en 1578 à Lotsius, abbé de Parc [7], lui confesse que si la mauvaise foi des calvinistes avait été connue dès 1576, le traité n'aurait pas été ratifié par les catholiques. De nombreux ouvrages parurent alors aux Pays-Bas sur la question de la liberté religieuse [8].

d'*Hist. eccl.*, 1901 à 1903 ; PIRENNE, *op. cit.*, t. IV, 3e édit., p. 60-82. La ratification de Don Juan d'Autriche porte le nom d'*Édit perpétuel de Marche-en-Famenne*.

(1) H. PIRENNE, *op. cit.*, t. IV, p. 90. Texte de l'*Union de Bruxelles* dans M.-J.-C. DEJONGE, *De Unie van Brussel des jaars* 1577..., La Haye, 1825 ; *Annexes*, etc., Delft, 1827.

(2) Texte dans NAMÈCHE, *Cours d'Hist. nationale*, t. XVII, Louvain, 1886, p. 433 et suiv.

(3) H. PIRENNE, *op. cit.*, t. IV, p. 94. Dans un sens opposé, A.-C. DE SCHREVEL, dans la *Rev. d'Hist. eccl.*, t. IV, p. 650.

(4) THEINER, *Annales eccl.*, t. II, p. 423-424.

(5) *Mémoire au roi*, dans *Corresp. de Philippe II*, t. IV, note p. 782.

(6) A.-C. DE SCHREVEL, *art. cit.*, dans *Rev. d'Hist. eccl.*, t. III, p. 60 et 64 ; B. DE MEESTER, *op. cit.*, p. 108.

(7) M. BAIUS, *Opera*, p. 453, Cologne, 1696.

(8) Voir surtout A.-C. DE SCHREVEL, *art. cit.*, dans la *Rev. d'Hist. eccl.*, t. III, p. 349-369. Un

On s'aperçoit vite que la terminologie reste à préciser. Plus graves apparaissent les désaccords sur la doctrine : les uns, comme Lensaeus, n'admettent que la tolérance civile et provisoire ; d'autres, comme Cunerus Petri, rejettent même cette tolérance. Quant à la solution chère au Taciturne : égalité des cultes, aucun théologien catholique ne la défend par écrit et publiquement. Mais bien des ecclésiastiques et même des abbés, découragés par les événements, la souhaitent.

ORGANISATION DES ÉGLISES CALVINISTES La Pacification de Gand stipule que les villes de Hollande et de Zélande n'ayant pas encore reconnu le prince d'Orange seraient considérées comme ennemies tant qu'elles ne se soumettraient pas aux États de ces provinces. Aussi Guillaume s'occupa-t-il sans tarder de l'exécution de cet article. Il rencontra bien des difficultés en certains endroits où restaient au pouvoir les anciennes administrations catholiques. Haarlem par exemple accepta le stadhouderat du prince d'Orange, mais celui-ci dut y reconnaître la situation du catholicisme et les réformés n'y obtinrent qu'une église (22 janvier 1577). A Amsterdam, le compromis signé le 8 février 1578 ne leur assura même pas ce résultat et l'ancienne administration fut maintenue. Cet état de choses d'ailleurs se modifia à partir du mois de mai, grâce à l'action du prince d'Orange, et le monopole des calvinistes succéda à celui des catholiques.

Dans les villes de Gueldre comme Arnhem, Tiel, Zutphen, Deventer, Nimègue, le nombre des réformés était partout minime en 1577. Mais l'action du nouveau gouverneur, Jean de Nassau, frère de Guillaume d'Orange se fit sentir et détermina peu à peu la victoire, au moins officielle, de la nouvelle religion. Aux garnisons envoyées par lui dans les villes, il joignait des prédicants zélés, comme par exemple, à Zutphen, Jean Fontanus. Il fit renouveler les magistrats. Bien que les États eussent rejeté la paix de religion, elle était en fait appliquée dans beaucoup de villes soumises à Jean de Nassau. Dans plusieurs d'entre elles, le culte catholique avait même cessé de s'exercer.

Dans l'ancienne principauté d'Utrecht, l'évêque et les chapitres disposaient d'une bonne partie du pouvoir. Mais on réclamait le rétablissement des anciens privilèges et l'anticléricalisme s'était fort développé dans le peuple. Les calvinistes comptaient un assez grand nombre de partisans parmi les gens de métier. Cependant la cène fut célébrée la première fois à Utrecht le 8 mars 1579 et il n'y assista que 181 fidèles. La seconde ville de la principauté, Amersfoort, apparut alors comme la citadelle du catholicisme dans cette région. Pour la réduire, des compagnies d'Arnhem, Amsterdam et Utrecht, durent entreprendre contre elle une croisade. Les choses se passèrent à peu près de la même façon en Frise et en Overyssel. De certaines villes de ces provinces, les calvinistes ne devinrent absolument maîtres que fort tard : ainsi en 1586 à Deventer [1].

étudiant de Louvain a préparé sur ce sujet une thèse, malheureusement non publiée, qui d'ailleurs nous semble loin d'épuiser le sujet.

(1) HENNO VAN GELDER, *op. cit.*, p. 36-45 ; 79-106 ; 132-158.

En Flandre et en Brabant, l'organisation des églises calvinistes peut être considérée comme achevée en 1578. A la suite de la *Religionsfried*, les réformés ont obtenu une ou plusieurs églises dans les principales villes. Tantôt des iconoclastes, soldats ou non, se chargèrent de démolir leur mobilier catholique, tantôt les administrations communales, qui concédaient la jouissance des temples, en déménagèrent les crucifix, statues et autres objets abominés par les disciples de Calvin.

Dans la seconde moitié de 1578, se tinrent jusqu'à trois réunions générales des réformés à Gand. On signale à la première des délégués de dix-sept communautés. Comme dans beaucoup d'autres de ces synodes, on y traita notamment du choix et de l'installation des ministres. Dans la troisième on avisa aux moyens d'empêcher l'exercice du catholicisme dans les campagnes [1]. Un auteur [2] estime à deux cents le nombre de communautés calvinistes pour la Flandre. Une région flamande, le pays de Waas, posséda des prédicants dans toutes ses localités, à l'exception de trois ou quatre [3].

§ 4. — La tyrannie calviniste (1577-1585).

COMPLICATIONS POLITIQUES La Pacification de Gand acceptée, Don Juan fut reconnu comme gouverneur par les États. Cependant il lui restait de nombreux adversaires. Ses fautes et plus encore les exigences des États, dominés par Orange, amenèrent la rupture avec lui. Les évêques s'étaient employés activement à l'empêcher. Aussi devinrent-ils de plus en plus suspects à la plupart des abbés brabançons. Les États généraux, se mêlant toujours davantage d'administration, remplacèrent les chefs des abbayes trop peu sympathiques à la cause nationale par des prélats plus patriotes, dont plusieurs s'acquittèrent d'ailleurs fort bien de leurs fonctions.

En 1578, l'histoire des XVII provinces se complique singulièrement. Trois princes reçoivent des États généraux le mandat de gouverner les Pays-Bas sous l'autorité de l'Espagne, en réalité contre elle : l'archiduc Mathias, le duc d'Anjou et le palatin Jean Casimir. Cependant Don Juan, battu à Rymenam, s'éteint à son camp de Bouge, près de Namur (octobre 1578). Farnèse lui succéda comme gouverneur.

PRISE DU POUVOIR PAR LES CALVINISTES A partir de la fin de 1577, les calvinistes parviennent à s'emparer du pouvoir dans plusieurs villes des Pays-Bas. Pendant des années, les catholiques souffrent persécution. Ces régimes dureront pratiquement jusqu'à la soumission de ces villes par l'Espagne.

A Gand deux calvinistes, d'abord unis contre le catholicisme, se disputent le gouvernement. Le plus modéré, Guillaume de la Khétulle, seigneur de Ryhove, fait cependant arrêter le gouverneur, comte d'Aers-

---

(1) *De synoden*, etc., édit. N.-C. Kist.
(2) E.-D.-J. Moorrees, *Geschiedenis van de Kerkhervorming in de Zuidelijke Nederlanden*, p. 141.
(3) J. van Vlierberghe, *Geschiedenis der Calvinistische Predikanten in het Waesland*, dans les *Bijdragen tot de Geschiedenis*, avril-mai 1930, p. 123-157.

chot, les deux évêques, Martin Rythovius d'Ypres, et Remi Driutius de Bruges, qui resteront en captivité pendant quatre années, et plusieurs seigneurs. Sous les divers régimes du second, Jean d'Hembyze, de très nombreux monastères, couvents, églises sont saccagés, à Gand et dans les environs ; des religieux sont exécutés et tous les ordres doivent quitter la ville ; leurs biens sont confisqués ; dans les rues se déroulent des processions sacrilèges ; les fonctionnaires catholiques doivent démissionner. Hembyze organise le culte et l'académie calvinistes [1]. Cependant des expéditions gantoises vont imposer le même gouvernement qu'à Gand, les XVIII, à Audenaerde, Bruges, Eeccloo, etc. On rêve de créer une grande république calviniste englobant au moins toute la Flandre. Dans ces villes soumises, le magistrat, dominé par les calvinistes, chasse à son tour les religieux, interdit le culte catholique, exécute des franciscains. Par sa violence contre le catholicisme, Gand devint ainsi le principal centre calviniste des Pays-Bas. La proximité du danger, l'atmosphère persistante de lutte, la nécessité de vaincre pour ne pas périr communiquaient à la minorité sectaire qui régnait sur la grande cité une intolérance inouïe. En Hollande, les réformés suivirent des voies plus humaines [2].

A Anvers, les « huit » colonels commandant la garde bourgeoise portent surtout la responsabilité des mesures prises contre le catholicisme. Parmi les trente et un personnages qui occupèrent cette charge se trouvèrent notamment Philippe de Marnix de Sainte-Aldegonde, « premier colonel » à raison de son office de bourgmestre (Builenburgmeester), et le prédicant Junius, qui sut prendre à Anvers une autorité considérable. En mars 1578, une commission formée d'échevins et de colonels va exiger des ecclésiastiques un serment aux États. Les jésuites ayant refusé de le prêter, une bande de fanatiques envahit leur église. Les Pères furent conduits à Malines ainsi que les frères mineurs, expulsés également pour avoir refusé le serment [3].

Quelques mois plus tard, en 1579, est imposée à la ville une « Paix de religion » d'abord provisoire, puis définitive. De cette dernière il sera question plus loin.

Dans la suite Anvers, menacée par Farnèse, et qui adhérera le 23 janvier à l'Union d'Utrecht, pacte constitutif des Provinces-Unies, accentua sa politique anticatholique. Parmi les mesures principales prises alors, mentionnons la confiscation des biens ecclésiastiques (avril-mai 1580) ; l'obligation de laisser ouverts tous les couvents de femmes, pour permettre

(1) Sur l'académie calviniste de Gand, voir P. FREDERICQ, L'enseignement public des calvinistes à Gand (1578-1584), dans les Travaux du cours pratique d'histoire nationale, t. I, Gand, 1883, p. 51-121.

(2) V. FRIS, Histoire de Gand, p. 211-225 ; articles ; Khétulle (François de la) (P. FREDERICQ et H. VAN DER LINDEN) et Rythovius (A.-C. DE SCHREVEL), dans la Biographie nationale (de Belgique), t. XXXII, col. 707-725 ; t. XX, col. 725-763 ; H.-A. ENNO VAN GELDER, Revolutionnaire Reformatie, p. 50-74, 123-126, 168-174 ; H. PIRENNE, Hist. de Belgique, t. IV, p. 126-135 ; A.-C. DE SCHREVEL, dans les Annales de la Société d'émulation de Bruges, t. LXIX, p. 271-330 et Recuei de documents relatifs aux troubles religieux en Flandre (1577-1584), t. II, notamment p. 162, 182 276, 293.

(3) Fl. PRIMS, De Kolonellen van de « Burgersche Wacht » te Antwerpen (1577-1585), Anver 1942 ; A. PONCELET, La Compagnie de Jésus dans les anciens Pays-Bas, t. I, p. 286-306, Bruxelles 1927.

aux religieuses d'aller entendre la « parole de Dieu » ; l'interdiction de
la célébration de la messe (1er juillet 1581) ; la prohibition de porter leur
habit faite aux religieux, forcés de renoncer à leur état ; l'exécution
d'un dominicain, le P. A. Timmerman, rendu moralement responsable d'un
attentat contre Guillaume d'Orange [1] ; le bannissement de curés suspects.

A Bruxelles, le gouverneur militaire de 1579-1585, Olivier Van den
Tympel, entretient dans la ville des compagnies de l'armée des États,
dans lesquelles on compte notamment des Écossais farouches et fort
anticatholiques. Les brimades, les pillages, les cruautés toujours renou-
velées de ces bandes soulevèrent contre elles l'hostilité de la population.
Un conflit violent éclatera vite entre le conseil de guerre de Van den
Tympel et les trois membres de la ville : le magistrat, le large conseil
et les Nations. Van den Tympel, quoique calviniste convaincu et cherchant
à faire dominer le calvinisme dans la capitale, sut cependant, à l'occasion,
faire preuve de tolérance. Dans le magistrat dominèrent bientôt les tendances calvinistes. Les Nations, au contraire, défendront d'abord ardemment le catholicisme. Mais, à partir surtout de juin 1580, à la suite de
divers renouvellements de ce corps, elles changeront tout à fait d'attitude
et prendront la tête du mouvement anticatholique.

Il est fort difficile de se rendre compte de la surexcitation qui régnait
alors à Bruxelles ; occupée par des troupes chargées prétendûment de
la défendre contre l'Espagne, elle se trouvait menacée, d'une part, par
le prince de Parme, déjà maître de tout le pays entre la Meuse et l'Escaut,
et de l'autre, par l'armée des Malcontents, qui tenaient toute la contrée
entre la Sambre et la mer. De plus, les Espagnols, toujours demeurés
à Louvain, faisaient sans cesse des incursions jusque sous les murs de
Bruxelles. Bien qu'à Bruxelles, encore plus qu'à Gand et à Anvers, la
population fût restée catholique dans sa grande majorité, elle se montrait
farouchement hostile à l'Espagne et stigmatisait les Malcontents comme
traîtres. Partout on découvrait des suspects, surtout dans la noblesse,
le clergé et les couvents.

La soldatesque, aidée de la populace, se rua à différentes reprises sur
les églises et couvents de la ville, les pillant à loisir et tuant un chanoine.
Cependant les biens ecclésiastiques sont confisqués, des ordres religieux
expulsés, les églises partagées entre catholiques et réformés. La crânerie
d'un dominicain, Antoine Ruyskenvelt, qui groupa autour de lui des
catholiques décidés à ne pas se laisser faire, provoqua l'expulsion des
autres religieux, des curés de la ville et la prohibition du culte catholique. N'ayant plus rien à démolir ou à voler dans les églises et les couvents
de Bruxelles, la canaille alla dévaster les environs [2].

LA PAIX DE RELIGION ET LES SERMENTS — Déjà avant le gouvernement du duc d'Albe,
des gouverneurs, comme par exemple celui de
Flandre, le comte d'Egmont, et celui d'Anvers,
le prince d'Orange, avaient autorisé les prêches hors des villes ou dans les

---

(1) A. DE MEYER, *Le procès de l'attentat commis contre Guillaume le Taciturne, prince d'Orange*
(18 mars 1582), Bruxelles, 1933.
(2) A. HENNE et A. WAUTERS, *Hist. de la ville de Bruxelles*, t. I, Bruxelles, 1845, p. 497-578

villes mêmes. De ces premières paix de religion, le duc d'Albe ne laissa naturellement rien subsister. Mais en juin 1578, des requêtes envoyées à l'archidiacre Mathias et au Conseil d'État, notamment par les calvinistes d'Anvers, réclamèrent de nouveau le libre exercice de leur culte. Dès le 10 juillet Guillaume d'Orange soumettait aux États généraux un projet de *Religionsfried*. Il s'employa activement à le faire adopter. La majorité décida de charger l'archiduc Mathias et le Conseil d'État, puisqu'ils étaient les destinataires de ces requêtes, de faire parvenir le texte de la Paix de religion aux provinces [1].

Celui-ci rétablit le catholicisme en Hollande et en Zélande, dans les villes, à condition que cent ménages au moins en fassent la demande, dans les localités de moindre importance, si la plupart des habitants le requièrent. La même proportion sera exigée pour la liberté du culte calviniste dans les autres provinces. Au magistrat local de répartir les églises entre les deux confessions. La *Religionsfried* réserve d'ailleurs l'autorité du concile général.

Envoyée aux provinces, la Paix de religion fut rejetée par l'unanimité du pays wallon comme contraire à la Pacification de Gand. Dans les pays de langue néerlandaise, elle rencontra aussi bien des oppositions, notamment à Utrecht. Les États de Brabant demandèrent l'intervention des États généraux, mais consentirent à tenter un essai d'application, dans une ville comme Anvers. Les États de Flandre où dominaient les « quatre membres », c'est-à-dire Gand, Bruges, Ypres et le Franc de Bruges, acceptèrent le compromis. Il fut promulgué dans la plupart des villes de Flandre à la fin de 1578 et en 1579. Dans des centres à régime calviniste, comme à Anvers et à Gand, les prédicants lui firent une violente opposition ; ils ne voulaient pas de liberté pour les catholiques [2].

Un article de la *Religionsfried* enjoignait aux notables, aux évêques, ministres, anciens, diacres, prévôts, doyens, pasteurs et vicaires de jurer l'observation de cette ordonnance.

D'autres serments avaient d'ailleurs précédé celui-là. En certains endroits il avait fallu ajouter au serment prêté au roi d'Espagne la promesse de maintenir la Pacification de Gand, de ne rien attenter contre la paix publique et notamment contre le libre exercice de la religion catholique, de s'abstenir de tout rapport avec l' « ennemi commun », Don Juan, et ses adhérents ; ou bien encore de respecter l'union des États généraux avec le prince d'Orange (à Anvers).

Tympel (Olivier van den), article de P. BERGMANS, dans la *Biographie Nationale*, t. XXV, col. 863-865 ; E. VAN GELDER, *Revolutionnaire Reformatie*, p. 75-76 ; 117-120 ; 161-162.

(1) On peut trouver ce texte dans E. HUBERT, *Étude sur la condition des protestants en Belgique depuis Charles-Quint jusqu'à Joseph II*, p. 165-178. Voir encore sur la *Religionsfried*, H. PIRENNE, *Histoire de Belgique*, t. IV, p. 124-135 ; Fl. PRIMS, *De groote Cultuurstrijd*, t. I, *De religionsvrede* (1578-1581) ; A. ELKAN, *Ueber die Entstehung der niederlaendische Religionsfrieden von 1578 und Mornays Wirksamkeit in de Niederlaenden*, dans les *Mitteilungen des Instituts für Oesterreichische Geschichtforschung*, t. XXVII, 1906, p. 460-480.

(2) Voir surtout A.-C. DE SCHREVEL, *Recueil de documents*, t. I, p. 517-522, 524-529 ; t. II, p. 11, 13-16, 19-21, 24, 30, 37-44, 323-329, 381-386, 434-435, 441-443, 611-612, 633-640, 678-686 ; t. III, 1-7 ; L.-P. GACHARD, *La Bibliothèque nationale à Paris. Notices et extraits de manuscrits qui concernent l'histoire de Belgique*, t. I, Paris, 1875, p. 199-202. Du même auteur, *Actes des États généraux des Pays-Bas* (1576-1585), t. I, Bruxelles, 1861, p. 412-413 ; FL. PRIMS, *op. cit.*, t. I, p. 74-78, 104-108 ; t. II, p. 565-569.

Vis-à-vis du serment relatif à la *Religionsfried*, le clergé se partagea. Les jésuites le refusèrent dans les villes où il leur fut déféré et durent s'exiler[1]. Mais beaucoup d'ecclésiastiques s'exécutèrent. A Tournai, un des seuls évêques dans le cas de le prêter, Pintaflour, donna l'exemple, tout en déclarant qu'il n'entendait nullement par là contrevenir à la religion catholique, ni à l'autorité du roi[2]. Mais quelques-uns de ses chanoines et des religieux de la ville prirent une attitude contraire. A Douai, l'Université presque tout entière jura. Dans certaines villes, à Anvers, à Saint-Omer par exemple, les ecclésiastiques et les religieux qui cédèrent aux exigences légales semblent avoir constitué une forte majorité. D'autre part, l'Université de Louvain refusa de « maintenir l'union avec des gens suspects et notamment avec le prince d'Orange. » Le célèbre Michel Baius alla jusqu'à écrire une lettre rendue publique où il déclarait les assermentés excommuniés[3]. Grégoire XIII, en effet, faisait tous ses efforts pour empêcher le clergé de se rallier à la révolte contre l'Espagne. En 1577 et 1578, des instructions dans ce sens avaient été expédiées aux évêques des Pays-Bas. Le pape exigeait l'application des peines ecclésiastiques. Il s'éleva avec la dernière énergie contre l'ordonnance prescrivant le serment à la *Religionsfried*[4]. Sans doute ces instructions de Rome furent-elles connues assez tard aux Pays-Bas. A la décharge des ecclésiastiques qui crurent pouvoir en conscience obéir aux ordres du gouvernement, on peut faire valoir différentes considérations : l'édit ne réglait la question que provisoirement, il s'appliquait à maintenir la bonne entente entre les deux confessions et à prévenir la violation des propriétés conventuelles, il maintenait les fêtes catholiques en dehors de la Hollande et de la Zélande, il obligeait les calvinistes eux-mêmes à respecter dans les mariages les empêchements fixés par le Droit canon, sauf celui d'affinité spirituelle, etc.

LE SINISTRE BILAN — Nous ne reviendrons pas ici sur l'iconoclasme de 1566. Pour les années suivantes, de 1567 à 1585, on ne peut dresser actuellement la liste complète de tous les pillages et destructions. Il faudra se borner à grouper ici certains faits assez éloquents.

Voici d'abord les abbayes féminines de l'ordre de Cîteaux en Belgique : sur dix maisons, situées en Brabant, huit furent pillées, incendiées ou détruites : des douze monastères de Flandre, aucun ne resta indemne. Relativement moins grave apparaît le sort des établissements wallons, puisque quatre des dix échappèrent au pillage ou à la ruine[5].

Les prémontrés possédaient dans les Pays-Bas méridionaux quinze monastères. En 1578, les religieux de Tronchiennes près de Gand ayant été expulsés, leur abbaye fut divisée en lots que l'on mit en vente, tandis

(1) A. PONCELET, *op. cit.*, t. I, p. 301-302, 308, 310-312, 315, 321-323.
(2) E. CORTYL, *Un évêque du XVIᵉ siècle. Pierre Pintaflour, évêque de Tournai de 1575 à 1580*, Lille, 1893, p. 171-173.
(3) M. BAIUS, *Opera*, p. 451-455. Cette lettre n'étant pas datée, il n'est pas sûr qu'il s'y agisse du serment à la *Religionsfried*.
(4) B. DE MEESTER, *Le Saint-Siège et les troubles des Pays-Bas*, p. 111 et 130.
(5) Th. PLOEGAERTS, *Les moniales cisterciennes dans l'ancien roman-pays de Brabant*, Bruxelles, 1924-1926, 4 vol. Du même, *Les moniales de l'Ordre de Cîteaux dans les Pays-Bas méridionaux depuis le XVIᵉ siècle jusqu'à la Révolution française*, Westmalle, 1936-1937, 3 vol..

qu'une bonne partie des bâtiments tombait sous le marteau des démolisseurs. L'abbaye de Furnes fut complètement détruite. Parc, près de Louvain, dut subir en 1572 un pillage par les soldats du prince d'Orange et abriter ensuite une troupe espagnole qui vécut aux frais de la communauté dispersée. Tongerloo vit se succéder trois occupations qui ne l'épargnèrent guère : la première et la troisième par la troupe des États généraux, la seconde par celles de Farnèse. Averbode fut livrée au pillage ; quatre chanoines dont l'ancien prélat, emmenés par les soldats, durent se racheter. Ninove subit un saccage en règle par des soudards et la populace gantoise. Jette, près de Bruxelles, ne connut pas un sort plus enviable. Cependant aucun des monastères du pays flamand ne vécut les heures mouvementées de Saint-Michel d'Anvers : pillage lors de la Furie espagnole de novembre 1576, arrestation de religieux en 1579, attribution aux luthériens d'une partie de l'église, préalablement vidée de ses statues, etc., en 1580, expulsion des chanoines et vente de leurs meubles en 1581, transformation de l'église en dépôt d'artillerie pendant le siège de la ville par Farnèse. Enfin mentionnons les maisons wallonnes de l'ordre : l'abbaye de Bonne-Espérance pillée en 1572 ; le prélat, réfugié à Binche, fait prisonnier, puis dépouillé de tous ses meubles et objets sacrés précieux emportés du monastère, obligé de payer une rançon de 6.000 florins, enfin privé de sa prélature et banni du Hainaut à cause de ses sympathies pour Don Juan et l'Espagne. Vers la fin de 1578, une forte bande de soldats des États envahit Saint-Feuillien-du-Rœulx. Le célèbre monastère de Floreffe, le plus ancien de l'ordre après Prémontré, souffrit beaucoup également des bandes de brigands qui sillonnaient le pays de Namur. Le monastère bénédictin d'Afflighem est occupé par les Espagnols en 1576, par les soldats de Guillaume d'Orange en 1578, par les Malcontents en 1579, par les Orangistes en 1580, par les Gueux en 1582 (trois religieux sont massacrés). Les moines, errants et pourchassés, finiront par se fixer à Bruxelles[1].

On n'en finirait pas d'énumérer les expéditions dévastatrices de cette lugubre époque. Armée espagnole, armée des États, armée des « Malcontents » ou des wallons, troupes amenées en Belgique par Mathias, Anjou et Casimir prennent, perdent, réoccupent les villes, parcourent le pays en tous sens et le razzient. Elles se composent de soudards originaires des Pays-Bas et d'autres pays : de France, d'Allemagne, d'Angleterre, d'Écosse. Les religieux, dispersés ou non, végètent dans une extrême misère. Leurs fermes et autres propriétés avaient subi de graves dommages. Les paysans, rançonnés eux aussi, se déclaraient incapables de solder la dîme et leurs redevances. Les terres souvent ne pouvaient être cultivées et rendaient mal.

LES MARTYRS   Aux tableaux qui précèdent ne figurent que quelques-uns des ecclésiastiques mis à mort par les gueux. Notre enquête, se bornant aux Pays-Bas méridionaux, nous a révélé le nom

(1) Dom BERNARD, *Geschiedenis des benedictijner abdij van Afflighem*, Gand, 1890, p. 217 et suiv. — Voir par exemple les exploits d'une bande orangiste dans E. PONCELET, *Guillaume de*

d'environ cent trente malheureux clercs qui périrent le plus souvent dans des supplices atroces et raffinés [1]. Un bon nombre d'entre eux méritent incontestablement le titre de martyrs. L'histoire tragique de ces victimes se refait aisément grâce à des documents de premier ordre.

Un premier groupe comprend des curés et des vicaires de la Flandre principalement [2]. Leurs presbytères, isolés à la campagne, se trouvaient particulièrement exposés aux incursions des bandes pillardes, aux gueux des bois. Des sectaires des Pays-Bas réfugiés en Angleterre formèrent, dans les derniers mois de 1567, le projet de débarquer en Flandre maritime, d'accord avec les huguenots français. La première partie de ce plan comportait l'assassinat des prêtres et l'incendie des églises. Il reçut un commencement d'exécution et coûta la vie à une dizaine d'ecclésiastiques. Une dizaine d'autres périrent indépendamment de cette conjuration. Parmi ces victimes se trouvaient des vieillards.

La conquête par les gueux de certaines villes occasionna aussi la mort d'un bon nombre de prêtres séculiers et de religieux. Nous avons déjà mentionné la prise d'Alost. Ajoutons-y celle de Malines, en avril 1580. Là périrent deux frères mineurs et deux carmes dont l'un, Pierre Wolf ou Lupus, jouissait d'une grande notoriété comme prédicateur et d'un prestige extraordinaire chez les notables et les autorités communales de sa ville [3].

Les villes à régime calviniste fournirent aussi leur contingent au martyrologe catholique des Pays-Bas pour le XVIe siècle ; il périt ainsi sur le bûcher trois franciscains à Bruges et trois à Gand.

Il faut insister davantage sur les massacres collectifs. Seuls parmi leurs victimes, les martyrs de Gorcum : onze frères mineurs de l'Observance, un dominicain, un chanoine régulier de Saint-Augustin, deux prémontrés et quatre prêtres séculiers, mis à mort à la Brielle par des gueux de mer, ont été canonisés par l'Église [4].

La même année, en septembre, une troupe d'environ quatre cents gueux surprit la ville d'Audenarde [5]. Elle commença par accabler d'insultes, de malédictions et de coups deux prêtres rencontrés au cimetière. Le lendemain, elle opéra une rafle d'ecclésiastiques réfugiés chez les frères mineurs. Elle les emprisonna avec quelques notables. Cependant les soudards profitaient de leurs loisirs pour piller les églises et les couvents de la ville et des environs. Le 4 octobre, l'annonce de l'approche d'une armée wallonne surexcita les envahisseurs. Sept ecclésiastiques, dont quatre curés, furent précipités dans l'Escaut.

L'année 1572 fut encore marquée par deux tueries : celles d'Alkmaar

Lamarck, *seigneur de Lummen, chef des gueux de mer*, dans le *Bulletin de la Commission royale d'histoire*, t. C, p. 12-14.

(1) Voir notre étude : *Prêtres belges mis à mort par les Gueux*, dans la *Nouvelle Revue théologique*, sept.-oct. 1947.

(2) Ch. WYNCKIUS, *Geusianismus Flandriae occidentalis*, édit. F. VAN DE PUTTE (Société d'Émulation de Bruges, 2e série), Bruges, 1841 ; Ed. DE COUSSEMAKER, *Troubles religieux du XVIe siècle, dans la Flandre maritime*, 3 vol.

(3) Notice par H. VAN DER LINDEN, dans la *Biographie Nationale*, t. XII, col. 576-581.

(4) Biographie de P. MEUFFELS, dans *Les Saints*, Paris, 1908.

(5) Une des sources principales pour ce massacre est l'enquête établie l'année même ou l'année suivante (*Analectes pour servir à l'histoire ecclésiastique de la Belgique*, t. VII, 1870, p. 53 et suiv. ; t. VIII, 1871, p. 411 et suiv.).

et de Ruremonde. Le prince d'Orange plaça en 1572 dans la petite ville d'Alkmaar, au nord de la province de Hollande, une garnison de gueux. Malgré la protection promise par le magistrat aux franciscains, des soldats envahirent leur couvent, le 23 juin, injurièrent les moines, les lièrent avec leurs cordes de religieux et les conduisirent, au nombre de cinq, dans une localité voisine. Là ces frères furent condamnés à mort, comme traîtres à la patrie et confesseurs de la foi papiste. Ils périrent héroïquement [1].

Ruremonde, actuellement dans le Limbourg hollandais, dépendit ecclésiastiquement jusqu'en 1559 du diocèse de Liège. Orange ayant pris personnellement cette ville le 23 juillet, le saccage commença aussitôt. Les soldats pillèrent d'abord le couvent des Augustins et y massacrèrent trois moines. Ils s'attaquèrent ensuite au couvent des Chartreux où treize moines furent tués, avec des raffinements sadiques, au milieu de démonstrations sacrilèges. En cette hécatombe de Ruremonde périrent encore quatre prêtres séculiers ou religieux, dont le secrétaire de l'évêque [2].

Dans la sinistre période de 1567 à 1585, les années 1572 et 1578 alignent de loin la plus longue liste de victimes : quarante et une pour la première de ces années, dix-sept pour la seconde. Le clergé séculier paya largement son tribut, car il perdit une cinquantaine de curés et de vicaires. Parmi les religieux, les franciscains marchent en tête de la glorieuse phalange, avec une trentaine de leurs religieux.

PRÉDICANTS ET PRÉDICATEURS. On connaît un grand nombre de pré-
LA CONTROVERSE RELIGIEUSE dicants qui exercèrent leur ministère
dans les Pays-Bas et qui pour la très grande majorité étaient originaires de la région. D'aucuns avaient dû vivre dans l'exil [3] et jouirent naturellement, après leur retour dans la patrie, d'un prestige particulier. On signale dans leurs rangs des hommes fort érudits, de bons écrivains, d'anciens disciples de l'Académie de Genève [4]. Il en est surtout qui se distinguèrent par leur éloquence. François Algoet, devenu calviniste, passait pour un des prédicateurs les plus réputés de l'ordre dominicain. Les sermons de Thomas Van Thielt, abbé de Saint-Bernard sur l'Escaut, un autre apostat, attiraient beaucoup de monde. Un jeune franciscain de Tournai, Paul Millet, transfuge lui aussi et brûlé vif en 1564, s'était acquis une grande popularité dans le pays par son éloquence et son érudition. Ajoutons à ces noms celui d'un ancien franciscain ou brigittin, André Saravia, ministre à Anvers, à Bruxelles, à Gand et plus tard professeur à l'Université de Leyde.

D'autres prédicants sont plus connus : Guy de Bray, dont il a déjà

(1) H. LAMPEN, *De martelaren van Alkmaar en hun tijd*, Alkmaar, s. d. (1922) ; ID., *De martyribus Alcmariensibus. P. Daniel van Arendonck et socii ejus O. F. M.*, dans l'*Archiv. Francisc. Historicum*, t. XVI, 1923, p. 453-468 et XVII, 1924, p. 22-25 ; J. GOYENS, *Nos martyrs d'Alkmaar*, Malines, 1927. — Le procès s'est terminé en première instance en 1928.
(2) G. HESSE, O. F. M., *De Martelaren van Roermond*, dans la collection Limburg, t. XXVI, 12.
(3) Voir l'ouvrage déjà cité de A.-A. VAN SCHELVEN, *De Nederdeutsche Vluchtelingen*.
(4) H. DE VRIES, *Genève, pépinière du calvinisme hollandais*, Fribourg, 1918.

été parlé, Hermann Moded, sectaire de premier ordre et qui se chargea
d'une lourde responsabilité lors des troubles iconoclastes ; les deux Taffin :
Jean, dit le Vieux, qui se dépensa à Anvers, Haarlem, Rotterdam, et
publia des livres fort répandus comme le *Traité de l'amendement de l'âme*,
et Jacques, le Jeune, propagateur de l'Évangile notamment à Cassel ;
Pierre Dathenus, ancien carme, apostat à moins de vingt ans, doué de
grands talents oratoires et poétiques, fort érudit, auquel on doit une
traduction flamande des psaumes ; Pérégrin de la Grange, exécuté à
Valenciennes avec Guy de Bray ; François Junius, un des prédicants les
plus en vue et les plus influents.

Certains de ces ministres s'employèrent plus spécialement à l'apostolat de telle région ou de telle ville : Jean Fontanus, en Gueldre ; Gellius
Snecanus, en Frise, particulièrement à Leeuwarden ; Hubert Duifhuis,
à Utrecht ; Arent Corneliss, à Delft ; Gaspard van der Heyden, à Anvers ;
Charles Richard ou Rijckewaert, à Ypres [1].

Le calvinisme sut utiliser beaucoup de prêtres et de religieux séparés
du catholicisme. Nous avons repéré, pour les seuls Pays-Bas méridionaux
trente-cinq prêtres séculiers et soixante-cinq religieux qui adhérèrent
à la réforme de Genève. En une fois, neuf moines et dix convers quittèrent
l'abbaye cistercienne de Boneffe, dans le pays de Namur, et partirent
pour la Hollande où ils abandonnèrent la foi catholique. Les ordres les
plus éprouvés par les défections furent les mendiants : carmes, frères
mineurs, dominicains. Presque tous ces transfuges se marièrent, et beaucoup devinrent prédicants. On trouve parmi eux un bon nombre d'hommes
convaincus et qui se laissèrent brûler ou décapiter pour leur foi. Certaines des lettres écrites de leur prison par des confesseurs expriment
de magnifiques sentiments. Rien d'étonnant à ce que d'anciens religieux
forment le groupe le plus actif et le plus éloquent parmi les propagateurs du calvinisme. Leur formation plus soignée et les ministères exercés
avant leur apostasie les préparaient mieux à la prédication que les curés.
De façon assez générale, l'ardeur religieuse des prédicants calvinistes,
leur zèle, leur fougue à annoncer la parole de Dieu et leur ténacité
paraissent supérieurs à ceux des prédicateurs catholiques. La foi nouvelle
leur communiquait un enthousiasme qu'ils ne sentaient pas assez vibrer
dans l'Église. Certaines doctrines, comme celle, si barbare à première
vue, de la prédestination et de la réprobation antécédentes, les portaient à se donner à eux-mêmes, par leurs vertus et leur esprit de
prosélytisme, un gage de leur élection. Ils se considéraient comme appartenant à une élite.

N'oublions pas, d'autre part, que les prêtres et les religieux catholiques, condamnés par les gueux, firent preuve d'un magnifique courage
devant les supplices et la mort. Bien peu faiblirent.

SITUATION CONFUSE EN WALLONIE Le mouvement de réconciliation avec l'Espagne partit des provinces wallonnes, c'est-à-dire des régions du pays (Artois et Hainaut) où se répandit d'abord le calvinisme, venu de Tournai, Lille, Valenciennes, avant de passer dans le pays flamand.

A ce fait rien d'étonnant. La situation se présentait de façon bien différente au nord et au sud de la frontière linguistique.

La création des nouveaux évêchés ne souleva pas dans les contrées de langue française le même mécontentement que dans celles où se parlait le thiois. On sut plutôt gré à Philippe II de son initiative réorganisatrice.

L'Artois ne connut ni les horreurs de la guerre religieuse ni la brutale répression de l'hérésie. Il se joignit aux provinces liguées contre l'Espagne « plus par solidarité que par intérêt »[1].

Après les exécutions du duc d'Albe, les centres calvinistes de la Wallonie se dépeuplèrent de plus en plus. Les calvinistes sincères et les suspects émigrèrent vers le nord, où ils devinrent gueux des bois ou gueux de mer. Leurs coreligionnaires restés au sud se trouvèrent d'autant plus isolés et découragés que les Huguenots français, venus du midi de la France, gagnaient par mer la Hollande et la Zélande pour y combattre à côté de leurs frères[2].

Dans les provinces du sud, demeurées profondément catholiques, l'arrestation, en 1577, des évêques d'Ypres et de Bruges et de nombreux seigneurs produisit le plus détestable effet. On vit, d'autre part, la Hollande et la Zélande se détacher peu à peu de la Pacification de Gand à cause de l'interprétation catholique que l'Union de Bruxelles donna de cet accord ; on vit se développer dans les milieux calvinistes (à Gand, par exemple) l'hostilité contre la *Religionsfried*. Ces manifestations du sectarisme calviniste allèrent se multipliant : confiscation des biens ecclésiastiques, expulsion des religieux, suppression du culte catholique dans de multiples villes flamandes et néerlandaises...

A la *Religionsfried*, les ecclésiastiques, même dans le sud, ne s'étaient pas opposés. Ainsi l'évêque de Tournai, sans doute parce que Tournai et quelques autres localités de l'ouest comptaient encore des groupements calvinistes[3]. Cependant les provinces wallonnes, nous l'avons dit, la rejetèrent unanimement ; elle paraissait inutile pour ces régions, presque complètement catholiques ; et surtout la mise sur un pied d'égalité des deux régions (même avec les restrictions prévues par la *Religionsfried*) choquait profondément l'immense majorité des catholiques. Pas plus que les calvinistes, ils ne pouvaient se rallier à l'idée de tolérance.

Deux autres différences restent à signaler. Le clergé de l'Artois et du Hainaut jouissait d'une influence sociale bien supérieure à celui du Brabant. Dans les États des trois provinces du Hainaut, de Valenciennes et de Tournai, la bourgeoisie, les villes, se trouvaient à peine représentées.

(1) Ch. Hirschauer, *Les Troubles d'Artois*, dans le *Bulletin de l'Institut historique belge de Rome*, t. II, 1922, p. 49.
(2) H. Pirenne, *Histoire de Belgique*, t. IV, p. 138-140.
(3) A Tournai plus de 800 citoyens réclamèrent en 1578 l'exercice public de leur culte (Hocquet, *Toxrnai et le Tournaisis au XVe siècle*, Bruxelles, p. 214).

Elles l'étaient davantage dans ceux d'Artois, sans que cependant la prépondérance leur appartînt. La noblesse (l'un des deux ordres dominants) se montrait fort jalouse du prince d'Orange. Elle était mécontente de l'inaction à laquelle il réduisait l'archiduc Mathias reconnu par les États généraux.

A ce prince et à cette assemblée, le pays wallon resta en effet longtemps fidèle. Un historien de l'Artois décrit ainsi l'état des esprits en cette province dans les derniers mois de 1578 : l'autorité du roi continue à y être reconnue en principe ; elle ne garde qu'un petit nombre de partisans décidés, dénommés johannistes, à cause de Don Juan ; la masse hait les Espagnols, adhère aux États et à Mathias, se détourne de plus en plus du prince d'Orange, s'ancre toujours davantage dans le catholicisme ; enfin une minorité, comptant dans ses rangs un bon nombre de calvinistes, obéit encore aux États généraux, reçoit ses mots d'ordre de Bruxelles et de Gand, garde sa confiance au Taciturne (ce sont les *Patriotes*). En Hainaut la situation ne diffère pas notablement, mais le duc d'Anjou y dispose d'un parti organisé [1].

DERNIERS EFFORTS ORANGISTES. Le prince d'Orange s'appliqua donc
AGITATION DES ÉTATS à développer son influence dans le
sud, dans l'Artois surtout. Il s'appuya
surtout sur le Tiers-État. Sa politique eut un succès éclatant jusqu'en octobre 1578, en dépit de revirements temporaires. Il parvint, malgré l'opposition des échevinages, à faire créer à Arras, Saint-Omer, Aire-sur-la-Lys, Saint-Pol, des gardes bourgeoises pour se défendre contre les armées espagnoles surtout (fin de 1576 et 1577). Arras, le 1er novembre 1577, lors du renouvellement de son magistrat, élut des hommes, modérés sans doute, mais suspects pour beaucoup, et incapables de prévoir les émeutes et de les mater. Saint-Omer, le 6 janvier 1578, choisit un conseil qui, durant plusieurs mois, témoignera d'un dévouement complet à la cause orangiste. Quatre jours plus tard, quelques centaines de bourgeois d'Arras, réunis sans l'autorisation des échevins, inaugurèrent un « tribunat » de quinze membres, chargés de surveiller les édiles communaux, et qui faciliteront l'action du prince d'Orange dans la capitale.

Cependant, le 31 janvier 1578, Don Juan, auquel Philippe II avait envoyé des troupes, battait les armées des États généraux à Gembloux. L'émotion causée par cette défaite, imputable, disait-on, à la trahison, porta les États d'Artois, sur la demande des Patriotes, à voter de gros subsides pour renforcer l'armée des États. On mit en défense tout le plat pays. Une fédération groupa toutes les compagnies bourgeoises. Ces manifestations anti-espagnoles s'accompagnèrent, comme partout ailleurs, de manifestations anticléricales. Le 2 février, la populace d'Arras envahit le couvent des carmes ; quelques jours après elle fouilla l'évêché, l'abbaye de Saint-Vaast et les maisons des chanoines [2].

(1) Ch. HIRSCHAUER, *art. cit.*, p. 49-50.
(2) *Ibid.*, p. 51-52. PONTUS-PAYEN, *Mémoires*, publiés par A. HENNE, t. II, Bruxelles, 1861.

LE DOUBLE JEU DE JEAN SARRAZIN — A ce moment apparaît à l'avant-scène un religieux artésien de très modeste famille que ses talents et ses brillantes études avaient fait nommer aux charges de grand prévôt de son abbaye, Saint-Vaast, de grand prieur de la Congrégation des Exempts de Flandre, dont faisait partie ce monastère, de vicaire-général et de coadjuteur de son prélat, Roger de Montmorency. Il s'agit de Jean Sarrazin. Très zélé pour la réforme religieuse, il commença à jouer un rôle politique sous le successeur de Montmorency, Thomas de Parenty, qui le délégua à plusieurs assemblées d'État. Il resta toujours fidèle à l'Espagne. Mais, virtuose du double jeu, il réussit à se faire agréer dans tous les milieux. Il se fit désigner, de façon intérimaire, par les États généraux, le 23 février 1578, pour la charge abbatiale de Saint-Vaast. Le gouverneur de l'Artois, le vicomte de Gand, fit opposition, mais trop tard. Orange devait connaître les vrais sentiments de Sarrazin, car il comptait des partisans dans plusieurs abbayes et à Saint-Vaast même. Le roi, bien que Sarrazin eût été désigné par les États généraux, ratifia le choix après dix mois, sans doute parce que Don Juan l'avait mis au courant des idées et du but du grand prieur [1].

Peu après les troubles d'Arras relatés plus haut, se réunirent les États d'Artois. Marnix de Sainte-Aldegonde, représentant de Matthias, vint y solliciter d'importants subsides pour continuer la guerre. L'assemblée s'étant ajournée jusqu'à la fin de février, Sarrazin profita de ce laps de temps pour attirer l'attention de ses collègues sur l'énormité des sommes demandées, les dangers courus par la religion, la duplicité du prince d'Orange, la bonne volonté de Don Juan, qui venait de publier un manifeste (25 janvier) rejetant sur Guillaume la responsabilité des hostilités, la modération enfin des dernières propositions de Philippe II. Les États rejetèrent en effet les subsides demandés par les États généraux. Grisé par son triomphe, l'abbé de Saint-Vaast manqua peut-être alors de prudence. Il amena l'assemblée (1er mars), moitié par surprise, moitié par persuasion, à prendre l'initiative d'une démarche auprès des diverses provinces en vue de conclure la paix avec Don Juan. Dès le 6 mars le Hainaut faisait à ses avances une réponse favorable.

C'en était trop ! Le peuple d'Arras dénonce les États comme traîtres à la cause nationale. Une nouvelle émeute éclate le 17. Des perquisitions s'opèrent. L'abbaye de Saint-Vaast est envahie. L'abbé est arrêté.

Conduit au siège des États généraux à Anvers pour se justifier, Sarrazin jeta du lest. Il accepta notamment de leur prêter une importante somme. Il joua si bien le patriote qu'Orange lui obtint un passeport pour rentrer à Arras. Mais mieux valait demeurer à Anvers afin d'y agir et d'y suivre les événements. La conduite de l'abbé en ces circonstances offrait prise à des critiques. On lui opposait l'évêque d'Arras, Moullart [2] qui, lors

---

(1) Sur ce qui suit voir surtout Ch. HIRSCHAUER, *Correspondance secrète de Jean Sarrazin avec la Cour de Namur* (1578), Arras, 1911. Grâce aux lettres de Sarrazin, Don Juan, puis Farnèse connurent de façon précise les événements et l'état d'esprit de l'Artois en cette année décisive. Voir aussi C. H. Th. BUSSEMAKER, *De afscheiding der Waalsche Gewesten van de generale Unie*, Haarlem, 1895-1896. A. de CARDEVACQUE et A. TERMINCK, *L'abbaye de Saint-Vaast, t. I*, Arras, 1865 (on trouvera dans cet ouvrage plusieurs des discours politiques de Sarrazin).

(2) P. DEBOUT, *Vie de Matthieu Moullart, évêque d'Arras*, Paris et Arras, 1901.

de l'émeute du 17 mars, s'était réfugié à Namur. Mais le gouverneur
espagnol ne tarda pas à se rendre, comme Mathias, aux excellents arguments de Sarrazin.

Cependant, à Arras, des patriotes, comme Allard Crugeot [1], entretenaient la haine contre l'Espagne. Le 2 mai, on y reconstituait, avec
l'assentiment des États généraux, le tribunat des XV. Un fidèle d'Orange,
Ambroise le Duc, entra dans la ville avec une compagnie de 50 lances,
les « verts vêtus ». Cinq mois durant, les XV et les « verts vêtus » y dominèrent et, sous la protection de ce régime, le calvinisme recommença
sa propagande dans l'Artois. C'est pendant cette période, en juillet,
qu'Orange crut le moment venu de faire admettre la *Religionsfried*
dans les provinces wallonnes. Le lecteur connaît déjà l'échec complet
de cette tentative. Le 17 octobre éclatait à Arras la dernière émeute.
Mais le Duc, abandonné par les Gantois, fut battu. Le régime d'exception
des XV et des verts vêtus dut peu après abandonner son pouvoir usurpé
et céder la place au magistrat régulier. L'exemple donné par Arras fut
imité dans d'autres villes, comme Lille et Douai. Ainsi s'écroulait l'influence d'Orange en ces régions. Cependant l'idée de la réconciliation
avec l'Espagne ne triomphe pas encore. Les États d'Artois se préoccupent de gagner la faveur d'Anjou, d'en faire le protecteur du pays. Et
Sarrazin accepte de conduire l'ambassade qui lui est envoyée. Même les
nobles wallons qui forment alors le parti des « malcontents » ne veulent
pas, au début, de rapprochement avec l'Espagne. Sarrazin suit avec
sympathie les progrès de Montigny qui, utilisant l'armée des États
généraux, attaque les positions occupées par les Gantois. Le calviniste
fanatique Jean-Casimir se porte au secours de ceux-ci, mais les soldats
d'Anjou affluent dans l'autre camp.

A ce moment les États de Hainaut proposent la création d'une fédération catholique sur la base de la Pacification de Gand et de l'Union
de Bruxelles pour tenir tête aux sectaires et prévenir l'anéantissement
de la foi, de la noblesse et de tout ordre. Les États d'Artois y adhérèrent
d'enthousiasme dans la première moitié de novembre.

Cependant les États de Hainaut, où domine le comte de Lalaing,
ont encore décidé, à la fin d'octobre, de s'adresser à Anjou. Ceux d'Artois,
au contraire, inclinent de plus en plus vers le rapprochement avec l'Espagne. Sarrazin s'applique à convertir les gouverneurs à ses idées.

L'UNION D'ARRAS (1579) Farnèse, qui avait succédé à Don Juan dans
le gouvernement des Pays-Bas, crut alors
le moment venu de renvoyer l'évêque d'Arras, Moullart, en Artois. Il
le fit accompagner de Guillaume le Vasseur, seigneur de Valhuon, ami
intime et correspondant de Sarrazin. Celui-ci alla à leur rencontre, les
gagna à son optimisme et les invita à se rapprocher d'Arras.

Le 1er décembre, se tenait dans cette ville une réunion décisive. Aux
membres des États d'Artois s'étaient joints des délégués d'autres pro-

---

(1) Sur un autre patriote influent d'Arras, voir A. GUESNON, *Maître Nicolas Gosson*. Arras,
1911.

vinces wallonnes. Moullart et Valhuon demandèrent audience pour
communiquer les propositions du gouverneur. Après une vive discussion
ils furent introduits. Le 6 janvier 1579 était signée l'Union d'Arras.

Restait à discuter les conditions de la réconciliation avec les différentes provinces et puis avec le prince de Parme. L'abbé de Saint-Vaast
encore, mais non pas seul, s'y employa activement. Il circule beaucoup
alors, se rend notamment à Tournai, à Lille, où il rencontre bien des
difficultés. Dans la première de ces villes le gouverneur, prince d'Épinoy,
reste tenacement fidèle aux États généraux. L'évêque Pintaflour, l'archidiacre Cotreau, les abbés de Saint-Martin et de Saint-Médard, s'appli-
queront en vain à modifier son point de vue. Il faudra qu'en novembre
1581 Farnèse s'empare de la place.

La paix d'Arras était signée depuis longtemps (17 mai 1579). Les
États d'Artois, de Hainaut, de Lille, de Douai et d'Orchies étaient tombés
d'accord sur les stipulations à présenter au prince de Parme. D'autres
adhésions suivirent. Sarrazin fit naturellement partie de la délégation
envoyée à Alexandre et prit la parole en son nom. La paix d'Arras rétablit le catholicisme comme seule religion autorisée. Mais, du point de
vue politique, tout en reconnaissant pleinement l'autorité du roi d'Espagne, on y retrouve les sentiments d'opposition à ce pays, et les vieilles
revendications des Pays-Bas. Elle donne aussi valeur définitive à plusieurs résultats obtenus au cours des troubles : maintien de la Pacification de Gand et de l'Union de Bruxelles ; amnistie générale ; ratification des nominations, de catholiques au moins, faites par les États
généraux, le Conseil d'État et l'archiduc Mathias ; licenciement de tous
les soldats étrangers ; formation d'une armée nationale ; engagement du
roi de ne pas envoyer de troupes dans les provinces réconciliées, sans
leur consentement ; rétablissement des privilèges ; gouvernement du
pays par un prince du sang ; cour composée surtout de « naturels du
pays » ; Conseil d'État exclusivement formé d'originaires des provinces
adhérant au traité, et dont huit au moins sur douze avaient toujours
adhéré aux États généraux ; consentement des impôts par les États
généraux [1].

PROGRÈS DE L'ESPAGNE   Si des ecclésiastiques des Pays-Bas s'étaient
employés activement à faire aboutir la récon-
ciliation avec l'Espagne, d'autres avaient multiplié les efforts pour s'y
opposer et firent même partie de missions envoyées dans ce but à Arras
par les États généraux. Ainsi l'abbé de Saint-Bernard-sur-l'Escaut,
Jean Van der Noot. Les autres abbés rebelles se soumirent peu à peu,
comme l'exigeait l'article III de la Paix d'Arras. La conversion de deux
d'entre eux, connus comme les plus avancés, Yve de Maroilles et Van
der Linden de Sainte-Gertrude (2 novembre 1579), fit réfléchir leurs
confrères. Les réconciliations de prélats, de l'ordre prémontré surtout,

---

(1) Texte définitif ratifié au nom du roi à Mons, le 12 septembre 1579 dans GACHARD, *Actes
des États généraux*, t. II, p. 522.

et préposés pour la plupart à des monastères flamands, se multiplièrent
à la fin de 1579 et dans les premiers mois de 1580 [1].

Farnèse avait reçu pour mission de reconquérir les villes perdues pour
l'Espagne. Il remit ainsi à Philippe II toutes celles des Pays-Bas méridionaux à l'exception d'Ostende qui ne se rendra qu'en 1604. Gand
capitula le 17 septembre 1584, Bruxelles le 10 mars 1585, Anvers le 17 août
de la même année. Partout, des conditions très douces furent faites aux
vaincus. Mais nulle part les calvinistes n'obtinrent la liberté du culte
public. Ils pouvaient cependant demeurer là où ils s'étaient fixés à condition d'y vivre sans scandale [2]. Malheureusement Philippe II ne laissa
pas le grand capitaine achever son œuvre dans les Pays-Bas. Il l'employa
d'abord dans l'essai de descente en Angleterre (*Invincible Armada*),
puis contre la France. Farnèse ne put ainsi s'appliquer sérieusement
à la reconquête des provinces du Nord. Il mourut en 1592.

Il nous faut revenir en arrière pour retracer brièvement les événements
survenus dans les provinces septentrionales.

L'UNION D'UTRECHT Une quinzaine de jours après l'Union d'Arras
était signée, le 23 janvier 1579, l'Union d'Utrecht.
Elle groupa la Hollande, la Zélande, Utrecht, la Gueldre, la Frise, l'Overyssel, Groningue et quelques centres calvinistes de Flandre : Gand,
Bruges, le Franc de Bruges. Des villes du Brabant, Anvers, Lierre et
Bréda y adhérèrent dans la suite. Comme l'Union d'Arras, celle d'Utrecht
veut revenir à la pacification de Gand, mais interprétée dans le sens
de la liberté complète de religion. Tandis que l'Union d'Arras voulait
rétablir la paix avec l'Espagne, l'Union d'Utrecht entendait continuer
la guerre et prévoyait la manière de la mener à bon terme [3].

L'Union d'Arras et l'Union d'Utrecht achevèrent de détruire le groupement des anciennes provinces des Pays-Bas, commencé par les ducs
de Bourgogne, continué par Charles-Quint mais disloqué par les querelles religieuses.

---

(1) E. VALVEKENS, *De Zuidnederlandsche norbertijnen abdijen en de opstand tegen Spanje*
(maart 1576-1585), Louvain, 1929 ; du même, *Arnold van Leefdael, prelaat der abdij van Averbode* († 1584), Bruges, 1943.
(2) L. VAN DER ESSEN, *Alexandre Farnèse, prince de Parme, gouverneur général des Pays-Bas*,
t. III et IV, Bruxelles, 1934-1935.
(3) H. PIRENNE, *Hist. de Belgique*, t. IV, p. 151. *Geschiedenis van Nederland*, sous la direction de H. BRUGMANS, t. III (Dr. J. C. H. DE PATER), p. 259 et suiv., Amsterdam, 1936.

LIVRE III

HENRI VIII ET L'ANGLICANISME

INTRODUCTION

La révolution religieuse qui s'est produite au xvie siècle dans les Iles Britanniques est, depuis le grand schisme d'Orient, l'un des événements les plus considérables de l'histoire de la Chrétienté. La Réforme protestante, en s'étendant à l'Angleterre et à l'Écosse, s'identifiait avec une forme de civilisation qui devait bientôt se propager dans le monde entier. Elle en prenait les caractères, en même temps qu'elle agissait sur elle. Il se créait ainsi un nouveau type de christianisme, marqué par certaines habitudes nationales, par un certain tempérament, par certaines manières de faire dans le domaine du culte et de la piété, toutes choses qui devaient le séparer du reste du monde chrétien, autant et plus que des questions de dogme proprement dites. Et cette religion nouvelle était riche de tout l'avenir que devaient avoir les colonies britanniques, devenues les États-Unis et les Dominions, et les représentantes de l'esprit démocratique, et y gagner une espèce d'universalité, que n'eût jamais eue un protestantisme simplement germanique. Mais peut-il y avoir universalité, objectera-t-on, alors que les églises réformées anglaises et écossaises sont fractionnées en une foule de sectes, entre lesquelles a régné et règne encore la plus vive opposition ?

Que l'on ne s'y trompe pas cependant : il existe une unité réelle dans le christianisme non catholique des Anglo-Saxons, de l'Église épiscopalienne à la plus extrême des Églises libres. L'usage d'un même texte de la Bible, et, peut-on dire sans exagérer, d'une même langue liturgique, l'anglais vieilli des environs de l'an 1600 ; le fait de chanter les mêmes cantiques sur les mêmes mélodies ; des habitudes uniformes de gravité, de décence, de décorum, qui existaient déjà dans l'Église d'Angleterre d'avant la Réforme, et qui ont subsisté dans le protestantisme anglo-saxon ; tout cela constitue ce tempérament religieux dont nous parlions plus haut, et qui est un ciment beaucoup plus puissant que la plus explicite des professions de foi.

Quelle que puisse être aujourd'hui, d'ailleurs, la diversité du christianisme anglo-saxon, il n'en reste pas moins que la cause déterminante de son apparition a été le schisme de l'Église d'Angleterre. Si celui-ci ne s'était pas produit, le protestantisme aurait assurément pris pied Outre-Manche ; mais il n'aurait pas été soutenu par la puissance suprême d'une monarchie absolue et détachée de Rome, encouragé en sous-main par Henri VIII, officiellement établi par les ministres d'Édouard VI ; il aurait eu à lutter contre un sentiment populaire presque unanime, appuyé par l'autorité civile. Les Anglais n'eussent pas eu besoin de réagir contre la tiédeur d'une religion d'État à caractère purement politique ; leur piété et leur ferveur mystique eussent trouvé à s'alimenter aux sources traditionnelles ; et point n'eût été besoin pour eux de s'évader de l'anglicanisme en fondant des Églises libres.

Il n'y avait pas, *a priori*, plus de raisons pour qu'il se produisît un schisme en Angleterre qu'en France ou dans l'Empire ; et si cet accident n'était pas survenu, on peut penser que les choses auraient pris, dans le premier de ces pays, le même tour que dans les deux autres. La Réforme catholique issue du concile de Trente aurait eu son plein effet, aurait revivifié l'Église et refoulé le protestantisme, aurait étendu les conquêtes du catholicisme au monde anglo-saxon comme au monde espagnol. On voit assez quelle portée incalculable a eu le geste de révolte de Henri VIII.

Cette portée est cependant limitée en ce qui concerne l'Irlande et l'Écosse, bien que de manière différente. Le premier de ces deux pays faisait partie des domaines du roi d'Angleterre. Henri VIII y introduisit le schisme, et Édouard VI la Réforme. Mais elle résista et resta fidèle au catholicisme, et, par conséquent, ne contribua pas à la formation du nouveau christianisme anglo-saxon. Quant à l'Écosse, c'était une nation alors indépendante, et pour laquelle le schisme henricien ne pouvait avoir une importance déterminante, ni même faire école. Le roi n'y jouissait pas en effet, comme en Angleterre, d'un pouvoir supérieur à toute opposition ; le pays était à la fois plus démocratique et plus féodal ; la Réforme y prit, grâce à la forte personnalité d'un John Knox, un caractère plus spontanément et plus généralement populaire. On peut se demander toutefois ce qui serait advenu si elle n'avait pas joui de l'appui d'une grande partie de la noblesse, fortement soutenue par la politique anglaise, et, en fin de compte, de celui du gouvernement, si l'Église était restée libre d'appliquer les décisions du concile de Trente. Il est peu probable, en tous cas, que, laissé à lui-même, le protestantisme écossais eût réussi à conquérir le monde anglo-saxon. Et nous en revenons ainsi à l'importance primordiale du schisme anglican.

Cela a été un lieu commun parmi toute une école d'historiens, que ce schisme se préparait dès le moyen âge ; qu'il correspondait aux aspirations profondes du peuple anglais ; qu'il était pour tout dire inévitable. « Quand cinq millions d'hommes se convertissent, nous dit Taine, c'est que cinq millions d'hommes ont envie de se convertir »[1]. Il s'en faut, toutefois, que les choses soient aussi simples. Les dispositions intérieures du peuple anglais, à la veille de la Réforme, étaient complexes, et en un certain sens contradictoires. Comment le préparaient-elles à accepter le schisme et ultérieurement la Réforme, c'est ce qu'il y a lieu maintenant d'examiner.

(1) H. TAINE, *Histoire de la littérature anglaise*, t. II, Paris, 1895, p. 301.

CHAPITRE PREMIER

LE SCHISME ANGLICAN [1]

§ 1. — L'Angleterre religieuse au début du XVIe siècle.

LES DEUX FACES DU TABLEAU Aux alentours de l'an 1500, l'Angleterre religieuse nous présente, tout comme l'Europe continentale, deux aspects différents, suivant le point de vue d'où on l'envisage. D'une part, la vie intérieure de l'Église est riche et presque luxuriante : dévotion, piété, mysticisme même, y fleurissent à l'envi ; les abus d'ordre moral semblent moins scandaleux qu'ailleurs ; l'humanisme chrétien porte déjà de beaux fruits. On a ici l'impression d'une renaissance, plutôt que d'une décadence. Mais d'autre part une hostilité croissante oppose la population anglaise à l'organisation, fiscale et judiciaire, de l'Église ; la nouvelle classe bourgeoise voit d'un mauvais œil sa puissance et ses richesses : les humanistes chrétiens eux-mêmes lui reprochent de s'écarter de la simplicité évangélique ; l'amour national de l'indépendance, nourri d'une longue tradition antipapale, se révolte contre la souveraineté étrangère du Saint-Siège. Les Anglais sont donc à la fois attachés aux croyances traditionnelles et, en partie tout au moins, hostiles à l'autorité spirituelle qui les maintient et les garantit.

(1) BIBLIOGRAPHIE. — I. SOURCES. — Pour tout le règne de Henri VIII, la source la plus importante est le recueil des *Letters and Papers* (Catalogue analytique des papiers d'État) publié par le *Public Record Office* ; voir aussi, pour l'ensemble de la période, en ce qui concerne le protestantisme surtout, les *Acts and monuments* de John FOXE, édit. TOWNSEND-PRATT, Londres, 1870. On trouvera des collections de documents dans *The historical and biographical works of John Strype*, édit. *Clarendon Press* ; Gilbert BURNET, *The history of the reformation of the Church of England*, édit. POCOCK, *Clarendon Press.*, 1865 ; Henry GEE and John HARDY, *Documents illustrative of English Church history*, Londres, MACMILLAN, 1896 ; Charles DODD, *Church history of England*, Bruxelles, 1737 et édit. TIERNEY, Londres, 1839-1843. Consulter aussi Reginald POLE, *Epistolae*, édit. QUIRINI, Brescia, 1744-57 ; les publications de la *Camden Society* et de la *Surtees Society*. Le *Dictionary of National Biography* est un instrument de travail indispensable, de même que A. W. POLLARD and G. R. REDGRAVE, *A short-title catalogue of works printed in England, Scotland and Ireland...* 1475-1640, Londres, 1926.
II. TRAVAUX. — Il est impossible de fournir ici une bibliographie, même sommaire, des très nombreux travaux publiés sur la question. Pour l'ensemble de la période henricienne, l'ouvrage le plus moderne et le plus précieux est celui de G. CONSTANT, *La Réforme en Angleterre, le schisme anglican, Henri VIII*, Paris, 1930, qui fournit les indications bibliographiques les plus minutieusement complètes et doit servir de point de départ à toute recherche. Pour la même période, jusqu'en 1535, voir P. JANELLE, *L'Angleterre catholique à la veille du schisme*, Paris, 1935. On consultera avec fruit le vieux NICHOLAS SANDERS, *Vera et sincera historia schismatis anglicani*, édit. RISHTON, Cologne, 1628. Citons parmi les autres travaux portant sur le schisme henricien R. W. DIXON, *History of the Church of England from the abolition of the Roman jurisdiction*, Londres, 1878-1906, et l'ouvrage anglais le mieux informé, James GAIRDNER, *The English Church in the XVIth century*, Londres, 1924, vol. IV de STEPHENS and HUNT, *A history of the English Church.*

CARACTÈRE DES PREMIERS Un précieux indice sur la vie religieuse
OUVRAGES IMPRIMÉS du peuple anglais nous est fourni par l'activité des premières presses à imprimer.
La publication d'un ouvrage était, alors comme aujourd'hui, une entreprise commerciale, et l'éditeur devait chercher à satisfaire les goûts
de ses lecteurs. Il est donc intéressant de rechercher quel était le caractère des livres religieux sortis des premières imprimeries anglaises et
quelle place ils occupaient dans leur production. La réponse est facile
et concluante : sur trois cent quarante-neuf ouvrages publiés entre
1468 et 1530, et figurant au catalogue du Bristish Museum, cent soixante-
seize sont d'ordre religieux et comprennent cent six traités d'instruction
ou de dévotion avec cinquante-huit recueils liturgiques. A la veille même
du schisme, dans la seule année 1530, on relève sept éditions de l'office de
la Sainte Vierge [1]. La scolastique, il est vrai, est laissée de côté ; les
traductions de la Bible également ; mais par contre les belles histoires
de saints sont en grande faveur. Un texte anglais de la *Légende dorée*
paraît en 1483, augmenté de soixante-dix vies nouvelles, et suivi de six
éditions jusqu'à 1537. Les vies de saints pullulent aux alentours de 1520
et jusqu'à l'année 1534. Le *Festial* ou *Liber festivalis* de John Myrk,
composé peu avant 1415, collection de sermons pour les fêtes, enjolivé
d'anecdotes pieuses et de légendes, connaît dix-neuf éditions entre
1483 et 1532, réparties entre tous les imprimeurs de quelque importance [2].
Les Anglais n'étaient que peu touchés, dans l'ensemble, par le scepti-
cisme d'un Laurent Valla ou d'un Érasme.

A côté des histoires de saints, les manuels de prédication occupent
un rang honorable. Si l'on devait prendre au pied de la lettre les affirmations des controversistes protestants du milieu du xvie siècle, le clergé
anglais d'avant la Réforme aurait perdu l'habitude de prêcher. Il est
vrai que pour les Bale, les Hooper, les Turner, ne pas prêcher du tout,
ou prêcher dans un sens catholique, c'était une seule et même chose.
En fait nous rencontrons, aux approches du schisme, de nombreux
recueils de sermons. Ils ont pour but, en général, de permettre aux prêtres
de s'acquitter des obligations qui leur incombent d'après les *Constitutions*
de l'archevêque de Cantorbéry John Peckham (1281), à savoir de consacrer, chaque année, quatre prêches ou quatre séries de prêches aux points
essentiels du dogme et de la morale [3]. Un ouvrage de ce genre, intitulé
Qualuor sermones, est publié sept fois de 1483 à 1499 [4]. Un autre, l'*Exorna-
torium curalorum*, est prescrit par le synode d'Ely en 1518, et trois fois
édité de cette date à 1530 [5]. Les livres de dévotion à l'usage des fidèles,
et de caractère tout traditionnel, connaissent une faveur plus grande
encore. L'office de la Sainte Vierge est réimprimé au moins vingt-huit fois

(1) D'après les listes fournies par R. PROCTOR, *An index to the early printed books in the British
Museum*, Londres, 1898-1902, et *Catalogue of books in the library of the British Museum... to the
year* 1640, vol. II, p. 991-992 (sera cité désormais sous l'indicatif British Museum).
(2) R. PROCTOR, *op. cit., passim* ; British Museum, *op. cit., passim* ; A. W. POLLARD and G. R.
REDGRAVE, *op. cit.*, p. 407-408 ; Gordon Hall GEROULD, *Saints' Legends*, Boston et New York,
1916, p. 181-185.
(3) WILKINS, *Concilia magnae Britanniae*, 1737, vol. II, p. 54, col. II.
(4) R. PROCTOR, *op. cit., passim*, et British Museum, *op. cit., sub. nom.*
(5) F.-A. GASQUET, *The eve of the Reformation*, p. 286, et British Museum, *op. cit.*

entre 1490 et 1530 [1]. Les manuels d'ascétique et de mystique foisonnent.
Ce ne sont que traités sur l'art de bien vivre et de bien mourir, sur les
qualuor novissima, sur l'ascension graduelle de l'âme vers Dieu par
l'amour. La vieille *Échelle de perfection* de Walter Hylton est éditée quatre
fois de 1494 à 1533 [2].

LA VIE RELIGIEUSE EN ANGLETERRE — Du goût des Anglais pour les lectures pieuses,
on peut conclure à l'intensité de leur vie reli-
gieuse. D'autres témoignages viennent confirmer
la richesse et la profondeur de leur piété. Celle-ci frappait en 1497 l'ambassadeur vénitien Trevisan : « Les Anglais, dit-il, assistent tous à la
messe chaque jour... Toutes les femmes qui savent lire portent avec elles
l'office de Notre-Dame, et le récitent à l'église ... [3] » L'archevêque protestant Cranmer lui-même raille chez ses compatriotes le désir de voir
au moins une fois chaque jour le Saint-Sacrement de l'autel [4]. On donnait
beaucoup pour la construction, l'entretien et la décoration des églises.
« Il n'est église paroissiale, dit encore Trevisan, qui ne possède des crucifix, des encensoirs, des patènes et des calices d'argent » [5]. Beaucoup de
monuments religieux, et non des moins beaux, remontent à la « veille
de la Réforme » [6]. En 1520 encore on reconstruisait, à Londres, l'église
de Saint-André Undershaft, « chacun, nous dit le chroniqueur Stow,
y prêtant la main, qui avec sa bourse et qui avec son corps » [7].

La lecture des testaments de l'époque n'est pas moins probante. Un
très grand nombre d'entre eux ont été publiés par des sociétés savantes
et permettent un jugement d'ensemble [8]. Or, jusqu'à la veille même du
schisme et au-delà, ils s'expriment invariablement de la même façon.
Le testateur recommande son âme à Dieu, à la Vierge et aux saints,
en des termes qui sont parfois d'une grande beauté ; puis il dispose d'une
partie de ses biens en faveur de son église paroissiale, de quelque ordre
religieux, ou d'un collège de prêtres obituaires, en retour des messes qui
devront être chantées pour le repos de son âme. De l'horreur pour la justification par les œuvres, que devaient éprouver plus tard les Anglais
protestants, nous ne trouvons nulle trace aux environs de l'an 1500.

L'ÉTAT MORAL DU CLERGÉ — Le clergé était-il digne des fidèles ? Ici se
pose la redoutable question des abus, qui a
été l'objet de discussions passionnées. Si l'on s'appuie, pour la résoudre,
sur les canons des assemblées du clergé, ou sur les procès-verbaux de
visites épiscopales, on risque d'avoir l'impression la plus défavorable

(1) F.-A. GASQUET, *op. cit.*, p. 286 et British Museum, *op. cit.*
(2) British Museum, *op. cit.*, art. *Hilton* (Walter).
(3) *Italian relation of England*. édit. de Miss SNEYD, Camden Society, 1847, citée par H. MAYNARD SMITH, *Pre-reformation England*. Londres, 1938, p. 92.
(4) CRANMER, *On the supper*, Publications of the Parker Society, p. 219, cité par H. MAYNARD SMITH, *op. cit.*, p. 93.
(5) *Italian relation of England*, p. 29, citée par H. MAYNARD SMITH, *op. cit.*, p. 105.
(6) P. JANELLE, *L'Angleterre catholique à la veille du schisme*, p. 32-33 ; H. S. BOWDEN, *The religion of Shakespeare*, p. 6.
(7) J. STOW, *Survey of London*, 1603, p. 146, cité par H. MAYNARD SMITH, *op. cit.*, p. 111.
(8) P. JANELLE, *op. cit.*, p. 28-32, avec bibliographie des sources.

du corps ecclésiastique anglais, régulier aussi bien que séculier. Les statuts et ordonnances du concile provincial de Cantorbéry en 1529 condamnent les clercs qui se livrent à la chasse, ceux qui se laissent aller au péché de la chair, ou qui tombent dans la simonie. Ils enjoignent aux archevêques et aux évêques d'administrer le sacrement de confirmation et de visiter leurs diocèses, d'imposer la résidence aux prêtres, de les empêcher de se vêtir luxueusement, de pourvoir les monastères d'un nombre suffisant de moines et de les réformer [1]. Dès 1512, John Colet, doyen de Saint-Paul de Londres, dans un sermon prêché devant l'assemblée du clergé de la province de Cantorbéry, avait stigmatisé en ces termes la cupidité des clercs :

> O cupidité, de toi vient tout cet entassement de bénéfices les uns sur les autres ; de toi viennent les ruineuses visites épiscopales... ; de toi la corruption des tribunaux [d'Église] et ces nouvelles inventions journalières qui harassent le pauvre peuple... ; de toi l'observance superstitieuse de toutes les lois qui rapportent de l'argent, le mépris et la négligence de toutes celles qui envisagent la correction des mœurs [2].

Les abus qui déshonoraient le reste de la Chrétienté n'étaient pas inconnus en Angleterre. Le roi, les grands seigneurs attribuaient des bénéfices ecclésiastiques en récompense à leurs serviteurs [3]. Beaucoup de prébendiers cumulaient. L'humaniste Linacre occupa divers bénéfices avec charge d'âmes, dont plusieurs cures, et un canonicat, au cours des onze ans qui précédèrent son ordination [4]. D'autres bénéfices étaient accordés à des mineurs. Thomas Winter, fils naturel du cardinal Wolsey, alors qu'il était encore sur les bancs de l'école, se vit attribuer treize charges ecclésiastiques, d'une valeur totale de deux mille sept cents livres par an, somme énorme pour l'époque [5]. La préparation du clergé était insuffisante. « Tous ceux qui s'offrent [comme prêtres], dit Colet, sont aussitôt admis sans obstacle. De là vient cette foule de prêtres ignorants et vicieux que nous trouvons dans l'Église » [6]. L'institution monastique elle-même périclitait. Les monastères, éprouvés et appauvris par la guerre des Deux-Roses, se dépeuplaient, ne disposaient plus d'un nombre de religieux suffisant pour remplir leur fonction religieuse et sociale ; la discipline se relâchait [7].

LE RÉVEIL RELIGIEUX Et pourtant, divers symptômes nous révèlent, chez le clergé anglais de l'an 1500, une vitalité religieuse incontestable ; vitalité qui n'est pas toujours conservatrice, mais qui n'est pas non plus pour autant le prélude de la Réforme. Et d'abord, il n'y a pas lieu de donner une portée générale aux canons des conciles ou aux exhortations des prédicateurs : les uns comme les autres

---

(1) MANSI, *Sacrorum conciliorum nova et amplissima collectio* (reproduisant WILKINS, *Concilia*), t. XXXV, col. 331-344.
(2) F. SEEBOHM, *The Oxford reformers*, p. 235, cité par H. MAYNARD SMITH, *op. cit.*, p. 56.
(3) H. MAYNARD SMITH, *op. cit.*, p. 33-34.
(4) *Ibid.*, p. 34-35.
(5) *Ibid.*, p. 35-36.
(6) COLET, *Convocation sermon*, cité par H. MAYNARD SMITH, *op. cit.*, p. 38-39, d'après SEEBOHM, *op. cit.*, p. 241.
(7) F. A. GASQUET, *Henry VIII and the English monasteries*, Londres, 18 88, vol. I, p. 2, 27.

fónt naturellement porter leur attention sur la partie sombre du tableau ; il y a des canons traditionnellement répétés et qui ne sont plus que des clauses de style. A plus forte raison, il ne faut pas admettre sans contrôle les affirmations de pamphlétaires protestants tels que Simon Fish[1], ou celles que les enquêteurs de Henri VIII mirent en avant pour justifier la suppression des monastères[2]. Il semble même que l'état moral du clergé d'Outre-Manche ait été supérieur à celui de la curie romaine, qui épouvantait, vers 1510, l'ambassadeur anglais Richard Pace[3]. Les cas de concubinage étaient relativement peu fréquents : six condamnations seulement pour incontinence, entre 1452 et 1506, dans le diocèse de Ripon (Yorkshire), qui comptait cent cinquante prêtres séculiers[4]. L'institution monastique était loin d'être aussi décadente qu'on pourrait le croire. Les grands monastères bénédictins ou cisterciens du nord de l'Angleterre continuaient à exercer leur rôle d'hospitalité et d'assistance sociale[5]. La chartreuse de Londres avait attiré et presque retenu Thomas More ; en 1526 encore, elle devait accueillir un ancien favori de Henri VIII, Sebastian Newdigate, plus tard exécuté pour avoir refusé de reconnaître la suprématie royale sur l'Église[6]. L'apparition en Angleterre du mouvement de la stricte observance témoigne du rajeunissement de l'ordre franciscain aux alentours de l'an 1500, et la discipline des observantins agissait même sur les conventuels[7].

Dès le milieu du xve siècle nous relevons les efforts faits par des dignitaires ecclésiastiques ou de pieux laïques pour assurer une formation intellectuelle suffisante aux membres du clergé. Des collèges se fondent à Cambridge pour l'enseignement de la théologie : Queen's College en 1445, Catherine's Hall en 1475, Jesus College en 1497[8]. Aux approches du xvie siècle, sous l'influence des humanistes chrétiens, et notamment de John Fisher, évêque de Rochester, les fondations nouvelles s'orientent vers la formation des prédicateurs. La comtesse de Richmond, mère du roi Henri VII, crée à Oxford, à Cambridge et ailleurs, des postes de lecteurs chargés avant tout d'aller prêcher dans toutes les parties du royaume[9]. Le mouvement de l'humanisme chrétien portait d'ailleurs de beaux fruits parmi le clergé anglais. Le principal initiateur en avait été William Selling, prieur du monastère bénédictin de Christchurch à Cantorbéry, qui avait été se former aux lettres anciennes en Italie de 1464 à 1469. Nous trouvons parmi ses disciples, directs ou indirects, tous les ecclésiastiques anglais de quelque importance dans la première moitié du xvie siècle : Grocyn, Linacre, le cardinal Wolsey, William Warham,

(1) S. FISH, *The supplication for the beggars*, texte reproduit dans FOXE-PRATT, vol. IV, p. 659-664.
(2) F. A. GASQUET, *op. cit.*, vol. I, chap. IX.
(3) *Letters and Papers*, II, 5523, cité par MAYNARD SMITH, *op. cit.*, p. 13.
(4) H. MAYNARD SMITH, *op. cit.*, p. 47.
(5) F. A. GASQUET, *op. cit.*, vol. I, p. XXIV et suiv.
(6) J. GAIRDNER, *op. cit.*, p. 150-151 et *Lollardy and the Reformation in England*, London, 1908-1913, vol. II, p. 8-12.
(7) E. HUTTON, *The Franciscans in England*, London, 1926, p. 230-235 : *Collectanea anglo-minoritica*, 1727, p. 213.
(8) J. B. MULLINGER, *The university of Cambridge from the earliest times to the royal injunctions of 1535*, Cambridge, 1873, vol. I, p. 313, 318.
(9) *Ibid.*, p. 440-441.

archevêque de Cantorbéry, John Fisher, d'autres évêques, Tunstall, Stokesley, Foxe, Gardiner, le doyen de Saint-Paul, John Colet, sans compter le personnage le plus brillant de toute l'école, un laïque dévot, Thomas More [1]. C'est parmi les plus notables de ces humanistes, ceux du moins qui vécurent assez pour connaître le schisme, que se recrutèrent, en général, les plus fermes défenseurs de l'orthodoxie dogmatique.

L'ANTICLÉRICALISME POPULAIRE Ainsi donc, à ne voir, pour ainsi dire, les choses que par en haut. l'Église d'Angleterre au début du xvi⁰ siècle semble avoir fourni un asile paisible aux âmes mystiques et aux esprits cultivés, avoir connu un véritable âge d'or. Mais, si l'on regarde au-dessous de la surface, on s'aperçoit que cette tranquillité était seulement apparente. Il s'était formé dans les villes une classe moyenne prospère et instruite qui n'entendait pas se laisser mener aveuglément et s'élevait avec vigueur contre les abus de la fiscalité ecclésiastique — droits pour les mariages, les enterrements, les testaments, les messes des défunts, voire pour la communion pascale — et contre ceux de la juridiction d'Église — droit d'asile et bénéfice de clergie [2]. De longue date, des conflits avaient opposé les ordinaires aux municipalités, à Bury Saint-Edmunds, par exemple, où le litige entre les habitants et l'évêque durait depuis le xiii⁰ siècle et n'était pas encore tranché au moment du schisme [3].

L'état des esprits est bien mis en lumière par une affaire fameuse qui agita tout Londres en 1514. Un certain Richard Hunne, ayant perdu et fait enterrer un enfant en bas âge, est sommé par son curé de lui remettre le linceul à titre de droit mortuaire. Il s'y refuse. Cité devant la cour épiscopale, il fait appel devant les tribunaux du roi. Son appel est rejeté. Cependant il est arrêté, par ordre de l'évêque de Londres Fitzjames, comme suspect d'hérésie. On l'enferme à la tour des Lollards, où bientôt on le trouve pendu dans sa cellule. Aussitôt l'opinion publique s'émeut : elle accuse l'évêque d'avoir fait disparaître Hunne, parce qu'il s'opposait à ses prétentions. L'enquête, faite par un juge d'instruction, assisté d'un « jury » de citoyens de Londres, conclut à la culpabilité du Dr. Horsey, chancelier de l'évêché. L'affaire tourna court d'ailleurs ; mais ce qui est significatif, c'est que Fitzjames répugnait à laisser juger son chancelier par un jury londonien. « Les habitants de Londres, écrivait-il à Wolsey, sont si malicieusement portés à favoriser la corruption hérétique, qu'ils donneront tort à mon clerc et le condamneront, fût-il aussi innocent qu'Abel » [4]. Les bourgeois de Londres n'étaient pas les seuls d'ailleurs à mettre la juridiction royale au-dessus de la juridiction

(1) F. A. GASQUET, *The eve of the Reformation*, London, 1900, p. 24-25.
(2) P. JANELLE, *op. cit.*, p. 44 ; *Letters and Papers*, vol. I, n⁰ 5725 ; H. MAYNARD SMITH, *op. cit.*, p. 64-72 ; *Victoria county history*, vol. I, p. 236-237 et 249-250 (Miss E. JEFFRIES DAVIS).
(3) Mrs GREEN, *Town life in the fifteenth century*, London, 1894, p. 295-298, cité par H. MAYNARD SMITH, *op. cit.*, p. 216.
(4) Documents reproduits dans FOXE-PRATT, *op. cit.*, vol. IV, p. 183-205. L'affaire Hunne est examinée dans J. GAIRDNER, *The English Church in the sixteenth century*, chap. III ; J. GAIRDNER, *Lollardy*, vol. I, p. 278-279 et 309-310 ; Miss E. JEFFRIES DAVIS, dans *English Historical review*, vol. XXX, 1915, p. 477-488, *The authorities for the case of Richard Hunne*. Cf. aussi Thomas MORE, *English works*, éd. 1557, chap. XV, et *Dictionary of national biography*, art. *Hunne* (Richard).

ecclésiastique. En 1515, le provincial des franciscains anglais, John Standish, affirmait publiquement que les clercs étaient justiciables des tribunaux civils ; il était soutenu par le Parlement et par le roi, et celui-ci, à cette occasion, déclarait d'ores et déjà « que les rois d'Angleterre n'avaient jamais eu d'autre supérieur que Dieu » [1].

LES DERNIERS LOLLARDS — On le voit, l'idée du schisme était déjà dans l'air. Elle allait, pour se réaliser, s'appuyer sur ce qui subsistait de l'hérésie lollarde et qui devait bientôt se joindre au luthéranisme importé du continent. A vrai dire, la Lollardie n'était plus, au début du XVIe siècle, le mouvement puissant et influent qu'elle avait été au XIVe, et ses représentants n'avaient plus l'envergure d'un Sir John Oldcastle. Elle n'avait pas de corps de doctrine fixe et rassemblait les opinions les plus variées et les plus bizarres. Les derniers Lollards étaient soit des illuminés, comme il s'en trouve parmi ceux dont les élans d'âme ne sont pas tempérés par la culture, soit des mécontents, sourdement hostiles à la puissance et à l'opulence du clergé. Ils n'avaient aucun contact avec les Universités, moins encore avec les humanistes chrétiens. Ils n'occupent aucune place dans la production des premières presses à imprimer. Au reste, si l'on en juge d'après le nombre des poursuites pour hérésie, leurs effectifs semblent avoir été peu importants. Entre 1490 et 1520, le chiffre des procès d'hérésie s'élève au maximum à vingt pour une année ; bien souvent il reste à zéro [2]. Il n'en est pas moins vrai qu'Henri VIII, cherchant appui pour sa politique religieuse, souffla sur ces braises presque éteintes et parvint à leur faire reprendre flamme au contact du protestantisme.

L'HOSTILITÉ ENVERS LA PAPAUTÉ — L'aversion lollarde pour les pratiques et les croyances traditionnelles n'était pas le seul sentiment populaire qu'Henri VIII devait s'efforcer de faire revivre pour l'employer à ses fins ; il allait réveiller aussi cette hostilité envers la papauté qui avait été vivace à l'époque de la guerre de Cent ans et qui, assoupie au XVe siècle, devait cependant avoir laissé quelques traces. Depuis le temps de Henri Ier et de Henri II, la couronne d'Angleterre avait affirmé son indépendance à l'égard du Saint-Siège. Le clergé anglais lui-même protestait contre les abus favorisés par la cour romaine : en 1253, Robert Grosseteste, évêque de Lincoln, refusant d'installer un neveu du pape Innocent IV parmi les chanoines de sa cathédrale, répondait à ce dernier : « Au nom de l'obéissance due à Dieu, je refuse de vous obéir » [3]. Au XIVe siècle, quand la papauté s'est installée à Avignon, et qu'elle est devenue française, le patriotisme anglais s'insurge contre une autorité spirituelle qu'il voit entre les mains de l'ennemi héréditaire. Toute une législation antipapale est votée par le Parlement : le statut des « Provisors » en 1350, qui supprime les réserves

(1) J. GAIRDNER, *English Church*, p. 47.
(2) D'après une thèse non publiée de Miss E. JEFFRIES DAVIS, *Lollardy in London on the eve of the Reformation*, 1913, déposée à la Bibliothèque de l'Université de Londres.
(3) Roberti GROSSETESTE, ...*Epistolae*, édit. H. R. LUARD, Rolls Series, 1861, p. 436-437.

apostoliques, et celui du *Praemunire* en 1353, qui interdit les appels à Rome. C'est cette dernière loi que Henri VIII va utiliser, avec l'approbation du Parlement, pour dépouiller le clergé anglais de toute indépendance. Il faut dire cependant qu'au cours du xvᵉ siècle, l'Angleterre s'était révélée très obéissante et respectueuse à l'égard du Saint-Siège. Ici encore, Henri VIII dut fouiller dans les profondeurs pour ramener à la surface une tradition déjà presque perdue. Mais une fois retrouvée, celle-ci n'en joua pas moins un rôle important dans la genèse et le développement du schisme anglican.

§ 2. — Les débuts du schisme anglican.

LE SCHISME ANGLICAN ET LA RÉFORME Il importe de faire dès l'abord une distinction entre le schisme anglican et le protestantisme. Assurément, ils se sont rendu mutuellement service. Henri VIII s'est appuyé sur les novateurs pour rejeter l'autorité du Saint-Siège, détruire l'indépendance du clergé et abattre le système monastique ; d'autre part, il n'est pas douteux que le schisme n'ait favorisé l'expansion des doctrines luthériennes et calvinistes, et qu'il ne s'en soit lui-même jusqu'à un certain point pénétré. Et pourtant il n'y avait au fond rien de commun entre l'idée que se faisait Henri VIII de l'Église, simple rouage politique de l'État, contrainte par lui à l'uniformité des croyances et des rites, et l'idéal de liberté spirituelle qui inspirait les ancêtres de puritains. L'alliance du roi et des premiers protestants était en réalité contre nature ; et l'on devait bien s'en apercevoir par la suite, lorsque, sous Élisabeth, le non-conformisme se révolta contre l'Église établie.

LES DÉBUTS DU PROTESTANTISME C'est dans les Universités, et plus particulièrement à Cambridge, qu'il faut chercher les premiers novateurs en matière religieuse. A partir de 1525 environ, ils se réunissent dans cette dernière ville, à l'auberge du *Cheval blanc*, surnommée par les contemporains *Germany* par allusion aux doctrines luthériennes. Ce sont en général des prêtres séculiers ou des religieux. Tout ce que la Réforme anglaise comptera de noms illustres s'y trouve représenté. On relève ceux de Bale, Joy, Bilney, Frith, Cranmer, Latimer, Ridley, Arthur, Barnes, Coverdale, et le plus grand de tous, Tyndale, le futur traducteur du Nouveau Testament en anglais. Bien que ce soient des théologiens plutôt que des lettrés, ils se rattachent par certains côtés au mouvement de la renaissance humaniste.

Les premiers protestants se donnaient en général comme les disciples d'Érasme, qui avait enseigné le grec à Cambridge de 1511 à 1515. Thomas Bilney, qui fut l'un des premiers parmi les étudiants de la célèbre Université à « suivre l'Évangile », et qui entraîna à sa suite plusieurs de ses condisciples, Tyndale, Latimer, Barnes, Lambert, s'exprime comme suit dans une lettre à Cuthbert Tunstall, évêque de Londres : « J'entendis enfin parler de Jésus, tout justement quand le Nouveau Testament fut publié par Érasme »[1]. William Tyndale avait suivi, pendant deux ans (1511-1513), les cours du grand humaniste hollandais et composa, de l'*Enchiridion militis christiani*, une traduction aujourd'hui perdue [2]. Une version anglaise du même ouvrage est attribuée à Thomas Arthur, lui aussi théologien de Cambridge [3]. Plus tard, Miles Coverdale devait aider à mettre en langue vulgaire la *Paraphrase du Nouveau Testament* du même auteur [4].

Mais, aux débuts de la Réforme anglaise, les tendances véritables du groupe du *Cheval blanc* n'apparaissaient pas bien clairement. Il faudra encore quelques années pour que s'accuse, parmi les disciples d'Érasme, la différence entre ceux qui s'associent à son idéal d'évangélisme irénique et ceux qui s'inspirent surtout du côté satirique et destructeur de son œuvre. On s'explique qu'un conservateur comme Stephen Gardiner, délégué dans les fonctions de chancelier de l'Université, ait pu, en bon camarade, prendre la défense de suspects tels que Joye, Stafford, Barnes, menacés par la justice ecclésiastique [5]. Les luthériens de Cambridge, d'ailleurs, ne paraissent pas avoir professé les doctrines nouvelles avec beaucoup d'assurance. Plusieurs d'entre eux abjurèrent devant les tribunaux d'Église et ne furent condamnés que comme relaps [6]. Leur « hérésie » paraît avoir été surtout affaire de sentiment. C'étaient des âmes droites, que le spectacle des abus avait révoltées, et qui, s'éloignant de l'Église, cherchaient la source de la religion dans l'inspiration individuelle, affirmaient, par opposition aux consécrations et aux ordinations rituelles, la nécessité d'un « appel intérieur », se considéraient elles-mêmes comme directement désignées par le Saint-Esprit pour prêcher une foi épurée. Nous savons de plusieurs d'entre eux qu'ils menaient une vie austère. Tyndale, recueilli dans la maison d'un négociant de Londres, Humphrey Monmouth, étudiait nuit et jour, ne mangeait que de la viande bouillie, ne buvait que de la petite bière, ne portait pas de linge [7]. Le « petit » Bilney observait un régime sévère, « prêchait aux lépreux, les enveloppait de draps, leur procurait ce qui leur était nécessaire, s'ils voulaient se convertir au Christ »[8].

LES ORIGINES IMMÉDIATES DU SCHISME — Tels furent, en Angleterre, les premiers novateurs en matière religieuse ; peu nombreux, d'ailleurs, et peu dangereux pour l'Église, si le roi n'était venu les encourager. Mais il avait besoin d'eux pour l'aider à ruiner la juridiction spirituelle du pape et du clergé, qui s'opposaient à son divorce. C'est qu'en effet, quelles qu'aient pu être les causes lointaines du schisme, sa cause immédiate et principale fut le

---

(1) Foxe-Pratt, *op. cit.*, vol. IV, p. 635.
(2) *Dictionary of National biography*, édition sur papier mince, art. *Tyndale* (William), vol. XIX, p. 1351.
(3) *Ibid.*, art. *Arthur* (Thomas), vol. I, p. 608.
(4) *Ibid.*, art. *Coverdale* (Miles), vol. IV, p. 1289 et suiv.
(5) P. Janelle, *op. cit.*, p. 71-75, avec indications bibliographiques.
(6) *Dict. nat. biogr.*, art. *Bilney* (Thomas) vol. II, p. 502-505; *Arthur* (Thomas), vol. I, p. 608.
J. Gairdner, *English Church*, p. 128-131.
(7) Foxe-Pratt, *op. cit.*, vol. IV, p. 618.
(8) *Ibid.*, vol. IV, p. 620.

désir de Henri VIII de se débarrasser de son épouse légitime, Catherine d'Aragon, pour contracter un nouveau mariage. On connaît assez les faits. Henri VII avait eu deux fils, Arthur de Galles et le futur Henri VIII. Le premier, qui était de constitution chétive, devait succéder à son père. Celui-ci lui fit épouser en 1503, alors qu'il n'avait que quatorze ans, la princesse Catherine d'Aragon, fille de Ferdinand et d'Isabelle d'Espagne et tante du futur empereur Charles-Quint. Or le jeune homme mourut cinq mois et demi plus tard [1]. Cette mort ruinait les projets d'alliance espagnole de Henri VII. Il se hâta donc de proposer son fils cadet, Henri, en remplacement d'Arthur comme époux de Catherine. Un empêchement canonique s'opposait toutefois à cette union : d'après le *Lévitique*, il n'était pas permis d'épouser la veuve de son frère décédé. Henri VII sollicita et obtint du pape Jules II une dispense, dont nul ne songea, sur le moment, à contester la validité. Le mariage eut lieu après la mort de Henri VII, quelques mois après l'avènement de Henri VIII, le 11 juin 1509. Malgré les écarts de conduite de celui-ci, la vie conjugale des deux époux devait se dérouler sans heurts pendant dix-huit ans. Des six enfants qui leur naquirent, seule une fille, la future Marie Tudor, survécut [2].

Or la question de la succession au trône était d'une importance primordiale dans un pays qui sortait à peine de la guerre entre les deux maisons rivales d'York et de Lancastre. Il importait, avant tout, à Henri VIII de l'assurer. Il désirait donc ardemment avoir un fils, car on admettait difficilement, à cette époque, qu'une femme pût porter la couronne. Son épouse était son aînée de six ans ; en 1525, elle atteignait ses quarante ans, et il n'y avait plus guère d'espoir qu'elle donnât au roi l'héritier tant attendu. C'est à ce moment qu'il cherche à légitimer le bâtard qu'il a eu d'Élisabeth Blount [3]. Mais une autre solution s'était déjà depuis longtemps présentée à son esprit. Dès 1514, on donnait à Rome comme possible son divorce suivi d'un second mariage [4]. Ce qui fit prendre à ses idées sur ce point une forme arrêtée, c'est son dégoût envers sa femme, vieillie, déformée, d'une piété austère et toute espagnole ; et sa passion pour une jeune fille de la cour, Anne Boleyn, qui refusait de lui appartenir autrement qu'en mariage [5].

LE PROCÈS DE DIVORCE   C'est en 1527 que Henri VIII prit des mesures pour obtenir l'annulation de son mariage avec Catherine d'Aragon. Le plus commode était de faire juger la cause en Angleterre, où il pouvait compter sur la servile obéissance du cardinal Wolsey, légat *a latere* [6]. De fait, le 31 mai, Wolsey cite le roi à comparaître devant lui, et lui reproche d'avoir vécu dix-huit ans dans une

---

(1) N. SANDERS, *op.*, p. 1-3 ; voir aussi les pages excellentes de G. CONSTANT, *op. cit.*, p. 18-19.
(2) N. SANDERS, *op. cit.*, p. 3-5 ; G. CONSTANT, *op. cit.*, p. 19-21.
(3) *Letters and Papers*, IV, 2988, 3028, 3140 ; *Spanish Calendar*, III, 109, cités par G. CONSTANT, *op. cit.*, p. 23, 342.
(4) *Venetian calendar*, II, 479, cité par G. CONSTANT, *op. cit.*, p. 21, 340.
(5) N. SANDERS, *op. cit.*, p. 16 ; G. CONSTANT, *op. cit.*, p. 25.
(6) N. SANDERS, *op. cit.*, p. 7.

union illégitime avec la veuve de son frère décédé [1]. Cependant, il fallait craindre les remous de l'opinion, en Angleterre et à l'étranger, si la cause était tranchée en dernier ressort par les juges du royaume, agissant de leur propre autorité. Certes il importait de leur laisser la décision finale, mais en leur assurant la sanction du Saint-Siège, et pour cela obtenir de celui-ci qu'il se dessaisît en leur faveur [2]. Or le pape Clément VII était peu disposé à prendre une décision qui eût fait scandale. En outre, Charles-Quint, neveu de Catherine, le tenait pour ainsi dire en son pouvoir. Lors de la récente mise à sac de la ville de Rome par les troupes de celui-ci (1526), il avait été emprisonné au château Saint-Ange, dont il venait de s'enfuir pour se réfugier entre les murs d'Orvieto. Henri VIII avait une partie difficile à jouer. Il essaye cependant de profiter de l'état de misère matérielle et morale où se trouve le souverain pontife pour arriver à ses fins. Il lui dépêche un ambassadeur, le Dr William Knight, pour solliciter une dispense de bigamie [3] et une autre dispense pour son mariage avec Anne Boleyn, rendue nécessaire par le fait que la sœur de celle-ci, Mary Boleyn, avait été sa maîtresse [4].

GARDINER ET FOXE A ORVIETO — Cependant les demandes du roi semblèrent exagérées à Wolsey. Il lui parut suffisant que le Saint-Siège le laissât libre d'agir à sa guise et sans appel possible, et sur ses conseils, Knight sollicita de Clément VII une bulle dans ce sens. Le pape ayant accordé la bulle, mais en se réservant le droit de réformer la sentence, le cardinal lui dépêcha deux nouveaux envoyés, Stephen Gardiner et Edward Foxe. Le premier de ces deux hommes devait jouer un rôle important dans l'établissement de la suprématie royale sur l'Église d'Angleterre et dans la défense de la foi catholique à l'intérieur de cette Église. Il était né en 1497 et avait reçu à l'Université de Cambridge une formation à la fois littéraire et juridique plutôt que théologique. Il était devenu l'un des premiers canonistes de son temps, en même temps qu'un helléniste et un humaniste érasmien. Ayant attaché sa fortune à celle du cardinal Wolsey, il entra, grâce à lui, dans la carrière diplomatique ; et c'est pourquoi il se voyait maintenant chargé d'une mission de confiance [5].

Gardiner ne tarda pas à jouer le premier rôle dans les discussions avec Clément VII, qui durèrent du 23 mars au 8 avril 1528. L'attitude des deux parties ressort clairement de ses propres rapports à Wolsey. L'ambassadeur anglais, jeune encore, d'un tempérament assez rond, cherche à brusquer les choses, flatte et menace à la fois, s'efforce de vaincre le pape par son importunité. Celui-ci, de caractère faible et irrésolu, mais cependant décidé à ne pas se déshonorer, soucieux en outre de gagner du temps, afin de laisser s'apaiser la passion de Henri VIII pour Anne

---

(1) *Letters and Papers*, IV, n° 3140, cité par G. CONSTANT, *op. cit.*, p. 25, 351.
(2) N. SANDERS, *op. cit.*, p. 12 ; G. CONSTANT, *op. cit.*, p. 26-27.
(3) *Letters and Papers*, IV, nᵒˢ 3140, 3604, 3749, 3918, etc., cités par G. CONSTANT, *op. cit.* p. 26-27, 355.
(4) N. SANDERS, *op. cit.*, p. 14.
(5) James Arthur MULLER, *Stephen Gardiner and the Tudor reaction*, London, 1926, chap. I-III ; P. JANELLE, *op. cit.*, chap. II-III.

Boleyn, ne heurte pas Gardiner et Foxe de front, leur donne de bonnes paroles, leur oppose une résistance souple mais cependant obstinée.

On finit par se mettre d'accord. Le pape signait une décrétale aux termes de laquelle les cardinaux Wolsey et Campeggio étaient délégués pour juger la cause matrimoniale du roi, en Angleterre et sans appel. Par une autre décrétale, tenue secrète, et destinée uniquement aux cardinaux et à Henri VIII, Clément VII exposait les causes de nullité de la bulle de 1503, tout en abandonnant la décision finale à la conscience des légats, et en laissant subsister d'autres portes de sortie [1]. De fait, Campeggio se mit en route, et, après de longs délais, arriva en Angleterre le 8 octobre. Cependant la reine Catherine venait de recevoir d'Espagne copie d'un bref papal du 26 décembre 1503, par lequel le pape Jules II suppléait à tous les défauts de la bulle de dispense [2]. Force était donc pour Henri VIII de suspendre le procès et de demander au pape de déclarer que ce bref était un faux. Nouvelle ambassade, donc, auprès de Clément VII revenu à Rome, ambassade où Gardiner tient à nouveau la première place, et qui offre le même caractère que la précédente, à ceci près que le représentant de l'empereur, l'ambassadeur Miguel Mai, intervient dans la discussion et réussit à se faire écouter. Malgré la persévérance désespérée de la délégation anglaise, aucun résultat n'est obtenu. Ce qu'il faut noter surtout, c'est que, dès à présent, les Anglais donnent à entendre à Clément VII que, s'il résiste, ils se passeront de lui. Au cours des entretiens d'Orvieto, Gardiner lui fait craindre que le roi n'use *domestico remedio apud suos* [3], et en 1529, à Rome, lui et ses collègues « menacent le pape de Luther et de sa secte » [4]. Il faut rapprocher de tels propos des appels désespérés de Wolsey à Clément VII, dont la résistance, dit-il, met en danger sa propre vie et la liberté de l'Église d'Angleterre [5].

LE PROCÈS DE LONDRES　　Wolsey pressait Campeggio d'entamer le procès et de le trancher en faveur du roi. « Si le divorce n'est pas concédé, disait-il, c'en est fait de l'autorité du Siège apostolique en ce royaume » [6]. Campeggio, n'ayant pas réussi à décider Catherine à faire vœu de chasteté, se trouvait acculé. Les débats s'ouvrirent donc le 31 mai 1529, dans la grande salle des dominicains de Londres. Le roi et la reine furent cités pour le 18 juin. Ce jour-là, Henri VIII se fit représenter par Richard Sampson, doyen de la chapelle royale, l'un des futurs défenseurs de la suprématie du prince sur l'Église. Catherine parut en personne, pour affirmer l'incompétence du tribunal et remettre un appel

---

(1) N. Pocock, *Records of the Reformation*, Oxford, 1870, vol. I, p. 98-135 ; G. Constant, *op. cit.*, p. 28 ; P. Janelle, *op. cit.*, p. 88-97.

(2) N. Pocock, *Records*, vol. I, p. 181 ; L. von Pastor, *Histoire des papes*, traduction Poizat, Paris, 1913, vol. V, p. 190 ; G. Constant, *op. cit.*, p. 31 ; P. Janelle, *op. cit.*, p. 98.

(3) Sur cette seconde ambassade, voir *Letters and papers*, vol. IV, IIIᵉ partie, nᵒˢ 5195 à 5712, *passim* (détail dans P. Janelle, *op. cit.*, p. 97-104) ; N. Pocock, *Records*, vol. I, p. 205, vol. II, p. 595.

(4) N. Pocock, *Records*, vol. I, p. 110.

(5) *Letters and Papers*, IV, IIIᵉ partie, nᵒ 5417.

(6) Dʳ Stephan Ehses, *Roemische Dokumente zur Geschichte der Ehescheidung Heinrichs VIII von England*, Paderborn, 1893, nᵒ 31, cité par G. Constant, *op. cit.*, p. 29, 361.

à Rome [1]. Le 21 juin, en présence des deux époux royaux, les juges se déclarent compétents, puisqu'aucun acte nouveau du Saint-Siège ne leur a retiré leurs pouvoirs. La reine alors se jette aux pieds de son mari pour implorer sa pitié : elle lui demande la permission d'envoyer des messagers à Rome. Henri VIII n'ose la lui refuser : l'opinion publique n'est pas sûre, et il y a eu de nombreuses manifestations en faveur de Catherine. Il agit cependant pour faire hâter le procès, et Campeggio se sent bousculé par Wolsey [2]. Les débats proprement dits commencent le 28 juin, et c'est alors que se produit l'intervention de l'avocat de la reine, John Fisher, évêque de Rochester. Il prend la parole pour affirmer sa résolution de défendre la légitimité du mariage royal, dût-il, comme jadis saint Jean-Baptiste, y perdre la vie. Il remet en même temps aux légats un plaidoyer écrit, où il assure que le pape a le pouvoir de suppléer, par son assentiment, à tous les défauts, quels qu'ils puissent être, d'un document émanant du Saint-Siège [3].

L'avocat du roi n'était autre que Stephen Gardiner ; il donna la réplique à Fisher. Les questions à débattre n'étaient plus les mêmes que lors des entretiens d'Orvieto. Il s'agissait bien encore des causes internes de nullité et des vices de forme de la bulle de dispense, mais c'est sur sa légitimité elle-même que la discussion s'engageait aujourd'hui. Le *Lévitique* interdisait le mariage avec la veuve d'un frère décédé [4] ; mais le *Deutéronome* formulait une prescription toute contraire, dite loi du Lévirat [5]. Fisher avait mis l'accent sur celle-ci et Gardiner s'efforce de réfuter ses arguments. Il prend d'abord l'avocat de la reine à partie pour s'être comparé à saint Jean-Baptiste et le vilipende copieusement ; puis il en vient au nœud de la question. Le *Deutéronome*, affirme-t-il, n'a qu'un caractère temporaire et restreint à certaines circonstances ; le *Lévitique*, au contraire, a une valeur permanente. Il en arrive ensuite au principal du plaidoyer de Fisher. Le consentement du pape, dit celui-ci, remédie à tous les défauts. Certes ! Encore faut-il qu'il ait été donné dans les formes ; et par ce biais, tout est remis en question. Enfin il invoque une protestation qu'avait faite Henri, encore prince de Galles, en 1505, contre un mariage conclu pendant sa minorité et malgré lui ; protestation qui n'avait été, à vrai dire, qu'un simple moyen de pression sur Ferdinand d'Espagne, qui tardait à payer la dot de Catherine [6]. On aurait pu croire que Henri VIII l'avait annulée en se mariant. Nullement, répond Gardiner. En la faisant, il a renoncé une fois pour toutes à la dispense papale ; celle-ci est désormais sans valeur. Le trop habile plaidoyer de Gardiner resta sans effet sur Campeggio. Celui-ci, en effet, continuant, comme Clément VII, à temporiser, mit, le 30 juillet, la cour en vacances jusqu'au

---

(1) *Letters and Papers*, IV, IIIe partie, n°s 5613, 5636, 5694.
(2) *Ibid.*, n°s 5636, 5702, 5707, 5733 ; N. SANDERS, *op. cit.*, p. 32-34.
(3) *Letters and Papers*, vol. IV, IIIe partie, n° 5732. Le texte du plaidoyer se trouve dans le ms. 1315 ou F. v. 25 de la Bibliothèque de l'Université de Cambridge.
(4) La réponse de Gardiner à Fisher se trouve dans un ms. du Public Record Office, *State Papers, Henry VIII*, vol. 54, fol. 129-229. Cf. *Lévit.*, XVIII, 6 et 16.
(5) *Deutér.*, XXV, 5-6.
(6) Voir le texte du préambule dans P. JANELLE, *Obedience in Church and State*, Cambridge, 1930, p. 2-9 (avec traduction anglaise). Pour la « protestation » de Henri VIII, voir G. CONSTANT, *op. cit.*, p. 10 et 333 (n. 13).

1ᵉʳ octobre, selon l'usage romain. Sept jours auparavant, le pape, en réponse à la demande de la reine, avait dissous le tribunal des légats et rappelé l'affaire à sa propre juridiction, en la renvoyant à la Noël [1].

LES OPINIONS DES UNIVERSITÉS

Au cours des deux années qui vont suivre, Henri VIII, tout en se détachant progressivement du Saint-Siège, hésite à rompre ouvertement. La chute et la mort de Wolsey (29 novembre 1530) marqueront, à vrai dire, un tournant décisif : désormais, l'Angleterre va se sentir de plus en plus coupée de l'Église universelle. Mais pour le moment, le roi s'efforce encore d'obtenir gain de cause en cour de Rome. Un docteur de Cambridge, favorable au protestantisme, Thomas Cranmer, lui suggère, par l'intermédiaire de Gardiner et de Foxe, l'idée de solliciter les avis des Universités anglaises et étrangères et de les faire valoir auprès du Saint-Siège. Gardiner est donc chargé de faire pression sur l'Université de Cambridge qui, très mal disposée à l'égard des prétentions royales, se laisse vaincre par la menace et affirme, le 9 mars 1530, « qu'il est défendu, par le droit divin et naturel, d'épouser la femme de son frère défunt, si le premier mariage a été consommé » [2]. La réserve est d'importance et marque bien les vrais sentiments de Cambridge ; car Catherine assurait n'avoir eu aucunes relations conjugales avec le prince Arthur.

Le 8 avril, Foxe obtient un semblable résultat à Oxford. Des envoyés, munis de larges moyens financiers, vont consulter les Universités continentales. Successivement celles de Paris, d'Orléans, d'Angers, de Toulouse, en France, de Ferrare, de Pavie, de Padoue, en Italie, se prononcent en faveur de Henri VIII (avril-octobre 1530) [3]. Celui-ci obtient en outre des grands de son royaume qu'ils signent une pétition adressée à Clément VII, où sont mis en avant les avis des Universités et les dangers d'une succession au trône mal assurée et où la menace d'un schisme est à peine voilée. Cette pétition, en tête de laquelle figurent la signature de Wolsey et celle de William Warham, archevêque de Cantorbéry, peut être considérée comme un véritable cri de détresse de la part d'une noblesse et d'un haut clergé catholiques trop timides pour résister au roi et qui ne voient de salut pour l'Église que dans la soumission à ses volontés [4].

LE PROCÈS DE DUNSTABLE

L'opinion publique était, dans sa très grande majorité, hostile au divorce, mais l'opposition manquait de chefs et l'attitude du Saint-Siège n'était pas faite pour l'entraîner à une résistance active. Clément VII, en effet, continuait à temporiser. Il se borne à interdire à Henri VIII de contracter un nouveau mariage (7 mars 1530) et aux autorités anglaises d'intervenir

---

(1) Cf. P. JANELLE, L'Angleterre catholique, p. 130, n. 1 ; N. SANDERS, op. cit., p. 44 ; G. CONSTANT, op. cit., p. 34, 370 (n. 134).

(2) Ibid., p. 37, 375 (n. 154), avec indication des sources : Letters and papers, vol. IV, IIIᵉ partie, nᵒˢ 6218, 6259 ; Gilbert BURNET, History of the Reformation, éd. POCOCK, vol. IV, p. 130-131 ; N. POCOCK, Records, vol. I, p. 291-292 ; FOXE, Acts and Monuments, ed. PRATT, vol. VIII, p. 6.

(3) N. SANDERS, op. cit., p. 48-51 ; G. CONSTANT, op. cit., p. 37, 375 (n. 157).

(4) Ibid., p. 38, 380 (n. 167).

dans le procès de divorce (5 janvier 1531) [1]. Pourtant le roi tenait à faire juger sa cause par ses sujets : sa citation en cour de Rome le gênait. Il la fit déclarer nulle par les Universités de Paris et d'Orléans, puis exigea du pape que l'affaire du divorce fût tranchée par l'archevêque de Cantorbéry et son chapitre [2]. Il avait préparé le terrain pour une rupture éventuelle, en se faisant déclarer par le Parlement et les assemblées du clergé des provinces de Cantorbéry et d'York « chef suprême de l'Église d'Angleterre » [3]. (11 février-18 mai 1531). Mais ce n'était encore là qu'une manœuvre d'intimidation à l'égard du Saint-Siège, et jusqu'au milieu de l'année 1532, Henri VIII continue à négocier à Rome. Il hésitait visiblement à heurter l'opinion publique anglaise, très mal disposée à accepter un schisme. Cependant les événements se précipitaient. Anne Boleyn avait enfin cédé au roi, et en janvier 1533 elle était enceinte. Il fallait absolument que l'enfant qui allait naître d'elle ne fût pas un bâtard. Le roi se décide à l'épouser dans le plus grand secret. Restait à faire annuler son mariage avec Catherine. Henri VIII fut ici servi par les circonstances. L'archevêque de Cantorbéry, William Warham, qui s'opposait à ses volontés, venait de mourir. Le roi proposa au pape de lui donner pour successeur ce même Thomas Cranmer, déjà marié secrètement avec la fille du luthérien allemand Osiander, qui avait pris fait et cause pour lui, en conseillant le recours aux Universités et en écrivant un traité en faveur du divorce. Clément VII, soucieux d'éviter tout nouveau heurt, accorda les bulles nécessaires (21 février 1533) [4].

Cranmer allait donc rendre la sentence désirée par le roi. Afin que celle-ci ne pût être remise en question, Henri VIII fit voter par le Parlement une loi interdisant les appels à Rome (5 avril 1533) [5], puis fit déclarer par l'assemblée du clergé que le pape n'avait pas le pouvoir de dispense qu'il revendiquait et que le premier mariage de Catherine avait bien été consommé [6]. Le terrain était désormais préparé. Le 10 mai, le procès de divorce s'ouvre par devant la cour archiépiscopale, à Dunstable, lieu de résidence de la reine. Celle-ci refuse tout compromis ; mais le 23 mai, Cranmer rend jugement contre elle et affirme la nullité de son mariage avec le roi. Cinq jours plus tard, il proclame que celui de Henri VIII avec Anne Boleyn est légitime.

La nouvelle reine est couronnée le 1er juin et met au monde, le 7 septembre, la future reine Élisabeth. Son union avec le roi avait été, entre temps, déclarée nulle par Clément VII. Le pape, avant de rendre définitive l'excommunication de Henri VIII, lui laissait un délai de grâce pour se séparer d'Anne ; mais le roi n'en profita pas. Il avait beaucoup hésité avant de tenir ouvertement tête à la papauté ; il ne se sentait pas suivi par son peuple. Désormais la rupture était consommée. Malgré

(1) G. CONSTANT, *op. cit.*, p. 39, 381 (n. 174 et 175).
(2) *Ibid.*, p. 39-40, 382 (n. 178 et 179).
(3) N. SANDERS, *op. cit.*, p. 59-60 ; G. CONSTANT, *op. cit.*, p. 48-49, 394-395 (n. 17-21) ; Charles STURGE, *Cuthbert Tunstall*, Londres, 1938, p. 178-179 ; WILKINS, *Concilia*, vol. III, p. 725, col. 2
(4) N. SANDERS, *op. cit.*, p. 56 ; G. CONSTANT, *op. cit.*, p. 41, 385-386 (n. 191-193).
(5) *Letters and Papers*, XII, vol. II, n° 952.
(6) G. CONSTANT, *op. cit.*, p. 42, 386-387 (n. 200-201) ; donne à tort la date du 26 mars du 5 avril ; voir WILKINS, *Concilia*, III, p. 757.

un bref retour au catholicisme sous Marie Tudor, l'Église d'Angleterre allait suivre son propre chemin [1].

§ 3. — La mainmise du roi sur l'Eglise.

FAIBLESSES DE L'OPPOSITION On peut s'étonner que, dans un pays attaché au catholicisme, le roi ait réussi, en l'espace de six ans, à se rendre maître de l'Église. Que l'asservissement de celle-ci au souverain ait été accueilli de mauvais gré, en particulier par le elergé, on n'en saurait douter. Et pourtant l'opposition ne chercha jamais à soulever l'opinion publique. Même dans le cas de Fisher et de Thomas More, elle resta purement passive. On acceptait de se laisser conduire au supplice : on ne faisait pas un geste pour contrarier la volonté du prince. C'est qu'en effet la monarchie des Tudors, qui avait apporté la paix et la tranquillité après la guerre des Deux-Roses, jouissait d'un prestige extraordinaire. Elle possédait en réalité un pouvoir absolu. Cela même, pourtant, n'eût pas été suffisant si le roi avait, d'emblée, heurté de front son peuple ; mais il eut la sagesse de procéder par étapes. Sa politique religieuse est un merveilleux exemple de tactique progressive. Les opposants ne virent jamais le moment où il aurait fallu dire : « Jusqu'ici et pas plus loin. » Il semblait d'ailleurs qu'il ne s'agît que d'une brouille passagère entre Henri VIII et la papauté. Au cours de l'histoire, on en avait vu bien d'autres. Tout s'arrangerait, tout se raccommoderait. Il n'y avait qu'à attendre.

C'est avec de pareilles excuses de paresse que l'opposition justifiait sa propre inaction. En outre, le roi avait compris toute l'importance de cette arme qu'est la propagande. Il avait dans la main toutes les presses à imprimer anglaises, alors que ses adversaires ne disposaient d'aucune. Il mena une véritable « offensive de presse » : les traités en faveur de ses prétentions pullulèrent [2]. Enfin et surtout, il ne faut pas oublier quelle figure faisait Henri VIII auprès de ses contemporains, dans le domaine proprement religieux. Il avait mérité le titre de « défenseur de la foi » par son traité contre Luther. Il était considéré comme le soutien de l'orthodoxie, et Thomas More lui-même se refusait à croire qu'il encourageât l'hérésie [3]. Il n'est donc pas surprenant que ses sujets aient pu le considérer comme un réformateur au sens catholique du mot. A un moment où la papauté était humiliée et affaiblie, les chrétiens sincères pouvaient se demander si le progrès moral dans l'Église ne viendrait pas des princes. Et Henri VIII lui-même s'efforçait de donner cette impression. Lorsqu'il abolit les libertés de l'Église, il met en avant la nécessité de supprimer les diverses formes de simonie et de népotisme. Ses sujets purent donc se donner à eux-mêmes de bonnes raisons pour laisser aller les choses. Ils ne croyaient pas se séparer de l'Église universelle, en suivant un prince qu'ils admiraient et en qui ils avaient confiance.

(1) G. CONSTANT, *op. cit.*, p. 43-45, 388-390 (n. 208-216).
(2) *Letters and Papers*, V, nᵒˢ 1-9, qui contiennent une soixantaine d'articles de ce genre. Cf. P. JANELLE, *L'Angleterre catholique*, p. 140.
(3 *Ibid.*, p. 190.

LA SUPRÉMATIE ROYALE   Il semble bien, en tous cas, que le clergé pût se faire quelques illusions sur la portée réelle de son geste, lorsque, sous la pression du roi, il affirma la suprématie de celui-ci sur l'Église. Voici dans quelles circonstances. Henri VIII, qui négociait à Rome, s'était abstenu pendant l'année 1530, de toute provocation à l'égard du Saint-Siège. Devant l'insuccès de sa politique conciliante, il voulut user d'intimidation. Il profita pour cela de la réunion de l'assemblée du clergé, ou « Convocation », de la province de Cantorbéry, qui eut lieu peu après celle du Parlement, le 21 janvier 1531. Il fit accuser par son conseil le clergé anglais tout entier d'avoir violé la loi du *Praemunire*, qui interdisait les appels à Rome, en reconnaissant Wolsey comme légat *a latere*, et en se soumettant à son autorité ; autorité qu'il avait été lui-même le premier à proclamer et à utiliser à son profit. L'accusation fut signifiée à l'assemblée. Celle-ci crut d'abord à un chantage : le roi voulait lui extorquer un « don gracieux ». On lui offrit 40.000, puis 100.000 livres sterling. Mais il refusa de les accepter et d'accorder son pardon, à moins que le clergé ne présentât une supplique dont le préambule contiendrait les clauses suivantes : 1º Le roi sera déclaré seul protecteur et chef suprême de l'Église d'Angleterre ; 2º le soin des âmes sera confié à Sa Majesté ; 3º le roi défendra uniquement les privilèges et les libertés de l'Église qui ne dérogent pas à son royal pouvoir et aux lois du royaume [1].

Les peines prévues pour l'infraction à la loi sur le *Praemunire* étaient l'emprisonnement et la confiscation des biens. Le clergé fut terrifié. Après beaucoup d'hésitations, il vota, le 11 février, le texte du préambule, mais en le modifiant comme suit : « Nous reconnaissons que Sa Majesté est le chef suprême de l'Église autant que la loi du Christ le permet » [2]. A l'assemblée du clergé de la province d'York, présidée par Tunstal, évêque de Durham, la même formule fut adoptée, après de longs débats, le 18 mai. Tunstal lui-même fit insérer sa protestation personnelle au procès-verbal. D'autres protestations furent envoyées à Henri VIII par les ecclésiastiques des deux provinces [3]. Cependant on pouvait encore se faire quelques illusions sur le caractère réel du nouveau titre accordé au roi. Ses négociations à Rome continuaient. Le nonce Burgio lui proposait de faire juger sa cause à Cambrai et recevait de lui l'assurance que l'autorité du pape n'était point menacée, « pourvu que Sa Sainteté le traitât convenablement » [4]. Il fallut attendre quelques mois encore pour que la suprématie royale s'affirmât.

LES LIBERTÉS DE L'ÉGLISE   Cependant le roi, tout en amusant le Saint-Siège et le nonce, poursuivait sa marche en avant. Le 15 janvier 1532, il soumit au Parlement un projet de loi

---

(1) Pour les sentiments de More, voir son *Apologye*, édit. TAFT, Londres, 1930, p. 18-22 et P. JANELLE, *op. cit.*, p. 190 ; sur l'accusation contre le clergé, voir *Letters and Papers*, V, nº 62 et WILKINS, *Concilia*, vol. III, p. 724 ; cf. P. JANELLE, *op. cit.*, p. 144 ; sur la suite de l'assemblée, voir G. CONSTANT, *op. cit.*, p. 48, 394-395 (n. 12-15).
(2) WILKINS, *Concilia*, vol. III, p. 725, col. 2 ; cf. G. CONSTANT, *op. cit.*, p. 49, 394 (n. 18-19).
(3) WILKINS, *Concilia*, vol. III, p. 745, col. 1 ; cf. Ch. STURGE, *op. cit.*, p. 179-180 ; G. CONSTANT, *op. cit.*, p. 49-50, 395-396 (n. 23-26).
(4) *Ibid.*, p. 50, 396 (n. 28).

qui abolissait les « annates » ou « premiers fruits » (on nommait ainsi le revenu d'une année d'un siège épiscopal, que l'évêque nouvellement promu devait payer à Rome). Les Communes ne votèrent pas cette loi sans quelque mauvaise volonté, mais elles la votèrent [1]. Elles étaient, à vrai dire, un instrument docile entre les mains du roi, qui devait bientôt se servir d'elles pour abolir les « libertés » du clergé, c'est-à-dire ses privilèges de législation et de juridiction. Son auxiliaire en cette affaire fut son principal secrétaire Thomas Cromwell, homme nouveau, politicien à l'italienne, prêt à toutes les fourberies pour faire aboutir les volontés de son royal maître. Cromwell rédigea une *Supplique*, dirigée contre les ordinaires, c'est-à-dire contre la juridiction ecclésiastique, et dont les Communes acceptèrent de prendre la responsabilité ; ce document fut soumis à la « Convocation » de Cantorbéry, qui s'était réunie le 12 avril 1532. L'auteur y rassemblait tous les griefs qui pouvaient être invoqués contre l'Église, tant par ses amis que par ses ennemis. Il y était question des poursuites injustifiées contre les hérétiques — et ici la *Supplique* prenait appui sur l'agitation protestante ; des exigences fiscales du clergé — et ici c'est à l'anticléricalisme populaire que l'on faisait appel ; des lois faites par le clergé au mépris de la volonté du prince et de l'intérêt du pays — et ici c'était le patriotisme anglais et le loyalisme envers le souverain qui entraient en jeu ; des abus d'ordre moral et disciplinaire qui déshonoraient le corps ecclésiastique — et ici pouvaient trouver leur satisfaction les disciples de Colet, ceux qui voulaient sincèrement la réforme de l'Église [2].

A vrai dire, l'idée de réforme était dans l'air. Elle s'était manifestée à l'assemblée du clergé de la province d'York, présidée par Wolsey, en 1518 [3], et en 1529 à celle de Cantorbéry, dont il a été question plus haut. C'était suprême habileté de la part de Henri VIII d'atteler ainsi en même temps à son char les contempteurs de l'Église et ceux qui souhaitaient son renouveau.

Ceux-ci, toutefois, ne se laissèrent pas prendre au piège. Dès maintenant les humanistes chrétiens de l'école de Thomas More sentent qu'en s'en prenant à l'unité et à l'autorité de l'Église, on ouvre la porte à l'hérésie. Et, de fait, une résistance commence à se manifester. Le roi n'avait pas mené l'attaque seulement sur le plan parlementaire. Son « offensive de presse » continuait. En même temps que Cromwell rédigeait la *Supplique des Communes*, un légiste dévoué à la cause royale, Christopher Saint-Germain, faisait paraître un opuscule intitulé *Traité sur la discorde entre le clergé et les laïcs*, où étaient reprises les mêmes idées. Thomas More lui répondit dans son *Apologie* (1533) [4] ; et parallèlement avec More, Stephen

---

(1) G. Constant, *op. cit.*, p. 50-51, 397 (n. 31-35).

(2) Résumé de quatre rédactions successives dans *Letters and Papers*, vol. V, n° 1016, sections 1-4 ; texte entier de la quatrième rédaction dans Roger Bigelow Merriman, *Life and letters of Thomas Cromwell*, Oxford, 1902, p. 104-111.

(3) Wilkins, *Concilia*, vol. III, p. 602, reproduit dans Mansi, *Concilia*, vol. XXXV, col. 174-213.

(4) Christopher Saint-German, *A Treatise concernynge the division betwen the spiritualtie and temporaltie*, réimprimé en appendice dans l'édition de la réplique de More par Arthur Irving Taft, *The Apologye of Syr Thomas More Knyght*, Londres, 1930. Sur la ressemblance entre l'*Apologye* et la *Réplique des ordinaires*, voir P. Janelle, *L'Angleterre catholique*, p. 165-170.

Gardiner donna la réplique à Cromwell en composant, ou tout au moins en amendant, la *Réplique des Ordinaires*, qui fut présentée au roi au nom des deux chambres de la « Convocation, » c'est-à-dire du haut et du bas clergé. L'accord des deux humanistes est significatif. Le premier d'entre eux seulement ira jusqu'au bout de ses idées et sacrifiera sa vie à son idéal religieux ; mais le second incarnera la résistance catholique au sein de l'Église henricienne. La *Réplique des Ordinaires*, dans sa première rédaction, revendique pour l'Église le droit et le devoir de poursuivre les hérétiques, sans haine mais avec fermeté, demande au roi de modifier ses lois pous les faire cadrer avec l'Écriture et les décisions de la Sainte Église, et refuse, au nom du clergé, de soumettre à l'assentiment royal l'exécution des devoirs de sa charge.

Henri VIII dut sans doute manifester son mécontentement, car une seconde rédaction de la *Réplique* est beaucoup plus humble de ton, et purement défensive, reconnaît les abus et promet qu'ils seront punis [1]. Le clergé anglais n'ose s'affirmer en face de la volonté royale ; il se fait tout petit. Il lui manque l'esprit de décision et la vigueur qui entraîneraient les foules à sa suite. Les humanistes, tels que More et Gardiner, avaient retenu, de leur formation première, le sens de l'équilibre et de la mesure, en même temps qu'une défiance instinctive envers le lion populaire, une préférence pour les grands de ce monde. Ils étaient mal placés pour prendre la tête d'un mouvement de masse. Ils se soumirent ou se sacrifièrent, suivant les cas, mais sans jamais chercher à ameuter l'opinion.

La « Convocation » de Cantorbéry, toutefois, essaya tout d'abord de tenir bon. Henri VIII lui ayant demandé un subside, elle sollicita de lui, en échange, le maintien de ses libertés. Mais le roi lui répondit, le 10 mai, en lui faisant signifier qu'elle eût à souscrire à une déclaration par laquelle le clergé renonçait à toute puissance législative. L'assemblée se tourna d'instinct vers l'ancien avocat de la reine, l'évêque de Rochester, John Fisher, seul capable, semblait-il, de tenir tête au souverain. Mais ce ne fut de sa part qu'un sursaut passager. Après avoir d'abord formulé quelques réserves, qu'Henri VIII n'accepta pas, elle se soumettait entièrement à ses volontés le 15 mai 1532 [2]. Le roi avait d'ailleurs cherché à la mettre en confiance en renvoyant par devant elle le réformateur Hugh Latimer, qui, inquiété par la juridiction ecclésiastique, en avait appelé à lui. L'assentiment du Parlement était nécessaire pour que la « soumission du clergé » fût incorporée à la législation du royaume. La Chambre des Lords, composée en partie d'évêques et d'abbés, et guidée par Thomas More et Stephen Gardiner, refusa son approbation ; et la loi ne fut votée qu'en 1534 [3].

---

(1) Récit des événements dans WILKINS, *Concilia*, III, p. 748, col. 1 ; J. A. MULLER, *op. cit.*, chap. VIII (en partie inexact) ; P. JANELLE, *op. cit.*, p. 144-165. Texte de la première rédaction de la *Réplique* dans WILKINS, *op. cit.*, p. 750-752 ; de la deuxième rédaction dans GEE and HARDY *Documents*, p. 156-175.

(2) WILKINS, *op. cit.*, p. 749, col. 1 ; Rev. T. E. BRIDGETT, *Life of Blessed John Fisher*, Londres, 1888, p. 220 ; G. CONSTANT, *op. cit.*, p. 54, 399-400 (n. 51-57).

(3) *Letters and Papers*, vol. V, nᵒˢ 1013, 1247 ; G. CONSTANT, *op. cit.*, p. 54, 400 (n. 58-59).

L'année 1533, qui fut celle du second mariage du roi et celle de son excommunication, vit aussi s'accentuer sa politique antiromaine. En février, il faisait voter par le Parlement une « loi pour la suppression des appels », qui affirmait l'indépendance de l'Angleterre et l'autorité suprême du souverain en matière judiciaire, même sur le terrain religieux [1]. Le 9 juillet, il confirmait par lettres patentes la loi sur les annates de 1532 [2]. Lors de l'entrevue de Clément VII avec François Ier à Marseille en novembre 1533, il faisait brutalement signifier au pape par le Dr. Bonner un appel au concile [3]. La théorie de l'appel au concile servait en même temps de thème à la propagande ; Henri VIII faisait prêcher et imprimer que le pape était inférieur à une assemblée générale de l'Église. Une ultime tentative de médiation de la part du roi de France ayant échoué, Clément VII rendait enfin son jugement dans l'affaire du divorce, le 23 mars 1534. Le mariage du roi et de Catherine d'Aragon était déclaré valide.

Henri VIII n'avait pas attendu cette décision pour consommer la rupture avec Rome. Il sentait qu'il pouvait aller de l'avant. A l'extérieur, il appliquait déjà la fameuse politique d'équilibre sur le continent, jouant de l'Empereur contre François Ier et inversement, et empêchant par là l'un et l'autre de se déclarer ouvertement contre lui. A l'intérieur, la faiblesse de ses adversaires — vieille noblesse et peuple — ne l'aidait pas moins que l'ambition d'une bourgeoisie anticléricale. Il fit confirmer par le Parlement les mesures déjà votées par les assemblées du clergé, leur donnant ainsi force de loi. Les deux Chambres, qui se réunirent le 25 janvier 1534, étaient peu disposées à contrarier les volontés royales. Il ne faut pas oublier que le souverain désignait lui-même les députés aux Communes [4]. A la Chambre des Lords, il avait éliminé l'opposition des « pairs spirituels » — évêques et abbés — en garnissant les sièges vacants d'hommes à lui [5]. Il obtient le vote définitif de la « soumission du clergé », qui établit sa juridiction absolue sur l'Église ; d'une nouvelle loi sur les annates, qui permet au souverain de faire désigner des évêques de son choix ; d'une loi sur le denier de saint Pierre, qui interdit le paiement de toutes redevances à Rome [6]. Le pape ne devait plus être désigné que sous le nom d' « évêque de Rome », et les propos tenus contre lui n'étaient plus considérés comme hérétiques.

En mars 1534, le Parlement vota la « loi de succession », qui faisait des enfants d'Anne Boleyn les héritiers du trône d'Angleterre. Cette loi devait être sanctionnée par un serment prêté par tout Anglais adulte. En novembre, les deux Chambres décidèrent que les annates et les dîmes seraient désormais payées à la couronne. Elles attribuèrent au roi d'une

---

(1) G. Constant, *op. cit.*, p. 406 (n. 101).
(2) *Letters and Papers*, VI, n° 793, cité par G. Constant, *op. cit.*, p. 55, 401 (n. 63).
(3) *Letters and Papers*, VI, n° 1572, cité par G. Constant, *op. cit.*, p. 56, 402 (n. 75).
(4) Sur la propagande de Henri VIII, cf. P. Janelle, *op. cit.*, p. 179 ; *Letters and Papers*, VI, n°s 1487, 1511 ; VII, n° 48. Sur la sentence définitive du pape, cf. G. Constant, *op. cit.*, p. 58, 404-405 (n. 93). Sur le recrutement du Parlement, cf. F. A. Gasquet, *Monasteries*, vol. I, p. 291-292.
(5) G. Constant, *op. cit.*, p. 58-59, 405 (n. 96-99).
(6) *Letters and Papers*, VII, n°s 54, 171 ; Foxe-Pratt, *op. cit.*, vol. V, p. 66-67 ; G. Constant, *op. cit.*, p. 59-60, 406-407 (n. 104-110) ; P. Janelle, *op. cit.*, p. 179-180.

manière définitive le titre de « chef suprême de l'Église d'Angleterre »,
sans aucune restriction cette fois [1]. Henri VIII devenait, en un certain
sens, pape dans son pays. Il ne songeait pas, bien entendu, à revendiquer les pouvoirs d'ordre de l'évêque, mais il s'attribuait la totalité de
la juridiction, au sens le plus large du mot, jusqu'à la nomination des
évêques, la correction des abus, et dans une certaine mesure la définition
du dogme. Souverain temporel, il devait compter avec le Parlement.
Souverain spirituel, il allait jouir d'une autorité illimitée.

CONFIRMATION DE LA RUPTURE A partir de ce moment, Henri VIII
emploie la contrainte pour obliger
ses sujets à se conformer à ses volontés. Il y réussit, à vrai dire, assez
facilement. Son succès s'explique par le poids d'une persécution tenace,
et d'autant plus efficace qu'elle s'exerçait en vase clos dans l'île d'Angleterre, mais plus encore par la faiblesse interne de l'opposition, paralysée
par son respect religieux de la majesté royale. On se mit à faire prêter,
par tous les dignitaires civils et ecclésiastiques, le « serment de succession »,
qui rejetait l'autorité du pape, et que presque seuls John Fisher et Thomas
More refusèrent. En mars et en mai, les deux « Convocations » déclarèrent
que le pape n'avait aucune juridiction en Angleterre, puis ce fut le tour
des Universités de Cambridge et d'Oxford [2]. En janvier 1535, le roi faisait
de Thomas Cromwell, simple laïque, son « vicaire général, » ou « vice-gérant
dans les choses spirituelles » [3]. Les évêques durent renoncer par serment
à l'obéissance qu'ils avaient jurée au pape. En juin, tout le clergé séculier
et régulier reçut l'ordre de prêcher tous les dimanches et jours de fête
sur la suprématie royale, et au moins une fois par an contre l'évêque
de Rome et en faveur du second mariage du roi. Le nom du pape était
effacé de tous les missels et livres de prières. Les autorités judiciaires
étaient chargées de l'exécution de ces prescriptions [4].

§ 4. — L'opposition au schisme.

LA RÉSISTANCE. JOHN FISHER Il ne faudrait pas croire, toutefois,
que tous les sujets de Henri VIII aient
accepté le schisme de bon gré. « Il n'est, durant tout le règne, nous dit
le grand archiviste Gairdner, aucun point sur lequel ils aient exprimé
d'une manière si ouverte et si répétée leur mécontentement à l'égard
du roi et de ses actes » [5]. De bonne heure, un mouvement d'opinion hostile
au divorce royal avait pris naissance autour d'une jeune religieuse du
couvent bénédictin du Saint-Sépulcre près de Cantorbéry, Elisabeth
Barton. On lui attribuait des miracles, qui donnaient plus de poids à
ses propos contre Henri VIII. Elle fut accusée de haute trahison, jugée

(1) G. Constant, *op. cit.*, p. 65, 415-417 (n. 150-158).
(2) *Ibid.*, p. 68-69, 423-424 (n. 180-185).
(3) N. Sanders, *op. cit.*, p. 68-69 ; G. Constant, *op. cit.*, p. 72, 429 (n. 207).
(4) *Ibid.*, p. 72-73, 430-431 (n. 209-212).
(5) *Letters and Papers*, VIII, préface sur les n°s 589, 736-738, etc. ; cité par F. A. Gasquet, *Monasteries*, vol. I, p. 214.

et condamnée à mort par le Parlement, et exécutée au gibet de Tyburn
le 5 mai 1534, avec ses « complices », qui auraient pu sauver leur tête
en prêtant le serment de suprématie. Le gouvernement ne put, malgré
ses efforts, réussir à impliquer John Fisher dans l'affaire [1].

Celui-ci était déjà un vieillard. Né en 1469, il avait été l'auxiliaire de la
mère de Henri VII, Margaret, comtesse de Richmond, qui s'efforçait de
faire de l'Université de Cambridge un centre d'apostolat religieux. Il
était devenu évêque de Rochester en 1504. C'était un humaniste aussi,
épris de lettres anciennes, qui, sous l'influence d'Érasme, avait appris
le grec à l'âge de quarante-sept ans. Il avait, dans ses écrits, combattu
Luther et Oecolampade. Son attitude dans le procès de divorce de Londres,
en 1529, lui avait valu l'inimitié du souverain ; et depuis, il était sans
cesse en butte à ses attaques, ainsi qu'à celles de Cromwell. Le 29 octobre
1530, il était une première fois arrêté pour en avoir appelé au Saint-
Siège des décisions du Parlement. Relâché, il eut le courage de prêcher
contre le divorce royal, le 8 juin 1532. Emprisonné de nouveau le 6 avril
1533, remis en liberté au bout de deux mois, frappé d'une amende de
trois cents livres sterling, il refusait, le 13 avril 1534, de prêter le « serment
de succession », et il était en conséquence envoyé à la Tour de Londres.

Une nouvelle tentative pour lui imposer le serment échouait le 1er mai
1535. Appelé le 7 mai devant le conseil royal, il ne voulut pas admettre
la suprématie du prince sur l'Église. Le 20 mai, le pape Paul III, espérant
sauver sa tête en le revêtant d'une haute dignité ecclésiastique, faisait
de lui un cardinal ; mais ce geste ne fit qu'augmenter le ressentiment
de Henri VIII. « Il portera, dit-il, son chapeau sur ses épaules, car il
n'aura pas de tête où le poser. » Le 17 juin, le nouveau cardinal était
jugé par une cour spéciale dans la grande salle de Westminster, pour
le seul crime d'avoir rejeté le « serment de suprématie ». Condamné à
mort, il était décapité sur la place de Tower Hill, le 22 juin 1535 [2].

LA RÉSISTANCE DES ORDRES RELIGIEUX.
LES FRANCISCAINS

Avant même l'exécution de
Fisher, Henri VIII avait commencé à exercer une répression
sévère contre les ordres religieux les plus vigoureux et les plus renommés
par leur vertu, qui étaient aussi les plus attachés au Saint-Siège, les franciscains de la stricte observance, les chartreux et les brigittins. Des premiers, deux avaient été mis à mort en même temps qu'Elisabeth Barton [3].
Leur provincial, William Peto, avait publiquement admonesté le roi dans
un sermon prêché en sa présence, le jour de Pâques, 31 mars 1532, au couvent de Greenwich. Henri VIII l'ayant fait contredire dans la même chaire
par un de ses chapelains, le Dr. William Curwen, celui-ci mit au défi
Peto, alors absent, de lui répondre ; sur quoi un autre franciscain, Henry

---

(1) N. SANDERS, *op. cit.*, p. 80 ; récit détaillé dans F. A. GASQUET, *op. cit.*, vol. I, chap. IV,
p. 110-150 ; T. E. BRIDGETT, *John Fisher*, chap. XI. Cf. aussi J. GAIRDNER, *English Church*, p. 143,
147-148 ; G. CONSTANT, *op. cit.*, p. 122-126, 486-491.
(2) N. SANDERS, *op. cit.*, p. 81, 90-94 ; T. E. BRIDGETT, *John Fisher*, *passim* ; G. CONSTANT,
op. cit., p. 116-132, 474-499.
(3) N. SANDERS, *op. cit.*, p. 80 ; F. A. GASQUET, *op. cit.*, p. 150.

Elstowe, gardien du couvent, se leva, prit la parole au nom de son supérieur et compara Curwen au prophète menteur Achab [1]. Un autre franciscain, John Forest, qui devait être brûlé en 1538 parce qu'il rejetait la suprématie du souverain sur l'Église, avait été le confesseur de Catherine d'Aragon [2]. L'ordre, dans son ensemble, accueillit de mauvais gré les tentatives faites par les visiteurs de l'archevêque de Cantorbéry pour lui imposer le « serment de succession », dans l'été de 1534. Les couvents de Richmond et Greenwich le refusèrent carrément, arguant de ce qu'ils dépendaient directement de Rome. Le roi ferma les sept monastères du royaume et emprisonna les deux cents moines, les uns à la Tour de Londres, les autres dans des maisons de franciscains non réformés. Cinquante périrent en captivité [3]. Si Henri VIII n'alla pas jusqu'à l'exécution de certains d'entre eux, c'est, nous dit Sanders, ou bien qu'il estimait avoir assez fait en les dispersant, ou bien que l'un de ses favoris, Thomas Wriothesley, intercéda en leur faveur [4].

LES CHARTREUX   La répression contre les chartreux fut plus sanglante. Ils ne tenaient aucunement à se mêler des affaires du monde et ne demandaient qu'à vivre en paix dans leur solitude. Mais leur sainteté leur donnait un prestige hors de pair, et Henri VIII tenait à les mettre de son côté. Les commissaires royaux leur présentèrent le « serment de succession » ; ils finirent par le prêter avec la réserve suivante : « dans la mesure où il est légitime », et ne furent plus inquiétés pendant quelques mois. Mais ce n'était qu'un répit. Lorsqu'on chercha, le 20 avril 1535, à leur imposer le « serment de suprématie », trois prieurs, celui de Londres, John Houghton, celui de Beauval, Robert Laurence, et celui d'Axholme, Augustine Webster, représentant leur ordre, se refusèrent « à offenser Dieu pour plaire au roi » [5]. Ils furent alors emprisonnés à la Tour de Londres et mis en jugement, ainsi que John Hale, curé d'Isleworth, et Richard Reynolds, religieux brigittin de l'abbaye de Sion, helléniste et hébraïste distingué. Cromwell dut menacer le jury du châtiment capital s'il ne prononçait pas la peine de mort. Tous les cinq furent exécutés d'une manière barbare, le 4 mai 1535, en habit religieux et sans avoir été dégradés [6].

Henri VIII avait espéré vaincre les chartreux par la terreur. Il avait fait accrocher aux portes mêmes de leur monastère de Londres les membres du prieur Webster. Il fit un nouvel effort pour amener les moines à prêter le « serment de suprématie », mais trois d'entre eux restèrent obstinés. C'étaient Humphrey Middlemore, William Exmew et Sebastian Newdigate. Celui-ci avait fréquenté la cour jusqu'en 1526, date à laquelle, effrayé par la conduite du roi, il avait cherché un refuge dans le cloître.

(1) J. GAIRDNER, *op. cit.*, p. 118-119.
(2) G. CONSTANT, *op. cit.*, p. 426 (n. 192) ; J. GAIRDNER, *op. cit.*, p. 200.
(3) N. SANDERS, *op. cit.*, p. 89, 126-127 ; F. A. GASQUET, *op. cit.*, chap. v ; G. CONSTANT, *op. cit.*, p. 70-71, 426-427 (n. 192-196).
(4) N. SANDERS, *op. cit.*, p. 127.
(5) N. SANDERS, *op. cit.*, p. 86-87 ; F. A. GASQUET, *op. cit.*, vol. I, chap. vi ; G. CONSTANT, *op. cit.*, p. 71-72, 427-429 (n. 197-204).
(6) N. SANDERS, *op. cit.*, p. 87-88 ; F. A. GASQUET, G. CONSTANT, *ibid.*

Les trois moines comparurent devant Cromwell, refusèrent le serment, furent condamnés à mort et exécutés d'une manière aussi barbare que leurs frères en religion : traînés sur une claie à travers tout Londres jusqu'au gibet de Tyburn, dépendus avant d'être morts, éventrés et coupés en quartiers. Deux autres obtinrent d'être simplement pendus à York le 20 mai. Dix chartreux, en outre, furent jetés en prison ; la faim et la puanteur achevèrent neuf d'entre eux ; un seul, William Horne, vécut assez pour subir le dernier supplice, le 4 août [1].

LA RÉSISTANCE : THOMAS MORE — Nous en venons enfin au personnage le plus remarquable de l'opposition, celui dont l'exécution souleva le plus d'indignation à travers toute l'Europe. Thomas More unissait à une forte personnalité des traits de caractère et une attitude d'esprit qui font de lui par excellence le représentant de la dernière génération d'avant la Réforme, celle des humanistes chrétiens. Il joignait une grande liberté intellectuelle, un certain dédain pour l'École, un goût très vif pour l'érudition scripturaire et patristique, un désir de réforme morale fondée sur l'Évangile, à un sens profond de la tradition chrétienne ; il croyait au progrès par les lettres, mais il n'avait rien d'un révolutionnaire. Né à Londres en 1478, d'une famille de la haute bourgeoisie, il se lia d'amitié, à l'Université d'Oxford, avec les hellénistes Grocyn et Linacre. Il entreprit ensuite à Londres des études de droit, au cours desquelles il fut fortement attiré par la vie monastique, au point d'aller loger pendant quatre ans à la porte de la Chartreuse, de manière à partager les exercices et la discipline des moines. En même temps, il perfectionnait, avec Grocyn et Linacre, sa connaissance du grec. Dès 1497, il était entré en relations avec Érasme, dont il demeura l'ami fidèle jusqu'à sa mort. Il s'était également attaché à John Colet. Cependant, il poursuivait une belle carrière d'homme de loi. En 1511, Henri VIII le remarqua et l'attacha à sa fortune. Désormais il fut chargé de diverses fonctions publiques et plusieurs fois envoyé en ambassade sur le continent. Marié, il devint père de quatre enfants et donna l'exemple des plus belles vertus domestiques [2].

L'UTOPIE — De bonne heure, il s'était mis à écrire. Il prit la défense d'Érasme, qui avait composé chez lui, en 1508, son *Éloge de la folie*, et dont le *Nouveau Testament* avait été attaqué par un théologien de Louvain, Martin Dorpius. Dans une lettre à celui-ci, il déclare supérieure aux discussions de l'École l'étude critique de l'Écriture et des Pères [3]. En 1516 il publiait son *Utopie*, dans laquelle on a voulu voir à tort une manifestation protestante, voire « libérale », avant la lettre. Et en effet

---

(1) Sur Newdigate, cf. J. GAIRDNER, *op. cit.*, p. 150-151 ; sur la fin des chartreux, cf. N. SANDERS, *op. cit.*, p. 88-89 ; F. A. GASQUET, *ibid.*

(2) Le nombre des biographies de More est considérable. Nous avons suivi les plus récentes, qui sont celles de P. T. E. BRIDGETT, *Life and writings of Sir Thomas More*, 2e édit., Londres, 1892 et de R. W. CHAMBERS, *Thomas More*, Londres, 1935. Ce dernier travail est tout à fait remarquable. Cf. aussi P. JANELLE, art. *Thomas More* dans le *Dictionnaire de Théologie catholique*, t. XV, 1946, col. 2472-2482.

(3) *Ibid.*, col. 2473-2474 ; cf. R. W. CHAMBERS, *op. cit.*, p. 253-254. Texte de la lettre dans E. F. ROGERS, *The correspondence of Sir Thomas More*, Princeton, 1947, p. 27-74.

les prêtres des Utopiens sont mariés ; il n'y a pas d'images dans leurs temples ; ils professent diverses croyances, se tolèrent mutuellement et prient Dieu chacun de leur côté, lui rendant grâces de les avoir menés vers le vrai. On pourrait croire ici à une sorte de relativisme, qui serait en opposition avec la conduite de More dans les derniers temps de sa vie, lorsqu'il pourchassait les hérétiques. En réalité, il n'a voulu montrer dans son île imaginaire que la religion naturelle, religion qui d'ailleurs se rapproche par beaucoup de points du christianisme traditionnel. La personne du prêtre est sacrée en Utopie ; le cérémonial n'y a rien de l'austérité puritaine ; on y utilise l'encens, les cierges, la musique liturgique, les ornements sacerdotaux. Les « hérétiques », assurément, ne sont pas punis de mort ; mais ils sont privés de leurs droits civiques. Le communisme économique de l'Utopie, sa soumission à une règle, font songer aux grandes sociétés monastiques du moyen âge. D'ailleurs More avait écrit son ouvrage en latin ; il n'avait aucunement l'intention d'en faire un manifeste pour agiter les foules, mais y voyait un simple divertissement à l'usage des lettrés. Les temps n'étaient pas encore tels que l'on fût forcé de surveiller l'expression de sa pensée [1].

LA LUTTE AVEC LE ROI Le moment devait bientôt venir, cependant, où More s'apercevrait des dangers d'une attitude intellectuelle trop détachée et du parti qui pouvait être tiré d'une critique trop libre de l'Église par les adversaires de celle-ci. La dernière partie de sa vie sera consacrée à la lutte contre le protestantisme, lutte entreprise en 1523 à la demande d'un souverain encore orthodoxe, poursuivie à partir de 1529 contre la sourde opposition d'un roi désormais favorable aux novateurs. Nous reviendrons plus loin sur ses ouvrages de controverse [2]. Leur importance s'accroissait du fait que More, sans chercher les honneurs, s'était, par son seul mérite, élevé de dignités en dignités. Le roi tenait vivement à s'assurer l'appui d'un légiste aussi éminent dans l'affaire de son divorce. Il avait reçu de lui à ce sujet, dès septembre 1527, une réponse défavorable ; mais il ne désespérait pas de le gagner. Pour y parvenir, il fit de lui, le 25 octobre 1529, le chancelier du royaume d'Angleterre. More ne se laissa pas séduire ; mais son tempérament se révèle par le fait qu'il resta en fonctions et garda le silence tant que cela lui fut possible [3]. Cependant, à la question du divorce devait bientôt se mêler celle de l'autorité du Saint-Siège. L'opinion de More sur ce dernier point avait d'abord été hésitante, et jusqu'au bout il devait croire à la supériorité du concile général sur le pape [4]. Cependant il ne pouvait accepter la suprématie royale, et lorsque, celle-ci lui apparut comme inévitable, il se démit de toutes ses fonctions, le 15 mai 1532 [5].

---

(1) P. JANELLE, *Thomas More*, article cité, col. 2476-2479. Cf. aussi R. W. CHAMBERS, *The saga and the myth of Sir Thomas More* (Publications of the British Academy, Oxford, 1927), p. 22-43 et, du même, *Thomas More*, p. 256-267.
(2) Cf. *infra*, p. 351-352. Cf. P. JANELLE, *Thomas More*, col. 2479-2481.
(3) *Ibid.*, col. 2474-2475 ; cf. R. W. CHAMBERS, *Thomas More*, actes IV et V.
(4) T. E. BRIDGETT, *op. cit.*, p. 300-301 ; P. JANELLE, *op. cit.*, col. 2480-2481.
(5) *Ibid.*, col. 2475 ; R. W. CHAMBERS, *op. cit.*, p. 252.

Dès lors il devint suspect. Au début de 1534, il était accusé de complicité avec la « sainte fille de Kent », mais il n'eut pas de peine à faire la preuve de son innocence [1]. Le 13 avril, on voulut lui faire prêter le « serment de succession », qui rejetait en fait la suprématie pontificale. Il refusa doucement, disant qu'il ne condamnait ni la loi de succession, ni ceux qui l'avaient acceptée ; mais qu'il ne pouvait souscrire à certaines des clauses du serment sans risquer son salut éternel [2]. Il fut donc enfermé à la Tour de Londres. Il profita de sa captivité pour mener une vie monastique et pour composer divers ouvrages d'édification. Cependant le Parlement avait fait le roi « chef suprême de l'Église d'Angleterre ». More fut appelé devant le conseil royal à diverses reprises, à partir du 30 avril 1535, et sommé d'exprimer son avis sur ce point. Désireux du martyre, mais résolu à ne rien faire pour le hâter, il répondit, comme les chartreux, qu'il ne s'occupait plus des choses de ce monde. Condamné à mort le 1er juillet, il se sentit enfin libre de parler et désapprouva avec force la suprématie royale. Le 6 juillet, il était mené à l'échafaud et décapité. Il avait jusqu'au bout gardé sa bonne humeur souriante et héroïque [3].

§ 5. — La propagande royale et la justification du schisme.

LE MACHIAVÉLISME
EN ANGLETERRE

A chacune de ses étapes sur le chemin du schisme, Henri VIII s'efforça de justifier sa conduite auprès de ses sujets en leur fournissant des arguments d'ordre théologique ou purement rationnel, qui variaient d'ailleurs à mesure que sa position changeait. Il n'y a lieu de s'étonner ni de ces variations, ni du manque de probité intellectuelle du souverain. Les théories de Machiavel sur la raison d'état et sur la nécessité du mensonge comme moyen de gouvernement venaient de faire leur apparition en Angleterre. On ne saurait exagérer l'influence qu'elles exercèrent sur Henri VIII et plus tard sur la reine Élisabeth, ainsi que sur leurs ministres. Cette influence est considérée comme décisive par un contemporain, Reginald Pole, le plus notable défenseur de l'unité catholique, qui s'était réfugié en Italie, où il était en mesure de remonter jusqu'à la source du mal. Il rapporte une conversation qu'il a eue en 1527 avec Thomas Cromwell, alors secrétaire de Wolsey, sur les devoirs d'un conseiller du prince. Celui-ci, disait Cromwell, doit, en bon courtisan, s'appliquer à satisfaire la volonté et les caprices de son maître, tout en leur donnant auprès de la foule les apparences de la vertu ; il citait, à l'appui de son opinion, le *Prince* de Machiavel, qu'il promettait de communiquer à son interlocuteur [4]. D'après l'auteur italien, la sécurité du prince exigeait qu'il se rendît populaire en faisant semblant d'être « pieux, fidèle, humain,

---

(1) T. E. BRIDGETT, *op. cit.*, p. 321-337 ; R. W. CHAMBERS, *op. cit.*, p. 294-300.
(2) T. E. BRIDGETT, *op. cit.*, p. 353 ; R. W. CHAMBERS, *op. cit.*, p. 301-304.
(3) P. JANELLE, *op. cit.*, col. 2476 ; T. E. BRIDGETT, *op. cit.*, p. 400-439 ; R. W. CHAMBERS, *op. cit.*, p. 332-350.
(4) *Epistolarum Reginaldi Poli... Pars I* (édit. QUIRINI), Brescia, 1744, p. 133-137.

intègre, religieux », trompant ainsi le peuple, dont l'honnête simplicité ne méritait que dédain, et lui permettait de manipuler à son gré l'opinion publique. Pole nous dit en effet que Cromwell « méprisait la simplicité d'esprit de ses concitoyens » [1].

LES ORIGINES DES THÈSES ROYALES
LE « DEFENSOR PACIS »

L'essentiel des idées de Machiavel, c'est que le bon plaisir du prince ne connaît pas de limites ; et ce sera là aussi la thèse que Henri VIII mettra en avant pour justifier la suppression de toute autorité spirituelle indépendante. On trouverait assurément, en fouillant le moyen âge anglais, des précédents à cette théorie du pouvoir divin des rois et de leur suprématie sur l'Église, à laquelle Henri VIII, après avoir ressuscité le conciliarisme, finit par aboutir. Il existait parmi les franciscains anglais une tradition ockhamiste et antipapale, qui semble d'ailleurs n'avoir subsisté que parmi les conventuels ; et Wicliff avait affirmé, peu après 1378, dans son De officio regis, la suprématie du prince sur l'Église, suprématie limitée cependant par la volonté du peuple. Mais il y a tout lieu de croire que ces précédents étaient inconnus à la cour d'Angleterre au moment du schisme, car il n'y est fait aucune allusion dans les écrits de propagande publiés à l'appui de la cause du souverain [2].

C'est sur le continent qu'il faut chercher l'origine des thèses royales. Elles n'apparurent d'ailleurs qu'assez tardivement. Jusqu'à la fin de 1533, Henri VIII tâtonne. Il fait publier, au début de la même année, un pamphlet intitulé Le miroir de la vérité (A glasse of the truthe) où il pousse des pointes dans diverses directions, sans se décider encore à affirmer sa suprématie. L'auteur y représente avec force que le pape est inférieur au concile, insinue que l'Église d'Angleterre pourrait être réunie sous « un seul chef et un seul guide », et fait des concessions verbales aux protestants, comme lorsqu'il cite le texte si souvent reproduit par eux : « Pourquoi transgressez-vous le commandement de Dieu à cause de vos traditions ? » Il excite la xénophobie des sujets du roi. Mais l'essentiel reste encore pour lui de justifier le divorce et le second mariage de Henri VIII [3]. Vers la fin de l'année, celui-ci, acculé au schisme, cherche à découvrir une construction intellectuelle qui lui permette de rompre avec Rome, sans tomber pour cela dans une hérésie qui ferait horreur à ses sujets. Il donne l'ordre aux évêques de « fouiller leurs livres » [4]. Or à ce moment se produit un événement de la plus haute importance : on voit apparaître à la cour le Defensor pacis de Marsile de Padoue, qui avait été composé en 1324 pour soutenir la cause de l'empereur Louis de Bavière contre le pape Jean XXII. L'auteur italien y affirmait la

---

(1) MACHIAVEL, Il principe e le deche, collection Classici Italiani, série 1, vol. XVII, Milan, s. d., p. 110 ; POLE, op. cit., p. 126.
(2) W. W. CAPES, The English Church in the fourteenth and fifteenth centuries (vol. III de STEPHENS and HUNT, A history of the English Church, p. 97-98, 122-123).
(3) A glasse of the truthe, réimprimé dans POCOCK, Records, vol. II, p. 385-421. Citations p. 398, 400.
(4) Letters and Papers, VI, n° 1486.

supériorité du pouvoir civil sur le pouvoir ecclésiastique. Henri VIII avait enfin découvert le précédent qu'il cherchait [1].

L'utilisation en présentait, à vrai dire, quelques difficultés. Le *Defensor pacis* accordait bien au prince tous pouvoirs de gouvernement sur l'Église ; mais il s'inspirait d'un esprit démocratique peu propre à satisfaire Henri VIII. Il plaçait la loi, expression de la volonté du peuple, au-dessus du souverain et voulait que celui-ci fût élu par ses sujets ; il laissait au concile l'autorité suprême en matière spirituelle et consentait que le pape en fût l'agent exécutif. Aussi bien Henri VIII ne fit-il pas connaître aux Anglais la version originale du traité de Marsile. Conformément aux principes de Machiavel, il en fit paraître une traduction truquée, où ne subsistait que ce qui était favorable à ses prétentions. Et, en effet, le *Defensor pacis*, corrigé par le traducteur anglais William Marshall, revendique pour le souverain la plupart des pouvoirs qu'exercera par la suite Henri VIII en tant que chef suprême de l'Église d'Angleterre : celui de donner force de loi aux décrets et décrétales du pape ou des autres évêques ; celui d'exercer toute juridiction coercitive, même sur les hérétiques, d'user de l'excommunication et de l'interdit ; celui de désigner les futurs prêtres, d'attribuer ou de retirer les bénéfices, ainsi que les licences d'enseigner, de disposer des biens temporels du clergé et des fondations pieuses en vue de l'utilité commune. Le roi s'inspirera de ce dernier article lors de la dissolution des monastères [2].

En même temps que paraissait le *Defensor pacis*, Henri VIII faisait publier un ouvrage de propagande qui en reprenait les thèses, en les adaptant plus spécialement à l'Angleterre. Il s'agit des *Articles*, que la page de titre attribue machiavéliquement au conseil royal, mais qui sont en réalité l'œuvre de quelque courtisan. On y voit reparaître la théorie conciliaire. Cranmer y est loué pour avoir prononcé la nullité du premier mariage du roi ; sa décision, nous dit l'auteur, a été bénie du ciel, qui a permis au second mariage de Henri VIII d'être fécond au bout de six mois, et qui a accordé au peuple beau temps, bonne récolte et un air pur, libre d'épidémies. Enfin, les *Articles* nient la juridiction universelle du pape, qu'ils appellent, comme Marsile, l' « évêque de Rome ». Comme Marsile aussi, ils proclament hérétique le pontife régnant [3].

LE « *DIALOGUS INTER MILITEM ET CLERICUM* »
Vers la même époque, Henri VIII découvrit sur le continent un autre précédent, celui de la querelle entre Philippe le Bel et Boniface VIII. Le roi de France avait fait publier en 1296 un pamphlet intitulé *Disputatio inter clericum et militem*, pour y soutenir son droit d'imposer à son clergé une contribution de guerre

---

(1) L'arrivée du *Defensor Pacis* à la cour de Henri VIII est annoncée dans une lettre de l'ambassadeur impérial Chapuys à Charles-Quint, Londres, 27 décembre 1533, ms. de la Staatsarchiv de Vienne, *England*, Berichte, fasc. 5.

(2) P. JANELLE, *L'Angleterre catholique*, p. 252-256. Texte du *Defensor Pacis* (publié d'abord en 1522) dans Melchior GOLDAST, *Status S. Romani Imperii*, Amsterdam, 1631, t. II, p. 154-312. La traduction anglaise s'intitule *The defence of peace*, 1535.

(3) *Articles devised by... the kynges... counsayle*, 1533 ; réimprimés dans POCOCK, *Records*, II, p. 523-531 ; voir en particulier p. 529. Cf. P. JANELLE, *op. cit.*, p. 257-261.

sans l'autorisation du Saint-Siège. L'ouvrage avait été traduit en anglais en 1387 par un wicliffite, John Trevisa. Henri VIII fit imprimer le texte latin sous le titre de *Dialogus inter militem et clericum*, ainsi que la traduction de Trevisa. Nous y trouvons dès maintenant les principaux thèmes qu'utilisera par la suite la propagande royale : le pape n'a d'autre suprématie que celle du Jésus humble de l'Évangile ; le clergé enseigne et célèbre le culte, il n'a aucun pouvoir temporel, pas même celui d'administrer ses propres biens ; le roi le paye pour accomplir son travail, et a le droit d'en contrôler l'exécution. L'auteur invoque l'exemple des rois de l'Ancien Testament, qui ont commandé aux prêtres et aux prophètes, et cite les textes du Nouveau Testament qui prescrivent l'obéissance au pouvoir civil. Tous ces arguments seront repris par les avocats de Henri VIII. C'est dans cette littérature médiévale qu'il faut chercher leur véritable source, et non dans les écrits des réformateurs [1].

Henri VIII fournit cependant des armes à ceux-ci en faisant publier, dans les premiers mois de 1534, un *Petit traité contre les murmures de quelques papistes dans les coins*, où est affirmée la supériorité de la vérité scripturaire sur la tradition. L'Écriture prouve que l' « évêque de Rome, appelé pape », n'est aucunement supérieur ni au roi d'Angleterre, ni aux princes en général. On voit ici poindre la théorie du pouvoir divin des rois, telle que les controversistes à la solde de Henri VIII l'exposeront peu après. Au reste, le *Petit traité*, qui s'élève en termes amers contre l'opposition, en prouve l'existence, voire l'importance. Pour la désarmer, il s'en prend à la pompe du pape et des gens d'Église, sans laquelle la chrétienté connaîtrait l'âge d'or, donnant ainsi de nouveaux gages aux protestants [2].

LES TRAITÉS HUMANISTES Dans ce pamphlet, comme dans le *Miroir de la vérité*, l'auteur s'adressait à la foule ignorante, sur un ton de rondeur bonhomme et populaire. Mais il importait avant tout à Henri VIII, lorsqu'il eut décidé de se rendre maître de l'Église, de convaincre l'élite intellectuelle de son royaume, et en particulier les humanistes chrétiens. Il s'adressa donc aux serviteurs qui avaient fait campagne pour lui dans l'affaire du divorce et leur demanda d'entrer en lice à nouveau, pour défendre sa suprématie. Et en effet nous allons retrouver, côte à côte, les diplomates d'Orvieto et les avocats du procès de Londres, Foxe, Sampson et Gardiner, chacun auteur d'un traité érudit à l'appui des prétentions royales.

LE « DE VERA DIFFERENTIA » DE FOXE Le premier en date des trois traités est celui de Foxe, le *De vera differentia regiae potestatis et ecclesiasticae*, qui remonte aux derniers jours de 1533. Il affirme une fois de plus l'éclatante supériorité

(1) Texte latin dans M. GOLDAST, *Monarchia S. Romani Imperii*, Francfort, 1611, t. I, p. 13-18 ; texte anglais primitif publié par A. J. PERRY, *Dialogus inter militem et clericum*, by John TREVISA, Early English text society, n° 167, Londres, 1925 ; texte réimprimé sur l'ordre de Henri VIII, *A Dialogue betwen a knight and a clerke*, Londres, 1533. Cf. P. JANELLE, *op. cit.*, p. 261-266.
(2) *A litel treatise ageynste the mutterynge of some papistes in corners*, Londres, 1534, reproduit dans POCOCK, *Records*, vol. II, p. 539-551. Cf. P. JANELLE, *op. cit.*, p. 266-270.

de la vérité sur la tradition, ainsi que la sincérité de l'auteur, sur laquelle celui-ci insiste un peu trop lourdement. Il entreprend de représenter la suprématie royale comme un compromis modéré et raisonnable entre ceux qui veulent donner tout pouvoir à la hiérarchie ecclésiastique et ceux qui veulent tout lui ôter — entre les catholiques intransigeants et les protestants ; première apparition de la *Via media*, si chère par la suite aux défenseurs de l'anglicanisme. Le reste du traité n'est qu'une *calena* de textes, principalement patristiques, favorables aux thèses royales. Il se rapproche par beaucoup de points du *Defensor pacis*, dont la traduction anglaise paraissait en même temps que lui.

Foxe nie d'abord le pouvoir temporel du pape et sa suprématie sur les princes. Il conteste l'interprétation traditionnelle du *Tu es Petrus*... et affirme que l'évêque de Rome n'avait aucune prééminence dans la primitive Église. D'après lui, comme d'après Marsile et les fraticelles, le pape et le clergé devraient être astreints à la pauvreté évangélique, et les souverains peuvent les y contraindre, en s'emparant de leurs biens. L'auteur s'écarte toutefois du *Defensor pacis*, lorsqu'il proclame la suprématie absolue des princes sur l'Église. A l'appui de sa thèse, il cite l'exemple des rois de l'Ancien Testament, tout-puissants au spirituel, de Justinien et des rois anglo-saxons, qui ont légiféré pour l'Église. Il semble toutefois qu'il laisse au pape une primauté dans le domaine proprement religieux, celui de l'enseignement de la doctrine, cherchant ainsi, semble-t-il, à calmer ses propres scrupules [1].

L'« ORATIO » DE SAMPSON L'*Oratio* de Sampson est un peu postérieure au *De vera differentia* et remonte à l'année 1534. Elle innove, en ce sens qu'elle porte la question sur le terrain de la piété. Nous devons, dit-elle, manifester notre amour envers Dieu, et pour cela, observer les commandements : or Dieu nous a ordonné d'obéir à nos supérieurs. L'essentiel de la théorie qui va être soutenue par Gardiner apparaît déjà ici : les sujets du prince lui doivent une obéissance absolue et sans conditions. S'ils désobéissent, ils se damnent pour l'éternité et méritent une peine temporelle dès cette vie. Suivent des considérations sur la fonction royale et une diatribe contre les vices de la curie romaine et les usurpations papales, qui sont historiquement récentes. L'ouvrage prouve au reste, comme celui de Foxe, l'embarras de l'auteur, et devant la difficulté d'expliquer le loyalisme de l'Angleterre médiévale envers le Saint-Siège, et devant le traditionalisme de ses contemporains [2].

LE « DE VERA OBEDIENTIA » DE GARDINER Gardiner, en disgrâce depuis l'affaire des libertés du clergé, résistant sourdement à Henri VIII, et sans doute troublé par des scrupules, attendit dix-huit mois avant de se joindre au chœur des apolo-

(1) Texte réimprimé dans M. Goldast, *Monarchia*, t. III, Francfort,1613, p. 22-45. Pour la date de l'apparition du traité, voir une lettre de Chapuys à Charles-Quint, Londres, 3 janvier 1534. ms. de la Staatsarchiv de Vienne, *England*, Berichte, fasc. 5. Cf. P. Janelle, *op. cit.*, p. 271-281.
(2) Texte réimprimé dans Edwardus Brown, *Ortwini Gratii Fasciculus rerum expetendarum*, Londres, 1690, t. II, n° 51, p. 820 et suiv. et dans Strype, *Ecclesiastical memorials*, édit. Oxford, 1822, vol. I, 2e p., p. 162-175. Cf. P. Janelle, *op. cit.*, p. 281-285.

gistes de Henri VIII. Il ne rentre en scène qu'après la mort de Fisher, avec un pamphlet dont les premiers mots sont *Si sedes illa*, qui répond au bref de Paul III à François Ier sur l'exécution de l'évêque de Rochester. De cette pièce satirique destinée uniquement à un usage diplomatique, violente et grossière dans le ton, et souverainement hypocrite, nous ne retiendrons qu'une chose : l'auteur affirme avec force que Henri VIII n'a aucunement l'intention de se séparer de l'Église universelle. Dès ce moment, on entrevoit une thèse, voisine de celle de Charles-Quint, qui soumet l'Église aux princes temporels, les engage à s'entendre pour la gouverner, mais rejette l'idée même de schisme ou d'hérésie. « Est-il hérétique, s'écrie Gardiner, [ce roi] qui a toujours aimé et honoré la religion du Christ et qui l'a maintenue saine et sauve contre les hérésies ? Est-il schismatique, celui qui a toujours souhaité dans l'Église du Christ, et fait régner de tout son pouvoir, l'accord sur la pure doctrine [1] ? »

Ce même désavœu du schisme et de l'hérésie sera repris dans le *De vera obedientia* de Gardiner, le plus illustre des traités composés pour soutenir la cause de Henri VIII. Cet ouvrage, d'un mérite littéraire réel, était, en même temps qu'un plaidoyer pour le roi, une tentative de justification de la volte-face exécutée par l'auteur, naguère encore éminent représentant du traditionalisme religieux. Aussi son retentissement fut-il considérable. Deux éditions en furent publiées dans les centres protestants du continent, à Hambourg et à Strasbourg, où elles donnèrent à croire que Henri VIII s'était prononcé pour la Réforme. L'ouvrage ne contient pourtant rien qui soit essentiellement neuf. Les idées qu'il exprime sont en grande partie celles de Marsile, du *Dialogus*, de Foxe et de Sampson. S'il est en quelque mesure original, c'est parce que non seulement il outre la théorie de l'obéissance aux princes, mais place la question sur un terrain plus général et donne à l'obéissance, prise en elle-même, une place essentielle parmi les vertus chrétiennes. Partant de là, Gardiner affirme que les sujets ont le devoir de se soumettre au roi en tout point, même s'il outrepasse ses droits. Dans ce dernier cas, Dieu seul a le pouvoir de le juger et de le punir. L'obéissance ne peut être refusée que si le souverain donne des ordres contraires à la volonté de Dieu ; mais il est évident que, pour Gardiner, cela n'a aucune chance de se produire.

On ne saurait imaginer, poursuit Gardiner, que le roi, chef de son peuple, ne le soit pas en tout. Et il cite, lui aussi, l'exemple de Justinien, qui a « légiféré sur la Sainte Trinité, sur la foi catholique, sur les évêques, sur les clercs, sur les hérétiques ». Que devient donc la primauté de Pierre ? Elle ne peut être, nous dit l'auteur, qu'une primauté de mérite, comme celle du premier parmi les médecins ou du premier parmi les peintres ; elle ne confère aucun pouvoir de gouvernement. Le pape est semblable à un chapelain, chargé des fonctions de précepteur dans une famille. S'il

_____

(1) Ms. du Public Record Office, *State papers I*, vol. 94, fol. 154a-213a (texte latin avec traduction anglaise du temps). Réimprimé dans P. JANELLE, *Obedience in Church and State*, Cambridge, 1930, p. 22-65. Cf. *ibid.*, préface, p. XXI-XXIV ; P. JANELLE, *L'Angleterre catholique*, p. 285-295.

y a quelque décision à prendre, c'est le père de famille, non le chapelain, qui la prendra. Si le chapelain se conduit mal, le père de famille peut le renvoyer. C'est ce que vient de faire le roi d'Angleterre, agissant au nom de l'Évangile. Gardiner n'indique pas d'une matière précise quels sont les pouvoirs d'ordre religieux qu'il revendique pour le prince ; mais il n'en exclut d'une manière formelle que la prédication et l'administration des sacrements. Pour appliquer à l'Angleterre un terme qui se rapporte ordinairement à l'Empire, son livre est l'exposé le plus complet et le plus catégorique de la théorie du césaro-papisme. Nous avons déjà dit, au reste, les causes qui prédisposaient les humanistes chrétiens à une attitude de soumission à la volonté royale. Il faudra la secousse du règne d'Édouard VI pour que Gardiner en vienne à se réclamer des droits de la conscience [1].

§ 6. — La destruction des monastères.

LES CAUSES　　La dissolution des monastères par Henri VIII est due à deux ordres de causes. D'une part, ils représentaient l'universalisme chrétien du moyen âge, en opposition avec le nationalisme religieux dont s'inspirait le roi. La plupart des ordres avaient leur centre hors d'Angleterre ; ils étaient, de ce fait, favorables à cette organisation internationale de l'Église, dont le pape était le chef, et hostiles à la politique du souverain. Ils constituaient, sur sa route, un dernier obstacle dont il fallait se débarrasser [2]. D'autre part, les biens d'Église étaient pour beaucoup une proie tentante. Dès 1531, un pamphlétaire, Simon Fish, avait publié sa *Supplique des mendiants*, diatribe violente contre le clergé, qu'il accusait d'avoir accaparé, au cours des quatre siècles passés, le tiers des biens du royaume, au détriment des « lépreux et autres malades, nécessiteux, impotents, aveugles, boiteux. » Il invitait le roi à faire fouetter les oisifs du clergé en place publique, à les contraindre au travail et à se saisir de leurs richesses. Simon Fish n'était pas loin de compte. Les terres de l'Église représentaient le quart de la fortune immobilière de l'Angleterre et les ordres religieux en possédaient une large part [3]. Il y avait là de quoi exciter la convoitise, non seulement du roi, mais aussi de toutes les classes de la population, qui avaient hâte de se partager les dépouilles des monastères.

LES PRÉCÉDENTS　　L'expropriation des biens monastiques n'était pas, à vrai dire, chose nouvelle en Angleterre. Elle avait été pratiquée au moyen âge, et en particulier à l'époque de la guerre de Cent ans, à l'égard des « prieurés étrangers » (*alien priories*) qui dépen-

---

(1) Éditions du *De vera obedientia*, Londres, 1535, Strasbourg, 1536, Hambourg, 1536 ; texte réimprimé dans M. GOLDAST, *Monarchia*, t. I, p. 716 et suiv. (d'après l'édition de Strasbourg) ; dans E. BROWN, *Fasciculus*, t. II, p. 800-820 (d'après l'édition de Hambourg) ; dans P. JANELLE, *Obedience*, p. 67-170 (texte de l'édition originale et traduction anglaise de 1553). Pour la citation, voir *ibid.*, p. 116-118. Cf. P. JANELLE, *Angleterre catholique*, p. 295-313.
(2) F. A. GASQUET, *Monasteries*, 8e édit., Londres, 1925, p. 75-77 ; G. CONSTANT, *op. cit.*, p. 75-76, 436 (n. 6-8).
(3) Texte réimprimé dans FOXE-PRATT, vol. IV, p. 659 et suiv. Cf. G. CONSTANT, *op. cit.*, p. 80-81, 440-442 (n. 45-53) ; F. A. GASQUET, *op. cit.*, édit. 1925, p. 77.

daient de maisons-mères situées sur le continent. Ces prieurés furent
finalement supprimés en 1414, mais bien que le roi Henri V affirmât
son droit de saisir leurs biens, il les consacra à des fondations charitables
ou à des œuvres d'enseignement [1]. A mesure que l'institution monastique
perdait de sa vitalité, on prit l'habitude de dissoudre des couvents pour
en affecter les revenus à la création d'hôpitaux et de collèges ; on relève
plusieurs exemples de telles supressions au cours du XVe siècle [2].
Wolsey agit dans le même sens, et la manière dont il se comporta fournit
à Henri VIII un exemple qu'il devait suivre dans un esprit bien différent.
Il se fit conférer par le pape Léon X des pouvoirs exceptionnels pour la
visite et la réforme des ordres religieux [3]. Humaniste convaincu, il voulut
fonder un collège à Oxford (New College) et un autre à Ipswich, sa ville
natale, en leur attribuant les revenus de divers monastères supprimés.
Il procéda à la dissolution de vingt-neuf maisons religieuses entre 1524
et 1528, avec une brutalité qui souleva l'opposition populaire et suscita
même des émeutes [4].

L'un de ses agents n'était autre que Thomas Cromwell, qui se faisait
ainsi la main. Dans certains cas, Wolsey accepta de surseoir à la suppression, en échange de dons en argent [5] ; dans d'autres, il provoqua de la
part des religieux la cession soi-disant volontaire de leurs maisons. Il
sollicita du roi, et obtint de Clément VII, la permission de procéder à
la dissolution des monastères comptant moins de douze religieux, où
régnaient, disait-il, l'indiscipline et l'immoralité, et d'en consacrer le
produit à la création de cathédrales [6]. On reconnaît dès à présent les lignes
générales de la politique plus tard adoptée par Henri VIII pour la spoliation totale du corps monastique.

LA SUPPRESSION DES PETITS MONASTÈRES — Henri VIII songeait depuis longtemps à distribuer les biens d'Église, afin de se créer une
clientèle de partisans, décidés à soutenir sa poli-
tique religieuse. Il prit prétexte pour le faire de l'état moral des monastères. Celui-ci n'était certes pas irréprochable. Les procès-verbaux des
visites épiscopales, dans les premières années du XVIe siècle, signalent
de graves abus [7]. Cependant ceux-ci étaient loin de justifier une mesure
aussi brutale que la suppression, que Cromwell, parmi les conseillers du
roi, était seul à réclamer. Il fallait cependant, à tout prix, trouver des
raisons pour dissoudre les monastères ; et le vicaire général du roi fut
chargé d'en faire entreprendre une visite d'ensemble. Il utilisa pour cela
plusieurs agents peu qualifiés, des ecclésiastiques obscurs et d'une réputation douteuse, tels que Layton, London, Ap Ryce, et un laïc, Leigh.
Les enquêteurs parcoururent toute l'Angleterre avec une rapidité incroyable. Moins de trois mois suffirent à Leigh pour visiter les maisons

(1) F.-A. Gasquet, *op. cit.*, édit. 1888, p. 40-55.
(2) *Ibid.*, p. 40-55, et G. Constant, *op. cit.*, p. 77, 437 (n. 16-22).
(3) *Ibid.*, p. 71-72.
(4) *Ibid.*, p. 85 ; G. Constant, *op. cit.*, p. 78, 437-438 (n. 25-28).
(5) F. A. Gasquet, *op. cit.*, édit. 1888, p. 87.
(6) *Ibid.*, p. 84 ; G. Constant, *op. cit.*, p. 78, 438-349 (n. 31, 35).
(7) Cf. par ex. *English Historical Review*, vol. III, 1888, p. 704-722, *Visitation of the monastery*
o *Thame* 1526.

religieuses de neuf comtés. Ils recueillirent partout des on-dit sur la dépravation morale des moines et des nonnes, sans leur laisser aucune des garanties qui leur eussent permis de se défendre. Ils s'appliquèrent surtout de leur mieux à désorganiser les monastères, à en détruire l'ordre et la discipline, à atteindre le moral de leurs habitants. La délation et la désobéissance furent encouragées ; on fit sortir du cloître les moines et les moniales âgés de moins de vingt-quatre ans, qui avaient prononcé leurs vœux avant vingt ans. Qui plus est, on usa de tous les moyens pour amener ceux qui restaient à quitter d'eux-mêmes les monastères. On les soumit à des contraintes gênantes. On leur prêcha même les doctrines des novateurs.

S'il faut en croire Sanders, Leigh poussait les moniales à la débauche. Les visiteurs exigèrent qu'on leur remît « les ornements les plus précieux des églises et les reliques des saints. La visite, nous dit encore Sanders, fut conduite de telle sorte, que le roi saisit toute occasion de bouleverser les monastères, dont il convoitait avidement les biens. » Cette politique de démoralisation n'eut cependant pas le résultat escompté : très peu de religieux et de religieuses profitèrent de l'occasion qui leur était offerte de changer de vie et la plupart restèrent fidèles à leurs supérieurs [1].

Il fallut donc en venir à des mesures de contrainte. Le Parlement se laissa persuader, sans grande résistance, et sans doute parce qu'il espérait avoir part à la curée, d'obéir à la volonté royale. Il votait, en février 1536, un projet de loi qui supprimait tous les « petits » monastères, ceux dont le revenu était inférieur à deux cents livres sterling, et qui étaient accusés de tous les crimes, alors que les « grands » monastères étaient pour le moment absous et tolérés. Nouvel exemple, nous dit Sanders, de l'habileté tactique du roi, qui procédait par étapes et espérait ainsi désarmer les grands abbés, membres de la Chambre des Lords [2]. Dix mille moines et moniales, appartenant à trois cent vingt maisons religieuses, étaient ainsi libérés. Loin de les punir pour les méfaits dont ils étaient accusés, la loi se déjugeait jusqu'à leur accorder à chacun une pension, minime il est vrai. Henri VIII ne se souciait pas de pousser l'opinion à bout et pouvait, en accordant des dispenses contre argent comptant, se créer une source de revenus. Il laissa donc subsister cinquante-deux monastères, moyennant un paiement annuel. Mais quant à ceux qui furent dissous, un tribunal spécial, au nom significatif, la « Cour des augmentations », fut créé pour les rattacher à la couronne. Celle-ci s'appropria de la sorte 32.000 livres sterling de revenus annuels, plus 100.000 livres provenant de la vente des cloches, des joyaux, du mobilier des couvents [3].

LE « PÈLERINAGE DE GRACE » La dissolution des petits monastères fut la cause immédiate de la rébellion qui se produisit à l'automne de 1536 dans les comtés du nord de l'Angle-

---

(1) N. SANDERS, op. cit., p. 105 ; F. A. GASQUET, op. cit., édit. 1925, chap. IX ; G. CONSTANT, op. cit., p. 85-87, 446-448 (n. 82-94).

(2) N. SANDERS, op. cit., p. 106 ; G. CONSTANT, op. cit., p. 93-94, 452-454 (n. 127-135).

(3) F. A. GASQUET, op. cit., édit. 1925, p. 190 et chap. XXI ; G. CONSTANT, op. cit., p. 94, 454 (n. 137-141).

terre. Dans cette région montagneuse et sauvage, les maisons religieuses offraient un asile aux voyageurs ; elles traitaient leurs fermiers et leurs ouvriers avec plus d'humanité que ne devaient le faire les nouveaux propriétaires laïques. C'étaient les centres naturels de la vie économique et sociale. Le soulèvement eut à vrai dire d'autres causes, d'ordre religieux principalement. Le peuple avait espéré que le roi reviendrait à la foi catholique après la mort d'Anne Boleyn ; il était déçu qu'il n'en eût rien fait. Il s'irritait de voir Cromwell et Cranmer favoriser la diffusion du protestantisme. Il s'élevait en outre contre l'aggravation de la fiscalité royale.

L'insurrection débuta dans le Lincolnshire, le 1er octobre 1536. Le 6 octobre, les rebelles entraient à Lincoln, portant une bannière où figuraient, autour du nom de Jésus, les cinq plaies du Sauveur, le calice avec l'hostie, une charrue et une corne d'abondance. Ils réclamaient le bannissement de divers personnages officiels, dont Cromwell, Cranmer et le protestant Latimer, évêque de Worcester. Malheureusement leur mouvement n'avait pas le mordant qui seul en eût assuré le succès. Il était moralement désarmé par un loyalisme à l'égard du souverain, absolu et sans cesse affirmé. En moins de quinze jours, Henri VIII, en mêlant la menace à la flatterie, eut raison de ce premier soulèvement. Les insurgés se dispersèrent paisiblement, ce qui n'empêcha pas quarante-six d'entre eux de monter sur l'échafaud en mars 1537 [1].

Cependant les comtés du Yorkshire, du Cumberland et du Westmoreland s'étaient soulevés à leur tour, pour réclamer le rétablissement de la suprématie pontificale et des monastères, ainsi que la répression de l'hérésie. Les rebelles avaient pour chef un homme de loi, Robert Aske. Ils organisèrent une « marche sur Londres » connue sous le nom de « Pèlerinage de grâce ». Ils s'emparèrent sans difficulté du château de Pomfret, où s'étaient enfermés l'archevêque d'York, Roland Lee, et le gouverneur du comté, lord Darcy, et gagnèrent ces deux hommes à leur cause. Hull tomba à son tour. Les forces des insurgés s'élevaient à 35.000 cavaliers. Le roi ne disposait pour leur résister que de 8.000 hommes sous les ordres du duc de Norfolk. Il usa de nouveau d'une habile diplomatie, en spéculant sur le loyalisme des « pèlerins ». Une trêve fut conclue le 27 octobre. Une députation des insurgés vint à Windsor exposer leurs revendications au souverain. Celui-ci ayant donné une réponse dilatoire et insuffisante, des demandes plus précises furent formulées, le 2 décembre, par une assemblée réunie à Pomfret. Norfolk céda, promit un Parlement libre et une amnistie générale. Henri VIII renouvela les mêmes promesses à Robert Aske, qu'il gagna par son affabilité. Une fois de plus, les rebelles, divisés entre eux sur l'attitude à adopter, se dispersèrent. Et le roi, reprenant sa parole, étouffa dans le sang ce qui restait du soulèvement. Aske et Darcy furent exécutés. Loin d'arrêter la suppression des monastères, le « Pèlerinage de grâce » devait avoir pour résultat de l'accélérer [2].

(1) N. SANDERS, *op. cit.*, p. 120 ; J. GAIRDNER, *op. cit.*, p. 179 ; G. CONSTANT, *op. cit.*, p. 96-99, 455-457 (n. 148-164) ; et surtout F. A. GASQUET, *op. cit.*, édit. 1925, chap. XI.
(2) N. SANDERS, *op. cit.*, p. 120-122 ; F. A. GASQUET, *op. cit.*, édit. 1925, chap. XII ; G. CONSTANT, *op. cit.*, p. 99-104, 457-462 (n. 165-198) ; J. GAIRDNER, *op. cit.*, p. 179-182.

Il semble que, jusqu'au bout, Henri VIII ait hésité à déclarer qu'il s'en prenait au corps monastique tout entier. Il continua à agir progressivement et en usant de moyens détournés. Aucune loi ne fut votée pour la dissolution des grands monastères. Mais on fit pression sur leurs supérieurs pour qu'ils les remissent d'eux-mêmes entre les mains du souverain. Cromwell s'efforça tout d'abord de briser la résistance des chartreux qui, même après l'exécution de Houghton et de ses compagnons, étaient restés hostiles à la suprématie royale. Il remplaça Houghton comme prieur de la Chartreuse de Londres par un moine qu'il avait réussi à gagner à la cause de Henri VIII, William Trafford ; celui-ci fit abandon de sa maison au roi, le 10 juin 1537. Trois des moines restés fidèles à Rome furent exécutés, neuf autres moururent en prison [1]. Après la disparition des chartreux, qui étaient les plus fermes soutiens de l'ancien ordre de choses, aucune résistance sérieuse n'était à prévoir. En janvier 1538, Leigh et Layton entreprenaient la visite des monastères qui subsistaient encore ; mais cette fois, ils présentèrent aux moines des documents tout préparés par lesquels ils devaient faire abandon de leurs maisons à la couronne.

Tout les incitait à lâcher pied. Plusieurs monastères avaient été dissous illégalement après que leurs abbés, compromis dans le soulèvement du Nord, eurent été condamnés pour haute trahison ; une semblable menace pesait sur tous les autres et fut même mise à exécution dans le cas de deux d'entre eux. Il n'est pas étonnant, dans ces conditions, que les « cessions spontanées » se soient succédé avec rapidité au cours des années 1537 à 1539. La plupart des grandes abbayes disparurent ainsi, de même que les deux cents maisons des ordres mendiants [2]. Le Parlement vota en avril 1539 une loi qui sanctionnait la prise de possession par la couronne des biens des monastères déjà cédés ou devant être cédés à l'avenir ; ces biens seraient employés à des fins religieuses, à des œuvres d'enseignement ou d'assistance publique ; promesses qui avaient pour but de rassurer le Parlement, mais qui ne furent pas tenues [3].

Trois grands monastères, toutefois, refusèrent de céder à la pression royale. C'étaient ceux de Reading et de Colchester et l'illustre et légendaire abbaye de Glastonbury. En septembre 1539, les trois abbés, Hugh Cook, Thomas Beche et Richard Whiting, furent arrêtés. Whiting fut mis à mort à Glastonbury même ; sa tête fut placée sur la porte de l'abbaye, son corps découpé en quartiers fut exposé dans plusieurs villes. Cook fut pendu à Reading avec deux autres prêtres. Beche, qui avait exprimé sa sympathie pour More et Fisher, fut exécuté le 1er décembre. Toute résistance était brisée, et le dernier monastère subsistant, l'abbaye de Waltham, se rendit au roi le 23 mars 1540 [4]. Continuant la même poli-

---

(1) F. A. Gasquet, *op. cit.*, édit. 1925, p. 70-74 ; G. Constant, *op. cit.*, p. 463-464 (n. 202) ; J. Gairdner, *op. cit.*, p. 197-198.

(2) F. A. Gasquet, *op. cit.*, édit. 1925, chap. xiv-xvii ; G. Constant, *op. cit.*, p. 104-107, 462-466 (n. 199-220).

(3) N. Sanders, *op. cit.*, p. 134 ; F. A. Gasquet, *op. cit.*, édit. 1925, p. 428-434 ; G. Constant, *op. cit.*, p. 106, 464 (n. 210-211).

(4) N. Sanders, *op. cit.*, p. 137-139 ; F. A. Gasquet, *op. cit.*, édit. 1925, chap. xviii ; G. Constant, *op. cit.*, p. 106-107, 464-467 (n. 212-220) ; J. Gairdner, *op. cit.*, p. 210-211.

tique de spoliation, Henri VIII devait, en 1545, faire déclarer par le
Parlement qu'il avait le droit de mettre la main sur les biens des hôpitaux
et collèges et sur les fondations pieuses ; droit dont devait user le gouvernement de son successeur Édouard VI [1].

*AVANCES FAITES
AUX PROTESTANTS* Henri VIII et Cromwell avaient besoin, pour
supprimer les monastères, de faire appel aux
doctrines protestantes et de favoriser leur diffusion.
Aussi s'en prirent-ils à ce culte des saints qui était l'un des fondements
de l'institution monastique et dont l'élément surnaturel et merveilleux
choquait le rationalisme des novateurs. Ils s'attaquèrent à tout ce qui
rappelait l'intervention miraculeuse des bienheureux, images, sanctuaires,
lieux de pèlerinage. Il existait à l'abbaye de Boxley (Kent) une figure
du Christ en croix dont un mécanisme faisait mouvoir les yeux et les
lèvres. On l'exhiba à Londres, à l'extérieur de la cathédrale Saint-Paul ;
l'évêque Hilsey, dans un sermon, prétendit que les moines avaient voulu
s'en servir pour tromper le peuple. A ce propos, il fit allusion aux images
en général et fit entendre qu'elles seraient bientôt supprimées. Il parla
également d'une relique conservée à l'abbaye de Hayles et qui contenait
le « saint sang » du Sauveur ; la femme d'un meunier, ajoutait-il, lui
avait dit en confession, vingt ans auparavant, qu'à en croire l'abbé
de Hayles, son amant, le « saint sang » n'était que du sang de canard.
En 1538, le roi eut l'ingénieuse idée de faire venir du nord du Pays de
Galles une énorme image en bois de saint Devfel, dite en gallois Darvell
Gadarn, qui avait orné un lieu de pèlerinage, et de s'en servir pour brûler
le franciscain John Forest, ancien confesseur et père spirituel d'Anne
d'Aragon, qui refusait de reconnaître la suprématie royale [2].

Pendant les années 1538 et 1539, on s'acharna sur les lieux de pèlerinage ; on en retira les statues miraculeuses, les ex-voto. Tel fut le cas
pour Notre-Dame de Walsingham, dont le sanctuaire était encore pleuré
par un poète catholique sous le règne d'Élisabeth [3] ; pour la piscine de
Buxton ; pour Saint-Modwen à Burton-on-Trent ; pour Notre-Dame
d'Ipswich. Mais il était une dévotion à laquelle Henri VIII avait des raisons
particulières de s'attaquer : c'était celle de saint Thomas Becket, archevêque de Cantorbéry, assassiné par les serviteurs de Henri II pour avoir
été fidèle à la papauté. Le souverain Tudor vengea les injures du Plan-
tagenet. Il déclara Thomas Becket traître et le condamna à avoir son
image détruite, son nom rayé de la liturgie, sa châsse fondue. On mit
à sac le sanctuaire du saint, enrichi par des générations de pèlerins ;
on en retira de pleines charretées d'or, d'argent, de pierreries ; ses
reliques furent brûlées et ses cendres jetées à la rivière (septembre

(1) N. SANDERS, *op. cit.*, p. 162.
(2) Sur le Christ de Boxley et le sermon de Hilsey, cf. J. GAIRDNER, *Lollardy*, p. 123-132, 173,
cité par MAYNAARD SMITH, *op. cit.*, p. 178-180 ; J. GAIRDNER, *English Church*, p. 199. Sur Darvell
Gadarn, cf. BARING GOULD et FISHER, *British Saints*, p. 333-336 ; FOXE-PRATT, *op. cit.*, V, p. 179-
181 ; N. SANDERS, *op. cit.*, p. 127 ; J. GAIRDNER, *op. cit.*, p. 200. Sur Forest, cf. N. SANDERS,
op. cit., p. 107-110. Lors de l'exécution du franciscain, Latimer tenta en vain de lui faire faire
amende honorable.
(3) J. GAIRDNER, *op. cit.*, p. 201 ; F. A. GASQUET. *op. cit.*, édit. 1925, p. 144-145 ; Louise Imogen
GUINEY, *Recusant poets*, Londres, 1938, p. 350, 355-356.

1538). Un tel outrage ne pouvait manquer de provoquer l'indignation du pape : la sentence d'excommunication contre Henri VIII fut renouvelée et la bulle de condamnation préparée depuis trois ans déjà fut publiée [1].

LE PILLAGE DES MONASTÈRES — Le roi avait donné l'exemple du pillage. Ses agents suivirent ses traces. On ne chercha pas un moment à exploiter rationnellement les terres et les immeubles monastiques saisis. On n'eut qu'un but : en tirer argent le plus rapidement possible. Les objets précieux (neuf tonnes d'or et d'argent, nous dit-on) [2] furent envoyés à Londres. Quant au reste, tout ce qui pouvait être enlevé des bâtiments conventuels fut vendu, souvent à vil prix : objets du culte, vêtements sacerdotaux, lingerie d'autel, mobilier, cloches, boiseries, vitraux, tuiles, ardoises, et surtout le plomb des toits. Les stalles des chœurs servirent de bois de chauffage. Des marchands suivaient pas à pas les visiteurs royaux. Les bibliothèques mêmes des monastères ne furent pas épargnées. Le parchemin des manuscrits passa entre les mains des épiciers ou des relieurs. D'inestimables richesses intellectuelles furent ainsi détruites. L'opération dans son ensemble rapporta au roi 1.423.500 livres sterling : mais ce n'était pas assez, dit Sanders, « pour payer ses plaisirs d'une seule année ». Quant aux biens immobiliers, Henri VIII n'en garda pour lui-même qu'une faible partie (37.000 livres sterling de revenu sur 200.000). Le reste fut, soit distribué aux favoris du roi, soit vendu. Les comptes de la Cour des augmentations, de 1536 à 1546, ne sont qu'une longue liste de telles cessions [3].

LES CONSÉQUENCES DE LA DISSOLUTION — La dissolution des monastères bouleversa la vie sociale et politique de l'Angleterre. Les biens d'Église ne passèrent entre les mains de la haute et petite noblesse que dans la proportion de moins d'un quart ; le reste alla à des roturiers : fonctionnaires, hommes de loi, négociants, boutiquiers, paysans. En outre, bien des nobles, contraints de dépenser beaucoup d'argent pour faire figure à la cour, vendirent leurs domaines monastiques à des gens du commun, ou leur donnèrent leurs filles en mariage. Il se forma ainsi, sur les ruines des monastères, une classe sociale nouvelle : classe de propriétaires, à une époque où la possession de la terre était une garantie d'influence politique ; classe que l'origine même de sa richesse attachait au protestantisme. C'est elle qui fit la fortune de la Chambre des Communes, à une époque où la Chambre des Lords, appauvrie, déclinait ; c'est elle qui partit en guerre contre l'absolutisme catholicisant de Charles Ier et de Laud et qui fit la première révolution d'Angleterre [4].

(1) N. SANDERS, *op. cit.*, p. 130-131 ; G. CONSTANT, *op. cit.*, p. 163, 189, 608-610 (n. 116-120) ; F. A. GASQUET, *op. cit.*, édit. 1925, p. 408-410.
(2) *Ibid.*, chap. XIX ; G. CONSTANT, *op. cit.*, p. 107-109, 467 (n. 224-229).
(3) *Ibid.* ; N. SANDERS, *op. cit.*, p. 142, 158.
(4) J. B. LILJEGREN, *The fall of the monasteries and the social changes in England leading up to the great revolution*, Lund, 1924, *passim*.

Par ailleurs, si la spoliation des monastères fit l'affaire de quelques-uns,
elle ouvrit, pour un beaucoup plus grand nombre, l'ère du paupérisme
en Angleterre. Les maisons religieuses avaient, jusqu'à la dissolution,
joué le rôle de l'Assistance publique. Elles fournissaient des moyens
d'existence à une foule de fermiers et d'artisans ; elles entretenaient
une grande partie du clergé paroissial ; elles subvenaient aux besoins
de nombreux étudiants. Les nouveaux propriétaires de biens monastiques rejetèrent ces charges et prirent en outre l'habitude d'enclore les
communaux afin de se les approprier ; ils provoquèrent ainsi l'appau-
vrissement des paysans, qui par la suite désertèrent la campagne pour
peupler les villes industrielles. La division, si caractéristique en Angleterre, de la société en classes bien accusées, et la législation contre la
mendicité, considérée comme un crime, remontent à la suppression des
monastères. Elle eut aussi pour conséquence un déclin très net des études,
sur lequel se lamente même un protestant comme l'évêque Latimer [1].

§ 7. — Les progrès du protestantisme.

LES VICISSITUDES DE LA POLITIQUE ROYALE L'Église henricienne, une fois séparée de Rome,
allait devenir un champ clos où s'affronteraient
novateurs et traditionalistes. Le roi avait favo-
risé les premiers, tant qu'ils pouvaient l'aider à se débarrasser de l'autorité de Rome et à se rendre maître du clergé ; jusqu'au bout, il devait
témoigner sa reconnaissance à certains d'entre eux, tels que Cranmer.
Mais par ailleurs, ses préférences intimes ne l'inclinaient pas aux nouveautés ; à la pensée qu'il les avait introduites en Angleterre, il éprouvait
sans doute quelques remords. De là les flottements de sa politique religieuse. Tantôt il fait imprimer une Bible protestante, proscrit les images
et le culte des saints ; tantôt il persécute ceux qui nient la transsubstantiation. Au reste, on peut distinguer, dans ses années de suprématie,
deux périodes successives : celle où, continuant sur son erre, il aide le
protestantisme à s'installer en Angleterre et se rapproche des réformateurs continentaux ; et celle où, à l'approche du concile de Trente,
le catholicisme relève la tête à l'intérieur de l'anglicanisme, où le roi
lui-même se laisse convaincre par les défenseurs de la « vieille religion »
et recherche l'alliance d'un empereur dont les prétentions à l'orthodoxie,
tout autant qu'au gouvernement de l'Église, sont assez voisines des
siennes propres.

FAVEUR MONTRÉE AUX PROTESTANTS Dès que Henri VIII sentit qu'il aurait besoin du
soutien des novateurs pour son divorce, c'est-à-
dire dès 1528, il commença à leur donner des
encouragements. John Foxe, l'auteur des *Acts and Monuments*, nous
raconte comment Anne Boleyn remit à son royal prétendant la *Supplication des mendiants* de Simon Fish ; comment le roi fit rentrer celui-ci

(1) F. A. GASQUET, *op. cit.*, édit. 1888, vol. II, chap. XII ; pour les lamentations de Latimer,
ibid., p. 518 ; G. CONSTANT, *op. cit.*, p. 113, 473 (n. 258).

de l'exil auquel l'avait contraint la colère de Wolsey ; comment il le fit venir, l'embrassa et causa avec lui pendant trois ou quatre heures, et enfin lui donna son anneau pour qu'il le présentât au chancelier Thomas More, afin d'échapper à toutes poursuites [1]. Henri VIII avait été favorablement impressionné par un ouvrage de William Tyndale, l'*Obéissance du Chrétien*, qui prescrivait la soumission aux princes, et qui lui avait aussi été présenté par Anne Boleyn : « Ce livre est bon à lire, avait-il dit, pour moi-même et pour tous les rois. » Tyndale était réfugié à Anvers. Il chercha à le faire rentrer en Angleterre, jusqu'au moment où le réformateur, dans sa *Pratique des prélats*, prit parti contre le divorce du roi. Celui-ci fit également pressentir par un ambassadeur le protestant John Frith, qui avait écrit contre l'évêque Fisher, contre Thomas More et son beau-frère John Rastell, et qui s'était exilé en Hollande. Robert Barnes, docteur en théologie et prieur des frères augustins de Cambridge, avait fui en Allemagne ; il y avait publié un ouvrage en faveur de la confession de foi luthérienne. L'ambassadeur anglais Stephen Vaughan communiqua le livre à Henri VIII, qui donna un sauf-conduit à Barnes pour rentrer en Angleterre. More affecta de croire que le roi avait été poussé à de telles mesures de clémence uniquement par l'espoir de voir les hérétiques venir à résipiscence ; mais, au fond de lui-même, il ne pouvait guère s'y tromper [2].

AVANCES FAITES AUX LUTHÉRIENS D'ALLEMAGNE

Henri VIII modelait en effet sa politique intérieure sur sa politique extérieure. Or diverses circonstances lui faisaient une nécessité de rechercher l'amitié des protestants allemands. Il fallait faire échec à l'empereur, neveu de Catherine d'Aragon, et que divers nobles anglais sollicitaient d'intervenir dans leur pays. Il fallait également faire échec aux préparatifs faits par Paul III en vue d'un concile général qui, s'il avait réussi, aurait pu réaliser l'union de Charles-Quint et de François Ier contre le roi schismatique. Aussi bien, dès janvier 1534, Henri VIII avait-il chargé deux envoyés d'une mission auprès de plusieurs princes allemands, dont ils devaient solliciter l'approbation pour le divorce royal [3]. En novembre 1535, deux ambassadeurs, Edward Foxe et Nicolas Heath, étaient à leur tour dépêchés en Allemagne. Ils se rendirent d'abord à Strasbourg, où ils conférèrent avec le réformateur Martin Bucer ; ils lui présentèrent le texte du *De vera obedientia* de Gardiner, dont il fit imprimer une nouvelle édition, avec une préface fort élogieuse. Peu après, deux autres représentants de Henri VIII, Edward Caundish et Edmund Bonner, faisant route vers le Danemark, s'arrêtèrent à Hambourg. Il y siégeait alors une diète protestante qui, recevant à son tour l'opuscule

(1) Foxe-Pratt, *op. cit.*, vol. IV, p. 657-658.
(2) Pour Tyndale, voir *The obedience of a Christen man...* dans *Parker society publications*, vol. 43, Cambridge, 1848, p. 127-344 et J. Gairdner, *op. cit.*, p. 126 ; pour Frith, voir *ibid.*, p. 128 et More, *Apologye*, édit. Taft, p. xxxii-xxxv. Pour Barnes, *ibid.*, p. xxxvi et J. Gairdner, *op. cit.*, p. 125-126.
(3) Sur les motifs de la politique de Henri VIII, voir *ibid.*, p. 162 ; sur la première ambassade en Allemagne, voir G. Constant, *op. cit.*, p. 699-700 (n. 25).

dé Gardiner, le fit publier une fois de plus, augmenté d'un avant-propos virulent de Bonner lui-même [1].

On comprend que les luthériens, mis en confiance par les attaques de Henri VIII contre la papauté et par ses allusions à la lumière de l'Évangile, aient pu se faire illusion sur ses dispositions intimes. Les princes protestants, assemblés à Smalkalde, accueillirent avec joie Foxe et Heath, accompagnés de Robert Barnes. On se mit facilement d'accord pour rejeter le concile général convoqué par Paul III. Les difficultés commencèrent lorsque les luthériens voulurent mettre comme condition à une alliance une entente complète sur le dogme. Une conférence entre les ambassadeurs anglais et des théologiens allemands eut lieu à Wittenberg à partir de janvier 1536. Les protestants, sans rien sacrifier de l'essentiel de leurs croyances, firent leur possible pour accorder à Henri VIII les concessions qu'il leur demandait, et le gagner à leur cause. Mélanchthon, toujours désireux de faire l'unité entre les réformés par la conciliation, rédigea une confession de foi en dix articles, dite *Articles de Wittenberg*, et la soumit aux envoyés du roi d'Angleterre. Ceux-ci l'acceptèrent pour eux-mêmes, mais quant à l'approbation royale, ils ne purent que la faire espérer. Or Henri VIII, qui n'avait d'ailleurs pu réussir à faire approuver son second mariage par les luthériens, rejeta leurs propositions. Il voulait bien suivre leur exemple en proscrivant le culte des saints, de manière à s'emparer des monastères ; mais sur le terrain du dogme proprement dit, il demeurait conservateur, et les satisfactions qu'il donna aux protestants furent surtout en surface [2].

LA CONVOCATION DE 1536 Il avait pourtant consenti, en 1535, à laisser désigner des protestants pour divers sièges épiscopaux : Latimer pour Worcester, Shaxton pour Salisbury, Edward Foxe pour Hereford [3]. A l'assemblée du clergé ou « convocation » de 1536, Latimer prêcha deux sermons en latin ; il y attaquait le purgatoire et les images, s'élevait contre les abus des tribunaux d'Église, et, montrant la voie aux puritains des générations suivantes, contre le grand nombre des jours fériés, qui favorisait, disait-il, la paresse et l'ivrognerie. Un peu plus tard, Cromwell, qui poussait à la roue pour engager l'assemblée dans la voie du protestantisme, fit paraître devant la Chambre Haute — celle des évêques — le réformateur écossais Alexander Alane, ou Alésius, ancien chanoine de Saint-Andrews. Celui-ci déclara vouloir réduire le nombre des sacrements à ceux qui avaient été institués par le Christ lui-même [4]. Cependant la Convocation se montra peu disposée à entrer dans la voie des nouveautés. Les *Dix articles* qu'elle adopta ne faisaient aucune concession positive aux luthériens. Ils se contentaient d'imiter leur langage et de passer sous silence quelques-unes des choses qui pouvaient leur déplaire. Ils calquaient les parties orthodoxes des *Articles de Wittenberg* et ne mentionnaient que trois sacrements : le baptême, la pénitence,

(1) P. JANELLE, *Obedience*, p. XVII, XXXI-XXXII.
(2) G. CONSTANT, *op. cit.*, p. 253-257, 700-704 (n. 26-46).
(3) J. GAIRDNER, *op. cit.*, p. 175.
(4) Pour le sermon de Latimer, *ibid.*, p. 173-174 ; pour le discours d'Alesius, *ibid.*, p. 175.

l'eucharistie. Mais un document séparé, qui admettait l'existence des quatre autres, était déjà prêt à paraître. Les *Dix articles* affirment la présence réelle, les éléments traditionnels de la pénitence, ne font aucune allusion à la justification par la foi seule, approuvent l'usage des images et le culte des saints, pourvu qu'il ne donne pas lieu à des abus, recommandent les prières pour les morts. La Convocation, il est vrai, affirma que l'évêque de Rome n'avait pas le droit de convoquer un concile général et réduisit le nombre des fêtes chômées. Cependant, il est clair que le protestantisme n'avait pas encore mordu profondément sur le clergé d'Angleterre [1].

LA BIBLE ANGLAISE C'est Cromwell, à vrai dire, qui poussait aux nouveautés. En sa qualité de vicaire général du roi, il ne tarda pas à publier des *Injonctions* qui commentaient les *Dix articles* dans un sens protestant, déconseillaient le culte des images et des reliques, ainsi que les pèlerinages, recommandaient l'emploi de la langue vulgaire pour les prières [2]. Mais ce qui en fait l'extrême importance, c'est qu'elles introduisaient pour la première fois dans le culte l'usage de la Bible en anglais ; usage qui devait marquer d'une empreinte indélébile, non seulement l'anglicanisme, mais aussi les églises non conformistes. « Tout curé... devra se procurer la Bible en entier, en latin comme en anglais, et la placer dans le chœur de son église, pour permettre à tous ceux qui le voudront de la voir et de la lire ; et... il encouragera, exhortera et engagera tout homme à la lire, comme étant la parole même de Dieu et la nourriture spirituelle de l'âme » [3]. De quelle Bible s'agissait-il ? Nous avons assisté aux efforts de Tyndale pour faire paraître sa traduction du Nouveau Testament. Les premiers exemplaires en furent importés clandestinement en Angleterre en 1526 ; et là-dessus l'évêque de Londres, Tunstall, croyant agir très habilement, fit acheter la totalité de l'édition à Anvers afin de la brûler ; mais son intervention n'eut pour effet que de mettre Tyndale en fonds et de lui permettre de faire paraître de nouvelles éditions.

Le réformateur publia encore une traduction du *Pentateuque* en 1530 et du *Livre de Jonas* en 1531 [4]. Cependant son ancien secrétaire George Joye s'était à son tour mis sur les rangs et imprimait la *Genèse* en anglais en 1533 et une version revue du Nouveau Testament de Tyndale en 1534 [5]. Après lui, un moine augustin de Cambridge, Miles Coverdale, qui avait aidé Tyndale dans ses travaux en 1529, entreprit, à l'instigation de Cromwell, la publication d'une Bible complète en langue vulgaire, utilisant comme point de départ la *Vulgate* et s'inspirant, non du texte

(1) *Articles devised by the kinges highnes majestie, to stablyshe Christen quietnes...* Londres, Berthelet, 1536 ; réimprimés dans *Formularies of faith put forth by authority during the reign of Henry VIII...*, Oxford, 1856 ; sommaire dans FOXE-PRATT, *op. cit.*, vol. V, p. 163-164 ; cf. G. CONSTANT, *op. cit.*, p. 258-260, 704-706 (n. 47-55). Sur les fêtes chômées, cf. FOXE-PRATT, *op. cit.*, vol. V, p. 164-165, où les motifs invoqués sont d'ordre économique.
(2) Texte *ibid.*, p. 165-168 ; cf. J. GAIRDNER, *op. cit.*, p. 177.
(3) J. FOXE, *op. cit.*, vol. V, p. 167.
(4) Ch. STURGE, *Tunstall*, p. 135 ; J. GAIRDNER, *op. cit.*, p. 191 ; R. W. CHAMBERS, *Thomas More*, p. 216 ; *Dict. nat. biogr.*, art. *Tyndale* (William).
(5) J. GAIRDNER, *op. cit.*, p. 191.

grec ou hébreu, mais de l'allemand de Luther et des *Psaumes latins* de
Martin Bucer, eux-mêmes traduits en anglais et trois fois édités à partir
de 1529 [1]. Ce n'est pourtant pas cet ouvrage qui fut adopté officiellement
par l'Église d'Angleterre, mais une nouvelle Bible qui groupait la version
de Tyndale pour le Nouveau Testament et les premiers livres de l'Ancien,
et celle de Coverdale pour le reste. Or Tyndale venait d'être brûlé pour
hérésie à Vilvorde et son nom inspirait de la défiance aux Anglais traditionalistes. Le compilateur, John Rogers, laissa donc son nom dans
l'ombre et publia sa Bible sous celui de Thomas Matthew [2]. Cet ouvrage,
introduit en Angleterre grâce à l'influence personnelle de Cromwell,
ne satisfaisait pas la majorité conservatrice de la Convocation ; mais,
malgré les tentatives de celle-ci pour y substituer une Bible orthodoxe en
langue vulgaire, il resta, et exerça une action décisive sur le tempérament
religieux du pays. Assurément, les Anglais étaient encore dans leur
très grande majorité attachés à la foi traditionnelle. Les réformateurs
étrangers, appelés dans le pays sous le règne d'Édouard VI, devaient se
lamenter d'une manière significative sur ce qu'ils considéraient comme
leur aveuglement [3]. Cependant Henri VIII, en favorisant les protestants
pour ses propres fins, avait planté une semence qui devait par la suite
abondamment fructifier.

DERNIERS ESSAIS DE RAPPROCHEMENT — Henri VIII devait encore, de 1538 à 1540, chercher
à se rapprocher des luthériens pour des raisons,
il est vrai, uniquement politiques. Il est clair
qu'il n'éprouvait aucun penchant pour les innovations dogmatiques.
Une commission d'évêques et de théologiens s'était réunie en février 1537
pour élaborer une nouvelle confession de foi. Les discussions durèrent
jusqu'en juillet et portèrent sur les quatre sacrements non reconnus
par les *Dix articles*. Les avis étaient partagés, et les évêques protestants
faisaient équilibre aux catholiques. Cependant le texte adopté, dit *Livre
des évêques* ou *Dévote et pieuse institution du chrétien*, fut parfaitement
orthodoxe, grâce à l'influence du roi, qui le corrigea de sa propre main.
Il maintenait les sept sacrements et ne faisait de réserves sur le *Credo*
qu'en ce qui concernait la suprématie romaine [4]. Peu après, cependant,
la situation politique se gâta sur le continent. François Ier et Charles-
Quint se réconcilièrent. Ils devaient conclure un traité d'alliance au
cours de l'entrevue de Nice, le 18 juin 1538. Henri VIII n'avait pas
attendu cette manifestation publique pour chercher auprès des luthériens d'Allemagne un contrepoids à la nouvelle entente. Dès mai 1538,
sur son invitation, une ambassade protestante arrivait d'Allemagne à
Londres, pour conférer avec des représentants de l'Église d'Angleterre [5].

(1) Foxe-Pratt, *op. cit.*, p. 120 ; *Dict. nat. biogr.*, art. *Coverdale* (Miles) ; Constantin Hopf,
Martin Bucer and the English Reformation, Oxford, 1946, chap. vi.
(2) J. Gairdner, *op. cit.*, p. 192 ; G. Constant, *op. cit.*, p. 611-612 (n. 124).
(3) Cf. lettre de Pierre Martyr à Bucer, 25 octobre 1550, dans C. Hopf, *op. cit.*, p. 163.
(4) *The Institution of a Christen man...* Londres, Berthelet, 1537-1540 ; réimprimée dans *Formularies of faith* et dans *The king's book*, édit. T. A. Lacey, Londres, 1895 ; cf. G.Constant,
op. cit., p. 261-263, 706-709.
(5) *Ibid.*, p. 265, 710 (n. 82).

Elle pouvait se faire des illusions sur les sentiments de Henri VIII. Celui-ci en effet, en 1537, avait écrit contre le pape, qui avait convoqué le concile à Vicence, une très violente diatribe. Les pontifes romains, y disait-il, ont coutume « de rompre leur foy, et de se souiller, et polluer du sang des innocens »[1]. Les sentiments protestants des membres anglais de la conférance, parmi lesquels on trouvait Cranmer, renforçaient encore leur espoir. Les discussions durèrent deux mois. Elles prirent pour base les *Articles de Wittenberg* de 1536, dont on s'inspira pour rédiger un formulaire de *Treize articles* d'esprit protestant. Ce document devait exercer une grande influence sur l'avenir de l'Église d'Angleterre ; car il servit, sous Édouard VI, à la rédaction des *Quarante-deux articles* de 1553 et inspira, sous la reine Élisabeth, les *Trente-neuf articles* qui restent encore aujourd'hui la confession de foi de l'anglicanisme. Mais Henri VIII les rejeta sans ambages. Mélanchthon lui écrivit bien, le 1er mars 1539, pour le supplier d'aller jusqu'au bout dans la voie de la Réforme ; mais il fit la sourde oreille[2].

La voie était désormais libre pour la réaction traditionaliste. Celle-ci se manifesta avec violence. Nous reviendrons sur la loi des *Six articles* de 1539 et sur la persécution des véritables protestants. Toutefois, l'orthodoxie de l'Église henricienne ne se stabilisa tout à fait qu'après la chute de Cromwell. Le vicaire général du roi avait cherché à consolider sa position et à rapprocher une nouvelle fois Henri VIII des luthériens, en lui faisant épouser une princesse protestante, Anne de Clèves (6 janvier 1540). Le résultat fut contraire à son attente. Le roi se dégoûta de sa nouvelle épouse, dont il devait bientôt se séparer. Cromwell fut arrêté le 10 juin 1540 et exécuté le 29 juillet. Sur l'échafaud, il n'eut pas le courage de ses opinions et protesta de son orthodoxie. Sa disparition mit fin à la phase protestante du règne de son maître[3].

§ 8. — L'orthodoxie henricienne et la persécution des protestants.

LA LOI DES SIX ARTICLES   Henri VIII, nous l'avons dit, était naturellement partisan de l'autorité, au spirituel comme au temporel ; il n'éprouvait aucune sympathie pour les doctrines des réformateurs, qui menaçaient le pouvoir absolu des rois, en cherchant à y substituer une théocratie à base démocratique. Bien avant la chute de Cromwell, il s'était rangé résolument du côté de l'orthodoxie. S'il faut en croire Foxe, les conseils de Gardiner et des autres traditionalistes auraient contribué à lui faire prendre cette voie. Ils auraient insisté sur le danger que pouvaient lui faire courir des soulèvements populaires dans son royaume et sur la nécessité où il était de rassurer ses sujets, en publiant une confession de foi conforme à leurs croyances[4]. Aussi

(1) J. Sleidan, *Histoire de l'Estat de la religion et republique sous l'Empereur Charles cinquième*, Strasbourg, 1558, p. 327.
(2) G. Constant, *op. cit.*, p. 265-267, 710-711 (n. 81-95).
(3) N. Sanders, *op. cit.*, p. 146-147 ; G. Constant, *op. cit.*, p. 194-195, 621-625 (n. 160-172) ; Foxe-Pratt, *op. cit.*, vol. V, p. 402.
(4) J. Foxe, *op. cit.*, vol. V, p. 261.

bien Henri VIII, effrayé par la révolte de 1537, prit-il une attitude plus énergique à l'égard des protestants. Il assembla le Parlement le 28 avril 1539 [1] pour lui faire voter une loi qui fût à la fois une déclaration d'orthodoxie et une arme contre les hérétiques, la fameuse loi des *Six articles*.

Cette loi, surnommée par ceux qui devaient en souffrir « le fouet à six cordes », prétendait avoir pour but d'« abolir la diversité des opinions » [2]. Elle fit à la Chambre des Lords l'objet d'un combat indécis entre les évêques de tendances opposées ; mais les pairs laïques la firent adopter, après que le roi fût intervenu en personne en sa faveur [3]. Elle était assurément des plus sévères. Au premier article, elle affirmait la transsubstantiation et condamnait ceux qui la nieraient et leurs complices au bûcher et à la confiscation de leurs biens. Les cinq autres articles proclamaient l'inutilité de la communion sous deux espèces, interdisaient le mariage des prêtres, exigeaient l'observance des vœux de chasteté, même de la part des religieux expulsés de leurs monastères, ordonnaient le maintien des messes privées et de la confession auriculaire. Les contrevenants, ou ceux qui prêcheraient une doctrine contraire, devaient être considérés comme criminels, emprisonnés aussi longtemps qu'il plairait au roi et punis de la confiscation de tous leurs biens ; en cas de récidive, ils pouvaient subir des peines plus graves. Les mariages des prêtres étaient dissous. Des commissions judiciaires étaient créées dans chaque comté, sous la présidence de l'archevêque ou de l'évêque du lieu, ou de leur chancelier ou commissaire, pour connaître directement, au moins quatre fois par an, des infractions à la loi [4].

Celle-ci avait rencontré, au total, peu d'opposition, aussi bien au Parlement que dans la « convocation ». Seul Cranmer, qui était lui-même secrètement marié, avait combattu pendant trois jours contre les *Six articles*. Le roi ne lui en voulut point, mais lui témoigna sa gratitude pour ses services passés, en envoyant Cromwell, les ducs de Norfolk et de Suffolk et tous les lords du Parlement dîner avec lui dans son palais de Lambeth [5]. Par contre, les évêques protestants Latimer et Shaxton remirent leur démission [6]. Le Parlement se réunit de nouveau le 12 avril 1540 ; le roi lui fit annoncer par Cromwell qu'il avait nommé deux commissions : l'une d'évêques et de docteurs, afin de déterminer *quae ad institutionem viri christiani attinent* ; l'autre d'évêques seulement, choisis parmi les novateurs, pour traiter de la question des rites ; car, de ce côté, il ne répugnait pas à Henri VIII de jeter un peu de lest [7]. Toutefois, dans les années qui suivirent, il appuya de plus en plus l'action des conservateurs. En 1542, la « Convocation » condamnait la Bible anglaise de Matthews et nommait deux commissions d'érudits pour rédiger une nouvelle traduction de l'Ancien et du Nouveau Testaments respectivement. L'entre-

---

(1) J. Foxe, *op. cit.*, vol. V, p. 261.
(2) G. Constant, *op. cit.*, p. 267 ; J. Gairdner, *op. cit.*, p. 207.
(3) G. Constant, *op. cit.*, p. 269 ; J. Gairdner, *op. cit.*, p. 208.
(4) J. Foxe, *op. cit.*, vol. V, p. 262-264.
(5) *Ibid.*, p. 265.
(6) G. Constant, *op. cit.*, p. 271.
(7) J. Gairdner, *op. cit.*, p. 215-216. Rapport de la Commission des rites dans British Museum, ms. Cotton, Cleopatra E. v., ff. 267a-276 b. Cf. Wilkins, *Concilia*, vol. III, p. 861-868 ; Strype, *Memorials*, vol. I, p. 356-357, 378-381 ; *Cranmer*, App., p. 48-54.

prise n'aboutit pas : les libraires auraient dû attendre trop longtemps. Cranmer autorisa l'un d'entre eux à continuer d'imprimer l'édition déjà en usage dans les églises [1].

Cependant les travaux de la première des deux commissions nommées par Henri VIII avaient enfin abouti. Un nouvel exposé de la doctrine chrétienne paraissait en mai 1543, sous le titre suivant : *Nécessaire doctrine et instruction de tout chrétien, publiée par sa Majesté le roi d'Angleterre*. On l'appela communément le *Livre du roi*, parce que Henri VIII avait revu lui-même le texte des discussions préparatoires et avait écrit la préface, et aussi par opposition avec le *Livre des évêques* de 1537. Il n'en était d'ailleurs qu'une refonte, faite dans un sens plus nettement et plus fermement catholique. Il commençait par un long article sur la foi qui, ainsi que l'article sur les œuvres, adoptait les conclusions d'un savant théologien, le Dr. Redman. Il niait la justification par la foi seule et se montrait beaucoup plus explicite sur la question des sacrements, et en particulier de l'eucharistie [2]. Sous le règne de Marie Tudor, lors de la restauration catholique à laquelle présidait le cardinal Pole, il parut assez orthodoxe à celui-ci pour qu'il l'adoptât provisoirement pour l'instruction des fidèles [3]. Quant au travail de la seconde commission, il vit le jour sous la forme d'un traité sur les *Cérémonies devant être employées dans l'Église d'Angleterre*, mais qui ne fut jamais sanctionné par la Convocation. Foxe nous affirme, à vrai dire, que peu avant la mort de Henri VIII, en 1546, Cranmer aurait été sur le point de le décider à supprimer des « énormités superstitieuses », telles que l'usage du crucifix et la sonnerie des cloches le soir de la Toussaint ; mais Gardiner aurait représenté au roi le fâcheux effet qu'auraient eu les innovations religieuses sur les négociations en cours avec l'empereur et François Ier. Quoi qu'il en soit, l'orthodoxie du souverain ne se démentit pas jusqu'à son dernier souffle. Mais, dans son agonie, c'est à Cranmer, le fidèle instrument de ses caprices, et non à Gardiner, qu'il fit appel pour l'assister [4].

LA PERSÉCUTION DES PROTESTANTS
Si l'on se fiait au nombre de pages consacré par Foxe, dans son *Livre des martyrs* [5], aux poursuites contre les protestants, on pourrait se faire une idée exagérée, et de la rigueur de la persécution, et de l'importance du parti des novateurs. En réalité, Foxe ne cite qu'un petit nombre de cas. Les protestants déclarés n'étaient qu'une minorité, et même qu'une petite minorité, mais active et remuante, surtout à Londres et dans les comtés de l'Est-Anglie, et soutenue, en outre, par les nombreux acquéreurs de biens d'Église. Nous voyons sans cesse, à la cour, se manifester des interventions en leur faveur. Il se fait, autour d'eux, tout un jeu d'intrigues et de contre-intrigues, qui caractérise les dernières années

(1) J. GAIRDNER, *op. cit.*, p. 223-224.
(2) *A necessary doctrine and erudition of any Christian man*, 1543 ; réimprimée dans *Formularies of faith* ; cf. J. GAIRDNER, *op. cit.*, p. 226 ; G. CONSTANT, *op. cit.*, p. 273-275.
(3) *Ibid.*, p. 276.
(4) J. FOXE, *op. cit.*, vol. V, p. 562, 689.
(5) C'est en effet sous ce titre que l'on désigne communément en Angleterre les *Acts and Monuments* de John FOXE.

du règne de Henri VIII. Aussi bien la persécution n'était-elle pas invariablement sévère. Dans bien des cas, des enquêteurs tels que Gardiner et Bonner traitaient les accusés avec bonhomie et indulgence [1].

On comprend, cependant, que de savants juges aient pu éprouver quelque irritation contre des hérétiques ignorants, qui se montraient envers eux insolents et provocants, et les gourmandaient au nom de l' « Esprit » et de l'Écriture. On n'en éprouve pas moins quelque malaise à lire le récit de ces interrogatoires où l'on s'efforçait, par la flatterie, la menace, voire la torture, d'amener les inculpés à dénoncer leurs complices [2], ou à voir siéger, parmi les plus enragés inquisiteurs, un homme tel que le Dr. John London, qui s'était fait une renommée scandaleuse en pillant les monastères. Au reste, la persécution s'attaquait aussi bien aux « papistes » qu'aux protestants ; et certes il ne faisait pas bon vivre dans les dernières années du règne de Henri VIII. Tout Anglais marchait sur la corde raide, entre deux abîmes, pris entre le danger du feu s'il s'éloignait de l'orthodoxie, et celui de la pendaison s'il « trahissait » en favorisant Rome. Et l'on vit couramment les tribunaux du roi envoyer simultanément des hérétiques au bûcher et des « traîtres » au gibet.

LES HÉRÉTIQUES DE CALAIS   La ville de Calais s'était, depuis 1538, signalée à l'attention des pourchasseurs d'hérétiques. Un certain George Bucker, alias Adam Damlip, naguère chapelain de l'évêque de Rochester John Fisher, et « grand papiste », avait fait, après la mort de son patron, un voyage en France, en Allemagne et en Italie. Il avait été scandalisé par ce qu'il avait vu à Rome. Sollicité d'y rester par le cardinal Pole, il rejeta ses avances et n'accepta de lui qu'une somme d'une couronne comme viatique pour retourner en Angleterre. A son arrivée à Calais, il se révèle comme converti au protestantisme. Le gouverneur l'invite à rester dans la ville et à y prêcher. Il attaque en chaire la transsubstantiation et la messe, et réclame la destruction d'un tableau de la résurrection exposé dans l'église Saint-Nicolas. Là-dessus, le prieur des carmes écrit en Angleterre pour se plaindre de lui. On le fait comparaître devant un tribunal qui comprend Cranmer, Gardiner et Sampson. Mais Cranmer l'avertit en secret de ne pas venir à la seconde audience et de se mettre à l'abri. Il se retire dans l'ouest du pays, y ouvre une école, la tient un an ou deux. Mais, après le vote des *Six articles*, il est appréhendé à nouveau et Gardiner le fait emprisonner à la Marshalsea, où il reste environ deux ans [3].

Fait curieux, et qui révèle bien la confusion de l'époque, on lui confie, dans sa prison, les fonctions de confesseur. Il en profite pour se livrer à un véritable apostolat parmi « la racaille des prisonniers ordinaires », qu'il corrige de leurs vices. Son crime d'hérésie étant couvert par une loi d'amnistie, on retient contre lui le fait qu'il a reçu du cardinal Pole une

(1) J. FOXE, *op. cit.*, vol. V, p. 480 (Supplique de la femme de John Marbeck adressée à Gardiner) ; p. 508 (Interrogatoire de Ralph Hare par Gardiner) ; p. 540 (Interrogatoire d'Anne Askew par Bonner).

(2) *Ibid.*, p. 476 (Interrogatoire de John Marbeck) ; p. 547-548 (Interrogatoire et torture d'Anne Askew).

(3) *Ibid.*, p. 498-501.

minime somme d'argent, et pour cette « trahison » il est pendu et mis en quartiers le samedi après la fête de l'Ascension, en 1543 [1]. D'autres habitants de Calais furent poursuivis pour leurs opinions à partir de 1539. L'un des cas les plus curieux est celui de Ralph Hare, homme « rude et ignorant... et cependant très zélé », qui fut interrogé par Gardiner. Celui-ci le prit à partie parce qu'il invoquait « le Seigneur « et non «Notre Seigneur», ce qui aux yeux de l'évêque était le signe évident d'opinions subversives. Nullement, répliquait Hare. La salutation angélique dit bien : « Le Seigneur est avec vous. » En fin de compte, Gardiner adressa à l'accusé des paroles bienveillantes : « Ralph Hare ! Ralph Hare ! Par ma foi, j'ai bien pitié de toi. Car, à vrai dire, je pense que tu es un brave homme bien simple, et que par toi-même tu n'aurais que de bonnes intentions, si tu n'avais eu de rusés et subtils maîtres d'école, qui t'ont séduit, mon pauvre benêt ; et c'est pourquoi j'ai pitié de toi. Il serait vraiment dommage que tu fusses brûlé, car tu es un bon garçon, un brave, qui a bien servi le roi à la guerre... » Et il conseille à Hare de se soumettre paisiblement à la décision de Cranmer. Hare se laissa persuader et dut abjurer publiquement à Calais [2].

En 1539 et 1540, une quinzaine d'hérétiques, poursuivis à Calais, se tirent d'affaire sans mal. Mais l'envoi d'une commission d'enquête dans la ville jette le trouble parmi la population. On craint les dénonciateurs : « Le voisin se défie du voisin, le maître du serviteur, le serviteur du maître, le mari de la femme, la femme du mari. » Cependant, le deuxième lundi après Pâques, en 1540, un nommé Thomas Brook comparaît avec d'autres devant les membres de la commission. Sa femme fait prévenir Cromwell, qui intervient vigoureusement en faveur des hérétiques poursuivis ; la commission, interdite, hésite et cherche à gagner du temps, dans l'espoir que le tout-puissant ministre va tomber. Cependant les prisonniers sont envoyés à Londres ; malgré la chute de Cromwell, ils sont relâchés, sur l'ordre du roi, par le chancelier, lord Audley. En 1544, un certain John Butler, accusé d'avoir hébergé Adam Damlip, se voit témoigner semblable indulgence, grâce à l'intervention de sir Leonard Musgrave ; et le roi pardonne encore à quatorze autres protestants. En fin de compte, le seul hérétique brûlé à Calais fut, au printemps de 1544, un Écossais, nommé Todd, qui s'était imprégné des idées nouvelles en Allemagne [3].

LE CAS DE JOHN LAMBERT   C'est également avant le vote des *Six articles*, c'est-à-dire dès 1538, qu'eut lieu une autre exécution fameuse. S'il faut en croire Foxe, Stephen Gardiner aurait représenté à Henri VIII « la haine et le soupçon » qui pesaient sur lui parmi le peuple, du fait de son divorce, de sa rupture avec Rome et de la dissolution des monastères. Afin de « pacifier les esprits de ceux qui étaient irrités contre lui », il ferait bien d'affirmer son orthodoxie en se montrant sévère envers un certain hérétique, John Nicholson,

(1) J. Foxe, *op. cit.*, p. 520-522.
(2) *Ibid.*, p. 507-509.
(3) *Ibid.*, p. 514, 516-520.

dit John Lambert, qui venait d'être interrogé par devant l'archevêque Cranmer pour avoir nié la transsubstantiation. Le roi, écoutant ce conseil, fit comparaître Lambert devant une assemblée de nobles présidée par lui-même. L'évêque de Chichester, Sampson, prêcha un sermon où il nia que Henri VIII, ayant aboli l'autorité de l'évêque de Rome, voulût aussi éteindre toute religion. » Différents prélats prirent alors l'accusé à partie sur la question de la présence réelle du Christ dans l'eucharistie, qu'il niait au nom de l'Écriture et de la raison, préférant l'interprétation symbolique de Zwingle. Ses contradicteurs n'ayant pu réussir à l'en faire démordre, il fut condamné à mort et brûlé à Smithfield. Lorsque ses jambes furent consumées, deux gardes soulevèrent son corps sur leurs hallebardes. Il eut encore la force de crier au peuple : « Nul autre que Christ, nul autre que Christ ! » avant de retomber dans le feu et d'y expirer. Foxe cite une demi-douzaine d'autres cas où des hérétiques furent brûlés ou moururent d'une mort violente en 1537 ou 1538 ; il ne semble pas qu'il s'agisse à tout coup de persécution religieuse [1].

LE CAS DE ROBERT BARNES   Nous avons déjà rencontré Robert Barnes (1495-1540). Prieur des augustins à Cambridge, il y avait favorisé l'humanisme [2]. Il fut converti au luthéranisme par Bilney. C'était, dit Gardiner, « un esprit joyeux et railleur,... bon compagnon et partant aimé de beaucoup... et qui cherchait à plaire au bas peuple, lequel envie toujours les gens en place ... en déblatérant contre les mitres et les crosses » [3]. A la suite d'un sermon qu'il prêcha le 24 décembre 1525, il faillit être envoyé à la Tour de Londres, mais fut sauvé grâce à l'intervention de Gardiner et d'Edward Foxe, qui le persuadèrent d'abjurer. Confié à la garde des augustins de Northampton, il s'enfuit et séjourna en Allemagne, où il écrivit contre Gardiner. Mais, caractère instable et sans consistance, il implora son pardon alors que, rappelé par Henri VIII, il se trouvait de nouveau en Angleterre. En 1534, en 1535 et en 1539, le roi l'envoie à quatre reprises comme ambassadeur en Allemagne pour négocier avec les protestants et, chose curieuse, on le trouve, en 1538, parmi les juges de Lambert [4].

En 1540 il reçoit l'ordre de prêcher à la Croix de Saint-Paul à Londres, ainsi que deux autres clercs suspects d'hérésie, Thomas Garret et William Jérome. Il choisit le premier dimanche de Carême (23 février) ; mais Gardiner, intervenant, se substitue à lui et prêche sur les trois tentations du Christ. De même que le diable dit-il, tenta Jésus en lui demandant de se jeter en bas du temple et invoqua l'Écriture pour lui assurer qu'il ne se ferait aucun mal, de même il tente aujourd'hui le monde au nom de l'Écriture, en lui demandant de revenir en arrière, de renoncer au jeûne, à la prière, à la confession, aux larmes versées pour les péchés. Le diable veut que l'homme soit « vide de bonnes œuvres ... et qu'il reste oisif, dans le vain

---

(1) J. Foxe, op. cit., p. 228-236.
(2) Ibid., p. 415.
(3) Stephen Gardiner, A declaration of suche true articles as George Joye has gone about to confute as false, Londres, 1546, ff. IIIb-IVb.
(4) Dict. nat. biogr., art. Barnes (Robert) ; J. A. Muller, Stephen Gardiner, p. 13-18, 83-84.

espoir de vivre joyeusement et à son plaisir ici-bas, et cependant d'avoir
le Ciel pour finir. » C'est pourquoi il a inventé les indulgences romaines,
« où le Ciel était vendu pour un peu d'argent. » Les indulgences sont parties, mais le diable a imaginé d'offrir le Ciel sans qu'il soit besoin de bonnes
œuvres. Barnes répondit quinze jours après par un sermon plein de raille-
ries et d'invectives, où, faisant allusion au nom de Gardiner, qui signifie
« jardinier », il lui reprochait « d'avoir planté de mauvaises herbes dans
le jardin de l'Écriture. » Là-dessus Gardiner, toujours conciliant, demanda
au roi de conférer avec Barnes en sa présence.

La rencontre eut lieu le vendredi suivant. Le lendemain matin, Barnes,
toujours aussi instable, implorait le pardon de l'évêque de Winchester
et celui-ci lui offrait une pension de quarante livres sterling « pour vivre
chez lui en bon compagnon. » « Mais il est dur, remarque Gardiner, d'avoir
affaire à de tels hommes. Faites les punir comme ils le méritent, et l'on
vous accuse à tort de cruauté. Faites leur du bien, et l'on vous accuse
de corruption et de flatterie » [1].

Barnes, Garret et Jérome avaient accepté d'abjurer leurs erreurs dans
trois sermons prêchés à l'hôpital de Sainte-Marie. Le premier prêcha
en présence de Gardiner. Ayant fait d'abord amende honorable, il supplia
théâtralement l'évêque de lever la main en signe de pardon. Ayant
obtenu ce geste, il continua son discours en prenant le contre-pied de son
abjuration. Mais il eut le tort de se vanter de sa ruse dans une lettre à un
ami courtisan qui, par suite d'une négligence de Cromwell, tomba entre les
mains du roi. Là-dessus, le conseil privé fit arrêter Barnes, ainsi que Garret
et Jérome, qui avaient suivi son exemple. Tous trois furent emprisonnés
à la Tour de Londres, jugés par le Parlement et brûlés à Smithfield
deux jours après l'exécution de Cromwell, le 30 juillet 1540. Devant le
bûcher, Barnes fit une déclaration d'orthodoxie, où il affirmait la nécessité
des bonnes œuvres ; Garret et Jérome affirmèrent de même qu'ils abhor-
raient toute hérésie. Poursuivant sa politique d'équilibre, Henri VIII
faisait exécuter en même temps qu'eux trois « papistes », les docteurs
Thomas Abell, Edward Powell et Richard Fetherstone, qui niaient la
suprématie royale sur l'Église. Chacun d'entre eux fut traîné jusqu'au
lieu du supplice sur la même claie qu'un des trois hérétiques. Un étranger
qui assistait au spectacle s'écria : *Deus bone ! Quomodo hic vivunt gentes ?
Hic suspenduntur papistae, illic comburuntur antipapistae* [2].

LES HÉRÉTIQUES DE LONDRES   Après le vote des *Six articles*, l'évêque
de Londres Bonner se mit à la tête de
la commission chargée des poursuites dans son diocèse. Cent quatre-
vingt-dix personnes durent comparaître en 1541. Nous connaissons, grâce
à Foxe, les motifs qui les firent accuser. L'étude détaillée de ces motifs
est révélatrice. On y trouve de tout : certains des accusés professent des
opinions nettement protestantes, mais beaucoup d'autres sont tout simplement indifférents en matière religieuse, ou irrespectueux envers les

---

(1) St. Gardiner, *Declaration*, f. VIII*b*-XV*a*.
(2) *Ibid.*, f. XVI*b*-XVII*b* ; J.Foxe, *op. cit.*, p. 433-440 ; N. Sanders, *op. cit.*, p. 150.

choses sacrées ; certains sont allés jusqu'à attaquer ouvertement le clergé, ou à troubler l'exercice du culte. Il s'en faut qu'ils soient tous animés d'un esprit évangélique.

Parmi eux, quelques zwingliens déclarés, quelques partisans de Barnes, qui nient la présence réelle dans l'eucharistie ; d'autres tournent en dérision le culte de la Vierge et des saints, donnent appui et asile à des prédicateurs hérétiques, importent des livres défendus, s'opposent à certaines pratiques du culte, refusent de porter une palme le jour des Rameaux, de se prosterner devant la croix le vendredi saint, de dire leur chapelet, se moquent de l'eau bénite et vont jusqu'à donner du pain bénit à manger à un chien, gardent la tête couverte au moment de l'élévation, ou se dispensent de lever les yeux vers l'hostie. D'autres lisent la Bible à haute voix durant les offices ou discutaillent sur le Nouveau Testament, en se disant inspirés par l'Esprit Saint. D'autres encore déblatèrent contre toute pratique religieuse, refusent de jeûner et de prier, nient tous les sacrements. Il en est qui insultent les prêtres, qui chantent des chansons irrévérencieuses, qui jouent des comédies anticléricales. Enfin, on relève quelques cas de mariages avec des nonnes. Ce catalogue jette un jour sur l'état d'esprit d'une fraction de la population de Londres. Il faut croire que la répression n'était pas féroce, car tous les accusés furent mis en liberté sous caution, et aucun d'eux ne fut rappelé par la suite [1].

JOHN PORTER ET RICHARD MEKINS Parmi les hérétiques de Londres, deux sont restés fameux. Le premier est John Porter, dont Foxe nous dit « qu'il fut cruellement martyrisé pour avoir lu la Bible à Saint-Paul » [2]. Un témoignage contemporain — celui d'un parent et ami de Porter, et qui l'approchait de près, William Palmer, « gentilhomme-pensionnaire du roi » — rétablit la vérité des faits [3]. En réalité, Porter avait, en lisant la Bible à haute voix dans la cathédrale, fait concurrence « aux mômeries de la messe et des matines », et il n'est pas surprenant que « les chanoines en aient eu du déplaisir ». Mais en, outre, s'il fut poursuivi, c'est pour avoir nié la présence réelle. A partir de ce point, le récit de Palmer jette un jour saisissant sur l'état des esprits dans les dernières années du règne de Henri VIII. Le « gentilhomme-pensionnaire », se proposant d'intervenir en faveur de son parent, se rend auprès du docteur Cole, chancelier de l'évêché de Londres. Il le trouve en train de faire les cent pas dans la cathédrale, « avec une solennité tout italienne ». Il lui expose sa requête. « Vous feriez mieux, lui répond brièvement Cole, de ne pas intercéder pour Porter, qui est connu comme hérétique. Si vous êtes de ses partisans, il y a des membres du Conseil royal qui seraient bien aises de le savoir. » Là-dessus, Palmer veut appeler des témoins pour entendre les propos du chancelier. Voici justement deux courtisans qui se promènent dans les environs. Et Cole prend peur : « Ce que je vous en ai dit, reprend-il, c'est à cause de l'intérêt que je vous

(1) J. Foxe, *op. cit.*, p. 443-449.
(2) *Ibid.*, p. 451.
(3) P. Janelle, *An unpublished poem on Bishop Stephen Gardiner*, dans *Bulletin of the Institute of Historical Research*, University of London, juin et novembre 1928, février 1929, p. 12-14.

porte. » La démarche de Palmer n'eut d'ailleurs point de résultat, et Porter, emprisonné à Newgate, y mourut au bout de cinq jours dans des circonstances assez suspectes. « Qu'importe la mort d'un hérétique ? », dit à Palmer le gardien de la prison [1].

L'autre cas est celui d'un jeune homme de dix-huit ans, Richard Mekins, qui avait soutenu la doctrine de la consubstantiation. Son procès jette un jour vif sur l'état d'esprit de la population de Londres. Une nouvelle commission avait été nommée dans cette ville, en 1541, pour l'application de la loi des *Six articles* et l'évêque Bonner la réunit au Guildhall. Le jury chargé de rechercher les hérétiques et de les présenter au tribunal déclara d'abord qu'il n'avait trouvé personne : « A Londres, ils ne trouvent jamais rien, s'écria Bonner. — Nous aurions voulu être guidés par nos curés et vicaires, répondit l'un des jurés. — Bien sûr, répliqua alors l'évêque, pour qu'on aille dire que des « coquins de prêtres » trahissent le secret de la confession ! » Et Bonner de demander au jury de présenter Mekins comme accusé. Le jury obtempéra. Les charges étant prouvées, la loi opérait automatiquement, et Mekins ne pouvait qu'être condamné au bûcher, bien qu'il eût fait amende honorable. Toutefois, il ne saurait être question de la cruauté de Bonner, qui visita le condamné dans sa prison et lui apporta tout le réconfort spirituel qu'il put [2].

LES HÉRÉTIQUES DE WINDSOR — Le jeu compliqué auquel donnait lieu la poursuite des hérétiques apparaît clairement dans le cas des chantres attachés à la chapelle royale du château de Windsor, Robert Testwood, Henry Filmer, Anthony Peerson et le délicat musicien John Marbeck. Ils étaient suspects bien avant le vote des *Six articles*. Robert Testwood avait pris une attitude agressive lors d'un pèlerinage à Windsor, brisé le nez d'une statue de la Vierge, tourné des reliques en ridicule ; ayant à chanter les paroles d'un cantique à Marie, *O redemptrix et salvatrix*, il les avait changées en *Non redemptrix nec salvatrix*. Filmer avait porté plainte contre un certain prêtre nommé Melster ; celui-ci avait, paraît-il, affirmé dans un sermon que la Vierge avait fait jaillir du lait de ses seins dans les yeux de saint Bernard. Peerson prêchait les doctrines nouvelles et s'était rendu très populaire à Windsor, au grand mécontentement des « papistes ». Tous trois devaient être accusés, par la suite, de professer des opinions hérétiques sur l'eucharistie. Quant à Marbeck, il avait copié des sermons de Calvin et commencé à établir une Concordance de la Bible anglaise [3].

On voit ici apparaître sur la scène un certain homme de loi, nommé Simons, qui semble avoir joué un assez vilain rôle en dénonçant les chantres de la chapelle royale. La persécution ne commença vraiment qu'à l'arrivée du Dr. London, qui venait d'être nommé chanoine de Windsor. Sur sa demande, Gardiner fit emprisonner à la Marshalsea Marbeck, Filmer et

(1) P. JANELLE, *art. cit.*, p. 15-17, 167-172. Cf. aussi Samuel Roffey MAITLAND, *Essays on subjects connected with the Reformation in England*, Londres, 1899, Essay XIII.
(2) J. GAIRDNER, *op. cit.*, p. 220 ; FOXE, *op. cit.*, p. 440-441. Sur l'attitude et la prétendue « cruauté » de Bonner envers les hérétiques, cf. S. R. MAITLAND, *op. cit.*, Essay XX.
(3) J. FOXE, *op. cit.*, p. 464-478.

un comparse nommé Bennet. Les accusés avaient, croyait-on, des accointances à la cour et l'on s'efforça de les leur faire révéler. A vrai dire, Gardiner leur témoigna de la bienveillance. Le 26 juillet 1543, Filmer, Testwood, Peerson et Marbeck furent jugés à Windsor. Simons parut en qualité de témoin à charge et prit sur lui d'intervenir dans la délibération du jury pour l'inciter à la sévérité. Filmer, Testwood et Peerson furent condamnés à mort et brûlés. Sur le bûcher, ils eurent une conduite courageuse et édifiante. Marbeck seul fut gracié : son talent musical et son aimable nature l'avaient rendu cher à tous, et en particulier à Gardiner [1].

Simons avait envoyé à l'évêque de Winchester, par un nommé Ockham, une lettre de recommandation pour Bennet qui, bien qu'hérétique, était de ses amis ; le messager portait aussi une liste de courtisans soupçonnés d'opinions hérétiques. A son arrivée à Londres, d'autres courtisans, partisans du protestantisme et membres du Conseil privé, le font arrêter et saisissent ses papiers. Le roi, mis au courant, accorde son pardon à tous les suspects et à leurs épouses. Foxe nous dit même que Henri VIII, ayant appris le sort des hérétiques de Windsor, se serait écrié : « Hélas, pauvres innocents ! » Il est de fait, en tout cas, que le Dr. London, Simons et Ockham furent condamnés au pilori [2].

POLITIQUE A DOUBLE FACE DE HENRI VIII
C'est qu'en effet Henri VIII n'avait pas renoncé à sa politique à double face ; il restait attaché à l'orthodoxie, mais aussi reconnaissant envers les hérétiques, persécutait à tour de rôle catholiques et protestants. Diverses mesures furent prises, qui prolongeaient l'action entreprise contre Rome. *Les Six articles* furent modifiés et adoucis, une première fois, en 1543, une seconde fois en janvier 1544 [3]. La peine de mort n'était plus applicable qu'en cas de double récidive, et des garanties étaient données aux accusés contre les dénonciations calomnieuses et les arrestations arbitraires. Le même Parlement. qui tempérait ainsi la rigueur de la loi, nommait une commission pour la révision du droit canon. Quelques semaines plus tard, le 7 mars, deux défenseurs de la suprématie papale étaient exécutés : un prêtre de Chelsea nommé Larke, et le secrétaire même de Stephen Gardiner, son propre cousin, German Gardiner. L'évêque de Winchester lui-même parut suspect ; mais le roi ne pouvait pas plus se passer de lui qu'il ne pouvait se passer de Cranmer, et lui garda sa faveur [4]. Enfin, en novembre 1545, le Parlement votait une « loi pour la dissolution des fondations pieuses, hôpitaux et chapelles libres », qui accordait au roi la propriété de tout ce qui subsistait encore en fait d'institutions religieuses indépendantes. Une exception fut toutefois faite en ce qui concernait les collèges d'Oxford et de Cambridge [5].

(1) J. Foxe, *op. cit.*, p. 470-473, 486-494.
(2) *Ibid.*, p. 494-496.
(3) *Ibid.*, p. 527-528 ; J. Gairdner, *op. cit.*, p. 229.
(4) J. Foxe, *op. cit.*, p. 526 ; J. A. Muller, *op. cit.*, p. 112-113.
(5) J. Foxe, *op. cit.*, p. 533 ; J. Gairdner, *op. cit.*, p. 231.

Mais, si le roi persévérait dans sa politique de mainmise sur l'Église, il ne permettait pas qu'on en tirât argument contre l'orthodoxie. Un prédicateur fameux, le Dr. Edwrad Crome, en fit l'expérience à ses dépens. Le 11 avril 1546, prêchant à la chapelle des Merciers, il soutint que, si les fondations pieuses avaient été supprimées, il n'y avait plus lieu de croire aux prières pour les trépassés, et par conséquent au purgatoire, ce qui était parfaitement logique. Mais on l'obligea de se rétracter dans un nouveau sermon [1]. D'autres hérétiques furent interrogés. Latimer fut jeté en prison.

ANNE ASKEW Le cas à la fois le plus typique et le plus navrant est celui d'une hérétique du Lincolnshire, Anne Kyme, mieux connue sous son nom de jeune fille, Anne Askew. Elle professait la doctrine zwinglienne sur l'eucharistie et fut en conséquence interrogée à plusieurs reprises en 1545 et 1546, emprisonnée, mise en liberté sous caution, emprisonnée à nouveau. C'était, à n'en pas douter, une forte personnalité, et une de ces femmes avec lesquelles il est difficile d'avoir le dernier mot. Ses réponses aux enquêteurs étaient franchement insolentes. A l'un d'entre eux qui lui demandait d'interpréter un texte de l'Écriture, elle répliqua « qu'on ne jette pas de perles aux pourceaux. » A un autre, qui se targue de la confiance du roi, elle décoche un texte des *Proverbes* (XIII, 20) : *Celui qui parle avec un insensé en tirera dommage.* Gardiner lui ayant témoigné le bienveillant désir de l'entretenir « familièrement », elle riposte : « C'est ainsi que fit Judas quand il trahit méchamment le Christ » [2].

Par ailleurs, elle fit preuve d'une force d'âme et d'une piété peu communes. Elle signait une de ses lettres, écrite en prison : « Anne Askew, qui ne souhaite la mort, ni ne craint son pouvoir ; aussi joyeuse que l'on peut l'être quand on est en partance pour le Ciel. » Elle fut traitée avec une particulière barbarie. Comme elle était de bonne naissance, on s'efforça de lui faire dénoncer les personnes de la noblesse qui s'étaient intéressées à elle ; on la mit sur le chevalet ; le chancelier, lord Wriothesley, et sir Richard Rich en firent eux-mêmes tourner la roue. Elle resta impassible, ne poussa pas un cri, ne révéla rien. Le 16 juillet 1546, comme elle ne pouvait se tenir debout, on la conduisit au bûcher sur une chaise, en compagnie de trois autres condamnés, un gentilhomme de la maison du roi, John Lascelles, un tailleur, John Adams, et un prêtre du Shropshire, Nicholas Belenian ; elle les réconforta par l'exemple de sa fermeté. On renouvela à son sujet le même jeu d'intrigues que dans le cas des hérétiques de Windsor. Le lieutenant de la Tour de Londres était intervenu en sa faveur auprès du roi, qui avait désapprouvé sa torture ; ce qui ne l'empêcha pas d'autoriser son supplice. Avec celui d'un certain Rogers, du comté de Norfolk, ce fut le dernier qui ait eu lieu sous Henri VIII [3].

(1) J. GAIRDNER, *op. cit.*, p. 233 ; FOXE, *op. cit.*, p. 537, 835.
(2) *Ibid.*, p. 538-544 ; J. GAIRDNER, *op. cit.*, p. 234-235.
(3) J. FOXE, *op. cit.*, p. 543-553.

§ 9. — La défense catholique.

LES PREMIÈRES CONTROVERSES L'opinion publique anglaise, on l'a vu, n'était rien moins que favorable, dans son ensemble, à ce qu'elle considérait comme l'invasion de l'hérésie. Elle était essentiellement conservatrice ; mais elle n'était pas encore animée de cette flamme que devaient faire naître le mouvement trentin et la fondation de nouveaux ordres religieux sur le continent. Aussi bien le mordant, jusqu'à la fin du règne de Henri VIII, est-il du côté des protestants, qui attaquent d'une manière acerbe les pratiques traditionnelles, au nom de la raison et de l'Écriture ; alors que les controversistes catholiques, avant comme après le schisme, restent sur une position strictement défensive. Nous disons, après comme avant le schisme : il y a en effet une évidente continuité entre l'œuvre polémique de Thomas More et celle des « henriciens », Gardiner et Tunstall. Leur formation était la même, leur attitude d'esprit la même ; ils étaient également épris de mesure et de sens commun, également ennemis des agitations populaires. Ils condamnaient assurément les abus, mais ne préconisaient d'autre moyen de les corriger que le retour aux anciennes règles disciplinaires de l'Église, sans imaginer aucun moyen d'action nouveau. Telle est en effet l'attitude qu'observa, dès le début, Thomas More, lorsqu'il se trouva amené à prendre position contre le plus illustre parmi les avocats du protestantisme, William Tyndale.

Celui-ci était né entre 1490 et 1495. Ancien étudiant d'Oxford et de Cambridge, il semble bien avoir penché pour la Réforme avant de quitter l'Angleterre, alors qu'attiré par la réputation qu'Érasme avait faite à Tunstall, il s'efforçait de trouver auprès de celui-ci une place de chapelain, qui lui aurait permis de traduire le Nouveau Testament en langue vulgaire. N'ayant pu réussir à persuader l'évêque de Londres, il alla rejoindre Luther à Wittenberg, puis se fixa à Cologne, et enfin à Worms, où il fit imprimer sa traduction.

Le 8 mai 1528, il faisait paraître sa *Parabole du pervers Mammon*, où il soutenait la justification par la foi seule. Le 2 octobre de la même année, il publiait *L'obéissance du chrétien*, qui pourrait presque passer pour un *De vera obedientia* avant la lettre, si l'esprit n'en était singulièrement plus démocratique que celui de l'ouvrage de Gardiner [1]. Entre temps, Tunstall, traditionaliste convaincu, avait communiqué à Thomas More, le 7 mars 1527, un certain nombre d'ouvrages protestants, en lui demandant de les réfuter. More se mit à l'œuvre et composa son *Dialogue sur les hérésies*, ou *Dialogue au sujet de Tyndale*, qui devait paraître en 1529. Il y répond aux attaques des novateurs avec une bonne humeur parfois narquoise et toujours sereine et emploie pour les confondre une méthode de bon sens, toute socratique. Les luthériens s'en étaient pris au culte et aux images des saints, aux pèlerinages, aux dévotions localisées. Soyez logiques avec vous-mêmes, réplique More. Si vous condamnez les

---

(1) J. Foxe, *op. cit*, p. 114-134 ; *Dict. nat. biogr.*, art. *Tyndale* (William). Sur l'*Obéissance du Chrétien*, cf. P. Janelle, *L'Angleterre catholique*, p. 315-319.

images, vous devez aussi condamner le nom de Jésus, qui, lui aussi, est une image. Assurément le vrai temple de Dieu est dans l'âme des fidèles ; mais supprimez les églises, et voyez combien il restera de vrais temples dans les âmes. Les miracles, disent les hérétiques, sont contraires à la raison et à la nature. La résurrection d'un défunt, riposte More, est-elle plus merveilleuse que la naissance d'un enfant ? L'Écriture est la suprême autorité, affirment Tyndale et ses amis. Où trouvez-vous dans l'Écriture, reprend More, que tout homme ou toute femme puisse baptiser, et que l'on doive observer le dimanche au lieu du samedi [1] ?

Laissant un moment Tyndale de côté, More donna, en 1529, la réplique à la *Supplication des mendiants* de Simon Fish, dans sa *Supplication des âmes*, où il refuse de laisser le clergé tout entier payer pour les fautes de quelques-uns et défend la doctrine du Purgatoire [2]. Tyndale avait sur ces entrefaites publié sa *Pratique des prélats* en 1530 et sa *Réponse au Dialogue de sir Thomas More* en 1531. Dans ce dernier ouvrage, il justifiait l'emploi de mots nouveaux dans sa traduction du Nouveau Testament (assemblée, ancien, repentir, reconnaissance, amour, faveur, au lieu d'Église, prêtre, pénitence, confession, charité, grâce). Il attaquait aussi l'autorité de la tradition. More répliqua par sa *Confutation de la réponse de Tyndale*, qui parut en deux parties en 1532 et 1533, et dans laquelle il met en lumière les innovations dogmatiques impliquées par le nouveau vocabulaire [3]. Frith ayant cependant fait circuler en manuscrit un traité contre le purgatoire et contre la transsubstantiation, More, tenant compte de la sincérité et de la pureté de vie de son adversaire, lui répondit avec douceur en 1532 [4]. Nous avons déjà parlé de l'*Apologie*, publiée en 1533, pour réfuter le *Traité sur la discorde entre le clergé et les laïcs* de Christopher Saint-German. More y défend le clergé contre les accusations de celui-ci et affirme la nécessité des poursuites contre l'hérésie. La controverse n'en resta pas là. Saint-German renouvela ses attaques dans le *Dialogue entre deux Anglais, dont l'un s'appelle Salem et l'autre Byzance*, et More répliqua par *La victoire sur Salem et Byzance*, où il revient sur la nécessité de punir les hérétiques. Tout au long de ces controverses, il avait affecté de croire que le roi, dans son attitude envers les novateurs, avait simplement obéi à des sentiments d'indulgence et d'humanité [5].

LA RÉACTION CATHOLIQUE DANS L'ÉGLISE HENRICIENNE
More avait défendu à la fois le dogme catholique et la suprématie romaine. Il n'en fut pas de même chez ceux qui continuèrent en partie son œuvre, à l'intérieur de l'Église henricienne, en se faisant les soutiens du traditionalisme. Qu'ils fussent terrorisés

(1) Ch. STURGE, *Cuthbert Tunstal*, Londres, 1938, p. 135-136 ; *The dialogue concerning Tyndale by Sir Thomas More*, édit. W. E. CAMPBELL et A. W. REED, p. [9] - [10]. Sur les idées exprimées dans le *Dialogue*, cf. Th. MORE, *Works*, édit. 1557, p. 114, 131-132, 161 ; T. E. BRIDGETT, *Thomas More*, p. 280-282.
(2) TAFT, *More's Apologye*, p. XXV-XXVII.
(3) *Ibid.*, p. XXIX.
(4) *Ibid.*, p. XXXII, n. 4.
(5) *Ibid.*, p. XXXIV-XLVII ; fournit le texte du *Traité* de Saint-German (p. 205-253) et de l'*Apologye* de More (p. 1-196).

par la persécution ou animés d'un loyalisme sincère envers le roi, ils adoptèrent sa conception de l'orthodoxie. Celle-ci reposait sur des considérations politiques autant que religieuses. Henri VIII sentait déjà que l'esprit démocratique des protestants avancés menaçait la toute-puissance royale. Lorsque les luthériens, faisant appel à l'autorité de John Colet, cherchaient à l'entraîner dans la voie d'une Réforme plus complète, il leur répondit en manifestant son aversion envers « ces garnemens, qui... louent l'égalité des Estats pour rendre le Magistrat contemptible »[1]. Et Gardiner, exprimant son avis au souverain sur la proposition luthérienne, le dissuade de s'unir à des sujets révoltés contre leur prince, l'empereur[2]. Le catholicisme de Henri VIII était vraiment, pour employer par anticipation une expression d'un autre siècle, celui du trône et de l'autel ; ou plutôt, il confondait le trône et l'autel. Aussi surprenant que cela puisse paraître *a priori*, les défenseurs les plus énergiques du traditionalisme en matière de foi, les Gardiner, les Bonner, les Tunstall, étaient aussi ceux qui se faisaient la plus haute idée du pouvoir royal et qui l'opposaient aux prétentions romaines. Combinaison instable, qui reposait tout entière sur l'action personnelle de Henri VIII et ne devait pas lui survivre.

Il n'est pas surprenant, dans ces conditions, que les « henriciens » se soient montrés, pour commencer tout au moins, hostiles à ce mouvement de Réforme catholique (dit à tort Contre-Réforme) qui se manifestait, en Italie notamment, depuis le début du XVIe siècle et qui devait aboutir au concile de Trente. Plus ou moins consciemment, toutefois, ils en subirent l'influence ; ils furent de plus en plus encouragés par lui à se raidir contre l'invasion protestante, jusqu'au jour où, sous le règne de Marie Tudor, l'action du souverain s'identifiant avec celle de la papauté, tous les traditionalistes sans exception accueillirent avec joie la Réforme catholique. Mais dans les premières années qui suivirent le schisme, tout en Angleterre se courbait sous la volonté royale ; Henri VIII lui-même avait une frayeur terrible du concile ; et c'est hors du royaume qu'il faut chercher le seul représentant anglais notable de l'esprit nouveau, le cardinal Reginald Pole.

REGINALD POLE ET LA RÉFORME CATHOLIQUE — Celui-ci est le premier à faire le pont entre la génération des humanistes chrétiens et celle des réformateurs catholiques[3]. Il se rattache à la première par bien des points. Il était né en l'an 1500, d'une famille de sang royal ; il aurait pu être prétendant au trône. Dans sa jeunesse, il dut beaucoup à Henri VIII, qui s'occupa avec soin de son éducation. Il fut cinq ans à l'école de cette chartreuse de Sheen, où avait résidé John Colet[4]. Plus tard, à Oxford, à la

---

(1) Jean SLEIDAN, *op. cit.*, p. 216, 223.
(2) J. A. MULLER, *The letters of Stephen Gardiner*, Cambridge, 1933, p. 72-73 (Lettre de Gardiner à Cromwell, février 1536).
(3) Éléments biographiques empruntés à Dom Réginald BIRON et Jean BARENNES, *Un prince anglais, cardinal légat au XVIe siècle, Réginald Pole*, Paris, 1923, et *Dict. nat. biogr.*, vol. XVI, p. 35, art. *Pole* (Reginald). Cf. aussi G. CONSTANT, *op. cit.*, p. 153-173, 536-591 (n. 236-409).
(4) G. CONSTANT, *op. cit.*, p. 155 et 546 (n. 256).

maison des carmes, puis à Magdalen College, il avait travaillé sous la direction du maître de Colet lui-même, William Latimer, et de celui de Thomas More, Linacre. Destiné de bonne heure à l'Église, il se fit une vie dévote et ascétique. En février 1521, sur sa propre demande, il fut envoyé en Italie par Henri VIII. D'avril jusqu'à l'automne, il séjourna à Padoue, où il se trouva, dès le début, en relations amicales avec un homme illustre par son zèle évangélique non moins que par sa science, Gianmatteo Giberti, bientôt après évêque de Vérone et réformateur catholique de son diocèse.

De retour en Angleterre, il séjourna de nouveau à la chartreuse de Sheen. Mais, inquiet de la tournure que prenaient les choses dans son pays, il sollicita du roi la permission de continuer ses études à Paris. Il s'y trouvait en 1530, lorsque Henri VIII le pria de recueillir les opinions des docteurs de Sorbonne sur la question de son divorce. Il obéit, sans se prononcer lui-même. Un peu plus tard, dans un entretien avec le roi, il lui exprima sa désapprobation et faillit le persuader de renoncer à son entreprise [1]. La situation devenait difficile pour lui, et il repassa sur le continent. Au printemps de 1532 il partait pour Avignon, où commença son intimité avec Sadolet, évêque de Carpentras, humaniste et réformateur catholique de premier plan. En novembre, il se rendit à Vérone, où il retrouva Giberti, puis à Venise. Il fit alors un second séjour à Padoue, où se développa son intimité avec d'autres représentants de la même école, le futur cardinal Gasparo Contarini, Ludovico Beccadelli, plus tard archevêque de Raguse, et son ami le plus fidèle, Alvise Priuli, jeune patricien de la ville.

LE « DE UNITATE »   Cependant Henri VIII ne pouvait accepter que l'un des plus illustres parmi ses sujets désapprouvât sa conduite, ne fût-ce que par son silence. Il pria Thomas Starkey, précédemment chapelain de Pole, d'écrire à celui-ci pour lui demander d'exprimer, sur sa politique religieuse, un avis qu'il espérait favorable [2]. Il pouvait évidemment faire pression sur son ancien protégé, dont la mère, la comtesse de Salisbury, et les frères étaient demeurés en Angleterre et se trouvaient exposés à la vengeance du roi. Pole ne faiblit pas cependant. En mars 1536 il achevait sa réponse à Henri VIII, intitulée *Pro ecclesiasticae unitatis defensione*, et connue plus communément sous le titre de *De unitate Ecclesiae*. Il y affirmait qu'aucun prince temporel ne pouvait être chef suprême de l'Église de son royaume et que le pape était le successeur de Pierre et le vicaire du Christ ; et il exhortait Henri VIII à se repentir et à revenir à l'unité de l'Église. Il n'avait pas écrit sans une sincère douleur : le roi lui était cher et l'avait déçu. Il chargea son secrétaire, Michael Throckmorton, de porter le *De unitate* à Henri VIII. Le roi n'accusa pas le coup [3]. Il ordonna à Pole de rentrer en Angleterre, lui offrant le pardon sous conditions ; il lui fit même écrire par ses parents

---

(1) *Dict. nat. biogr.*, art. *Pole* (Reginald).
(2) John Archer GEE, *The life and works of Thomas Lupset*, New Haven, 1928, p. 147-149.
(3) G. CONSTANT, *op. cit.*, p. 158, 552-555 (n. 274-284).

des lettres d'adjuration, où ils menaçaient de le renier s'il n'obéissait pas au roi. Ses amis d'Italie prirent peur et décidèrent le pape Paul III à l'appeler à Rome, pour y délibérer sur le concile.

Pole avait, en écrivant au roi, exprimé le désir que son livre fût examiné par Tunstall, qu'il admirait grandement et considérait comme absolument fidèle à la vieille foi. Il fut bien déçu lorsque l'évêque de Durham, à qui le *De unitate* avait en effet été soumis, lui répondit par une lettre dans laquelle il rejetait la suprématie du pape sur l'Église et reprochait à Pole son manque de loyalisme [1]. La controverse fut interrompue par le soulèvement du Nord en 1536-37. Pole fut fait cardinal (23 décembre 1536) et envoyé comme légat auprès de Henri VIII. Mais sur ces entrefaites, celui-ci avait vaincu les rebelles, et Pole, après avoir erré de ville en ville sur le continent, dut rentrer à Rome sans avoir exécuté sa mission.

Au printemps de 1537, un plan de réforme de l'Église, élaboré par une commission de cardinaux dont Pole était membre, le *Consilium delectorum cardinalium*, était remis au pape. Il devait avoir une influence décisive sur les travaux du concile de Trente [2]. Cependant l'activité diplomatique de Pole n'était pas terminée. En juin 1538, sur l'initiative du pape, une entrevue avait lieu à Nice entre Charles-Quint et François Ier ; les deux anciens adversaires se réconciliaient et faisaient espérer à Paul III qu'ils allaient s'unir avec lui contre Henri VIII. En décembre, le souverain pontife publiait la bulle d'excommunication contre le roi d'Angleterre. Pole, qui avait assisté aux pourparlers de Nice, était aussitôt envoyé en ambassade auprès des deux souverains pour obtenir d'eux une action commune contre le roi d'Angleterre. Il se rendit d'abord en Espagne, à la cour de l'empereur ; mais celui-ci, préoccupé de la lutte contre les Turcs et contre les luthériens, lui opposa une telle mauvaise volonté que Pole, renonçant à sa mission auprès de François Ier, se retira en Avignon, où il composa son *Apologia ad Carolum V Caesarem super quatuor libris a se scriptis de unitate Ecclesiae* [3]. Cependant plusieurs de ses parents et sa mère, la comtesse de Salisbury, étaient décapités en Angleterre [4].

LA DIÈTE DE RATISBONNE   C'est en 1541, à la diète de Ratisbonne, que se produit le premier contact entre les réformateurs catholiques du continent et les traditionalistes anglais. La diète avait pour but d'effectuer un accord et une réconciliation entre catholiques et protestants dans l'Empire. Elle groupait, à côté des délégués luthériens — tels que Bucer, Mélanchthon, Pistorius, Alesius — nombre de théologiens catholiques, Gropper, Eck, les cardinaux Pole et Contarini, et l'un des premiers disciples d'Ignace de Loyola, Pierre Lefèvre [5].

---

(1) Ch. STURGE, *op. cit.*, p. 205-210.
(2) Texte dans MANSI, *Concilia*, vol. XXXV, col. 347-356.
(3) Publiée dans *Poli Epistolae*, édit. QUIRINI, p. 66-172 ; cf. G. CONSTANT, *op. cit.*, p. 172, 590 (n. 405).
(4) Cf. N. SANDERS, *op. cit.*, p. 125 ; G. CONSTANT, *op. cit.*, p. 160-163, 560-564 (n. 303-325).
(5) J. A. MULLER, *op. cit.*, p. 97 ; P. JANELLE, *Obedience*, XLII-XLIII ; voir aussi *Acta Colloquii in comitiis Imperii Ratisbonae habiti*, Strasbourg, 1541 (trad. anglaise 1542) ; *Narrationes colloquii Ratisponensis* (*Corpus reformatorum*, vol. IV) et un grand nombre d'ouvrages de controverse.

Henri VIII y envoya deux « observateurs, » dont l'un était Stephen Gardiner, évêque de Winchester, et l'autre un jeune seigneur, sir Henry Knyvet,
tout dévoué à la cause royale. Gardiner était-il chargé de négocier avec
l'empereur et les cardinaux le retour de l'Angleterre dans le giron de
l'Église romaine ? Il l'a lui-même affirmé pas la suite, et il y a de bonnes
raisons de le croire[1]. La politique religieuse de Charles-Quint avait,
en effet, de quoi plaire à Henri VIII. L'empereur entendait aplanir lui-
même, en marge du concile convoqué par le pape, les différends qui
divisaient ses sujets. Il jouait, en fait, le rôle de « chef suprême de l'Église »
dans ses États et il ne laissait guère au pape qu'une primauté d'honneur :
sa position était assez proche de celle qu'avait défendue Gardiner dans le
De vera obedientia. Il n'est donc aucunement surprenant que Henri VIII
ait songé à une réconciliation avec Rome qui donnerait un apaisement
à ses sujets, tout en lui laissant les mains libres dans son royaume.

Il est de fait, en tous cas, que, durant le séjour de Gardiner à Ratisbonne, une lettre lui fut envoyée par le pape, par l'intermédiaire de
Contarini ou de Pole. Le messager papal s'adressa par erreur à Knyvet,
qui prenait très au sérieux la suprématie royale sur l'Église et ignorait
tout des desseins secrets de Henri VIII. Il soupçonna aussitôt Gardiner
de trahison et fit son rapport au souverain en conséquence. Celui-ci —
le fait vaut la peine d'être noté — renvoya les deux ambassadeurs dos-à-
dos, ce qui équivalait à innocenter Gardiner[2]. La position de celui-ci à ce
moment ressort des incidents qui se produisirent à son retour en Angleterre, lors de son passage à Louvain. L'Université de la ville l'accueille
d'abord avec honneur ; puis on s'aperçoit qu'il est l'auteur du *De vera
obedientia*. Le recteur et quatre ou cinq théologiens, catholiques convaincus, viennent le trouver chez lui pour lui en demander raison. On discute.
Gardiner maintient son point de vue : ses adversaires le traitent d'excommunié et de schismatique. Mais apparemment Gardiner lui-même ne se
tient aucunement pour exclu de l'Église universelle, puisqu'il demande
à dire la messe à la collégiale Saint-Pierre, ce qui lui est d'ailleurs refusé[3].

CONTROVERSES ENTRE HENRICIENS ET PROTESTANTS — C'est très nettement à partir de ce moment que Stephen Gardiner prend conscience de la primauté du spirituel
sur le temporel. On verra bientôt apparaître dans ses écrits la devise :
Vana salus hominis[4]. Il prend résolument parti pour la tradition catholique et engage une double controverse, d'une part avec Bucer et les
protestants allemands, d'autre part avec les réformateurs anglais. Cette
controverse commence à Ratisbonne et ses deux parties s'enchevêtrent
au cours des dernières années du règne de Henri VIII. Du côté de l'Allemagne, Gardiner agit de concert avec les polémistes catholiques du

---

(1) Sermon de Gardiner du 2 décembre 1555 (*Concio reverend. D. Stephani... Romae*, 1555, Sign.
D iiiij) ; *Nuntiaturberichte aus Deutschland*, I, vol. VII, p. 37, 38, 50, 73 ; cf. P. JANELLE, *Obedience*, p. XLIII.
(2) J. A. MULLER, *op. cit.*, p. 96-97 ; P. JANELLE, *An unpublished poem* etc., p. 16, 94-96.
(3) J. FOXE, *op. cit.*, vol. V, p. 139, 185, 190, 202, 223 ; J. A. MULLER, *op. cit.*, p. 99-100.
(4) St. GARDINER, *A declaration of such true articles as George Joye hath gone about to confute
as false*, Londres, 1546, fol. VIIa.

continent, Gropper, Eck, Latomus, Pighius ; il publie ses traités contre
les novateurs dans les mêmes villes qu'eux, Louvain, Cologne, Ingolstadt,
et chez les mêmes éditeurs [1]. Du côté de l'Angleterre, il est aidé par les
traditionalistes de son pays, John Standish, le Dr. Richard Smith. Cependant, c'est bien lui qui joue le premier rôle, et l'on peut se faire une idée
de l'état des esprits entre 1540 et 1547 en examinant les points principaux des attaques dirigées contre lui et la défense qu'il y oppose.

LE CÉLIBAT ECCLÉSIASTIQUE Dès Ratisbonne, Bucer avait pris Gardiner à partie sur l'interdiction faite
aux membres du clergé anglais par les *Six articles* de contracter mariage
sous peine de mort. En réponse, l'évêque de Winchester compare l'autorité du roi à celle du père de famille, en s'appuyant sur un passage obscur
de saint Paul (*I Cor.*, VII, 37) [2]. Il soutient même que « le mépris des
lois humaines » — entendez par là de la discipline ecclésiastique imposée
par le roi — « doit être puni plus sévèrement que la transgression des lois
divines », proposition qui parut blasphématoire aux protestants et dans
laquelle il semble que Gardiner ait pressenti et rejeté le « puritanisme »
théocratique d'un Calvin [3]. Cependant un polémiste anglais entrait
en ligne. Sous le pseudonyme de James Sawtry, qui rappelait un martyr
lollard de l'an 1401 [4], il publiait une *Défense du mariage des prêtres*, où
il répandait à flots les invectives et les injures, en un style qui ne manquait
ni de pittoresque ni de verdeur [5]. Aux vœux de chasteté il oppose les
exigences de la nature. Les promesses faites par les clercs ne sont pas
« libres. » Une promesse n'est « libre » que si elle a pour objet une action
qu'il est en notre pouvoir d'exécuter ; et il n'est pas en notre pouvoir
de rester chastes. Interdire aux prêtres de se marier, c'est les pousser
dans les bras des prostituées. Il faut d'ailleurs en revenir à la pratique
de la primitive Église. Les évêques qui s'en sont écartés en conseillant
mal le roi et en abusant le Parlement sont des traîtres ; ils seront accablés
de châtiments terribles par le courroux de Dieu [6].

C'est sur le terrain de la nature que se place Sawtry, et que se place
aussi Bucer [7]. Chacun, dit celui-ci, doit faire usage, dans sa vie, des dons
qui lui sont venus de Dieu ; s'il n'a pas le don de chasteté, il doit se marier.
Il doit, en somme, suivre son naturel [8]. Au contraire, répond Gardiner,
il doit se contraindre. S'il est vrai que le « don » émane de Dieu, c'est
l'homme qui le fait fructifier par son labeur et sa vigilance. Bucer ôte
à l'homme la possibilité de l'effort et le secours qui lui vient de la prière.
« Croit-on, dit l'évêque de Winchester, que si un homme a demandé

---

(1) P. Janelle, *La controverse entre Étienne Gardiner et Martin Bucer sur la discipline ecclésiastique*, dans *Revue des Sciences religieuses*, juillet 1927, p. 452-466.
(2) *Stephani Winton, episcopi angli, ad Martinum Bucerum, de impudenti ejusdem Pseudologia
conquestio*, Louvain, 1544, *passim* ; *Stephani Winton. Episcopi angli, ad Martinum Bucerum epistola*, Ingolstadt, 1546, *passim*.
(3) *Contemptum humanae legis* etc. Corpus Christi College, Cambridge, ms. 113, pièce 34 ;
reproduit dans P. Janelle, *Obedience*, p. 174-211.
(4) J. Foxe, *op. cit.*, vol. III, p. 221-229.
(5) James Sawtry, *The defence of the Mariage of Preistes*, Zurich, 1541.
(6) *Ibid.*, Sign. E iii b, E iiij b, A iii b, D ij a.
(7) St. Gardiner, *Conquestio*, Sign. C a-b, C ij b.
(8) *Ibid.*, Sign. D iv b, G iij.

sérieusement et de bonne foi la continence à Dieu, il n'obtiendra rien par la prière, le jeûne et les macérations ? » Et d'ailleurs, s'il est nécessaire d'avoir le « don » pour vivre chaste, que fera un mari dont la femme est malade [1] ? En outre, parler d'une certaine manière d'un « don » ou d'une « vocation », n'est-ce pas affirmer que tout sur terre se produit en vertu d'une nécessité absolue ? « Tes écrits, dit Gardiner à Bucer, sentent la fatalité » [2]. Et c'est ici en effet que la question du célibat se rattache à celle de la prédestination.

JUSTIFICATION ET
PRÉDESTINATION

Gardiner évitait de discuter à coups de textes de l'Écriture et préférait la méthode socratique. Il se fait en ceci le digne successeur de Thomas More. Il le surpasse même dans la discussion, car il est moins bavard, moins prolixe, écrit d'un style plus net et plus serré. C'est au nom du bon sens qu'il défend contre le polémiste protestant George Joye les dix articles qu'il avait rédigés pour convaincre Barnes et qui formulent sa manière de voir sur les questions de la justification par la foi seule et de la prédestination [3]. Ces deux questions sont étroitement connexes ; car en refusant de laisser l'homme contribuer par des œuvres à sa propre justification, Barnes et Joye donnent à celle-ci un caractère de nécessité qui cadre bien avec la doctrine de la prédestination. Ils font de même encore quant à la conduite de l'homme justifié, lorsqu'ils donnent à entendre que celui-ci est nécessairement entraîné vers la vertu. Joye le déclare explicitement :

Nous sommes choisis par Dieu, et lorsque nous sommes nés à nouveau de l'Esprit, nous sommes appelés à recevoir la foi... lequel don de la foi nous certifie notre élection... afin que maintenant, étant élus en Christ, nous puissions accomplir journellement de bonnes actions [4].

En ce qui concerne la justification, Gardiner répond que l'acte de foi même a un caractère volontaire ; si on le pose comme condition, il n'y a pas de raison de ne pas en faire autant pour l'acte de charité, qui conduit aux œuvres bonnes. En ce qui concerne l'apparente contradiction entre la prescience de Dieu et le libre arbitre, Gardiner fait valoir que la rédemption se situe dans le temps, alors que Dieu lui-même est placé en dehors du temps. Lorsqu'on parle de prédestination avant le commencement du monde, « nos paroles semblent impliquer un passé là où en fait il n'y a pas de passé. Car il n'y a pas de passé là où il n'y a pas de temps. » Enfin, au sujet de la conduite de l'homme réconcilié avec Dieu, Gardiner répond qu'en fait un tel homme peut tomber à nouveau. En disconvenir, c'est nier le libre arbitre ; or nous savons à n'en pas douter que l'homme a toujours le libre choix de faire le bien ou le mal. Dieu peut toujours dire au pécheur : « Tu étais libre de choisir [5]. En réalité, affirmer l'indépendance du salut et des œuvres de l'homme, nier la nécessité de celles-ci, c'est ouvrir la porte à la licence ; et, de fait, les protestants ont pour but

(1) St. GARDINER, Conquestio, Sign. G iv, F iij b.
(2) Ibid., Sign. K iv.
(3) St. GARDINER, Declaration.
(4) Ibid., fol. CLVIIa.
(5) Ibid., fol. CIb, LIIIIa, CXXIXa.

d'attirer la foule en lui offrant la liberté d'agir à sa guise, et le Paradis à bon marché. Gardiner, dans un de ses meilleurs passages polémiques, s'exprime ainsi :

Vous flattez le monde avec une doctrine licencieuse et vous lui offrez d'ôter de son cou tous les jougs qui ont pu à un moment quelconque le gêner dans ses pensées ou dans ses actions... Vous flattez le maître cupide en abolissant les jours fériés, afin qu'il puisse tirer plus de travail des gages qu'il donne pour l'année. Vous flattez le serviteur en supprimant l'obligation du jeûne et de l'abstinence de viande en carême ou en d'autres temps. Vous offrez aux prêtres des femmes, afin que celles-ci vous les attirent. Vous débarrassez tous les hommes de la confession et des larmes versées pour leurs péchés... Vous supprimez les cérémonies, qui, à vrai dire, empêchent beaucoup les réjouissances dans les assemblées de bons compagnons. Vous donnez aux femmes courage et liberté de parler à leur plaisir, du moment qu'il s'agit de la parole de Dieu [1].

L'INTERPRÉTATION DE L'ÉCRITURE — Gardiner et les henriciens n'admettaient pas, comme le faisait un polémiste protestant, Anthony Gilby, que l'Écriture n'eût pas de mystères pour « le laboureur » [2]. Afin de l'interpréter, il est nécessaire, selon eux, de posséder une érudition suffisante et de se livrer à l'exégèse. « Certains mots ont été..., pour un temps, changés par malice, ou omis par négligence, ou déformés par ignorance, et ensuite rétablis par la bonté de Dieu, mais non sans l'aide de l'érudition et de sens exercés à la science » [3]. Or les individus, et en particulier les ignorants, ne peuvent entreprendre ce travail. Ils doivent s'en remettre à l'Église : « Lorsque tu liras, accepte cette vérité que le consentement de l'Église du Christ nous a confiée depuis le commencement, et reçois de ses mains le sens vrai de l'Écriture avec révérence » [4]. Gardiner ne nous dit pas, il est vrai, comment et au moyen de quel organe l'Église définit et conserve le sens de l'Écriture. La tradition prise en bloc lui en paraît une garantie suffisante.

L'EUCHARISTIE — C'est à la tradition aussi qu'il fait appel pour soutenir la présence réelle du Christ dans l'eucharistie. C'est là en effet le point central de la controverse entre protestants et henriciens, et Tunstal, bientôt, entrera aussi en lice pour défendre la tradition catholique sur ce terrain [5]. Gardiner, ayant affirmé l'autorité de l'Église pour défendre le sens orthodoxe des paroles de la consécration, réfute l'argument que les adversaires de la présence réelle tirent du témoignage des sens et de la raison. Cet argument, nous dit-il, vaudrait aussi bien contre tout fait miraculeux rapporté dans l'Écriture. « Si les sens sont ainsi mis en avant, c'est parce que pour beaucoup d'hommes, le ventre commande » [6]. Et quant à la raison, si elle rejette ce qu'elle ne peut comprendre, elle en viendra à nier Dieu lui-même. Et Gardiner poursuit, en s'appuyant sur l'autorité des Pères. La mort des martyrs

---

(1) St. GARDINER, *Declaration*, fol. CLIa - CLIIa.
(2) Anthony GILBY, *An answer to he devillish detection of Stephane Gardiner*, Londres, 1547, fol. CXLa.
(3) St. GARDINER, *Declaration*, fol. XLIb.
(4) St. GARDINER, *A detection of the Deuils Sophistrie*, Londres, 1546, fol. IIb.
(5) Cuthbert TUNSTAL, *De veritate corporis et sanguinis domini nostri Jesu Christi in Eucharistia*, Paris, 1554 (achevé en 1551).
(6) St. GARDINER, *Detection*, fol. VIab-VIIIa, XVIIb.

protestants ne prouve rien, que leur « entêtement mêlé d'orgueil »[1]. Quant à la communion sous une seule espèce, elle se justifie par une « dévote coutume », et aussi — l'argument vaut pour un henricien — parce que le Parlement unanime l'a imposée par une loi. Gardiner fait d'ailleurs confiance au roi, car « c'est un prince qui possède science et puissance et les dons abondants et particuliers de Dieu pour la réformation de son peuple »[2].

L'ÉGLISE UNIVERSELLE   On le voit, Gardiner, catholique par la doctrine, reste séparé de Rome par sa conception du gouvernement de l'Église. Mais pour lui la suprématie royale n'a pas séparé l'Angleterre de l'Église universelle. Il fait souvent allusion à la « foi catholique », à la « doctrine catholique », comme étant celles de ses compatriotes[3]. Il reproche à Joye de « séduire le peuple » en l'écartant « du vrai enseignement de l'Église catholique » et cite contre lui une prière qui est « celle de l'Église tout entière »[4]. Et s'il continue à exiger, comme dans le *De vera obedientia*, l'obéissance absolue au roi, c'est parce qu'il représente l'Église. Les Anglais, en tant que chrétiens, doivent observer la même attitude que comme sujets du prince : « L'esprit indiscret et présomptueux de l'homme » ne devrait « qu'adorer et s'occuper comme on le lui commande, sans mettre en discussion les desseins de Dieu, pas plus que chez les maçons les tailleurs de pierre n'importunent le maître maçon pour discuter avec lui comment tel ou tel profil... correspond au calque et convient au travail à faire »[5].

HUMILITÉ ET CONSERVATISME   L'attitude de Gardiner et des henriciens n'est, à vrai dire, ni hardie, ni conquérante. La vertu dominante qu'ils souhaitent rencontrer parmi le peuple n'est pas l'ardeur, mais l'humilité. « Je souhaiterais, dit l'évêque de Winchester, que l'on parlât des choses divines avec révérence et décence, avec la crainte de se tromper, dans un esprit humble et soumis. » Il n'y a pas lieu de s'étonner par conséquent que les henriciens, tout en maintenant de tout leur pouvoir la pratique et le culte traditionnels, n'aient nullement pressenti ni préconisé les innovations que devait introduire le mouvement trentin pour intensifier la ferveur des fidèles. Tout au long du traité où il défend la conception orthodoxe de l'eucharistie, Gardiner ne fait aucune allusion à la fréquente communion et estime normal et suffisant qu'un chrétien fasse ses Pâques[6]. Il ne tient aucunement à ce que les fidèles s'associent à la célébration de la messe. Dans une lettre à Cranmer, de quelques mois postérieure à la mort de Henri VIII, il regrette le vieux temps « où les gens, à l'église, faisaient peu d'attention à ce que le prêtre et les clercs faisaient dans le chœur, si ce n'est pour se lever à l'évangile et s'agenouiller à la consécration,

---

(1) St. GARDINER, *Détection*, fol. XIXa, CVIIa.
(2) *Ibid.*, fol. CXLa, CLIIb.
(3) St. GARDINER, *Declaration*, fol. LXIIa, CIXb.
(4) *Ibid.*, fol. CXLVb, XXIIb.
(5) *Ibid.*, fol. LXIXa.
(6) St. GARDINER, *Declaration*, fol. LXb ; *Détection*, fol. $\overline{XC}a$-b.

et où chacun s'occupait lui-même à sa prière particulière » [1]. Évidemment l'évêque de Winchester ne partageait pas les préoccupations liturgiques des réformateurs catholiques.

DÉFENSE DU SURNATUREL Il ne s'associait même pas à leur souci de faire disparaître de la vie chrétienne la croyance à un merveilleux mal fondé sur l'histoire. Il craint qu'en supprimant la *Légende dorée* et le *Liber festivalis* de Mirk, « on n'arrache l'ivraie avec le bon grain » [2]. Mais s'il adopte cette attitude, c'est parce qu'il sent la nécessité de maintenir une conception surnaturelle de la religion, en face d'un protestantisme à tendances rationalistes et appuyé sur l'idée de nature. « Le diable, nous dit-il, essaye de mettre à profit notre présomptueuse prétention de savoir tout comme le fait Dieu, et de le comprendre à la mesure de notre capacité, et tout ce qui dépasse celle-ci, ou lui répugne, de l'appeler fausseté, folie, mensonge ou contre-vérité » [3]. A propos de la présence réelle, c'est toute la question du surnaturel qu'il pose. Ceux qui ne croient pas aux paroles de l'institution de l'eucharistie « donneront peu de créance à n'importe quel nouveau miracle, quand bien même des morts ressusciteraient pour parler avec eux, mais bien plutôt s'efforceront de réfuter tout ce qui répugne à leurs opinions » [4]. Rien ne saurait, plus clairement que ces paroles, révéler les positions respectives prises par les deux adversaires, au moment où la mort de Henri VIII (28 janvier 1547) va livrer l'Église d'Angleterre à l'invasion protestante.

---

(1) Lettre de Gardiner à Cranmer, peu après le 1er juillet 1547, Bibl. Nat., ms. lat. 6051; reproduit dans *The letters of Stephen Gardiner*, édit. J. A. MULLER, p. 355.
(2) Lettre de Gardiner à Cranmer, peu après le 12 juin 1547, *ibid.*, p. 312.
(3) St. GARDINER, *Detection*, fol. VIII*b*.
(4) *Ibid.*, fol. XXVI*b*.

CHAPITRE II

L'ANGLETERRE PROTESTANTE [1]

§ 1. — La période des tâtonnements (1547-1551).

LES DEUX PARTIES DU RÈGNE Édouard VI, fils de Henri VIII et de Jane Seymour, était né le 12 octobre 1537 ; il avait neuf ans quand il monta sur le trône d'Angleterre ; il devait mourir à quinze ans, le 6 juillet 1553. Son règne n'est donc qu'une longue minorité, au cours de laquelle le pouvoir appartient à d'autres qu'à lui. Il se divise nettement en deux périodes ; au cours de la première, le véritable souverain est l'oncle du roi, Edward Seymour, comte de Hertford puis duc de Sómerset, qui gouverne sous le titre de « protecteur » et sera exécuté le 22 janvier 1552 ; dans la seconde période, son successeur est John Dudley, comte de Warwick, puis duc de Northumberland, exécuté lui-même sous le règne de Marie Tudor, le 22 août 1553. Les deux parties du règne présentent un trait commun : elles sont marquées par la domination d'une noblesse enrichie par le pillage des monastères, avide des biens demeurés aux mains de l'Église et qu'elle lui arrachera bientôt. Cette noblesse craint d'avoir à rendre gorge, au cas où le royaume retournerait à l'obédience romaine, et tient à s'assurer contre une restitution forcée en favorisant l'établissement du protestantisme en Angleterre. Mais dans cet établissement même, il se marque une progression.

(1) BIBLIOGRAPHIE. — I. SOURCES. — Pour le règne d'Edouard VI, les sources sont en grande partie les mêmes que pour le règne d'Henri VIII. Toutefois, le *Calendar of State Papers, Domestic*, vol. I (Londres, 1856), n'a pas l'ampleur des *Letters and Papers* et n'est guère qu'une nomenclature de pièces. On consultera comme précédemment J. FOXE, *Acts and Monuments*, édit. PRATT, vol. V et VI (abondante collection de documents) ; STRYPE, BURNET, le *Dictionary of national Biography*, POLLARD and REDGRAVE. Voir en outre la belle édition des *Letters of Stephen Gardiner*, par le professeur James Arthur MULLER (Cambridge, 1933) ; les documents non utilisés par FOXE et STRYPE et publiés par J. G. NICHOLS sous le titre de *Narratives of the days of the Reformation* (Camden Society, 1859) ; ceux qui sont reproduits par Patrick Fraser TYTLER dans *England under the reigns of Edward VI and Mary*, Londres, 1839, et par sir Henry ELLIS, *Original letters illustrative of English History*, Londres, 1825. On trouvera les ouvrages liturgiques du règne dans une publication de la *Parker Society, The two liturgies... With other documents...* Cambridge, 1844.
II. TRAVAUX. — Le livre essentiel est à nouveau dû à l'abbé G. CONSTANT. C'est le vol. II de *La Réforme en Angleterre, Edouard VI* (Paris, 1939) qui contient une bibliographie aussi complète que possible. Le même auteur avait précédemment écrit une étude sur *La transformation du culte anglican sous Edouard VI*, dans *Revue d'histoire ecclésiastique*, t. XII, 191. Sur l'histoire religieuse de la période, voir comme précédemment SANDERS, GAIRDNER, DIXON. Sur le culte anglican sous Edouard VI, l'ouvrage le plus important et le plus complet est celui de Francis Aidan GASQUET et Edmund BISHOP, *Edward VI and the Book of Common prayer*, 2e édit., Londres, 1891. Voir aussi Fr. PROCTER et W. H. FRERE, *A new history of the book of Common prayer*, Londres, 1901, 1914 ; W. M. CAMPION et W. J. BEAUMONT, *The Prayer-book interleaved*, Londres, 1876 (manuel très utile). Sur l'histoire générale de la période, voir A. F. POLLARD, *England under Protector Somerset*, Londres, 1900. Sur Cranmer, voir A. F. POLLARD, *Thomas Cranmer and the English reformation*, Londres, 1904, et C. H. SMYTH, *Cranmer and the Reformation under Edward VI*. Sur Gardiner, voir de nouveau J. A. MULLER, *Stephen Gardiner and the Tudor reaction*, Londres. 1926. Sur le séjour de Bucer en Angleterre, voir C. OBERREINER, *Martin Bucer en Angleterre*, dans *Revue catholique d'Alsace*, 1919-1921 (dix articles) et C. HOPF, *Martin Bucer and the English reformation*, Oxford, 1946, qui reproduit quelques documents importants.

Somerset, relativement timide, en reste au luthéranisme, et les conservateurs se flattent de l'espoir que l'essentiel de leur foi est encore maintenu. Warwick, au contraire, va jusqu'au zwinglianisme et réveille la résistance catholique. Il s'en faut d'ailleurs que l'Église d'Angleterre se soit laissé pousser par des doctrinaires jusqu'à prendre des positions extrêmes. Avec un sens de la mesure et un souci du compromis qui sont bien de son pays, elle s'arrêtera, même sous la domination de Warwick, à des formules imprécises, conciliantes ; et l'on s'expliquera que les anglicans des siècles suivants aient pu interpréter leur credo des manières les plus diverses. Les protestants « avancés » du règne d'Édouard VI ont fait souche, non dans l'anglicanisme, mais dans les sectes dissidentes du « nonconformisme. »

L'INVASION PROTESTANTE   Nous ne reviendrons pas ici sur les intrigues de cour qui, en dépit du testament de Henri VIII, assurèrent le pouvoir à Somerset et au parti « avancé ». Toujours est-il que l'avènement du Protecteur fut salué comme une libération par les protestants anglais et étrangers, et dès le début, avant même que des réformes eussent été introduites dans le dogme et dans le culte, toutes les rancœurs qui avaient été comprimées par la législation de Henri VIII se trouvèrent subitement déchaînées. Les protestants, nous dit Sanders, raillèrent les catholiques en les traitant de « cacolyci » ; leurs prédicateurs attaquèrent le pape « avec une incroyable bouffonnerie » ; ils s'en prirent avec véhémence, lors des enterrements, aux prières pour les défunts ; ils envahirent même les chaires des Universités.

Déjà dans tous les ateliers et dans toutes les tavernes, dans les cabarets et dans les mauvais lieux, on commençait à discuter sur la foi. L'Écriture sainte, de vieilles bavardes, des vieillards en délire, des sophistes verbeux, tous et toutes en un mot, s'en emparaient audacieusement, la mettaient en pièces, l'enseignaient avant de se l'être assimilée : les uns philosophaient parmi des pécores, d'autres apprenaient auprès des femmes ce qu'ils devaient enseigner aux hommes. Mais c'est surtout l'*Apocalypse*, où l'on trouve autant de mystères que de mots, qui remplissait la bouche de chacun [1].

Faisons la part de l'exagération rhétorique chez un historien catholique. On se rend compte malgré tout de la fermentation et du trouble des esprits.

Tout de suite aussi, c'est l'afflux en Angleterre des réformateurs du continent, en particulier de ceux de l'Empire qui se refusent à accepter l'intérim de Charles-Quint. Cranmer, soucieux de faire pièce au concile de Trente, en assemblant en Angleterre des théologiens protestants de toute l'Europe [2], leur ouvre largement les portes de son palais archiépiscopal de Lambeth. Dès 1547, arrive d'Italie Pierre Martyr Vermigli, ancien moine augustin passé à la Réforme et réfugié à Strasbourg. Il est nommé à la chaire royale de théologie à l'Université d'Oxford et chanoine de Christchurch [3]. La même année, c'est Pierre Alexandre d'Arles qui reçoit

(1) N. SANDERS, *op. cit.*, p. 188-189.
(2) H. JENKYNS, *The Remains of Thomas Cranmer*, Oxford, 1833, I, p. 346, cité par G. CONSTANT, *op. cit.*, p. 399.
(3) *Ibid.*, p. 405 ; J. GAIRDNER, *op. cit.*, p. 263.

l'hospitalité de Lambeth et se voit attribuer des bénéfices anglais[1]. Un second Italien, converti du judaïsme, Emmanuele Tremellio, est nommé, en 1549, professeur d'hébreu à l'Université de Cambridge. En 1548, un troisième Italien, Bernardino Ochino, ancien vicaire général des franciscains, vient d'Augsbourg et reçoit une prébende à la cathédrale de Cantorbéry. En avril 1549 arrivaient encore de Strasbourg les réformateurs Martin Bucer et Paul Fagius, accompagnés d'un réfugié lillois, Valérand Poullain, et d'un jeune étudiant, Mathieu Negelin[2]. Bucer fut nommé *regius professor* de théologie à Cambridge, où il devait mourir le 28 février 1551. Poullain installa parmi les ruines de l'abbaye de Glastonbury, dans l'été de 1550, une communauté de réfugiés wallons, dite « Église des étrangers ». En même temps le réformateur polonais Jean Laski fondait à Londres une Église allemande[3]. On se rend compte de l'effet que devait avoir cette pullulation d'éléments « avancés », appelés en renfort par Cranmer pour l'aider à modifier dans un sens protestant les croyances et le culte de l'Église d'Angleterre.

THOMAS CRANMER — L'influence de Cranmer fut déterminante dans la crise religieuse du règne d'Édouard VI. Depuis longtemps il penchait vers le protestantisme. Il avait, en 1532, lors d'un séjour en Allemagne, quoique prêtre, épousé la nièce du réformateur Osiander[4] ; et Sanders nous dit que, l'ayant ramenée en Angleterre, il la faisait transporter avec lui, dissimulée dans une caisse[5]. Durant le règne de Henri VIII, il s'était conformé extérieurement à l'orthodoxie catholique imposée par le souverain, tout en agissant en sous-main dans le sens protestant. En 1536, Bucer lui dédie son *Commentaire sur l'épître aux Romains*, marquant ainsi quel espoir les réformateurs allemands fondaient sur lui[6]. Il les soutint lors de la conférence de Londres en 1538. Cependant Henri VIII lui conserva sa confiance et fit échouer l'attaque entreprise contre lui par les membres du Conseil royal en 1543. Au commencement du règne d'Édouard VI, Cranmer professe des idées luthériennes sur la justification et sur l'eucharistie[7]. Il traduit, en 1548, le catéchisme luthérien de Wittenberg[8], au grand désespoir des protestants d'opinions extrêmes. Cependant, il cède bientôt à l'influence des zwingliens, dont il héberge plusieurs dans son palais[9], et notamment de Jean Laski. Il finit par se rallier à l'interprétation de l'eucharistie donnée par Bucer, qui affirmait à la fois la présence véritable du corps et du sang de Jésus-Christ dans les espèces consacrées et la nature spirituelle de cette

(1) J. Gairdner, *op. cit.*, p. 263.
(2) G. Constant, *op. cit.*, p. 406-407 ; J. Gairdner, *op. cit.*, p. 263 Cf. P. Janelle, *Le voyage de Martin Bucer et de Paul Fagius de Strasbourg en Angleterre en 1549*, dans *Revue d'histoire et de philosophie religieuses*, mars-avril 1928, p. 162-177.
(3) J. Gairdner, *op. cit.*, p. 283-284. Cf. Henry J. Cowell, *The French-Walloon Church at Glastonbury, 1550-1553 (Proceedings of the Huguenot Society of London*, vol. XIII, n° 5).
(4) J. Gairdner, *op. cit.*, p. 137 ; G. Constant, *op. cit.*, p. 369 ; Anthony C. Deane, *The life of Thomas Cranmer*, London, 1927, p. 73-74.
(5) N. Sanders, *op. cit.*, p. 57.
(6) J. Strype, *Memorials of Cranmer*, II, 115, cité par G. Constant, *op. cit.*, p. 369-370.
(7) *Ibid.*, p. 372-373.
(8) *Ibid.*, p. 374 ; N. Sanders, *op. cit.*, p. 181.
(9) G. Constant, *op. cit.*, p. 377.

présence [1]. Au total, homme sans beaucoup de caractère, enclin à subir toutes les influences et à se conformer à la volonté du pouvoir civil, quoi que celui-ci prescrivît.

LES DÉBUTS DE L'OFFENSIVE PROTESTANTE — Le protecteur Somerset a été représenté comme un homme tolérant et libéral ; il est certain qu'il répugna aux mesures de contrainte et qu'il adoucit la législation de Henri VIII [2]. Mais il semble qu'il ait été surtout un politique, dominé par l'idée de faire l'unité religieuse du royaume, et de la faire en imposant une solution moyenne. Il était en mesure d'agir à son gré, car, par un véritable coup d'état, il s'était assuré un pouvoir absolu. Gardiner avait été exclu de toute participation au gouvernement, de même que les nobles à tendances catholiques ; et le Protecteur s'était entouré d' «hommes nouveaux», qui avaient intérêt à voir bouleverser l'ancien état de choses. Tout comme Henri VIII cependant, il agit prudemment et procéda par étapes. Dès le 6 février 1547, le Conseil royal publiait, au nom du souverain, de nouvelles commissions pour les évêques [3]. Gardiner protesta contre ce procédé, qui faisait de lui et de ses confrères de simples fonctionnaires, dans une lettre à William Paget, contrôleur de la Maison du roi [4]. Celui-ci répliqua « qu'il ferait mieux de ne pas être évêque, ou d'avoir une volonté assez souple pour supporter la réforme qui serait jugée convenable pour la tranquillité du royaume » [5].

Cependant le gouvernement, soucieux de tâter l'opinion publique avant de prendre des mesures législatives, lançait des ballons d'essai. Le réformateur Ridley prêcha devant la cour, le mercredi des Cendres, contre le pape, les indulgences, les « idoles » et l'eau bénite [6].

LA « PARAPHRASE » D'ÉRASME ET LES « HOMÉLIES » — Dès le début du règne également, les tendances de Somerset se manifestèrent par la publication des *Injonctions royales* du 31 juillet 1547, établies en vue de servir de guide pour une visite générale de l'Église du royaume. Elles étaient adressées à tous les sujets du roi ; elles prescrivaient la lecture, en anglais, de l'épître et de l'évangile. Les processions étaient interdites et le processionnal supprimé, mais la « litanie, ou supplication générale », devait être chantée en langue vulgaire, ainsi qu'il avait été déjà fait sous Henri VIII, par le clergé et les choristes à genoux au milieu de l'église, juste avant la grand'messe [7]. Les fidèles étaient engagés à déposer dans le tronc des aumônes l'argent

---

(1) C. H. Smyth, *Cranmer and the Reformation under Edward VI*, passim et notamment p. 139 et suiv.

(2) G. Constant, op. cit., p. 49-63.

(3) F. A. Gasquet, *Edward VI and the book of Common prayer*, p. 42-45 ; F. Sanders, op. cit., p. 179 (Commission pour Cranmer).

(4) J. A. Muller, *Letters of Stephen Gardiner*, p. 268-272 (Lettre du 1er mars 1547).

(5) Ms. du Public Record Office, *State Papers Domestic*, vol. I, n° 26, fol. 107a. Cf. J.A.Muller, *Stephen Gardiner and the Tudor reaction*, 147.

(6) *Ibid.*, p. 149.

(7) Texte des *Injonctions* dans J. Foxe, op. cit., vol. V, p. 706-713. Cf. J. Gairdner, op. cit., p. 246-247.

qu'ils avaient précédemment dépensé « pour les indulgences, pèlerinages, trentains, pour la décoration des images et l'offrande des cierges »[1]. Les *Injonctions* prescrivaient en outre à tout « curé, vicaire, prêtre obituaire ou bénéficier » de se procurer, dans un délai de trois mois après la visite, le Nouveau Testament en latin et en anglais, avec la *Paraphrase* d'Érasme, « de les étudier diligemment, en les comparant » ; et de placer dans leurs églises, dans un délai de douze mois, cette *Paraphrase* d'Érasme en anglais, afin que les paroissiens pussent y avoir accès[2]. On sait que la *Paraphrase* attaquait, sur le ton de la satire, l'Église du début du XVIe siècle ; en outre le traducteur, le protestant Nicholas Udall, avait modifié le texte primitif[3]. Les *Injonctions* ordonnaient également, « à cause du manque de prédicateurs », aux curés et vicaires de lire en chaire, tous les dimanches, « une des homélies qui devaient être publiées. » Il s'agit ici du *Livre des homélies* composé par Cranmer et publié le 31 juillet 1547. Une première rédaction en avait été présentée à l'assemblée du clergé de 1543 et rejetée par celle-ci. Les *Homélies* introduisaient également certaines nouveautés. L'homélie sur les *Œuvres* proscrivait les « superstitions papistes » telles que le pain bénit, les rameaux, les cierges. Cranmer affirmait en outre, comme les luthériens, que la justification s'opère par la foi seule[4].

LA VISITE ROYALE — La « visite royale » prévue par les *Injonctions* commença à Westminster le 3 septembre 1547. Les visiteurs royaux étaient en partie des laïques[5]. Bonner, évêque de Londres, formula une protestation, qu'il retira devant le Conseil royal. Il n'en fut pas moins enfermé à la prison de la Fleet, où il resta quelques semaines[6]. Gardiner, qui reprochait à juste titre aux *Injonctions* d'être illégales, fut, comme Bonner, emprisonné à la Fleet, le 25 septembre, et, malgré son état de santé, traité de façon brutale[7]. Cependant on chantait le *Te Deum* en anglais dans toutes les églises pour la victoire que le Protecteur venait de remporter sur les Écossais à Pinkie[8] ; le 17 novembre, à la cathédrale de Saint-Paul et dans toutes les églises de Londres, les images étaient retirées et brisées, les nefs blanchies à la chaux, les dix commandements peints sur les murs[9]. Les paroissiens de Saint-Paul ayant caché une statue de la Vierge, celle-ci fut exposée au calvaire voisin de la cathédrale, pour illustrer un sermon que Barlow, évêque de Saint-Davids, y prêcha contre l'idolâtrie le 27 novembre[10].

(1) J. Foxe, *op. cit.*, p. 711-712.
(2) Les deux tomes de la *Paraphrase on the New Testament* furent imprimés par Edward Whitchurch en 1548-49. Cf. J. Foxe, *op. cit.*, vol. VI, p. 57 *n.* Sur la prescription formulée par les *Injonctions*, voir *ibid.*, p. 710 ; J. A. Muller, *Letters of Stephen Gardiner*, p. 400-401.
(3) *Ibid.*, p. 401.
(4) *Certayne sermons, or homilyes appoynted by the kynges Maiestie* etc., London, 1547 (deux éditions), réimprimé Cambridge, 1850. Cf. J. Foxe, *op. cit.*, p. 712 ; J. A. Muller, *Letters of Stephen Gardiner*, p. 368 ; J. Gairdner, *op. cit.*, p. 247 ; G. Constant, *op. cit.*, p. 70.
(5) J. Gairdner, *op. cit.*, p. 247 ; F. A. Gasquet, *Edward VI and the B. C. P.*, p. 52.
(6) *Ibid.*, p. 57 ; J. Gairdner, *op. cit.*, p. 247.
(7) *Ibid.*, p. 248 ; J. A. Muller, *Letters of Stephen Gardiner*, p. 378.
(8) F. A. Gasquet, *Edward VI and the B. C. P.*, p. 65.
(9) *Ibid.*, p. 68 ; J. Gairdner, *op. cit.*, p. 249.
(10) *Ibid.*, p. 252-253.

LE PARLEMENT DE 1547   Cependant, en même temps que l'assemblée du clergé, le Parlement s'était réuni en novembre 1547. Il adoucit d'abord la législation sur la trahison qui avait fait tomber la tête de Fisher et de More ; mais, en même temps, il abolissait la loi *De haeretico comburendo* et laissait ainsi le champ libre aux polémistes protestants [1]. A l'assemblée du clergé, une proposition tendant à établir la communion sous les deux espèces ne fut votée qu'avec difficulté et sous la contrainte ; non qu'on la pensât hérétique, mais parce qu'elle ouvrait une brèche dans la liturgie traditionnelle [2]. Le Parlement, à son tour, l'imposa par une loi, qui réprimait par ailleurs les actes d'irrévérence envers l'eucharistie — les novateurs appelaient celle-ci « le diable en boîte » (Jack-in-the-box) [3]. Enfin une autre loi, confirmant celle qui avait été votée sous le règne de Henri VIII, accordait à la couronne les collèges, les chapelles libres et les fondations pieuses de toute nature, ainsi que les biens de toutes les confréries (guildes et fraternités). Cette spoliation se couvrait du prétexte de mettre fin à des superstitions ; elle avait pour but véritable — les actes du Conseil privé en font foi — de couvrir les dépenses nécessitées par la guerre avec l'Écosse et par le conflit probable avec la France [4].

LA POLITIQUE DU GOUVERNEMENT   On se rend compte, par le texte des proclamations royales publiées à cette époque, à la fois de la prudence et de la duplicité du gouvernement. Les mêmes édits, qui introduisent des innovations, interdisent d'aller plus loin dans le même sens, imposent le silence aux discussions et répriment les excès. D'autre part, on pouvait à la rigueur les considérer comme donnant satisfaction au désir de réforme qui était général parmi les catholiques aussi bien que parmi les protestants. La suppression de coutumes, même vénérables, qui avaient pu donner lieu à des abus, ne semblait pas toucher au fond même de la foi traditionnelle ; et l'on comprend que les tenants de la « vieille religion », rassurés d'ailleurs par les mesures prises contre les blasphémateurs, aient pu s'y tromper et prendre patience. Le gouvernement louvoyait. Le 16 janvier 1548, une proclamation s'élevait contre l'abandon du jeûne du carême. Le 27, une autre supprimait les cierges de la Chandeleur. Le 6 février, une troisième interdisait sous peine de prison de nouveaux changements dans les rites ; mais, le 21, une quatrième prescrivait l'enlèvement de toutes les images [5]. D'autre part tandis que Gardiner était muselé, Latimer, dans son sermon « sur la charrue », prêché le 18 janvier au dehors de la cathédrale de Saint-Paul, puis dans ses sermons de carême devant la cour, tonnait contre le catholicisme, avec l'approbation du gouvernement [6]. Dans ces conditions, qui croire, et que croire ?

(1) J. Foxe, *op. cit.*, vol. V, p. 714 ; J. Gairdner, *op. cit.*, p. 249 ; G. Constant, *op. cit.*, p. 61.
(2) F. A. Gasquet, *Edward VI and the B. C. P.*, p. 75-77.
(3) *Ibid.*, p. 69 ; J. Gairdner, *op. cit.*, p. 253.
(4) *Ibid.*, p. 250 ; G. Constant, *op. cit.*, p. 230-231.
(5) *Ibid.*, p. 68 ; J. Gairdner, *op. cit.*, p. 254-255 ; F. A. Gasquet, *Edward VI and the B. C. P.*, p. 97-101 ; J. Foxe, *op. cit.*, vol. V, p. 717-718.
(6) J. Gairdner, *op. cit.*, p. 253-254 ; G. Constant, *op. cit.*, p. 92.

§ 2. — La nouvelle liturgie anglicane.

Toute la politique religieuse du règne se résume dans les modifications apportées à la liturgie, au Bréviaire et avant tout au Missel. La question de la messe domine toutes les controverses de l'époque. C'est ce qui fait l'importance de l'*Order of Communion* (Instruction pour la communion), publié le 8 mars 1548 pour donner suite au vote du Parlement sur la communion sous les deux espèces. Il avait été composé sur le modèle d'un document luthérien, la *Pia consultatio* rédigée par Martin Bucer pour servir de guide à l'archevêque de Cologne, Hermann von Wied, qui voulait introduire la Réforme dans son diocèse [1]. La proclamation qui lui sert de préface avoue que cette nouvelle liturgie n'est sanctionnée que par l'autorité de l'État [2]. Elle insiste sur la nécessité de l'uniformité en matière religieuse, sur le devoir des sujets d'obéir à leurs supérieurs et de leur faire confiance.

L'*Order*, rédigé en anglais, ne supprimait pas la messe ; il ordonnait même de n'y rien changer « jusqu'à nouvel ordre » ; mais il se superposait à elle, en y introduisant des exhortations et des prières pour la communion des fidèles. La formule de l'administration du sacrement était orthodoxe. Toutefois, une nouveauté était introduite : la confession générale (le *Confiteor*) récitée régulièrement à la messe avant la communion pouvait, disait-on, remplacer la confession auriculaire individuelle (qui d'ailleurs n'était pas supprimée, mais rendue facultative) [3]. En outre, en restreignant la communion aux dimanches et fêtes, l'*Order* tendait à supprimer les messes privées. Il semblait respecter le dogme traditionnel ; mais les protestants ne s'y trompèrent pas et comprirent qu'il inaugurait l'ère des changements. Dès mai 1548, les offices étaient dits en anglais dans les églises de Londres et il n'y avait plus de messes sans communiants. Le 12 mai, on chantait, pour l'anniversaire de Henri VIII, à l'abbaye de Westminster, une messe en anglais et sans canon [4]. La chapelle royale adoptait une liturgie particulière, d'où avaient disparu les complies ; et, le 3 septembre, Somerset écrivait au vice-chancelier de Cambridge d'adopter cette liturgie dans les chapelles des collèges, pour la messe, matines et vêpres [5]. Ainsi donc on s'acheminait rapidement vers un bouleversement général. Le gouvernement faisait mine d'insister pour que les sujets ne prissent pas les devants dans la voie des innovations et se contentassent de le suivre ; mais, tout comme l'avait fait Henri VIII, il encourageait les extrémistes en sous-main. En novembre 1548, le Parlement votait une loi qui tolérait, sans toutefois l'approuver, le mariage des prêtres [6]. Le mécontentement grandissait parmi les catholiques [7].

---

(1) G. Constant, *op. cit.*, p. 84 ; J. Gairdner, *op. cit.*, p. 255.
(2) J. Ketley, *The two liturgies*, p. 1.
(3) *Ibid.*, p. 2, 4.
(4) F. A. Gasquet, *Edward VI and the B. C. P.*, p. 102-103.
(5) *Ibid.*, p. 147 ; J. Gairdner, *op. cit.*, p. 261-262.
(6) *Ibid.*, p. 262 ; G. Constant, *op. cit.*, p. 72 ; J. Foxe, *op. cit.*, vol. V, p. 722.
(7) *Ibid.*, p. 720.

La suppression des images provoquait en Cornouaille un premier soulèvement, qui fut d'ailleurs facilement maté.

LE PREMIER LIVRE DE PRIÈRE Nous reviendrons plus loin sur la lutte entre le Conseil royal et Gardiner, lutte qui eut pour résultat l'emprisonnement de celui-ci à la Tour de Londres, le 30 juin 1549. Le gouvernement avait désormais la voie libre ; et il en profita pour mettre en vigueur la première liturgie en langue anglaise, le *Livre de prière commune et de l'administration des sacrements, et des autres rites et cérémonies de l'Eglise* [1]. Depuis longtemps, Cranmer travaillait à une réforme de la liturgie. Sous le règne de Henri VIII, alors qu'il était encore modéré dans ses tendances, il avait établi un premier projet d'heures canoniales, en prenant pour base le bréviaire simplifié du cardinal Quiñon, rédigé en 1535. Dans le second, qui remonte au début du règne d'Édouard VI, il s'écartait plus nettement de la tradition et ne conservait plus que les matines et les vêpres [2]. Dans l'automne de 1548, une commission de douze théologiens se réunit sous la présidence de Cranmer, pour mettre au point une nouvelle liturgie anglicane [3]. Leur travail fut soumis, en octobre, à un comité d'évêques. Beaucoup de ceux-ci, nouvellement nommés, étaient protestants et favorables aux changements ; les autres les acceptèrent à contre-cœur, dominés par le sentiment qu'il fallait à tout prix faire l'unité doctrinale du royaume. On leur avait promis, d'ailleurs, que les idées de Cranmer sur l'eucharistie seraient éliminées du *Livre de prière* [4]. Mais l'assemblée du clergé ne fut même pas consultée [5]. Le Parlement se réunit le 27 novembre pour légiférer une fois de plus sur les croyances de l'Église. La discussion fut vive à la Chambre des Lords, mais le projet fut finalement adopté et promulgué par l'*Act of uniformity* (Loi sur l'uniformité) du 21 janvier 1549 [6].

Le *Livre de prière* était « à la fois un bréviaire, un missel et un rituel » [7]. La préface a trait uniquement aux heures canoniales, et reproduit celle du second projet de Cranmer, elle-même inspirée de celle de Quiñon [8]. Elle fait ressortir les motifs qui exigent une réforme liturgique, la complication et la diversité des anciens bréviaires (il y avait cinq « usages » en Angleterre) ; les avantages d'une liturgie simplifiée et uniforme ; arguments spécieux, difficiles à réfuter pour un catholique. Selon les désirs de Cranmer, l'office ne se composait plus que de matines et de vêpres (Evensong) ; il suivait de près le modèle donné par les luthériens [9]. Le psautier devait être lu en entier chaque mois ; l'Ancien Testament, à l'exception des quelques chapitres les moins édifiants, et le Nouveau

(1) Texte reproduit dans *Two liturgies*, p. 9-158.
(2) F. A. GASQUET, *Edward VI and the B. C. P.*, chap. II, p. 17-26 ; chap. III, p. 30-39.
(3) *Ibid.*, chap. IX, p. 136-146.
(4) *Ibid.*, chap. XI, p. 179-180.
(5) *Ibid.*, chap. X, p. 148-156.
(6) J. GAIRDNER, *op. cit.*, p. 262.
(7) G. CONSTANT, *op. cit.*, p. 93.
(8) F. A. GASQUET, *Edward VI and the B. C. P.*, p. 36 ; *Two liturgies*, p. 17-19.
(9) G. CONSTANT, *op. cit.*, p. 121-124 et 489-493.

Testament, moins l'Apocalypse, en entier chaque année [1]. Mais c'est dans la messe qu'étaient introduites les modifications les plus significatives. Elle avait désormais pour titre : *La Cène du Seigneur et la sainte communion, communément appelée la messe.* C'est dire que l'on s'efforçait de lui ôter le caractère d'un sacrifice propitiatoire. Certaines rubriques tendent à supprimer les messes sans communiants. L'allure générale de la première partie de la messe, jusqu'à l'offertoire, reste conforme à la tradition. Mais le *Livre de prière* supprime complètement les prières d'oblation. La préface et le *Sanctus* subsistent, mais le canon est profondément altéré : l'offrande de l'hostie devient l'offrande des supplications des fidèles. Les paroles de la consécration sont conservées [2], mais l'élévation disparaît, ainsi que tout ce qui, dans la dernière partie de la messe, rappelle l'idée d'une victime expiatoire. Cette *Cène du Seigneur* ressemble beaucoup à la messe luthérienne en allemand de 1526.

Quant au rituel, le *Livre de prière* modifie l'administration du baptême, en suivant le modèle de la *Pia consultatio*, supprime l'onction dans la confirmation, devenue simple renouvellement des vœux du baptême, conserve, dans l'*Instruction pour la visite des malades*, l'extrême-onction et le viatique, et même la confession auriculaire [3]. Il n'est pas question des sacramentaux, et, en ce qui concerne les « cérémonies », le *Livre de prière* prend, entre ceux qui veulent tout garder et ceux qui veulent tout abolir, une position moyenne bien caractéristique de la *Via media* anglicane [4]. Telle est la liturgie, encore en grande partie catholique, qui fut imposée à tous les prêtres, sous des peines sévères, à partir du 9 juin 1549 [5].

PRESSION EXERCÉE PAR LE GOUVERNEMENT

Tandis que se préparait la Réforme liturgique, le gouvernement ne cessait d'agir sur l'opinion publique, la poussant plus loin même que ne le prévoyait la législation. Il autorisait l'importation d'ouvrages anti-catholiques imprimés à Zurich ou à Bâle, et laissait toute liberté aux presses protestantes anglaises pour publier des pamphlets violemment satiriques contre la « vieille religion ». Il s'efforçait d'agir sur les milieux intellectuels en bouleversant les Universités. Une visite générale d'Oxford et de Cambridge fut décidée au printemps de 1549. Les visiteurs avaient les pouvoirs les plus étendus pour modifier l'emploi des fondations. A Oxford, les principaux des collèges avaient interdit à leurs étudiants d'assister aux conférences de Pierre Martyr ; ils lui proposèrent un débat public sur l'eucharistie, qui eut lieu en même temps que la visite, et où le réformateur italien fut assez malmené. L'Université n'en reçut pas moins de nouveaux statuts favorables au protestantisme, tandis qu'un grand nombre de maîtres catholiques étaient expulsés. A Cambridge

---

(1) *Two liturgies*, p. 20-22.
(2) *Ibid.*, p. 76, 77-81, 77-89, 92.
(3) G. Constant, *op. cit.*, p. 125-126, 127-129 ; *Two liturgies*, p. 135-140.
(4) *Ibid.*, p. 155-158 ; G. Constant, *op. cit.*, p. 130.
(5) J. Foxe, *op. cit.*, vol. V, p. 721-722, qui indique les pénalités en cas d'infraction.

aussi, on discuta publiquement sur la transsubstantiation, et l'Université fut soumise à une législation nouvelle [1].

RÉVOLTE DANS LES COMTÉS   Dès le mois de juillet 1549, des révoltes éclataient un peu partout dans le royaume. Elles n'avaient pas toutes, à vrai dire, un caractère religieux. Les rebelles du Norfolk, menés par le tanneur Robert Kett, acceptaient toutes les innovations dogmatiques et rituelles et protestaient avant tout contre la clôture des communaux par la noblesse. Mais dans le Nord et dans l'Ouest, c'est bien le rétablissement de la « vieille religion » que réclamaient les insurgés. Ceux de Cornouaille et du Devon formulèrent leurs exigences en seize articles. Ils voulaient que le baptême fût administré les jours de semaine aussi bien que les dimanches et jours de fête ; que les enfants fussent confirmés par l'évêque ; que la messe anglaise, semblable à « une comédie jouée pour la Noël », fût remplacée par la messe en latin ; qu'elle fût célébrée sans communiants, sauf à Pâques ; que la communion fût donnée sous l'espèce du pain seulement ; que le Saint-Sacrement fût conservé et exposé ; que l'on en revînt à l'usage du pain bénit et de l'eau bénite ; que les décrets des conciles généraux fussent observés et les Six articles rétablis ; que la Bible en anglais fût supprimée ; enfin que le cardinal Pole fût rappelé et fait membre du Conseil royal [2].

Les rebelles reçurent plusieurs réponses, dont une de Cranmer [3]. Celle du Protecteur, datée du 8 juillet 1549, est particulièrement intéressante. Somerset s'efforce de persuader, et réserve la menace pour sa conclusion. Il rappelle avec force aux sujets révoltés le devoir d'obéissance au prince, même mineur. Il réduit le plus possible la portée des changements qui ont été introduits par la nouvelle liturgie. Le baptême, dit-il, peut être administré en semaine, en cas de nécessité. Il est faux que le Livre de prière fasse de l'eucharistie du « pain ordinaire » ; elle est toujours considérée comme « la nourriture même de nos âmes, qui les conduit à la vie éternelle. » Mais le plus curieux, dans le message de Somerset, c'est qu'à l'entendre, la nouvelle Cène du Seigneur ne diffère pas de l'ancienne messe : « Elle vous paraît être un service nouveau, dit-il aux révoltés ; elle n'est rien d'autre que l'ancien. Les paroles en anglais sont exactement les mêmes qu'elles étaient en latin, si ce n'est de quelques choses si folles qu'il eût été honteux de les entendre en anglais. » D'ailleurs les changements — Somerset ment ici délibérément — ont été approuvés « par tout le clergé et les évêques du royaume. » Les Six articles ont été abrogés par mesure d'humanité. En outre, ils ont été abolis par le Parlement, et « qui, portant le nom de sujet, oserait se dresser contre une loi du royaume tout entier » [4] ? Somerset ne réussit pas à convaincre les rebelles, et ceux-ci, qui portaient comme drapeau, sous un dais, la pyxide du Saint-Sacrement et qui avaient assiégé Exeter, furent réduits par la

(1) J. GAIRDNER, op. cit., p. 264-266.
(2) Ibid., p. 268-269 ; FOXE, op. cit., vol. V, p. 731-732 (articles des rebelles).
(3) Voir, pour la réponse de Cranmer, G. CONSTANT, op. cit., p. 181-183. Texte de la réponse de Somerset dans J. FOXE, op. cit., vol. V, p. 732-736.
(4) Ibid., p. 735.

force avec l'aide de mercenaires étrangers. Les chefs furent exécutés. Les autres révoltes furent de même étouffées dans le sang [1]. Pour calmer les esprits, le Protecteur ordonna à Bonner de prêcher à la croix de Saint-Paul sur le devoir de soumission au prince. Or, dans son sermon, qui eut lieu le 1er septembre, l'évêque de Londres soutint la doctrine de la présence réelle. Il fut donc, sous divers prétextes, traduit devant une commission qui comprenait, entre autres, Cranmer et l'évêque protestant Ridley. Le 1er octobre, il était privé de son siège épiscopal [2].

§ 3. — Établissement du protestantisme en Angleterre.

CHUTE DE SOMERSET Depuis longtemps déjà, le Protecteur s'était attiré l'hostilité de cette noblesse même dont il faisait partie. On lui reprochait d'avoir légiféré contre la clôture des communaux. Son adversaire Warwick utilisa contre lui l'opinion conservatrice. Il promit « aux principaux catholiques, s'ils l'aidaient à déposer Seymour [Somerset]... de rétablir dans son intégrité l'ancienne foi. » On savait d'ailleurs que, dans la mesure où il avait lui-même une religion, c'était celle de ses pères [3]. Aussi, lorsque la conspiration de Warwick réussit et que Somerset fut enfermé à la Tour de Londres (18 octobre 1549), les catholiques relevèrent la tête. On vit reparaître, par endroits, l'office en latin, avec l'eau bénite et le pain bénit. On célébra de nouveau la messe dans les chapelles des collèges d'Oxford [4]. Gardiner écrivit à Warwick une lettre chaleureuse pour solliciter son élargissement ; il « se réjouissait et remerciait Dieu tout-puissant » d'avoir permis au duc « de sauver le royaume de sa captivité et de son esclavage » [5]. Mais Warwick, plutôt que de compromettre sa puissance en laissant la vieille noblesse et les évêques conservateurs reprendre leur place dans l'État, préféra favoriser le mouvement protestant et s'en faire le chef. Les catholiques durent déchanter, et, à partir de ce moment, on voit se précipiter les mesures prises pour mettre l'Angleterre au niveau du zwinglianisme et du calvinisme continentaux. Somerset devait, il est vrai, être libéré le 6 février 1550 et reprendre sa place au Conseil [6] ; mais son heure était passée ; il faisait obstacle à l'ambition de Warwick [7], qui le fit enfermer à nouveau à la Tour, accuser de complot, juger et exécuter le 22 janvier 1552.

LE PILLAGE DES BIENS D'ÉGLISE Warwick n'eut rien de plus pressé que de mettre à sac, au profit de ses créatures, tout ce qui restait de la fortune de l'Église après la suppression des monastères. Il utilisa pour cela la loi qui accordait les fondations

(1) J. Foxe, *op. cit.*, p. 737 ; G. Constant, *op. cit.*, p. 187.
(2) J. Gairdner, *op. cit.*, p. 271-272 ; procès de Bonner dans J. Foxe, *op. cit.*, vol. V, p. 745-794.
(3) N. Sanders, *op. cit.*, p. 207.
(4) *Zurich original letters*, Parker Society, II, 464, lettre de Stumphius à Bullinger, citée par G. Constant, *op. cit.*, p. 215 ; J. Gairdner, *op. cit.*, p. 274.
(5) J. A. Muller, *Stephen Gardiner and the Tudor reaction*, p. 185 ; *Letters of Stephen Gardiner*, p. 440, lettre écrite vers le 3 novembre 1548.
(6) J. Gairdner, *op. cit.*, p. 277.
(7) G. Constant, *op. cit.*, p. 201.

pieuses à la couronne. Dès le 3 mars 1551, une commission, que deux autres suivirent en 1552 et 1553, fut chargée de les liquider [1].

On envoya par tout le royaume, *nous dit Sanders*, des fonctionnaires royaux et autres ministres idoines et l'on ordonna que toutes les églises livrassent pour l'usage du roi leurs richesses, leur mobilier, tous leurs ornements. On emporta donc d'abord tout ce qui était en argent ou en or, les croix, les calices, les pyxides... et tout ce qui était précieux dans les trésors. Puis ce furent les candélabres, et tous les objets de quelque importance en bronze, en étain, en plomb ou en fer... ; les vêtements sacerdotaux et la décoration des autels ; les meilleures parmi les cloches. On ne laissa dans chaque église qu'une seule cloche tout au plus pour rassembler le peuple, un seul calice pour la communion sous l'espèce du vin et un seul vêtement sacerdotal pour la célébration des offices [2].

On ne s'en tint pas là. Les évêques nouvellement nommés par le gouvernement durent abandonner une partie des biens épiscopaux : tel fut le cas pour Ridley, pour Ponet, pour Hooper. On supprima les évêchés de Gloucester et de Westminster, afin d'en saisir les revenus. Divers évêques cédèrent aux favoris de Warwick de nombreuses seigneuries qui dépendaient de leurs sièges. Warwick lui-même se servit largement [3]. La classe des acquéreurs de biens d'église s'augmenta rapidement et fournit au parti protestant l'appui de sa richesse et de son influence.

LE NOUVEL « ORDINAL » Les réformes allaient donc marcher bon train. Le Parlement — toujours le premier élu sous Édouard VI — s'était réuni à nouveau le 4 novembre 1549. Dès le 31 janvier 1550, malgré l'opposition des évêques aussi bien protestants que catholiques, il votait une loi sur la révision de la législation ecclésiastique [4]. En même temps il chargeait une commission de douze membres, dont six évêques, de rédiger un nouvel *Ordinal* avant le 1er avril [5]. Cet *Ordinal* témoigne à la fois du souci de réforme morale qui était général dans toute l'Église et des préoccupations dogmatiques des novateurs. La préface interdit l'ordination des diacres avant l'âge de vingt-et-un ans ; celle des prêtres avant l'âge de vingt-quatre ans ; et la consécration des évêques avant l'âge de trente ans [6]. Une gravité sérieuse et sobre se manifeste dans l'interrogatoire de l'ordinand, que la liturgie anglicane, contrairement à la pratique romaine, conserve non seulement pour les évêques, mais aussi pour les diacres et les prêtres [7], en la faisant précéder, dans le cas de ces derniers, d'une longue, édifiante et harmonieuse exhortation [8]. Mais l'intention générale, dans l'*Ordinal*, est la même que dans le *Livre de prière* : supprimer tout ce qui fait du prêtre le ministre d'un sacrifice, lui donner uniquement le caractère d'un ministre de la parole. Le futur prêtre reçoit en même temps, des mains de l'évêque qui l'ordonne, la Bible, le calice

---

(1) G. BURNET, *History of the Reformation*, V, 34, 38, cité par G. CONSTANT, *op. cit.*, p. 233.
(2) N. SANDERS, *op. cit.*, p. 221.
(3) G. CONSTANT, *op. cit.*, p. 236-240.
(4) J. GAIRDNER, *op. cit.*, p. 275-276.
(5) *Ibid.*, p. 276 ; G. CONSTANT, *op. cit.*, p. 310.
(6) *Two liturgies*, p. 161.
(7) Pour l'ordination des diacres et des prêtres, c'est à l'archidiacre que le pontife pose la question : « *Scis illos dignos esse ?* », dans le rite romain. L'exhortation anglicane développe les thèmes de l'exhortation insérée au pontifical romain.
(8) *Ibid.*, p. 175 ; G. CONSTANT, *op. cit.*, p. 316, n. 231.

et le pain, afin d'avoir « autorité pour prêcher la parole de Dieu » et non pas pour célébrer la messe, mais « pour administrer les saints sacrements à son troupeau. » On ne lui fait plus l'onction des mains. Les invocations relatives à la messe, les allusions aux sacrifices de l'Ancien Testament disparaissent. D'autre part, on demande à l'ordinand s'il est bien persuadé que « la Sainte Écriture contient de manière suffisante toute la doctrine de nécessité requise pour le salut éternel, par la foi en Jésus-Christ », et s'il promet de ne rien enseigner qui ne soit « prouvé par l'Écriture ». La tradition est ainsi rejetée et la justification par la foi seule suggérée [1].

LES ÉVÊQUES PROTESTANTS   Pour consolider les positions protestantes, Warwick élimina les évêques conservateurs et les remplaça par des protestants. Bonner avait déjà été mis hors de cause. Ce fut ensuite le tour de Gardiner, privé de son siège épiscopal, après un long procès, le 14 février 1551 [2], puis de Nicholas Heath, évêque de Worcester, et de George Day, évêque de Chichester, qui subirent le même sort le 8 octobre. Enfin Tunstall fut accusé de trahison et emprisonné ; on attendit toutefois jusqu'au 14 octobre 1552 pour le déposer [3]. Ridley, grand destructeur d'images, fut nommé évêque de Londres le 1er avril 1550 [4] ; Hooper, protestant extrême, le premier des puritains, refusa tout d'abord d'accepter le siège de Gloucester, parce qu'il jugeait idolâtre le rituel de la consécration ; mais il finit par se laisser convaincre et fut consacré le 8 mars 1551 [5]. Le 14 août, le vieux Voysey, qui s'était laissé persuader de renoncer à son siège d'Exeter, fut remplacé par Coverdale, le traducteur de la Bible, qui, s'il faut en croire Sanders, « usait immodérément du vin » [6]. Quant à Ponet, qui succéda le 23 mars à Gardiner sur le siège de Winchester, « estimant que c'était peu d'avoir une seule épouse», il enleva la femme d'un certain boucher encore en vie, laquelle lui fut retirée par les lois du royaume et rendue à son mari [7]. Aux dires de Sanders, la plupart de ces nominations épiscopales auraient été scandaleuses [8] et l'on n'y voit pas figurer l'intègre Latimer, toujours prêt à dénoncer la cupidité et la concussion, et qui, bien que protestant, avait été évêque sous Henri VIII.

PERSÉCUTION DES EXTRÉMISTES   Cependant les réformateurs maintenant au pouvoir n'étaient pas plus tolérants que ne l'avait été le roi schismatique. Ils affirmaient bien que « l'on ne peut ramener un homme à la foi par la violence » ; ils n'en brûlèrent pas moins ceux qu'ils appelaient des hérétiques [9]. Dès le protectorat de Somerset, une commission avait été nommée afin de poursuivre les anabaptistes, hérétiques et contempteurs du *Livre de prière* de 1549.

(1) *Two liturgies*, p. 175-156, 179 ; G. Constant, *op. cit.*, p. 321.
(2) J. Gairdner, *op. cit.*, p. 287 ; procès dans J. Foxe, *op. cit.*, vol. VI, p. 64-266.
(3) J. Gairdner, *op. cit.*, p. 296, 307 ; Ch. Sturge, *Tunstal*, p. 291.
(4) J. Gairdner, *op. cit.*, p. 278 ; G. Constant, *op. cit.*, p. 244.
(5) J. Gairdner, *op. cit.*, p. 292-293.
(6) N. Sanders, *op. cit.*, p. 217.
(7) *Ibid.*, p. 216 ; G. Constant, *op. cit.*, p. 245 et n. 155.
(8) N. Sanders, *op. cit.*, p. 216.
(9) *Ibid.*, p. 208.

Le 29 avril de cette même année, une femme du Kent, nommée Joan Bocher, fut condamnée au bûcher pour avoir soutenu que « le Christ n'avait pas pris chair de la Vierge Marie et n'était passé par elle que comme à travers un canal »[1]. Elle répondit à ses juges d'une manière cinglante : « Vous avez cru jadis, leur dit-elle, lorsque vous étiez luthériens, que la chair du Christ était contenue dans l'eucharistie sous l'apparence du pain et du vin, et comme Anne Askew le niait, vous l'avez tenue pour hérétique et livrée publiquement aux flammes ; de même que maintenant, zwingliens, vous croyez ce qu'enseignait Anne alors que vous la persécutiez, vous croirez bientôt aussi, je n'en doute pas, ce que j'enseigne moi-même »[2]. Joan Bocher ne fut toutefois brûlée que sous le gouvernement de Warwick, le 2 mai 1550. Cranmer avait dû user de toute son éloquence pour amener Édouard VI à signer l'arrêt qui l'envoyait au supplice[3]. Le 18 janvier 1551, une nouvelle commission fut nommée pour juger les anabaptistes. Elle condamna au bûcher un chirurgien flamand, George van Paris, qui avait été excommunié par l'église des étrangers de Londres pour avoir nié la divinité du Christ. Il fut exécuté le 24 avril[4].

LE SECOND LIVRE DE PRIÈRE (1552) — Ce qui engagea définitivement l'Angleterre dans la voie du protestantisme, ce fut la mise en vigueur d'une nouvelle liturgie d'un caractère nettement zwinglien. Le *Livre de prière* de 1549 ne satisfaisait ni les protestants anglais, ni les réformateurs continentaux appelés en Angleterre. Les lettres de ceux-ci à leurs frères de Suisse ou d'Allemagne soulignent que le maintien de certains rites, en eux-mêmes inacceptables, n'a été qu'une concession temporaire faite à la faiblesse du vulgaire[5]. Tandis que les conservateurs s'efforçaient d'interpréter la liturgie de 1549 dans un sens catholique et allaient jusqu'à chanter les paroles anglaises sur le même ton que les paroles latines[6], les réformateurs, au contraire, y introduisaient des innovations et menaient toute une campagne pour en provoquer la révision. Ridley, évêque de Londres, remplaçait les autels par de simples tables, et cette mesure était bientôt étendue par Warwick à tout le royaume[7]. Cranmer, qui rêvait de faire échec au concile de Trente en convoquant une assemblée protestante, réunit, en avril 1549, les docteurs étrangers à Lambeth pour leur proposer une réforme du *Livre de prières*. Celui-ci fut soumis à Pierre Martyr et à Bucer, qui se le fit lire par un interprète et le commenta en détail dans sa *Censura*, terminée le 5 janvier 1551, où il formulait des observations et des propositions[8]. Mais il mourut moins de deux mois après et c'est en partie sous l'influence des extrémistes, Martyr, Bullinger, Hooper, que se fit la transformation

---

(1) N. SANDERS, *op. cit.*, p. 208 ; J. GAIRDNER, *op. cit.*, p. 278-279 ; G. CONSTANT, *op. cit.* p. 221, donne à tort la date du 2 mai 1551.
(2) N. SANDERS, *op. cit.*, p. 208.
(3) J. FOXE, *op. cit.*, vol. V, p. 699.
(4) J. GAIRDNER, *op. cit.*, p. 288.
(5) C. HOPF, *Martin Bucer and the English reformation*, p. 56-57. Lettre de Bucer, Lambeth 26 avril 1549 ; de Dryander à Bullinger, 5 juin 1549.
(6) *Zurich original letters*, I, p. 72, cité par G. CONSTANT, *op. cit.*, p. 250.
(7) *Ibid.*, p. 254, 256 ; J. GAIRDNER, *op. cit.*, p. 295.
(8) C. HOPF, *op. cit.*, p. 58.

de la liturgie. Le Parlement la rendit, par la *Loi d'uniformité*, obligatoire à partir du 1er novembre 1552 [1].

Les propositions de Bucer tendaient à supprimer tout ce qui, dans le *Livre de prière* de 1549, rappelait encore le caractère sacrificiel de la messe, ou d'une manière plus générale le caractère sacerdotal du rôle du prêtre [2]. Elles furent pour la plupart adoptées. Dans la Cène du Seigneur de 1549 subsistaient encore les paroles : « Écoute-nous, Père miséricordieux, nous t'en supplions, et avec ton Esprit Saint et ton Verbe, daigne bénir et sanctifier tes dons et créatures du pain et du vin, afin qu'elles soient pour nous le corps et le sang de ton très aimé fils Jésus-Christ » [3]. On y substitua une rédaction nouvelle : « Écoute-nous, Père miséricordieux, nous t'en supplions : et accorde-nous qu'en recevant les créatures que voici du pain et du vin, selon la sainte institution de notre Seigneur Jésus-Christ, en souvenir de sa mort et de sa passion, nous soyons participants de ses très saints corps et sang » [4]. La doctrine bucérienne apparaît clairement ici — participation spirituelle mais cependant véritable. Elle est dépassée par contre dans les paroles mêmes de la consécration, où le prêtre ne dit plus : « Le corps de Notre-Seigneur Jésus-Christ, qui a été donné pour toi », ou : « Le sang de Notre-Seigneur Jésus-Christ, qui a été versé pour toi », « Conserve ton corps et ton âme jusqu'à la vie éternelle, » mais simplement : « Prends, et mange ceci, en mémoire de ce que le Christ est mort pour toi, et nourris-toi de lui en ton cœur par la foi, avec des actions de grâces », et : « Bois ceci, en mémoire de ce que le sang du Christ a été versé pour toi, et sois reconnaissant [5] ». Du reste, on supprima tous les rites qui rappelaient la présence réelle : le prêtre ne fit plus de signes de croix sur le pain et le vin ; les communiants reçurent l'hostie, non plus sur leur langue, mais dans leurs mains ; « s'il restait du pain et du vin, le curé devait en disposer pour son propre usage » [6]. De même disparut tout ce qui avait le caractère d'une invocation pour les défunts. Le canon est presque entièrement éliminé, les diverses parties de l'office sont transposées [7]. Dans la liturgie de 1552, il est presque impossible de reconnaître la messe. Mais sur le terrain plus limité sur lequel elle se place, cette nouvelle liturgie fait preuve de beaucoup de sérieux et de ferveur ; et l'on remarquera la rubrique qui enjoint aux fidèles de communier au moins trois fois l'an.

LES ARTICLES DE RELIGION   Le gouvernement employa d'autres moyens pour faire pénétrer la doctrine protestante dans l'esprit de la population anglaise. Il fit imprimer une édition refondue du *Primer*, livre d'heures très courant en Angleterre, édition d'une tenue

(1) J. Gairdner, *op. cit.*, p. 302-303. Texte de la loi dans W. M. Campion, *The Prayer-book interleaved*, p. (5)-(6).
(2) C. Hopf, *op. cit.*, p. 65-81.
(3) *Two liturgies*, p. 88.
(4) Texte proposé par Bucer dans C. Hopf, *op. cit.*, p. 78 ; texte définitif dans *Two liturgies*, p. 279.
(5) *Ibid.*, p. 92, 279.
(6) *Ibid.*, p. 88-99, 279, 283-284. Cf. C. Hopf, *op. cit.*, p. 78, pour l'avis de Bucer ; G. Constant, *op. cit.*, p. 284.
(7) *Ibid.*, p. 274-281.

élevée, mais d'où a disparu l'*Ave Maria*, et où, pour les jours de fête, l'on prie, non pas les saints, mais seulement à propos des saints [1] ; et un catéchisme en anglais et en latin, destiné à être utilisé par les maîtres dans les écoles, où est affirmée la justification par la foi seule, mais qui s'étend surtout sur les parties non discutées de la doctrine chrétienne [2]. Cependant les protestants au pouvoir voulaient aussi obtenir le consentement du clergé aux innovations dogmatiques, ainsi que l'uniformité de la croyance. Pour y parvenir, Cranmer prépara dès 1551 un formulaire sous forme d'*Articles*, dans l'intention d'y faire souscrire tous les ecclésiastiques du royaume. Après plusieurs révisions, les *Quarante-deux articles* furent enfin approuvés par le roi le 12 juin 1553 et publiés sous le titre suivant : *Articles approuvés par les évêques et autres savants hommes au synode de Londres, l'an du Seigneur 1552...*, ce qui était un mensonge manifeste, car ils n'avaient pas été soumis à la Convocation [3].

Sur ces quarante-deux articles, beaucoup portaient sur des points non controversés entre catholiques et protestants. D'autres innovent ; mais l'ensemble s'inspire d'un bon sens et d'un sens de la mesure qui aboutissent, sur bien des points, à des formules conciliantes. « L'Écriture, nous disent les *Articles*, contient tout ce qui est nécessaire au salut », mais ce qui ne s'y lit pas « peut être accepté par les fidèles comme pieux et profitable » pour l'ordre et la bienséance. Le libre arbitre est affirmé : « Dieu ne force pas la volonté. » Les œuvres faites avant la venue « de la grâce du Christ, et de l'inspiration de son esprit, ne sont pas agréables à Dieu,... elles ont la nature du péché. » Mais après avoir reçu le Saint-Esprit, l'homme peut encore « tomber dans le péché. » La prédestination est affirmée, mais il est dit aussi que cette doctrine peut être dangereuse et conduire au désespoir et à la témérité dans le mal. L'Église visible existe, mais elle n'a pas le droit de se prononcer contre l'Écriture. Il en va de même pour les conciles généraux, que seuls les princes ont le droit de convoquer. Le purgatoire, les indulgences, le culte des images et des reliques et l'invocation des saints « sont contraires à la parole de Dieu. » L'article XXIII est dirigé contre les extrémistes : nul homme n'a le droit de prêcher ni d'administrer les sacrements s'il n'y est légalement appelé [4].

Les sacrements n'agissent pas *ex opere operato*, mais sont un signe de la grâce de Dieu ; ils sont efficaces, cependant, même dans le cas où le ministre est indigne. L'article XXVII affirme, à l'encontre des anabaptistes, que le baptême des enfants est louable. L'article XXVIII, sur la cène, nie la transsubstantiation au nom de la raison et de l'Écriture et rejette la réservation, l'élévation ou l'adoration du Saint-Sacrement ; mais reprenant les paroles de Bucer, il dit que « pour ceux qui les reçoivent vertueusement, dignement et avec foi, le pain que nous brisons est une communion du corps du Christ ; de même que la coupe de bénédiction

(1) *Two liturgies*, p. 450-454.
(2) *Ibid.*, p. 495-525.
(3) *The Prayer-book interleaved*, p. 360 ; G. Constant, *op. cit.*, p. 417 (reproduit le texte des quarante-deux articles, p. 514-553) ; J. Gairdner, *op. cit.*, p. 309-311.
(4) *Two liturgies*, p. 527-532 ; *Prayer-book interleaved*, p. 384.

est une communion du sang du Christ » [1]. Le sacrifice de la messe n'est
que fable et tromperie. Les évêques, prêtres et diacres ne sont pas tenus
au célibat. Quiconque « viole ouvertement les traditions et cérémonies
de l'Église qui ne sont pas contraires à la parole de Dieu, et sont ordonnées
par l'autorité publique, mérite d'être corrigé. » Le roi d'Angleterre « est,
après le Christ, chef suprême de l'Église d'Angleterre et d'Irlande. »
L'évêque de Rome n'a aucune juridiction en Angleterre. L'obéissance
au prince est un devoir de conscience. Il est permis — et les articles qui
suivent s'en prennent aux extrémistes — de porter des armes et de faire
la guerre ; les biens des chrétiens ne sont pas possédés en commun ;
le serment est légitime. Sont ensuite proscrites diverses hérésies [2].

La confession de foi de l'Église anglicane avait un caractère nettement
protestant ; les premiers apologistes de l'anglicanisme, sous le règne
d'Élisabeth, devaient l'envisager sous ce jour. Toutefois, ceux qui la
rédigèrent avaient déjà peur de ce qui allait devenir le « non conformisme. »
Ils eurent soin de se tenir à égale distance des deux extrêmes et d'employer des formules d'une nature imprécise et conciliante, ce qui explique
les flottements doctrinaux de l'anglicanisme dans les siècles qui vont
suivre. C'était là, d'ailleurs, le point le plus avancé que devait atteindre
l'offensive protestante. Peu de jours en effet après la publication des
Articles, Édouard VI mourut, le 6 juillet 1553, et avec lui disparurent
les espoirs des réformateurs [3].

§ 4. — La résistance catholique.

ÉTAT MORAL DES CATHOLIQUES   « Si les évêques catholiques, nous dit
                              Sanders, avaient résisté de toutes
leurs forces à l'hérésie sous Édouard VI, les choses n'en seraient pas
venues si loin ; mais à cause de la fâcheuse légèreté de leur nature, ou
parce qu'ils espéraient vainement des temps meilleurs, ou qu'ils craignaient à l'excès de perdre leurs biens temporels, ils donnèrent leur
assentiment, fermèrent les yeux ou même coopérèrent » [4]. Les évêques
n'étaient pas les seuls à manquer de clairvoyance ou de fermeté d'âme.
On voyait déjà apparaître ceux qu'une génération postérieure appellera
les « schismatiques », qui, « célébrant ou entendant secrètement la messe,
fréquentaient également les temples des hérétiques et recevaient les
sacrements administrés selon leurs rites. » Cependant les catholiques,
déçus de ce que le schisme n'eût pas disparu avec la mort de Henri VIII,
« s'accusaient de ne pas avoir fait obstacle à ses commencements » ; mais
lorsqu'ils virent que les protestants étaient « plongés dans les difficultés
et les dissensions », « ils reprirent entièrement courage pour maintenir
et pour défendre la vraie foi, en particulier les plus savants et les plus
sages » [5].

(1) S. Paul, *I Cor.*, X, 16 « Τὸ ποτήριον τῆς εὐλογίας ὃ εὐλογοῦμεν, οὐχί κοινωνία ἐστὶν τοῦ
αἵματος τοῦ Χριστοῦ ; τὸν ἄρτον ὃν κλῶμεν, οὐχί κοινωνία τοῦ σώματος τοῦ Χριστοῦ ἐστιν ; »
(2) *Prayer-book interleaved*, p. 387 ; *Two liturgies*, p. 532-537.
(3) J. GAIRDNER, *op. cit.*, p. 313.
(4) N. SANDERS, *op. cit.*, p. 203.
(5) *Ibid.*, p. 197, 195, 209.

LES ÉVÊQUES CATHOLIQUES   Il s'en faut en effet que tous les évêques aient fait preuve du manque de clairvoyance et de courage que signale Sanders ; il en est plusieurs parmi eux qui luttèrent vigoureusement, sinon pour le catholicisme romain, du moins pour le maintien de la doctrine traditionnelle, et qui payèrent leurs convictions de leur liberté. Le principal de ceux-ci, comme sous le règne de Henri VIII, fut Stephen Gardiner, auquel il faut joindre Bonner et Tunstall. Tous trois avaient la même formation humaniste, le même tempérament pacifique ; ils étaient, en outre, animés du plus profond respect envers le pouvoir civil. Ils ne prirent donc pas la tête d'un mouvement d'opposition ouverte : leur résistance fut obstinée, mais sourde. Ils affectèrent le plus longtemps possible de croire à l'orthodoxie des novateurs et des changements qu'ils introduisaient ; ils agirent auprès du gouvernement pour limiter ceux-ci et cherchèrent à gagner du temps en refusant d'accepter des innovations prescrites durant la minorité d'Édouard VI. Leur attitude ne se raidit que lorsque le gouvernement s'en prit à la présence réelle ; même alors, toutefois, ils ne complotèrent pas et se bornèrent à défendre par la plume le dogme central du catholicisme.

GARDINER ET LES DROITS DE LA CONSCIENCE   Dès l'avènement d'Édouard VI, Gardiner entama une correspondance avec le Conseil royal, avec Cranmer et avec divers personnages officiels pour leur adresser des représentations sur les innovations religieuses. Il leur écrit, soit de sa résidence épiscopale de Londres ou de Winchester, soit des prisons de la Fleet et de la Tour de Londres. Il proteste successivement contre les débuts de la prédication protestante, contre les *Homélies* de Cranmer, contre la *Paraphrase* d'Érasme, contre les *Injonctions* des visiteurs royaux, contre l'*Instruction pour la communion*. Le ton sur lequel il parle est caractéristique : d'une part, toujours respectueux du pouvoir civil, il proteste de son loyalisme et de son humilité ; mais d'autre part, pour la première fois, il affirme les droits de la conscience : « Je ne me mêlerai pas [de votre politique], écrit-il au Protecteur, si ce n'est pour révéler ma conscience, et pour la révéler comme il est de mon devoir de le faire, non pas comme un homme qui murmure dans les coins, mais tranquillement et à ma place, sans dissimulation, quand on me le demandera ou quand la nécessité m'y contraindra » [1]. Il affirme sa volonté de ne pas susciter de troubles dans le peuple : « Je ne murmurerai pas parmi les gens de la basse classe, mais à vous [du Conseil royal] et à Monseigneur le Protecteur, je parlerai librement... pour mettre sous vos yeux le plan de mon intime détermination, qui est de préserver le troupeau qui m'est confié comme il convient à un vrai évêque, et de ne pas jouir des biens que je possède sans égard à la religion » [2].

(1) British Museum, *Additional ms.* 28.571, fol. 9*b*. Lettre de Gardiner à Somerset, avril 1548.
(2) *Ibid.*, fol. 8*b*. Lettre de Gardiner au Conseil royal, 30 août 1547.

Gardiner ne se borne pas à proclamer les droits de la conscience et le devoir d'un évêque. Il se place sur le terrain de la légalité. On n'a pas le droit d'annuler par surprise, pendant la minorité du prince, le statut religieux établi par Henri VIII avec l'approbation du Parlement [1]. Cranmer, dans ses *Homélies*, s'est prononcé pour la justification par la foi seule. Or Henri VIII a pris une position contraire ; et Gardiner en prend texte dans le passage suivant qui résume bien toute son argumentation :

> Obliger les curés du royaume à marteler dans la tête des gens que nul n'est bon chrétien s'il nie la doctrine de la « foi seule » ; si l'on se souvient que notre souverain seigneur et maître... a expressément désapprouvé cette doctrine : quel scandale ce sera pour le royaume et quelle joie pour nos ennemis, et surtout en une matière que feu notre souverain seigneur a définie si solennellement au Parlement, si justement, si clairement, en la signifiant à l'empereur et aux princes du dehors. La Chrétienté tout entière ne comprenait pas mieux la question de la justification que feu notre souverain seigneur, et après qu'il l'eût résolue, l'empereur la définit dans ses États de la même manière et le roi de France de même [2].

On voit ici apparaître le culte, surprenant à nos yeux, de Gardiner pour Henri VIII en tant que pape de l'Église anglicane en tant qu'homme aussi, puisque, à son opinion, le feu roi est monté tout droit aux cieux [3]. Aussi bien a-t-il su « réformer la religion puis la modérer » [4].

Gardiner, on le voit, se place toujours sur le terrain de la suprématie royale ; son affirmation des droits de la conscience ne l'a pas encore conduit à se retourner vers l'autorité spirituelle représentée par Rome. Tout au contraire il insiste sur l'idée que l'introduction de l'hérésie en Angleterre ne peut que profiter à une papauté honnie :

> En ce qui concerne l'évêque de Rome, ce qui s'est passé dans ce royaume jusqu'ici lui a causé bien moins de déplaisir que les changements dans la religion sous la minorité du roi ne servent ses desseins. Car il ne manque pas d'intelligence pour rebattre les oreilles des princes en leur disant que partout où son autorité est abolie, il y aura changement dans la religion à chaque changement de gouvernement [5].

L'argument est choisi à dessein par Gardiner pour porter sur ses adversaires ; mais il fait pressentir qu'il sentira lui-même bientôt la nécessité d'une autorité spirituelle distincte du pouvoir civil. Pour le moment, cette autorité est celle de Henri VIII. Or Cranmer et ses amis prétendent que celui-ci a été « séduit » par les conservateurs. Mais n'est-ce pas là « ouvrir la fenêtre » à tous les bouleversements [6] ? « L'évêque de Rome s'est fait détester ; craignons qu'il n'en advienne de même du prince et de tous les évêques en général » [7]. C'est ainsi que Gardiner, sentant le terrain se dérober sous lui, essaye de se raccrocher à la suprématie royale et d'en faire le rempart de la foi.

---

(1) J. A. MULLER, *Letters of Stephen Gardiner*, p. 290 (Lettre de Gardiner à Somerset, 6 juin 1547) ; *ibid.*, p. 313 (Lettre de Gardiner à Cranmer, peu après le 12 juin 1547) ; *ibid.*, p. 352 (Lettre de Gardiner à Cranmer, peu après le 1er juillet 1547).

(2) British Museum, *Additional ms.* 28.571, fol. 18b-19a (Lettre de Gardiner au Conseil royal peu avant le 30 août 1547).

(3) J. A. MULLER, *Letters of Stephen Gardiner*, p. 308 (Lettre de Gardiner à Cranmer, peu après le 12 juin 1547).

(4) *Ibid.*

(5) *Ibid.*, p. 291-292 (Lettre de Gardiner à Somerset, 6 juin 1547).

(6) *Ibid.*, p. 302 (Lettre de Gardiner à Cranmer, peu après le 12 juin 1547).

(7) *Ibid.*, p. 321 (Lettre de Gardiner à Cranmer, peu après le 1er juillet 1547).

LE SERMON DE LA SAINT-PIERRE   Gardiner, libéré de la prison de la Fleet, venait tout juste de regagner sa résidence londonienne de Southwark, lorsqu'il reçut du Conseil royal l'ordre de prêcher un sermon en faveur des innovations religieuses. On lui imposait de parler de l'abrogation de l'autorité papale, de la suppression des monastères, des fondations pieuses, des messes pour les défunts, de l'abolition de diverses cérémonies ; il devait déclarer que la confession auriculaire n'était pas nécessaire, approuver la communion sous les deux espèces, la *Sainte Cène*, et par avance, la *Prière commune*, en anglais [1]. Somerset, en outre, intervint personnellement pour lui interdire de mentionner la présence réelle. Gardiner, profondément troublé, résolut néanmoins « d'exprimer sa foi et sa croyance, dût-il être pendu en descendant de la chaire » [2]. Le sermon eut lieu le jour de la Saint-Pierre, en 1548, dans les jardins de Whitehall, en présence d'une très nombreuse assistance. Gardiner se déclara d'accord avec tous les changements d'ordre religieux qui avaient été introduits sous Henri VIII et sous Édouard VI, mais loua le Parlement d'avoir maintenu le saint sacrifice de la messe, et par conséquent la présence réelle [3]. Convaincu qu'on ne pouvait lui savoir mauvais gré d'un sermon où il était demeuré dans la stricte légalité, il invita quelques amis à sa table et se réjouit avec eux. Mais le Conseil ne l'entendait pas de cette oreille-là et le punit pour sa « désobéissance volontaire » en l'enfermant à la Tour de Londres, le 30 juin 1548 [4].

GARDINER A LA TOUR DE LONDRES   Dans sa prison, Gardiner se procure malgré tout le moyen d'écrire ; il continue d'envoyer des lettres aux autorités pour se plaindre d'une détention illégale, qui l'empêche en particulier de prendre sa place au Parlement ainsi qu'il y a droit [5]. Un moment il s'attend à être relâché par Warwick. Déçu dans son espoir, il ne perd cependant pas courage et se livre, de son cachot, à une étonnante activité polémique. Ses ouvrages de controverse se suivent à une cadence rapide en 1549 et 1550 : contre Pierre Martyr, contre Cranmer, contre Latimer, contre Hooper, contre Oecolampade [6]. Tous ces livres portent sur la présence réelle, que défend aussi son œuvre majeure et dernière en date, la *Confutatio cavillationum*. Plusieurs de ces ouvrages resteront en manuscrit ; mais la *Confutatio* parut à Paris en 1552. C'est à Paris aussi que fut publié le *De veritate* de Tunstall, composé pendant son séjour à la Tour en 1551. Il est clair que, comme sous Henri VIII, les traditionalistes anglais avaient des attaches dans les milieux catholiques du continent. C'est à Paris que

(1) J. Foxe, *op. cit.*, vol. VI, p. 67, 96 (n. 1).
(2) *Ibid.*, p. 70.
(3) *Ibid.*, p. 87-93.
(4) J. A. Muller, *Stephen Gardiner*, p. 181.
(5) J. A. Muller, *Gardiner's letters*, p. 443 (Gardiner au Conseil privé, novembre ou commencement de décembre, 1549).
(6) *In Petrum Martyrem florentinum... querela*, British Museum, Arundel ms. 100 ; *An explication of the true Catholique faythe*, Trinity College, Oxford, ms. LXXXVII, publié à Rouen (?), 1551 ; *A discussion of Mr Hoper's oversight*, mss. du *Public Record office, State Papers, Domestic Edward VI*, vol. XII ; *Annotationes in dialogum Johannis Oecolampadii...*, Bibliothèque du Palais archi-épiscopal de Lambeth, ms. 140, f. 235-333.

s'était réfugié le Dr. Richard Smith, qui, après avoir abjuré la « vieille religion » au début du règne d'Édouard VI, s'était repris et avait cherché la liberté à l'étranger [1]. C'est, une fois de plus, le surnaturel que défend Gardiner dans ses divers traités. L'Eucharistie, pour lui, est la preuve de la toute-puissance divine. Il y rattache la notion du mystère et de l'insuffisance de la raison humaine. Il est inutile de chercher le « comment » [2]. Il y a là un pragmatisme qui se rapproche de celui d'Érasme.

LE PROCÈS DE GARDINER — Après avoir longtemps en vain protesté contre un emprisonnement illégal et demandé à être jugé, Gardiner fut enfin traduit, le 15 décembre 1550, au palais archiépiscopal de Lambeth, devant une cour présidée par Cranmer et composée de plusieurs évêques et légistes. Le procès comporta vingt-deux audiences et dura jusqu'au 14 février 1551 [3]. L'acte d'accusation, en dix-neuf articles, reprochait à Gardiner d'avoir mal obéi aux *Injonctions* de 1547, de n'avoir pas tenu compte des instructions royales dans son sermon du 29 juin 1548, d'avoir refusé de souscrire à la liturgie de 1549. Le mandat qui désignait les juges faisait valoir que « l'exemple, les dires, la prédication et les actions » de l'évêque de Winchester faisaient obstacle à la réforme religieuse parmi « la multitude des sujets qui n'y sont pas encore favorables » [4]. Gardiner, dans sa défense, reprit la même position qu'auparavant. Il avait protesté contre les changements, mais s'était incliné dès qu'ils avaient eu force de loi [5]. Il avait, dans sa prison, approuvé le *Livre de prière commune* ; en effet, malgré les changements qu'il apportait, on y trouvait, sur la présence réelle, « tout ce qu'on pouvait désirer. » Au reste, Gardiner prenait, sur d'autres points, une attitude de résistance virile. Il niait avoir, à proprement parler, désobéi, « car on enseigne dans ce royaume, comme doctrine de l'obéissance, que si le roi ordonne une chose contraire au commandement de Dieu, le sujet n'est pas tenu d'exécuter l'ordre, mais doit humblement s'en tenir à ce que lui prescrit sa conscience ; ce qui, ajoutait-il, vaut pour moi, car je ne pouvais, en conscience, faire ce que l'on exigeait de moi » [6]. Malgré qu'il s'élevât contre de nombreuses et patentes illégalités dans la composition et l'action du tribunal, Gardiner n'en fut pas moins condamné à être déposé et privé de son siège épiscopal [7]. Le Conseil royal, considérant « qu'il s'était comporté irrévérencieusement envers sa Majesté le roi », le fit mettre dans un cachot plus pauvre à la Tour, lui interdit de communiquer avec le dehors et le priva de ses livres, de papier et d'encre ; et, de fait, nous ne connaissons aucun ouvrage qu'il ait composé après son procès [8].

---

(1) J. A. MULLER, *Gardiner's letters*, p. 284, 285, 293, 296 ; *Dict. nat. biogr.*, III, 101, cité par G. CONSTANT, *op. cit.*, p. 391.
(2) St. GARDINER, *A discussion of Mr. Hoper's oversight*, p. 11.
(3) J. A. MULLER, *Stephen Gardiner*, p. 195 ; J. FOXE, *op. cit.*, vol. VI, p. 93-266 ; voir les dépositions des témoins dans le ms. 127 de *Corpus Christi College*, Cambridge, f. 34-48.
(4) J. FOXE, *op. cit.*, vol. VI, p. 94.
(5) *Ibid.*, p. 114.
(6) *Ibid.*, p. 76.
(7) J. A. MULLER, *Stephen Gardiner*, p. 201.
(8) *Ibid.*, p. 202.

LE PROCÈS DE BONNER — Le cas de Bonner, évêque de Londres, est parallèle à celui de Gardiner. Il avait protesté contre les *Homélies* [1] puis s'était soumis, le 12 septembre 1547. Il avait, comme Gardiner, fait un séjour à la prison de la Fleet ; puis, remis en liberté, il reçut l'ordre de prêcher à la croix de Saint-Paul sur un certain nombre de points spécifiés, notamment sur l'autorité royale en période de minorité. Par suite d'un hasard malencontreux, il oublia, dans son sermon du 1er septembre 1549, d'obtempérer à cette dernière prescription. Dénoncé par Hooper et Latimer, il fut jugé au cours d'un procès qui dura du 10 septembre au 26 octobre. Cette fois encore, l'accusé ne voit pas ou fait semblant de ne pas voir où ses adversaires veulent en venir ; il affecte de croire qu'ils sont encore fidèles aux croyances traditionnelles, au nom desquelles il présente sa défense. Il récuse le témoignage de Latimer et de Hooper comme étant celui de « manifestes et notoires hérétiques, en particulier en ce qui concerne le bienheureux sacrement de l'autel » [2]. Au reste, il prend, lui aussi, au cours des débats, une attitude virile. Durant une suspension d'audience, voyant la tristesse de ses subordonnés, il leur adresse les paroles suivantes : « Je vous demande d'être aussi gais que je le suis ;... je suis très content et joyeux de mon épreuve, qui est pour la cause de Dieu,... ce qui me chagrine et me peine le cœur, c'est de voir ce Hooper et autres hérétiques autorisés à prêcher à la croix de Saint-Paul... et à nier que le corps et le sang du Christ soient dans le sacrement de l'autel... Mais je dis qu'ils y sont réellement, je vivrai et je mourrai dans cette opinion, et je suis prêt à souffrir la mort pour elle » [3]. Plus entier et plus violent que Gardiner, il va même jusqu'à accuser ses juges de mensonge et à les défier [4]. Mais, de toute manière, la cause était entendue. Bonner eut beau arguer de sa bonne foi ; il fut déclaré coupable, privé de son siège épiscopal de Londres et emprisonné de nouveau à la Marshalsea [5].

Le règne d'Édouard VI avait dissipé une équivoque. Il était clair désormais pour les traditionalistes que la suprématie royale ne garantissait en aucune manière l'orthodoxie. Une autorité spirituelle indépendante était nécessaire. Gardiner, Bonner, Tunstall et leurs partisans étaient donc tout prêts à accueillir avec joie le rétablissement du catholicisme sous Marie Tudor. La résistance catholique à l'intérieur de l'anglicanisme rejoignait du coup le mouvement de la Réforme catholique.

(1) J. Foxe, *op. cit.*, vol. V, p. 742.
(2) *Ibid.*, p. 755.
(3) *Ibid.*, p. 785.
(4) *Ibid.*, p. 784.
(5) *Ibid.*, p. 796-799.

CHAPITRE III

RENAISSANCE ET FIN DU CATHOLICISME EN ANGLETERRE[1]

§ 1. — Restauration de la « vieille religion ».

LES INFORTUNES DU CATHOLICISME — Au volume VIII de sa monumentale compilation, Foxe veut nous montrer comment « Dieu a agi puissamment contre Marie [Tudor] dans toutes ses affaires »[2]. Il est de fait qu'une fatalité semble s'être acharnée sur la reine et sur la « vieille religion ». Des deux filles de Henri VIII, la catholique, Marie, était d'une mauvaise santé et devait mourir au bout de cinq ans de règne, sans que la tentative faite par le cardinal Pole pour établir la réforme trentinienne en Angleterre eût eu le temps de porter ses fruits ; la protestante, Élisabeth, devait jouir d'une santé à toute épreuve et trouver, dans un règne de quarante-cinq ans, tout le temps de consolider son œuvre religieuse. La première, loyale et naïve comme sa mère Catherine d'Aragon, devait entasser maladresse sur maladresse ; elle ne sut pas mettre l'opinion publique de son côté, soit qu'elle contractât mariage avec un étranger impopulaire, soit qu'elle appliquât automatiquement et sans doigté les lois contre l'hérésie. La seconde, au contraire, bien qu'en réalité elle ne fût pas moins « sanglante, » trouva, en digne fille de Henri VIII, moyen de prendre appui sur le patriotisme et sur le loyalisme de ses sujets et de justifier ainsi la persécution qu'elle faisait

(1) BIBLIOGRAPHIE. — I. SOURCES. — Les sources sont peu nombreuses pour le règne de Marie Tudor. Elles sont en grande partie les mêmes que pour le règne d'Edouard VI. Aux documents manuscrits et pamphlets qui sont cités en note, il faut ajouter la correspondance de Reginald Pole, publiée avec d'autres pièces dans *Epistolarum Reginaldi Poli... pars V*, édit. QUIRINI, Brescia, 1757 ; et surtout J. FOXE, *Acts and Monuments*, édit. TOWNSEND-PRATT, vol. VI, VII et VIII, collection imposante relative surtout à la persécution des protestants. Si les commentaires de Foxe sont sujets à caution, il reproduit du moins un très grand nombre de documents avec une scrupuleuse fidélité. Pour la première année du règne de Marie Tudor, voir Raviglio Rosso, *Historia d'Inghilterra...*, Ferrara, 1591, et Petruccio UBBALDINI, *Relatione del Regno et della Corte d'Inghilterra*, Londra, 1583 (ms. Archives départementales, Aurillac). Pour le concile provincial de 1555-56 et la réforme trentinienne de Pole, voir *Reformatio Angliae*, Rome, 1562 ; WILKINS, *Concilia*, vol. VI et MANSI, *Sacrorum conciliorum nova et amplissima collectio*, vol. XXXV. Le *Registrum expeditionum in Anglia factarum per... cardinalem Polum* (cinq vol. ms. conservés avant la guerre de 1939-45 à la bibliothèque municipale de Douai), document de premier ordre, n'a jamais été utilisé.

II. TRAVAUX. — L'ouvrage essentiel est *A history of the English Church*, édité par W. R. W. STEPHENS et William HUNT, vol. IV (pour le règne de Marie Tudor) par James GAIRDNER ; vol. V (pour le règne d'Élisabeth) par W. H. FRERE. En dehors des ouvrages précédemment cités il y a lieu de se reporter à Dom R. BIRON, et J. BARENNES, *Un prince anglais, cardinal-légat au XVIᵉ siècle, Reginald Pole*, Paris, s. d. ; S. R. MAITLAND, *Essays on subjects connected with the Reformation in England*, Londres, 1899 (réfute Foxe quant à la persécution des protestants). Voir aussi PASTOR, *Histoire des papes*, trad. POIZAT, vol. XIV ; J. A. MULLER, *Stephen Gardiner* ; N. SANDERS. — Pour le règne d'Élisabeth, voir Arnold Oskar MEYER, *England und die katholische Kirche unter Élisabeth*, Rome, 1911 ; Brian MAGEE, *The English Recusants*, Londres, 1938 ; et le vieux DODD, *Church history of England*, vol. 2, Bruxelles, 1739.

(2) Voir tout le développement, p. 625.

subir aux catholiques. Enfin, l'inconcevable aveuglement du pape Paul IV et son étroitesse de vues nuirent plus aux efforts de Marie Tudor et du cardinal Pole pour rétablir le catholicisme en Angleterre que toute la propagande protestante. Le pays était encore, dans sa grande majorité, tradionaliste ; une politique sage pouvait, aisément, le reconquérir. Les erreurs de tactique des représentants de la « vieille religion » — Pole excepté — firent beaucoup pour le jeter dans le protestantisme.

PREMIÈRES DIFFICULTÉS — Nous ne nous étendrons pas sur la tentative malheureuse faite par Northumberland pour placer sur le trône une souveraine protestante, la petite-nièce de Henri VIII, lady Jane Grey. Marie Tudor vint facilement à bout de sa rivale et fut accueillie avec enthousiasme par le peuple anglais, lors de son entrée à Londres, le 3 août 1553 [1]. Les évêques Gardiner et Bonner sortirent de prison.

Dès le début, la question religieuse se posa. La reine était profondément catholique ; en outre, si la juridiction du Saint-Siège n'était pas rétablie, le divorce de son père serait tenu pour valide ; elle ne serait considérée ni comme la fille légitime de Henri VIII, ni comme l'héritière légitime du trône. Une difficulté se présentait toutefois dès l'abord. Les innovations religieuses avaient été introduites en Angleterre au nom de l'autorité royale ; la reine ne pouvait les abolir et réconcilier son pays avec Rome qu'en faisant usage de cette suprématie même sur l'Église, qu'elle avait hâte de répudier. Et pendant plus d'une année, en effet, c'est de son propre chef que Marie Tudor prit des mesures pour rétablir graduellement le catholicisme en Angleterre. Une autre difficulté était due à l'attitude agressive de la minorité protestante, qui n'était nullement disposée à laisser faire la reine et se comportait sans aucun loyalisme [2]. Marie Tudor avait commencé par faire preuve de douceur et de tolérance envers les réformés. Dans une proclamation publiée dès le 18 août 1553, elle exhortait ses sujets à vivre ensemble « dans le calme et dans la charité chrétienne, en évitant les termes nouveaux et diaboliques de papiste et d'hérétique » [3]. Mais dès les premières semaines de son règne, l'agitation protestante commença. Lorsque le Dr. Bourne prêcha à la croix de Saint-Paul un sermon où il condamnait l'emprisonnement de Bonner, la foule s'ameuta et l'un des assistants lança un poignard contre lui [4]. Marie se trouva peu à peu acculée à une persécution qu'elle ne souhaitait pas.

PREMIERS PAS EN ARRIÈRE — L'opinion publique était divisée ; l'opposition protestante était véhémente. Il fallait agir avec prudence. Marie accepta que les funérailles d'Édouard VI se fissent le 8 août selon la liturgie anglicane et se contenta d'assister, à la Tour, à une messe de *requiem* pour le défunt roi, célébrée par Gar-

---

(1) R. Rosso, *Historia d'Inghilterra*, fol. 20b ; P. Ubbaldini, *Relatione*, fol. 26b ; J. Foxe, *op. cit.*, vol. VI, p. 383-387.
(2) R. Rosso, *op. cit.*, fol. 20b ; S. R. Maitland, *Essays*, chap. v.
(3) J. Foxe, *op. cit.*, vol. VI, p. 390 ; J. Gairdner, *op. cit.*, p. 318.
(4) R. Rosso, *op. cit.*, fol. 29 ; N. Sanders, *op. cit.*, p. 234 ; J. Foxe, *op. cit.*, vol. VI, p. 391-392.

diner [1]. A Londres, des mouvements en sens divers se produisirent. Le 11 août, un vieux prêtre fut presque mis en pièces pour avoir essayé de dire la messe dans l'église de Saint-Barthélemy, Smithfield [2]. Par contre, le 23 août, l'office en latin reparaissait à Saint-Paul et dans plusieurs églises de Londres, sans qu'aucun ordre en eût été donné, et simplement pour répondre aux désirs des fidèles. Cependant, la reine refaisait en sens inverse le chemin parcouru par le gouvernement d'Édouard VI. Les évêques protestants nommés par celui-ci cédaient la place à leurs prédécesseurs henriciens : Ridley, Coverdale, Hooper étaient emprisonnés ; Ponet se cachait pour un temps ; Gardiner, Bonner, Tunstall, Heath, Day, Voysey, reprenaient possession de leurs sièges épiscopaux [3]. Le 23 août, Gardiner était nommé chancelier du royaume : la reine trouvait en lui un sage conseiller, qui malheureusement ne fut pas toujours écouté.

L'évêque de Winchester et sir John Mason reçurent l'ordre de rétablir les anciens statuts et la « vieille religion » dans les Universités de Cambridge et d'Oxford, dont ils étaient respectivement chanceliers [4]. Cranmer, qui avait proposé de défendre, au cours d'une conférence publique, le *Livre de prières* d'Édouard VI, fut emprisonné à la Tour de Londres le 14 septembre. Les protestants étrangers qui s'étaient établis dans le royaume sous Édouard VI, Pierre Martyr, l'Église française de Londres, John à Lasco et son Église allemande, les Wallons de Glastonbury, reçurent l'ordre de quitter l'Angleterre ; mais Marie n'avait aucune envie de les persécuter et ils ne furent pas autrement inquiétés [5].

VERS LA RESTAURATION CATHOLIQUE — La restauration catholique exigeait l'action du Parlement, qui lui-même ne pouvait être convoqué par la reine qu'après son couronnement. Or aucune cérémonie religieuse ne pouvait se faire dans un royaume encore sous le coup de l'excommunication. Il fallait demander à Rome l'autorisation nécessaire. Le pape Jules III avait déjà songé à rentrer en relations avec l'Angleterre, en faisant du cardinal Pole son ambassadeur. De son côté, le cardinal Dandino, légat à Bruxelles, avait envoyé à Londres un émissaire, Commendone, qui arriva le 13 août et à qui la reine fit part de ses intentions. Après qu'elle eut sollicité du pape la permission indispensable, Gardiner la couronna, à l'abbaye de Westminster, le 1er octobre [6]. Le 5, le Parlement se réunissait. Le 21, il votait une loi qui abolissait la législation contre un grand nombre de formes de trahison. Le préambule exprimait l'espoir que la reine serait obéie par amour plutôt que par crainte [7]. Peu après, le Parlement reconnaissait la légitimité de Marie et rejetait toutes les lois d'ordre religieux adoptées sous

(1) J. A. MULLER, *op. cit.*, p. 224.
(2) *Ibid.*, et R. Rosso, *op. cit.*, fol. 29.
(3) J. FOXE, *op. cit.*, vol. VI, p. 389 ; J. GAIRDNER, *op. cit.*, p. 319-320.
(4) *Ibid.*, p. 320.
(5) J. FOXE, *op. cit.*, vol. VI, p. 539-540 (« Purgation » de Cranmer) ; H. J. COWELL, *The sixteenth century French-speaking and English-speaking refugee Churches at Frankfort*, dans *Proceedings of the Huguenot Society of London*, vol. XIV, n° 1, p. 5.
(6) R. Rosso, *op. cit.*, fol. 38 ; J. GAIRDNER, *op. cit.*, p. 323.
(7) *Ibid.*, p. 324.

Édouard VI ; il prescrivait des pénalités contre tous ceux qui trouble-
raient l'office divin ou manqueraient de respect envers l'hostie [1].

Cependant la « Convocation » de la province de Cantorbéry siégeait
sous la présidence de Bonner. Une discussion, qui dura six jours, s'engagea
sur la transsubstantiation. Philpot, archidiacre de Winchester, parla
interminablement contre la doctrine romaine de l'eucharistie et quand
le *prolocutor*, excédé, voulut le faire taire, il répliqua avec insolence [2]. Mais
tous les membres du clergé présent, à l'exception de six, avaient signé
deux déclarations, l'une en faveur de « la présence naturelle du Christ
dans le sacrement de l'autel », l'autre contre le catéchisme publié sous
Édouard VI avec la prétendue approbation de l'assemblée [3].

LE MARIAGE ESPAGNOL — Le Parlement fut dissous le 6 décembre.
La reine y avait rencontré quelque difficulté
pour obtenir le rétablissement de l'autorité pontificale : rétablissement
qui, craignait-on, pouvait contraindre à une restitution les acquéreurs
de biens d'Église. Le Parlement se montrait également peu disposé
à approuver le projet qu'avait formé Marie d'épouser un prince espagnol,
fils de Charles-Quint, le futur roi Philippe II. Il était naturel que la fille
de Catherine d'Aragon cherchât un appui auprès de l'empereur, qui seul
l'avait soutenue au cours de ses longues années d'épreuve. Mais cette
union était franchement impopulaire. Gardiner la déconseillait [4] et la
France agissait en sous-main pour empêcher une alliance qui devait
compléter son encerclement. En novembre, la Chambre des Communes
adressa une pétition à la reine pour qu'elle épousât un Anglais et non un
étranger. On parlait d'un mariage possible avec un jeune noble, Edward
Courtenay, que Marie venait de créer comte de Devon ; et Pole lui-même,
qui n'avait pas encore reçu les ordres majeurs, et qui était de sang royal,
eût été un prétendant possible. Mais la reine avait, dès le 29 octobre,
devancé toute opposition en promettant solennellement à l'ambassadeur
impérial d'épouser le prince Philippe. Le 12 janvier 1554, le traité de
mariage était officiellement signé à Westminster [5].

LA RÉBELLION DE WYATT — Le rétablissement de la vieille religion ne
· rencontrait pas d'opposition parmi la masse
des fidèles. En novembre 1553, le peuple rétablit la procession à grand
spectacle de sainte Catherine et de saint Nicolas [6]. Mais contre le mariage
espagnol, le mécontentement était général. Lors de l'entrée à Londres
des ambassadeurs impériaux, le 2 janvier 1554, la population fit grise
mine [7]. Presque aussitôt après, un soulèvement, dirigé par plusieurs membres de la noblesse, éclatait dans diverses régions du royaume. Il fut
facilement réprimé en Devonshire, au pays de Galles et dans les comtés

(1) J. GAIRDNER, *op. cit.*, p. 324.
(2) J. FOXE, *op. cit.*, vol. VI, p. 404.
(3) *Ibid.*, p. 396.
(4) J. A. MULLER, *op. cit.*, p. 239-240.
(5) J. GAIRDNER, *op. cit.*, p. 329.
(6) J. FOXE, *op. cit.*, vol. VI, p. 413.
(7) J. A. MULLER, *op. cit.*, p. 242.

des Midlands. Mais il prit beaucoup d'ampleur dans le comté de Kent
où il était mené par sir Thomas Wyatt. Le Kent était une terre de vieille
tradition lollarde, et pourtant Wyatt craignait qu'en donnant pour objet
à son insurrection le rétablissement de la « vraie religion », on « ne s'alié-
nât les cœurs de bien des gens. » Il fallait seulement se plaindre « de
l'envahissement du royaume par les étrangers » [1]. Wyatt, balayant toute
résistance, parvint aux portes de Londres le 31 janvier. Il exigeait qu'on
lui livrât la Tour et la personne de la reine [2]. Celle-ci fit, le 1er février,
au Guildhall, un noble et viril discours aux habitants de la ville. Elle les
aimait, disait-elle, « comme une mère aime son enfant » et attendait
pareil amour de leur part. Elle était prête à vivre vierge, si le Parlement
désapprouvait son mariage. Elle exhortait ses sujets à « tenir haut les
cœurs. » « Ne craignez pas les rebelles, disait-elle, car moi, je n'ai pas
peur d'eux » [3]. Ce discours eut son effet, et lorsque Wyatt, le 7 février,
se présenta à la porte de Temple Bar, il fut encerclé et dut se rendre.
Il fut exécuté le 11 avril.

PROGRÈS DE LA RESTAURATION
CATHOLIQUE

La restauration catholique se poursuivait. Le 14 janvier 1554, l'ancienne
procession avant la grand'messe fut
rétablie à Saint-Paul, avec le lord-maire et les échevins en robe fourrée.
Aux Rameaux, à Pâques, les vieilles cérémonies furent remises en usage.
On effaça les textes de l'Écriture que l'on avait peints sur les jubés.
Sept évêques furent déposés : trois d'entre eux avaient été simplement
nommés par lettres patentes d'Édouard VI et quatre étaient mariés.
Le 1er avril, six évêques « de la vieille espèce » étaient consacrés par
Gardiner, Bonner et Tunstall. Les prêtres mariés furent privés de leurs
bénéfices ; ils étaient un sur six dans l'ensemble du royaume, un sur
quatre à Londres ; mais beaucoup quittèrent leurs femmes, firent pénitence et reçurent de nouvelles charges [4].

Cependant, une opposition se manifestait par endroits. On disait
qu'au cours des discussions publiques, les protestants avaient toujours
le dessus. Afin de prouver le contraire, la Convocation de la province
de Cantorbéry, réunie en même temps que le Parlement, désigna, le
5 avril, un certain nombre de théologiens pour discuter à Oxford avec
Cranmer, Latimer et Ridley, tous trois alors en prison, sur la transsubstantiation et sur le sacrifice de la messe. La conférence eut lieu du
14 au 20 avril. Il est inutile de s'attarder ici sur des arguments éternelle-
ment ressassés [5]. Cranmer fit preuve de courage et maintint ses opinions
protestantes. Ridley fut plus ferme encore : « Je n'ai pas modifié mon
jugement, dit-il, ni sous la contrainte des hommes ou de la loi, ni par
peur des dangers de ce monde, ni dans l'espoir d'un avantage » [6]. Quant

(1) J. GAIRDNER, op. cit., p. 330.
(2) Ibid., p. 331.
(3) Ibid., p. 332 ; R. Rosso, op. cit., fol. 47b ; P. UBBALDINI, op. cit., fol. 28a ; J. FOXE, op. cit.,
vol. VI, p. 414-415 ; J. A. MULLER, op. cit., p. 245.
(4) Ibid., p. 250-251 ; J. GAIRDNER, op. cit., p. 336-337.
(5) J. FOXE, op. cit., vol. VI, p. 439-536.
(6) Ibid., p. 470.

à Latimer, il eut des paroles pathétiques pour prier ses opposants de se montrer bons envers un vieillard : « Vous aussi, leur dit-il, vous pourrez arriver à mon âge et à ma faiblesse. » La conférence se termina en procès. Les trois docteurs protestants refusèrent d'abjurer et furent condamnés comme hérétiques [1].

L'OPPOSITION PROTESTANTE Les protestants anglais réfugiés sur le continent bombardaient le gouvernement de pamphlets acerbes. En novembre 1553, ils jouaient à Gardiner le mauvais tour de publier une traduction anglaise de son *De vera obedientia* de 1535 [2]. En Angleterre même, l'opposition s'agitait. Le 25 mars, jour de Pâques, à l'église de Saint-Pancrace, dans le quartier de Cheap, à Londres, le crucifix et la pyxide furent ôtés du sépulcre ; de sorte que lorsque le prêtre y mit la main en disant : *Surrexit, non est hic*, il s'aperçut, nous dit plaisamment Foxe, qu'en effet il n'y avait plus rien à l'intérieur [3]. Le 18 avril, on découvrit, sur le gibet du même quartier, un cadavre de chat habillé de vêtements sacerdotaux. Il avait une tonsure et tenait dans ses pattes de devant un morceau de papier semblable à une hostie. On offrit en vain une récompense pour découvrir l'auteur de cette insulte [4]. La veille, un jury londonien avait acquitté sir Nicholas Throgmorton, accusé de trahison pour avoir manifesté de la sympathie à Wyatt. La reine en fut malade pendant trois jours [5]. Le 10 juin, un prédicateur catholique, le Dr Pendleton, prêchait à la croix de Saint-Paul : on tira sur lui d'une maison du voisinage. Il y eut encore un esprit mystérieux qui parlait par la fente d'un mur dans Aldersgate Street et menaçait les Anglais des plus grands maux s'ils acceptaient le mariage espagnol et l'union avec la papauté : ce n'était qu'une servante, Elisabeth Croft, postée là à dessein par un conspirateur nommé Drake. L'atmosphère était orageuse et ne pouvait que porter la reine à la sévérité [6].

§ 2. — Réconciliation du royaume avec Rome.

LE MARIAGE DE LA REINE La rébellion de Wyatt avait retourné l'opinion des classes supérieures et rendu odieux les adversaires des fiançailles royales ; aussi le Parlement, qui s'était réuni le 23 février 1554, n'hésita-t-il pas à les sanctionner [7]. Le traité de mariage fut solennellement ratifié le 6 mars. Le 20 juillet, Philippe débarquait à Southampton. Le 25, fête de saint Jacques, patron de l'Espagne, la cérémonie nuptiale se déroula dans la cathédrale de Winchester, au milieu des plus riches décors. Le 18 août, le couple royal entrait à Londres, parmi les réjouissances et les spectacles les plus somptueux [8]. Rappelé

(1) J. Foxe, *op. cit.*, p. 533.
(2) *De vera obedientia, an oration made in Latine...* Rouen, 26 octobre 1553 ; Rome, before the castle of St-Angel, novembre 1553 (indication de lieu fausse).
(3) J. Foxe, *op. cit.*, vol. VI, p. 548.
(4) *Ibid.* ; J. Gairdner, *op. cit.*, p. 339.
(5) J. Foxe, *op. cit.*, vol. VI, p. 549 ; J. Gairdner, *op. cit.*, p. 339 ; J. A. Muller, *op. cit.*, p. 249.
(6) N. Sanders, *op. cit.*, p. 239-240 ; J. Gairdner, *op. cit.*, p. 340.
(7) J. A. Muller, *op. cit.*, p. 253.
(8) R. Rosso, *op. cit.*, fol. 57b-70 b ; P. Ubbaldini, *op. cit.*, fol. 29b ; J. Foxe, *op. cit.*, vol. VI, p. 557 ; J. A. Muller, *op. cit.*, p. 251-258.

par ses soucis continentaux, le roi devait quitter l'Angleterre le 26 août 1555, après un séjour d'une année seulement. Il ne devait y revenir que pour une brève période, du 19 mars au 7 juillet 1557 [1].

LA VISITE ÉPISCOPALE DE BONNER

En septembre, Bonner, sans faire appel à l'autorité royale, entreprit une visite épiscopale de son diocèse, publiant à cet effet un questionnaire minutieux en trente-sept articles [2]. Les prêtres étaient-ils mariés ou séparés de leur femme ? Avaient-ils reçu une ordination schismatique ou irrégulière ? Avaient-ils célébré les offices en anglais depuis la proclamation de la reine ? L'hostie était-elle conservée dans une pyxide suspendue au-dessus de l'autel ? Chaque église possédait-elle un bénitier, où l'eau bénite était renouvelée chaque semaine ? Avait-elle un autel de pierre et les paroissiens l'avaient-ils pourvue de livres, d'un calice, de vêtements sacerdotaux, d'un encensoir, d'une clochette, etc. ? Beaucoup de paroisses protestèrent qu'elles n'avaient pas les moyens de se conformer aux prescriptions épiscopales. L'exécution en fut donc différée jusqu'au 1er novembre [3]. Le 25 octobre, Bonner ordonnait d'effacer les textes de l'Écriture qui avaient été peints sur les murs des églises pour remplacer les images [4].

PREMIER SERMON DE GARDINER

Le 30 septembre, dix-septième dimanche après la Pentecôte, Gardiner prêcha à la croix de Saint-Paul. Il prit pour texte l'Évangile du jour. Partant du devoir de charité envers Dieu et envers le prochain, il engagea les Anglais à aimer leurs souverains. Il prit à partie les « méchants sujets, et en particulier les Londoniens, pour les paroles séditieuses qu'ils prononçaient contre leurs princes, en répandant de faux bruits, et pour les mauvais procédés qu'ils avaient envers les étrangers. » Il s'attaqua également aux hérétiques, loua l'œuvre de restauration catholique du roi et de la reine. Il demanda à ses compatriotes de « se reconnaître comme pécheurs, pour avoir offensé Dieu gravement, et surtout leur prochain, en se séparant de la sainte Mère l'Église... *Peccavimus cum patribus nostris*, s'écria-t-il ; et nous pouvons aussi dire comme les frères de Joseph : *Peccavimus in fratrem nostrum.* » Tous, cependant, n'avaient pas offensé Dieu également ; et ici Gardiner de faire allusion à son emprisonnement, à ses épreuves et à celles d'autres défenseurs de la vieille foi, en disant pour conclure : *Nos passi sumus qui peccavimus in fratrem nostrum* [5].

LE CARDINAL POLE ET LES BIENS D'ÉGLISE

On aura remarqué, dans les débuts du règne d'Édouard VI comme de celui de Marie Tudor, la facilité avec laquelle un parti se substituait à un autre, occupant toutes les places et faisant prévaloir sa politique.

(1) P. Ubbaldini, *op. cit.*, fol. 30*b* ; J. A. Muller, *op. cit.*, p. 287 ; R. Biron et J. Barennes, *Un prince anglais...*, p. 293 ; *Dict. nat. biogr.*, art. *Mary I.*
(2) J. Foxe, *op. cit.*, vol. VI, p. 562.
(3) J. Gairdner, *op. cit.*, p. 341.
(4) J. Foxe, *op. cit.*, vol. VI, p. 565.
(5) British Museum, Add. ms. 15.388, fol. 246-247 ; Lansdowne ms. 980, fol. 155*a* ; J. Foxe, *op. cit.*, vol. VI, p. 559-560.

C'est qu'en effet le pouvoir royal s'imposait à tous avec l'autorité d'une doctrine incontestée. Il devait cependant, sous Marie Tudor, se heurter à un obstacle difficile à surmonter. La cupidité des grands avait joué un rôle majeur dans le renversement de l'ancien ordre de choses ; elle s'opposait maintenant à son rétablissement. Le cardinal Pole, chargé par le pape de ramener l'Angleterre dans le giron de l'Église romaine, devait s'en apercevoir bientôt. Il avait été retardé et retenu par l'empereur qui craignait que sa présence ne fît obstacle au mariage de son fils avec Marie Tudor. Alors qu'il attendait sur le continent l'autorisation de franchir le détroit, Gardiner lui écrivit pour lui donner des conseils de prudence : « Votre Seigneurie, lui disait-il, ferait bien d'écrire une lettre au Parlement, qui ferait seulement allusion sous une forme générale à l'unité dans la religion et où le droit du pape serait plutôt insinué que clairement exprimé » ; il serait bon de déclarer en effet « que la réforme prévue pour notre patrie ne doit faire aucun changement dans les possessions et biens temporels actuellement partagés dans le royaume, mais que chacun pourra jouir de ce qu'il tient [de l'Église] soit pour l'avoir reçu en don, soit pour l'avoir acheté. » Ce serait là le moyen d'écarter « le seul obstacle qui puisse s'opposer à notre saint propos »[1].

LA LÉGATION DU CARDINAL POLE Cependant le Parlement s'était réuni le 12 novembre 1554. Il s'occupa d'abord de réhabiliter Pole, qui avait été mis hors la loi par Henri VIII, afin de lui permettre de s'acquitter de sa légation en Angleterre. Le cardinal débarqua à Douvres le 21 novembre ; le 24, il prenait possession du palais de Lambeth à Londres[2]. Dans l'après-midi du 27, il était présenté par Gardiner au Parlement et lui adressait un discours où il rappelait la fidélité passée du pays envers l'Église romaine et fixait exactement les limites du pouvoir spirituel et du pouvoir temporel. Le lendemain, les trois états assemblés remettaient aux souverains une supplication, où ils exprimaient leur repentir pour « le schisme et la désobéissance perpétrés dans le royaume » et sollicitaient l'absolution du Saint-Siège. Le roi et la reine remirent ce document au cardinal, qui prononça l'absolution requise. On chanta ensuite le *Te Deum*[3].

DEUXIÈME SERMON DE GARDINER Le 2 décembre, premier dimanche de l'Avent, Gardiner prêcha de nouveau à la croix de Saint-Paul, en présence des souverains et du légat, un sermon significatif, où il fit le point de la situation. Ce sermon jette un jour très vif sur l'état d'esprit du parti conservateur et sur les motifs qui poussaient les anciens henriciens à souhaiter la réconciliation avec Rome. Gardiner choisit pour texte un passage de l'épître du jour : *Hora est nos jam de somno surgere*[4]. Il envisagea donc tout d'abord le sommeil dans

---

(1) British Museum, Add. ms. 28.425, fol. [485] - [488].
(2) J. Foxe, *op. cit.*, vol. VI, p. 567.
(3) Cambridge University library, Baker ms. 27, p. 312 ; J. Foxe, *op. cit.*, vol. VI, p. 568-572; *Vita del card. Polo scritta da Beccatello*, dans *Epistolae Reginaldi Poli*, vol. V, p. 377.
(4) *Rom.*, XIII, 11.

lequel avaient été, figurativement, plongés les Anglais schismatiques et
hérétiques ; puis l'heure, maintenant venue, de leur réveil. Ils avaient
fait, dit-il, de mauvais rêves : « On ne pouvait plus croire aux paroles du
roi [Henri VIII]... personne ne pouvait plus se fier à un autre homme
et n'osait communiquer ses pensées même au meilleur de ses amis ou au
plus proche de ses parents... Nous disions et nous faisions seulement
ce qui devait servir la débauche et la cupidité... Des hommes étaient
mis à mort pour la seule raison qu'ils se refusaient à trahir la religion
catholique... » Un chef nouveau était imposé à l'Église : « On pouvait,
il est vrai, à première vue, dire quelque chose en faveur de la personne
d'Henri VIII (même en présence de Pole, la vénération de Gardiner
pour le feu roi se fait jour) ; mais... son fils Édouard n'était qu'une ombre,
dont d'autres abusaient pour satisfaire leur cupidité. » Il fallait au roi
un protecteur, au chef de l'Église un autre chef. Et faudrait-il maintenant que le chef de l'Église fût une femme ?

Mais, dit encore Gardiner, l'heure est venue de nous réveiller et de
retourner vers cette Rome à qui nous devons notre foi. Les hérétiques
eux-mêmes nous ont clairement montré le chemin. « La messe, la vérité
du Christ dans l'eucharistie, les jeûnes fixes et solennels, les prières
établies et solennelles, ils les ont traités, pour les faire haïr, de mensonges
du pape. Eux-mêmes, par conséquent, portent témoignage que c'est le
pape qui pratique et enseigne la vraie religion catholique. » D'ailleurs
le Parlement tout entier s'est rallié à lui. Dieu n'a pas voulu que l'heure
de votre réveil vînt à un moment où l'on eût pu l'attribuer à l'intérêt
ou à la crainte, par exemple lorsque j'ai été envoyé [à Ratisbonne]
avec Knyvet pour traiter avec l'empereur. Aujourd'hui le calme est
universel. Le cardinal est venu nous rendre des bienfaits pour les injus-
tices qu'il a subies. Ce n'est pas un étranger. Il nous parle dans notre
propre langue. Accueillons-le « à bras ouverts ». Moi-même, « je reconnais
ma faute, et j'exhorte tous ceux qui sont tombés grâce à moi, ou avec
moi, dans ce sommeil, à se réveiller d'un esprit dispos et résolu »[1].

LES ÉTAPES DE
LA RÉCONCILIATION

Gardiner avait fait allusion, dans son sermon, à la
perspective qu'offrait Dieu à l'Angleterre de voir
la reine mettre au monde un héritier du trône. Cette
attente, à laquelle se rattachaient tous les espoirs des conservateurs, fut
bientôt déçue. Cependant, le Parlement et la Convocation s'appliquaient
à l'envi à l'œuvre de restauration catholique, comme si elle avait eu
l'avenir pour elle. L'assemblée du clergé se réunit le 5 novembre, se
soumit au légat, fut absoute et demanda le rétablissement de la juridiction
ecclésiastique, sans solliciter toutefois la restitution des biens d'Église[2].
Quant au Parlement, il prit une mesure qui devait être lourde de conséquences, en rétablissant les anciennes lois du temps des Lollards, sur la
répression de l'hérésie[3]. Il mit en outre quelque mauvaise volonté à

---

(1) *Concio reverendi D. Stephani...* Rome, 1555, Sigs. Aij-Aiv ; *Epistolae Reginaldi Poli,* vol. V,
p. 293-299 ; J. Foxe, *op. cit.,* vol. VI, p. 577-578.
(2) J. Gairdner, *op. cit.,* p. 345.
(3) *Ibid.,* p. 346 ; J. A. Muller, *op. cit.,* p. 266.

annuler la législation antipapale. Quand il le fit enfin, le 3 janvier 1555, la loi qu'il vota eut également pour but de « confirmer la possession des biens et héritages spirituels et ecclésiastiques transférés à des laïcs »[1]. Cette réserve suffit à peine à rassurer « ceux qui, grâce aux dépouilles des églises et des monastères, avaient été portés aux plus grands honneurs dans l'État et aux plus grandes richesses »[2]. Ils craignaient d'avoir à abandonner leurs possessions « sur l'ordre du pape », surtout lorsque la reine, le 28 mars, eut fait part à son conseil de son intention de mettre à la disposition du cardinal les biens et revenus de l'Église qui étaient demeurés propriété de la couronne[3]. La question restait en suspens, car le nouveau pape, Paul IV, manifestait de la mauvaise humeur que la restitution totale des biens d'Église n'eût pas été exigée[4].

LA « REFORMATIO ANGLIAE » La réconciliation du royaume permettait enfin à Pole d'entreprendre en Angleterre la tâche de la Réforme trentinienne. Il le fit avec l'aide d'un concile national, réuni au mois de novembre 1555, et qui absorba la Convocation de Cantorbéry. Malheureusement, le sage Gardiner mourait le 12 du même mois. Sur son lit de mort, il s'était écrié, en écoutant la lecture de la Passion : *Erravi cum Petro, exivi cum Petro, sed nondum flevi cum Petro*[5]. On lui fit des funérailles solennelles[6]. Le « synode » se réunit donc sans lui, le 4 décembre, et continua ses travaux jusqu'à la fin de février 1556. L'ordre du jour, exposé par Pole dans son discours d'ouverture, comportait la rédaction d'une profession de foi basée sur le *Livre du roi* de Henri VIII ; la mise en route d'une nouvelle traduction de la Bible ; la publication d'un recueil d'homélies ; et les mesures à prendre envers les prêtres qui s'obstinaient à ne pas dire la messe[7]. Le synode prit en mains ces diverses questions, confia la rédaction des homélies au Dr. Watson et à Boxall, secrétaire de la reine ; il autorisa, pour l'Angleterre, l'usage d'une traduction du catéchisme espagnol du cardinal Carranza. Mais le plus important de son œuvre fut l'adoption, qui eut lieu le 10 février, d'une série de décrets de réforme, connue sous le nom de *Reformatio Angliae*, et sur laquelle nous reviendrons. L'assemblée fut convoquée à nouveau pour le 10 novembre, mais elle fut ajournée au 10 mai 1557 ; or à cette date, Pole n'était plus légat, et en fait le synode ne se réunit plus.

GRANDEUR ET CHUTE DE POLE Dès le 4 décembre, Cranmer ayant été excommunié, Pole était désigné pour administrer l'archidiocèse de Cantorbéry ; et, le 11 décembre, le pape ratifiait son élection à ce siège. Mais il n'était pas encore prêtre. Il fut

---

(1) J. GAIRDNER, *op. cit.*, p. 347.
(2) N. SANDERS, *op. cit.*, p. 243.
(3) *Ibid.* ; J. FOXE, *op. cit.*, vol. VII, p. 34 ; PASTOR-POIZAT, *Histoire des papes*, t. XIV, p. 309 ; J. GAIRDNER, *op. cit.*, p. 356.
(4) *Ibid.*, p. 363.
(5) British Museum, Lansdowne ms. 980, fol. 155a ; J. A. MULLER, *op. cit.*, p. 292.
(6) Bibliothèque bodléienne, Oxford, Ashmole ms. 817, p. 10.
(7) R. BIRON et J. BARENNES, *op. cit.*, p. 266.

donc ordonné le 20 mars et célébra sa première messe le 21. Le 25 il recevait le pallium [1]. Sa situation n'allait pas tarder à devenir difficile, du fait de l'hostilité du Saint-Siège contre les Espagnols. Le cardinal théatin Caraffa, homme rigide et entier, avait été élu pape par acclamation, le 19 mai 1555, sous le nom de Paul IV. Napolitain de naissance, il tenait à libérer le royaume de Naples du joug des Espagnols et, du même coup, à affranchir le Saint-Siège de la pression qu'exerçait sur lui l'empereur. Dans l'été de 1556, il entrait en guerre contre l'Espagne, avec la France comme alliée. Pole fit l'impossible pour que l'Angleterre restât neutre. Le 9 avril 1557, le pape rappelait tous ses légats dans les États de Philippe II et annulait la commission de Pole comme *legatus a latere* et comme *legatus natus* [2]. Sur les protestations de sir Edward Carne, ambassadeur anglais à Rome, il consentit toutefois à revenir sur sa décision en ce qui concernait le second de ces deux titres [3].

La déclaration de guerre de l'Angleterre à la France, qui devait se faire le 7 juillet, était imminente. Cependant le roi et la reine, les évêques, le clergé insistaient auprès du pape pour qu'il ne contrariât pas l'œuvre entreprise par le légat. Là dessus Paul IV, refusant de modifier son attitude, nommait un nouveau légat, le fransciscain William Peto, maintenant brisé par l'âge, qu'il faisait cardinal le 14 juin. Pole, qui avait fait partie du camp des « libéraux » au concile de Trente, était invité à comparaître à Rome devant l'Inquisition. Il eût sans doute été jeté en prison comme Morone [4]. Marie Tudor, avertie par Carne, ordonna qu'aucun courrier romain n'abordât en Angleterre. Pole, toutefois, eut vent de ce qui se passait et se démit de ses fonctions ; en même temps, il écrivait au pape une véhémente protestation, où il s'indignait du traitement infligé à un légat qui s'était distingué dans la lutte contre l'hérésie [5].

Sur ces entrefaites, Philippe II avait remporté une victoire décisive sur les Français, à Saint-Quentin, le 10 août 1557. Le pape se radoucit, mais maintint Peto, qui était incapable d'accomplir les devoirs de sa charge. Les choses en restèrent là au cours de l'année 1558. Au Parlement, qui se réunit le 20 janvier, parurent de nouveau l'abbé de Westminster et le prieur de Saint-Jean de Jérusalem ; mais aucune mesure d'importance ne fut prise. L'assemblée se réunit de nouveau le 5 novembre ; mais la reine était à ses derniers moments. Elle mourut le 17 novembre, et Pole la suivit à douze heures d'intervalle [6]. La princesse Élisabeth, fille d'Anne Boleyn, et par là-même solidaire de la politique religieuse de Henri VIII, montait sur le trône. L'œuvre de restauration catholique s'écroulait du même coup.

(1) J. GAIRDNER, *op. cit.*, p. 370, 378-379.
(2) *Ibid.*, p. 384 ; R. BIRON et J. BARENNES, *op. cit.*, p. 293.
(3) J. GAIRDNER, *op. cit.*, p. 384 ; R. BIRON et J. BARENNES, *op. cit.*, p. 294.
(4) J. GAIRDNER, *op. cit.*, p. 385.
(5) *Ibid.*, p. 385-386 ; R. BIRON et J. BARENNES, *op. cit.*, p. 296.
(6) J. GAIRDNER, *op. cit.*, p. 389.

§ 3. — L'œuvre réformatrice de Pole.

LES PRÉCÉDENTS La Réforme intérieure de l'Église n'était pas une nouveauté dans l'Angleterre du XVIᵉ siècle. Elle s'était poursuivie à travers tout le moyen âge. Dès 1281, l'archevêque de Cantorbéry John Peckam avait fait adopter par un concile provincial, réuni à Lambeth, les *Constitutions* qui portent son nom. Celles-ci prévoyaient, entre autres choses, que tout prêtre ayant charge d'âmes devait instruire les fidèles quatre fois par an sur les points essentiels de la doctrine chrétienne [1]. Elles servirent de base par la suite à tous les canons disciplinaires, y compris ceux du XVIᵉ siècle. De même pour l'archidiocèse d'York. Lorsque l'archevêque-légat Thomas Wolsey voulut, en 1518, y corriger les abus, il lui suffit de rassembler et de publier les constitutions de ses prédécesseurs, Greenfield, Thoresby, Kemp, Neville. Toutefois, à cette époque même, un esprit nouveau commençait à se faire jour. L'humanisme chrétien de Colet et de More ajoutait aux prescriptions rigides des synodes une plus grande chaleur de dévotion, en même temps que le souci de voir l'étude des lettres contribuer à la purification de l'Église.

On trouve la preuve de cette tendance à la veille même du schisme, dans les décrets votés par la Convocation de Cantorbéry, réunie le 5 novembre 1529 à la cathédrale de Saint-Paul. Ils expriment en termes élevés ce que doit être la vie d'un prêtre parfait, qui doit être aussi un éducateur parfait :

L'oisiveté étant la mère de tous les vices, ce sacré concile commande et prescrit à tous les recteurs, curés et vicaires, qu'après avoir célébré l'office divin, ils se consacrent à l'étude, à la prière et à la lecture, ou à toute autre occupation honnête qui convienne à leur profession, et qu'en particulier ils enseignent aux enfants l'alphabet, la lecture, le chant ou la grammaire ; et qu'ils s'emploient trois jours par semaine, pendant trois heures ou au moins deux, à la lecture de l'Écriture, ou de quelque docteur approuvé [2]. Quant à l'évêque parfait, il devra « s'assurer plus diligemment [que par le passé] que les rudiments de la foi pure et des lettres pures soient présentés à des auditeurs purs, non moins dans les Universités que dans d'autres écoles, et qu'ils se développent plus purement et plus sincèrement » [3].

Toutefois les humanistes chrétiens qui dominaient dans la Convocation de 1529, s'ils étaient hardis dans le domaine intellectuel, étaient aussi conservateurs sur le terrain des institutions ; et il faut attendre l'arrivée de Pole et le synode de 1555-1556 pour voir apparaître des méthodes éducatives et administratives nouvelles, en vue du rajeunissement de l'Église.

L'ENSEIGNEMENT DE LA DOCTRINE Nous savons quelles mesures furent suggérées au cours des débats de l'assemblée de 1555-1556, qui aboutirent à la rédaction de la *Reformatio Angliae*. La première chose à faire était d'assurer l'enseignement de la saine doctrine. Il eût fallu, pour cela, de bons prédicateurs, mais, apparemment, le synode n'avait pas plus confiance dans les talents et dans

(1) WILKINS, *Concilia*, vol. II, p. 54, col. 2.
(2) MANSI, t. XXXV, col. 339.
(3) *Ibid.*, col. 331.

la fidélité du clergé que n'en avaient eu les promoteurs de la Réforme
sous Édouard VI ; et, comme ces derniers, il eut recours au moyen
commode d'homélies toutes faites, que les ministres du culte devraient
lire en chaire, les dimanches et jours de fête. On prévoyait quatre séries :
la première sur l'eucharistie, la pénitence, la confession auriculaire
et autres sujets controversés, tels que le libre arbitre, la justification,
les œuvres, l'autorité de l'Église ; la seconde sur les articles du *Credo*,
le *Pater* et l'*Ave*, les commandements et les sacrements ; la troisième
sur le propre du temps et les saints ; la quatrième sur les cérémonies,
les vertus cardinales et les péchés capitaux. On proposa la rédaction
d'un catéchisme en latin et en anglais ; de manuels pour la confession
et pour la visite des malades. Le bréviaire et le missel devaient être
simplifiés et unifiés ; le cérémonial deviendrait le même dans tous les
diocèses [1]. Bien entendu, on s'attachait à « rénover la discipline ecclésiastique et à réformer par là-même les mœurs du clergé. » Il serait interdit
aux prêtres de faire le commerce, de jouer, de boire, de forniquer, de se
marier, sous peine de déposition. La simonie, « dont l'Église d'Angleterre...
est misérablement infectée », devait être réprimée. Les patrons ne ven-
draient plus les bénéfices [2].

LA FORMATION DU CLERGÉ L'assemblée sentait bien qu'une formation
intellectuelle et morale était nécessaire
au clergé et préparait la voie au décret de Pole sur les séminaires. Elle
proposait que dans chaque cathédrale on consacrât les revenus de certains bénéfices à l'entretien de soixante enfants ou plus, qui apprendraient
la « grammaire », en vue d'une future carrière ecclésiastique. On exa-
mina le programme d'études des Universités, où l'on ferait vivre aussi
un nombre suffisant d'étudiants pour assurer le recrutement du clergé.
L'enseignement de la théologie comporterait des conférences sur la
Bible et sur Pierre Lombard ou sur quelque autre auteur qui permette
de « renouveler » la scolastique ; celui de la philosophie reposerait sur le
seul Aristote, mais on pourrait y introduire aussi l'humaniste Rudolph
Agricola. L'assistance aux cours serait obligatoire dans les collèges ;
des bourses seraient réservées à des jeunes gens dont les parents s'enga-
geraient à les destiner à la prêtrise. Nul ne serait ordonné, ni admis
à un bénéfice de vingt livres sterling ou plus, s'il n'avait passé trois ans
dans une « académie » et obtenu au moins le grade de bachelier. Les
arguties d'une scolastique décadente seraient proscrites de l'enseignement [3].

LES DÉCRETS DE POLE Les décrets de Pole, publiés le 9 février 1556,
FOI ET DISCIPLINE sont très supérieurs, tant par la forme que par
le fond, aux propositions de l'assemblée. Le
cardinal commence par remettre en vigueur l'ancienne législation disciplinaire : tous les clercs devront posséder un exemplaire des *Consti-*

---

(1) MANSI, t. XXXV, col. 478.
(2) *Ibid.*, col. 479.
(3) *Ibid.*, col. 482.

tutions de l'Église d'Angleterre [1]. Puis, à la manière du concile de Trente, Pole en vient aux mesures à prendre pour empêcher la diffusion de fausses croyances et fait un exposé d'ensemble de la doctrine chrétienne. L'esprit de sévérité du concile de Trente apparaît dans le passage qui a trait à la fête de la dédicace des églises : Pole condamne en effet « la coutume profane et irréligieuse de représenter de vains spectacles [à cette occasion], de prendre part à des orgies, à des bals ou à d'autres choses de ce genre. » Ce jour-là, et les autres jours de fête, le peuple devra « s'appliquer avec ferveur à entendre les offices divins » [2]. Les premières lignes du troisième décret mettent les clercs en garde contre la non-résidence, à laquelle est presque entièrement attribué le déclin des mœurs ecclésiastiques :

> Puisque la Réforme de l'Église doit commencer par ceux qui ont le soin de leurs semblables ; et puisque cet abus fleurit parmi eux, à savoir que ne résidant pas dans les églises qui leur sont commises, ils les laissent à des mercenaires ; laquelle chose est la source de presque tous les maux dans l'Église ; nous exhortons d'une manière pressante dans le Seigneur tous ceux qui gouvernent des cathédrales, même métropolitaines, et d'autres églises inférieures, comportant charge d'âmes, et nous les supplions par les entrailles de miséricorde de Jésus-Christ, afin qu'attentifs à eux-mêmes et à leur troupeau..., ils lui accordent la présence qu'ils lui doivent, et que, vides de tout souci d'affaires séculières, ils veillent à son salut et travaillent en toute chose selon le précepte de l'apôtre et accomplissent leur ministère.

De même le cumul des bénéfices est interdit sous des peines sévères [3].

LA PRÉDICATION ET LA VIE DU CLERGÉ — Le quatrième décret, sur la prédication, requiert les archevêques et évêques d'adresser la parole en personne à leur troupeau et rappelle les anciens canons aux autres clercs. Il innove cependant en recommandant la direction de conscience [4]. Le cinquième décret, sur la vie et sur les vertus des clercs, déclare que « l'exemple est... une manière de prédication », et que « ceux qui sont placés au-dessus des autres doivent avoir soin de les surpasser... par la sainteté de leur vie » [5]. Et là-dessus, Pole formule une véritable règle de vie pour les prélats, règle de sage et simple modération : « Ils ne doivent, dit-il, s'abandonner ni à la pompe ni au luxe, ni porter de drap de soie, ni s'entourer d'ameublements précieux ; leur table devra être frugale et pauvre », avec au plus trois ou à la rigueur quatre plats, sans compter le dessert et les fruits ; ils devront avoir peu de domestiques et de chevaux et seulement ceux dont ils ont réellement besoin ; leurs serviteurs devront porter « des vêtements modestes et décents. » Le surplus de leurs revenus devra être employé à nourrir les miséreux et à élever des enfants dans les écoles [6].

LES SÉMINAIRES — L'originalité de Pole apparaît dans les prescriptions qui ont trait au choix des futurs prêtres. Les évêques devront les examiner en personne ; les bâtards sont exclus ;

---

(1) MANSI, t. XXXIII, col. 1012.
(2) *Ibid.*, col. 1013-1018.
(3) *Ibid.*, col. p. 1020.
(4) *Ibid.*, col. 1021.
(5) *Ibid.*, col. 1022.
(6) *Ibid.*

il faut exiger un titre canonique. Les ordinands devront s'être confessés à un prêtre capable ; ils recevront la communion le jour de leur ordination. Les bénéficiers devront être également examinés et s'engager par serment à résider [1]. Le décret le plus important, et de beaucoup, est celui qui, devançant la décision du concile de Trente, crée des séminaires diocésains.

> Puisqu'en notre temps il y a grande pénurie d'hommes d'Église, surtout idoines... et puisque le meilleur moyen de porter remède à un tel mal est de créer et de conserver dans les cathédrales... une sorte de pépinière (*seminarium*) de ministres... nous décidons, avec l'approbation du concile, que chaque église métropolitaine ou cathédrale dans ce royaume sera tenue d'entretenir un certain nombre de jeunes garçons...

Suivent des prescriptions détaillées. Les élèves seront âgés de onze ou douze ans au moins ; ils devront savoir lire et écrire et donner des signes sérieux de vocation sacerdotale. Il y aura lieu, sans exclure les riches, de préférer les pauvres. Les études commenceront par la « grammaire », puis continueront par la doctrine chrétienne. Pour celle-ci, les élèves seront divisés en deux classes ; ils porteront tous la tonsure et la soutane. Ceux de la classe supérieure pourront être ordonnés acolytes et seront progressivement appelés aux ordres majeurs selon leur âge et leur mérite. Ces nouveaux prêtres seront employés dans le ministère, sur la désignation de l'évêque ou du chapitre. Quant aux élèves de grammaire, les plus capables et les plus pieux combleront les vides laissés par ceux qui auront reçu les ordres majeurs. Un quarantième des revenus du diocèse et de tous les bénéfices sera consacré à l'entretien du séminaire [2].

LES VISITES ÉPISCOPALES — Les décrets s'achèvent par un long chapitre sur les visites épiscopales, qui doivent avoir lieu tous les trois ans, et porter sur tous les prêtres ayant ou non charge d'âmes. Elles examineront l'état des églises, la conduite du clergé, la moralité, les croyances et la piété du peuple. On recherchera si les fidèles sont « usuriers ou concubinaires, s'ils vivent et se souillent dans le péché, s'il s'élève parmi eux haine ou inimitié ;... s'ils passent leur temps dévotement à l'église et entendent la messe entière avec attention et révérence ; ... si les pères de famille élèvent leurs enfants et gouvernent leur maison pieusement et vertueusement. » L'idéal de vie que propose Pole aux clercs et aux laïcs est à la fois sévère, sobre et mesuré, en même temps que pieux. On y reconnaît bien l'humaniste chrétien [3].

LES RÉALISATIONS.
LES MONASTÈRES — Sous l'influence de Pole, on assista à une renaissance de la vie monastique en Angleterre. Le 7 avril 1555, les franciscains reprenaient possession de leur maison de Greenwich. Ils étaient 25 en novembre. A Pâques 1556, les dominicains s'établissaient dans l'église de Saint-Barthélemy-le-Grand, dans le quartier de Smithfield à Londres. En novembre,

---

(1) Mansi, t. XXXIII, col. 1025-1026.
(2) *Ibid.*, col.1029-1030.
(3) *Ibid.*, col. 1031.

Westminster redevenait un monastère bénédictin, dont l'abbé était le Dr. John Feckenham. Pole lui fit adopter la réforme du Mont-Cassin. Le 29 novembre, les chartreux rentraient à Sheen, et, vers le même temps, le monastère de Sion voyait reparaître des moniales brigittines. Smithfield accueillait également les chevaliers de Saint-Jean de Jérusalem. Ce n'était que peu de chose à vrai dire en comparaison du nombre immense de monastères supprimés par Henri VIII ; et une tentative pour rétablir l'illustre abbaye bénédictine de Glastonbury échoua faute de fonds [1]. Pole chercha en outre à implanter la jeune compagnie de Jésus en Angleterre. Il écrivit dans ce sens à Ignace de Loyola ; mais la tentative n'aboutit pas [2].

LES RÉALISATIONS. LES UNIVERSITÉS   Pole avait été fait, en 1555 et 1556, chancelier des deux Universités [3] ; Il nomma des visiteurs pour l'une et pour l'autre, et parmi eux un Italien, Niccolo Ormanetto, dataire papal, Cuthbert Scot, évêque de Chester, Thomas Watson, évêque élu de Lincoln, John Christopherson, évêque élu de Chichester, etc. [4]. La discipline et l'orthodoxie furent rétablies d'une main ferme dans les collèges, où les visiteurs pourchassèrent les pluralistes [5]. Mais ils se donnèrent l'odieux de faire infliger à Bucer et à Fagius une condamnation posthume au bûcher et de faire brûler leurs restes [6]. A Oxford, le corps de la femme de Pierre Martyr fut exhumé et enterré de nouveau sous un fumier [7]. Le personnel des Universités fut renouvelé. Le gouvernement d'Édouard VI avait fait appel, pour garnir les chaires universitaires, à des théologiens continentaux. De même Marie Tudor les peupla d'étrangers. Ormanetto fut nommé professeur à Cambridge, en même temps que Scot et Watson. A Oxford, Pedro Soto, dominicain espagnol, confesseur de Charles-Quint et polémiste antiluthérien, se vit attribuer une chaire de théologie et d'hébreu. Il eut parmi ses collègues deux autres Espagnols, Juan de Villa Garcia, dominicain lui aussi, et Carranza [8]. Malgré sa brève durée, l'œuvre universitaire de Pole n'en eut pas moins des effets importants et durables. La plupart des maîtres et controversistes éminents qui peuplèrent, sous Élisabeth, les centres catholiques du continent, les Allen, les Campion, les Parsons, avaient été formés à Oxford sous le règne de Marie Tudor ; ils devaient poursuivre la tâche commencée par le cardinal légat et assurer l'influence de la Réforme trentinienne jusque dans l'anglicanisme lui-même.

(1) J. GAIRDNER, op. cit., p. 381 ; PASTOR-POIZAT, op. cit., t. XIV, p. 315-316 ; R. BIRON et J. BARENNES, op. cit., p. 278-280.
(2) Ibid., p. 280-283 ; J. GAIRDNER, op. cit., p. 381.
(3) Ibid. ; R. BIRON et J. BARENNES, op. cit., p. 283-284.
(4) J. FOXE, op. cit., vol. VIII, p. 259.
(5) Ibid., p. 276.
(6) Ibid., p. 262-284.
(7) Ibid., p. 296.
(8) N. SANDERS, op. cit., p. 248.

§ 4. — La persécution des protestants.

MARIE LA SANGLANTE   Malgré l'ampleur et l'originalité de l'œuvre
réformatrice de Pole, la postérité n'a guère
retenu du règne de Marie Tudor que la persécution des protestants,
qui lui a valu d'être appelée « Marie la sanglante. » Elle doit, à vrai dire,
cette odieuse renommée avant tout à l'énorme *Livre des Martyrs* de
John Foxe, qui fournit le compte rendu minutieux des procès et des
exécutions et qui devint, dans les familles anglaises des deux siècles suivants, une lecture presque aussi courante que la Bible. Par ailleurs, si
les deux cents victimes de Marie Tudor ne dépassent pas sensiblement le
nombre de celles de sa demi-sœur Elisabeth, leur supplice, concentré
dans l'étroit espace de quatre années, produit un effet de masse ; de plus
— et l'odieux en rejaillit sur le catholicisme — c'est au crime d'hérésie
que l'on s'en prenait, et non, comme sous Elisabeth, au crime de trahison.
Au reste, il faut reconnaître qu'une fois admis le principe de la persécution religieuse, les juges de Marie Tudor, les Gardiner, les Bonner,
ne furent pas inhumains ; ils firent tous leurs efforts pour amener à résipiscence, par la douceur et les bons procédés, des accusés dont l'attitude
hautaine et provocante devait souvent mettre leur patience à rude
épreuve. Reste que les condamnés surent mourir bravement pour leur
foi et que leur exemple fit beaucoup pour implanter le protestantisme
en Angleterre.

L'ATTAQUE PROTESTANTE   Il faut bien dire que les protestants, dès
les premières semaines du règne de Marie
Tudor, l'attaquèrent avec violence et ne cessèrent, par la suite, de la
harceler de pamphlets acerbes, imprimés sur le continent, ou clandestinement en Angleterre, et qui parfois frappaient singulièrement juste.
Il n'y a pas lieu de les énumérer ici, mais deux d'entre eux sont particulièrement révélateurs, quant à la violence de l'assaut contre le catholicisme et quant à l'idéal moral et social des novateurs. Ils sont dus à
un médecin et naturaliste, William Turner, et ont pour titre : *La chasse
au loup romain* et *Nouveau livre de médecine spirituelle*. Certains passages
expriment des aspirations morales élevées qui seront bientôt celles de
puritains :

> Dieu tout-puissant exige qu'il n'y ait pas de mendiants parmi son peuple...
> que nul n'invoque son nom en vain, que les princes ne pillent ni ne tondent
> leurs sujets, qu'aucun homme ne festoie avec excès, ni ne s'enivre, qu'aucun
> homme ne fasse ce qui est la cause et la fondation du mal, comme de jouer aux
> dés ou aux cartes pour de l'argent et de danser comme on le fait dans les maisons
> des grands et autres endroits, d'où s'ensuivent libertinage et luxure [1].

Turner s'élève contre une religion toute en dévotions et en pratiques,
où la morale et la charité sont négligées. Il y avait assurément bien des
points communs entre une telle attitude et le « puritanisme » trentin de
Pole ; mais toute sympathie entre réformateurs protestants et réformateurs catholiques était rendue impossible par la violence des polémiques

---

(1) William TURNER, *The huntynge of the Romyshe Wolfe* (Zurich), 1554, fol. Va-b.

engagées. Les protestants ne cessaient de parler du *De vera obedientia* de Gardiner, arme de choix entre leurs mains. Ou bien l'évêque de Winchester, nous dit Turner, « a servi du poison au roi Henri VIII et à toute l'Europe, ou bien la reine Marie est une bâtarde... »[1]. Gardiner lui-même n'est pas ménagé : « Le Dr. Stephen a tenu compagnie à la prostituée de Babylone, et il a... couché avec elle, car il a sans aucun doute rapporté la vérole romaine en Angleterre et en a infecté bien des âmes chrétiennes»[2]. Et lorsque John Knox, en 1558, lancera de Genève sa *Première sonnerie de trompette contre le monstrueux gouvernement des femmes*, on comprend que Marie Tudor ait éprouvé le besoin de se montrer sévère [3].

LES DÉBUTS DE LA PERSÉCUTION Le 18 décembre 1554, les lois contre l'hérésie étaient rétablies. Or l'activité protestante continuait en secret. Le jour de l'an 1555, le gouvernement faisait dissoudre un groupe qui célébrait de nuit des services en anglais à Londres. Le ministre qui le dirigeait, Thomas Rose, fut emprisonné à la Tour [4]. Le premier martyr fut un prêtre, John Rogers, qui avait été converti au protestantisme à Anvers par Tyndale et Coverdale, dont il avait ensuite publié la Bible sous le nom de Mathew. Il s'était marié, était allé à Wittenberg et avait pris la charge d'une paroisse en Allemagne. Rentré en Angleterre sous Édouard VI, il reçut une prébende à la cathédrale de Saint-Paul. Après l'avènement de Marie Tudor, il prêcha à la croix de Saint-Paul en faveur des doctrines introduites sous Édouard VI et fut en conséquence emprisonné et traduit devant un tribunal présidé par Gardiner. Au cours de longs interrogatoires, il refusa obstinément de rentrer dans le sein de l'Église romaine ou d'accepter la transsubstantiation. Il fut en conséquence excommunié et remis au bras séculier, puis brûlé le 4 février. Il n'avait pu obtenir, même au moment du supplice, de dire adieu à sa femme, qui lui avait donné dix enfants [5]. D'autres exécutions avaient lieu aussitôt après, précédées des mêmes éternelles joutes théologiques entre juges et accusés. Le 8 février, John Hooper, évêque de Worcester sous Édouard VI, était exécuté à Gloucester. Il alla au bûcher d'un visage joyeux et pria avant de mourir : « Tu sais bien, Seigneur, dit-il, pourquoi je suis venu ici pour souffrir, et pourquoi les méchants persécutèrent ton pauvre serviteur ! non pour les fautes et les péchés que j'ai commis envers toi, mais parce que je me refuse à accepter leurs actions maudites... »[6]. Le même jour, un prêtre, Laurence Saunders, qui avait prêché contre le catholicisme, était brûlé à Coventry : « Bienvenue la Croix de Christ, s'écria-t-il en embrassant le poteau, bienvenue la vie éternelle » [7]. Le 9 février le

---

(1) W. TURNER, *A new booke of spirituall Physik*, Rome (indication fausse), 20 février 1555, fol. 36a.
(2) *Ibid.*, fol. 76a-b.
(3) John KNOX, *The first blast of the trumpet against the monstruous regiment of women*, s. l., 1558.
(4) J. GAIRDNER, *op. cit.*, p. 347.
(5) J. FOXE, *op. cit.*, vol. VI, p. 593-611.
(6) *Ibid.*, p. 656-657.
(7) *Ibid.*, p. 628.

Dr. Rowland Taylor mourait dans le Suffolk : « Vous êtes très aimé de tous, lui avait dit le shérif du comté ; ce serait... grand'piété que de vous voir vous détruire volontairement... — Ma carcasse sera réduite en cendres, répliqua Taylor, et les vers y perdront leur nourriture » [1]. Vinrent ensuite le supplice de Robert Ferrar, évêque protestant de St-David's, le 30 mars [2] et de John Bradford. Celui-ci mourut héroïquement, après avoir baisé le fagot et le poteau, et dit à un jeune homme qui était exécuté en même temps que lui : « Sois réconforté, mon frère ; ce soir nous aurons un joyeux souper avec le Seigneur » [3]. La bravoure de tous ces martyrs protestants ne contribua pas peu à encourager leurs coreligionnaires dans leur résistance.

CRANMER, RIDLEY ET LATIMER   Passons sur les victimes secondaires de la persécution, pour en venir aux martyrs les plus illustres, Cranmer, Ridley et Latimer. Depuis la conférence d'août 1554, ils étaient restés en prison à Oxford. Cranmer, d'abord cité à comparaître à Rome, fut jugé à partir du 12 septembre 1555, devant un tribunal présidé par un commissaire papal, le Dr. Brooks, évêque de Gloucester. Il fut accusé d'adultère (pour s'être marié deux fois), de parjure (pour avoir violé son serment au souverain pontife) et d'hérésie [4]. Cranmer resta d'abord ferme sur ses positions, en particulier en ce qui concernait la suprématie royale sur l'Église anglicane :

> Hélas, *répondit-il à un discours de Brooks*, qu'a le pape à faire en Angleterre ? Sa juridiction est tellement différente de celle du royaume, qu'il est impossible d'être fidèle à l'une et à l'autre à la fois... Je ne puis qu'être franchement attristé, quand je pense que son altesse [la reine], le jour de son couronnement, a juré solennellement d'observer toutes les lois et libertés de ce royaume d'Angleterre, et en même temps a prêté serment à l'évêque de Rome et promis de maintenir son siège... ; il est impossible qu'elle ne se parjure d'un côté ou de l'autre [5].

Quant à Ridley et à Latimer, ils furent interrogés à partir du 28 septembre 1555 par une commission de trois évêques, chargés de les amener, si la chose était possible, à résipiscence. Malgré les patientes et bienveillantes exhortations de John White, évêque de Lincoln, les accusés refusèrent de reconnaître la suprématie romaine et la transsubstantiation [6]. Sentence fut prononcée contre eux le 1er octobre [7]. Avant d'être exécuté, Ridley adressa une supplique à la reine en faveur des pauvres locataires du chapitre de Saint-Paul, menacés d'être expulsés par son successeur à l'évêché de Londres [8]. Le 16 octobre, Ridley et Latimer furent conduits au bûcher. Le Dr. Smith prêcha sur l'épître aux Corinthiens, prenant pour texte les paroles : « Si je livre mon corps aux flammes, et que je n'aie pas la charité, cela ne me sert de rien », voulant prouver ainsi que le supplice

(1) J. Foxe, *op. cit.*, vol. VI. p. 695-696.
(2) *Ibid.*, vol. VII, p. 3-26 ; J. Gairdner, *op. cit.*, p. 358.
(3) J. Foxe, *op. cit.*, vol. VII, p. 194-285 ; J. Gairdner, *op. cit.*, p. 359-360.
(4) J. Foxe, *op. cit.*, vol. VIII, p. 58 ; J. Gairdner, *op. cit.*, p. 365.
(5) J. Foxe, *op. cit.*, vol. VIII, p. 63-64.
(6) *Ibid.*, vol. VII, p. 518-541.
(7) J. Gairdner, *op. cit.*, p. 367.
(8) J. Foxe, *op. cit.*, vol. VII, p. 545.

des protestants n'était pas un martyre. Les deux condamnés refusèrent alors d'abjurer pour avoir la vie sauve. Lorsqu'un fagot allumé fut apporté pour mettre le feu au bûcher, Latimer prononça les paroles fameuses : « Reprenez courage, maître Ridley, et montrez-vous un homme. Nous allons aujourd'hui, par la grâce de Dieu, allumer en Angleterre une chandelle qui, j'en ai confiance, ne s'éteindra jamais. » Ridley, voyant la flamme monter, s'écria : *In manus tuas, Domine, commendo spiritum meum.* Une charge de poudre à canon, placée sur la poitrine de Latimer, mit bientôt fin à ses souffrances. Ridley fut plus long à mourir [1].

Cependant Cranmer avait été autorisé à séjourner dans la maison du doyen du collège de Christchurch et conférait avec des religieux espagnols. Le dominicain Garcia lui représenta, nous dit Foxe, l'horreur du supplice et lui fit espérer la faveur de la reine, s'il se soumettait. Toujours est-il que Cranmer consentit à écrire une série d'actes d'abjuration, dans l'un desquels il déclarait « qu'il abhorrait et détestait toutes sortes d'hérésies et erreurs professées par Luther et Zwingle... Je reconnais, disait-il, que le pape de Rome est le chef suprême sur terre de l'Église visible... J'adore dans le sacrement de l'autel le corps et le sang mêmes du Christ... Je crois qu'il y a un endroit nommé purgatoire... Je ne crois rien d'autre que ce qu'enseigne l'Église de Rome » [2]. Mais il avait déjà été condamné par le pape ; et malgré sa soumission, il fut dégradé par Bonner, évêque de Londres, et Thirlby, évêque d'Ély, le 14 février 1556. La date de son exécution ayant été fixée au 7 mars, il demanda un délai, écrivit de nouvelles rétractations [3]. Le 21 mars, il était conduit au bûcher. Devant la mort, il retrouva toute son énergie. Après le sermon prêché par le Dr. Cole, on lui demanda d'adresser la parole au peuple ; on attendait de lui une septième et dernière abjuration. Il dit à l'auditoire qu'il allait lui révéler une faute qui pesait plus lourd que toutes les autres sur sa conscience. Puis après avoir prié la Sainte Trinité, demandant pardon de ses péchés, et avoir exhorté les personnes présentes au mépris du monde, à l'obéissance et à la charité, il désavoua les écrits qu'il avait composés « par crainte de la mort et pour sauver sa vie... Et comme ma main, dit-il, a péché en écrivant le contraire de ce qu'il y avait dans mon cœur, elle sera la première punie aujourd'hui ; car, lorsque je serai amené au bûcher, elle sera la première à brûler » [4]. Et en effet, lorsque les flammes du bûcher s'élevèrent autour de lui, il y mit la main, la tenant « fixe et immobile ». Il expira en répétant : « Seigneur Jésus, reçois mon âme » [5].

SUITE DE LA PERSÉCUTION La persécution continua jusqu'à la mort de Marie Tudor. La loi opérait automatiquement, et en outre la découverte de plusieurs conspirations contre la reine portait les juges à la sévérité. Nous ne pouvons rapporter ici les interrogatoires mêlés d'interminables discussions théologiques, ni même

---

(1) J. Foxe, *op. cit.*, vol. VII. p. 550.
(2) *Ibid.*, vol. VIII, p. 80-82.
(3) J. Gairdner, *op. cit.*, p. 373-374.
(4) J. Foxe, *op. cit.*, vol. VIII, p. 86-88.
(5) *Ibid.*, p. 590.

les noms des victimes. Le 8 février 1557, le roi et la reine nommaient une commission pour rechercher et punir les « hérésies, opinions hérétiques, lollardies, livres hérétiques et séditieux, recels, offenses, conspirations, et toutes fausses rumeurs, contes, paroles séditieuses et calomnieuses... » ; et, le 10 juin, Bonner désignait semblablement des juges pour déraciner l'hérésie [1]. Mais celle-ci renaissait d'autant plus vivace que le pape avait désavoué Pole et par là même affaibli l'idéal trentin, seul capable de rivaliser avec les aspirations morales et spirituelles des réformateurs.

LES ÉGLISES DE L'EXIL L'opposition protestante était menée, du continent, par des exilés, réfugiés dans diverses villes d'Allemagne et de Suisse, et notamment à Genève et à Francfort. Ceux-ci, toutefois, étaient loin de s'entendre entre eux. L'Église wallonne, dirigée par Valérand Poullain et établie à Glastonbury, avait quitté l'Angleterre en septembre 1553 et avait trouvé asile à Francfort. Elle y fut rejointe par huit cents Anglais exilés pour leur foi, qui partagèrent avec eux l'église des « Dames blanches », adoptèrent leur liturgie et appelèrent comme pasteur l'Écossais John Knox [2]. Les difficultés commencèrent avec l'arrivée, qui eut lieu le 13 mars 1555, de nouveaux réfugiés anglais, à la tête desquels se trouvait le Dr. Richard Cox. Ceux-ci exigeaient l'emploi du *Livre de prières* anglican de 1552 et réussirent à grouper une majorité, qui expulsa Knox. Les Anglais calvinistes quittèrent Francfort pour Bâle et Genève, mais les « troubles » ne cessèrent pas pour autant, un conflit s'élevant parmi ceux qui étaient restés sur la question de savoir si l'autorité résidait dans le pasteur ou dans l'assemblée des fidèles. En décembre 1558, après la mort de Marie Tudor, l'Église anglaise de Genève adressa à toutes les églises de la même nationalité sur le continent un appel pour qu'elles intervinssent en Angleterre pour la suppression des « cérémonies » maintenues dans le *Livre de prière*. Cet appel resta sans effet, mais les « troubles » de Francfort font déjà pressentir la future scission entre anglicans et non-conformistes [3].

§ 5. — Établissement définitif de l'anglicanisme.

RAISONS DU SUCCÈS DE L'ANGLICANISME La mort de Marie Tudor mit fin aux espoirs de restauration catholique. L'intérêt et l'amour-propre enchaînaient Élisabeth à la cause anglicane. Le changement se fit tout simplement et sans heurts, et peu d'événements restent à narrer. Mais il est bon de s'arrêter et de faire le point et de mettre en lumière les raisons du succès de l'Église établie. Et tout d'abord, une question préalable se pose. L'Angleterre était, en 1558, et devait rester pendant un demi-siècle encore, en majorité un pays de tendances catholiques [4]. Comment se fait-il qu'elle ait accepté, sans

(1) J. Foxe, *op. cit.*, vol. VIII, p. 301, 452.
(2) H. J. Cowell, *op. cit.*, p. 13-14.
(3) *Ibid.*, p. 25.
(4) B. Magee, *The English recusants, passim.*

grande résistance, la chute de la « vieille religion » ? Il n'y a pas lieu, à
vrai dire, de s'étonner de ce subit renversement de la situation, de ce
changement à vue qui du jour au lendemain renouvela le personnel gouvernemental et administratif : l'histoire en fournit, de toute manière, maint
exemple ; mais, dans ce cas particulier, la puissance royale était si absolue
et si incontestée qu'Élisabeth n'eut pas beaucoup plus de peine à rétablir
l'anglicanisme que Marie Tudor n'en avait eu à restaurer l'ancienne
religion. Par ailleurs, le règne de celle-ci s'achevait tristement. La prise
de Calais, l'alliance franco-écossaise, la persécution religieuse, la stagna-
tion économique, avaient engendré le mécontentement et provoqué le
désir d'un changement. En outre, le pays était passé, dans l'espace d'une
génération, par tant de vicissitudes, que les convictions s'étaient émoussées
pour faire place à la lassitude. Tout Anglais de cinquante ans avait été,
depuis qu'il avait atteint l'âge d'homme, successivement catholique,
henricien, luthérien, calviniste, et de nouveau catholique. On était fatigué
des luttes théologiques. On ne savait plus que croire. On s'acheminait
tout doucement vers cette indifférence, cet « athéisme, » qui devait
fleurir à l'époque de Shakespeare. On aspirait avant tout à la paix et à
la stabilité.

Or il se trouve justement que la religion proposée par Élisabeth à ses
sujets était de nature à satisfaire ces aspirations. La nouvelle reine n'avait
rien des goûts théologiques de son père. Peu lui importaient les dogmes.
Il lui suffisait d'assurer, en vue de l'unité politique de l'État, l'uniformité
extérieure du culte, et pour cela, de rassembler tous ses sujets autour de
formules doctrinales volontairement vagues. La liturgie, la confession
de foi du règne d'Édouard VI étaient déjà des compromis. Les docteurs
qui les avaient rédigées, et en particulier Cranmer, avaient une aversion
tout anglaise pour les excès de la logique et aimaient mieux embrasser
qu'exclure. De là cette largeur de pensée dont l'anglicanisme se fait
encore gloire aujourd'hui, et qui permit aux mouvements d'idées en
apparence les plus contradictoires d'y fleurir en liberté. Il n'est pas
surprenant, dans ces conditions, que la population, dans son ensemble,
soit demeurée à l'intérieur d'une Église qui, d'ailleurs, se montrait, en
bien des points, fidèle à la tradition. Il ne resta en dehors qu'une minorité
d'extrémistes, les « papistes » convaincus et les premiers puritains.

PRUDENCE DE LA REINE Il ne faudrait pas croire, cependant, que le
peuple anglais fût, en totalité, prêt à accueillir
volontiers les innovations religieuses, ni qu'Élisabeth se trouvât devant
une tâche facile. « Elle avait certes, à son couronnement, une partie
hasardeuse à jouer » [1]. Aussi procéda-t-elle avec une extrême prudence.
Fidèle à la politique de son père, elle usa peu à peu la résistance de ses
adversaires, les rassurant et les menaçant à la fois. Elle savait parfaitement
où elle voulait en venir ; mais elle attendit, pour agir, de s'être entourée
d'hommes décidés à la servir. Dans la proclamation du 17 novembre 1558,
qui annonçait son avènement, aucune allusion n'est faite à la question

(1) Ch. Dodd, *Church history*, p. 1.

religieuse. La reine y interdisait même « toute tentative... pour violer, altérer ou changer tout ordre et usage à présent établis dans ce royaume » [1]. Dans l'énumération des titres de la souveraine, elle n'était pas désignée comme « chef suprême de l'Église d'Angleterre » ; ces mots étaient remplacés par un « etc. » d'innocente apparence, et il en fut de même, un peu plus tard, dans les ordonnances qui convoquaient le Parlement [2].

LES PROJETS DE RÉFORME — Cependant, des plans de campagne étaient établis par les conseillers de la reine. Le principal de ceux-ci était un homme nouveau, William Cecil, qui avait été « dans les secrets » d'Édouard VI, qui avait fait profession de catholicisme sous Marie Tudor, mais qui, repoussé par Pole, s'était tourné vers la princesse Elisabeth, espérant qu'elle servirait son ambition [3]. Il rédigea un *Projet pour le changement de religion*, où il examinait les moyens de rétablir l'anglicanisme d'Édouard VI. Il montrait que les dangers extérieurs auxquels était exposée la politique royale étaient plus apparents que réels. A l'intérieur, il fallait craindre une double opposition : celle des catholiques en place, et celle des protestants extrémistes, qui verraient dans la nouvelle doctrine « une papisterie dissimulée. » Contre les uns et contre les autres, il fallait user de contrainte. Cecil se montrait bon prophète : il faisait pressentir ce qu'allait être l'histoire de l'Église d'Angleterre dans les deux siècles à venir. Le changement se ferait, disait-il, dans le Parlement qui allait se réunir. Il fallait qu'un groupe de savants hommes préparât un projet de liturgie. En attendant, que la reine « allât plus rarement à la messe » et usât de « quelque autre dévote forme de prière » [4].

SIGNES AVANT-COUREURS — Élisabeth suivit ces conseils en tout point. Dès le début de décembre, elle adoptait la « litanie » en anglais dans sa chapelle [5]. A Noël, elle ordonna à Oglethorp, évêque de Carlisle, qui devait chanter la grand'messe devant elle, de ne pas élever l'hostie. Sur son refus, elle quitta l'église avant l'évangile [6]. Mais presque en même temps, elle rassurait l'opinion anglaise et étrangère en publiant une proclamation qui limitait les innovations à la lecture en anglais de l'épître, de l'évangile et des dix commandements et interdisait tout commentaire, toute prédication [7]. Lors de son couronnement, qui eut lieu le 15 janvier 1559, la reine s'avança un peu plus loin. Dans les rues de Londres, quand on lui présenta un Nouveau Testament, elle le pressa sur son cœur [8]. Les cérémonies elles-mêmes purent s'interpréter en sens divers. Élisabeth prêta l'antique serment qui garantissait les privilèges de l'Église, mais elle se retira avant l'élévation et refusa de

(1) A. O. MEYER, *England und die katholische Kirche unter Elisabeth*, p. 12.
(2) W. H. FRERE, *The English Church in the reigns of Elizabeth and James I*, p. 2-3.
(3) N. SANDERS, *op. cit.*, p. 256.
(4) W. H. FRERE, *op. cit.*, p. 5-6.
(5) *Ibid.*, p. 6.
(6) N. SANDERS, *op. cit.*, p. 255 ; W. H. FRERE, *op. cit.*, p. 9 ; A. O. MEYER, *op. cit.*, p. 14.
(7) *Ibid.*, p. 14-15 ; W. H. FRERE, *op. cit.*, p. 10.
(8) *Ibid.*

recevoir la communion suivant l'ancien rite [1]. Elle se laissa oindre d'huile sainte, mais dit aux servantes qui la vêtaient de ses habits royaux : « Écartez-vous, cette huile sent trop mauvais » [2].

LES FORCES EN PRÉSENCE Le parti extrémiste se trouvait renforcé par le retour des exilés, qui rentraient de Genève et de Bâle, et l'immigration de protestants hollandais. Ceux qui s'étaient pénétrés des doctrines calvinistes menaient violemment campagne pour la suppression de tout ce qui subsistait de la tradition romaine. Les querelles de Francfort étaient maintenant transportées en Angleterre. A Londres, une foule ameutée envahit l'église des augustins, puis l'église française ; deux savetiers montèrent en chaire, déclamèrent contre Marie Tudor et Pole et contre les croyances traditionnelles. De leur côté, les catholiques s'agitaient. Christopherson, évêque de Chichester, prêchait à la croix de Saint-Paul contre les changements, et, là-dessus, était jeté en prison. White, évêque de Winchester, profitait du sermon qu'il était chargé de prononcer aux funérailles de la feue reine, le 14 décembre, pour protester contre l'invasion genevoise et la suprématie royale. Il fut, lui aussi, emprisonné [3].

LA RÉSISTANCE AU PARLEMENT Le Parlement se réunit le 25 janvier 1559. Le gouvernement avait fait tout son possible pour assurer sa docilité [4]. Pour la Chambre des Communes, « on avait eu soin, nous dit Sanders, d'assurer l'élection... de ceux qui étaient le plus attachés aux nouveautés dans la foi et dans la religion » [5]. On avait, en effet, présenté aux électeurs des listes de trois à cinq candidats, parmi lesquels ils étaient forcés de choisir [6]. Vingt et un pour cent des députés étaient des courtisans ou des fonctionnaires. En outre, la répartition géographique des sièges donnait une prépondérance « scandaleuse » aux comtés du Sud et de l'Est, où les protestants étaient les plus forts [7]. Quant à la Chambre des Lords, un hasard surprenant faisait que, sur dix-sept pairs spirituels, dix évêques étaient morts en 1557 et 1558 ; deux autres étaient emprisonnés ; un autre et l'abbé de Westminster retenus loin de la capitale [8]. Malgré tout, la majorité des membres étaient catholiques. Il fallut, dans une Chambre comme dans l'autre, que le gouvernement exerçât une forte pression pour obtenir le vote des réformes religieuses.

Le discours du trône fut prononcé par sir Nicholas Bacon, qui demanda au Parlement de légiférer à la fois contre l'idolâtrie et la superstition, et contre l'irrévérence et l'irréligion, prenant ainsi dès l'abord une position moyenne entre catholiques et protestants [9]. Après quelques débats sur

(1) N. Sanders, op. cit., p. 256 ; Ch. Dodd, op. cit., p. 2 ; A. O. Meyer, op. cit., p. 15.
(2) N. Sanders, op. cit., p. 256.
(3) W. H. Frere, op. cit., p. 8-12 ; A. O. Meyer, op. cit., p. 25.
(4) B. Magee, op. cit., p. 5.
(5) N. Sanders, op. cit., p. 262.
(6) A. O. Meyer, op. cit., p. 16 ; B. Magee, op. cit., p. 5.
(7) Ibid., p. 10-13.
(8) Ibid., p. 13-14.
(9) W. H. Frere, op. cit., p. 17.

des points secondaires, la *Loi pour restituer la suprématie sur l'Eglise d'Angleterre à la couronne d'Angleterre* fut présentée aux Communes en première lecture le 9 février 1559 [1]. Le 13, elle était rejetée en deuxième lecture. De même, deux lois sur l'introduction d'une nouvelle liturgie étaient repoussées. En conséquence, on modifia la loi de suprématie en y ajoutant une disposition qui rétablissait le *Livre de prière* de 1552. Cecil ayant employé les grands moyens, cette loi fut enfin votée par les Communes, mais à la Chambre des Lords, elle se trouva arrêtée le 28 février. Cependant, la Convocation, réunie en même temps que le Parlement, présentait à la Chambre haute une profession de foi en cinq articles, qui défendaient la messe, affirmaient la suprématie romaine et l'autorité de l'Église en matière de foi. Ce « coup de foudre » fit impression sur les pairs ; cependant leur résistance s'usait. Le 13 mars, après avoir disjoint les clauses liturgiques, ils renvoyaient aux Communes la loi de suprématie sous une forme modifiée et adoucie. Acceptée par la Chambre basse, elle revenait aux Lords qui la votaient le 22 mars [2].

INTERVENTION DU GOUVERNEMENT — Pâques approchait, et aucune disposition légale n'avait encore été prise pour modifier l'administration de l'eucharistie. Se basant sur la loi de suprématie, une proclamation royale autorisa la communion sous les deux espèces. Mais on n'osait s'engager à fond. Les prêtres qui regimberaient ne seraient pas inquiétés ; les fidèles iraient tout simplement chercher d'autres prêtres plus malléables. A la chapelle royale, la liturgie d'Édouard VI fut utilisée le jour de Pâques [3]. L'agitation protestante s'intensifiait. Le mardi de Pâques, une église de Londres, Bow Church, fut dévastée par la foule et le Saint-Sacrement y fut profané. En outre, pour faire pression sur l'opinion, le gouvernement organisa une conférence contradictoire à grand spectacle entre théologiens catholiques et calvinistes [4]. Quatre évêques et quatre docteurs devaient discuter avec d'anciens exilés sur l'usage de la langue vulgaire, l'autorité de chaque église sur ses rites et cérémonies et le caractère propitiatoire du sacrifice de la messe [5]. Il leur répugnait de prendre part à une discussion non académique, mais publique, « en présence d'une foule ignorante et avide de nouveautés, qui avait l'habitude de résoudre toute question par des cris plutôt que par des arguments » [6]. Les débats, qui commencèrent le 3 avril, furent menés d'une manière extrêmement partiale, de façon à laisser le dernier mot aux protestants. Comme son père Henri VIII, Elisabeth s'appuyait sur les extrémistes, sans avoir l'intention de les suivre jusqu'au bout, pour faire pièce aux traditionalistes [7].

(1) W. H. Frere, *op. cit.*, p. 18.
(2) *Ibid.*, p. 19-21.
(3) *Ibid.*, p. 22.
(4) *Ibid.*, p. 23 ; N. Sanders, *op. cit.*, p. 266.
(5) W. H. Frere, *op. cit.*, p. 23.
(6) N. Sanders, *op. cit.*, p. 266.
(7) W. H. Frere, *op. cit.*, p. 24.

ÉCROULEMENT DE L'OPPOSITION   A la rentrée du Parlement, Elisabeth, embarrassée de ce titre de « chef suprême » qui faisait un pape d'une femme et lui valait le mauvais vouloir des catholiques, présenta aux deux Chambres une nouvelle loi de suprématie, où elle était désignée seulement comme « suprême gouverneur de l'Église d'Angleterre. » C'était là une manœuvre habile et qui fit son effet, car la loi, malgré une vive opposition, fut votée par les Lords et par les Communes [1]. Restaient les questions doctrinales et liturgiques. Un comité de docteurs et de laïques avait été formé pour réviser le *Livre de prière* de 1552. Il le modifia dans un sens protestant, mais le gouvernement refusa de le suivre dans cette voie, car il était désireux de n'effaroucher personne. C'est la liturgie d'Edouard VI qui fut présentée au Parlement. Encore fut-elle modifiée de manière à convenir aussi bien à ceux qui acceptaient la présence réelle qu'à ceux qui la rejetaient [2]. Pour l'administration du sacrement de l'eucharistie, on groupa en une seule les deux formules de 1549 et de 1552 ; le résultat était ambigu, mais devait satisfaire tout le monde. On omit la « rubrique noire » de 1552, d'après laquelle les fidèles devaient communier debout, et qui niait formellement la transformation du pain et du vin [3]. Ces adoucissements firent leur effet. La *Loi d'uniformité*, qui prescrivait, sous des peines très sévères, l'usage de la nouvelle liturgie, présentée à la Chambre des Communes, le 18 avril, fut votée en dix jours. A la Chambre des Lords, l'opposition fut plus vive. Dans un discours, Scott, évêque de Chester, mit ses adversaires au défi de citer un seul cas où les évêques n'eussent pas été consultés dans une controverse de cette nature. Feckenham, abbé de Westminster, insista sur les fluctuations des protestants [4]. Malgré les diverses circonstances qui avaient clairsemé les rangs des catholiques, la loi ne fut enfin votée le 28 avril que par une précaire majorité de trois voix [5].

Par ce vote, l'Église anglicane était définitivement créée. Il n'y a pas lieu de décrire ici la visite royale qui en fut la conséquence en 1559, ni d'analyser les *Trente-neuf articles* de 1562, formulaire dogmatique de la nouvelle religion, aussi élastique que sa liturgie. Il est clair que l'anglicanisme était fondé sur une équivoque : les traditionalistes purent croire qu'ils conservaient l'essentiel, alors qu'ils se laissaient conduire. Quant aux meneurs du jeu, ils considéraient leur foi comme protestante ; mais elle devait par la suite se prêter à une interprétation presque catholique. Pour rencontrer le vrai protestantisme, il faut quitter l'Angleterre pour l'Écosse, où la Réforme eut un caractère beaucoup plus franc.

(1) W. H. FRERE, *op. cit.*, p. 25-26.
(2) Ch. DODD, *op. cit.*, p. 5, col. 1 ; W. H. FRERE, *op. cit.*, p. 28.
(3) *Two liturgies*, p. 92, 279, 283 ; *Prayer-book interleaved*, p. (171).
(4) Ch. DODD, *op. cit.*, p. 5, col. 1-2 ; W. H. FRERE, *op. cit.*, p. 29-30.
(5) A. O. MEYER, *op. cit.*, p. 19 ; W. H. FRERE, *op. cit.*, p. 30.

CHAPITRE IV

LA REFORME EN ECOSSE ET EN IRLANDE [1]

§ 1. — L'Église d'Écosse à la veille de la Réforme.

CARACTÈRES PROPRES DE LA RÉFORME ÉCOSSAISE
La commune destinée que partagent actuellement les peuples d'Angleterre et d'Écosse ne doit pas faire illusion. L'histoire de la Réforme religieuse dans les deux pays est marquée par de profondes différences. Tout d'abord, s'il est vrai que les événements politiques en Angleterre eurent de graves répercussions sur l'Église, le jeu compliqué des intrigues diplomatiques et intérieures est, en Écosse, inextricablement mêlé aux affaires de la religion, à tel point que le domaine spirituel en semble notablement réduit. Ces intrigues trouvaient libre jeu dans un pays qui ne possédait pas de pouvoir central fort, capable, comme en Angleterre, d'agir à la fois comme réformateur et comme modérateur. L'Écosse était restée profondément féodale, d'une féodalité que renforçait encore, sur la plus grande partie du territoire, le système des « clans. » Le pouvoir appartenait à une aristocratie divisée par d'âpres rivalités, mais presque uniformément avide des biens du clergé, et aussi prête à profiter des abus de la « vieille religion » qu'à spolier l'Église au nom de la Réforme. Aucune ligne directrice générale dans la conduite des nobles : seulement un enchevêtrement d'ambitions, de cupidités et de trahisons.

(1) BIBLIOGRAPHIE. — I. SOURCES. — Pour l'histoire de la Réforme en Écosse, la source essentielle est le travail rédigé par John KNOX lui-même, *History of the Reformation in Scotland* (ms. original, 1566 ; édition critique par David LAING, vol. I-II de *The works of John Knox*, Edimbourg, 1846, 1864) ; mais les affirmations de l'auteur devront être acceptées sous réserves. John FOXE, *Acts and monuments* (Edit. TOWNSEND-PRATT, 1870, vol. IV et V) est presque aussi important et fournit le principal de ce que nous savons sur la persécution des protestants. George BUCHANAN, dans sa *Rerum Scoticarum historia*, Francfort, 1584, est aussi embrouillé que les affaires d'Écosse elles-mêmes et d'une utilisation difficile. Pour la satire de l'ancienne Église, voir du même auteur le *Franciscanus*, dans *Georg. Buchanani Scoti Poemata quae extant*, editio postrema, Leyde, 1628. Pour les débuts de la Réforme en Écosse, voir *State Papers, Henry VIII*, parts IV-V, *Correspondence relative to Scotland and the Border*. Pour la réforme catholique en Écosse, voir WILKINS, *Concilia Magnae Britanniae* (documents reproduits dans MANSI, *Sacrorum conciliorum... collectio*, édit. fac-similé, Paris, 1902).

II. TRAVAUX. — Pour l'Écosse et l'Irlande respectivement, les deux compilations les plus complètes sont les consciencieux ouvrages du Dʳ Alphons BELLESHEIM, *Geschichte der Katholischen Kirche in Schottland*, vol. I-II, Mayence, 1883, et *Geschichte der Katholischen Kirche in Irland*, vol. I-II, Mayence, 1890. Ces deux ouvrages font une large part au mouvement de Réforme catholique à l'intérieur de l'ancienne Église. Le travail le plus pénétrant sur l'histoire de la Réforme en Écosse est celui de W. L. MATHIESON, *Politics and religion in Scotland*, vol. I, 1550-1638, Glasgow, 1902 ; Andrew LANG, *A history of Scotland*, vol. I-II, Edimbourg, 1900-1902 a de bons chapitres sur le même sujet. On trouvera d'ailleurs tout l'essentiel de la bibliographie sur la question dans Henry W. MEIKLE, *A brief bibliography of Scottish history*, published for the Historical association, London, 1937. Pour l'Irlande, voir les chapitres sur *The Reformation in Ireland* par G. V. JOURDAN dans W. Alison PHILLIPS, *History of the Church of Ireland*, vol. II, Oxford, 1934, qui est d'inspiration anglicane ; R.D. EDWARDS, *Church and State in Tudor Ireland*, 1935 ; et Rev. Aubrey GWYNN, *The medieval province of Armagh*, Dundalk, 1946, qui s'appuie sur les registres de la province archiépiscopale d'Armagh entre 1450 et 1550 environ.

Mais l'Écosse n'était pas un pays uniquement aristocratique. Elle avait donné naissance à quelques-unes des premières communes d'Europe. La bourgeoisie et le peuple jouèrent un grand rôle dans la Réforme, animés à la fois par de bas instincts de pillage et par un sens moral rigoureux que révoltait la corruption du clergé. Ce qui assura en outre le succès des innovations religieuses, c'est que les masses populaires trouvèrent un chef, qui sut à la fois les galvaniser et les organiser, la personnalité la plus puissante peut-être qu'ait produite le protestantisme, John Knox. La nouvelle religion, en Écosse, est marquée de son empreinte personnelle, en même temps qu'elle garde, de la nature physique du pays et du caractère de ses habitants, quelque chose de rude et de sauvage. Et en effet, la violence et la brutalité sont partout dans la Réforme écossaise, qui, plus que toute autre, s'est inspirée des parties les plus véhémentes de l'Ancien Testament.

ÉTAT MORAL DE L'ÉGLISE D'ÉCOSSE   Comme en Angleterre, l'Église d'Écosse, à la veille de la Réforme, présente un tableau à deux faces. D'une part, des abus, aussi scandaleux que dans toute autre partie de la Chrétienté ; de l'autre, une piété véritable et la floraison d'un humanisme éclairé, qui s'épanouissent en de nombreuses fondations. La corruption du clergé était due avant tout à l'ingérence du souverain et des membres de l'aristocratie dans l'administration et dans les nominations ecclésiastiques. L'élection des abbés avait été libre jusqu'en 1473. A cette date, le roi Jacques III cassa celle de l'abbé de Dunfermline, le remplaça par un de ses protégés et fit confirmer cette substitution par Rome. « L'Église de Rome accueillit les supplications du prince, d'autant mieux qu'elle en tirait profit et argent ; ce pour quoi les évêques n'osèrent plus confirmer ceux qui étaient choisis par les couvents, pas plus que ceux qui étaient élus n'osaient revendiquer leur droit. Et ainsi les abbayes tombèrent dans les abus séculiers » [1]. Ce fut le commencement de la décadence. Les richesses de l'Église étaient désormais à la merci du roi et des nobles, qui garnissaient les sièges épiscopaux, les monastères et les prébendes de leurs fils, de leurs parents, de leurs créatures. Des femmes de bonne famille vivaient en « concubinage autorisé » avec des membres du haut clergé. Le cardinal Beaton avait neuf enfants ; Hepburn, évêque de Moray, en avait dix, tous de mères différentes. Les prélats mariaient leurs filles avec des héritiers de la noblesse et accordaient des charges ecclésiastiques à leurs fils, même en bas-âge [2]. « Ce n'est pas seulement à des ignorants que l'on confère la prêtrise, dit un auteur catholique en 1540, c'est aussi à des enfants, encore incapables de raisonner, qui semblent nés pour hériter... On chargera d'une multitude de bénéfices bien des gens dont les paroles, dont la vie sont telles que l'on peut se demander s'ils sont chrétiens ou païens » [3].

La vie normale de l'Église était bouleversée par l'action du roi et de l

(1) W. L. MATHIESON, *Politics and religion in Scotland*, vol. I, p. 27.
(2) *Ibid.*, vol. I, p. 23, 27.
(3) A. BELLESHEIM, *Geschichte der katholischen Kirche in Schottland*, vol. I, p. 375, citant Archi bald HAY, *Gratulatorius panegyricus ad Cardinalem D. Betoun*, fol. 35, 38.

noblesse. Les abbayes étaient accaparées par les évêques ; d'autre part, les bénéfices appartenaient en propre aux évêchés ou aux monastères ; ils étaient laissés vacants ou confiés à des vicaires mal payés. Contre 262 paroisses qui possédaient un curé, il y en avait plus de 600 confiées à des remplaçants. Ceux-ci prêchaient peu et laissaient le monopole des sermons aux franciscains. Aussi bien la conduite des fidèles était-elle souvent scandaleuse. L'assistance aux offices était peu nombreuse, l'on y riait et l'on y parlait bruyamment, on trafiquait, on s'amusait sous le porche ; les femmes vendaient du linge en pleine église [1]. Ni les satires du poète David Lindsay, ni les canons des conciles provinciaux, ni le *Bref traité* publié en 1558 par Quintin Kennedy, abbé de Crossraguel, ne laissent de doute sur le déplorable état moral dans lequel, vers 1550, se trouvait l'Église d'Écosse [2].

SYMPTOMES DE RENAISSANCE   Et pourtant, celle-ci présentait, à la fin du XVe siècle et au début du XVIe, des symptômes d'indiscutable renaissance. La décadence de la discipline parmi les réguliers avait détourné des monastères la générosité des fidèles ; mais on voit se fonder un certain nombre d'églises collégiales, auxquelles étaient généralement rattachées des écoles. Il en apparaît neuf entre 1450 et 1500 et cinq encore entre 1500 et 1550, chiffres considérables si l'on songe qu'il s'agissait d'un pays pauvrement peuplé. La dernière fut établie en 1546, à la veille même de l'assassinat du cardinal Beaton [3]. Des hôpitaux, d'un caractère ecclésiastique eux aussi, se créent pour les malades, les pèlerins, les vieillards, les lépreux, au nombre de sept au moins entre 1470 et 1550. Mais c'est surtout dans les progrès de l'humanisme chrétien que l'Église semble avoir cherché un antidote aux abus qui la minaient. La figure de l'évêque d'Aberdeen, William Elphinstone (1431-1514), se dresse, énergique et pure, au milieu de la corruption du temps. D'une vie personnelle pieuse et irréprochable, ami des lettres et lettré lui-même, ancien élève des Universités de Paris et d'Orléans, Elphinstone s'efforce, dans son diocèse, d'instruire et de réformer le clergé. Il fonde le *Collège du roi* à Aberdeen, transformé bientôt en Université par le pape (1494). Il publie des décrets de réforme, exige que les chanoines soient au moins licenciés en théologie et prêchent ; il leur ordonne de résider ; il fait imprimer, entre 1505 et 1509, le bréviaire d'Aberdeen, où une place importante est accordée aux saints d'Écosse [4]. Plus proche du triomphe du protestantisme, un autre humaniste, Robert Reid, évêque des Orcades, étudie à Paris, fait venir du Piémont un érudit, Ferrerius, répare sa cathédrale, fonde une école de « grammaire », réorganise son chapitre. A sa mort (1558), il lègue huit mille marcs à la ville d'Edimbourg pour fonder une université. A l'Université de Saint-Andrews, deux collèges sur trois remontent au début du XVIe siècle [5] ; et l'on trouve encore à cette époque,

(1) W. L. MATHIESON, *op. cit.*, vol. I, p. 23-24.
(2) A. BELLESHEIM, *op. cit.*, vol. I, p. 402-406, 438-439, citant les catholiques Ninian Winzet, Quintin Kennedy, Archibald Hay.
(3) *Ibid.*, vol. I, p. 355-360.
(4) *Ibid.*, vol. I, p. 321-323.
(5) *Ibid.*, vol. I, p. 367 ; W. L. MATHIESON, *op. cit.*, vol. I, p. 33.

dans l'Église d'Écosse, « certaines lampes de piété et de sainteté », comme
Alexander Mylne, abbé de Cambuskenneth, et Ninian Winzet (1518-
1592), le maître d'école de Linlithgow [1].

§ 2. — L'invasion protestante.

LES ÉVÉNEMENTS POLITIQUES   Si le protestantisme, malgré les efforts
de l'Église pour se réformer elle-même,
a réussi à vaincre en Écosse, c'est en grande partie pour des raisons
d'ordre politique. Jusqu'en 1550, l'Angleterre séparée de Rome soutint
les ennemis du Saint-Siège dans le royaume voisin ; comme elle en voulait
en outre à son indépendance et cherchait à la soumettre par les armes,
les protestants écossais étaient alors considérés comme des suppôts de
l'étranger, et le catholicisme s'identifiait avec le patriotisme. Lorsque
l'Angleterre, sous Marie Tudor, fut devenue catholique, la situation se
renversa ; ce furent les catholiques qui devinrent des traîtres et leurs
adversaires surent tirer parti des susceptibilités nationales d'un pays
jaloux de sa liberté ; d'autant plus qu'ils retournèrent bientôt contre
le parti français le reproche de manque de loyalisme qui avait été adressé
au parti anglais.

On peut distinguer, dans l'histoire du XVIe siècle écossais, plusieurs
périodes bien nettes quant à la politique religieuse. Jacques V monta
sur le trône en 1528 ; il était hostile à l'hérésie, mais encouragea l'anticléricalisme populaire en soutenant de son autorité les auteurs satiriques
dont les écrits ridiculisaient les vices du clergé, George Buchanan, David
Lindsay et même ce frère Keillor qu'il fit ensuite brûler [2]. Il mourut
en 1542. Sa fille, Marie Stuart, était encore en bas âge, et il avait laissé
la régence au comte d'Arran, qui favorisa d'abord les protestants. Le
Parlement autorisa la lecture de la Bible en langue vulgaire [3]. Henri VIII
proposa de faire épouser Marie Stuart par son fils, le futur Édouard VI ;
mais il voulait du même coup asservir l'Écosse et l'entraîner dans le
schisme. Arran se réconcilia avec l'Église pour faire échec au roi d'Angleterre [4]. En représailles, celui-ci envoya une armée en Écosse et fit brûler
Edimbourg. Peu après, une conspiration de nobles à la solde de l'Angleterre, profitant du mécontentement suscité par l'exécution d'un hérétique,
George Wishart, aboutissait à l'assassinat du cardinal Beaton, archevêque de Saint-Andrews [5] (29 mai 1546). Après une période confuse de

(1) A. BELLESHEIM, *op. cit.*, vol. I, p. 315 ; W. L. MATHIESON, *op. cit.*, vol. I, p. 32.
(2) Jacques V s'était en réalité avancé assez loin dans la voie de la Réforme. Buchanan
s'était fait connaître par diverses satires dirigées contre les franciscains. Peu après 1536, le roi
lui en demanda une plus acerbe : ce fut le *Franciscanus*. Or, on n'y trouve pas seulement des attaques contre les franciscains, mais aussi contre Rome et la papauté (« qui n'ouvre pas seulement
l'enfer, mais aussi les coffres-forts des imbéciles »), contre la messe et la transsubstantiation
(« le prêtre met dans son ventre avide les viscères [du Christ], les chairs, les os à la moelle blanche,
les membres à demi-morts »), contre les pèlerinages, contre les vêtements sacerdotaux, les nappes
d'autel, les statues, les vitraux. Buchanan devait se sentir sûr de l'approbation du roi (*Geor. Buchanani Poemata*, p. 252-260 ; cf. A. BELLESHEIM, *op. cit.*, vol. I, p. 343 ; *Dict. nat. biogr.*, édit. sur
papier mince, vol. III, p. 186).
(3) W. L. MATHIESON, *op. cit.*, vol. I, p. 9.
(4) *Ibid.*, vol. I, p. 10.
(5) A. BELLESHEIM, *op. cit.*, vol. I, p. 354 ; KNOX-LAING, *History of the Reformation in Scotland*,
vol. I, p. 81-82.

troubles, marquée par une autre invasion anglaise en septembre 1547, la paix avec le royaume voisin était enfin signée en 1550. A partir de cette date, les partisans de l'Angleterre cessent d'être des traîtres et le protestantisme commence à faire des progrès.

En 1554, Arran, poussé par les Français, renonce à la régence en faveur de Marie de Guise [1]. Celle-ci, catholique de cœur, chercha d'abord à amadouer les protestants, avec qui, s'il faut en croire Knox, elle jouait double jeu [2]. Mais elle ne pouvait réellement s'unir avec eux et bientôt elle demanda appui à la France. Les grandes charges officielles furent occupées par des Français ; des troupes françaises tinrent garnison dans les forteresses [3]. Le 24 avril 1558, Marie Stuart épousait le dauphin de France à Notre-Dame de Paris. Du même coup Marie de Guise accentuait son changement de front. Mais la fortune du protestantisme recevait une impulsion nouvelle et puissante avec l'arrivée de John Knox. Exilé sur le continent, il avait poussé une pointe en Écosse en 1555 ; il rentrait définitivement le 2 mai 1559. Aussitôt s'ouvrit une nouvelle période de confusion, de véritable guerre civile, dans laquelle l'Angleterre intervint à nouveau et où les catholiques ne tardèrent pas à avoir l'avantage. Mais leur plus ferme soutien disparut avec la mort de Marie de Guise, survenue le 9 juin 1560 [4]. Knox restait libre d'agir à sa guise, par sa froide logique et par la menace, sur un Parlement où l'opposition catholique était singulièrement inactive. Le 17 août 1560, la *Confession écossaise* était votée, suivie bientôt de trois lois contre l'autorité du pape et contre la messe [5]. L'Église d'Écosse était fondée.

LES FORCES EN PRÉSENCE   Cette victoire était celle d'une minorité énergique sur une majorité amollie. Assurément le protestantisme avait déjà des racines profondes dans le pays ; il se rattachait d'ailleurs aux hérésies du moyen âge. Knox nous parle d'un Bohémien nommé Paul Craw, brûlé en 1431 à Saint-Andrews pour avoir nié la transsubstantiation ; de trente lollards du Kyle, cités à comparaître en 1494 devant le roi Jacques IV, qui avaient pris position contre le pape, les prélats, le ministère sacerdotal, la présence réelle [6]. Aussi la doctrine luthérienne trouva-t-elle un terrain tout préparé, d'autant plus qu'elle était favorisée, comme en Angleterre, par l'anticléricalisme populaire. On se plaignait des exactions du clergé, qui exigeait rigoureusement les dîmes (*teinds*) et excluait de la communion ceux qui ne s'étaient pas acquittés. Les droits mortuaires, qui frappaient souvent les veuves et les orphelins, causaient beaucoup de mécontentement, de même que le coût et la longueur des procès matrimoniaux et testamentaires devant les tribunaux épiscopaux. On accusait les dignitaires ecclésiastiques d'expulser leurs fermiers pour louer leurs terres à des taux

(1) W. L. MATHIESON, *op. cit.*, vol. I, p. 42-43.
(2) KNOX-LAING, *op. cit.*, vol. I, p. 146.
(3) W. L. MATHIESON, *op. cit.*, vol. I, p. 46-47.
(4) KNOX-LAING, *op. cit.*, vol. I, p. 209.
(5) W. L. MATHIESON, *op. cit.*, vol. I, p. 83-84.
(6) KNOX-LAING, *op. cit.*, vol. I, p. 310.

supérieurs [1]. L'Église était propriétaire de la moitié du royaume ; les nobles voyaient ses biens avec convoitise et se sentaient tout prêts à favoriser des doctrines qui permettaient de l'en dépouiller : « Il y a peu de révolutions dans l'histoire, nous dit Mathieson, où l'action de motifs égoïstes soit si clairement évidente » [2].

Et pourtant, il s'en faut que, sur le terrain religieux, la population dans son ensemble ait tendu au protestantisme. Le 12 décembre 1534, l'ambassadeur anglais William Barlow écrivait en ces termes à Henri VIII : « Dans cette région (l'Écosse), on ne trouve aucune prédication de la parole de Dieu, ni presque de connaissance de l'évangile du Christ. Car malgré qu'il y ait ici nombre de prêtres, diverses sortes de religieux, des multitudes de moines, des troupeaux de frères, cependant parmi eux, il n'y en a pas un seul qui prêche Christ sincèrement » [3]. C'est « le peuple entier », nous dira Knox, qui est responsable, sous Jacques V, de la persécution d'Alexander Aless, de John Fyfe et du Dr. Macchabaeus [4]. Un peu plus tard, sous la régence d'Arran, Édimbourg est, toujours d'après Knox, « pour la plus grande partie noyée dans la superstition » [5]. Et même, au début de 1559, quand les protestants sont contraints d'évacuer la ville, « les langues hargneuses des méchants, dit encore le grand réformateur, nous invectivèrent, nous appelant traîtres et hérétiques... Nous n'aurions jamais cru que nos compatriotes... eussent aussi peu miséricordieusement souhaité notre destruction et se fussent ainsi réjouis de notre adversité » [6].

LE PREMIER MARTYR PROTESTANT — Si les catholiques étaient la majorité, les protestants furent, dès le début, une minorité extrêmement agissante. On voit apparaître les nouvelles doctrines en 1525 : à cette date, le Parlement interdit l'importation de livres luthériens et la diffusion d'opinions luthériennes [7]. Le premier protestant de marque fut Patrick Hamilton. Né en 1504, de souche presque royale, il avait, de bonne heure, été nommé abbé commendataire de Ferne. Soupçonné d'hérésie, il s'enfuit en Allemagne avec trois compagnons, se rendit à Wittenberg et à Marbourg et adhéra ouvertement au luthéranisme, qu'il prêcha à son retour en Écosse [8]. Cité à comparaître devant une cour ecclésiastique présidée par le cardinal Beaton, il devança la date de la citation « et discuta puissamment contre ses juges, qui ne purent le convaincre d'erreur par les Écritures. » Il fut condamné au bûcher le 29 février 1527-28 et brûlé séance tenante. Son enseignement ressort des articles d'accusation qui lui furent opposés et d'un petit écrit traduit par Frith [9]. On y découvre déjà la rigueur,

(1) W. L. MATHIESON, *op. cit.*, vol. I, p. 31.
(2) *Ibid.*, vol. I, p. 29.
(3) *State Papers, Henry VIII*, part IV continued, CCLXXVII, p. 19.
(4) KNOX-LAING, *op. cit.*, vol. I, p. 55.
(5) *Ibid.*, vol. I, p. 97.
(6) *Ibid.*, vol. I, p. 465.
(7) A. BELLESHEIM, *op. cit.*, vol. I, p. 326.
(8) *Ibid.* ; J. FOXE-PRATT, *op. cit.*, vol. IV, p. 588.
(9) *Ibid.*, vol. IV, p. 563-578.

l'inflexibilité du protestantisme écossais. Il insiste sur la nature foncière-
ment pervertie de l'homme, sur le serf arbitre, sur la distinction absolue
qui sépare l'homme de bien, incapable d'actions mauvaises, et le méchant,
incapable d'actions bonnes [1]. Hamilton avait fait des disciples : l'un
d'eux, Henry Forest, fut brûlé en 1533, deux autres en 1534, six autres
jusqu'à 1539, parmi eux le dominicain Keillor, qui avait mis à la scène
les vices du clergé. En 1535, le Parlement renforça la législation contre
l'hérésie [2].

PROGRÈS DU PROTESTANTISME   Au cours de sa période protestante,
le comte d'Arran avait fait quelques
concessions aux novateurs. L'une de celles-ci devait avoir des conséquences incalculables. Une loi votée par le Parlement accordait aux
fidèles la permission de lire la Bible dans leur langue maternelle, à condition de ne pas en exposer ni en discuter le sens publiquement [3]. Cette
lecture « ouvrit les yeux des élus de Dieu, de manière à leur faire voir la
vérité et abhorrer les abominations papistiques » [4]. L'Ancien Testament,
lu par un peuple ignorant, l'encourageait à la haine et à la violence.
On voit apparaître des actes d'irrévérence. Un certain Robert Lamb,
à Perth, est accusé en 1543 « d'avoir pendu une statue de saint François,
de lui avoir cloué des cornes de bélier sur la tête et de lui avoir mis par
derrière un croupion de vache » [5]. La même année, à l'automne, le peuple
de Dundee, assuré de l'appui du régent, détruisit les maisons des dominicains et des franciscains et mit à sac l'abbaye de Lindores. Des tentatives
du même genre, faites à Édimbourg, furent arrêtées par l'intervention
des citoyens [6]. La fureur populaire est à l'origine du mouvement réformateur en Écosse ; et l'un de ceux qui l'excitèrent le plus, se faisant en ceci
le prédécesseur de John Knox comme apôtre de la violence, fut un ecclésiastique passé au protestantisme, George Wishart.

GEORGE WISHART   On sait peu de chose sur sa jeunesse. Il semble
avoir enseigné d'abord à l' « école de grammaire »
de Montrose, où il fit expliquer le texte grec du Nouveau Testament.
Accusé d'hérésie pour cette raison en 1538, il s'enfuit en Angleterre.
Nous le retrouvons en 1539 à Bristol, où il prêche contre le culte de la
Vierge, est condamné et abjure [7]. De là il passe en Allemagne et en Suisse,
puis retourne en Angleterre en 1543 et devient membre du collège de
Corpus Christi à Cambridge [8]. Un de ses disciples nous le représente
comme « courtois, humble, aimable, heureux d'enseigner, désireux d'ap-
prendre ». Il donnait, nous dit-il, tous ses vêtements aux pauvres. « Sa

(1) J. Foxe-Pratt, *op. cit.*, vol. IV, p. 570-571.
(2) A. Bellesheim, *op. cit.*, vol. I, p. 332.
(3) W. L. Mathieson, *op. cit.*, vol. I, p. 9 ; Knox-Laing,*op. cit.*, vol. I, p. 100 ; J.Foxe-Pratt,
op. cit., vol. V, p. 623.
(4) *Ibid.*
(5) *Ibid.*, vol. V, p. 624.
(6) W. L. Mathieson, *op. cit.*, vol. I, p. 9.
(7) *Dict. nat. biogr.*, édit. sur papier mince, vol. XXI, p. 719 ; A. Bellesheim, *op. cit.*, vol. I,
p. 349.
(8) *Dict. nat. biog., ut supra* ; J. Foxe-Pratt, *op. cit.*, vol. V, p. 626.

charité n'avait pas de fin, la nuit, le midi et le jour... Il couchait sur une paillasse, avec des draps neufs et grossiers. Il avait communément auprès de son lit un baquet d'eau, dans lequel... il avait coutume de se laver. » Mais quelle qu'ait pu être la sainteté personnelle de Wishart, son penchant à « corriger » son prochain était si fort que « certains auraient voulu le tuer » [1]. Il rentra en Écosse en 1544 et se mit aussitôt à prêcher, tout d'abord à Montrose. A Dundee, où il expliquait l'épître aux Romains, l'un des principaux notables vint le prier de « laisser la ville en paix. » « Je suis certain, répondit-il, que votre refus de la parole de Dieu et la manière dont vous chassez son messager ne vous préserveront pas des afflictions ; ils vous y mèneront... Si des afflictions que vous n'attendez pas s'abattent sur vous, reconnaissez-en la cause et tournez-vous vers Dieu, car il est miséricordieux. Si vous ne vous tournez pas vers lui tout d'abord, il vous punira par le feu et par le glaive » [2].

Fuyant Dundee, Wishart se rendit dans l'Ouest. A Ayr, empêché de prier dans l'église, il inaugura ces sermons en plein air, ces « prêches sur la lande », qui devaient avoir tant de succès par la suite parmi les puritains d'Écosse [3]. Cependant la peste avait éclaté à Dundee, et Wishart, courageusement, y retourna et se mit aussitôt à prêcher sur « le châtiment qui suit le mépris de la parole de Dieu. » Il alla visiter les malades le plus gravement atteints et assura le ravitaillement de la ville. Un prêtre voulut l'assassiner et vint l'attendre au pied de sa chaire, avec une épée sous sa robe. Wishart, « qui avait l'œil vif », s'en aperçut et lui arracha son arme. Les malades présents lui demandèrent de leur livrer l'assassin. Il répondit par de fortes paroles : « Quiconque le moleste me moleste. Il ne m'a fait mal en rien, mais il vous a apporté, comme à moi, un grand réconfort, car il nous a fait comprendre ce que nous pouvons attendre à l'avenir. Nous veillerons mieux » [4].

LES MENACES DE WISHART   Après diverses pérégrinations, il vint prêcher à Inveresk, où deux franciscains, mêlés à l'assistance, firent à leurs voisins des commentaires désobligeants sur son sermon. Se tournant vers eux, et avec un visage effrayant, il leur dit :

Serpents de Satan, qui trompez les âmes des hommes, ne voulez-vous pas écouter la parole de Dieu, ni laisser les autres l'écouter ? Allez-vous en, et emportez ceci avec vous : Dieu va bientôt confondre et démasquer votre hypocrisie. Dans ce royaume, vous serez abominés des hommes, et vos lieux d'habitation seront désolés [5].

A Haddington (Noël 1545), Wishart ne rassembla que peu d'auditeurs. Il exhala sa colère en ces mots :

O Seigneur, combien de temps ta parole sera-t-elle méprisée, et les hommes négligeront-ils leur propre salut ? On a dit de toi, Haddington, que chez toi deux ou trois mille personnes iraient voir une vaine représentation montée

(1) J. Foxe-Pratt, *op. cit.*, vol. V, p. 626.
(2) Knox-Laing, *op. cit.*, vol. I, p. 126.
(3) *Ibid.*, vol. I, p. 128.
(4) *Ibid.*, vol. I, p. 131.
(5) *Ibid.*, vol. I, p. 136.

par des clercs [1], et maintenant pour entendre le message du Dieu éternel, on ne compte pas, dans toute ta ville et ta paroisse, une centaine de personnes. Cruel et terrible sera le fléau qui résultera de ton mépris ; tu seras frappée par le feu et par le glaive ; oui, toi, Haddington, en particulier, des étrangers s'empareront de toi, et vous, les habitants actuels, ou bien vous servirez vos ennemis dans l'esclavage, ou bien vous serez chassés de vos habitations ; et cela parce que vous n'avez pas connu, et ne voulez pas connaître, le temps de la visite miséricordieuse de Dieu.

Le serviteur de Dieu continua près d'une heure et demie à menacer avec cette véhémence [2]. Le sort voulut que Haddington fût prise par les Anglais et frappée de la peste en 1547. Comme dans le cas de Dundee, les menaces de Wishart avaient été suivies d'effet et l'impression dut être profonde [3].

PROCÈS ET MORT DE WISHART Wishart ayant quitté Haddington pour Ormiston, la maison où il se trouvait fut entourée par les hommes du comte de Bothwell. Celui-ci lui ayant promis de ne pas le livrer au cardinal, il se rendit à lui. Mais Bothwell viola sa promesse ; le réformateur fut enfermé au château de Saint-Andrews et jugé au même lieu, dans l'abbatiale, le 28 février 1546 [4]. Les juges, présidés par Beaton, estimèrent suffisant de faire la preuve de ses hérésies ; mais il aurait voulu les entraîner dans une joute théologique, ce à quoi ils se refusèrent naturellement. Ses réponses aux articles d'accusation furent telles qu'on pouvait les attendre : il affirma son droit de prêcher en vertu d'un appel direct de Dieu et malgré les autorités établies. Il n'accepta d'autre juge que la parole de Dieu contenue dans la Bible, et supérieure, disait-il, même aux conciles généraux. Il avoue qu'il a comparé les mouvements du prêtre pendant la messe « aux gesticulations d'un singe » [5]. L'issue du procès ne pouvait faire aucun doute : il fut condamné au bûcher et brûlé le 1er mars. Sa fin ne fut pas indigne de sa vie : mélange de résignation chrétienne et de courroux hébraïque. Ses dernières paroles au peuple furent des menaces : « Exhortez vos prélats, lui dit-il, à apprendre la parole de Dieu... Et s'ils ne veulent pas se convertir de leur erreur perverse, la colère de Dieu s'appesantira bientôt sur eux et ils ne lui échapperont point » [6]. On s'explique mieux, après de pareils appels à la violence, l'assassinat du cardinal Beaton.

LES DERNIERS MARTYRS PROTESTANTS La persécution des hérétiques dura jusqu'à la veille de l'établissement de la Réforme. Foxe nous cite encore le cas de deux d'entre eux, Adam Wallace, brûlé en 1549, et Walter Mille ou Myln, le dernier martyr protestant, brûlé en 1558. On retrouve dans leurs procès les mêmes traits généraux que dans celui de Wishart. Notons en outre le souci moralisateur de Myln, lui-même prêtre marié : à l'en croire, les

(1) Il s'agit d'un mystère.
(2) KNOX-LAING, op. cit., vol. I, p. 138.
(3) Ibid., vol. I, p. 223.
(4) Ibid., vol. I, p. 139-144 ; J. FOXE-PRATT, op. cit., vol. V, p. 627.
(5) Ibid., vol. V, p. 630.
(6) Ibid., vol. V, p. 635.

pèlerinages auraient engendré plus d'immoralité que les maisons de prostitution [1]. Les accusés transformaient la salle d'audience en une tribune publique. Myln « fait résonner et retentir » l'abbatiale de Saint-Andrews « avec tant de courage et de vigueur, que les chrétiens présents en furent autant réjouis que les adversaires confondus et honteux » [2]. Au reste, il ne semble pas que les juges aient fait preuve de brutalité, bien au contraire ; mais ils appliquaient mécaniquement la lettre de la loi d'Église, sans se rendre compte qu'en faisant brûler un vieillard de quatre-vingt-deux ans — tel était, nous dit-on, l'âge de Myln — ils mettaient un précieux atout entre les mains de leurs ennemis.

JOHN KNOX L'homme qui sut galvaniser l'énergie des protestants, qui leur rendit courage dans leurs défaites, fut un disciple de Wishart, le grand réformateur écossais, John Knox. Né en 1505 près de Haddington, il fit ses études à l'Université de Glasgow et fut ordonné prêtre en 1530. Pendant plus de dix ans il appartint à une maison religieuse. La lecture de saint Augustin et des Pères l'éloigna de la scolastique. Devenu précepteur dans une famille noble, il s'attacha à la personne de Wishart et, après la mort de celui-ci, se mit à prêcher les nouvelles doctrines à Saint-Andrews [3]. Les Français, ayant pris la ville le 30 juillet 1547, firent Knox prisonnier et l'envoyèrent aux galères. Il se retrouva, comme galérien, en vue du clocher de Saint-Andrews et prédit « qu'il ne quitterait pas cette vie avant que sa langue n'eût glorifié le nom de Dieu dans ce même endroit. » Mis ensuite en prison à Rouen, il dut y jouir d'une certaine liberté, car il trouva moyen d'écrire aux autres captifs écossais, détenus au Mont-Saint-Michel, pour leur conseiller de s'évader. Libéré en 1549, il se rendit en Angleterre, où il exerça son ministère et refusa un évêché. Sous Marie Tudor, il résida à Dieppe d'abord, puis à Genève, où il subit l'influence de Calvin ; et ensuite à Francfort-sur-le-Mein, où il devint ministre des réfugiés anglais, mais d'où ceux-ci, très attachés à la liturgie anglicane, le chassèrent comme trop radical [4]. Après un nouveau séjour à Genève, il rentra en Écosse, en septembre 1555, prêcha dans l'ouest du pays et se maria. Menacé de persécution, il se retira derechef à Genève, où il publia, en 1558, contre Marie Tudor et Marie de Guise, son *Premier coup de trompette contre le monstrueux gouvernement des femmes*, qui lui valut l'aversion d'Élisabeth d'Angleterre [5].

ACTION DE KNOX EN ÉCOSSE Le 2 mai 1559, Knox débarquait en Écosse. Dès son arrivée, il commençait à agiter les foules. Il se rendit à Perth (Saint-Johnston), où avait lieu un rassemblement des réformés. Les prédicateurs protestants — et sans aucun doute Knox tout le premier — ayant déclaré en chaire « quelle idolâtrie et quelle abomination il y avait dans la messe », un prêtre « voulut, au mépris

---

(1) J. FOXE-PRATT, *op. cit.*, vol. V, p. 646.
(2) *Ibid.*, vol. V, p. 645.
(3) KNOX-LAING, *op. cit.*, vol. I, p. XIII-XIV.
(4) *Ibid.*, vol. I, p. XV, XVI, 229.
(5) *Ibid.*, vol. I, p. XVIII ; vol. II, p. 28.

de ceci, dire la messe, et, pour affirmer sa présomption impudente, ouvrir un tabernacle qui se trouvait sur le maître-autel. » Un jeune garçon s'écria que pareille idolâtrie était intolérable. Le prêtre lui ayant porté un coup, l'enfant répondit en jetant une grosse pierre qui brisa le tabernacle ; et aussitôt la « racaille » se mit à détruire « les monuments de l'idolâtrie. » Les couvents des franciscains, des dominicains et des chartreux furent ensuite mis à sac, si bien qu'au bout de deux jours « il ne restait plus que les murs de tous ces grands édifices »[1]. Le 10 juin, Knox était à Saint-Andrews, où il rappelait sa prophétie, « qu'il y prêcherait avant de quitter cette vie ». De même que Christ avait chassé les marchands du Temple, les autorités civiles, dit-il, devaient expulser « les corruptions du papisme » ; et, de fait, les magistrats municipaux y consentirent. De tels propos ne pouvaient qu'ameuter la populace qui, le 25 juin, mettait à sac et brûlait l'abbaye de Scone, où les rois d'Écosse avaient coutume d'être couronnés. Toutefois, Knox désirait conserver à l'Église réformée les biens qui avaient appartenu à l'Église catholique ; il faut lui rendre cette justice qu'il s'éleva contre la cupidité des laïques et chercha à sauver les bâtiments du monastère. Aussitôt après, les couvents de frères de Stirling étaient détruits à leur tour[2].

LE PARLEMENT DE 1560 Knox donnait entre temps preuve de ses talents diplomatiques en correspondant avec le ministre anglais William Cecil, de qui il sollicitait des subsides[3]. Il écrivait même à la reine Élisabeth, dont la défaveur, disait-il, « était pour son cœur malheureux un fardeau pesant et presque intolérable », et auprès de laquelle il cherchait à s'excuser d'avoir écrit son attaque contre le gouvernement par les femmes[4]. Cependant le traité de paix d'Édimbourg, conclu le 6 juillet 1560 entre des plénipotentiaires français et les représentants de la « Congrégation » ou fédération de la noblesse protestante, prévoyait la convocation d'un Parlement le 1er août[5]. A cette occasion, Knox retrouva toute son énergie. Il prêcha sur le prophète Aggée, dont il fit une application « spéciale et véhémente » aux circonstances de l'heure[6] ; si bien qu'un groupe de « barons, gentilhommes et bourgeois » présenta au Parlement une pétition d'une extrême violence, où tous les prêtres catholiques étaient représentés comme des « voleurs et assassins, rebelles et traîtres à l'autorité légitime des empereurs, rois et princes, vivant dans la prostitution et l'adultère, déflorant les vierges, corrompant les femmes mariées, et faisant toute sorte d'abominations, sans crainte de châtiment » ; où leur déposition était réclamée, de même que la suppression de beaucoup de dogmes et de pratiques traditionnels, notamment de la messe[7].

(1) Knox-Laing, *op. cit.*, vol. I, p. 318-319, 322-323.
(2) *Ibid.*, vol. I, p. 349, 360, 362.
(3) *Ibid.*, vol. II, p. 36.
(4) *Ibid.*, vol. II, p. 28.
(5) *Ibid.*, vol. II, p. 76 ; A. Bellesheim, *op. cit.*, vol. I, p. 420-421.
(6) Knox-Laing, *op. cit.*, vol. II, p. 88-89.
(7) *Ibid.*, vol. II, p. 89-92.

LA CONFESSION ÉCOSSAISE Cette pétition fut accueillie avec des sentiments divers. Beaucoup de nobles, « injustes possesseurs du patrimoine de l'Église », craignirent d'avoir à rendre gorge si « une parfaite Réformation » avait lieu [1]. D'autres, au contraire, espéraient acquérir définitivement les biens d'Église. Tels étaient ces laïques, abbés commendataires, qui, dans ce Parlement, où les trois états se groupaient en une seule chambre, représentaient en partie le clergé. Telle était aussi la petite noblesse qui, contrairement aux précédents, s'était présentée en masse pour les délibérations [2]. Un nombre important de dignitaires ecclésiastiques étaient passés au protestantisme [3], et l'on s'explique que la pétition n'ait rencontré, au total, que peu d'opposition. Pour y donner suite, le Parlement désigna une commission présidée par Knox et chargée de rédiger une confession de foi protestante pour l'Écosse. Au bout de quatre jours, le travail était déjà prêt. Il fut soumis à la commission législative dite des « lords des articles », puis à l'assemblée tout entière, qui l'adopta presque par acclamation le 17 août [4].

FAIBLESSE DE L'OPPOSITION On ne peut s'empêcher d'être stupéfait de la mollesse de la résistance, de la part d'une Église qui s'était déjà engagée dans la voie de la Réforme catholique. Assurément les traditionalistes étaient intimidés, comme tous les conservateurs du monde, par la violence et les menaces de novateurs. A en croire l'archevêque de Glasgow, Beaton, qui résidait alors à Paris, tout opposant risquait sa vie [5]. En outre, les catholiques n'espéraient rien de bon d'une discussion où ils étaient à l'avance sûrs d'être accablés par le nombre. Le présent Parlement, qui n'avait pas reçu l'assentiment du souverain, était illégal. Ils comptaient sur une nouvelle assemblée où ils pourraient faire valoir leur cause [6]. Cependant, la passivité d'un clergé qui, à n'en pas douter, avait encore derrière lui la majorité de la population [7], s'explique mal par toutes ces raisons. Il semble qu'il se soit abandonné à son sort. « Les évêques papistiques, nous dit Knox, ne dirent rien » ; et le comte de Marischal, qui hésitait encore, fut persuadé par leur silence de voter la confession de foi protestante. « Ils peuvent, dit-il, grâce à leur science, ils devraient, s'ils étaient animés de zèle envers le vrai, contredire tout ce qui répugne à la vérité de Dieu. Mais comme ... ils ne disent rien de contraire à la doctrine proposée, je ne puis que la considérer comme la vérité même de Dieu » [8].

CONSOMMATION DE LA RÉFORME Huit jours après que la confession écossaise eût été adoptée avec enthousiasme, deux lois furent votées par le Parlement. Le texte de la première

---

(1) KNOX-LAING, *op. cit.*, vol. II, p. 92.
(2) A. BELLESHEIM, *op. cit.*, vol. I, p. 424-425.
(3) KNOX-LAING, *op. cit.*, vol. II, p. 81.
(4) A. BELLESHEIM, *op. cit.*, vol. I, p. 428 ; vol. II, p. 3.
(5) *Ibid.*, vol. I, p. 429.
(6) *Ibid.*
(7) W. L. MATHIESON, *op. cit.*, vol. I, p. 67.
(8) KNOX-LAING, *op. cit.*, vol. II, p. 121-122.

constatait que « quelques hommes de l'Église du pape persévèrent obstinément dans leur idolâtrie, disant la messe et baptisant conformément
à l'Église du pape... dans des endroits tranquilles et secrets. » En conséquence, la loi interdisait la célébration de la messe. Les contrevenants
seraient punis de la confiscation de tous leurs biens, et en outre de peines
qui pouvaient aller jusqu'à la mort en cas de double récidive. La seconde
abolissait la juridiction papale en Écosse. Ceux qui y feraient appel
seraient punis de bannissement et privés de leurs offices et dignités ;
ceux qui enverraient de l'argent à Rome seraient traduits devant les
tribunaux et châtiés [1]. L'organisation de l'Église d'Écosse, toutefois,
était loin d'être complète. Elle ne fut réglée qu'un peu plus tard, par le
Livre de discipline, ensemble de propositions présenté aux membres du
Conseil privé et rédigé par la même commission que la *Confession de
foi*, en mai 1560 [2]. Ce projet de règlement ne faisait pas l'affaire de la
noblesse, à qui les évêques avaient aliéné une partie de leurs domaines,
dans l'espoir de conserver le reste ; or Knox et ses collègues voulaient
que les biens d'Église servissent à la rétribution des ministres et à l'entretien des écoles [3]. Le *Livre de discipline* ne fut donc pas présenté au Parlement d'août 1560, mais seulement adopté par la première assemblée
générale de l'Église d'Écosse en janvier 1561 [4]. Assurément le gouvernement de celle-ci devait par la suite se modifier et se perfectionner. On
peut dire toutefois qu'avec l'ouvrage de Knox, où éclatent à la fois son
merveilleux sens pratique, son intransigeante honnêteté et sa sévérité
moralisatrice, la Réforme est définitivement établie dans le pays.

§ 3. — Tentatives de Réforme catholique.

LES CONCILES PROVINCIAUX   Il serait faux de croire toutefois que le
Livre de discipline ait été le premier à
s'efforcer de corriger les abus d'ordre moral, d'assurer au clergé paroissial
une vie décente et de pourvoir à l'éducation de la jeunesse. Tout ceci
avait été, dès le début du siècle, entrepris par une partie de la hiérarchie
catholique. Peu après la mort d'Elphinstone, l'archevêque de Saint-
Andrews et primat d'Écosse, Andrew Forman, s'engageait sur ses traces.
Il avait beaucoup voyagé sur le continent [5] et avait certainement eu
des échos du concile du Latran. En 1525-26, il convoquait un concile
provincial ; celui-ci publiait une série de statuts qui manquent encore
de netteté et d'étendue, mais qui n'en manifestent pas moins des intentions réformatrices [6]. Cette assemblée n'était que le début de toute une
série : nous en relevons d'autres à Édimbourg en 1536, en 1549 et en
1552 ; à Linlithgow en 1552 ; et jusqu'à la veille même de l'établissement
du protestantisme, à Édimbourg de nouveau, en 1559 [7]. Au fur et à

(1) Knox-Laing, *op. cit.*, vol. II, p. 123-125.
(2) W. L. Mathieson, *op. cit.*, vol. I, p. 91 ; A. Bellesheim, *op. cit.*, vol. II, p. 3.
(3) *Ibid.*
(4) *Ibid.*, vol. I, p. 92.
(5) *Dict. nat. biogr.*, édit. sur papier mince, vol. VII, p. 436.
(6) A. Bellesheim, *op. cit.*, vol. I, p. 316-320.
(7) Knox-Laing, *op. cit.*, vol. I, p. 443 (concile de 1536) ; Mansi, vol. XXXV, col. 429-460,
461-468, 469-470, 525-548.

mesure que la vieille foi était plus menacée, les canons des conciles devenaient de plus en plus sévères et s'exprimaient sur un ton de plus en plus pathétique, presque désespéré.

LES STATUTS DE FORMAN

Les statuts de l'archevêque Forman jettent un jour sombre sur l'état de l'Église d'Écosse. Ils r mettent en vigueur la législation contre les clercs non résidents ou concubinaires. Les premiers, et ceux qui n'entretiennent pas les édifices du culte ou ne les pourvoient pas des meubles nécessaires, perdront le quart des revenus de leurs bénéfices. Les concubinaires obstinés seront, après un triple avertissement, privés à jamais de leur charge. Ne seront autorisés à confesser que les prêtres qui auront été examinés par des commissaires épiscopaux. Les clercs qui, coupables d'un crime, chercheront protection auprès du pouvoir civil, seront suspendus et frappés d'une amende. Ceux qui se battent ou répandent le sang dans les églises ou les cimetières seront excommuniés. Tous les recteurs, vicaires, prêtres obituaires, chapelains, devront assister aux vêpres le samedi, à la grand'-messe et aux vêpres le dimanche et les jours de fête, et chanter vêpres, matines et messe. Un certain nombre de monastères nommément désignés devront envoyer à l'Université de Saint-Andrews, soit un, soit deux religieux, pour y compléter leur formation intellectuelle [1]. Cependant, la plus grande partie des statuts est consacrée à des questions secondaires, telles que les mariages secrets ou les relevailles des concubines des prêtres ; et il faut attendre le concile d'Édimbourg de 1549 pour voir se manifester vraiment, sous l'influence du concile de Trente, l'esprit nouveau, celui de la Réforme catholique.

LE CONCILE DE 1549

Le concile de novembre 1549 constitue la principale tentative pour réformer et sauver la religion traditionnelle en Écosse. Le prologue de ses canons établit d'une manière nette les raisons de l'expansion protestante :

> Les deux causes et racines principales de nos maux, qui ont provoqué de tels troubles et donné lieu à tant d'hérésies, sont, d'une part, la corruption des mœurs et l'impureté profane de la vie chez les ecclésiastiques de presque tous les degrés, et, d'autre part, leur ignorance crasse « des bonnes lettres et de tous les arts. » C'est principalement de ces deux chefs que découlent beaucoup d'abus [2].

Ceci posé, l'assemblée s'attaque résolument à sa tâche, en suivant de près et en citant les premiers décrets du concile de Trente. Certains paragraphes sont terribles dans leurs accusations ; mais il est impossible de fournir ici une analyse détaillée de l'ensemble. Nous en laisserons de côté la partie purement négative, les canons disciplinaires, qui répètent les prescriptions des anciens conciles contre l'incontinence, l'intempérance, l'extravagance dans le vêtement, le cumul des bénéfices, les exemptions ; nous nous attacherons au contraire à la partie positive, celle qui fait preuve d'un esprit constructif.

(1) A. BELLESHEIM, op. cit., vol. I, p. 317-320.
(2) MANSI, t. XXXV, col. 429.

Les canons de 1549 attachent une grande importance à la prédication et à l'enseignement. Ils citent tout au long le décret de la quatrième session du concile de Trente, sur la désignation et le choix de « lecteurs » et sur la nécessité d'instruire le peuple des choses de la religion. Ils prescrivent aux évêques de prêcher en personne quatre fois par an ; s'ils n'en sont pas capables, ils se donneront la formation nécessaire en étudiant seuls ou avec des maîtres et s'entoureront pour cela d'hommes versés dans les saintes lettres. Les prêtres, s'ils sont jeunes, devront suivre les cours des Universités ; s'ils sont âgés et peu instruits, ils devront faire prêcher par d'autres. Chaque église cathédrale devra s'attacher un théologien et un canoniste, qui feront chaque jour des conférences sur l'Écriture sainte, ou prêcheront, tant à la cathédrale que dans les autres églises, en présence de l'évêque, des chanoines et des autres ecclésiastiques de la ville. De même, « pour que l'étude des lettres sacrées et les vertus... fleurissent comme autrefois », chaque maison religieuse devra entretenir un théologien, qui enseignera dans l'intérieur du monastère et prêchera dans les églises annexes. De même encore, afin que « se forment et fleurissent dans les couvents des hommes lettrés et des prédicateurs éloquents et propres à fournir une pâture salutaire aux âmes », chacun des monastères du royaume devra envoyer un, deux ou trois religieux passer quatre ans dans une Université. Les prédicateurs ainsi formés devront invariablement consacrer la première partie de leurs sermons à l'épître ou à l'évangile du jour, la seconde au catéchisme, c'est-à-dire aux articles de foi, au décalogue, aux sept péchés capitaux, aux sacrements, au *Pater* et à l'*Ave*, aux œuvres de miséricorde [1].

Le concile d'Édimbourg s'efforce d'assurer le recrutement d'un clergé digne de sa charge. « Comme beaucoup de curés ou ministres du culte, dit-il, dans tout le royaume d'Écosse, ne sont pas moins insuffisants par leur science, leurs mœurs et leur sagesse, que dans d'autres choses nécessaires à leur office », tous devront, avant le 31 décembre de l'année en cours, comparaître à fin d'examen par devant l'évêque du diocèse ou ses commissaires ; les défaillants et les incapables seront privés de leurs cures. Ne devront être admis à la charge d'âmes et aux bénéfices ecclésiastiques que des hommes « d'âge légitime, sérieux dans leurs mœurs, instruits de la science des lettres, promus aux saints ordres, et de corps intact ». « Pour que les curés et vicaires puissent s'acquitter de leur tâche avec plus d'application et sans obstacle », il leur sera assuré un revenu de trente marcs par an. Toute la dernière partie des canons a trait à l'économie des bénéfices : elle répète les prescriptions de Trente sur les pluralités et soumet à la visite des Ordinaires même les églises exemptes, nonobstant tous appels et privilèges, même de date immémoriale [2].

LE CONCILE DE 1552 Les canons de janvier 1552 constatent « qu'à cause de la difficulté des temps et de multiples empêchements », certains statuts des précédents conciles n'ont pas été exécutés

(1) MANSI, t. XXXV, col. 432-444.
(2) *Ibid.*, col. 445-448.

pour la date fixée. Ils en réitèrent les prescriptions, qui ne devront souffrir, disent-ils, aucun retard, sur la prédication et l'enseignement et sur l'examen à faire subir aux curés. Ils déplorent que « depuis ces dernières années, un profond mépris des divins mystères ait grandi parmi les sujets du royaume, à tel point que, dans les paroisses les plus populeuses, peu d'hommes daignent assister à la messe ou au prône les dimanches et jours de fête. » On devra désormais noter et punir ceux qui s'absentent de l'église, comme ceux d'ailleurs qui plaisantent ou font des bouffonneries pendant les offices, ou ceux qui font le commerce sous le porche ou dans le cimetière [1].

Mais c'est à nouveau sur la prédication et sur l'enseignement religieux qu'insistent les canons de 1552. Le catéchisme, auquel le concile de 1549 avait fait allusion, devra cette fois être rédigé et imprimé en langue écossaise ; et les prescriptions qui en règlent l'usage témoignent, par leur sévère prudence, du peu de confiance qu'avaient les prélats (pour ne rien dire des fidèles) dans beaucoup de membres du clergé. Le catéchisme devra être lu du haut de la chaire, tous les dimanches et jours de fête, par les recteurs, vicaires et curés, « de bout en bout..., à voix haute et intelligible, clairement et distinctement..., avec la plus grande gravité possible, avant la messe pendant l'espace d'une demi-heure, sans aucune hésitation, addition, changement, suppression ni omission. » Les prêtres devront préparer cet exercice à l'avance par « une fréquente et longue répétition... de peur de s'exposer au ridicule, ou de buter dans le cours de leur lecture », et afin de faire impression sur leurs auditeurs par « la voix, le visage et le geste. » Aucun des assistants ne sera autorisé à ouvrir une discussion sur les points envisagés et le prêtre devra, sauf permission de l'ordinaire, s'abstenir de répondre à ceux qui voudraient entrer en controverse avec lui. De lourdes peines frapperont les contrevenants ; la première fois, une amende de vingt shillings ; la seconde, une amende de cinquante ; la troisième, une amende de cent et l'emprisonnement au pain et à l'eau. Les canons de 1552 témoignent des difficultés inextricables au milieu desquelles se débattait l'Église catholique d'Écosse et du raidissement de sa résistance [2].

DERNIÈRES TENTATIVES DE RÉFORME CATHOLIQUE — Le catéchisme prescrit par le concile de 1552 fut composé, imprimé et distribué. Les historiens protestants et catholiques s'entendent pour en reconnaître la haute élévation spirituelle et l'esprit pacifique [3]. Mais comment inculquer au peuple la foi traditionnelle, alors que les abus opposaient une résistance acharnée aux réformateurs catholiques qui s'efforçaient de les déraciner ? Les passions populaires qu'ils avaient suscitées ne pouvaient plus être gouvernées. Sept ans après l'effort de redressement de 1552, un écrit adressé à l'évêque d'Aberdeen par le doyen et le chapitre de sa cathédrale l'invite encore à corriger

(1) Mansi, t. XXXV, col. 463-464.
(2) Ibid., col. 466-468.
(3) A. Bellesheim, op. cit., vol. I, p. 380-382.

la « scandaleuse manière de vivre » de son clergé [1] ; et les actes du concile de 1559 (1er mars-10 avril) se lamentent sur le malheur des temps, « où des loups cruels s'efforcent de dévorer de toute manière les brebis dispersées du Christ, de renverser l'usage légitime des sacrements, de mépriser les cérémonies de l'Église…, de détruire tous les temples de Dieu et des saints » [2]. Deux pétitions avaient été présentées au concile, l'une par les protestants, l'autre par les réformateurs catholiques. L'assemblée, répondant aux uns et aux autres, divisa ses canons, selon le modèle de ceux de Trente, en décrets disciplinaires et décrets doctrinaux ; et, tout en précisant la doctrine traditionnelle, reprit sans se lasser toute la législation sur les concubinaires et leurs enfants, sur la visite de monastères, sur la prédication, sur le recrutement du clergé [3]. Mais il était trop tard. Les réformateurs catholiques n'avaient jamais été qu'une fraction de la hiérarchie : sur treize archevêques et évêques, six seulement assistaient au synode de 1549 [4] ; et en 1559, l'archevêque de Glasgow James Beaton dut réitérer aux membres du clergé l'ordre de se présenter au concile « sous peine de suspension » [5]. L'égoïsme de beaucoup de clercs avait paralysé l'action des meilleurs d'entre eux ; la voie était ouverte aux réformateurs protestants.

§ 4. — Foi et discipline dans l'Église protestante d'Écosse.

LE CREDO DE L'ÉGLISE D'ÉCOSSE   La *Confession de foi* écossaise ne se distingue par aucune originalité doctrinale. Elle se borne à marcher sur les traces du protestantisme genevois. Elle conserve naturellement l'essentiel du dogme chrétien, en ce qui concerne le péché originel, l'incarnation, la passion, la résurrection, l'ascension, mais elle y introduit la théologie luthérienne et calviniste. Elle insiste peu sur la justification, mais elle mentionne la régénération par la foi. Elle nie « que la cause des bonnes œuvres soit dans notre libre arbitre » ; c'est « l'esprit du Seigneur Jésus, demeurant dans nos cœurs par la vraie foi », qui les produit. Les « mauvaises œuvres » ne sont pas seulement celles qui sont contraires aux commandements de Dieu, mais tout ce qui, en fait de religion, « n'a d'autre fondement que l'invention et l'opinion des hommes. » La *Confession* n'admet d'autre médiateur que le Christ lui-même ; elle fait de l'Église un corps « invisible, connu de Dieu seul », et constitué par les élus de tous les âges, ce qui implique la doctrine de la prédestination. Elle proclame l'autorité absolue de l'Écriture, autorité indépendante de l'Église et supérieure même à celle des conciles. Elle ne reconnaît que deux sacrements, le baptême et l'eucharistie [6]. Elle « condamne entièrement la vanité de ceux qui affirment que les sacrements ne sont rien que des signes nus », et sa doctrine eucha-

(1) A. Bellesheim, *op. cit.*, vol. I, p. 393.
(2) Mansi, *op. cit.*, vol. XXXV, col. 530.
(3) *Ibid.*, col. 531-541 ; A. Bellesheim, *op. cit.*, vol. I, p. 394-400.
(4) Mansi, *op. cit.*, vol. XXXV, col. 429-430.
(5) *Ibid.*, col. 528 ; A. Bellesheim, *op. cit.*, vol. I, p. 394.
(6) Knox-Laing, *op. cit.*, vol. II, p. 98, 104, 106-107, 103, 108-109, 112-114.

ristique se rapproche de celle de Bucer, en rejetant la transsubstantiation et en admettant cependant une participation spirituelle au corps et au sang du Christ [1]. Elle affirme avec force le devoir des sujets d' « aimer, honorer et craindre » le magistrat civil et le devoir de celui-ci de « réformer et purger » la religion, de « supprimer l'idolâtrie et la superstition » [2].

Ce qui donne à la *Confession* son caractère, c'est son âpreté, son ton sombre et sévère, qui allie la rudesse naturelle de l'Écosse à la rigueur du calvinisme. Elle décrit sous le jour le plus noir la nature corrompue de l'homme, chez qui l'image de Dieu est « entièrement défigurée » par le péché originel [3]. Elle fait un tableau saisissant de l'enfer :

> Les obstinés, les désobéissants, les cruels, les oppresseurs, les impurs, les adultères et toute sorte d'infidèles, seront jetés dans le cachot de l'obscurité absolue, où leur ver ne mourra pas, où leur feu ne s'éteindra pas [4].

Dans la section sur les *Œuvres*, la *Confession* définit, en quelques mots, le tempérament moral du calvinisme écossais, sobre, fier et indépendant, lorsqu'elle énumère les devoirs de l'homme :

> Honorer père, mère, princes, souverains, pouvoirs supérieurs ; les aimer, les soutenir ; oui, obéir à leurs ordres (s'ils ne répugnent pas aux commandements de Dieu) ; sauver la vie des innocents ; réprimer la tyrannie ; défendre les opprimés ; tenir son corps propre et sain ; vivre dans la sobriété et la tempérance ; agir avec justice envers tous les hommes... et finalement, réprimer tout appétit de nuire à notre prochain... [5].

Les mœurs des fidèles seront surveillées par le clergé :

> Dans notre Église nos ministres font un examen public et particulier de la science et de la vie de ceux qui doivent être admis à la table du Seigneur Jésus [6].

Enfin la *Confession* exprime aussi un tempérament religieux :

> Il convient que dans l'Église, comme dans la maison de Dieu, toutes choses soient faites décemment et avec ordre [7].

LE LIVRE DE DISCIPLINE   La *Confession* se borne à ces indications générales sur l'organisation de l'Église ; mais celle-ci est décrite en détail par le bien-nommé *Livre de discipline*. Après avoir consacré quelques pages à établir le dogme et à proscrire la superstition, cet ouvrage règle tout ce qui a trait à l'élection des ministres, des anciens chargés de la surveillance morale des paroisses, des diacres chargés de leur gestion financière et des surintendants qui doivent remplacer les évêques. Il passe ensuite à ce qui concerne l'enseignement et édicte des prescriptions relatives aux Universités, à leur gouvernement par les doyens et recteurs, à la juridiction de ceux-ci, aux frais d'études, aux boursiers. Il examine alors la manière dont les biens de l'ancienne Église devront passer entre les mains de la nouvelle et être utilisés et administrés par elle ; les traitements qui devront être servis aux différents

(1) Knox-Laing, *op. cit.*, vol. II, p. 114.
(2) *Ibid.*, vol. II, p. 118-119.
(3) *Ibid.*, vol. II, p. 98.
(4) *Ibid.*, vol. II, p. 103.
(5) *Ibid.*, vol. II, p. 106.
(6) *Ibid.*, vol. II, p. 118.
(7) *Ibid.*, vol. II, p. 113.

membres du clergé. Puis il en vient à la discipline proprement dite,
c'est-à-dire à la manière dont les mœurs des fidèles devront être surveillées et corrigées ; à la pénitence publique des pécheurs ou à leur
châtiment et à leur excommunication. Il traite enfin du culte, de l'administration des sacrements, de la prédication, de la lecture de la Bible,
des dévotions familiales, du mariage, du divorce, des funérailles, et
soumet à des règles sévères l'exercice dit de « prophétie, » où des personnes
privées lisent et interprètent l'Écriture en public. Après quelques mots
sur l'entretien des églises, il conclut en demandant la peine capitale
pour tous ceux qui s'écarteront de sa doctrine, soit pour retourner à la
superstition, soit pour s'engager plus loin dans la voie d'un protestantisme
individualiste [1].

SON ESPRIT DÉMOCRATIQUE Le *Livre de discipline* ressemble à la
Confession par la violence du ton, par
l'emploi de l'insulte envers la vieille foi et de la menace à l'égard des
adversaires ; s'adressant aux seigneurs du Conseil privé, auxquels il
destine ses propositions, il s'exprime en ces termes :

> Si, suivant vos propres jugements corrompus, vous méprisez la voix et l'appe
> de Dieu, nous sommes assurés que votre ancienne iniquité, et votre présente
> ingratitude, exigeront ensemble une juste punition de Dieu, qui ne peut tarder
> longtemps à exécuter son très juste jugement, lorsque après mainte offense
> et long aveuglement, la grâce et la miséricorde offertes par lui sont refusées
> avec mépris [2].

Mais nous trouvons ici des éléments plus originaux. Un esprit démocratique pénètre tout l'ouvrage. Celui-ci prend la défense des humbles,
naguère opprimés par l'ancienne Église

> Nous devons supplier vos honneurs, au nom du Dieu éternel et de son fils
> Christ Jésus, d'avoir égard à vos pauvres frères, qui labourent et fument la
> terre ; qui ont été si opprimés par ces cruelles bêtes, les papistes, que leurs vies
> en ont été douloureuses et amères.

Il est à craindre, étant donné l'égoïsme des acquéreurs de biens d'Église,
que « la tyrannie papistique soit seulement changée en tyrannie du seigneur. » S'il en est ainsi, « vous n'échapperez pas aux lourds et épouvantables jugements de Dieu » [3]. Le même esprit démocratique se retrouve
dans les règlements proposés pour les Universités. Les droits d'entrée et
d'examens sont gradués selon le rang social des étudiants et varient
dans la proportion de un à huit ; encore devra-t-il y avoir vingt-quatre
boursiers par collège [4]. De même encore, c'est l'assemblée des fidèles
tout entière qui a le droit de départager le pasteur et les anciens de la
paroisse, lorsqu'ils sont en désaccord sur une question budgétaire [5] ;
et c'est d'ailleurs « au peuple que revient », en dernier ressort, « le droit
d'élire les ministres du culte » [6]. Enfin, et c'est ici le trait le plus marquant,

(1) Knox-Laing, *op. cit.*, vol. II, p. 183-260.
(2) *Ibid.*, vol. II, p. 257.
(3) *Ibid.*, vol. II, p. 221-222.
(4) *Ibid.*, vol. II, p. 218-219.
(5) *Ibid.*, vol. II, p. 226.
(6) *Ibid.*, vol. II, p. 189.

le *Livre de discipline* adopte, quant au châtiment des pécheurs, une attitude strictement égalitaire :

> Tous les états du royaume doivent être soumis à la discipline, s'ils sont coupables, aussi bien les gouvernants que ceux qui sont gouvernés ; oui, et jusqu'aux prêcheurs eux-mêmes aussi bien que les plus pauvres dans l'Église [1].

Il y a lieu de faire une réserve toutefois : ce qui fait l'originalité du *Livre de discipline*, c'est que le principe démocratique y est combiné avec le principe d'autorité, l'un corrigeant l'autre, d'une manière qui n'est pas loin de faire songer aux *Constitutions* de la compagnie de Jésus. Dans les Universités, le recteur est élu ; mais il doit être choisi parmi trois candidats proposés par le conseil des principaux [2]. Le surintendant est « sujet à la censure et à la correction des ministres et anciens » ; cependant il a des pouvoirs étendus : il nomme les pasteurs lorsque les paroisses manquent à les élire, crée des églises nouvelles et les « met en ordre » [3]. Le ministre lui-même est responsable devant les anciens élus par la paroisse pour un an ; ceux-ci doivent examiner « sa vie, ses mœurs, sa diligence et son savoir» ; ils peuvent l'admonester, le punir, voire le déposer ; mais par contre les anciens eux-mêmes peuvent être réprimandés, châtiés et déposés par le ministre et ses confrères [4].

SON SENS PRATIQUE   On reconnaît ici une manifestation du sens pratique du *Livre de discipline*. Il possède une notion claire des réalités. Il ne s'embarrasse pas en général d'un idéalisme exalté. Il considère l'administration de l'Église comme une affaire terrestre, qu'il y a lieu de mener avec des moyens terrestres. Les considérations qu'il fait valoir pour attribuer un traitement décent aux ministres sont particulièrement suggestives à cet égard :

> Il n'y a pas lieu de supposer qu'un homme, quel qu'il soit, se consacre lui-même et consacre ses enfants à Dieu et au service de son Église, de telle sorte qu'il ne recherche aucun avantage temporel. Mais la nature corrompue que nous portons en nous est encouragée à suivre le chemin de la vertu quand elle voit que l'honneur et le profit s'y rencontrent ; de même que réciproquement, la vertu est méprisée de beaucoup d'hommes, lorsque des personnages vertueux et saints vivent privés d'honneurs. Et nous serions peinés que la pauvreté décourage des hommes d'étudier et de suivre le chemin de la vertu [5].

L'esprit pratique du *Livre de discipline* se révèle dans les règles qui rendent le traitement des ministres proportionnel à leurs besoins familiaux ; dans le système d'examens de passage prévu pour les Universités [6] ; dans les très sages prescriptions qui empêchent les diacres d'engager des dépenses sans le consentement du ministre et des anciens, voire de la paroisse tout entière [7].

(1) KNOX-LAING, *op. cit.*, vol. II, p. 233.
(2) *Ibid.*, vol. II, p. 217.
(3) *Ibid.*, vol. II, p. 207, 202.
(4) *Ibid.*, vol. II, p. 235, 237.
(5) *Ibid.*, vol. II, p. 149.
(6) *Ibid.*, vol. II, p. 197, 214-215.
(7) *Ibid.*, vol. II, p. 225-226.

L'INQUISITION MORALE Si le *Livre de discipline* fait preuve de mesure et d'équilibre dans le domaine pratique, par contre il va jusqu'à l'extrême en ce qui concerne le contrôle de la moralité publique et privée, aussi bien pour les ministres que pour les simples fidèles. Quant aux premiers, une enquête doit être faite dans tout le royaume avant leur nomination ; on recherchera si chacun d'entre eux est « coupable de meurtre volontaire, d'adultère, fornicateur habituel, voleur, ivrogne, batailleur, criard ou querelleur »[1]. Quant aux seconds, le *Livre de discipline* reproche à l'ancienne foi de n'avoir pas surveillé leurs mœurs. « Comme cette maudite papisterie a apporté une telle confusion dans le monde que ni la vertu n'était justement louée, ni le vice sévèrement puni, l'Église de Dieu est contrainte de tirer le glaive qu'elle a reçu de Dieu » et d'excommunier les pécheurs. Les poursuites engagées contre eux seront menées avec prudence et lenteur, « mais une fois l'excommunication prononcée contre une personne quelconque, de quelque état ou condition qu'elle soit, elle doit être appliquée en toute sévérité. » Si la faute est « secrète et connue de peu de personnes », le ministre devra admonester le pécheur en particulier ; si la faute est publique, ou odieuse, « comme par exemple la fornication, l'ivrognerie, les querelles ou jurements », le pécheur sera convoqué par devant le ministre, les anciens et les diacres et invité à faire pénitence publique. S'il s'obstine, il subira, après le délai voulu, tout le poids d'une rigoureuse excommunication. Nul ne pourra « avoir aucun commerce avec lui, que ce soit en mangeant ou en buvant, en achetant ou en vendant, ou même en le saluant ou en parlant avec lui. » Ses enfants ne pourront être baptisés[2].

L'ESPRIT DE CONTRAINTE Le *Livre de discipline* applique aux ministres et aux fidèles la contrainte la plus stricte. Nous avons vu que la « superstition » devait être sévèrement punie. L'éducation de la jeunesse sera obligatoire :

Il doit être soigneusement pourvu à ceci, qu'aucun père de famille, de quelque état ou condition qu'il soit, ne dispose de ses enfants à sa propre fantaisie ; mais tous doivent être contraints d'élever leurs enfants dans la science et dans la vertu[3].

Les hommes doués pour exposer la parole de Dieu n'ont pas le droit de se soustraire aux instances de leurs frères qui désirent faire d'eux des ministres :

S'il s'en trouve de désobéissants, qui ne soient pas disposés à partager avec leurs frères les dons et grâces spirituels qu'ils ont reçus de Dieu, il faudra, après suffisante admonestation, leur appliquer la discipline... Car aucun homme ne peut être autorisé à vivre comme il lui plaît dans l'Église de Dieu ; mais tout homme doit être forcé, par fraternelle admonestation et correction, à consacrer ses peines, lorsque l'Église le lui demande, à l'édification des autres[4].

Nous avons laissé bien des points dans l'ombre : mais l'essentiel est clair. Ce texte, rédigé dans une langue aussi nette et aussi ferme, d'une

(1) KNOX-LAING, *op. cit.*, p. 192.
(2) *Ibid.*, p. 227-230.
(3) *Ibid.*, p. 211.
(4) *Ibid.*, p. 245.

rigueur qui exclut toute tolérance et presque toute indulgence, mais qui porte à la perfection l'organisation d'une théocratie égalitaire, devait avoir, sur le caractère du peuple écossais, une influence durable et profonde ; il devait contribuer à former, au siècle suivant, le type du « covenanter » [1].

§ 5. — La Réforme en Irlande.

SITUATION PARTICULIÈRE DE L'IRLANDE — L'Irlande n'était pas, comme l'Écosse, une nation indépendante. Elle était rattachée, par un lien féodal et personnel, à la couronne d'Angleterre. Le souverain désirait naturellement appliquer la même politique religieuse dans tous ses domaines ; et c'est pourquoi, en ce qui concerne la législation imposée par le roi, les deux îles qui dépendaient de lui subirent le même sort. Mais, si la marche des événements est, en apparence, parallèle en Angleterre et en Irlande, il n'en est pas ainsi dans la réalité. Il est plus difficile d'appliquer les lois que de les promulguer. Et c'est ici qu'intervient la situation particulière de l'Irlande. Le roi d'Angleterre n'exerçait une autorité effective que dans la région voisine de Dublin, que l'on désignait sous le nom de *Pale* (enclos), qui était peuplée de colons anglais et où l'on parlait la langue anglaise. Mais la plus grande partie du pays était de race et de langue celtiques et violemment hostile à toute domination étrangère. La question religieuse devait donc, en Irlande, se compliquer d'une question nationale. Le schisme était anglais : il était donc odieux à la majorité du pays. En outre, l' « Ile verte », chrétienne bien avant sa voisine, devait le plus clair de sa civilisation aux monastères. Pour ces deux raisons, la résistance à la politique royale y fut plus âpre qu'en Angleterre. A vrai dire, le schisme n'y fut jamais qu'un placage de surface.

L'ÉGLISE D'IRLANDE AVANT LE SCHISME — La situation particulière du pays se réfléchissait dans l'Église. Le clergé se partageait entre le *clerus inter Anglos* et le *clerus inter Hibernicos*, de races et de langues différentes, ce qui compliquait beaucoup la tâche administrative de la hiérarchie [2]. Au reste, les abus qui défiguraient la Chrétienté fleurissaient en Irlande plus qu'en aucune autre région. Ils s'expliquaient du fait que l'île tout entière était en proie aux querelles entre les familles et les clans ou « septs », qui tenaient les membres du clergé sous leur dépendance et n'hésitaient devant aucun moyen, même la violence, pour faire triompher les intérêts de leurs protégés. C'était chose courante de voir deux ou trois candidats se disputer un évêché, les armes à la main. On se succédait de père en fils sur les sièges épiscopaux et dans les canonicats [3]. Les choses se compliquaient

---

(1) Nous n'avons rien dit de la liturgie employée par l'Église d'Écosse. Ce fut d'abord le *Livre de prière commune* anglican. Plus tard le *Livre de discipline* prévit l'emploi de la liturgie composée à Genève pour l'usage de l'Église anglaise de cette ville, dont John Knox avait été le pasteur (*Book of common order*). Cette liturgie était naturellement calviniste d'inspiration.

(2) A. GWYNN, *The medieval province of Armagh*, Dundalk, 1946, p. 73-74.

(3) *Ibid.*, p. 69, 97-98, 119, 177 (actes de violence) ; 158, 163, 198, 199 (népotisme) ; 22, 141, 150, 170 (rivalités pour des sièges épiscopaux).

encore du fait que l'Irlande était un terrain de chasse idéal pour les
aventuriers ecclésiastiques anglais en quête de prébendes : ils se procu-
raient à Rome des provisions apostoliques qui leur donnaient droit à des
bénéfices irlandais, dans lesquels ils s'abstenaient naturellement de résider,
se bornant à en dépenser les revenus en Angleterre [1]. Ils faisaient fi de la
juridiction épiscopale, que ruinait de toute manière l'intervention du
Saint-Siège dans la collation des bénéfices, même au profit d'Irlandais.
Il n'est pas étonnant, dans ces conditions, que les églises d'Irlande aient
été dans un état de lamentable abandon, qu'expliquait en outre la pauvreté naturelle du pays. En 1517, à Armagh, « les murs de la cathédrale
avaient presque disparu ; il n'y avait qu'un autel, et en plein air. Un seul
prêtre y célébrait la messe, et ceci rarement. L'église n'avait ni sacristie,
ni clocher, ni cloche, et à peine assez de vêtements et de vases pour la
célébration d'une seule messe. » Et c'était là chose courante [2]. La désorganisation financière de l'Église était à son comble. Les dettes de l'archevêque d'Armagh, John Bole (mort en 1471), étaient si lourdes qu'il avait
dû mettre en gage les joyaux et autres ornements de son église [3].

Mais si l'Église d'Irlande était dans un état moral et matériel déplorable,
il s'en faut que les sources de la piété aient été taries ; comme en Angleterre et en Écosse, une réforme disciplinaire s'amorçait, quoiqu'elle
ne paraisse pas, dans le cas présent, se rattacher au développement de
l'humanisme [4]. L'apostolat des franciscains de la stricte observance
avait fait de grands progrès, depuis qu'en 1474 ils s'étaient installés
dans leur nouveau couvent de Donegal. On cite des fondations de maisons
de leur ordre faites par des dignitaires ecclésiastiques ou laïques, en 1497,
en 1518, en 1529 et même en 1530, à la veille du schisme ; d'autres fondations destinées aux tertiaires de saint François en 1509 et 1512 [5]. Par
ailleurs le Saint-Siège, réagissant contre sa propre machine administrative, nommait en Irlande, dans la seconde moitié du xve siècle, des
évêques réformateurs, tels que Donald O'Fallon, franciscain de la stricte
observance, créé évêque de Derry par Innocent VIII en 1485 [6]. Les papes
choisissaient volontiers, à cette époque, des prélats étrangers aux Iles
Britanniques et indépendants des influences locales. Au cours du xve siècle, une série d'archevêques anglais, dont plusieurs absentéistes, avaient
mis la confusion dans la province d'Armagh. Pour y remédier, le pape
Sixte IV leur donna pour successeur le florentin Octavian de Spinellis
qui, à son tour, appela auprès de lui comme évêques deux Italiens et un
Athénien. Il engagea la lutte contre les aventuriers ecclésiastiques
pendant les trente-quatre ans de son administration, les provision

(1) A. Gwynn, op. cit., p. 17-18, 133.
(2) Ibid., p. 152 (Clonmacois), 156 (Ardagh) ; A. Bellesheim, Geschichte der Katholische
Kirche in Irland, vol. II, p. 30.
(3) A. Gwynn, op. cit., p. 4.
(4) Voir à ce sujet les excellentes pages de G. V. Jourdan dans W. A. Phillips, History of
the Church of Ireland, vol. II, p. 169-174. Dans la mesure où des clercs irlandais écrivaient, ils
semblent plutôt s'être consacrés à des recherches d'érudition historique ou de théologie. Cf
Dict. nat. biogr., art. Maguire (Nicholas) (vol. XII, p. 775-776) et O'Fihely (Maurice) (vol. XIV
p. 902-903).
(5) A. Bellesheim, op. cit., vol. II, p. 25.
(6) Ibid. ; A. Gwynn, op. cit., p. 22-23.

disparurent. Il réussit à remettre de l'ordre dans les finances de la province [1]. Il convient de dire toutefois que les conciles provinciaux du début du xvie siècle semblent avoir eu comme préoccupation principale de défendre les biens de l'Église contre les empiétements des laïques [2].

INTRODUCTION DU SCHISME Telle était l'Église d'Irlande lorsque Henri VIII décida de l'entraîner dans le schisme. Il espérait d'ailleurs contribuer ainsi à angliciser le pays, ce qui lui tenait à cœur [3]. Il n'y eut pas ici, comme en Angleterre, une savante marche d'approche. Le roi s'efforça toutefois de placer aux postes de commande des hommes à sa dévotion. Un de ses chapelains, Edward Staples, fut promu en 1530 au siège épiscopal de Meath. L'archevêque de Dublin, John Alen, engagé dans une querelle avec lord Thomas Fitzgerald, avait été assassiné par les hommes d'armes de celui-ci le 21 juillet 1534 [4]. Le roi le remplaça par un homme à lui, George Browne, principal des augustins d'Angleterre, qui avait fait, dans ce pays, prêter le serment de succession par tous les ordres de frères [5]. Dès le printemps de 1534, Henri VIII avait fait publier des *Ordonnances*, adressées au lord-député et au Conseil d'Irlande, qui supprimaient la juridiction papale sur l'Église et visaient à éliminer les mœurs et coutumes locales, les deux objets de la politique royale restant étroitement associés. Les ordonnances s'indignaient en particulier contre les provisions papales, qui avaient « détruit l'Église d'Irlande ». Le roi aimait, en effet, à se donner la figure d'un redresseur d'abus [6]. Bien qu'il eût pu imposer le schisme par le simple effet de sa volonté, il crut plus prudent de lui faire donner la sanction d'un vote parlementaire [7].

L'ATTITUDE DU PARLEMENT Le Parlement d'Irlande se réunit le 1er mai 1536 [8]. Il se composait de deux chambres, la première comprenant les représentants de la noblesse et du haut clergé, la seconde les députés des « communes » et les procureurs (proctors) du bas clergé [9]. L'attitude de la noblesse avait subi des fluctuations. Dès les débuts de l'affaire du divorce, le comte James de Desmond, puissant dans le sud-ouest de l'île, avait entamé des négociations avec François Ier et Charles-Quint [10], et lord Thomas Fitzgerald, dans sa révolte contre l'Angleterre en 1534, avait sollicité l'appui de l'empereur et du Saint-Siège [11]. Mais dans l'ensemble, la noblesse d'Irlande, comme celle d'Angleterre, se laissa entraîner par sa cupidité ; elle saisit l'occasion, que lui offrait la politique royale, de mettre au pillage les biens de l'Église.

(1) A. GWYNN, *op. cit.*, p. 11, 15, 21.
(2) A. BELLESHEIM, *op. cit.*, vol. II, p. 23.
(3) *Dict. nat. biogr.*, art. *St-Léger (Anthony)* (vol. XVII, p. 652-654).
(4) *Ibid.*, art. *Staples* (Edward) (vol. XVIII, p. 980-981) ; W. A. PHILLIPS, *op. cit.*, p. 190 ;
A. BELLESHEIM, *op. cit.*, vol. II, p. 6-7.
(5) *Dict. nat. biogr.*, art. *Browne* (George) (vol. III, p. 43-45).
(6) W. A. PHILLIPS, *op. cit.*, vol. II, p. 196.
(7) *Ibid.*, p. 201.
(8) A. GWYNN, *op. cit.*, p. 216 ; *Dict. nat. biogr.*, art. *Browne*.
(9) A. GWYNN, *op. cit.*, p. 217.
(10) A. BELLESHEIM, *op. cit.*, vol. II, p. 8-9.
(11) W. A. PHILLIPS, *op. cit.*, vol. II, p. 191.

Elle ne devait faire aucune difficulté pour reconnaître la suprématie
royale[1]. Quant à l'épiscopat, il était en grande partie absent de la Chambre
Haute, et l'archevêque Browne, arrivant à Dublin au cours de la session
du Parlement, intervint énergiquement en faveur des prétentions royales[2].
Ce n'est donc pas parmi les grands, cupides ou timorés, que se manifesta
en général l'opposition ; mais la force du sentiment populaire se fit sentir
à la Chambre Basse, où les procureurs du clergé furent animés à la lutte
par l'exemple de l'archevêque d'Armagh George Cromer, retenu loin
du Parlement par la maladie et peut-être par la crainte, mais fidèle
défenseur de la papauté[3]. Henri VIII n'eut d'autre ressource que de
leur retirer le droit de vote[4].

ENRACINEMENT DU SCHISME
Le Parlement qui, il ne faut pas l'oublier,
était loin de représenter toute l'Irlande,
vota, une fois « épuré », toutes les lois qui lui étaient proposées, en particulier : la loi sur les « premiers fruits » ; la loi sur la suprématie royale ;
la loi sur les appels à Rome ; et une loi qui accordait au souverain la
propriété de toutes les maisons religieuses[5]. Parallèlement avec cette
législation antipapale, il imposait « les mœurs et coutumes anglaises et la
langue anglaise » ; quiconque ne posséderait pas celle-ci se verrait interdire
d'occuper aucun bénéfice[6]. Bientôt après, les agents du roi passèrent aux
actes : sur l'ordre de l'archevêque Browne, on détruisit les admirables
vitraux de l'église de Christchurch à Dublin et les statues de la cathédrale
Saint-Patrick.

Une commission royale, nommée en 1539, eut pour mission de rechercher
et de faire enlever et mettre en pièces les statues et reliques des lieux de
pèlerinage[7]. De nombreux actes de vandalisme, profondément blessants
pour la population, furent commis en conséquence. En même temps, le
roi entreprenait la suppression des monastères, dont le rôle avait été
particulièrement éminent dans le pays. En Irlande comme en Angleterre,
Wolsey avait, avant le schisme, procédé à la dissolution des maisons
religieuses les moins importantes. Dès 1528, quarante d'entre elles avaient
disparu[8]. En 1536, un ordre royal frappait huit grands monastères ;
en 1537, le Parlement en condamnait douze autres. Dès 1541, les commissaires royaux avaient supprimé soixante-dix-huit couvents. Il est vrai
que, s'ils étaient assurés de l'appui de la noblesse, ils rencontraient par
contre l'opposition du peuple, surtout dans les régions purement irlan-
daises où ils n'osaient s'aventurer. De fait, un très grand nombre de
maisons religieuses subsistèrent. Sur 238 couvents d'augustins, trente-
huit seulement avaient disparu en 1541[9]. Dans l'Ulster, diverses abbayes

---

(1) W. A. PHILLIPS, *op. cit.*, p. 204.
(2) *Dict. nat. biogr.*, art. *Browne* ; A. BELLESHEIM, *op. cit.*, vol. II, p. 43.
(3) W. A. PHILLIPS, *op. cit.*, vol. II, p. 205 ; *Dict. nat. biogr.*, art. *Cromer* (George) (vol. II,
p. 144-145).
(4) A. BELLESHEIM, *op. cit.*, vol. II, p. 43.
(5) A. GWYNN, *op. cit.*, p. 216 ; W. A. PHILLIPS, *op. cit.*, vol. II, p. 231.
(6) *Ibid.*, p. 245 ; A. BELLESHEIM, *op. cit.*, vol. II, p. 46.
(7) *Ibid.*, p. 48.
(8) *Ibid.*, p. 54.
(9) *Ibid.*, p. 54-55.

étaient encore florissantes en 1607. Les nobles se partagèrent les biens des maisons dissoutes et beaucoup de paroisses, naguère desservies par les moines, se trouvèrent abandonnées [1].

L'IRLANDE SOUS LE SCHISME — Ce qui, sous le schisme, fait la différence essentielle entre l'Angleterre et l'Irlande, c'est que chez celle-ci, le protestantisme proprement dit ne pénétra que très tardivement. Il y était à peu près inconnu sous le règne de Henri VIII [2]. Une tentative fut faite, il est vrai, pour introduire l'usage du *Pater*, de l'*Ave*, du *Credo* et des dix commandements en langue anglaise [3] ; mais celle-ci était inintelligible à la majeure partie du pays. D'ailleurs, la Bible anglaise elle-même ne fut importée qu'à partir de 1559, aucune tentative n'ayant été faite entre temps pour publier une édition irlandaise des Écritures [4]. La vie religieuse du pays continuait donc comme par le passé. L'épiscopat, à l'exception des huit évêques créés par Henri VIII, restait dans son ensemble fidèle à Rome. Il est vrai que la moitié environ des titulaires des sièges épiscopaux avaient remis leurs bulles à la couronne [5] ; mais c'était là, de la part des prélats, une formalité courante depuis des temps très anciens et nécessaire pour leur entrée en possession des biens temporels de leurs évêchés [6]. L'archevêque d'Armagh, Cromer, cependant, après avoir exhorté son clergé à résister aux prétentions royales [7], se rapprochait graduellement de Henri VIII [8]. Rome le remplaça, le 25 juillet 1539, par un Écossais, Robert Wauchop, qui d'ailleurs ne résida jamais en Irlande, mais prit une part active aux délibérations des colloques de Worms et de Ratisbonne (1540-1541) et du concile de Trente [9]. A la mort de Cromer, le roi éleva au siège archiépiscopal d'Armagh, le 29 avril 1543, un moine, George Dowdall, dont la position sous le schisme est tout à fait parallèle à celle des évêques traditionalistes en Angleterre [10]. Acceptant la suprématie royale, mais résolument catholique quant à la doctrine, il entreprit, à l'intérieur de l'Église henricienne, une réforme conforme à l'esprit trentin. Il affirma sa juridiction archiépiscopale. En 1546, il fit, avec l'assistance de deux prélats irlandais, une visite de sa province ; les prêtres furent questionnés sur la manière dont ils observaient la résidence et le célibat, célébraient l'office divin et la messe, entretenaient leurs églises et les instruments du culte [11]. Cependant, la Réforme catholique proprement dite pénétrait en Irlande, grâce à une mission jésuite envoyée, sur le conseil de Wauchop, par le pape Paul III, dans l'hiver de 1542, et qui comprenait Alfonso Salmeron, Pascal Broet et Francesco Zapata. Cette mission avait un caractère

---

(1) W. A. Phillips, *op. cit.*, vol. II, p. 232-233.
(2) *Ibid.*, p. 209-210, 274.
(3) *Ibid.*, p. 224.
(4) *Ibid.*, p. 310.
(5) *Ibid.*, voir tableau des titulaires des sièges épiscopaux face à la page 244.
(6) A. Bellesheim, *op. cit.*, vol. II, p. 66.
(7) *Dict. nat. biogr.*, art. *Cromer.*
(8) W. A. Phillips, *op. cit.*, vol. II, p. 220 ; A. Bellesheim, *op. cit.*, vol. II, p. 68-69.
(9) *Ibid.*, p. 70-76.
(10) *Dict. nat. biogr.*, art. *Dowdall* (George) (vol. V, p. 1289-1290).
(11) A. Gywnn, *op. cit.*, p. 272-274.

essentiellement religieux, mais les trois jésuites furent mal accueillis par la noblesse et trouvèrent le pays dans un tel désordre, qu'ils durent repartir au bout de trente-quatre jours [1].

L'INVASION PROTESTANTE   Sous le règne d'Édouard VI, le gouvernement s'efforça d'introduire en Irlande les mêmes innovations religieuses qu'en Angleterre. En juillet 1550, le lord-député Saint-Leger reçut l'ordre d'imposer la liturgie anglicane de 1549 aux fidèles de langue anglaise et de la faire traduire en irlandais pour le reste de la population, ce qui d'ailleurs ne se fit jamais. Afin d'exécuter les instructions reçues, Saint-Leger convoqua une assemblée d'évêques à Dublin, le 1er mars 1551. Cinq prélats seulement, dont l'archevêque Browne, consentirent à adopter le *Livre de prière commune*. Celui-ci fut employé, le jour de Pâques, à la cathédrale de Christchurch à Dublin [2]. Cependant, la Réforme ne faisait aucun progrès dans la plus grande partie du pays et un nouveau lord-député, plus énergique, sir James Crofts, réunit une seconde assemblée d'évêques à l'abbaye de Saint-Mary, près de la capitale. L'archevêque d'Armagh, Dowdall, demeura intraitable ; bientôt après il quittait l'Irlande, disant « qu'il ne voulait pas être évêque tant que la sainte messe était abolie » [3]. Sa fidélité au dogme catholique fut reconnue par le Saint-Siège qui, dès avant l'avènement de Marie Tudor, fit de lui le successeur de Wauchop le 1er mars 1553. Cependant le gouvernement avait transféré le primat d'Irlande à l'archevêché de Dublin et nommait de sa propre autorité plusieurs évêques, dont le fameux Bale, « à la bouche infecte », qui fut élevé au siège d'Ossory. Bale était un ancien carme qui était devenu protestant, s'était marié et avait passé huit ans en Allemagne. Il fut consacré le 2 février 1553 et exigea pour la cérémonie l'emploi du rite anglican. Il se trouva bientôt en opposition violente avec son clergé, qu'il exhortait à prendre femme. Il fit mettre en pièces les statues de la cathédrale à Kilkenny. Il fit jouer par des jeunes gens des pièces de théâtre où l'Église romaine était violemment prise à partie. Bref, il ameuta contre lui le sentiment populaire. Lors de l'avènement de Marie Tudor, il fit d'abord profession de loyalisme, mais dut bientôt quitter l'Irlande, où il ne revint jamais [4].

LA RESTAURATION CATHOLIQUE   Les événements du règne de Marie Tudor en Irlande sont tout à fait analogues à ceux qui se passèrent en Angleterre à la même époque, à cette différence près que, comme il n'y avait pas de protestants, il n'y eut pas non plus de persécution. Le 23 octobre 1553, Dowdall était rappelé sur le siège archiépiscopal d'Armagh ; le 12 mars 1554, il redevenait le primat d'Irlande [5]. Il entreprit aussitôt de défaire l'œuvre de Henri VIII et

(1) W. A. Phillips, *op. cit.*, vol. II, p. 240-241 ; A. Bellesheim, *op. cit.*, vol. II, p. 79-81.
(2) *Ibid.*, p. 87-88 ; W. A. Phillips, *op. cit.*, vol. II, p. 257-259, 261.
(3) *Ibid.*, p. 263 ; A. Bellesheim, *op. cit.*, vol. II, p. 19.
(4) *Ibid.*, p. 93, 98 ; W. A. Phillips, *op. cit.*, vol. II, p. 273, 277-278.
(5) *Ibid.*, p. 280.

d'Édouard VI. En avril, il présidait une commission chargée de déposer les évêques mariés, et notamment Staples et Browne [1]. Pour remplacer celui-ci à l'archevêché de Dublin, on fit un choix surprenant et bien caractéristique d'une époque où les convictions étaient souvent flottantes, celui de Hugh Curwen, ancien chapelain de Henri VIII, qui avait prêché en faveur d'Anne Boleyn contre le franciscain Peto, et qui devait d'ailleurs revenir, sous le règne d'Élisabeth, au parti de la couronne [2]. Le Parlement se réunissait cependant le 1er juin 1557. Toujours aussi soumis à la volonté royale, quelle qu'elle fût, il réconciliait l'Irlande avec Rome, reconnaissait la juridiction ecclésiastique de la papauté et annulait toutes les lois antipapales votées depuis 1529. Toutefois comme en Angleterre, il garantissait aux acquéreurs de biens d'Église la propriété de ceux-ci [3].

Entre temps, Dowdall continuait de réformer l'Église d'Irlande dans l'esprit du concile de Trente. Dès le mois de juin 1554, il avait convoqué un concile provincial à l'église Saint-Pierre à Drogheda [4]. Il en réunit un second le 16 février 1556, à Drogheda également. Nous connaissons les statuts votés par celui-ci. Ils mettent en lumière les désordres qui affligeaient l'Église d'Irlande autant que l'énergie du primat. Les prêtres mariés ou ceux qui menaient une vie immorale devaient être privés de leurs cures. Il était interdit aux prélats d'attribuer fictivement des bénéfices à des ecclésiastiques, tout en les obligeant à en verser les revenus à des laïques ou à des enfants. La vente des bénéfices était également défendue. Les provisions romaines, permettant à des laïques nobles ou roturiers d'occuper des bénéfices en commende, étaient annulées. Aucun paiement ne devait être exigé pour l'octroi des sacrements. Les canons fondaient en outre l'Inquisition irlandaise, rétablissaient le culte traditionnel, obligeaient les prêtres ignorants à faire prêcher quatre fois par an par des remplaçants, abaissaient le taux des droits mortuaires [5]. Cependant la Réforme catholique gagnait petit à petit du terrain. On signale, en 1555, un élève irlandais au collège germanique de la compagnie de Jésus à Rome [6]. Il est à noter toutefois que Marie, tout en rétablissant le catholicisme en Irlande, poursuivait à l'égard de ce pays la même politique d'anglicisation que son père Henri VIII. Elle obtint que le pape Paul IV, le 13 juin 1555, confirmât l'élévation de l'île au rang de royaume, ce qui renforçait singulièrement la position de la couronne ; et une loi de 1556 prévoyait l'installation de colons anglais dans les comtés dits désormais « du roi » et « de la reine », par allusion à celle-ci et à son époux Philippe II [7]. Si l'antagonisme religieux avait disparu entre l'Irlande et l'Angleterre, l'antagonisme national subsistait.

(1) Dict. nat. biogr., art. Dowdall ; A. BELLESHEIM, op. cit., vol. II, p. 99-100.
(2) Dict. nat. biogr., art. Curwen (Hugh) (vol. V, p. 350-352).
(3) W. A. PHILLIPS, op. cit., vol. II, p. 287 ; A. BELLESHEIM, op. cit., vol. II, p. 103.
(4) Dict. nat. biogr., art. Dowdall.
(5) A. BELLESHEIM, op. cit., vol. II, p. 95-97.
(6) Ibid., p. 105.
(7) Ibid., p. 108-109.

ÉTABLISSEMENT DE L'ANGLICANISME — La politique temporelle d'Élisabeth à l'égard de l'Irlande ne fut pas différente de celle de sa demi-sœur. La preuve en est dans le fait que le même lord-député, le comte de Sussex, servit à Dublin sous les deux reines. Il alla même jusqu'à faire preuve, pour l'établissement de l'anglicanisme, du même zèle qu'il avait déployé pour la restauration catholique [1]. A vrai dire, le gouvernement, qui connaissait les sentiments de la population, n'avança d'abord qu'avec une extrême prudence. Au printemps de 1559 seulement, la reine ordonna de recouvrir d'un lait de chaux les fresques de l'église de Christchurch et de la cathédrale Saint-Patrick à Dublin et d'y peindre des textes de l'Écriture. A l'arrivée dans la capitale du comte de Sussex, on chanta la « litanie » en langue anglaise [2]. Curwin, « conformiste sous tous les régimes », s'était rallié dès le début à la politique royale et avait été fait chancelier le 14 décembre 1558 [3]. Il fit disparaître la statue du Christ de sa cathédrale et, suivant son exemple, les autorités enlevèrent toutes les images et reliques des édifices du culte à Dublin [4].

Le 12 janvier 1560, le Parlement se réunissait. La Chambre Basse ne représentait que dix comtés sur trente-six et la Chambre Haute était aussi peu héroïque qu'à l'ordinaire. Aussi le gouvernement n'eut-il aucune difficulté à faire voter diverses lois, qui rétablissaient la juridiction ecclésiastique de la couronne et le serment de suprématie, abolissaient la législation contre les hérétiques et imposaient, sous des peines sévères, l'usage de la liturgie de 1552. Les évêques seraient désormais nommés par lettres patentes. Enfin, l'emploi du latin pour le culte était prévu dans les régions de langue irlandaise [5].

L'anglicanisme était donc, en théorie, établi en Irlande. En fait, il ne prit racine que dans le « Pale ». Le gouvernement, entraîné par son désir de faire triompher la civilisation anglaise aussi bien que la religion anglaise, ne prit aucune mesure pour persuader la masse de la population. Aucune liturgie irlandaise ne fut publiée ; et le Nouveau Testament irlandais ne vit le jour qu'en 1603 [6]. La nouvelle hiérarchie nommée par la couronne resta sans contact avec le peuple et eut peu d'influence sur lui. L'ordre qui prescrivait d'assister aux offices anglicans ne fut jamais appliqué. En 1565 des instructions royales adressées au vice-roi Henry Sidney constatent que le culte catholique se célèbre partout, même dans le « Pale » [7]. Les évêques mêmes qui avaient lâché pied au Parlement restaient fidèles à la foi catholique [8]. Faute de savoir gagner le cœur de

(1) W. A. PHILLIPS, *op. cit.*, vol. II, p. 298.
(2) *Ibid.* ; A. BELLESHEIM, *op. cit.*, vol. II, p. 113.
(3) *Dict. nat. biogr.*, art. *Curwen.*
(4) A. BELLESHEIM, *op. cit.*, vol. II, p. 114.
(5) Une traduction latine du *Livre de prière commune* de 1552 avait paru en Angleterre en 1560 sous le titre de *Liber precum publicarum* ; elle s'écartait toutefois de l'original et se rapprochait de la liturgie de 1549. Il est possible que l'on s'en soit servi en Irlande et que la relative modération du texte ait été destinée à rassurer les conservateurs. Cf. F. PROCTER and W. H. FRERE, *A new history of the Book of common prayer, passim* ; et Miss ARNOLT, *The Prayer Book*, p. 32.
(6) A. BELLESHEIM, *op. cit.*, vol. II, p. 122-123.
(7) *Ibid.*, p. 124.
(8) *Ibid.*, p. 128.

l'Irlande, l'Angleterre ne réussit jamais à lui imposer sa religion. Ainsi se tournèrent dans trois directions différentes, chacun suivant son tempérament, les trois États qui composaient les Iles Britanniques : l'Irlande, mystique et avide de surnaturel, resta catholique ; l'Écosse, âpre et raisonneuse, se tourna vers le véritable protestantisme ; et l'Angleterre, conservatrice et nationaliste à la fois, fonda une religion d'État, compromis sur le terrain du dogme et du culte, et qui tient toute sa vitalité de ce qu'elle s'identifie avec une manière de vivre et une civilisation.

TABLE DES MATIÈRES

456 TABLE DES MATIÈRES

Imprimé en Belgique par DESCLÉE & Cie, Tournai. — Dépôt légal : Nº 1118.